BROCKHAUS · DIE BIBLIOTHEK

GRZIMEKS ENZYKLOPÄDIE
SÄUGETIERE · BAND 4

Die Autoren dieses Bandes

PROF. DR. RUDOLF ALTEVOGT, Münster

PROF. DR. JOHN F. EISENBERG, Gainesville, USA

DR. WOLFGANG GEWALT, Duisburg

DR. COLIN P. GROVES, Canberra, Australien

PROF. DR. DR. H.C. BERNHARD GRZIMEK †, Frankfurt am Main

DR. HENDRIK N. HOECK, Konstanz

PROF. DR. MILAN KLIMA, Frankfurt am Main

PROF. DR. HANS KLINGEL, Braunschweig

DR. FRED KURT, Zürich

PROF. DR. PAUL LEYHAUSEN, Windeck, Sieg

DR. KATHY MACKINNON, Haddenham, England

DR. CORNELIS NAAKTGEBOREN, Hoorn, Niederlande

PROF. DR. URS RAHM, Basel

DR. GALEN B. RATHBUN, San Simeon, USA

PROF. DR. MANFRED RÖHRS, Hannover

PROF. DR. RUDOLF SCHENKEL, Basel

PROF. DR. HARALD SCHLIEMANN, Hamburg

DR. EBERHARD SCHNEIDER, Göttingen

PROF. DR. ERICH THENIUS, Wien

EBERHARD TRUMLER, Birken-Honigsessen, Sieg

DR. JIŘÍ VOLF, Prag, Tschechische Republik

DR. VICTOR ZHIWOTSCHENKO, Moskau, Russland

DR. ERIK ZIMEN, Dietersburg

BROCKHAUS

DIE BIBLIOTHEK

MENSCH · NATUR · TECHNIK

DIE WELTGESCHICHTE

KUNST UND KULTUR

LÄNDER UND STÄDTE

GRZIMEKS ENZYKLOPÄDIE
SÄUGETIERE

GRZIMEKS ENZYKLOPÄDIE
SÄUGETIERE

BAND 1

Einführung · Eierlegende Säugetiere
Beuteltiere · Insektenesser · Rüsselspringer
Fledertiere · Riesengleiter

BAND 2

Spitzhörnchen · Herrentiere
Nebengelenktiere · Schuppentiere

BAND 3

Nagetiere · Raubtiere

BAND 4

Raubtiere / Fortsetzung · Hasentiere
Waltiere · Röhrchenzähner · Rüsseltiere
Schliefer · Seekühe · Unpaarhufer

BAND 5

Paarhufer · Haussäugetiere
Säugetiere im Zoo

BAND 6

Zoologische Systematik
Systematische Übersicht der Säugetiere
Zoologisches Wörterbuch
Register der Säugetiere
Sachregister
Personenregister

GRZIMEKS ENZYKLOPÄDIE
SÄUGETIERE · BAND 4

Raubtiere · Hasentiere Waltiere · Röhrchenzähner Rüsseltiere · Schliefer Seekühe · Unpaarhufer

Herausgegeben von der Brockhaus-Redaktion

F. A. BROCKHAUS
Leipzig · Mannheim

Die Deutsche Bibliothek – CIP-Einheitsaufnahme

Brockhaus – Die Bibliothek /
hrsg. von der Brockhaus-Redaktion. –
Leipzig; Mannheim: Brockhaus.
Grzimeks Enzyklopädie Säugetiere.
ISBN 3-7653-6110-0
NE: Grzimek, Bernhard; F. A. Brockhaus GmbH
<Leipzig; Mannheim>

Bd. 4. Raubtiere (Fortsetzung), Hasentiere, Waltiere,
Röhrchenzähner, Rüsselteire, Schliefer, Seekühe, Unpaarhufer /
[Autoren des Bd. Rudolf Altevogt ...]. – 1997
ISBN 3-7653-6141-0
NE: Altevogt, Rudolf

Papier: 130 g/m² holzfreies, alterungsbeständiges, chlorfrei
gebleichtes Offsetpapier der Papierfabrik Torras Domenech, Spanien
Druck: Appl, Wemding
Bindearbeit: Großbuchbinderei Sigloch, Künzelsau
Printed in Germany

ISBN für das Gesamtwerk: 3-7653-6110-0

ISBN für Band 4: 3-7653-6141-0

INHALT

Pantherkatzen und Verwandte

von Paul Leyhausen unter Mitarbeit von Bernhard Grzimek und Victor Zhiwotschenko

Irbis oder Schneeleopard *(Uncia uncia)*

Der Irbis, auch Unze oder Schneeleopard genannt, verdankt seine übliche Zuordnung zu den »Großkatzen« einem einzigen Merkmal, seinem angeblich unvollständig verknöcherten Zungenbein. Dennoch gehört der Irbis nicht zu den »Brüllkatzen«, wie Gustav Peters nachwies. Der Irbis kann schnurren wie eine »Kleinkatze«. Er »brüllt« auch nicht, sein Hauptruf hat vielmehr große Ähnlichkeit mit dem des Pumas, wie auch das Fleckenmuster der Neugeborenen dem junger Pumas fast aufs Haar gleicht. Es muß aber noch offenbleiben, ob nun der Irbis als besondere Hochgebirgs- und Kälteform gelten muß, die von pumaverwandten Vorfahren abstammt, oder ob er eine völlige Sonderstellung in der Katzenfamilie einnimmt. Auch andere Merkmale helfen uns da nicht weiter. Den Irbisschädel zum Beispiel könnte man auf den ersten Blick leicht mit einem Gepardenschädel verwechseln. Bei genauem Zusehen erweist sich das aber nicht als Zeichen von näherer Verwandtschaft, sondern als zufällige, oberflächliche Ähnlichkeit zweier extremer Sonderanpassungen. Aber eben das verhindert auch, daß man den Schädel des Irbis zur Aufklärung seiner wirklichen nächsten Verwandtschaft heranziehen kann. Solange das alles ungeklärt bleibt, belassen wir dem Irbis lieber seinen eigenen Gattungsnamen *Uncia.*

Auf der Karte hat das Verbreitungsgebiet des Irbis etwa die Gestalt eines auf der Seite liegenden V. Dessen südlicher Schenkel reicht vom äußersten Westen Chinas über den Süden der Mongolei, Bhutan, Sikkim, Nepal, Kaschmir (Indien und Nordpakistan) bis Nordafghanistan, der nördliche erstreckt sich von dort bis zum Altaigebirge. In diesem ganzen Gebiet lebt der Irbis in Höhen bis zu 5000 Metern und kommt nur im Winter bis auf etwa 1500 Meter herab.

Je nach Lebensraum zählen zu den Beutetieren des Irbis Markhor, Steinbock, Marco-Polo-Schaf, Tahr, Blauschaf, Takin, Goral, Serau, Moschustier, auch Murmeltier, Schneehuhn und verschiedene Fasanarten. Das Leben ist in den Höhenlagen mit ihrem spärlichen Pflanzenwuchs auch für die Beutetiere, vor allem die Huftiere unter ihnen, hart. Sie kommen bei weitem nicht so zahlreich vor wie ihre steppenbewohnenden Verwandten. So können auch in noch ungestörten Gegenden die Irbisse nicht so häufig sein wie andere Katzenarten vergleichbarer Größe in ihren Lebensräumen.

Der Irbis oder Schneeleopard gehört zu den am wenigsten erforschten Katzenarten der Welt. Obwohl er ein riesiges Verbreitungsgebiet bewohnt, ist über sein Freileben kaum etwas bekannt. In der Hochgebirgslandschaft des Himalajas leben die einzelgängerischen Schneeleoparden versteckt und weit verstreut. Selbst ein so erfahrener Forscher wie George Schaller hat auf seinen monatelangen Pirschwanderungen diese prachtvollen Tiere nur selten zu Gesicht bekommen.

Immer häufiger greift sich der Irbis auch die Hausziegen, -schafe und -hunde und das Geflügel der höher und höher in die Hochgebirgstäler hinaufdrängenden Menschen. So nimmt die Feindschaft der Bergbewohner gegen den Irbis ständig weiter zu. Auch wenn heute die Art in fast ihrem ganzen Verbreitungsgebiet streng geschützt ist und der Pelz international nicht mehr gehandelt werden darf, können die Siedler nicht einsehen, daß ein wildes Tier ungestraft ihre Schafe und Ziegen soll essen dürfen. Da in jenen Gegenden nahezu jeder Mann ein Gewehr hat und niemand dort die Schutzbestimmungen durchsetzen kann, fällt eine unbekannte Zahl von Irbissen jährlich der heimlichen

Rache der Bergbewohner zum Opfer. Der illegale Handel mit dem kostbaren Pelzwerk blüht. Die Gefahr, erwischt zu werden, ist für den Jäger gleich Null und für den Händler gering; der auf dem Schwarzmarkt erzielbare hohe Preis lockt geradezu unwiderstehlich, und die Strafen sind im Verhältnis zum Gewinn geradezu lächerlich.

Es ist natürlich unmöglich, in einem Gebiet wie dem vom Irbis bewohnten auch nur halbwegs zuverlässige Schätzungen von Bestandszahlen zu machen. Doch es erscheint realistisch, anzunehmen, daß insgesamt kaum noch viel mehr als 2000 Irbisse in Freiheit leben. Die oben geschilderten Verhältnisse führen zu einem fortlaufenden Rückgang der Zahl. Außerdem werden sie mit der Zeit zwangsläufig dazu führen, daß das Verbreitungsgebiet immer weiter aufgespalten wird, bis nur noch kleine, inselartige Vorkommen übrigbleiben, wie heute schon in Nordpakistan. Als nur in Indien allein die Zahl der Tiger unter 2000 sank, wurde Alarm geschlagen, und »Unternehmen Tiger« war geboren. Es wäre wohl höchste Zeit für ein »Unternehmen Irbis«. Aber wer könnte schon den Alarm so laut und zwingend ertönen lassen, daß er die politischen Rivalitäten und sogar den Kriegslärm übertönen könnte, die einen Großteil des Irbislandes erfüllen? Wie kann man einem Tier helfen, das so unvorsichtig war, sich kreuz und quer über acht Staatsgrenzen zu legen, deren Hüter einander alle teils mit offener Feindschaft, teils mit Mißtrauen begegnen?

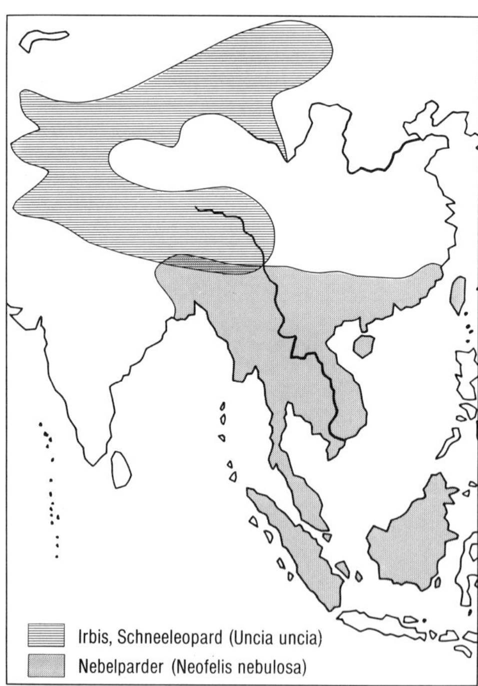

Über das Freileben des Irbis ist nur wenig bekannt. So wissen wir nicht, ob er reviertreu ist und, wenn ja, wie groß die Reviere (Eigenbezirke) sind. Die bisher einzigen zuverlässigen, wenn auch noch sehr bruchstückhaften Beobachtungen verdanken wir George Schaller. Er folgte den Spuren der Irbisse in Chitral (Nordpakistan) und mehr noch in Nepal. Einer Spur konnte er über 40 Kilometer folgen, ehe sie sich auf schneefreiem Gelände verlor. Irbisse müssen, wie zu erwarten, oft verhältnismäßig sehr große Entfernungen zurücklegen, um ihre weit verstreut in kleinen Gruppen lebenden Beutetiere aufzuspüren und um – nach manchem fehlgeschlagenen Versuch – endlich zum Jagderfolg zu kommen. Anders als die Wölfe, die auf ihren Streifzügen meist den Talsohlen folgen, bewegt sich der Irbis ungefähr auf halber Höhe am Abhang entlang. In dem unwegsamen Gelände ist es daher, milde ausgedrückt, schwierig und nicht ungefährlich, seinen Pfaden zu folgen.

Der Schneeleopard hat eine Beute gewittert und duckt sich zum Sprung. Geeignete Beutetiere sind Mangelware im kargen Hochgebirge; und das spärliche Nahrungsangebot erklärt auch die geringe Bevölkerungsdichte der Schneeleoparden.

Beide Geschlechter kennzeichnen (markieren) entlang ihren Wegen vorstehende Felsen, Büsche und

dergleichen durch Spritzharnen, oder sie wischen mit ihren Hinterpfoten flache Mulden aus, in die sie Urin oder Kot absetzen, zuweilen auch beides. Ob sie damit ein Revier abgrenzen oder nur ihre Anwesenheit kundtun, ist ungewiß. Jedenfalls streifen sie sehr weit umher. Ein Gebiet von 500 Quadratkilometern wurde von sechs Einzeltieren besucht; sie waren aber nicht alle gleichzeitig darin anwesend und hielten sich einen Teil der Zeit außerhalb auf. Man geht wohl nicht fehl, wenn man annimmt, daß ein einzelner Irbis ein Streifgebiet von weit über 100 Quadratkilometern haben kann. Bei dieser Größe und der wild zerrissenen Natur des Geländes dürfte den Tieren eine wirksame Revierbehauptung schwerfallen. Wenn sie hinsichtlich ihres Streifgebietes eine gewisse Ortstreue beweisen, dann wird sie sich wahrscheinlich darin zeigen, daß sie, wenn auch oft erst nach langer Zwischenzeit, gleiche Wege immer wieder benutzen. Erhebliche Überlappung der Streifgebiete verschiedener Tiere ist dabei wohl die Regel.

Sieht man zwei oder mehr Irbisse zusammen, so handelt es sich um Hochzeiter oder um eine Mutter mit Jungen. Einmal sollen fünf zusammen gesichtet worden sein, doch gibt es keine Angaben über Art und Dauer dieser Gruppe.

In Menschenobhut halten sich die Tiere gut, nachdem man gelernt hat, ihr Bedürfnis nach Bewegungsraum zu erfüllen und ihre Empfänglichkeit für Infektionen der Atmungswege durch geeignete Impfstoffe zu überwinden. Zur Zeit befinden sich etwa 200 Irbisse in verschiedenen zoologischen Gärten, von denen rund zwei Drittel im Zoo geboren sind. Jedes Tier ist mit allen Daten im Internationalen Zuchtbuch für Schneeleoparden erfaßt, das der Zoo Helsinki führt.

Nebelparder *(Neofelis nebulosa)*

Der Nebelparder ist eine der merkwürdigsten Katzenarten. Er fällt nicht nur wegen seiner prächtigen Färbung und Zeichnung auf und wegen seines langen, elegant getragenen Schwanzes, er ist auch in vieler Hinsicht rätselhaft. Seine im Verhältnis zu allen anderen lebenden Katzenarten überlangen Eckzähne haben frühere Forscher dazu verführt, ihn in die Verwandtschaft der ausgestorbenen Säbelzahnkatzen einzureihen. Das ist sicher falsch. Aber man fragt sich doch, worin denn der Anpassungsvorteil dieser langen Dolche liegen könnte. Das wenige, was wir bis jetzt über die Lebensweise dieses Urwaldbewohners wissen, gibt uns keinen Fingerzeig.

Die engere oder weitere Verwandtschaft zu anderen Katzenarten ist umstritten. Nach der alten Einteilung gehört der Nebelparder zu den »Kleinkatzen«. Er kann schnurren und hat ein völlig verknöchertes Zungenbein. Doch hat seine Lautgebung die meisten Beziehungen zu der des Tigers. Er prustet wie dieser, und seine langgezogenen Rufe sind denen einer liebesbedürftigen Tigerin zum Verwechseln ähnlich. Zuweilen läßt er auch einen Hauptruf hören, wie ihn der Tiger hat. Im Schädelbau sind die Übereinstimmungen zwischen beiden am auffälligsten.

Schneeleopardenmutter mit ihrem etwa vier Monate alten Jungen.

Die Grundfarbe des Nebelparders ist satt gelbrot bis gelbgrau. Die darüberliegende Musterung besteht aus kräftigen dunkelbraunen bis schwarzen Streifen, die jeweils eine annähernd quadratische oder rhombische Fläche von etwas dunklerer Tönung als die Grundfarbe einschließen. Vier bis acht solcher Rhomben bedecken die Flanke zwischen Schulter und Keule. Das Muster ist bei manchen Einzeltieren etwas verwaschen, neigt manchmal zur Bildung längerer Streifen, ist in der Regel jedoch sehr klar gezeichnet. Wegen der fast völligen Übereinstimmung der Rumpfmusterung mit derjenigen der Marmorkatze glauben manche Forscher hier an nähere Verwandtschaft. Ein Vergleich der Schädel beider Arten zwingt aber dazu, jede derartige Vermutung zurückzuweisen. Überdies erstreckt sich die Ähnlichkeit der Musterung nicht auf Kopf, Hals, Schultern und Beine. Während Kopf, Hals, Beine und Schwanz bei der Marmorkatze fein getupft, ja teilweise ganz ohne Zeichnung sind, finden

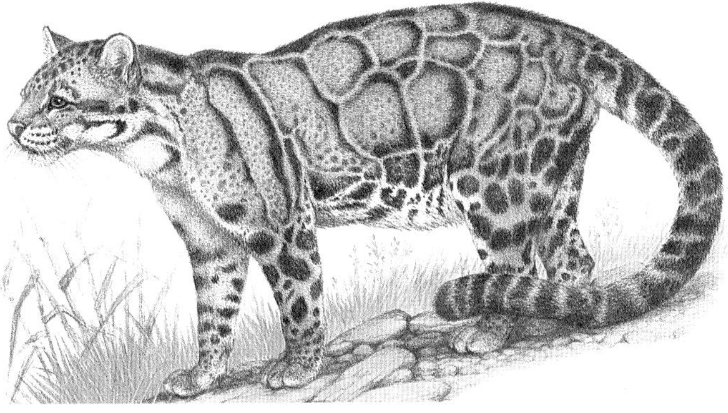

Nebelparder. Seine äußeren Kennzeichen sind das auffällige Flecken- und Streifenmuster seines Fells und der ungewöhnlich lange, elegant getragene Schwanz.

wir beim Nebelparder breite schwarze Bänder im Gesicht und am Hals, an den Beinen große Vollflecke und breite Bänder, und auch der Schwanz trägt breite dunkle Bänder in gleichmäßigen Abständen. Auf die Kopf- und Halszeichnung des Nebelparders kommen wir noch im Tigerkapitel zurück.

Der Nebelparder bewohnt die immergrünen Regenwälder am Fuße des Himalajas von Nepal bis Assam, in ganz Hinterindien, Südchina, Sumatra und Borneo. Auf Java fehlt er, doch findet er sich dort fossil. Über die Gründe seines Verschwindens von dieser Insel ist nichts bekannt. Er klettert äußerst geschickt in den Bäumen, auch abwärts mit dem Kopf voran, und scheint eine der drei Katzenarten zu sein, die nicht nur zum Ruhen und bei Gefahr aufbaumen, sondern sich vorwiegend im Geäst aufhalten (die beiden anderen sind der Baumozelot, *Leopardus wiedi,* und die Marmorkatze, *Pardofelis marmorata*).

Ein weiteres besonderes Kennzeichen des Nebelparders erkennt man nur, wenn er den Mund öffnet: die überlangen dolchartigen Eckzähne.

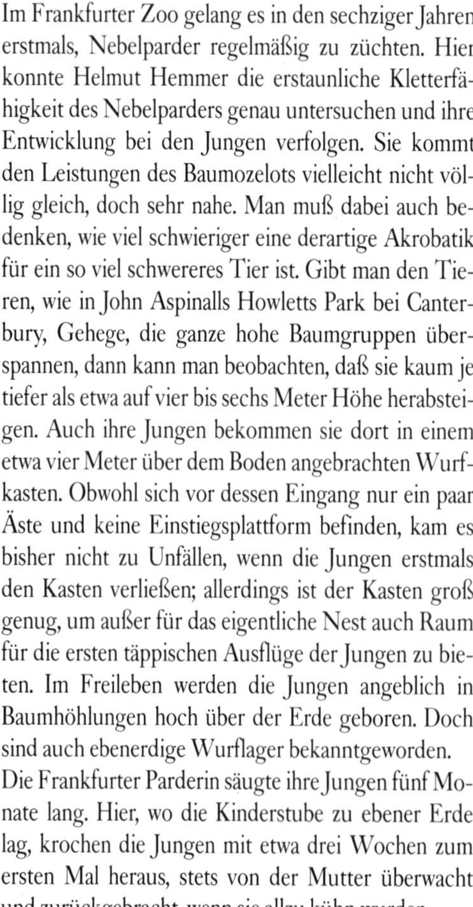

Im Frankfurter Zoo gelang es in den sechziger Jahren erstmals, Nebelparder regelmäßig zu züchten. Hier konnte Helmut Hemmer die erstaunliche Kletterfähigkeit des Nebelparders genau untersuchen und ihre Entwicklung bei den Jungen verfolgen. Sie kommt den Leistungen des Baumozelots vielleicht nicht völlig gleich, doch sehr nahe. Man muß dabei auch bedenken, wie viel schwieriger eine derartige Akrobatik für ein so viel schwereres Tier ist. Gibt man den Tieren, wie in John Aspinalls Howletts Park bei Canterbury, Gehege, die ganze hohe Baumgruppen überspannen, dann kann man beobachten, daß sie kaum je tiefer als etwa auf vier bis sechs Meter Höhe herabsteigen. Auch ihre Jungen bekommen sie dort in einem etwa vier Meter über dem Boden angebrachten Wurfkasten. Obwohl sich vor dessen Eingang nur ein paar Äste und keine Einstiegsplattform befinden, kam es bisher nicht zu Unfällen, wenn die Jungen erstmals den Kasten verließen; allerdings ist der Kasten groß genug, um außer für das eigentliche Nest auch Raum für die ersten täppischen Ausflüge der Jungen zu bieten. Im Freileben werden die Jungen angeblich in Baumhöhlungen hoch über der Erde geboren. Doch sind auch ebenerdige Wurflager bekanntgeworden.

Die Frankfurter Parderin säugte ihre Jungen fünf Monate lang. Hier, wo die Kinderstube zu ebener Erde lag, krochen die Jungen mit etwa drei Wochen zum ersten Mal heraus, stets von der Mutter überwacht und zurückgebracht, wenn sie allzu kühn wurden.

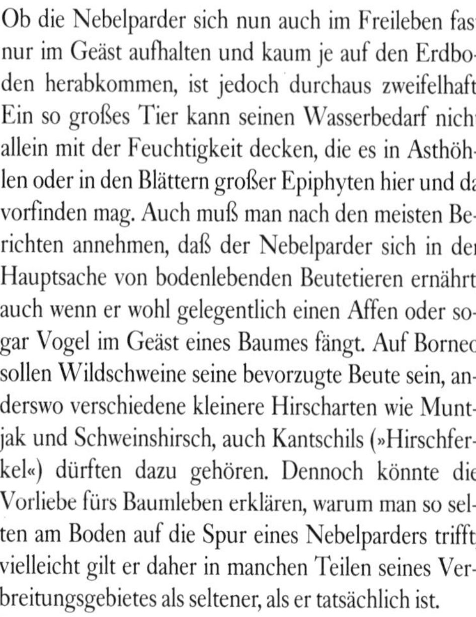

Ob die Nebelparder sich nun auch im Freileben fast nur im Geäst aufhalten und kaum je auf den Erdboden herabkommen, ist jedoch durchaus zweifelhaft. Ein so großes Tier kann seinen Wasserbedarf nicht allein mit der Feuchtigkeit decken, die es in Asthöhlen oder in den Blättern großer Epiphyten hier und da vorfinden mag. Auch muß man nach den meisten Berichten annehmen, daß der Nebelparder sich in der Hauptsache von bodenlebenden Beutetieren ernährt, auch wenn er wohl gelegentlich einen Affen oder sogar Vogel im Geäst eines Baumes fängt. Auf Borneo sollen Wildschweine seine bevorzugte Beute sein, anderswo verschiedene kleinere Hirscharten wie Muntjak und Schweinshirsch, auch Kantschils (»Hirschferkel«) dürften dazu gehören. Dennoch könnte die Vorliebe fürs Baumleben erklären, warum man so selten am Boden auf die Spur eines Nebelparders trifft; vielleicht gilt er daher in manchen Teilen seines Verbreitungsgebietes als seltener, als er tatsächlich ist.

Der Nebelparder ist ein geradezu klassisches Beispiel für eine Tierart, die als selten bekannt ist und deren Bestand trotz Handelsverbot schon allein deshalb

schwindet, weil in vielen Teilen ihres Verbreitungsgebiets die Wälder immer noch weiter gerodet werden. Zugleich weiß man über die normale Wohndichte der Art und ihre sonstige Lebensweise so gut wie nichts. Um zu erkennen, ob Schutzmaßnahmen erforderlich sind, und wenn ja, welche, müßte man diese Dinge erforschen. Stellt man aber an die zuständigen Organisationen einen entsprechenden Antrag auf finanzielle Unterstützung, so erhält man die stets gleiche Antwort, der Antrag sei auf reine Forschung gerichtet und enthalte keine Vorschläge für praktisch durchführbare Schutzmaßnahmen, oder so ähnlich. Natürlich weiß dort jedermann einschließlich der Gutachter, daß man das Wissen erst einmal haben muß, ehe man wirksam schützen kann. Das Ganze ist nur eine Folge der ständigen Geldknappheit dieser Organisationen und der daraus sprossenden Auffassung, die verfügbaren Mittel erst einmal da einzusetzen, wo sie unmittelbar dem Schutz einer gefährdeten Art, eines bedrohten Lebensraums dienen. Man muß sich aber doch fragen, ob diese Einstellung den umfassenderen Zielen des Naturschutzes immer am besten dient.

Folgt man dem Grundsatz allzu streng, so werden wohl noch viele Arten still verschwinden, ehe man erfährt, wie man sie hätte erhalten können.

Tiger *(Neofelis tigris)*

Der Tiger ist die größte aller Katzenarten. Der Löwe mag ihn im Durchschnitt an Schulterhöhe etwas übertreffen und an Majestät der Erscheinung, doch nach Länge und Gewicht liegt der Tiger eindeutig vorn. Sibirische Tiger können fast 300 Kilogramm erreichen, die größten Löwen allenfalls 250. Es heißt, der ausgerottete Kaplöwe sei größer gewesen; doch was uns von ihm in den Museen erhalten blieb, bestätigt dies nicht. Auch der durchschnittliche indische Tiger ist etwas schwerer als der durchschnittliche Serengetilöwe, und das gilt für beide Geschlechter.

Ein Königs- oder Bengaltiger zeigt sein unverwechselbares »Raubtiergebiß« - verhältnismäßig kleine Schneidezähne zwischen den langen, spitzen Eck- oder Reißzähnen. - Mitte: Das Tigerfell ist trotz seiner kontrastreichen Streifenzeichnung ein hervorragendes Tarnkleid. Vor dem Hintergrund der Vegetation löst es die Körperumrisse des Tiers auf und macht es zum Beispiel im verdorrten hohen Gras nahezu unsichtbar.

Den Leser mag es überraschen, hier den Tiger mit einem neuen wissenschaftlichen Gattungsnamen *(Neofelis)* anzutreffen, der ihn nahe zum Nebelparder stellt. Man ist ja doch seit alters her gewohnt, ihn seiner Größe wegen als nächsten Verwandten des Löwen anzusehen. Aber wie so oft trügt auch hier der Schein. Schon vor 40 Jahren bemerkte ich, das eigentümliche Streifenmuster des Tigers sei nicht unmittelbar von einer Pardelzeichnung abzuleiten, wie sie verdeckt ja auch der Löwe besitzt, wohl aber von der des Nebelparders. Aber damals flößten mir die »großen alten Männer« der Katzensystematik noch solchen Respekt

ein, daß ich den Tiger in der Gattung *Panthera* beließ, ihn darin aber so weit wie möglich vom Löwen weg stellte.

Seitdem aber ist noch mehr ans Licht gekommen, das es wohl rechtfertigt, ja erfordert, die Stellung des Tigers im Verwandtschaftsgefüge der Katzenartigen zu revidieren. Ohne zu weit in die Einzelheiten zu gehen, will ich doch hier so viel ausbreiten, daß die neue Zuordnung verständlich wird.

Zunächst sei daran erinnert, daß eigentlich nur ein

Ein Ausschnitt aus dem natürlichen Lebensraum des Tigers: Chitawan-Nationalpark in Nepal. Hier finden viele Vertreter diese bedrohten Katzenart Schutz vor den Nachstellungen des Menschen.

einziges Merkmal darüber entschieden hat, welche Arten in die Gattung *Panthera* oder gar die Unterfamilie Pantherinae einzuordnen seien, nämlich die Umwandlung eines Zungenbeinabschnitts in ein elastisches, knorpeliges Band. Nachdem nun endlich zweifelhaft erscheint, ob man diesem Merkmal überhaupt trauen kann, und wenn ja, ob es allein von so entscheidender Wichtigkeit ist, zeigt sich dem nun unbefangenen Blick, wie uneinheitlich die fünf so zusammengefaßten Arten Irbis, Tiger, Leopard, Jaguar und Löwe doch tatsächlich sind.

Außer dem Zungenbein gibt es noch ein paar andere, je für sich recht unscheinbare Merkmale, die ausschließlich die fünf genannten Arten auszeichnen sollen. Da wäre als erstes die Pupille, die sich zum Rund verengen soll statt wie bei anderen Katzen zur ungefähr senkrechten Ellipse oder zum schmalen Schlitz, wie wir ihn alle von der Hauskatze kennen. Nun gibt es einerseits sogenannte Kleinkatzen, deren Pupille sich bei den erwachsenen Tieren rund zusammenzieht. Dazu gehören der Puma, der Manul und der Jaguarundi, also drei Arten, die miteinander so wenig verwandt sind, wie das bei Katzenarten überhaupt möglich ist. Bei jungen Pumas ist die Pupille allerdings elliptisch, und wenn man ganz genau hinsieht, so ist die maximal verengte Pupille des Manul nicht rund, sondern ein auf der Spitze stehendes Quadrat mit etwas abgerundeten Ecken. Der Jaguarundi ist überhaupt die einzige Katzenart, deren Pupille in jedem Öffnungszustand immer vollkommen rund erscheint. Die Irbispupille zieht sich zwar rund zusammen, doch wenn sie sich bei Erregung plötzlich weit öffnet, so geschieht dies zunächst in der Senkrechten, sie wird schmal-elliptisch und rundet sich dann wieder; das geht allerdings so schnell, daß man sehr nah stehen muß, um es nicht zu übersehen. Beim Tiger ist die aufs äußerste verengte Pupille nicht rund, sondern ein auf der Spitze stehender Rhombus; die Jungen haben in den ersten Tagen, nachdem sie die Augen öffnen, elliptische Pupillen. Letzteres soll auch auf die Jungen von Löwe, Leopard und Jaguar zutreffen. Sobald diese jedoch etwas älter sind, erscheinen die Pupillen immer rund. Vielleicht, ja sehr wahrscheinlich, kommen immer kleine Abweichungen von der geometrischen Kreisform vor. Doch dies wäre nur mit sehr aufwendigen optischen Hilfsmitteln festzustellen. Es sind hier nicht einmal alle die bei Katzen vorkommenden Pupillenformen besprochen. Doch dürfte auch so deutlich geworden sein, wie weit und unabhängig vom Verwandtschaftsgrad das Merkmal streut.

Ein weiteres solches Merkmal ist die Haargrenze zwischen Nasenrücken und Nasenspiegel. Bei den fünf »klassischen« *Panthera*-Arten ist diese Grenze scharf ausgeprägt genau da, wo beide aneinanderstoßen. Bei vielen anderen Arten, besonders auch beim Nebelparder, liegt die Haargrenze ein Stückchen den Nasenrücken hinauf, so daß der Nasenspiegel gegen ihn nicht in einer scharfen Kante, sondern mit einer Rundung abgesetzt ist. Nun gibt es aber auch andere Arten mit scharfer Haargrenze, zum Beispiel Puma, Manul und die Gattungen *Lynx* und *Felis*, wiederum ohne jede Beziehung zum Verwandtschaftsgrad. Es gibt auch individuelle Unterschiede der Merkmalsausprägung, etwa beim Jaguar. Schließlich ist die Haargrenze auch bei manchen Hauskatzenrassen, besonders den Siamkatzen, zum Nasenrücken hin verschoben. Das hat mich vor vielen Jahren einmal zu der wilden Vermutung verleitet, bei der Entstehung dieser Rassen seien vielleicht Bengalkatzen *(Prionailurus bengalensis)* eingekreuzt worden. Nachdem sich aber Bengal-

Hauskatze-Mischlinge im männlichen Geschlecht als unfruchtbar erwiesen und auch die Weibchen sich nur schwer rückkreuzen lassen und nachdem die Haargrenze der Mischlinge genau auf der Kante wie bei *Felis* liegt, war diese interessante Vermutung nicht zu halten. Das Beispiel zeigt aber, daß die für die Nasen-Haargrenze bestimmenden Erbanlagen alle bei derselben Art, hier der Hauskatze, vorhanden sind und daher das Merkmal leicht nach der einen oder anderen Richtung hin gezüchtet werden kann. Kurz, auch dieses Merkmal taugt nicht viel zur Verwandtschaftsklärung, wenn man es erst einmal über den kleinen Kreis der fünf Arten hinaus verfolgt.

Damit sind aber auch die Gemeinsamkeiten der fünf Arten, die üblicherweise zur Gattung *Panthera* vereinigt werden, erschöpft. Es muß schon erstaunen, daß man im Falle des Tigers das Trennende so lange übersehen konnte. Max Hilzheimer versicherte noch in der Ausgabe des Großen Brehm von 1912, wären uns Löwe und Tiger nur fossil oder in abgehäutetem Zustand bekannt, so wäre niemand je auf den Gedanken gekommen, es könne sich um zwei verschiedene Arten handeln. Nun besteht eine sehr weit gehende Ähnlichkeit der groben Struktur ganz einfach deshalb, weil zwei Katzenarten sehr groß wurden. Diese Größe erfordert bestimmte physiologische und mechanische Anpassungen, ohne die ein so großes Tier nicht die erforderliche Beweglichkeit, Sprungfähigkeit und Schnelligkeit erbringen könnte. Skelett, Muskeln, Herz, Lungen und vieles andere müssen bei beiden Arten annähernd gleiches leisten und haben daher annähernd gleiche Form, Größe, Lage, kurz fast gleiches Aussehen angenommen. Gleiche Funktion führt (oft) zu gleicher Form. Man nennt das in der Zoologie Konvergenz (gleichgerichtete Entwicklung). Konvergenzen erlauben keine Rückschlüsse auf gemeinsame Abstammung und Verwandtschaft.

Man muß also nach Merkmalen suchen, die nicht »konvergenzverdächtig« sind, wenn man den Verwandtschaftsgrad zweier solcher Katzen beurteilen will. Einzelheiten des Zeichnungsmusters zum Beispiel unterliegen keinem aus irgendeiner Funktion stammenden Zwang zur Vereinheitlichung. Die Wangen- und Halsstreifen stimmen nun bei Nebelparder und Tiger im Grundmuster überein, wenn sie auch beim Tiger feiner untergliedert sind. Beide unterscheiden sich hierin eindeutig von Jaguar, Leopard und Löwe. Gleiches gilt für die Stirnzeichnung, die nur bei manchen Jaguaren der des Tigers etwas ähnlich sieht. Am Tigerschädel fallen besonders die breit ausladenden Jochbögen auf, die dem ganzen Schädel seine eigenartige Form geben, ganz genau wie auch dem des Nebelparders. Sie lassen das Gesicht des Tigers rund, geradezu kleinkatzenhaft erscheinen. Der anders als die Löwenmähne kaum herabhängende, sondern seitwärts abstehende Backenbart erhöht diesen Eindruck zwar, ist aber keineswegs allein für ihn verantwortlich. Löwe und Leopard dagegen haben eine verhältnismäßig viel geringere Jochbogenbreite, ihr Gesicht wirkt in der Vorderansicht schmaler. Der Jaguar fällt hier aus dem Rahmen, weil sein Schädel gegenüber den anderen verkürzt und insgesamt verbreitert ist.

Besonderes Gewicht haben die Übereinstimmungen und Unterschiede in der Lautgebung. Anders als bei vielen Singvögeln scheint es bei Säugetieren mit Ausnahme des Menschen keine wesentlichen erlernten und erlernbaren Lautformen zu geben. Das gesamte Lautrepertoire ist ihnen angeboren, und sie brauchen sich auch nicht einmal selbst zu hören, um es zu entwickeln. Auch eine taubgeborene Katze verfügt über alle Lautformen ihrer Art. Die Übereinstimmungen zwischen Tiger und Nebelparder wurden schon erwähnt. Gustav Peters hat in einer sehr ausführlichen

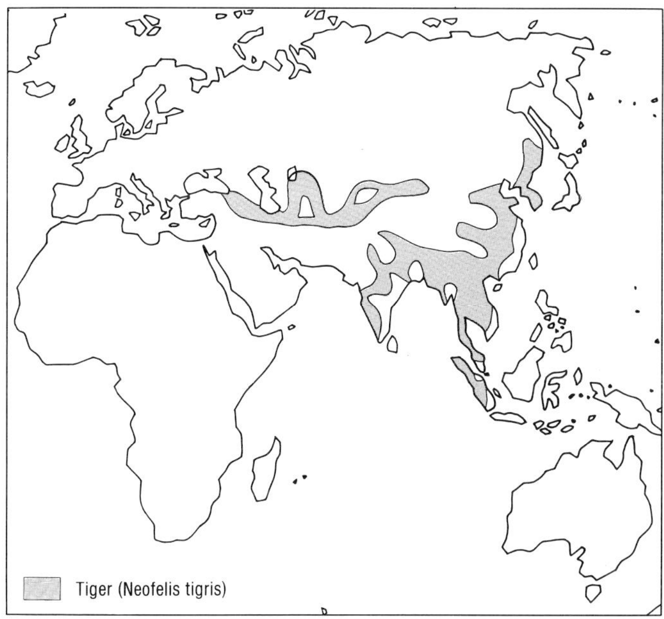

Untersuchung diese Übereinstimmungen bestätigt und die Unterschiede zur Leopard-Löwe-Jaguar-Gruppe herausgearbeitet. Wieder weist der Jaguar aber eine Teilübereinstimmung mit dem Tiger auf: Er prustet. Das Prusten ist ein Laut, der teils vom Kehlkopf erzeugt, teils durch die Nase ausgestoßen wird. Prusten ist eine freundliche Begrüßung oder auch, wenn ein Tier plötzlich auf ein anderes trifft, eine Beschwichtigung. Es kommt bei Tiger, Nebelparder, Irbis und Jaguar vor. Allerdings weicht das Prusten des Jaguars in Laut und Spektrogramm etwas ab. Vielleicht ist es dem Prusten der drei anderen Arten nicht gleichzusetzen. Leopard und Löwe haben diesen Laut nicht. Die lauten Rufe eines Tigers sind auch kein »Gebrüll«. Das läßt sich auf recht spaßige Weise zeigen. Wenn man die Rufe einer Schwarzfußkatze auf Band nimmt und dann mit halber Geschwindigkeit abspielt, so ist die Übereinstimmung mit den Rufen eines großen Tigers geradezu verblüffend, und zwar nicht nur für das Ohr, sondern auch im Tonspektrogramm.

Tiger sind einsame Jäger, die viel Zeit damit zubringen, gespannt nach Beutetieren Ausschau zu halten.

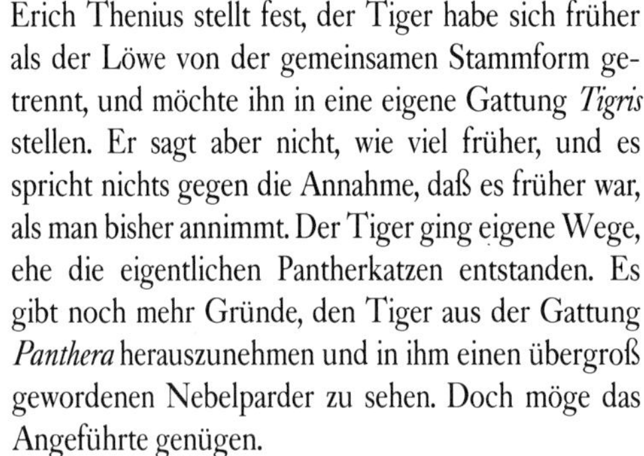

Erich Thenius stellt fest, der Tiger habe sich früher als der Löwe von der gemeinsamen Stammform getrennt, und möchte ihn in eine eigene Gattung *Tigris* stellen. Er sagt aber nicht, wie viel früher, und es spricht nichts gegen die Annahme, daß es früher war, als man bisher annimmt. Der Tiger ging eigene Wege, ehe die eigentlichen Pantherkatzen entstanden. Es gibt noch mehr Gründe, den Tiger aus der Gattung *Panthera* herauszunehmen und in ihm einen übergroß gewordenen Nebelparder zu sehen. Doch möge das Angeführte genügen.

Man hat lange darüber gerätselt, ob der Tiger in seinem südasiatischen Verbreitungsgebiet entstanden oder dort von Norden her eingewandert sei. Man hat gemeint, der Tiger sei immer noch nicht so recht an die Hitze südlicher Gefilde angepaßt. Das zeige sich in seiner Vorliebe für Schatten und ein kühles Bad während der größten Hitze des Tages. Doch diese Eigenheit teilt der Tiger mit fast allen Säugetieren tropischer Wälder. Sie weisen ihn also als Waldbewohner aus, der in die trockeneren Bereiche seiner Verbreitung erst später vordrang. Ausgesprochene Trockengebiete hat der Tiger auch in Indien nie bewohnt; sie waren das Reich des indischen Löwen. Im Zusammenhang mit der »Nordhypothese« hat man auch vorgebracht, der Löwe sei in Indien ursprünglich wei-

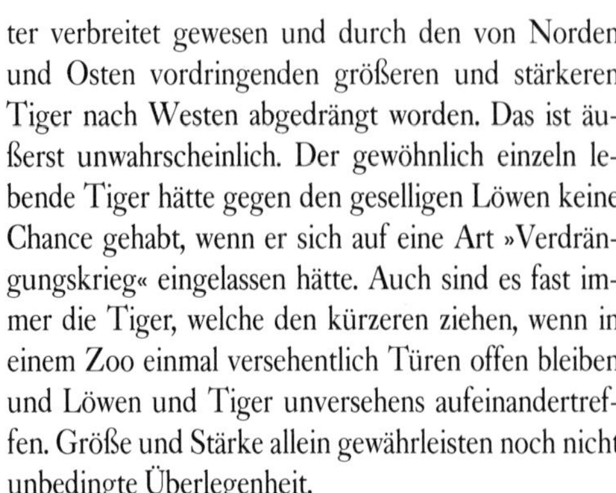

ter verbreitet gewesen und durch den von Norden und Osten vordringenden größeren und stärkeren Tiger nach Westen abgedrängt worden. Das ist äußerst unwahrscheinlich. Der gewöhnlich einzeln lebende Tiger hätte gegen den geselligen Löwen keine Chance gehabt, wenn er sich auf eine Art »Verdrängungskrieg« eingelassen hätte. Auch sind es fast immer die Tiger, welche den kürzeren ziehen, wenn in einem Zoo einmal versehentlich Türen offen bleiben und Löwen und Tiger unversehens aufeinandertreffen. Größe und Stärke allein gewährleisten noch nicht unbedingte Überlegenheit.

Gegen die Einwanderung von Norden spricht auch, daß der Tiger nie sehr weit über die jetzige Nordgrenze seines Verbreitungsgebietes hinausgekommen ist, obwohl es auch dort Hirsche, Elche und Rentiere gibt, von denen er hätte leben können. Er ist auch nie über die ehemalige Landbrücke nach Alaska und Nordamerika vorgedrungen. Die ausgestorbene Riesenkatze Nordamerikas, *Panthera atrox*, war eindeutig ein Löwe oder doch ein sehr naher Löwenverwandter.

Von den acht Unterarten des Tigers ist der BALITIGER *(Neofelis tigris balica)* mit ziemlicher Sicherheit ausgerottet. Es tauchen gelegentlich Gerüchte auf, man habe einen gesichtet oder eine Spur gefunden, doch eine verläßliche Bestätigung war bisher nie zu erlangen. Unsicher ist auch die Unterart selbst. Es gibt nicht genug Felle und Schädel in den Museen, um die Unterart sicher gegen den benachbarten Javatiger abzugrenzen. So ist die Vermutung mancher Beobachter, beim sogenannten Balitiger handle es sich um Tiere, die von Java aus herübergeschwommen seien, nicht zu widerlegen. Tiger sind ja ausgezeichnete Schwimmer und wurden öfter beobachtet, wie sie Meeresarme durchquerten.

Der JAVATIGER *(N. t. sondaica)* ist – wahrscheinlich müßte ich wohl eher sagen: war – für meine Begriffe die zwar kleinste, aber schönste aller Tigerformen. Über die sattglänzende, zimtbraune Grundfarbe ziehen sich scharf gezeichnete tiefschwarze Streifen, das Gesicht umgibt der längste aller Tiger-Backenbärte wie ein Strahlenkranz, und über dem Nacken steht eine kurze Mähne, die anderen Unterarten fehlt oder bei ihnen allenfalls angedeutet ist. Java ist ein Paradebeispiel für Umweltzerstörung durch hemmungslose Vermehrung der menschlichen Bevölkerung, der die

Tiger sind hervorragende Schwimmer, die selbst breite Wasserläufe mühelos durchqueren. Offene Gewässer sind offensichtlich ein notwendiger Bestandteil ihres Lebensraums; in ausgesprochenen Trockengebieten kommt der Tiger nicht vor.

einst dort so üppige Natur und damit auch der Tiger zum Opfer fiel. Selbst in den viel zu kleinen, erst geradezu in letzter Minute eingerichteten Reservaten sind Schutzbestimmungen und Überwachung völlig ungenügend und weder Tiere noch Pflanzen sicher. Im Reservat von Meru-Betiri hat John Seidensticker noch 1976 Spuren von drei Tigern gesehen; er meint, daß sicher nicht mehr als fünf vorhanden waren. Jungtiere hatte man schon seit langem nicht mehr festgestellt. Nun scheint es, als seien auch die letzten Tiger verschwunden, an Überalterung gestorben oder gewildert. Jetzt endlich scheint die indonesische Regierung den Schutz etwas nachdrücklicher zu betreiben; für den Tiger dürfte es jedoch zu spät sein. Auch eine spätere Wiedereinbürgerung ist nicht mehr möglich; meines Wissens besitzt kein zoologischer Garten mehr echte Javatiger; eine Fortzüchtung dieser Unterart ist damit ausgeschlossen.

Rechts: Der mächtige Kopf eines Königs- oder Bengaltigers, den man besser als Vorderindischen Tiger bezeichnen sollte und der neben dem Sibirischen Tiger die größte der acht Unterarten darstellt. Königstiger sind in fast jedem Zoo zu bewundern.
Unten: Ebenso kraftvoll wie geschmeidig ist der Bewegungsablauf eines Königstigers. Der gemächliche »Trab« geht in einen »fliegenden Galopp« über, wenn der Tiger einem schnell flüchtenden Beutetier nachsetzt.

Die Aussichten für die Erhaltung des Sumatratigers *(N. t. sumatrae)* sind etwas besser. Die Schutzgebiete auf Sumatra sind etwas größer. Auf der Insel soll es noch etwa 200 Tiger in freier Wildbahn geben. Auch hier ist der Schutz ungenügend, und die Wilderer haben oft leichtes Spiel. Man hat auf Sumatra den Versuch gemacht, abgeholzte Flächen, die sich für Weide- und Ackerland als ungeeignet erwiesen, aufzulassen und damit sozusagen an den Urwald zurückzugeben. Man mußte aber die Erfahrung machen, daß einmal vom Gras überzogene Flächen unter den herrschenden Bedingungen vom Wald nicht zurückerobert werden. Der Lebensraum des Tigers ist so nicht wieder zu erweitern. Der Sumatratiger unterscheidet sich vom Javatiger durch die etwas weniger leuchtende Grundfarbe und die meist dichtere Streifung. Auch er trägt einen recht langen Backenbart, aber keine Nackenmähne. Von allen anderen Unterarten unterscheidet sich sein Profil: Ihm fehlt der gerade für den Tiger sonst kennzeichnende Knick; Nase und Stirn stoßen nicht in einem stumpfen Winkel aufeinander, sondern fast gerade. Das läßt den Kopf des Tieres von der Seite beinahe rechteckig erscheinen. Auch in den zoologischen Gärten sind Sumatratiger nicht so häufig anzutreffen. Alle nachgewiesenermaßen reinblütigen unter ihnen werden im Internationalen Tiger-Zuchtbuch geführt, ihre Zucht wird nach neuesten wissenschaftlichen Erkenntnissen geregelt.

Der Indochinatiger *(N. t. corbetti)* bewohnt Malakka, Thailand, Burma, Laos, Kambodscha, Vietnam und vielleicht auch die an letzteres angrenzenden Teile Südchinas. Es erscheint fraglich, ob er sich vom Bengaltiger einerseits und vom Chinesischen Tiger andererseits so eindeutig abgrenzen läßt, daß die Aufstellung einer eigenen Unterart berechtigt ist. Da aber die Unterart nun einmal aufgestellt und anerkannt ist, wird es ausführlicher weiterer Untersuchungen bedürfen, ehe man sie bestätigen oder gegebenenfalls zurückziehen kann. In Malaysia und Thailand erscheint der Bestand zumindest in den Reservaten und Nationalparks gesichert. Brauchbare Schätzungen über Bestandszahlen liegen nicht vor. Über die Zahl der noch in Burma lebenden Tiger weiß man nichts. Irgendwelche Schutzmaßnahmen gibt es dort bis jetzt nicht. Die Auswirkung der kriegerischen Wirren in den drei anderen Ländern Indochinas auf die Tigerbestände werden von den Beobachtern widersprüchlich beurteilt. Während die einen sie so gut wie vernichtet wähnen, behaupten andere sogar eine Zunahme. Es wird wohl noch lange dauern, bis man sich ein einigermaßen zuverlässiges Bild nicht nur von der Lage des Tigers, sondern ganz allgemein von den Naturresten in diesen Ländern wird machen können.

Der Chinesische Tiger *(N. t. amoyensis)* ist eine mittelgroße Form mit meist etwas hellerer Grundfarbe und

weit auseinanderliegenden, kurzen, aber breiten, tiefschwarzen Streifen. Gegen ihn haben Behörden und Bevölkerung noch bis vor kurzem einen gnadenlosen Ausrottungsfeldzug betrieben. Auf seinen Kopf war ein Preis gesetzt, und seine völlige Vernichtung war erklärte Politik. Fast hätte das auch Erfolg gehabt. Genaue Angaben fehlen, doch scheint sicher zu sein, daß nur noch ganz geringe Reste überleben. Doch nun ist China der Internationalen Union zur Erhaltung der Natur (IUCN) und dem Washingtoner Artenschutz-Übereinkommen (CITES) beigetreten, hat den Tiger unter Schutz gestellt und unternimmt große Anstrengungen, die Sünden der Vergangenheit wenigstens teilweise wiedergutzumachen. Aber es dürfte nicht so leicht sein, Vorurteile und Verhaltensweisen, die man einer ländlichen Bevölkerung jahrzehntelang eingehämmert hat, nun auf einmal um 180 Grad umzukrempeln. Die Verfolgung des Tigers wird heimlich und auch offen wohl noch längere Zeit weitergehen, und sein endgültiges Schicksal bleibt vorerst ungewiß.

Der BENGALTIGER oder KÖNIGSTIGER, wie man ihn auch genannt hat, der VORDERINDISCHE TIGER *(N. t. tigris)*, wie man ihn richtiger nennen sollte, ist eine große Form, die in ihren größten Vertretern dem Sibirischen Tiger an Größe kaum nachsteht. Ein indischer Bekannter bestand mir gegenüber sogar darauf, daß in Wirklichkeit die größten Tiger in Assam, also einem indischen Bundesstaat, zu finden seien. Ich glaubte ihm nicht. Aber unter allen von mir gemessenen Tigerschädeln, die aus freier Wildbahn stammen, sind tatsächlich die zweier Assamtiger die größten. Nur der Schädel eines Sibirischen Tigers im Moskauer Museum (Nr. S-93262) übertrifft sie etwas; aber das ist ein Tier aus dem Moskauer Zoo. Man weiß aber, daß im Zoo aufgezogene oder gar geborene Tiere dort in manchen Fällen größer werden als jemals ein Tier in freier Wildbahn. Vielleicht handelte es sich bei S-93262 um einen solchen Fall. Auch die Amurtigerschädel des Leningrader Museums sind alle deutlich kleiner als die beiden Schädel aus Assam. Wenn also die Schädelgröße einen Maßstab abgibt, dann kommen tatsächlich in Assam Tiger vor, die den größten Amurtigern gleichkommen. Das ist natürlich etwas anderes als ein Vergleich der Durchschnittsgrößen, und hier dürfte der Vorsprung des Amurtigers wohl doch nicht zu bestreiten sein. Die Streifung der indischen Tiger ist außerordentlich unterschiedlich. Man findet dicht und spärlich gestreifte in derselben Gegend. Doch scheint ein Nord-Süd-Gefälle zu bestehen derart, daß im Durchschnitt nach Süden zu die Streifung dichter und dunkler wird. Südindische Tiger gleichen darin der Unterart *N. t. corbetti.* Auch in Indien waren die Tiger durch rücksichtslose Jagd und durch die von der Bevölkerungsexplosion erzwungene Vernichtung der Wildnis auf einen geringen, kaum noch erhaltungsfähigen Restbestand zusammengeschmolzen. Doch hat dann die indische Regierung, voran die verstorbene Ministerpräsidentin Indira Gandhi, in einer einmaligen Kraftanstrengung mit internationaler Unterstützung die Rettung der letzten Tiger eingeleitet. Tigerreservate wurden geschaffen, zuerst neun, mittlerweise fünfzehn, und manche hat man seitdem sehr vergrößert. »Unternehmen Tiger« begann 1972. Die Zahl der Tiger in Indien hat sich inzwischen fast verdoppelt und dürfte bald einen Stand erreichen oder sogar überschreiten, wie er unter den heutigen Verhältnissen tragbar ist. Obwohl es in nahezu jedem Zoo »Bengaltiger« gibt, sind es nur verhältnismäßig wenige, deren reinblütige Herkunft einwandfrei feststeht. Auch sie werden im Internationalen Tiger-Zuchtbuch geführt.

Mit raumgreifenden Schritten verfolgt dieser Tiger seine Beute. Aber längst nicht jede Jagd ist von Erfolg gekrönt!

Der KASPI- oder TURANTIGER *(N. t. virgata)* wird als große Form mit heller Grundfarbe und spärlicher Streifung beschrieben. Das einzige Exemplar dieser Unterart, das ich je zu Gesicht bekam, lebte Anfang der vierziger Jahre im Frankfurter Zoo. Es war ein hellfarbiges, sehr großes, schlankes und hochbeiniges Männchen mit langem Backenbart, aber ohne die

▷ Ein Königstiger hetzt hinter einem jugendlichen Sambarhirsch her, der im Wasser kaum eine Chance hat zu entkommen. Der in Südostasien weitverbreitete Sambarhirsch ist eine bevorzugte Beute der Tiger.

Nackenmähne, welche dieser Unterart nachgesagt wird. Nach allen vorliegenden Informationen müssen wir annehmen, daß auch diese Unterart ausgerottet wurde. Paul Joslin war in den letzten Jahren der Herrschaft des Schahs Leiter einer Arbeitsgruppe der Wildschutzabteilung des Forstministeriums in Teheran, welche die im Iran vorkommenden Raubtiere und ihre Verbreitung feststellen sollte. Er zeigte mir den Gipsabguß von der Spur einer Vordertatze, den er 200 Kilometer nordostwärts von Teheran im Elbrusgebirge gemacht hatte. Ich bin immer noch überzeugt, daß eine Tigerpfote diese Spur hinterließ. Selbst bei größter Spreizung im aufgeweichten Lehm eines Bachufers könnte ein wahrer Leopardenriese nach meiner Kenntnis einen so großen Abdruck nicht hinterlassen. Wie dem auch sei, es gelang einer gut ausgebildeten und mit allen modernen technischen Hilfsmitteln ausgestatteten Gruppe nicht, je wieder eine derartige Spur noch deren Urheber zu entdecken. Wenn es nicht doch ein Leopard war, die es in der Gegend häufiger gibt, falls es also doch ein letzter Tiger war, so war er, kurz nachdem er die bewußte Spur hinterließ, wahrscheinlich gestorben oder gewildert worden. Auch aus dem übrigen Verbreitungsgebiet der Unterart liegen keine glaubwürdigen Berichte vor, die ihren Fortbestand bestätigen könnten. So muß auch diese Unterart wohl als für immer verloren gelten.

Der Sibirische Tiger *(N. t. altaica)* ist Victor Zhiwotschenkos Meinung nach falsch benannt, da er zwar gelegentlich in Transbaikalien gesichtet wurde, aber zu keiner Zeit in Sibirien ständig gelebt habe. Er sollte nach dem beherrschenden Flußsystem seines Wohngebietes besser Amurtiger heißen. Übrigens ist auch sein wissenschaftlicher Name irreführend; denn der im Altai vorkommende Tiger gehört ja zur Unterart *virgata.* Der Amurtiger ist nicht nur durch seine schon mehrfach erwähnte Größe gekennzeichnet, sondern vor allem auch durch den Pelz – Haarlänge bis fünf Zentimeter am Rücken und bis elf Zentimeter an Hals, Brust und Bauch im Winterfell – und durch die Gesichtsform. Seine Schnauze ist verhältnismäßig etwas breiter als bei anderen Tigern, und der Profilknick ist nur schwach ausgebildet. Er besiedelt nach den Angaben Zhiwotschenkos heute im Einzugsgebiet von Amur und Ussuri etwa 600 000 bis 700 000 Quadratkilometer, bevorzugt Flußtäler mit felsigen Hängen, die von Mischwald bestanden sind. Die Temperaturen in dem Gebiet liegen im Winter gewöhnlich bei –20 Grad, –40 Grad sind aber

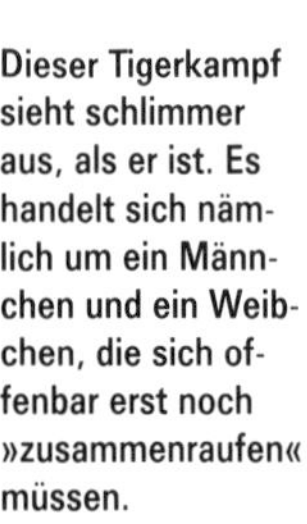

Dieser Tigerkampf sieht schlimmer aus, als er ist. Es handelt sich nämlich um ein Männchen und ein Weibchen, die sich offenbar erst noch »zusammenraufen« müssen.

durchaus nicht selten. Die Schneehöhe beträgt 30 bis 50 Zentimeter; höhere Schneelagen meidet der Tiger, da er darin kaum noch fortkommt. Seine Hauptnahrungsgrundlage bildeten früher die Wildschweine. Seit man diese jedoch nachhaltig gezehntet hat, sind es in erster Linie Rot- und Sikahirsch. Um 1940 war die Zahl der Amurtiger auf 20 bis 30 Tiere zurückgegangen. Erst dann entschloß man sich zu Schutzmaßnahmen. 1947 erließen die russischen Behörden ein vollständiges Abschußverbot, und 1956 verbot man auch für die Dauer von fünf Jahren den Fang von Jungtieren. Man schuf auch zwei Schutzgebiete: Sichote-Alin (3740 km^2) und Laso (1165 km^2). Heute (1986) leben schätzungsweise wieder 360 Tiger im russischen Teil des Verbreitungsgebietes. Sie sind offenbar nicht mehr unmittelbar bedroht. Auf russischen Antrag wurde die Unterart daher von CITES Anhang 1 auf Anhang 2 zurückgestuft. Etwa 80 Amurtiger leben noch im chinesischen Teil des ehemaligen Verbreitungsgebietes. Sie sind jetzt auch in China geschützt, doch fehlen mir zur Zeit Einzelheiten über die eingeleiteten Maßnahmen. In Nordkorea scheint es keine Tiger mehr zu geben.

Vielleicht unterscheiden sich die Amurtiger in ihren sozialen Bindungen etwas von den südlicheren Formen. Nach Zhiwotschenko leben sie in »Familien« von einem Männchen mit zwei Weibchen, die zusammen ein Revier von 500 bis 1000 Quadratkilometern nutzen. Zuweilen streifen einzelne Tiere aber auch über 2000 bis 3000 Quadratkilometer umher. Es kann daher nicht verwundern, daß im Sichote-Alin-Schutzgebiet trotz seiner fast 4000 Quadratkilometer nur eine Familie ein Revier hat, das gänzlich innerhalb des Schutzgebiets liegt. Im kleineren Laso-Schutzgebiet haben alle ansässigen Tiger nur einen Teil ihres Reviers innerhalb des Gebiets liegen. Die Schutzgebiete sind viel zu klein und können eine vorübergehende Zuflucht, aber keinen gesicherten Lebensraum bieten.

Eingehende Untersuchungen im Chitawan-Nationalpark von Nepal und im Kanha-Tigerreservat in Zentralindien haben gezeigt, daß dort ein Männchen die Reviere von bis zu sechs Weibchen kontrolliert. Die Weibchen halten aber alle ihre eigenen, kleineren Reviere und bilden keineswegs eine feste Gruppe wie etwa die Löwinnen in der Serengeti. Da auch Zhiwotschenko sagt, daß Geschlechtsgenossen einander meiden, so darf man den Begriff Familie hier nicht zu wörtlich nehmen. Bei der riesigen Größe der Reviere kann ein Amurtiger eben beim besten Willen nicht die Reviere von mehr als zwei Weibchen beaufsichtigen.

Da das Land außerhalb der beiden genannten Schutzgebiete land- und forstwirtschaftlich genutzt wird, ist das Wild hier seltener, und dafür gibt es Weidevieh. Die an Zahl zunehmenden Tiger geraten so immer öfter in Konflikt mit den Menschen, und es hat auch erste Fälle gegeben, bei denen Menschen zu Schaden kamen. So werden jetzt wieder zehn bis fünfzehn Tiger im Jahr für den Abschuß freigegeben. 1986 sind Tiger sogar bis in die Großstadt Wladiwostok vorgedrungen.

Außer dem Menschen hat der Amurtiger keine Feinde, die ihm gefährlich werden könnten. Höchstens, daß gelegentlich ein paar unbeaufsichtigte Jungtiger einem Braunbären zum Opfer fallen. Bei Begegnungen von erwachsenen Tigern mit Bären, so berichtete mir Matjushkyn, gibt überraschenderweise fast immer der Bär die Mahlzeit für den Tiger ab. Ehe er mir das sagte, hätte ich mein Geld auf den Bären gesetzt. Aber er ist mehrere Winter lang den Spuren der Tiger auf Skiern gefolgt und muß es also wissen.

Zwei Königstiger am Riß. Es kommt nicht gerade häufig vor, daß sich diese einzelgängerischen Raubtiere in eine Beute teilen.

Der Amurtiger war der erste, den man seiner Gefährdung im Freileben wegen in den zoologischen Gärten mit besonderem Eifer zu züchten begann, um ihn wenigstens dort zu erhalten. Der Zoo Leipzig führt das Internationale Tiger-Zuchtbuch, in dem jeder als reinblütig nachgewiesene Amurtiger in Menschenobhut verzeichnet ist. Inzwischen gibt es fast viermal mehr Amurtiger in menschlicher Obhut als in freier Wildbahn. Da es keine großen Wildnisflächen mehr gibt, wo sie ehemals heimisch waren und wo man sie

wieder einführen könnte, stellen diese Zuchttiger ein Problem dar: Man weiß langsam nicht mehr recht, wohin mit ihnen allen.
Auch in Indien treten an manchen Orten mit der zunehmenden Vermehrung der Tiger Schwierigkeiten auf. Die Tiger breiten sich in stärker vom Menschen genutzte Gebiete aus. Da dort das Wild selten ist, werden sie zu Viehräubern. Das gefällt den Leuten nicht, und sie fordern von den Behörden den Abschuß. In einigen Fällen sind auch Menschen von Tigern angefallen und verletzt oder sogar getötet worden. Man muß sich darüber klar sein, daß der Interessenkonflikt zwischen Naturschutz und den Belangen der örtlichen Bevölkerung in einem so dichtbevölkerten Land wie Indien unvermeidlich ist.

seinen Aufenthalt nehmen, wenn man nur mit der Möglichkeit rechnet und danach Ausschau hält.
Sehr selten kommt es vor, daß ein Tiger aus unerklärlichen Gründen Menschen anfällt und tötet. Mir ist nur ein sicher verbürgter Fall bekannt. Ein Tiger brach nachts in einen ums Feuer sitzenden Kreis von Leuten ein und tötete einen Mann, sprang dann davon und rannte zwei Kilometer weit zu einem anderen Feuer, tat dort dasselbe und verschwand. Da man ihn nicht aufspürte, blieb der Fall ungeklärt. Gelegentlich sollen Tiger an Tollwut erkranken. Ob das die Erklärung für obigen Fall sein könnte, scheint mir aber fraglich.
Bleiben die Fälle, in denen ein Tiger lernt, im Menschen eine leichte Beute zu sehen. Es steht schon in

Dem männlichen Tiger (links) ist die verlockende Witterung einer brünftigen Tigerin in die Nase gestiegen. Bald darauf findet die Paarung statt (rechts).

Nicht jeder Tiger, der einen Menschen tötet, ist ein »Menschenfresser«. In den meisten Fällen rührt der Tiger sein menschliches Opfer nicht an, auch wenn er nicht gestört wird. Oft handelt es sich um reine Unglücksfälle, wenn ein Mensch ganz unvermutet einem Tiger zu nahe kommt, so daß dieser sich angegriffen fühlt. Manche Tigerinnen richten sich ihr Wochenbett in Zuckerrohrfeldern oder in Teepflanzungen ein. Sie können diese Pflanzungen natürlich nicht von Grasland oder Buschwerk unterscheiden, und sie scheinen ihnen eine vorzügliche Deckung zu bieten. Kommen dann Menschen und schneiden das Rohr oder sammeln den Tee, so können sie leicht in die Nähe der Tigerin kommen, ohne es zu merken. Die verläßt die Jungen nicht, und so kommt es zum Zusammenstoß. Bei einiger Sorgfalt von seiten der Menschen ließen sich diese Unfälle ebenso vermeiden wie bei uns die meisten Straßenverkehrsunfälle. Denn ein Tiger kann nicht ganz unbemerkt in einer Pflanzung

vielen Büchern und ist auch oft tatsächlich so, daß es sich dabei um verletzte Tiere handelt, die sich nicht schnell und kräftig genug bewegen können oder deren Gebiß so beschädigt ist, daß sie schnellere Beute als den Menschen nicht mehr bewältigen können. Doch sind auch schon ganz gesunde Tiger zu »Menschenfressern« geworden. Man hat viel darüber gerätselt, ob wohl die Jungen einer Tigerin, die Menschen erbeutet, gewissermaßen darauf geprägt würden, diese Beute später ebenfalls zu bevorzugen. Ganz unmöglich wär's nicht, doch bestätigen ließ es sich bisher auch nicht.
Die indischen Behörden haben seit Beginn des »Unternehmens Tiger« im allgemeinen keine Abschußgenehmigung für »Problemtiger« mehr erteilt, sondern die Tiere mittels Betäubungsgewehr eingefangen und in Zoos eingewiesen. Ob man dem Tiger damit einen Gefallen tut, ist mehr als fraglich. Es ist eben der bittere Teil des Naturschutzes, daß man im

Erfolgsfalle regulierend eingreifen muß. Es ist sinnlos, darüber sentimental zu werden, und ganz sicher kann man Naturschutz nicht mit Menschenopfern betreiben.

Einen ausgesprochenen Sonderfall stellen die »menschenfressenden« Tiger in den Sunderbans dar. Die Sunderbans sind das Mündungsdelta der Flüsse Ganges, Brahmaputra und Meghna. Das ganze Delta umfaßt 78 000 Quadratkilometer, die aber größtenteils urbar gemacht und außerordentlich dicht besiedelt sind. Hier ist nur der hauptsächlich von den beiden erstgenannten Flüssen bewässerte Teil von Interesse, der heute noch bewaldet ist und unter Naturschutz steht. Das sind immerhin noch rund 8400 Quadratkilometer. 2585 Quadratkilometer gehören zu Indien (Westbengalen), 5800 zu Bangladesh. Die Flußarme haben sich hier in unzählige breitere und schmalere Wasserläufe verzweigt, die rund ein Viertel der Fläche bedecken. Zweimal täglich jedoch setzt die vom Golf von Bengalen hereinströmende Flut fast das ganze Gebiet unter Wasser. Das Wasser weist daher einen nach Norden zu abnehmenden Salzgehalt auf. Die Inseln zwischen den Wasserläufen bestehen aus Schlick und Sumpf. Das Delta ist daher nur mit Wasserfahrzeugen zugänglich. Der Wald besteht zur Hauptsache aus verschiedenen Mangrovenarten. Feste Ansiedlungen sind in den Sunderbans nicht erlaubt. Fischer, Wildhonigsammler und andere Besucher müssen das Gebiet bei Einbruch der Dunkelheit wieder verlassen haben. Der Wald wird außer in einigen unter vollen Schutz gestellten Teilen wirtschaftlich genutzt. Die Holzfäller sind in mobilen Camps untergebracht, die sie nach Dunkelheit nicht verlassen dürfen.

Man sollte es nicht für möglich halten, daß unter diesen Bedingungen Wild leben kann. Doch gibt es dort zahlreiche Axishirsche und Wildschweine, Rhesusaffen und natürlich die wasserliebenden Tiere: Fischkatzen, Warane und Salzwasserkrokodile. In früheren Zeiten soll es auch Wildbüffel und Schuppennashörner gegeben haben. Außerdem leben dort etwa 400 bis 500 Tiger, die sich hauptsächlich von den Hirschen und Wildschweinen ernähren, wohl auch Fische fangen, und die in dem Rufe stehen, einen besonderen Geschmack an Menschenfleisch zu finden. Die Angaben sind etwas unterschiedlich, doch fallen wohl zwischen 60 und 120 Menschen jährlich den Tigern zum Opfer. Der ganz überwiegende Teil dieser Verluste wäre zu vermeiden, wenn die Menschen dort die obenerwähnten und andere zu ihrem Schutz erlassene Beschränkungen und Bestimmungen besser beachteten. Leider sind die Bengalen in dieser Hinsicht nicht weniger leichtsinnig als unsere Verkehrsteilnehmer. Man muß auch überlegen, daß 60 Menschen nur knapp ausreichen, *einen* Tiger ein Jahr lang am Leben zu erhalten. Da sich die Verluste über ein weites Gebiet verteilen, gibt es wohl kaum einen Tiger in den Sunderbans, der nur von Menschenfleisch lebte; der Mensch ist ein gelegentliches, willkommenes »Zubrot«.

Bei einer so distanzierten Betrachtung kann man es natürlich nicht bewenden lassen. Die zuständigen Behörden wollten die Sunderbans und die Tiger mit ihnen schützen und erhalten, aber sie wollten auch die Sicherheit der Menschen gewährleisten können, die in diesem Gebiet ihren Lebensunterhalt finden. So beschloß 1968 die Regierung von Pakistan (damals war Bangladesh noch Ostpakistan), untersuchen zu lassen, warum in den Sunderbans die Tiger mehr als anderswo dazu neigen, sich an Menschen zu vergreifen. Hubert Hendrichs wurde mit der Durchführung dieser Untersuchung betraut, geriet aber drei Monate nach Arbeitsbeginn in den Strudel der Kriegsereignisse, die zur Gründung von Bangladesh führten. Die Untersuchung wurde nie abgeschlossen. Doch konnte Hendrichs bereits in der kurzen Zeit seines Aufenthalts ein paar recht aufschlußreiche Feststellungen machen. Er schätzte, daß damals im ostpakistanischen Teil der Sunderbans etwa 300 Tiger lebten. Die meisten davon waren so unauffällig, daß die Leute dort oft nicht wußten, daß welche in der Nähe waren. Er nannte sie die A-Tiger. B-Tiger waren reizbare Tiere, die bei unvermuteten Begegnungen Menschen angriffen und oft töteten, aber nicht verzehrten. C-Tiger schließlich waren die eigentlichen »Menschenfresser«, die auch ganz gezielt Jagd auf Menschen zu machen schienen. Das paßt zunächst ganz zu dem Bild, wie es schon weiter oben gezeichnet wurde. Die bemerkenswerte Entdeckung war aber, daß es in der Verbreitung der A-B-C-Tiger ein Nord-Süd-Gefälle gibt. A-Tiger kommen zwar überall im Gebiet vor, aber C-Tiger fast nur in den südlichen Teilen und B-Tiger hauptsächlich in der Mitte. Der einzige Faktor, der mit dieser merkwürdigen Tigerverteilung übereinstimmt, ist

der von Süden nach Norden abnehmende Salzgehalt des Wassers. Es scheint also, daß Tiger reizbarer werden, wenn sie häufiger mit brackigem Trinkwasser vorliebnehmen müssen; wo das Wasser fast dauernd sehr salzig ist, schmeckt vielleicht der Mensch besonders süß. Das dort heimische Wild, von dem der Tiger sonst lebt, muß ja das gleiche Wasser wie er trinken. Wir haben uns zusammen mit den örtlichen Fachleuten, welche die Verhältnisse seit vielen Jahren genauestens kannten, den Kopf zerbrochen, was sonst wohl das beschriebene Nord-Süd-Gefälle erklären könnte. Aber es ist kein anderer Faktor als eben die Parallele mit dem Salzgehalt des Wassers ans Licht gekommen. So muß da wohl ein ursächlicher Zusammenhang bestehen. Aber welcher Art er sein könnte, ist bisher ein Rätsel geblieben. Ich habe auch immer das Gefühl gehabt, die Sunderbans seien, zumindest in ihren durch die Gezeiten am stärksten beeinflußten Teilen, kein ursprüngliches Tigerland, sondern ein Rückzugsgebiet, in das die Tiger von der unablässig vordringenden menschlichen Bevölkerung gedrängt wurden, die ein Stück des ursprünglichen Deltawaldes nach dem anderen rodet. Bis zu einem gewissen Grade konnte sich der Tiger an die ihm nicht gemäßen Lebensbedingungen der Gezeitenzone anpassen. Aber es ist kaum verwunderlich, wenn da noch ein tiefreichendes Mißverhältnis besteht.

Das Verhältnis Mensch–Tiger war im Laufe der Jahrhunderte verschiedenen Wandlungen unterworfen. Erst die Entwicklung wirksamer Fernwaffen wie Pfeil und Bogen und Wurfspeere hat es den Menschen ermöglicht, das bis dahin übermächtige Tier in Schach zu halten und sogar, wenn auch unter Einsatz des eigenen Lebens, zu töten. Dennoch, bis zur Einführung der Feuerwaffen bestand ein weitgehendes Gleichgewicht der Scheu und des Schreckens. Mensch und Tiger gingen einander absichtsvoll und umsichtig aus dem Wege. Wenn der Tiger es nicht zu toll trieb, überließ man ihm lieber ein Stück Vieh, als daß man ihn zu vertreiben oder zu töten versuchte. Die Feuerwaffen änderten das ziemlich schnell. Der Tiger wurde zum Gejagten, dementsprechend scheu und, bei unverhofften Begegnungen, gefährlicher als je, da er sich ja als ständig Gejagter immer in Verteidigung fühlte. Immerhin hatte der Tiger in der Regel einen derartigen Respekt vor dem Menschen bekommen, daß er ihm, wo möglich, rechtzeitig aus dem Wege ging und weit mehr als zuvor zum Nachttier wurde. Seit Beginn des vollständigen Jagdverbots hat sich das wiederum grundlegend geändert. Die Tiger sind bereits jetzt in vielen Gegenden dreister, zeigen kaum noch Scheu vor Menschen, und so mehren sich die Zusammenstöße. Einfach die Jagd wieder einzuführen würde das Problem nicht lösen. Die Tiger sind noch

Wie alle Katzentiere betreiben auch Tiger regelmäßig und ausgiebig Körperpflege. Der Königstiger in der Wildnis beleckt sich seine Vorderpfote kaum anders als unsere kleinen »Haustiger« auf dem Sofa.

nicht wieder so zahlreich und vermehren sich nicht so schnell, und man könnte nicht genug schießen, um eine ausreichende Abschreckungswirkung zu erreichen. Auch liegt der Fehler nicht allein beim Tiger. Den Menschen ist die Erfahrung und Kenntnis früherer Jahrzehnte und Jahrhunderte weitgehend abhanden gekommen, die in jenen früheren Zeiten, als es noch zehnmal mehr Tiger und zehnmal weniger Menschen in Indien gab als heute, ein einigermaßen reibungsloses Zusammenleben in gegenseitigem Achtungsabstand ermöglichte. Die Menschen und die Tiger müssen wieder lernen, miteinander auszukommen.

Man könnte nun fragen, wozu? Wäre nicht ganz einfach eine Welt ohne Tiger eine bessere Welt für Menschen? Ist es nicht beinahe ungeheuerlich, wenn ein Land mit den Bevölkerungs- und Ernährungsproblemen, wie sie Indien nun einmal hat, große Gebiete

der menschlichen Nutzung verschließt, ja bereits genutzte Ländereien wieder zu Wildnis werden läßt und zu diesem Zweck ganze Dörfer umsiedelt? Es hat in der Tat nicht an Kritikern des »Unternehmens Tiger« gefehlt, die fragten, ob Menschen nicht wichtiger seien als irgendwelche noch so eindrucksvolle Tiere, und die meinten, der ganze Naturschutz sei sowieso nur das Steckenpferd von ein paar reichen Schwarmgeistern in den industrialisierten Ländern, die nichts Besseres zu tun hätten.

Natürlich sind die Naturschützer zum Teil selbst schuld an solchen Mißverständnissen. Sie haben allzuviel geredet von der Verpflichtung, künftigen Generationen die Vielfalt der Natur und ihre Herrlichkeit zu erhalten, und allzuwenig von den großen Vorteilen und Notwendigkeiten eines sehr weitgehenden Schutzes der noch vorhandenen Restnatur und ihrer Wiederherstellung. Nach offizieller Rechnung sind noch 17 % der Fläche Indiens »Wald«, das heißt, sie unterstehen der Forstverwaltung. Wirklich bewaldet sind allenfalls noch 8 %. In der fortschreitenden Entwaldung der letzten 200 Jahre, vor allem der letzten 50 Jahre, liegen die Ursachen für zwei von Indiens Hauptproblemen: die rasche Klimaverschlechterung und der Zusammenbruch des natürlichen Wasserhaushalts. Dieser Bedrohung in letzter Minute Einhalt zu gebieten und die Entwicklung allmählich umzukehren, ist der tiefere Sinn des »Unternehmens Tiger«. Der Tiger steht an der Spitze der sogenannten Nahrungspyramide in seinem Ökosystem. Ein gesunder Bestand an Tigern bedeutet, daß in dem betreffenden Gebiet das vielfältig verflochtene Netzwerk des Lebens über die großen und kleinen Pflanzenesser, von den riesigen Urwaldbäumen bis hinab zum unscheinbarsten Kraut und bis zum letzten Kleinstlebewesen im Boden, in Ordnung ist. Und nur ein derart intaktes Ökosystem kann auf die Dauer den natürlichen Wasserhaushalt eines größeren Gebietes unterhalten und regeln. Und nur wenn das System ausreichend groß ist, kann es merklich zur Klimaregelung beitragen. Der Tiger ist hierfür der beste »Sensor«. Als oberster »Öko-Wächter« ist er zugleich auch ein Sinnbild für den Überlebenswillen und die Überlebensfähigkeit eines Subkontinents und seiner Menschen.

Oben: »Weiße Tiger« sind in Indien keine allzu große Seltenheit. - Ganz links: Zur Abkühlung spritzt sich dieser Königstiger mit dem Schwanz Wasser auf den Rücken. - Links: Jahrhundertelang hat der Mensch dem Tiger nachgestellt und ihn dadurch vielerorts bereits ausgerottet. Noch bis vor wenigen Jahrzehnten war die Tigerjagd in Indien ein ebenso aufregender wie aufwendiger »Sport« für Maharadschas und Kolonialherren, die sich anschließend selbstgefällig mit ihrer Trophäe fotografieren ließen.

Jaguar *(Panthera onca)*

Wegen seiner Färbung und Zeichnung sieht man im Jaguar gewöhnlich nur einen etwas abweichend geformten und gefleckten Leoparden. Damit wird man seiner Eigenart aber kaum gerecht. Was die ökologische Rolle des Jaguars angeht, so entspricht diese erst recht nicht der des Leoparden in der Alten Welt: Die hat in der Neuen Welt der Puma übernommen. Der Jaguar hat sozusagen die Stelle eines auf süd- und mittelamerikanische Verhältnisse zugeschnittenen Tigers inne. Insofern ist es also ganz zutreffend, wenn die spanischsprechenden Amerikaner ihn »el tigre« nennen.

Der Ruf des Jaguars läßt sich am ehesten mit dem einzelnen Bell-Laut eines großen Hundes vergleichen. Gewöhnlich stößt ihn der Jaguar nur einmal aus und läßt dann eine Serie sehr schnell aufeinanderfolgender »Nachstoßer« hören, kurze, rauhe, hustenähnliche Laute; die ersten zwei bis vier steigern sich in der Lautstärke, dann klingen sie allmählich ab. Es ist diese Verbindung von Hauptruf und Nachstoßserien, die man im engeren Sinne als »Brüllen« bezeichnet. Sie kommt nur bei Jaguar, Leopard und Löwe vor. Den anderen großen Katzen, auch dem Tiger, fehlt sie völlig.

Der Jaguar spielt in der Neuen Welt eine ähnliche ökologische Rolle wie der Tiger in Asien. Deshalb bezeichnen ihn die spanischsprechenden Amerikaner auch mit einigem Recht als »el tigre«. Der normalgefärbte Jaguar (oben) zeigt ein herrliches dunkles Rosettenmuster auf dem meist gelbbraunen Körperfell. Die Fellfarbe ist jedoch sehr veränderlich - von fast weiß bis schwarz. Schwärzlinge zum Beispiel (rechts) kommen gar nicht so selten vor.

Der Jaguar scheint in Urwald und Savanne gleichermaßen zu Hause zu sein. Doch liebt er ein Bad noch mehr als der Tiger und entfernt sich nie sehr weit von einem Gewässer. Zwei seiner hauptsächlichen Beutetiere, Wasserschwein und Tapir, teilen diese Vorliebe, und auch Kaimane und Krokodile sollen vor dem Jaguar nicht sicher sein. Der Jaguar schwimmt auch ausgezeichnet. Selbst breite Ströme stellen für ihn kein Verbreitungshindernis dar. Man hat früher gemeint, die gedrungene Gestalt des Jaguars deute darauf hin, daß er mehr noch als der Leopard ans Baumleben angepaßt sei. Er klettert zwar gut, aber sicher nicht besser als Leopard oder Puma, und was wir über seine Lebensweise wissen, läßt ihn eher als ausgesprochenes Bodentier erscheinen. Breite Brust, gedrungener Körper und verhältnismäßig kurze Beine mit breiten Pfoten sind eben auch eine sehr brauchbare Ausstattung für einen ausdauernden und schnellen Schwimmer.

Auch sonst ist der Jaguar auf für seine Größe außerordentliche Kraftentfaltung angelegt. Seine Kiefer sind vergleichsweise kürzer als beim Leoparden, sein Schädel breiter, und die Jochbögen sind sehr weit geschwungen. Das bietet Ansatz für eine gewaltige Beißmuskulatur (Katzen kauen ja nicht!), und in Verbindung mit den kurzen Kiefern führt das zu einem sehr hohen Beißdruck. Vergleicht man einen Jaguarschädel mit einem gleichlangen Leopardenschädel, so wirkt der letztere geradezu zierlich. Auch das Jaguargebiß ist massiver. Seine Eckzähne sind zwar etwas kürzer als die des Leoparden, aber ihr Querschnitt ist am Austritt aus dem Kiefer 20 bis 100 % größer als bei den Eckzähnen eines Leoparden. Wie George Schaller feststellte, ist es einem Jaguar möglich, den Schädel eines Wasserschweins zwischen den Eckzähnen wie eine Nuß zu knacken. Die Eckzähne durchbohren dabei nicht die Schädelknochen, sondern pressen sie aus ihren Nahtverbindungen und quetschen so das Gehirn zwischen ihnen zusammen. Allerdings macht nur der besondere Bau des Wasserschweinschädels diese Tötungsweise möglich. Bei Tapiren, Pekaris oder Hirschen ließe sie sich nicht anwenden. Woher die Jaguare das wissen, ist noch unbekannt.

Schaller hat auch die bisher einzigen Beobachtungen über die Wohndichte und soziale Organisation des Jaguars geliefert. Allerdings stammen sie von nur wenigen Tieren. Es läßt sich noch nicht sagen, ob sie für alle Jaguare in dem weiten Verbreitungsgebiet gelten.

Geländegestalt, Vegetationsform, Beutedichte und Zahl der Einzeltiere können ja Sozialverhalten und -organisation einer Art in zuweilen recht weiten Grenzen abwandeln. Die von Schaller beobachteten Weibchen hatten Reviere von bis zu 38 Quadratkilometern, die sich teilweise erheblich überschnitten. Ein Männchen beaufsichtigte mehrere Weibchenreviere ganz oder teilweise. Sein Revier war etwa 75 Quadratkilometer groß. Im Durchschnitt fand Schaller einen Jaguar auf je 25 Quadratkilometern.

In Walt Disneys Film »Wilde Katzen« ist in einer Szene zu sehen, wie ein Jaguarpaar beim Angriff auf die Beute die gleiche Verfahrensweise anwendet wie zwei zusammenarbeitende Löwen. Sicher war die Szene mit allerlei Kunstgriffen gestellt. Doch ein taktisches Vorgehen wie dieses läßt sich nicht stellen oder andressieren. Wenn derartige Ansätze zu komplizierter Zusammenarbeit beim Beuteerwerb vorhanden sind, darf man vielleicht annehmen, daß der Jaguar nicht immer das strenge Einzelgängerleben führt, »wie es im Buche steht« - bisher.

Ein Tier mit einem derart weitgespannten Verbreitungsgebiet weist in den verschiedenen Gegenden natürlich große Unterschiede in Gewicht, Gestalt und Zeichnung auf. Die nord- und mittelamerikanischen Jaguare sind die kleinsten, in Südwestbrasilien und Nordargentinien sind sie am größten, und von da nach Süden zu werden sie wieder kleiner. Aber die Jaguare einer Gegend sind so unterschiedlich, daß die Nord-Süd-Schwankungen davon weitgehend überlappt werden. Das gilt auch für Körperbau und Fellmuster. Es gibt verhältnismäßig schlanke und hochbeinige Tiere mit kleineren Köpfen, die man auf einige Entfernung leicht mit einem Leoparden verwechseln kann. Auch die kennzeichnenden Jaguar-Rosetten sind bei einzelnen Tieren auf Leopardenmaß geschrumpft. Ebenso wie schwarze Leoparden gibt es auch schwarze Jaguare; schwarze Tiger, Nebelparder, Irbisse und Pumas hat man dagegen noch nicht gefunden.

Der Jaguar ist in seinem gesamten Verbreitungsgebiet aufs äußerste bedroht. Sein Lebensraum schrumpft täglich um Hunderte von Hektar. In geradezu atemberaubendem Tempo werden Urwald und Savanne in Acker- und Weideland umgewandelt. Wo Weideland und Wildnis aneinanderstoßen, werden die ihrer Ernährungsbasis beraubten Jaguare zu Viehräubern, und man verfolgt sie gnadenlos. Nur wenige Großgrundbesitzer lassen so zum Spaß einige wenige Tiere auf ihren Ländereien überleben, um sie dann doch abzuknallen, wenn sie die Laune ankommt. Aber auch in den noch entlegenen und scheinbar unberührten Gebieten hat die Pelzmode der vergangenen Jahrzehnte große Verheerungen angerichtet. Flachgehende Flußmotorboote, Kleinflugzeuge und Hubschrauber bringen die Aufkäufer überall hin, und es ist eine Kleinigkeit, mit ihnen die den Waldindianern für weniger als ein Butterbrot abgeschwindelte Beute außer Landes zu bringen. Das Washingtoner Artenschutz-Übereinkommen hat zwar den Handel mit Jaguarfellen wie mit denen vieler anderer gefleckter Katzen weitgehend unterbunden. Aber Wilderei, Schmuggel und Schwarzmarkt blühen weiter. Gefälschte Papiere sind vielerorts nicht schwer zu erhalten, und es gibt immer noch zu viele Länder, die dem Abkommen nicht beigetreten sind oder seine Bestimmungen zu lax handhaben. Die Zukunftsaussichten für den Jaguar sind zwar nicht ganz hoffnungslos, aber immer noch düster.

▷ Auf diesem Bild ist die Rosettenzeichnung des Jaguarfells besonders schön zu sehen. Die Ringflecken umschließen meist jeweils einen bis drei dunkle Tupfen. Im dichten Urwald bietet das unregelmäßig gemusterte Haarkleid dem Jaguar einen guten Tarnschutz.

Leopard *(Panthera pardus)*

Obwohl ein großer Leopard fast die gleichen Abmessungen wie ein Jaguar erreichen kann, beträgt sein Gewicht kaum mehr als die Hälfte des Jaguars. Das beschreibt wohl am eindrücklichsten den wesentlichen Unterschied im Körperbau zwischen beiden. Der Leopard ist leichter, zierlicher und etwas hochbeiniger. Sein Kopf ist schlanker, seine Kieferpartie länger und seine Brust enger. Obgleich die Zahl der Schwanzwirbel um bis zu sechs schwanken kann, ist der Schwanz doch in jedem Fall deutlich länger als beim Jaguar.

Auch der Leopard hat wie der Jaguar einen Hauptruf, dem eine Serie von »Nachstoßern« folgt. Allerdings lassen viele Leoparden den Hauptruf ganz aus. Die Nachstoßer folgen langsamer aufeinander als beim Jaguar und erzeugen nicht nur einen Laut, wenn das Tier die Luft ausstößt, sondern auch beim Einatmen. Das hört sich dann an, als säge jemand einen dicken Ast durch. Nur sehr wenige Jaguare »sägen«, und dann auch immer nur für einen Teil einer Nachstoßerserie. Ein sehr großer Jaguar im Londoner Zoo (»Jason«) »sägte« immer die erste Hälfte und fiel in der zweiten auf die kennzeichnenden Jaguarnachstoßer zurück. Leoparden ebenso wie Löwen prusten nicht.

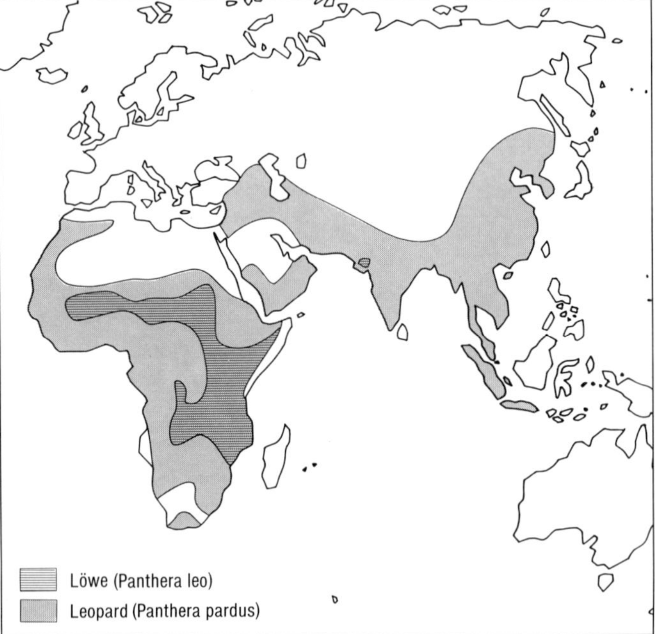

Sie besitzen statt dessen einen kurzen, harten Laut, um ihre Jungen zu locken. Wieweit er funktionell dem Prusten entspricht, bedarf weiterer Untersuchungen. Klangspektrographisch besteht keinerlei Verwandtschaft zwischen beiden Lauten.

Außer dem Puma besitzt keine andere Katze ein derart weites Verbreitungsgebiet. Es reicht von der Südspitze und Westküste Afrikas bis hinauf zum Amur. Bis zu 30 Unterarten hat man beschrieben. Doch viele gründen sich nur auf ein einziges Fell oder einige wenige. Bei der hohen Schwankungsbreite von Gestalt, Färbung und Zeichnung, welche die Leoparden einer Gegend aufweisen, lassen sich Unterarten nicht auf so unzureichendes Material hin aufstellen. Von den zahlreichen Unterarten lassen sich zwei auch vom Laien ohne weiteres erkennen: Der AMURLEOPARD *(Panthera pardus orientalis)* mit seinem langhaarigen Pelz, den man in seinem Winterkleid fast für einen Irbis halten könnte, und der kleinwüchsige, klein, dicht und dunkel gefleckte JAVALEOPARD *(P. p. melas)*.

Wie der Puma hat es auch der Leopard vermocht, sich an die unterschiedlichsten Gegebenheiten und Lebensgemeinschaften seines ungeheuren Verbreitungsgebietes anzupassen. Ob ostafrikanische Savanne oder Kongo-Urwald, nordafrikanische Wüste oder die Sümpfe des oberen Nil, die steilen, fast vegetationslosen Felsschluchten am Toten Meer, die ariden (trockenen) Gebirgszüge Afghanistans und Pakistans oder der Dornbusch Sri Lankas, die Mangrovelandschaft der Sunderbans oder die Winterlandschaft am Ussuri – der Leopard ist da und lebt von dem, was die Gegend bietet: Antilope oder Steinbock, Klippschliefer oder Schneehase, Axishirsch oder Ducker, Pavian oder Langur, Wildschaf oder Warzenschwein; er weiß sie alle zu erbeuten. So ist es auch kein Wunder, wenn ein derart vielseitiges Tier sich besser als viele andere mit der Nähe und Tätigkeit von Menschen abfindet. Viele Leoparden entwickeln sogar eine Vorliebe für die Ziegen und besonders die Haushunde der Anwohner. In der Umgebung des Schutzgebietes für die letzten indischen Löwen, des Gir-Waldes, machte man sich das sogar zunutze. Man fing in den umliegenden Dörfern und Städtchen die dort eine wahre Plage darstellenden Pariahunde zusammen und beförderte sie in Lastwagen in den Gir. So wurde man die Hunde los, ohne das religiöse Gebot zu verletzen, welches zu töten verbietet. Die im Gir freigelassenen

Hunde zogen dort zu den Siedlungen der Maldharis, die als Hausbüffelzüchter und -hirten innerhalb des Schutzgebietes ansässig waren. Die Leoparden ziehen Hunde fast allen anderen Beutetieren vor und fingen also die um die Niederlassungen herumstreichenden Hunde weg und verschonten so die Ziegen der Bewohner. Auch in der Umgebung des dortigen Gästehauses brauchte man nur den Boden etwas abzusuchen, um sofort auf Schädel- und Skelettreste von Hunden zu stoßen, welche die Leoparden erwischt hatten.

Ziegen und wohl auch alle ähnlich großen Huftiere tötet der Leopard meistens durch einen Biß in die Kehle. Er legt dann eine oder öfter beide Vorderpfoten um den Nacken des Tieres, zieht ihn eng heran und knickt dessen Kopf über die Pfoten scharf nach hinten. Ich untersuchte drei so getötete Ziegen und fand bei allen die Halswirbelsäule gebrochen. Aber auch der Kehlbiß allein kann schon tödlich sein. Ein Leopard, schon auf der Flucht, schnappte en passant nach der Kehle einer Ziege und sprang weiter, ehe noch die Ziege zu Boden fiel. Als ich sie erreichte, war sie schon tot. Die Sektion ergab, daß zwei Eckzähne von unten in die Schädelbasis der Ziege gedrungen waren.

In der Regel trägt der Leopard ein dicht mit geschlossenen Flecken und Rosetten besetztes gelbliches bis graubraunes Fell (unten). Doch im riesigen Verbreitungsgebiet dieser afrikanisch-asiatischen Art gibt es viele Abweichungen von der Regel. Am eindrucksvollsten erscheinen uns die häufig vorkommenden Schwärzlinge, die vielzitierten »Schwarzen Panther« (links).

In einigen Ländern Innerafrikas erscheint der Leopardenbestand noch nicht gefährdet. Sie haben es durchgesetzt, daß sogenannte Sportjäger gegen eine saftige Gebühr jährlich eine beschränkte Anzahl Leoparden schießen und die Trophäen mit nach Hause nehmen dürfen. Ein wohlbekannter Afrikakenner, der es besser hätte wissen dürfen, unterstützte dies mit dem Argument, der Leopard nehme zwar überall an Zahl ab, doch nicht so schnell wie beispielsweise Löwen und Nashörner. Deshalb könne man einem begrenzten Abschuß wohl zustimmen. Ferner hört man immer wieder, die Einnahmen aus der Trophäenjagd erhöhten das Interesse der einheimischen Bevölkerung an der Erhaltung ihrer Wildtiere und kämen der Bevölkerung in und nahe den Wildschutzgebieten zugute. In den zwanziger Jahren schrieb Bengt Berg, die Tiger in Assam seien so zahlreich, daß man eine Anzahl gegen Gebühr zum Abschuß freigeben und aus den Einnahmen Schutzmaßnahmen zur Erhaltung des damals schon arg bedrängten Panzernashorns finanzieren solle. Man hat den Tiger bis fast zur Vernichtung gejagt. Aber die Rettung des Panzernashorns erfolgte nicht mit den Geldern von reichen Sportjägern und Shikari-Unternehmern, und nie hat auch nur eine Rupie dieser Einnahmen die örtliche Bevölkerung erreicht.

Was aber hauptsächlich gegen die Trophäenjagd spricht, ist zweierlei: Einmal öffnet die Legalisierung der Trophäenaus- und -einfuhr eine Lücke im Netz der Überwachung. Für eine legale Trophäe schlüpfen wahrscheinlich zehn durch, deren Dokumente nicht echt sind. Zweitens ist eine Trophäenjagd stets eine negative Auslese. Der Jäger strebt verständlicherweise nach einem Rekordstück. So trifft diese Art der Bejagung immer die besten Exemplare des Bestandes. Schon bei einem gesunden Bestand kann man sich das nicht leisten, wenn man eine auch auf qualitative Bestandserhaltung gerichtete Bewirtschaftung betreiben will. Bei einer Tierart, deren Bestandszahlen überall zurückgehen, auch da, wo sie noch nicht unmittelbar bedroht ist, ist eine solche Negativauslese untragbar.

Anders als der Jaguar teilt der Leopard fast sein ganzes Verbreitungsgebiet mit einem stärkeren: Löwe oder Tiger. Beide verfolgen ihn und seine Jungen und töten sie, wo immer sie können. Ein Tiger brach nahe dem Gästehaus des

▷ Von den großen Katzenarten ist der schlanke, hochbeinige und langschwänzige Leopard der beste Baumkletterer. Er kann ohne Mühe auf schrägen Ästen abwärts laufen oder gar an dicken Baumstämmen emporklimmen.

Palamau-Nationalparks in Bihar (Indien) durch dikken, doppelten Stacheldraht und ein festes Eisengitter, um einen dort im Gehege gehaltenen Leoparden zu töten. Löwen wurden mehrfach beobachtet, wie sie Leoparden von Bäumen herabzogen, die diese auf der Flucht schon halb erklettert hatten, und sie dann töteten. Die Leoparden haben also allen Anlaß, sich in ihrer Heimat vorzusehen. Auch das ist vielleicht ein Grund, weshalb der Leopard besser als andere Großraubtiere mit der Bedrohung durch den Menschen zu leben versteht. Wir kennen nur ein Gebiet, wo es weder Löwen noch Tiger gibt und auch bis vor verhältnismäßig kurzer Zeit nicht gegeben hat, wo also seit eh und je der Leopard die Spitze hält: Sri Lanka (Ceylon). Der verstorbene Professor Deraniyagala hat sich

Der Leopard hat die Angewohnheit, seine Beute - hier eine zierliche Thomsongazelle - auf einen Baum zu schleppen, um sie vor unerwünschten »Mitessern« in Sicherheit zu bringen (links). In luftiger Höhe, gewöhnlich in einer Astgabel, wird das Beutetier aufbewahrt und portionsweise verzehrt (rechts).

bis zu seinem Tode große Mühe gegeben nachzuweisen, daß es zu vorgeschichtlicher Zeit einmal Löwen auf Ceylon gegeben habe. Der Löwe ist ja merkwürdigerweise seit alter Zeit das Wappentier des Inselreiches. Deraniyagala hielt es für undenkbar, daß er dazu hätte werden können, ohne jemals auf der Insel gelebt zu haben. Doch der Nachweis gelang ihm nicht. Wie dem auch sei, nur auf Ceylon lebt der Leopard seit undenklichen Generationen ohne den »Druck von oben«. Und wahrhaftig, er ist hier ein anderes Tier, selbstsicher und zu einem guten Teil tagaktiv, weit weniger bereit aufzubaumen. Einer sonnte sich am hellen Vormittag auf einer völlig deckungslosen, sandigen Fläche, mindestens 50 Meter vom nächsten Busch entfernt. Einen anderen beobachtete ich um vier Uhr nachmittags, bis das Licht nachließ, wie er an einem Waldrand mit den vom Winde bewegten Blättern und Zweigen eines Busches spielte wie ein junges Kätzchen, und das war nicht etwa ein Jungtier. Derart gelöstes, sorgloses Verhalten kann ich mir von Leo-

parden, die im Herrschaftsbereich von Löwe oder Tiger leben, nicht vorstellen, und ich kenne auch niemanden, der so etwas da beobachtet hätte.

Die kleinsten Leopardenreviere haben Eisenberg und Muckenhirn mit acht Quadratkilometern im Wilpattu-Nationalpark von Sri Lanka festgestellt. Das hängt wohl mit der eigenartigen Verteilung der Wasserlöcher dort zusammen, um die sich das Wild, besonders Wildschweine und Axishirsche, zusammendrängt. Im allgemeinen muß man wohl wie beim Jaguar mit etwa 25 Quatratkilometern je Leopard rechnen. Die Reviere der Weibchen auf Ceylon überschneiden sich teilweise beträchtlich. Ein Männchenrevier umfaßt die Eigenbereiche von drei bis vier Weibchen. Diese Verhältnisse dürfen jedoch wohl nicht als überall und immer gültig angesehen werden. Es gibt Anzeichen dafür, daß Paare auch außerhalb der engeren Begattungszeiten zusammenleben - vielleicht nur zeitweilig, wie wir es vom Konsortverhalten des Rotluchses kennen. Folgende Beobachtung gehört wohl hierher:

Gegenüber dem Gästehaus des Samburu-Nationalparks in Nordkenia bringt man allabendlich in einem schrägstehenden hohen Baum jenseits des hier etwa 60 Meter breiten Flusses einen Köder für die Leoparden an. Der Platz ist beleuchtet, so daß man ihn von der Terrasse des Hauses gut überschauen kann. Am

ersten Abend meines Aufenthalts erschien eine Leopardin mit einem etwa halbwüchsigen Jungen. Letzteres stieg zuerst hinauf und versuchte den an einer Kette herabbaumelnden Köder zu fassen und über den schrägstehenden Baumstamm zu ziehen. Es gelang ihm nicht, und nach einigen vergeblichen Versuchen kam das Jungtier herunter. Nun stieg die Mutter hinauf, ergriff den Köder und legte ihn über einen Knorren, so daß er nicht wieder abrutschen konnte. Dann kam sie herab und – so sah es jedenfalls aus – schickte das Junge wieder hinauf. Das aß sich satt, und erst dann aß auch die Mamma zu Abend, während das Junge unten herumspielte. So ging das zwei Abende. Am dritten erschien, während die Mutter oben aß und das Junge spielte, ein großer Leopardenmann. Die Leopardin beachtete seine Ankunft überhaupt nicht, und das Junge begann sofort mit ihm zu spielen, worauf er auch bereitwillig einging. Ich habe überhaupt noch niemals den erwachsenen Kater irgendeiner Katzenart so eifrig und ausdauernd mit einem Jungtier spielen sehen wie diesen Leoparden. Schließlich durfte auch er zum Essen klettern. Als er fertig und wieder unten war, stellte er sich in die Mitte der kleinen Lichtung unter dem Baum, reckte seinen Schwanz steil nach oben und erteilte der Spitze eine zitternde Bewegung, was die weiße Unterseite der Schwanzspitze besonders aufleuchten ließ. Das Junge stellte sich in gleicher Haltung hinter ihm auf, und nach einer Weile kam auch das Weibchen und tat desgleichen. So zogen sie dann im Gänsemarsch hocherhobenen Schwanzes davon. Das ist zwar nur eine Einzelbeobachtung, aber mehrere, in der Beobachtung von Wildtieren höchst erfahrene Zeugen können sie bestätigen. Sie ist mit der gängigen Vorstellung vom einzelgängerischen Katzentier, das nur zur Paarung sich kurz mit seinesgleichen trifft und außer dieser Zeit jedem Artgenossen, ob männlich oder weiblich, ausweicht oder feindselig gegenübersteht, nicht zu vereinbaren. Auch bei Leoparden muß es mehr als eine Form des Neben- und Miteinanderlebens geben.

Löwe *(Panthera leo)*

Seit jeher hat die Gestalt des Löwen mehr als jede andere Tiergestalt die Phantasie der Menschen beschäftigt. Für den europäischen Bereich bestätigt dies unter anderem die Heraldik (Wappenkunde). Selbst in Ländern wie China und Sri Lanka (Ceylon) wurde der Löwe zum Sinnbild von Macht und Herrschaft, obwohl dort zu keiner Zeit Löwen vorkamen.

▷ Eine Löwin in der Gewitterstimmung der afrikanischen Steppe. Noch liegt zwischen ihr und der Antilope links ein für diese ausreichender Sicherheitsabstand.

▷▷ Der Löwe hat einen Büffel niedergerissen und stemmt nun die linke Vorderpfote gegen das Hinterteil des Büffels, während er ihn gleichzeitig im Nacken gefaßt hat und zu sich herüberzieht. Der Büffel wird so daran gehindert, mit den Hinterbeinen wieder hochzukommen, und vorn weiter auf die Seite gerollt, bis die Kehle sich dem Zubiß des Löwen darbietet. In der Regel greifen nur starke männliche Löwen ausgewachsene Kaffernbüffel an.

Seine Siesta hält der Leopard am liebsten wohlig ausgestreckt auf einem starken Ast.

Man fragt sich, wieso gerade der Löwe so eindrucksmächtig ist, obwohl doch andere Tiergestalten wie Elefant, Bär und Tiger sicher auch recht beeindrukkend sind und ebenfalls ihren Platz in Sagen und Volksmund behaupten. Vielleicht ist es der große Kopf des Löwen mit seiner breiten Stirn und die bei manchen Männchen üppige, einem Umhang gleichende Mähne, welche den Eindruck des Kraftvoll-Majestätischen hervorrufen. Der reichgeschmückte, aus kostbarem Material bestehende Umhang bezeichnete immer schon die Herrschenden und Mächtigen. Und tatsächlich ist, wenn man nach Schädelmaßen urteilen darf, der Kopf des Löwen größer als der des Tigers, obwohl doch die größten Tiger die größten je gemessenen Löwen an Körperlänge und Gewicht weit übertreffen. Aber der Löwe steht an der Schulter höher als der Tiger. Nimmt man dazu noch das sprichwörtliche Löwengebrüll, so kann man sich schon erklären, daß der Gesamteindruck des Tieres so überwältigend wirkte, vor allem zu früheren Zeiten, als die technischen Möglichkeiten der Menschen, sich solcher Großraubtiere zu erwehren, noch äußerst bescheiden waren. Selbst heute, da Löwen bei einiger Vorsicht keine Gefahr für Menschenleben mehr darstellen und die Forschung so manche alte Fabel und Sage entzaubert hat, behauptet der Löwe immer noch seinen Platz als »König der Tiere«.

Die Löwenmänner überlassen die Nahrungsbeschaffung gern den weiblichen Mitgliedern ihres Rudels. Die Löwinnen arbeiten bei der Jagd geschickt zusammen. Hier haben die Jägerinnen ein Gnu zur Strecke gebracht.

Löwen leben noch in einem Savannenstreifen südlich der Sahara von Senegal bis zum Sudan, nur wenige gibt es noch in Äthiopien und Somalia; am häufigsten sind sie in den Steppen und Halbwüsten Ost- und Westafrikas. Vom Asiatischen Löwen *(Panthera leo persica)* haben noch etwa 200 im Gir-Schutzgebiet im indischen Staat Gujarat überlebt. Einst war er von Palästina und Mesopotamien über ganz Kleinasien bis zum Ganges hin verbreitet. Die Lebensbedingungen der Gir-Löwen hat Paul Joslin in den Jahren 1967/69 eingehend untersucht. Aufgrund seiner Ergebnisse hat die Regierung von Gujarat eine Reihe von Maßnahmen durchgeführt, die den Fortbestand des indischen Löwen sichern sollen. Seine Zahl ist seither auf 239 gestiegen (Stand nach Zählung im Mai 1985). Eine wesentliche weitere Zunahme ist nicht mehr möglich, da die Größe des Schutzgebiets (258 km² Nationalpark + 1154 km² Naturschutzgebiet) und der darin lebende Bestand an Beutetieren das nicht zulassen.

Der nordafrikanische Berberlöwe *(P. l. leo)* bewohnte die Halbwüsten, schütter bewaldeten Gebirgsketten und Oasen nördlich der Sahara und Ägypten bis zum Sudan. Es waren vor allem eifrige Jäger wie Jules Gérard, die das Land von der vermeintlichen Plage »befreiten«. Es ist ja erst seit kurzer Zeit ins Bewußtsein der Menschen gedrungen, daß die völlige Vernichtung einer als »schädlich« eingestuften Tierart kein

ungeteilter Segen ist und eine maßvolle Kontrolle den wohlverstandenen langfristigen Interessen auch des Menschen besser entspricht. In Marokko überlebten einzelne Löwen noch bis in dieses Jahrhundert; den letzten erschoß man 1920.

Im Zoo Témara des Sultans von Marokko fanden sich aber noch mehrere Löwen, die dem überlieferten Bilde des Berberlöwen so weitgehend entsprachen, daß H. Hemmer und ich bei unserem Besuch zu der Überzeugung kamen, der Versuch einer Rückzüchtung sei aussichtsreich und wissenschaftlich zu verantworten. Es schien auch nicht ganz aussichtslos, daß einmal ein ausreichendes Schutzgebiet in einem nordafrikanischen Lande der Nachzucht aus diesem Versuch eine passende Heimat bieten könnte. Leider ließ sich die ursprüngliche Absicht, die Zucht an einer Stelle zusammenzufassen und dort streng zu überwachen, nicht verwirklichen. Témara konnte die große Zahl der Tiere nicht länger halten und verteilte eine Anzahl von ihnen auf verschiedene zoologische Gärten in aller Welt. Dennoch ist das Vorhaben damit nicht völlig gescheitert. Wenn je ein geeignetes, ausreichend großes Schutzgebiet geschaffen werden könnte, so wäre es immer noch möglich, es mit »einheimischen« Löwen zu versehen, nachdem sich der Wildbestand dort genügend erholt hätte, um sie zu ernähren.

Auch südlich der Sahara sind die Löwen außerhalb der großen Schutzgebiete ihres Lebens nicht mehr sicher. Ihre Zahl geht dort überall unaufhaltsam zurück. Der ständig steigende Bevölkerungsdruck und die immer noch bis in die höchsten Spitzen der Welt- und Entwicklungspolitik verbreitete Meinung, unberührte Wildnis sei nutzlos (während Wildnis und Urwälder doch in Wahrheit die einzig voll wirksamen, unser aller Überleben erst sichernden »Recycling-Fabriken« sind), tragen hieran die Hauptschuld.

Löwen gelten als die einzige gesellig lebende Katzenart. Wir haben schon gesehen, daß dies nicht ganz zutrifft. Immerhin aber bildet keine andere wilde Katzenart so große Gesellschaften. Am ausführlichsten haben George Schaller und in seiner Nachfolge B. Bertram das Sozialgefüge der Löwen in der Serengetisteppe Tansanias untersucht. Es wäre aber falsch, ihre Ergebnisse als für alle Löwengesellschaften in anderen Wohngebieten gültig anzusehen. Betrachten wir jedoch zunächst die Serengetilöwen.

Die Serengeti ist eine weite Grassteppe; streckenweise sind Dornbüsche und Bäume, hauptsächlich Schirmakazien, darüber verstreut. Lediglich entlang der Wasserläufe gibt es mehr oder weniger breite Waldstreifen, sogenannte Galeriewälder. Die Grassteppe bietet eine weitaus reichere, vor allem eiweißreichere Nahrung für Pflanzenesser als der Urwald. So konnten sich hier die berühmten Massierungen großer Pflanzenesser wie Büffel, Zebras, Gnus und andere Antilopen, Giraffen, Warzenschweine und viele andere mehr entwickeln. Das streng in Regen- und Trokkenzeiten gegliederte Klima hat aber auch den entsprechenden jahreszeitlichen Wechsel von überreichem und äußerst knappem Nahrungsangebot zur Folge. Noch entscheidender ist der eintretende Wassermangel. Kleinere Wasserläufe und Tümpel trocknen aus. Die großen Wildherden sind daher gezwungen, zur Trockenzeit weite Wanderungen zu unternehmen und Gebiete aufzusuchen, deren Klimafolge

Ein Löwenrudel beim gemeinsamen Mahl. Doch nur wenn die Beute groß ist, dürfen sich alle gleichzeitig bedienen. Bei Nahrungsmangel erzwingen sich die starken Männchen den Vortritt; dann erst kommen die Weibchen zum Zuge und ganz zum Schluß die Jungtiere, die zunächst beiseite gedrängt werden und in Notzeiten nicht selten verhungern.

zeitlich verschoben ist und in denen sie daher die ärgste Dürre der Serengeti zu überbrücken vermögen. Nur die Angehörigen von Arten, die nicht in so großen Kopfzahlen wie etwa Zebras und Gnus auftreten, und die kleinen Gazellen machen die Wanderungen nicht mit. Die ersteren halten sich meist in der Nähe der Galeriewälder, und die Gazellen vermögen auch aus kargem Bewuchs noch ausreichend Nahrung zu ziehen und haben einen verhältnismäßig geringeren Wasserbedarf als andere Steppenbewohner.

Alles dies muß man sich vor Augen halten, wenn man die Lage verstehen will, in der sich ein Großraubtier wie der Löwe hier befindet, und die Art und Weise, wie es sich damit auseinandersetzt. Die Form des Zusammenlebens muß man als eines der Mittel dazu begreifen.

Früher hat man einfach angenommen, die Löwen wie auch Schakale und Hyänen folgten den wandernden Herden. Tatsächlich aber sind Löwen wie die meisten anderen Katzenarten recht ortstreue, um nicht zu sagen seßhafte Tiere. Wie ebenfalls bei anderen Katzen neigen die Weibchen mehr noch als die Kater zur strengen Ortsbindung und zur Verteidigung ihres Bereiches. Sie sind reviertreu. Dieses Grundmuster unterliegt beim Löwen nun verschiedenen Abwandlungen:

1. Weibchen bilden Gruppen, deren Mitglieder nicht je eigene Reviere besetzen, sondern gemeinsam ein Großrevier.
2. Verliert die Gruppe Mitglieder, so schließt sie die Lücke aus den Reihen der eigenen Töchter.

Löwen sind sehr gesellige Lebewesen; das unterscheidet sie von allen anderen Katzenarten. Auch beim Trinken am Wasserloch bleibt das Rudel dicht beisammen. Löwen trinken täglich, wenn Wasser zur Verfügung steht, doch sie können auch »Durststrekken« überstehen.

3. Zwei bis fünf erwachsene Männchen bilden eine Art Kampfgemeinschaft ähnlich der »Bruderschaft« der Hauskater. Nur ist der Zusammenhalt bei den Löwen viel enger und dauerhafter. Eine solche Kampfgruppe übernimmt eine Weibchengruppe und deren Revier und verteidigt sie gegen rivalisierende Kampfgruppen.
4. Überzählige junge Weibchen und alle nachwachsenden Jungkater müssen das Gruppenrevier verlassen, wenn sie zwei beziehungsweise zweieinhalb bis drei Jahre alt sind.
5. Da für gewöhnlich alle als Revier geeigneten Gebiete bereits unter den verschiedenen Gruppen aufgeteilt sind, können die überzähligen Jungtiere nicht ohne weiteres selbst wieder seßhaft werden. Sie wandern also ständig umher, teils am Rande der Reviere, hauptsächlich aber außerhalb des fest bewohnten Gebiets. Schaller nannte sie deshalb die Nomaden. Sie sind es, welche den wandernden Wildherden folgen.

Die Weibchen, die gemeinsam ein Gruppenrevier besitzen, bilden kein dauernd zusammenhaltendes Rudel. Sie streifen oft einzeln oder zu zweit oder dritt im Revier umher. Die ganze Gruppe kann bis zu zehn und mehr erwachsene Weibchen umfassen. Doch sieht man sie nur selten alle am gleichen Ort versammelt. Aber sie kennen sich alle untereinander und begrüßen sich mit »Köpfchengeben« und Mauzlauten, wenn sie sich nach einer längeren Trennung wieder begegnen.

Rudel und Revierbesitz können sich nur da ausbilden, wo es ganzjährig genügend Wasser und Beute gibt. Ein Revier muß außerdem genügend schattige Ruheplätze aufweisen. Wasserversorgung und Beutetierzahl einerseits, Geländebeschaffenheit und Gruppengröße andererseits bestimmen die Reviergröße. Gewöhnlich gehören zu einer Gruppe mindestens vier Weibchen. In einem Falle allerdings beobachtete Schaller eine Gruppe von nur zwei Weibchen, die ein eigenes Revier besaß. Die Reviergröße ist dementsprechend unterschiedlich, 30 Quadratkilometer im einen Fall, 400 in einem anderen; im Mittel sind es etwa 120 bis 150 Quadratkilometer.

Revierbesitz verbürgt also wie auch sonst bei Wirbeltieren die Befriedigung der grundlegenden Lebensbedürfnisse und eine gewisse Sicherheit, welche für den Fortpflanzungserfolg entscheidend ist. Die Aufgabe der Männchen, nachdem sie erst einmal Weibchengruppe und Revier erobert haben, ist es vor allem, Störungen durch gruppenfremde Artgenossen, vor allem andere Männchen, fernzuhalten und für weitgehende Ruhe im Revier zu sorgen. Die Erfüllung dieser Aufgabe nimmt sie so sehr in Anspruch, daß sie keine Zeit haben, selbst Beute zu machen. Sie fordern sozusagen als Entgelt für Sicherheit von den Weibchen einen Anteil an deren Beute, den mit Recht so genannten Löwenanteil. Auf diesem Zusammenhang beruht wohl die Meinung selbst vieler erfahrener Beobachter, die Löwenmänner seien schlechte Jäger und unfähig, für sich selbst zu sorgen. Aber als Nomaden haben sie keine Weibchen, die ihnen die Arbeit abnehmen, und sie verhungern dann keineswegs.

Die Weibchen werden, anders als frühreife zoogeborene Tiere, erst mit dreieinhalb bis vier Jahren fortpflanzungsfähig. Die Zahl der Jungen je Geburt beträgt eins bis drei, nur sehr selten mehr. Etwa 60 % der Jungen kommen um, ehe sie die Kinderstube verlassen, und nur 20 % vollenden das zweite Lebensjahr. So

hatten die 18 fortpflanzungsfähigen Löwinnen von zwei verschiedenen Gruppen in vier Jahren insgesamt 79 Junge, von denen nur zehn zwei Jahre alt wurden. Das sieht nicht gerade nach großem Aufzuchterfolg aus. Aber es reicht zur Bestandserhaltung. Die von nomadisch lebenden Weibchen geborenen Jungen haben noch weit geringere Überlebensaussichten.

Als Todesursache steht bei den Nestjungen an erster Stelle die Vernachlässigung durch die Mutter. Auch die älteren Jungtiere sterben hauptsächlich, weil bei knappem Nahrungsangebot die Mütter zuerst sich selbst bedienen und dann oft für die Jungen zu wenig oder rein gar nichts übrigbleibt. Allerdings habe ich in einem Falle beobachtet, wie ein Weibchen zuerst seine beiden Jungen aus weiter Entfernung zur Beute

holte und diese zuerst essen ließ, ehe sie selbst etwas zu sich nahm. Doch war eben das Beutetier verhältnismäßig groß, nur drei Löwinnen brauchten sich darein zu teilen, und nur die eine hatte Junge. Läßt die Mutter ihre Jungen im Nest allein, so sterben viele bei schlechtem Wetter an Unterkühlung, manche werden wohl auch die Opfer anderer umherstreifender Räuber.

Sind also Löwinnen schlechte Mütter? Es ist nicht so einfach: Sie verteidigen ihre Brut mit dem sprichwörtlichen Löwenmut, sie pflegen sie auch recht zärtlich, aber sie sind keine guten Versorgerinnen. Man muß sich auch fragen, was denn geworden wäre, wenn im oben angeführten Beispiel alle 79 Jungen erwachsen geworden wären und wenn das im ganzen Serengetibereich die Regel wäre. Die Löwenübervölkerung wäre geradezu unvorstellbar. Da Löwen nicht wie Menschen die Fähigkeit besitzen, die Tragfähigkeit ihres Lebensraumes durch Erfinden und Anwenden immer neuer Techniken zu vergrößern, hätten sie ohne »Selbstkontrolle« gar nicht bis heute überleben können. Sie hätten bei ständiger Vermehrung ihrer Zahl zunächst alle ihre Beutetiere ausgerottet und damit dann sich selbst. Sie bringen also ganz ohne Einsicht das zustande, wozu der Mensch nicht imstande zu sein scheint: Sie passen sich und ihre Zahl dem verfügbaren Raum und seinen natürlichen Hilfsquellen an. Die Art und Weise, wie dies geschieht, mag uns nicht sehr sympathisch sein. Aber man sollte sich erinnern, daß bei menschlichen Bevölkerungen kleiner Inseln Kindestötung und -aussetzung übliche Mittel zum gleichen Zwecke waren und zum Teil heute noch sind.

Mit Recht könnte man allerdings fragen, warum die Löwen ihr Bevölkerungsproblem auf diese umständliche und ja auch nicht gerade »billige« Weise lösen mußten. Folgt man der modernen Sucht, die in der Wirtschaft übliche Kosten-Nutzen-Rechnung auf biologisches Gebiet zu übertragen, so »kosten« eine Schwangerschaft, Geburt und anschließende Betreuung der Jungen, auch wenn sie nur kurze Zeit leben sollten, einen erheblichen Aufwand von Kraft, sprich: zusätzlichem Nahrungsbedarf. Die Löwen könnten also ihre Nahrungsdecke um einen bestimmten Betrag zweckmäßiger nutzen, wenn sie nur so viele Kinder hätten, wie zur Bestandserhaltung erforderlich wären. Von den verfügbaren Beutetieren könnten dann wohl einige Löwen mehr als jetzt in der Serengeti leben. Andere Großtiere, Elefanten, Nashörner und Menschenaffen zum Beispiel, haben ja eine solche Lösung – Einzelgeburten in weiten Abständen – gefunden, sie ist also biologisch möglich.

Warum die Löwen es so anders machen, weiß wohl niemand. Vielleicht haben sie sich eine so hohe Fruchtbarkeit erhalten, weil sie es ihnen ermöglicht, nach einem Zusammenbruch des Bestandes ihre Zahl sehr schnell wieder aufzufüllen. Seuchen oder ein voraufgegangener Zusammenbruch der Beutetierbevölkerung, wie er infolge anhaltender Dürre durch Ausbleiben der Regenzeit gelegentlich vorkommt, könnten einen Löwenbestand so stark vermindern, daß sein Fortbestand gefährdet wäre, wenn er eben nicht diese

▷ Drei Kaffernbüffel sind für eine einzelne Löwin nicht zu bezwingen: Sie zieht es vor, sich den angriffslustigen Hornträgern durch die Flucht zu entziehen.

Links: Der »König der Tiere« ist ein ausgesprochen träger und phlegmatischer Geselle. Ein Löwenrudel pflegt die meiste Zeit des Tages der Ruhe. Allerdings wird die lange Siesta gern zu ausgiebigen Sozialkontakten genutzt. – Unten: Der Kopf einer ausgewachsenen Löwin im Profil. Deutlich zu sehen sind die nadelspitzen Eckzähne, die neben den kraftvollen, mit ausfahrbaren Krallen bewehrten Pranken die gefährlichsten Waffen dieser Katze sind.

Fähigkeit hätte, sich in verhältnismäßig kurzer Zeit zu erholen. Aber das ist alles reine Annahme; bewiesen ist nichts. Man könnte das ganze wohl auch als Lehrbeispiel dafür nehmen, wie fragwürdig es ist, Denkmodelle der Wirtschaftswissenschaft heranzuziehen, um biologische Fragestellungen zu beantworten. Die Natur »wirtschaftet« eben doch anders.

Da die Löwenweibchen das ganze Jahr über in unregelmäßigen Abständen paarungsbereit werden, gibt es auch zu jeder Jahreszeit Geburten. Doch häufen sie sich deutlich etwa ein bis zwei Monate vor Ende der Trockenzeiten, im Januar und September. Das ist insofern günstig, als die Neugeborenen unter naßkaltem Wetter leiden, wie schon erwähnt. Wenn dann der Regen einsetzt, kehrt das Wild von seiner Wanderung zurück. Die Mütter haben es dann leichter, die in den Trockenmonaten geborenen Jungen zu versorgen, wenn diese beginnen, feste Nahrung aufzunehmen.

Die Männchen sind fünf bis sechs Jahre alt, ehe sie mit einem oder mehreren Partnern eine Weibchengruppe übernehmen können. Meist sind es die Weibchen, welche sich für den einen oder anderen von ihnen entscheiden, wenn sie paarungsbereit sind. Zwischen den Partnern einer Kampfgemeinschaft gibt es dabei kaum Eifersucht. Nur wenn einer dem gerade erwählten Löwen allzu nahe kommt, während er sich seiner Partnerin widmet, setzt es einmal ein paar Hiebe und meist harmlose Kratzer. Fast immer ist einer der Kampfgenossen in der Nähe, so etwa im Umkreis zwischen 30 und 200 Metern, während der vom Weibchen Erwählte Hochzeit hält. Schaller meint, der Partner warte wohl mehr auf die Rückkehr des Kampfgenossen, als daß er auf eine Gelegenheit lauere, sich selbst der Löwin zu nähern. Immerhin beobachtete er ein Weibchen, das an zwei aufeinanderfolgenden Tagen sich mit zwei verschiedenen Männchen paarte. Es handelte sich allerdings um Nomaden. Doch sah ich einmal das gleiche bei Tieren, die zweifellos einer Reviergruppe angehörten. Die von manchen Gelegenheitsbeobachtern geschilderten, heftigen Rivalenkämpfe um ein Weibchen, die zuweilen sogar tödlich enden, scheinen daher hauptsächlich unter Nomaden vorzukommen. Bei den eigentlich mörderischen Kämpfen geht es um den Besitz von Weibchengruppe und Revier, nicht um ein einzelnes, paarungsbereites Weibchen.

Rechts: Für den Mittagsschlaf in der größten Hitze des Tages sucht sich das Rudel einen schattenspendenden Baum aus. Da Löwen keine natürlichen Feinde zu fürchten haben, können sie sich unbesorgt und in beliebiger Stellung auf dem Steppenboden ausstrecken. - Unten: Eine Löwin mit ihren ein bis zwei Monate alten Babys, die ihre Spiellust an der Mutter austoben dürfen, ohne daß sie sich wehrt.

Schaller und Bertram haben in einigen Fällen beobachtet, daß nach einem solchen Kampf die siegreichen Eroberer vorgefundene Nestjunge umbrachten. Einer trug die kleine Leiche tagelang mit sich herum wie eine Trophäe. Besonders Bertram hält das für ein regelmäßiges Verhalten. Es habe den »Sinn«, das Erbe der Vorgänger zum Teil auszumerzen, die so gewaltsam ihrer Mutterpflichten entbundenen Löwinnen früher wieder in Paarungsstimmung zu bringen und den Eroberern um so schneller die Möglichkeit zu geben, ihre eigenen Gene (Erbanlagen) in einer möglichst zahlreichen Nachkommenschaft zu verewigen.

Man muß aber dabei berücksichtigen, daß dieser Kindesmord nur in wenigen Fällen unmittelbar beobachtet wurde. Nach Schaller kommen übrigens noch mehr Junge um, weil der Herrschaftswechsel meist mit heftigen, oft lang anhaltenden Kämpfen zwischen den bisherigen Revierbesitzern und den Usurpatoren verbunden ist. Das Kampfgetöse und -getümmel erregt auch die Weibchen in hohem Maße, so daß sie dann oft ihre Nestlinge verlassen oder gar selbst töten.

Es fällt schwer, daraus einen Fortpflanzungsvorteil für die übernehmenden Männchen zu errechnen. Bei der schon beschriebenen hohen Sterblichkeit der Jungtiere kann das theoretische Plus der übernehmenden Männchen kaum ins Gewicht fallen, zumal mit ihrem Nachwuchs ja mehr oder weniger das gleiche geschieht, wenn sie einmal abtreten müssen. Auch der Einwand, der Vorteil sei eben bei jenen Männchen, welche die vorgefundenen Kleinjungen rücksichtsloser vernichteten, verfängt nicht. Wer einmal, wenn auch nur in einer Taufliegenzucht, gesehen hat, wie schnell in einer Bevölkerung ein ganz geringfügiger Erbvorteil, etwa in der Angepaßtheit an die Zuchttemperatur, sich radikal durchsetzt, der kann nicht annehmen, daß es hinsichtlich des beschriebenen Verhaltens zwischen den Männchen einer Löwenpopulation überhaupt Unterschiede geben könnte, außer wenn dieses Verhalten die Genverteilung eben nicht wesentlich beeinflußt. Tatsächlich sind die individuellen Unterschiede in dieser Hinsicht recht erheblich.

Es ist viel darüber gerätselt worden, welche Bedeutung das mächtige Löwengebrüll für die Tiere wohl haben mag. Die Reviermännchen melden damit ihren Herrschaftsanspruch an. Spielt man vom Tonband über Verstärker fremdes Löwengebrüll im Revier ab, so erscheinen alsbald die Revierherren, um recht ungehalten nachzuforschen, wer denn da so unverschämt sich meldet. In einem Falle konnte ich allerdings auch beobachten, daß weit getrennte Tiere einer Gruppe brüllen, um damit wieder zusammenzufinden. Wir trafen zwei Löwinnen schlafend an einem kleinen Wasserloch. Plötzlich stand eine auf und begann zu rufen, trank dann etwas und rief wieder. Diesmal stimmte die zweite, noch im Liegen, mit ein. Einige Minuten später zogen beide ab, offenbar ganz sicher über die einzuschlagende Richtung. Wir folgten ihnen in gebührendem Abstand. Alle paar hundert Meter hielten die Tiere an und riefen. Nach etwa anderthalb bis zwei Kilometern konnten auch unsere Ohren eine Antwort schwach vernehmen, nach einem weiteren Kilometer war die Antwort deutlich. Dann, nach einem letzten Rufen, bogen unsere beiden Löwinnen fast im rechten Winkel von ihrer bisherigen Richtung ab und trafen nach etwa 500 Metern auf zwei weitere Löwinnen mit drei halbwüchsigen Jungen. Die Ankömmlinge wurden besonders von den Jungen geradezu überschwenglich begrüßt mit Köpfchengeben, Umhalsen und spielerischen Rempeleien. Nach fünf

Bei der Löwenhochzeit geht es nicht sonderlich zärtlich zu. Das Männchen läßt beim kurzen Begattungsakt meist ein leises Maunzen hören und beknabbert oder beleckt den Nacken seiner Partnerin, die zunächst gurrt und dann grollt und röhrt, sobald das Männchen von ihr abläßt.

Babytransport bei Löwen. Das Kind verfällt in eine Tragstarre, wenn die Mutter es mit ihren mächtigen Kiefern behutsam im Nakken packt.

Minuten hatten sich alle wieder beruhigt, und die erwachsenen Tiere legten sich zur Ruhe. In diesem Fall konnte kein Zweifel bestehen, daß die Tiere mit Ruf und Gegenruf über eine Entfernung von etwa drei Kilometer Luftlinie zueinanderfanden.

Die Gesellschaftsform der Serengetilöwen ist wohl die komplizierteste, die es bei Säugetieren überhaupt gibt, wenn man vom Menschen einmal absieht. Soweit ich weiß, haben nicht einmal die höheren Affen und Menschenaffen Vergleichbares aufzuweisen. Man darf dabei nicht vergessen, welche soziale Rolle in dem ganzen Gefüge die Nomaden spielen. Sie sind mehr als nur eine »stille Reserve«, aus der im Bedarfsfall die Reviergruppen aufgefüllt werden können. Das geht schon aus ihrer Zahl hervor, welche derjenigen der »seßhaften« Löwen wenigstens gleichkommt, sie wahrscheinlich sogar etwas übertrifft. Von ihrem Leben weiß man noch viel zu wenig. Eines allerdings scheint mir überaus wichtig und von den Untersuchern kaum in seiner Bedeutung erkannt zu sein: Unter den Nomaden reifen die aus den Revieren ausgestoßenen jungen Männchen heran und bilden ihre Kampfgemeinschaften. Bertram und andere scheinen anzunehmen, es handle sich dabei meist um Brüder und Halbbrüder oder zumindest Vettern, die etwa zur selben Zeit ihr Heimatrevier verlassen und danach zusammenbleiben. In einigen Fällen ist aber erwiesen, daß zwischen den Männchen einer Kampfgruppe beträchtliche Altersunterschiede bestanden, und in anderen haben sich einander wildfremde Männchen nach heftigen Auseinandersetzungen zu einer Kampfgemeinschaft regelrecht zusammengerauft.

Man nimmt allgemein an, bei Wirbeltieren entstünden größere Sozialverbände aus dem Familienzusammenhalt, der über die normale Dauer hinaus ausgedehnt werde. Bei den Löwen aber treffen wir auf eine zweite Wurzel der sozialen Organisation, eine Art Männerbund, der sich nicht unmittelbar aus der Familie heraus, ja zumindest in manchen Fällen aus einander fremden, miteinander kaum näher verwandten Einzeltieren bildet. Neben den Familienclan der Weibchen tritt also der Kampfbund der Männchen als gleich wichtiger tragender Bestandteil der Gesellschaftsordnung. Das ist es, was die Löwengesellschaft der Serengeti unter allen anderen Säugetiergesellschaften so einzigartig macht.

Schon etwas weiter westlich, in Uganda, Ruanda und Zaire, sieht das Bild anders aus. Die Kampfgemeinschaften der Männchen können sich hier länger, für sechs und mehr Jahre, im Besitz von Weibchen und Revier halten. Im einzelnen ist das aber noch zu wenig erforscht, als daß man etwas über die Gründe für diesen erheblichen Unterschied gegenüber den Verhältnissen in der Serengeti sagen könnte. Vielleicht hängt es damit zusammen, daß hier die Savannenräume stärker untergliedert sind, die einzelnen Savannenabschnitte damit kleinräumiger wirken als in der Serengeti.

Auch in den westafrikanischen Halbwüsten sind die Gruppen kleiner. Im Zentralkalahari-Schutzgebiet von Botswana haben Mark und Delia Owens sieben Jahre lang die Löwen beobachtet. Anders als in Ostafrika gibt es dort nur eine Regenzeit, die dazu oft

▷ **Löwinnen sind gute Mütter, wie dieses Bild zeigt, aber sie lassen gleichwohl häufig einen Teil ihrer Nachkommen verhungern oder an Unterkühlung sterben. Das ist kein mitleidloser Egoismus, sondern ein biologisch notwendiges Mittel der natürlichen Bevölkerungskontrolle.**

Schlafhaltung eines Löwenmannes in der Kalahari. Alle Katzen schlafen gern auf dem Rükken, wenn sie sich so recht warm und behaglich fühlen.

noch sehr kurz ist. Die Trockenzeit kann bis zu zehn Monaten dauern. Die Weibchengruppen halten hier nur während der Regenzeit und kurze Zeit danach Reviere. In der Trockenzeit wandern die Beutetiere auf der Suche nach Wasser weit ab, und die Löwen streifen über Gebiete von weit mehr als 1000 Quadratkilometern, um noch etwas Nahrung zu finden. Dabei löst sich der Gruppenverband weitgehend auf, Begegnungen mit Tieren anderer Gruppen verlaufen friedlich, und Einzeltiere wechseln oft von einer Gruppe zur andern. Man könnte es auch so auffassen, daß in der Trockenzeit alle Löwen dort mehr oder weniger zu Nomaden werden. Aber auch während der Regenzeit überlappen sich die im Durchschnitt etwa 300 Quadratkilometer großen Gruppenreviere weit mehr als in der Serengeti, und einzelne Weibchen wandern von einer Gruppe zur andern und werden dort ohne Feindseligkeit empfangen und aufgenom-

Katzen (Felidae): Pantherkatzen und Verwandte

Name deutscher Name wissenschaftlicher Name englischer Name (E) französischer Name (F)	Körpermaße Kopfrumpflänge (KRL) Schwanzlänge (SL) Standhöhe (SH) Gewicht (G)	Auffällige Merkmale	Fortpflanzung Tragzeit (Tz) Zahl der Jungen je Geburt (J) Geburtsgewicht (Gg)
Irbis, Schneeleopard, Unze *Uncia uncia* E: Snow leopard, Ounce F: Once, Panthère des neiges	KRL: 75–130 cm SL: 70–100 cm SH: 50–65 cm G: 35–70 kg, meist unter 50 kg	Sehr langer, gleichmäßig lang behaarter Schwanz; stämmige, verhältnismäßig kurze Vorderbeine; große Ringflecke; Nasenhöhlen und Choanen (Öffnungen der Nasenhöhle in den Nasenrachenraum) von großem Querschnitt zur schnellen Erwärmung der Atemluft bei hohem Luftdurchsatz	Tz: 98–103 Tage J: 2–3, in der Regel 2 Gg: nicht bekannt
Nebelparder *Neofelis nebulosa* mit 4 (?) Unterarten E: Clouded leopard F: Panthère longibande, Panthère nébuleuse	KRL: 70–110 cm SL: ⅔–⅘ der KRL SH: 45–65 cm G: 17–25 kg	Sehr lange Eckzähne; langer, dick behaarter Schwanz; auffallend großflächige Musterung	Tz: etwa 90 Tage (im Zoo) J: 2–4 Gg: 140–170 g
Tiger *Neofelis* (= *Panthera* oder *Tigris*) *tigris* mit 8 Unterarten E: Tiger F: Tigre	KRL: 140–280 cm SL: 60–110 cm SH: 80–110 cm G: ♂♂ 180–280 kg, ♀♀ 115–185 kg	Schwarze, graue oder braune Streifen auf rötlich orange- bis ockerfarbenem Grund; größte Katzenart	Tz: 102–112 Tage J: 2–4, in der Regel 2 Gg: 780– 1600 g
Jaguar *Panthera onca* mit 8 (?) Unterarten E: Jaguar F: Jaguar	KRL: 100–180 cm SL: 40–70 cm SH: 55–76 cm G: 30–150 kg	Massiger Körperbau; schwerer, breiter und kurzer Kopf; verhältnismäßig kurzer Schwanz; Rosettenmusterung	Tz: 93–105 Tage J: 1–4 Gg: 700–900 g
Leopard *Panthera pardus* mit 10 (?) Unterarten E: Leopard F: Léopard, Panthère	KRL: 95–167 cm SL: 60–97 cm SH: 50–75 cm G: 30–80 kg	Verhältnismäßig langer Schwanz; unregelmäßige Rosettenmusterung; Färbung und Zeichnung sehr unterschiedlich; häufig Schwärzlinge (»Schwarzer Panther«)	Tz: 90–105 Tage J: 1–6, meist 2–4 Gg: 500–600 g
Löwe *Panthera leo* mit 7 (?) Unterarten E: Lion F: Lion	KRL: ♂♂ 170–190 cm, ♀♀ 140–175 cm SL: 70–105 cm SH: 80–110 cm G: ♂♂ 150–250 kg, ♀♀ 120–180 kg	Männchen mit Backen- und Halsmähne, bei einigen Unterarten auch Schulter- und Bauchmähne; Weibchen oft mit mähnenartiger Verlängerung der Haare an Unterhals und Brust; dunkelbraune bis schwarze Schwanzquaste; Junge mit Leopardenzeichnung	Tz: 100–116 Tage meist 105–108 Tage J: 2–4, ausnahmsweise bis 7 Gg: etwa 1300 g

men. Die einzelnen Weibchengruppen bestehen also nicht unbedingt aus nahe miteinander verwandten (Großmüttern, Müttern, Töchtern, Tanten, Basen, Halbgeschwistern) Tieren wie in der Serengeti. Die Gruppenweibchen paaren sich in der Trockenzeit auch häufig mit anderen als ihren Gruppenmännchen. Deren Aufgabe ist also hier noch eindeutiger als in der Serengeti der Schutz des Reviers und der darin Junge aufziehenden Weibchen. Die Weibchen, die sie schützen, sind nicht ihr ausschließlicher Besitz.

Wo es in der westafrikanischen Kalahari sehr trocken und beutearm wird, leben nach Eloff die Löwen oft paarweise in dauernder Einehe, wie das die Überlieferung auch vom nordafrikanischen Löwen behauptet. Dort soll ein Paar jeweils eine Oase »beherrscht« und die dort mit ihren Herden verkehrenden Nomaden terrorisiert haben. Übrigens trifft man auch unter den Nomadenlöwen der Serengeti häufig Paare an. Nur ist man über die Dauer solcher Bindungen noch nicht unterrichtet. Im indischen Girwald sind die Weibchengruppen ebenfalls im Durchschnitt erheblich kleiner als in der Serengeti, und ich habe dort auch nie mehr als zwei Männchen zusammen gesehen.

Seit alter Zeit streiten sich die verschiedenen Beobachter darüber, ob und in welcher Form mehrere Löwen bewußt zusammenarbeiten, wenn sie gemeinsam jagen. Manche glaubten, daß jedes Mitglied der Jagdgemeinschaft nur für sich selber jage und der Eindruck planmäßigen Zusammenwirkens nur zufällig entstehe, wenn eines der beteiligten ein Stück Wild aufscheuche und dieses dann in Richtung auf eines der anderen fliehe. Schaller dagegen berichtet, wie schon zu Beginn der Jagd die Gruppe fächerförmig ausschwärmt und ganz eindeutig versucht, ein Beutetier oder eine kleine Herde einzukreisen, und dann konzentrisch angreift. Ich selbst sah, wie vier große Mähnenlöwen aus einem kleinen Gebüsch heraus versuchten, eine Kuhantilope einzukreisen. Zunächst ging einer der vier langsam und in voller Sicht der Antilope zu einem weiter rechts stehenden Busch und

Lebensablauf Entwöhnung (Ew) Geschlechtsreife (Gr) Lebensdauer (Ld)	Nahrung	Feinde	Lebensweise und Lebensraum	Häufigkeit
Ew: nicht bekannt Gr: im Zoo mit etwa 2 Jahren, im Freileben vermutlich später Ld: in Menschenobhut 16–18 Jahre	Gebirgshuftiere, Murmeltiere, Hühnervögel, Haustiere	Mensch	Einzeln oder paarweise; im Hochgebirge zwischen 1500 m (Winter) und 5000 m Höhe; meist oberhalb der Waldgrenze, doch in strengen Wintern in die Waldzone absteigend; streift auf Beutesuche weit umher	Selten und gefährdet; Gesamtbestand auf etwa 2000 Tiere geschätzt
Ew: mit etwa 5 Monaten (im Zoo) Gr: nicht bekannt Ld: in Menschenobhut über 17 Jahre	Vögel, Affen, Schweine, Rinder, Ziegen, Hirsche	Mensch	Lebensweise in der freien Natur noch kaum erforscht; in Regenwäldern Südostasiens	Bedroht durch Pelzjagd und Waldzerstörung
Ew: mit 3–6 Monaten Gr: mit 3–4 Jahren Ld: 12–18 Jahre, in Menschenobhut bis 25 Jahre	Wildrinder, Antilopen, Hirsche, Wildschweine; in Notzeiten auch alles kleinere Getier, sogar Frösche und Heuschrecken	Mensch	Vorwiegend Einzelgänger; in trockenem und feuchtem Grasland und in Waldland jeder Art; Tief- und Bergland bis 4000 m Höhe; Reviergröße 20–60 km^2 (Weibchen), 40–180 km^2 (Männchen)	Bedroht durch Jagd und Lebensraumzerstörung; einige Unterarten fast oder ganz ausgestorben
Ew: nicht bekannt Gr: mit 2–3 Jahren Ld: in Menschenobhut bis 22 Jahre	Säugetiere vom Tapir bis zur Maus; Schildkröten, Fische	Mensch; Krokodile; Anakonda (?)	Einzeln oder paarweise; in Urwald und Savanne, bevorzugt in Wassernähe; Reviergröße 15–100 km^2, vereinzelt auch größer	Im gesamten Verbreitungsgebiet selten geworden; bedroht durch Pelzjagd und Zerstörung der Wildnis
Ew: mit 3 Monaten Gr: mit 2,5–4 Jahren Ld: vermutlich bis 15 Jahre, im Zoo über 23 Jahre	Kleine bis mittelgroße Huftiere, Affen, Bodenvögel; in Notzeiten alles erreichbare Kleingetier	Mensch; Löwe, Tiger, Bären, Hyänen und Schakale (bei Jungtieren), Hyänenhund, Rothund, Wolf	Meist einzeln, zuweilen auch paarweise oder in Familien; in Regenwald bis Wüstenrand, Gebirge und Flachland; Reviergröße 8–30 km^2	In Ost- und Zentralafrika und vielen Teilen Indiens nicht selten, doch überall abnehmend; sonst selten bis sehr selten
Ew: mit 6–7 Monaten Gr: Weibchen mit etwa 3, Männchen mit 5–6 Jahren Ld: 12–15 Jahre, im Zoo bis 25 Jahre	Huftiere vom Schliefer bis zur Giraffe; gelegentlich Junge von Elefant, Nashorn und Nilpferd	Leopard, Hyänen und Hyänenhund (bei jungen, sehr alten oder kranken Tieren)	Paarweise oder in Rudeln (30 und mehr Tiere); Reviergröße 20–400 km^2 (je nach Rudelgröße, Wildreichtum, Landschaftsform usw.); in Halbwüste, Steppe, Busch- und Waldsavanne	Bestände nur in großen Schutzgebieten gesichert, sonst bedroht

verbarg sich dahinter. Nach einer Weile folgte ihm ein zweiter und besetzte den Busch, während der erste einen anderen Busch 100 Meter weiter rechts ansteuerte. Dann wandte sich ein dritter Löwe nach links. So hatten die vier dann schon einen Halbkreis von etwa 200 Meter Durchmesser um die bereits recht aufgeregt hin und her laufende Antilope gebildet, als die Beobachtung abgebrochen werden mußte.

Das Grundmuster, nach dem die Löwen vorgehen, wird vielleicht am klarsten, wenn man die Zusammenarbeit von nur zwei Löwen genauer betrachtet. Stets suchen sie das angezielte Beutetier zwischen sich zu bringen, ehe sie es angreifen. Ist das Beutetier wehrhaft, etwa ein Büffel, so wendet es sich gegen den ersten Angreifer, der geschickt zurückweicht und so dem zweiten Gelegenheit gibt, die ungeschützte Flanke oder Kehrseite des Opfers anzugreifen. Versucht das Beutetier zu fliehen, so rennt es gegen den zweiten Gegner und wendet. Für die Löwen bleibt sich das im wesentlichen gleich. Das kann so mehrmals hin und her gehen, bis es einem der Angreifer gelingt, die Beute zu fassen und niederzureißen. Im Nu hat sie der andere am Hals gepackt, und das ist dann das Ende. In geradezu klassischer Form konnte Edmond-Blanc einen solchen Kampf zwischen einer Büffelkuh und zwei Mähnenlöwen im südafrikanischen Krüger-Park filmen. Im Gir-Gebiet hatten wir einmal eine große Wasserbüffelkuh als Köder angebunden. Zunächst erschien nur ein Löwe, der einige halbherzige Versu-

Links und Fotos auf der nächsten Seite: Eine Löwenfamilie überspringt ein seichtes Wasserloch, das die Tiere auch hätten durchwaten oder umgehen können. Zuerst springt der Vater …

che machte, auf den Büffel loszugehen. Da dieser ihm aber jedesmal die Hörner zeigte, gab der Löwe zunächst einmal auf und legte sich etwa zehn Meter weit hinter ein Gebüsch. Nach anderthalb Stunden erschien dann sein Kumpan, und beide wandten sofort die beschriebene Taktik an, fühlten sich aber dabei durch uns, die wir mit Filmkamera und Fotoapparaten etwa 20 Meter vom Büffel entfernt standen, behindert. Sie wagten sich offenbar nicht in diesen Engpaß, und auf der anderen Seite konnten sie den Büffel wegen einiger dichtstehender Bäumchen nicht umgehen. So zogen sie sich wieder etwas zurück und warteten über eine Stunde, bis sich der Büffel eine Blöße gab, die sie blitzschnell ausnutzten. Man könnte einwenden, es habe sich um eine künstliche Situation gehandelt und das Verhalten der Löwen unter diesen Umständen lasse keine Rückschlüsse auf ihr Verhalten gegenüber einer freibeweglichen Beute zu. Aber gerade hier zeigt sich doch, wie wenig mechanisch oder schematisch die Löwen vorgehen, wie genau sie wissen, worauf es ankommt und – ich kann es nicht anders ausdrücken – wie wohlüberlegt sie ihre Taktik anwenden. So werden sie wohl auch ebenso genau wissen, wie sie ihr Vorgehen ändern müssen, wenn mehr als zwei von ihnen zu Werke gehen, und ihr Verhalten ebenso wohlüberlegt danach richten.

Daß auch Menschen zum Objekt dieses Spiels werden können, zeigt folgender Vorfall. Ich filmte aus etwa 15 Meter Entfernung die obenerwähnte Löwin, die ihre Jungen zum eben getöteten Büffelkalb herbeiholte. Paul Joslin und der Fahrer standen etwas rechts von mir, als eine der beiden anderen Löwinnen parallel zum Weg etwa 30 Meter fortging, dann den Weg überquerte und auf der anderen Seite zurückkam. Dort legte sie sich dann etwa zehn Meter entfernt hinter unserem Rücken nieder. Die dritte Löwin hatte sich inzwischen etwas aufgerichtet und blickte, den Kopf auf den Pfoten, zu uns herüber. Nun sind aus dem Gir keine Angriffe von Löwen auf Menschen als Beute bekannt, es gab und gibt dort keinen Fall von Menschenfresserei. Wahrscheinlich war alles nur ein nettes kleines Spiel. Dennoch, es gibt ja immer ein erstes Mal, und so veranlaßte ich einen Stellungswechsel um etwa 20 Meter, um aus der »Zange« herauszukommen. Joslin begriff erst nicht, warum; aber ich wartete lieber nicht, bis es ihm die Löwin vielleicht doch erklärt hätte.

Nach dem Vater setzt die Mutter zum Sprung an. Dann folgen die Jungtiere, von denen das kleinste im Wasser landet.

Mein wohl eindrucksvollstes Löwenerlebnis in freier Wildbahn war zugleich auch mein erstes. Mein Freund Hubert Hendrichs fuhr mich auf eine erste Erkundung in die Steppe hinaus. Zunächst schien das weite, trockene Grasland leer. Doch plötzlich tauchte wie aus dem Nichts eine uralte Löwin auf, streifte uns mit einem gleichgültigen Blick, in dem doch eine Art stummer Botschaft zu liegen schien, kreuzte unseren Weg und tauchte wieder ein ins Nirgendwo der unendlichen Weite. Eine alte Löwin mit schon schadhaftem Fell – mir erschien sie wie ein Sinnbild zugleich der Vergänglichkeit und der Unendlichkeit des Lebens.

Gegenüberliegende Seite: Die Familie der Hunde ist weltweit verbreitet. Man findet ihre Vertreter in Polargebieten und Wüsten, in Hoch- und Tiefland, in Steppe und Wald. Im Bild das Gesicht eines europäischen Wolfs.

HUNDE

Kategorie
FAMILIE

Systematische Einteilung: Familie der Ordnung Raubtiere (Carnivora) mit mindestens 30 Arten und zahlreichen Unterarten in 14 Gattungen. Hinzu kommen 3 domestizierte, also zu Haustieren gewordene Formen, deren Stammart der Wolf ist: die echten Haushunde (mit über 300 vom Menschen geschaffenen »Rassen«) und die in einem frühen Domestikationsstadium verwilderten Australischen und Neuguinea-Dingos.

Die beiden wichtigsten und artenreichsten Gattungen sind:

Echte Hunde *(Canis)* mit Wolf, Kojote, Goldschakal, Streifenschakal, Schabrackenschakal und Abessinischem Fuchs

Echte Füchse *(Vulpes)* mit Rotfuchs, Kitfuchs, Kapfuchs, Sandfuchs, Blaßfuchs, Afghanfuchs, Bengalfuchs und Tibetfuchs

Kopfrumpflänge: 34–135 cm
Schwanzlänge: 11–54 cm
Standhöhe: 18–75 cm
Gewicht: 1–75 kg
Auffällige Merkmale: Alle Hundearten sind im Körperbau recht einheitlich; meist ziemlich schlank, muskulös; vollständig behaart; männliche Tiere in der Regel größer als weibliche; durchwegs schnelle und ausdauernde Läufer mit kräftig entwickelten Gliedmaßen; Vorderfüße mit 5, Hinterfüße mit 4 Zehen, jeweils mit kräftigen Nägeln; Kopf lang und spitz; Schwanz behaart; die meisten Arten einfarbig, mit hellerer Bauchpartie; Ohren dreieckig und gut beweglich, bei Polararten klein, bei wüstenbewohnenden Arten groß bis sehr groß; kleine Schneidezähne, große Eckzähne; Backenzähne mit Schneiderand; hintere Backenzähne flacher und auch für die Aufnahme von Pflanzennahrung geeignet; langer Darmtrakt; Männchen mit Penisknochen; Weibchen mit 3–7 Zitzenpaaren und zweihörniger Gebärmutter (Uterus bicornis) mit langen Hörnern; Geruchsvermögen sehr gut entwickelt; Gehör- und Gesichtssinn bei vielen Arten gut entwickelt; vielfach weittragendes Heulen und Chorheulen; richtiges Bellen nur bei Haushunden.
Fortpflanzung: Tragzeit im Schnitt 50–70 Tage; 2–14 Junge je Geburt; Geburtsgewicht 50–500 g; bei Wildcaniden in der Regel 1 Läufigkeit, beim Haushund 2 Läufigkeiten im Jahr; Paarung endet mit dem sogenannten Hängen, das je nach Art 5–45 Minuten dauert; bei vielen Arten Vater aktiv an der Jungenaufzucht beteiligt, manchmal auch andere Artgenossen.
Lebensablauf: Augenöffnung nach 7–14 Tagen; Entwöhnung mit 5–10 Wochen; Geschlechtsreife meist mit 1–2 Jahren; Lebenserwartung in freier Wildbahn liegt höchstens zwischen 10 und 18 Jahren.

Canidae WISSENSCHAFTLICH
Dogs, Canids ENGLISCH
Canidés FRANZÖSISCH

Nahrung: Je nach Art kleine bis große Säugetiere, Vögel, Reptilien, Amphibien, Insekten, Eier, Aas, auch Früchte, Beeren und andere Pflanzenkost.
Lebensweise und Lebensraum: Sehr anpassungsfähig; viele Arten leben sozial in Paaren, lockeren Gruppen oder Rudeln und sind auch am Tage aktiv; die meisten Arten sind ziemlich scheu und meiden den Menschen; Beutejagd einzeln, paarweise oder im Rudelverband; reiches Ausdrucksverhalten (Gesichtsmimik, Körperhaltung, Schwanzhaltung, Ohrenstellung, Lautäußerungen); Rangordnung bei gesellig lebenden Arten; Reviergröße je nach Art, Lebensraum und Nahrungsangebot sehr unterschiedlich (beim Wolf beispielsweise 100–10 000 km^2); weltweite Verbreitung; in Australien und auf einigen kleineren Inseln durch den Menschen eingeführt; in nahezu allen Lebensräumen von den Polargegenden bis zum Äquator; in Hoch- und Tiefland, in Wald, Steppe, Halbwüste und Wüste; allerdings keine rein wasserlebenden Caniden, obwohl alle Arten schwimmen können; fast alle Arten vom Menschen wegen des Pelzes oder vermeintlicher Schädlichkeit stark bejagt.

Körperform
Der Körperbau aller Hunde ist ziemlich einheitlich, wie man auch bei den beiden extremsten Anpassungstypen beobachten kann. Hinten ein hochbeiniger Savannenläufer, der Mähnenwolf, vorne ein kurzbeiniger Buschschlüpfer, der Waldhund.

Kopf
Die Kopfform und das Gebiß eines Wolfes tragen typische Merkmale hundeartiger Raubtiere. Die lange Schnauze mit einer hervorstehenden Nase verrät, daß der Geruchssinn unter allen Sinnesorganen die wichtigste Rolle spielt. Als in Rudeln jagende Räuber leben die meisten Hunde in einer sozial fest geordneten Gemeinschaft. Dazu ist ein gutes Kommunikationsvermögen erforderlich. Neben anderen Mitteln dient diesem Zweck auch eine ausgeprägte Fähigkeit, den Gesichtsausdruck zu ändern, was durch feingegliederte mimische Muskulatur ermöglicht wird.

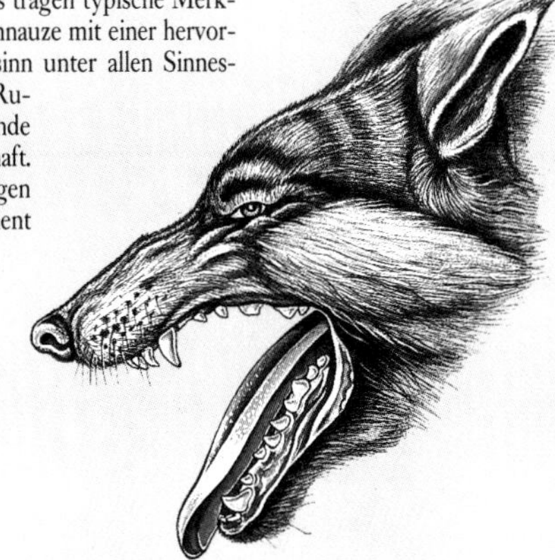

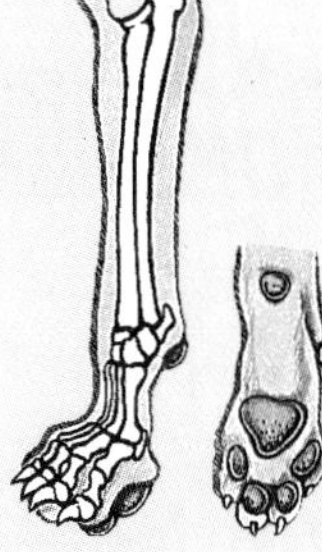

Gliedmaße
Die Gliedmaßen der Hunde sind digitigrad, d.h., nur die Zehen werden auf den Boden aufgesetzt, gestützt vom kleinen rundlichen Sohlenballen. Der erste Finger bzw. die erste Zehe sind zurückgebildet. Die schlanken, leicht gebauten Gliedmaßen eignen sich hervorragend zum schnellen und ausdauernden Laufen.

Ohrengröße
Die Hunde besitzen ein ausgezeichnetes Gehör. Die äußeren Ohrmuscheln sind meist groß und gut beweglich. Dabei fällt auf, daß bei nahe verwandten Arten die Ohrengröße, im Zusammenhang mit der geographischen Verbreitung der Art, in der Richtung von den Polargebieten zum Äquator, zunimmt. Dies hängt offensichtlich mit der intensiveren Wärmeabgabe durch die vergrößerten Körperteile zusammen. Ein bekanntes Beispiel für diese Anpassung stellen die Füchse dar. Von links nach rechts: Eisfuchs, Rotfuchs, Kitfuchs, Fennek.

Hunde

Einleitung

von Cornelis Naaktgeboren

Die Familie der Hunde (Canidae) zählt 14 Gattungen mit insgesamt 30 bis 35 Arten. Die genaue Zahl der Arten ist von der jeweiligen systematischen Einteilung abhängig. So werden zum Beispiel in älteren Systemen der Haushund und der Dingo als selbständige Arten beschrieben, während die moderne Auffassung sie als Domestikationsformen (Domestikation = Haustierwerdung) des Wolfes betrachtet. Sowohl in den meisten Landessprachen als auch in der zoologischen Wissenschaft ist die Familie nach der wichtigsten und bekanntesten Gattung (Hund, lat. *canis*) benannt worden. Diese Gattung umfaßt nach heutiger Auffassung den Wolf mit Haushund und Dingo, die Schakale und den Kojoten. Es ist möglich, fruchtbare Bastarde vom Haushund mit den anderen Arten zu züchten. Da Hund und Wolf einer Art angehören, ist dies nicht verwunderlich. Der altrömische Schriftsteller Plinius d. Ä. hat schon beschrieben, daß es bei den Germanen üblich war, läufige Hündinnen im Wald an einem Baum anzubinden, damit sie von Wolfsrüden gedeckt werden sollten. Haushund und Kojote kreuzen in freier Wildbahn, was zur Entstehung der sogenannten »Coydogs« führt, aber Haushund-Schakal-Bastarde entstehen nur in Menschenobhut. Bastarde zwischen verschiedenen Arten sind in der Regel nicht fruchtbar (z. B. Maulesel und Maultiere), und die Verhältnisse in der Gattung *Canis* sind daher eine zoologische Besonderheit. Der Artbegriff beruht unter anderem auf der Hervorbringung fruchtbarer Nachkommen bei freier Partnerwahl. Das letztere ist bei Haushund-Schakal-Bastarden nicht der Fall. In Gegenden, wo viele verwilderte Hunde und Schakale im selben Lebensraum vorkommen, wie die Pariahunde und die Goldschakale im Mittleren Osten, vermischen sie sich nicht.

Der Fennek, die kleinste Hundeart, ist vor allem in der Sahara zu Hause. Die riesigen Ohren, die der Abstrahlung überschüssiger Wärme dienen, weisen ihn als Wüstentier aus, die großen Augen als nachtaktiv.

Die Gattung Fuchs *(Vulpes)* ist mit neun Arten die größte dieser Familie. Die übrigen 12 Gattungen zählen meistens nur eine oder zwei Arten.

Die Familie der Caniden läßt sich bis ins Oligozän zurückverfolgen. Im Oligozän und Miozän waren die Hunde auf der Nordhalbkugel in der Alten und Neuen Welt mit vielen Arten vertreten.

Sie scheinen Eurasien (Europa und Asien) von Amerika aus über die Beringstraße besiedelt zu haben. Erst im Pleistozän erreichen sie Südamerika, Afrika und Südostasien. Sie eroberten dann die ganze Welt mit Ausnahme von Australien, Neuguinea, Madagaskar und einigen Inseln Ozeaniens, wohin sie erst mit den menschlichen Siedlern gelangten.

Die Hunde haben oft einen sehr schlechten Ruf. Der Fuchs soll verschlagen sein und der Wolf blutdürstig. In vielen Kulturen spielen sie eine wichtige Rolle in Fabeln und Märchen: Fast ausnahmslos ist ihnen eine unerfreuliche Rolle zugewiesen, und derjenige, der ein solches »böses« Tier bestraft oder tötet, wird gelobt. Dieser uralte und kaum zu überwindende Aberglaube hat die Lebensmöglichkeiten einiger Arten sehr eingeschränkt und an vielen Orten wesentlich zur Ausrottung der Wölfe beigetragen. Der Rotfuchs wird ebenfalls bitter bekämpft, unter anderem wegen Tollwutgefahr. Füchse vertilgen aber sehr viele Nager, die je nach Art großen Schaden anrichten können. Und Tollwut kann von vielen Säugern übertragen werden. Es ist aber Jägerstolz, einen Fuchs zu erlegen, und die Tollwut ist im Gespräch mit Naturschützern eine gute Ausrede. Ohne dies zu entkräften, ist hier doch zu betonen, daß der Rotfuchs außerordentlich wichtig ist im Ökosystem. Er ist das letzte größere Raubtier, das in Europa noch allgemein vorkommt. Es

wäre unvernünftig zu versuchen, aufgrund mittelalterlicher Vorurteile diese Art auszurotten. Doch trotz der vielen Bedrohungen von seiten des Menschen haben die Caniden sich immer wieder angepaßt, und wenn auch die Verbreitungsgebiete mancher Arten ziemlich stark eingeschränkt worden sind, sind sie im allgemeinen imstande gewesen, als Art zu überleben.

Die Anpassungsfähigkeit vieler Arten dieser Familie ist offensichtlich ungewöhnlich groß, was sicherlich zur erfolgreichen Domestikation des Haushundes, zur Verwilderung des Dingos und zu der lohnenden Pelztierzucht von Füchsen beigetragen hat. In der Natur zeigt sich dieses Anpassungsvermögen in der weltweiten Verbreitung der Hunde, die von den Polargebieten bis zu den Wüsten vorkommen, in Hochland und Tiefland, in Steppe und Wald. Man kann ohne weiteres sagen, daß es keinen Landbiotop gibt, wo keine Art dieser Familie leben könnte. Rein wasserlebende Hunde gibt es nicht, obwohl alle Arten schwimmen können. Sie sind überall das ganze Jahr hindurch munter, nur der Waschbärhund hält eine Winterruhe. Ihre Aktivität kann zu allen Tagesstunden stattfinden. Die Wüstenarten ruhen während der größten Tageshitze in einem Bau oder suchen Schattenplätze auf. Ihre Hauptaktivität wird dann mehr in die Nachtstunden verschoben.

Sozialverhalten

Viele Caniden sind gesellige Jäger. Wölfe leben in festgefügten kleinen Rudeln (5 bis 8 Tiere) mit straffer Rangordnung. Erzählungen von Reisenden, die angeblich von mehreren hundert Wölfen gleichzeitig verfolgt wurden, sind wohl ins Reich der Fabel zu verweisen.

Die wichtigsten Beutetiere des Wolfes sind große Wiederkäuer (Wapiti, Elch), die entweder gemeinschaftlich überwältigt oder nach einer Ermüdungs-

Links oben: Die Heimat des Eisfuchses sind die kalten Tundren des hohen Nordens. Hier ein sogenannter »Weißfuchs«, der im Herbst sein dunkles Sommerkleid mit dem Winterfell vertauschte. - Unten: Hunde sind durchwegs gesellige Wesen. Wölfe leben in festgefügten kleinen Rudeln mit einer strengen Rangordnung.

jagd geschlagen werden. Die Hyänenhunde leben in größeren Gruppen (bis zu 30 Tieren) und erbeuten gemeinsam ebenfalls große Huftiere wie Zebras, Büffel und Antilopen. Viele kleinere Canidenarten leben solitär (als Einzelgänger) und machen allein oder in Paaren Jagd auf kleinere Beutetiere. Aber auch solitäre Arten können in Gemeinschaften leben. So kommen beim Rotfuchs auch gruppenbildende Populationen (Bevölkerungen) vor. Es ist möglich, daß die solitäre Lebensweise des Rotfuchses gewissermaßen eine Anpassung an die starke Bejagung darstellt und daß unter weniger gefährlichen Umständen die Gruppe weniger rasch auseinanderfällt. Obwohl diese Ansichten noch einer Bestätigung bedürfen, ist es wichtig festzustellen, daß sich bei Haltung mehrerer Rotfüchse in menschlicher Obhut sehr leicht eine Rangordnung herausbildet. Dies wurde von Günter Tembrock in Berlin und auch von mir eindeutig nachgewiesen. Schakale leben während eines Teils des Jahres paarweise und jagen dann gemeinsam. An der Jungenaufzucht sind, soweit bekannt, bei allen Arten beide Eltern beteiligt, bei den geselligen Arten auch andere Mitglieder der Gruppe. Im allgemeinen darf gesagt werden, daß die Möglichkeit des Gemeinschaftslebens ein wesentliches Merkmal dieser Familie darstellt, obwohl es bei vielen Arten nicht immer und unter allen Umständen zur Entfaltung kommt. Am besten ausgebildet ist es bei Wolf und Hyänenhund.

Oben: Alle Hunde können von Natur aus schwimmen, und viele gehen gern ins Wasser. Dem Schäferhund, einem Abkömmling des Wolfs, macht es sichtlich Vergnügen, einen ins Wasser geworfenen Stock zu apportieren. - Mitte: Ein Wolfsrudel beim Streifzug durchs schneebedeckte Revier.

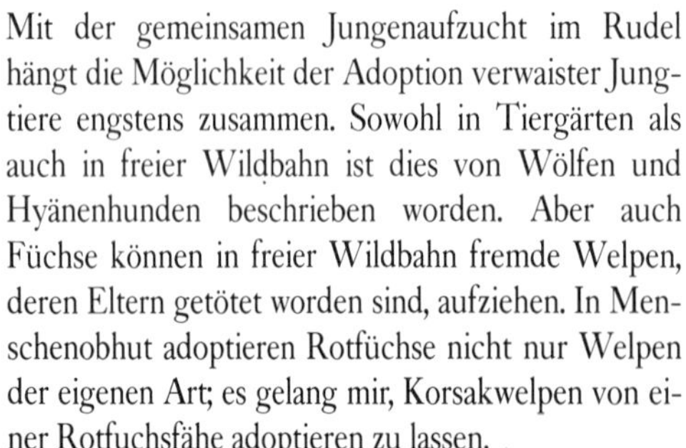

Mit der gemeinsamen Jungenaufzucht im Rudel hängt die Möglichkeit der Adoption verwaister Jungtiere engstens zusammen. Sowohl in Tiergärten als auch in freier Wildbahn ist dies von Wölfen und Hyänenhunden beschrieben worden. Aber auch Füchse können in freier Wildbahn fremde Welpen, deren Eltern getötet worden sind, aufziehen. In Menschenobhut adoptieren Rotfüchse nicht nur Welpen der eigenen Art; es gelang mir, Korsakwelpen von einer Rotfuchsfähe adoptieren zu lassen.

Vom Haushund ist ebenfalls bekannt, daß die Hündin ohne weiteres Fremdjungen aufziehen kann. Viele zoologische Gärten haben Löwen, Tiger und andere Wildtiere von Hündinnen säugen lassen.

Ein zweiter Punkt, der mit dem Gemeinschaftsleben zusammenhängt, ist die »Sprache« der Caniden. Wölfe, Füchse und Schakale sind sehr wohl imstande, sich untereinander mit Hilfe von Körperhaltung, Schwanzhaltung, Ohrenstellung und Lauten zu verständigen. Jede Art hat ihre Eigentümlichkeiten. Man könnte sogar sagen, daß jede Art eine eigene Sprache spricht. Das führt dazu, daß bei gemeinsamer Haltung von Rotfüchsen, Schakalen und Haushunden manchmal eine »babylonische Sprachverwirrung« herrscht, die Aggressionen und Beißereien zur Folge hat. Ich habe aber festgestellt, daß die Tiere fähig sind, die Sprache der anderen Art verstehen zu lernen, so daß nach einiger Zeit die Auseinandersetzungen an Häufigkeit abnehmen. Die Tierärztin Dorit Fedderson aus Kiel hat das Verhalten von Pudel-Schakal-Bastarden, sogenannten Puschas, in der ersten, zweiten und dritten Generation beobachtet. Die einzelnen Teile des Verhaltensinventars vererben sich wie ein Mosaik, das heißt, bei den Bastarden und deren Nachkommen passen die Elemente des Verhaltens nicht mehr zueinander. Dies kann leicht dazu führen, daß Wurfgeschwister einander nicht verstehen, was eine große Unruhe heraufbeschwört. Auch bei Pudel-Wolf-Bastarden (Puwo) ist dies der Fall, aber weniger ausgeprägt. Viele Hund-Wolf-Bastarde und deren Nachkommen weisen ein labiles Verhalten auf. Um eine brauchbare Hunderasse aus derartigen Kreuzungen

von außen ausgelöst werden können. Läufige Hündinnen stecken in Zwingern benachbarte Hündinnen an. Demzufolge werden in größeren Zuchtstätten häufig mehrere Hündinnen etwa gleichzeitig läufig. Die Ansteckung erfolgt wahrscheinlich über die Abgabe von Geruchslockstoffen (Pheromone). Daß bei wilden Caniden die Ansteckung bei Rudelgenossen eine Rolle spielt, ist zwar wahrscheinlich, aber bisher noch nicht bewiesen. Häufig sind die Tiere zu dieser Zeit untereinander besonders angriffslustig. Bei Wölfen verpaaren sich oft nur die beiden ranghöchsten Tiere des Rudels, während die anderen Tiere nicht die Möglichkeit dazu bekommen. Streß kann das Auftreten der Läufigkeit und den Eisprung unterdrücken. Bei gesellig lebenden Rotfüchsen pflanzen sich ebenfalls nur die ranghöchsten Tiere fort, aber Kämpfe, um Verpaarungen zwischen rangniederen

Bei spielerischen Auseinandersetzungen zwischen Wölfen kommt keines der beiden Tiere zu Schaden. Die angeborene Beißhemmung funktioniert in solchen Fällen zuverlässig.

herauszuzüchten, ist es nötig, die Mehrzahl der Tiere von der Zucht auszuschließen. Der europäische Wolfshund, eine Rasse, die erst im Jahre 1975 anerkannt wurde, entstand kurz nach dem Ersten Weltkrieg aus der Kreuzung eines Deutschen Schäferhundes mit einer Wölfin. Der Züchter L. Saarloos hat über viele Generationen hinweg alle Tiere, die seinen Ansprüchen nicht genügten, getötet. Das waren viel mehr Tiere als die, welche er für brauchbar hielt. Es ist also klar, daß auch hier die Mosaikvererbung zu Schwierigkeiten führt. Bastarde von Wildcaniden und Haushunden haben deswegen in der freien Natur nur sehr wenig Überlebenschancen, denn ihre Verhaltensweisen schließen einen erfolgreichen Anschluß an bestehende Rudel von vornherein aus. Der Coydog ist in dieser Hinsicht eine Ausnahme.

Fortpflanzung

Die Wildcaniden haben einmal im Jahr eine Fortpflanzungszeit. Die Weibchen sind dann läufig und locken durch ihr Verhalten sowie durch ihren Geruch die Männchen an. Beim Haushund konnte nachgewiesen werden, daß die Läufigkeit und der Eisprung

Rudelgenossen zu verhindern, sind nicht bekannt. Es ist fast sicher, daß die Rangordnungsauseinandersetzungen für die rangniederen Wölfinnen eine so große Belastung darstellen, daß sie überhaupt nicht läufig werden. Die Tiere, die nicht unmittelbar an der Fortpflanzung beteiligt sind, sind jedoch von wesentlicher Bedeutung für die Jungenaufzucht; sie leisten dabei eine Hilfe, auf welche die Eltern nicht verzichten können.

Dieses Verhalten, an dem sowohl weibliche als auch männliche Tiere beteiligt sind, hat zur Folge, daß in einem Rudel nur ein Wurf im Jahr geboren wird, aber daß diese Welpen auch aufgezogen werden können. Für vier oder fünf Würfe wäre es nicht möglich, genügend Futter zu beschaffen. Dieses Verfahren vermehrt die Lebensaussichten der wenigen Jungen und somit auch die Überlebensmöglichkeiten der Art in zuweilen sehr unwirtlichen Lebensräumen und unter

▷ Obwohl ein Wolfsrudel eng, ja innig zusammenhält, sind Rangstreitigkeiten keine Seltenheit. Hier greift gerade ein Rüde einen Nebenbuhler an.

schwierigsten Klimaverhältnissen, wie dies insbesondere beim Wolf in den arktischen Gebieten der Fall ist.

Beim Haushund kommt es zweimal im Jahr zu einer Läufigkeit. Zudem werden domestizierte Hunde früher geschlechtsreif, und die Zahl der Jungen je Geburt ist im allgemeinen größer. Die Fortpflanzungskapazität der Haushunde hat im Vergleich zum Wolf also sehr stark zugenommen. Dies gilt nicht nur für den Hund, sondern für die meisten Haustiere. Bei der Paarung vergrößern sich die Schwellkörper des Gliedes sehr stark durch vermehrte Blutzufuhr. Die Muskeln der Scheidenwand ziehen sich zusammen, und demzufolge ist es nach dem Samenerguß (Ejakulation) nicht sofort möglich, das Glied aus der Scheide zu ziehen. Dies ist die Ursache des für diese Familie so kennzeichnenden »Hängens«.

Die Gebärmutter ist zweihörnig (Uterus bicornis). Die Hörner sind lang, und der gemeinsame Teil oder Gebärmutterkörper ist klein. Die Keimlinge liegen hintereinander in ihren Fruchtblasen in den Hörnern der Gebärmutter. Die Plazenta (Mutterkuchen) umgibt wie ein Gürtel die Fruchtblase und heißt deswegen Gürtelplazenta. Diese Plazenta ist ein Merkmal der Raubtiere, aber bei den Caniden kommt noch eine Eigentümlichkeit hinzu: Die Ränder der Plazenta enthalten einen grünen Farbstoff (Hämochlorin), der ein Restprodukt mütterlicher Blutzellen darstellt. Das grüne Randhämatom verursacht bei der Geburt manchmal eine grüne Verfärbung des Fruchtwassers. Bei der Geburt zerreißt die Mutter die Fruchthüllen und leckt die Welpen sauber. Sie verzehrt die Nachgeburt und beißt die Nabelschnur durch.

Die Geburt findet entweder in Kopfendlage oder in Steißendlage statt; beides ist normal, obwohl die Kopfendlagen etwas häufiger sind. Gebärende Hündinnen benehmen sich in der Regel sehr ruhig, besonders bei den Wildcaniden. Die Geburt kann eine sehr unterschiedliche Dauer haben. Meistens werden die Jungen in Abständen von 20 bis 40 Minuten geboren. Beim Rotfuchs ermittelte ich einmal vier Stunden für drei Welpen und einmal drei Stunden für vier Welpen. Die Geburt beim Hyänenhund dauerte im Zoo Amsterdam sechs Stunden für neun Welpen, aber im Rotterdamer Zoo wurden 18 Junge in drei Stunden geboren. Dies zeigt, daß die Unterschiede bei den Wildcaniden genauso groß sein können wie bei Haushunden.

Liebe im Winterschnee. Die Körperhaltung der Wölfin läßt erkennen, daß sie ihren ungestümen Freier nicht abweisen wird.

Zähmung und Haustierwerdung

Junge Wildcaniden werden leicht handzahm. Wir kennen viele Berichte über gezähmte und als Haustiere gehaltene Wölfe, Kojoten, Schakale, Rotfüchse, Eisfüchse und Fenneks. Wölfe schließen sich leicht an den Menschen an. Es ist vor wenigen Jahrzehnten versucht worden, mit einem zahm aufgezogenen Wolf zu jagen. Dies gelang tatsächlich. Es ist daher möglich, daß schon die ersten gezähmten Wölfe vor mehr als 10 000 Jahren unseren Ahnen von Nutzen gewesen sind. Ursprünglich hat man gemeint, daß es eine Reihe von Wildhundarten gegeben habe, die jeweils als Ahnen einer Rassengruppe zu betrachten seien. Später wurde nachgewiesen, daß diese »Arten« keine Arten waren, sondern sehr frühe Domestikationsformen des Wolfes. Die Auffassung, es solle Hunderassen geben, die vom Wolf, und andere, die vom Schakal abstammen (*Lupus*- und *Aureus*-Typen), ist inzwischen ebenfalls aufgegeben worden zugunsten der monophyletischen Abstammung. Das heißt: Heute ist man der Meinung, daß alle Haustiere sich jeweils nur von einer wilden Stammart (griech. *phyle* = Stamm) herleiten. Für alle Haushundrassen ist dies der Wolf. Daher sollte man den Haushund heute nicht mehr *Canis familiaris*, sondern *Canis lupus f. familiaris* nennen (das »*f.*« ist die Abkürzung von lat. *forma* = Form und bedeutet, daß wir es nicht mit einer natürlichen Unterart, sondern mit einer »künstlichen« Zuchtform zu tun haben).

Für die Feststellung der Stammart gibt es mehrere Anhaltspunkte. Ohne Zwang von seiten des Menschen paaren sich Schakale und Haushunde nicht, aber zwischen Haushund und Wolf sind freiwillige Paarungen durchaus möglich. Sogar im Mittleren Osten, wo Schakale und Pariahunde im selben Gebiet leben, kommen keine Bastarde vor. Bei allen Haustieren hat sich das relative Gehirnvolumen im Vergleich zu der wilden Stammart verringert. Der Haushund weist im Vergleich zum Wolf eine Abnahme, im Vergleich zum Schakal eine Zunahme des Gehirnvolumens auf. Diese Tatsache sowie anatomische Gebißmerkmale und biochemische Befunde haben den Schakal endgültig von seinem Platz als Stammart des Haushundes verdrängt, und nur dem Wolf gebührt diese Ehre.

Die ältesten Reste von Hunden stammen aus der Zeit um 8500 v. Chr. Leider streiten sich die Gelehrten

Wolfswelpen sind neugierig und verspielt wie alle Tierkinder. Der Kleine wird gleich aus dem Bau kommen, um draußen mit seinen Geschwistern herumzutollen.

Die Rangordnung im Rudel wird durch bestimmte Verhaltensformen geregelt, die tätliche Auseinandersetzungen vermeiden helfen. Hier zeigt ein Tier durch Demutshaltung die Bereitschaft zur Unterwerfung an.

Der afrikanische Löffelhund ist ein tüchtiger Gräber, der sich als einziger Vertreter der Caniden von Insekten und Kleingetier ernährt. In der kargen, sandigen Etoscha-Pfanne scharrt er den Boden auf, um an die Lieblingskost heranzukommen.

noch immer über die Frage, ob es sich hierbei um Knochen von Hunden oder von Wölfen handelt. Reste, die zweifelsohne von Hunden herrühren und die mit Sicherheit schon 9500 Jahre alt sind, wurden in England und in Dänemark gefunden. Aus Anatolien sind 9000 Jahre alte Hundeknochen bekannt. Rund um das Mittelmeer wurde der Hund also ziemlich bald nach dem Schaf oder der Ziege Haustier, aber er ist nicht das älteste Haustier überhaupt, wie irrtümlicherweise oft behauptet wird. Diese Ehre kommt nur Schaf oder Ziege zu, die gemeinsam zu nennen sind, weil die Knochenreste sich nicht eindeutig zuschreiben lassen. Betrachtet man jedoch nur Europa, dann ist der Hund bei weitem das älteste Haustier. Er wurde von Jägervölkern in der Mittelsteinzeit domestiziert. Obwohl diese Völker schon mehr oder weniger seßhaft waren, betrieben sie noch keinen Ackerbau.

Schon in den dänischen Funden, die auf etwa 7500 v. Chr. zurückgehen, gibt es mindestens zwei Typen, nämlich kleine und große Hunde, die jedoch beide kleiner sind als die Wölfe, die damals in dieser Gegend lebten. Die berühmten Hunde aus den vorgeschichtlichen Pfahlbausiedlungen in der Schweiz, die 1901 von Th. Studer als Stammarten von Rassengruppen beschrieben wurden, waren neusteinzeitliche Domestikationsformen. Aber auch in Rußland, in der Tschechoslowakei und in Österreich sind Reste von neusteinzeitlichen Hunden gefunden worden. Man hat sie für verschiedene Arten gehalten und als solche beschrieben. Heute wissen wir, daß dies ein Fehler war. Die Unterschiede zwischen diesen »Arten« – *Canis palustris* als Ahne der Spitze, *Canis matris-optimae* als Ahne der Schäferhunde und viele andere – stellen in Wirklichkeit frühe Domestikationsmerkmale dar. Obwohl die Auffassung Studers schon 1913 abgelehnt wurde, hat sie sich in der kynologischen (hundekundlichen) Literatur bis in die Gegenwart gehalten und bildet noch oft die Grundlage für die Einteilung der Hunderassen. Während der Eisenzeit Europas bevorzugte der Mensch offensichtlich kleine Hunde, denn Reste von größeren Hunden sind sehr selten.

Hunde (Canidae)

Name **deutscher Name** **wissenschaftlicher Name** **englischer Name (E)** **französischer Name (F)**	**Körpermaße** **Kopfrumpflänge (KRL)** **Schwanzlänge (SL)** **Standhöhe (SH)** **Gewicht (G)**	**Auffällige Merkmale**	**Fortpflanzung** **Tragzeit (Tz)** **Zahl der Jungen je Geburt (J)** **Geburtsgewicht (Gg)**
Wolf *Canis lupus* mit 44 (?) Unterarten E: Gray wolf F: Loup	KRL: 100–160 cm SL: 30–50 cm SH: 50–100 cm G: 15–80 kg	Meist grau bis bräunlich; im Nordwesten Amerikas auch schwarze, in der Arktis ganz weiße Tiere; Männchen größer als Weibchen	Tz: 61–63 Tage J: 4–7 Gg: 300–500 g
Australischer Dingo *Canis lupus f. dingo* E: Dingo F: Dingo	KRL: 117–124 cm SL: 30–35 cm SH: 50 cm G: 10–20 kg	Ein im frühen Stadium der Haustierwerdung verwilderter Hund; überwiegend gelblich- bis rötlichbraun mit unregelmäßigen weißen Abzeichen; Pfoten und Schwanzspitze oft weiß	Tz: 63 Tage J: meist 4–5 Gg: nicht bekannt
Neuguinea-Dingo *Canis lupus f. hallstromi* E: New Guinea singing dog	KRL: ? SL: ? SH: 40–45 cm G: ?	Ebenfalls früh verwilderte Haushundform; spitzähnlich; buschige Rute; kurze Beine; Fell bräunlich mit weißen Abzeichen	Vermutlich wie Australischer Dingo
Kojote, Präriewolf, Heulwolf *Canis latrans* E: Coyote, Prairie wolf, Brush wolf F: Coyote	KRL: 70–97 cm SL: 30–38 cm SH: 45–53 cm G: 10–18 kg, meist etwa 12,5 kg	Braun mit schwarzer und grauer Zeichnung; Schwanzende schwarz; Fell dick, ziemlich lang und grob, vor allem bei nördlichen Formen	Tz: 60–65 Tage J: 5–10, meist 5–7 Gg: etwa 350 g

Dies deutet wohl auf irgendeine Auslese hin, denn vorher, in der Bronzezeit, gab es sowohl große als auch kleine Hunde. Außer in der Größe variierten die bronze- und eisenzeitlichen Hunde im Bautyp; man hatte zum Beispiel neben doggenähnlichen Hunden auch schlanke Hunde vom Windhundtypus. Aus den Abbildungen und Beschreibungen, die aus den mesopotamischen und ägyptischen Hochkulturen auf uns gekommen sind, wissen wir, daß dort seit 3000 v.Chr. fast alle wesentlichen Spielarten, die wir heute kennen, bekannt waren. Wie die Mannigfaltigkeit der Haushunde aus einer Stammart entstanden sein kann, ist eine Frage, welche die Gelehrten lange Zeit gequält hat. In wilden Populationen kommen jedoch sehr viel mehr Erbfaktoren vor als diejenigen, die man sieht. Viele bleiben aber unterdrückt, weil sie rezessiv sind. Sie treten nur in Erscheinung, wenn ein Jungtier von seinem Vater und von seiner Mutter den gleichen seltenen Erbfaktor mitbekommt. Je größer eine Population ist, desto einheitlicher wird ihr allgemeines Bild sein, weil seltene rezessive Eigenschaften verborgen bleiben. Sie gehen aber nicht verloren. Bei Haustieren ist die Partnerwahl beschränkt, und infolge dieser sexuellen Isolation können rezessive Erbanlagen nun eher zum Vorschein kommen. Sobald ein besonderes Tier – zum Beispiel weiß oder gescheckt statt wildfarbig – geboren wird, reizt es die Aufmerksamkeit des Menschen. Man wird gerade mit diesem Tier weiterzüchten. Neben vielen anderen Faktoren bilden die künstliche statt der natürlichen Auslese und die Absonderung von der Hauptpopulation einen wesentlichen Teil der Erklärung, wie aus einer »einheitlichen« wilden Tierart so viele unterschiedliche Haustierrassen entstehen können.

Im Gegensatz zu den meisten Hundearten ist der südamerikanische Mähnenwolf ein ungeselliger Einzelgänger. Eine weitere Besonderheit dieses hochbeinigen Tiers: Er schreitet im Paßgang.

Lebensablauf Entwöhnung (Ew) Geschlechtsreife (Gr) Lebensdauer (Ld)	Nahrung	Feinde	Lebensweise und Lebensraum	Häufigkeit
Ew: mit 7–9 Wochen Gr: mit 1–3 Jahren Ld: in freier Wildbahn weniger als 10, in Menschenobhut bis 20 Jahre	Große Huftiere, Biber, Kleinsäuger, Hunde, Haustiere, Abfälle	Mensch	Sehr gesellig; Zusammenleben und gemeinsame Jagd in Rudeln (im Durchschnitt 5–8 Tiere); Rangordnung und Revierverteidigung; Reviergröße 100–10 000 km²; sehr anpassungsfähig an unterschiedlichste Lebensräume	In Westeuropa bis auf Restpopulationen in Finnland, Skandinavien, Portugal, Spanien, Italien, Jugoslawien, Griechenland, Polen, ČSSR, Rumänien ausgerottet
Ew: nach etwa 2 Monaten Gr: nicht bekannt Ld: in Menschenobhut über 14 Jahre	Kleinsäuger, vor allem Kaninchen, aber auch Känguruhs, Eidechsen, Aas usw.	Mensch	Einzelgänger, aber oft in lockeren Gruppen; gemeinsame Jagd; wanderfreudig; Rüden besetzen Eigenbezirke und kennzeichnen sie mit Harnmarken; von trockenen Sandwüsten bis Buschland	Reinblütige Tiere wegen starker Verfolgung selten geworden
Vermutlich wie Australischer Dingo	Kleintiere	Mensch	Lebensweise in der Natur kaum bekannt; in Bergwäldern über 2000 m Höhe	Infolge Bejagung stark bedroht
Ew: nach etwa 8 Wochen Gr: im 2. Jahr Ld: in Menschenobhut über 15 Jahre	Kleinsäuger, aber auch Früchte, Insekten, Krabben, Fische	Wolf, Mensch	Paarbildung; Jagd einzeln, paarweise oder in Rudeln; sehr guter Läufer (bis 60 km/h); Revierkennzeichnung mit Urin und durch Lautäußerungen (Heulen); in offenen Landschaften	Trotz Verfolgung starke Vergrößerung des Verbreitungsgebiets

Name **deutscher Name** **wissenschaftlicher Name** **englischer Name (E)** **französischer Name (F)**	**Körpermaße** **Kopfrumpflänge (KRL)** **Schwanzlänge (SL)** **Standhöhe (SH)** **Gewicht (G)**	**Auffällige Merkmale**	**Fortpflanzung** **Tragzeit (Tz)** **Zahl der Jungen je Geburt (J)** **Geburtsgewicht (Gg)**
Goldschakal *Canis aureus* E: Golden jackal, Common jackal F: Chacal commun	KRL: 70–85 cm SL: 25 cm SH: 40 cm G: 8–10 kg, ausnahmsweise bis 12 kg	Golden-rotgelbes Fell mit weißem Kehlfleck; Winterkleid dunkler	Tz: 9 Wochen J: 3–6 Gg: 200–250 g
Schabrackenschakal *Canis mesomelas* E: Black-backed jackal, Silver-backed jackal F: Chacal à chabraque, Chacal à dos noir	KRL: 65–106 cm, meist 70–90 cm SL: 30–35 cm, manchmal bis 40 cm SH: 45–50 cm G: 8–15 kg	Grau bis silberfarbig oder rotbraun mit schwarzem Sattel	Wie Goldschakal
Streifenschakal *Canis adustus* E: Side-striped jackal F: Chacal à flancs rayés	Wie Schabrackenschakal	Grau mit dunklen Streifen an den Flanken; weißes Schwanzende	Wie Goldschakal
Abessinischer Fuchs *Canis simensis* E: Simien jackal F: Loup d'Abyssinie	KRL: etwa 100 cm SL: 25–30 cm SH: etwa 50 cm G: etwa 15 kg	Rotbraun mit weißen Abzeichen; buschiger Schwanz	Soweit bekannt, wie beim Goldschakal
Eisfuchs, Polarfuchs *Alopex lagopus* mit 9 Unterarten E: Arctic fox F: Isatis, Renard arctique	KRL: 50–70 cm SL: 28–40 cm SH: 28–32 cm G: 2,5–8 kg	Zwei Farbschläge: Weißfüchse im Winter rein weiß, im Sommer graubraun; Blaufüchse im Winter hellbraun, grau, schokoladenfarben oder anthrazit mit bläulicher Tönung, im Sommer einfarbig grau bis braun	Tz: 49–56 Tage J: 6–12, manchmal bis 20 Gg: 50–150 g
Steppenfuchs, Korsak *Alopex corsac* E: Corsac fox F: Renard corsac	KRL: 48–68 cm SL: 30–40 cm SH: bis 30 cm G: 2,5–5 kg	Im Winter sehr dichter weißgrauer Pelz, im Sommer sandfarben bis rötlich; zusammen mit dem Eisfuchs *(A. lagopus)* nimmt der Steppenfuchs eine Zwischenstellung zwischen den echten Hunden *(Canis)* und den Füchsen *(Vulpes)* ein	Tz: 49–51 Tage J: 2–7 Gg: 50–80 g
Rotfuchs *Vulpes vulpes* mit 40 (?) Unterarten E: Red fox F: Renard	KRL: 50–90 cm SL: 30–50 cm SH: 35–45 cm G: 2,5–10 kg	Viele verschiedene Färbungs- und Zeichnungstypen: Birkfuchs, Brandfuchs, Kreuzfuchs oder Schwärzlinge; in Menschenobhut auch der Silberfuchs	Tz: 51–53 Tage J: 4–7, manchmal bis 10 Gg: 80–150 g
Kitfuchs, Swiftfuchs *Vulpes velox* mit 2 Unterarten E: Kit fox, Swift fox F: Renard véloce	KRL: 40–50 cm SL: 25–30 cm SH: 25–30 cm G: 2–3 kg	Rötlich gelb (Swiftfuchs) bis hell sandfarben (Kitfuchs)	Tz: etwa 50 Tage J: 4–7 Gg: 50–100 g
Kapfuchs, Kamafuchs, Silberrückenfuchs *Vulpes chama* E: Cape fox F: Renard du Cap	KRL: 45–61 cm SL: 30–40 cm SH: 28–33 cm G: 3,6–5 kg	Rücken silbergrau; Flanken und Unterseite fahlgelb; Schwanzspitze stets schwarz	Tz: 51–53 Tage J: 3–6 Gg: 50–100 g
Sandfuchs, Rüppellfuchs *Vulpes rueppelli* E: Rüppell's fox, Sand fox F: Renard famélique	KRL: 40–52 cm SL: 25–35 cm SH: 25–30 cm G: 2–3 kg	Vergleichsweise helle Körperfärbung; weiße Schwanzspitze; schwarzer Voraugenfleck	Tz: 51–53 Tage J: 3–6 Gg: 50–100 g
Blaßfuchs *Vulpes pallida* E: Pale fox F: Renard pâle	KRL: 40–45 cm SL: 25–30 cm SH: 25 cm G: 2–3 kg	Blaß sandfarben mit schwarzer Schwanzspitze	Tz: 51–53 Tage J: 3–6 Gg: 50–100 g
Afghanfuchs, Canafuchs *Vulpes cana* E: Blanford's fox F: Renard de Blanford	KRL: 40–50 cm SL: 33–41 cm SH: 26–28 cm G: 3–4 kg	Klein; buschiger Schwanz; Rücken braungrau; Flanken hell; Unterseite gelblich	Tz: 51–53 Tage J: 3–6 Gg: 50–100 g
Bengalfuchs *Vulpes bengalensis* E: Indian fox, Bengal fox F: Renard du Bengale	KRL: etwa 50 cm SL: 25–30 cm SH: 26–28 cm G: 3–4 kg	Fellfarbe rötlichbraun	Tz: 51–53 Tage J: 3–6 Gg: 50–100 g
Tibetfuchs *Vulpes ferrilata* E: Tibetan sand fox F: Renard sable du Thibet	KRL: 60 cm SL: 30 cm SH: 30 cm G: 4–6 kg	Rücken rötlichbraun; Unterseite schmutzigweiß	Tz: 51–53 Tage J: 3–6 Gg: 60–120 g
Fennek, Wüstenfuchs *Fennecus zerda* E: Fennec fox F: Fennec	KRL: 30–40 cm SL: 18–30 cm SH: 18–22 cm G: 1–1,5 kg	Besonders große Ohren; helle Körperfärbung mit schwarzer Schwanzspitze	Tz: 50–51 Tage J: 2–4 Gg: unter 50 g

Lebensablauf **Entwöhnung (Ew)** **Geschlechtsreife (Gr)** **Lebensdauer (Ld)**	**Nahrung**	**Feinde**	**Lebensweise und Lebensraum**	**Häufigkeit**
Ew: mit 8 Wochen Gr: mit etwa 21 Monaten (im Zoo früher) Ld: in Menschenobhut 12–14 Jahre	Kleinsäuger, Insekten, Früchte	Mensch, Wolf, Leopard	Tag- und/oder nachtaktiv; Zusammenleben in Paaren; Jagd oft in Familientrupps; vielfältige Lautäußerungen (Heulen und Chorheulen); vorwiegend in trockenem, offenem Gelände	Häufig und nicht bedroht
Wie Goldschakal	Sehr vielseitig: Kleintiere aller Art, Früchte, Beeren, Aas usw.	Mensch, Leopard, Gepard	Wie Goldschakal; in Savanne, Buschland und lichtem Wald (nicht im Urwald)	Häufig und nicht bedroht
Wie Goldschakal	Ähnlich wie Goldschakal	Mensch, Leopard, Hunde	Wie Goldschakal; vorwiegend Waldbewohner	Häufig und nicht bedroht
Soweit bekannt, wie beim Goldschakal	Hauptsächlich Kleinsäuger	Mensch, möglicherweise Leopard	Tag- und nachtaktiv; paarweise und in kleinen Gruppen; in Gebirgsgegenden Äthiopiens	Bedroht und gesetzlich geschützt
Ew: mit 6–8 Wochen Gr: mit 1 Jahr Ld: selten bis 10 Jahre	Allesesser, besonders Kleinsäuger (Lemminge), Eier, Aas und Beeren	Mensch	Tag- und nachtaktiv; sehr wanderfreudig; in Tundren, meist in Küstennähe; Reviergröße je nach Nahrungsangebot und -dichte sehr unterschiedlich	Nicht bedroht
Ew: nicht bekannt Gr: im 2. Jahr Ld: nicht bekannt	Kleinsäuger, Vögel, Reptilien	Mensch; Greifvögel (schlagen Jungtiere)	Paarweise oder in kleinen Rudeln; offenbar vorwiegend nachtaktiv; Tiere nicht standorttreu, ziehen oft hin und her und benutzen zufällig gefundene Höhlen; in Steppengebieten	Wegen des Pelzes stark bejagt, doch noch häufig
Ew: mit 7–9 Wochen Gr: mit 1 Jahr Ld: in Freiheit selten mehr als 7 Jahre, in Menschenobhut bis 15 Jahre	Allesesser: Kleinsäuger, Vögel, Insekten, Regenwürmer, Aas, Obst und Beeren	Mensch	Vorwiegend dämmerungs- und nachtaktiv; Einzelgänger mit Ausnahme der Fortpflanzungszeit; schläft im meist selbstgegrabenen Bau; Reviergröße 0,1–50 km²; in Wald, Grasflur, Tundra und Kulturlandschaft	Große und flächendeckende Verbreitung
Ew: mit 6–8 Wochen Gr: mit 1 Jahr Ld: in Menschenobhut bis 12 Jahre	Kleinsäuger, Insekten, Beeren	Mensch	Nachtaktiv; gräbt verzweigte Baue; in offenen, sandigen Prärien und Halbwüsten; Reviergröße sehr unterschiedlich je nach Nahrungsangebot	Durch Verfolgung und Lebensraumzerstörung bedroht; gebietsweise ausgerottet
Ew: mit 6–8 Wochen Gr: mit 1 Jahr Ld: nicht mehr als 10 Jahre	Allesesser, besonders Kleinsäuger, Insekten, Aas und Früchte	Mensch	Nachtaktiv; einzeln oder paarweise; in Savannen und Steppen	Nicht bekannt
Ew: mit 6–8 Wochen Gr: mit 1 Jahr Ld: nicht bekannt	Insekten, Kleinsäuger, Aas und Früchte	Nicht bekannt	Nachtaktiv; in steinigen Wüsten und Halbwüsten, Steppen bis Dornbuschsavannen und kleinen Waldungen	Nicht bekannt
Ew: mit 6–8 Wochen Gr: mit 1 Jahr Ld: nicht mehr als 10 Jahre	Insekten, Reptilien, Kleinsäuger und pflanzliche Kost	Nicht bekannt	Vorwiegend nachtaktiv; gräbt ausgedehnte Erdbaue; oft gesellig; in Dornensavannen, Steppen und Halbwüsten der Sahelzone Afrikas	Nicht bekannt
Ew: mit 6–8 Wochen Gr: mit 1 Jahr Ld: nicht mehr als 10 Jahre	Allesesser	Nicht bekannt	In Halbwüsten, Steppen und Gebirge; Lebensweise unbekannt	Unbekannt; offenbar selten
Ew: mit 6–8 Wochen Gr: mit 1 Jahr Ld: 10 Jahre und mehr	Sehr vielseitig: Insekten, Reptilien, Kleinsäuger, Eier, Früchte	Nicht bekannt	Vorwiegend nachtaktiv; in Halbwüsten, offenem Grasland und Wald; auch im Gebirge und in der Nähe menschlicher Siedlungen	In Indien recht häufig, da nicht bejagt
Ew: mit 6–8 Wochen Gr: mit 1 Jahr Ld: nicht bekannt	Hasen, Nagetiere, Bodenvögel	Nicht bekannt	In Hochland, Gebirge und Steppen; Lebensweise noch nicht erforscht	Nicht bekannt
Ew: mit 10–12 Wochen Gr: mit 1 Jahr Ld: in Menschenobhut bis 12 Jahre	Sehr vielseitig, vor allem Insekten, Reptilien, Kleinsäuger	Mensch	Nachtaktiv; gesellig; guter Gräber; in Wüsten und Halbwüsten	Zum Teil stark verfolgt und daher in manchen Gebieten recht selten

Name deutscher Name wissenschaftlicher Name englischer Name (E) französischer Name (F)	Körpermaße Kopfrumpflänge (KRL) Schwanzlänge (SL) Standhöhe (SH) Gewicht (G)	Auffällige Merkmale	Fortpflanzung Tragzeit (Tz) Zahl der Jungen je Geburt (J) Geburtsgewicht (Gg)
Afrikanischer Wildhund, Hyänenhund *Lycaon pictus* E: African hunting dog, Wild dog, Cape hunting dog F: Cynhyène, Chien-hyène, Chien sauvage	KRL: 75–100 cm SL: 30–40 cm SH: 61–78 cm G: 17–36 kg	Sehr veränderliche Färbung; kurzes Fell dunkel mit unregelmäßigen gelben und weißen Flecken; weiße Schwanzspitze; sehr große abgerundete Ohren; lange Beine	Tz: 60–80 Tage J: 2–16, im Schnitt 7 Gg: nicht bekannt
Rothund, Asiatischer Wildhund *Cuon alpinus* mit 11 Unterarten E: Red dog, Dhole F: Dhole	KRL: 85–110 cm SL: 40–48 cm SH: 40–50 cm G: 15–25 kg	3. Molar des Unterkiefers fehlt (= 40 Zähne); kurzbeiniger als Hyänenhunde oder Wölfe und Schakale; Färbung rostrot bis rotbraun; Hündin mit 6–8 Zitzenpaaren	Tz: 60–63 Tage J: 2–9 Gg: 200–340 g
Marderhund, Waschbärhund *Nyctereutes procyonoides* mit 5 Unterarten E: Raccoon dog F: Chien viverrin	KRL: 65–80 cm SL: 15–25 cm SH: 22 cm G: im Sommer 4–6 kg, im Winter 6–10 kg	Gestalt, Gesichtszeichnung und Fell waschbärähnlich; Winterruhe	Tz: 59–63 Tage J: 6–8 Gg: nicht bekannt
Graufuchs *Urocyon cinereoargenteus* mit 21 (?) Unterarten E: Gray fox, Tree fox F: Renard gris	KRL: 53–73 cm SL: 28–40 cm SH: 30 cm G: 2,5–6,5 kg	Lebhafte Färbung; 2 seitliche Knochenkämme auf dem Hirnschädel; gutes Klettervermögen	Tz: 63 Tage J: 2–7 (meist 3–4) Gg: etwa 100 g
Waldfuchs, Savannenfuchs *Cerdocyon thous* mit 7 Unterarten E: Crab-eating fox F: Renard crabier	KRL: 65 cm SL: 29 cm SH: 40 cm G: 5–8 kg	Breiter Schädel; gewölbte Stirn; graubraunes Fell; schwarzer Längsstreifen auf Schwanzoberseite	Tz: 62 Tage J: 2–5 Gg: 120–160 g
Kurzohrfuchs, Kurzohrhund *Atelocynus microtis* E: Small-eared dog F: Renard à petites oreilles	KRL: 70–90 cm SL: 25–30 cm SH: 35 cm G: 9 kg	Sehr dunkle Färbung; sehr kurze Ohren; konkaves Kopfprofil; katzenartiger Gang	Nicht bekannt
Waldhund, Buschhund *Speothos venaticus* mit 3 Unterarten E: Bush-dog, Vinegar fox, Savannah dog F: Chien des buissons	KRL: 60–75 cm SL: 12–15 cm SH: 25 cm G: 5–7 kg	Gedrungen und kurzbeinig; kurzer Schwanz; 36–38 Zähne (Rückbildung der Backenzähne)	Tz: 60–70 Tage J: 4–6 Gg: 150 g
Falklandwolf *Dusicyon australis* E: Falkland Island wolf F: Loup antarctique	KRL: 90–100 cm SL: 30 cm SH: 45–55 cm G: nicht bekannt	Dichtes, weiches Fell; kurzer buschiger Schwanz mit weißer Spitze; großer Kopf mit kurzer, breiter Schnauze	Nicht bekannt
Andenfuchs, Andenwolf, Magellanfuchs *Dusicyon culpaeus* mit 6 Unterarten E: Colpeo fox F: Renard colpeo	KRL: 60–115 cm SL: 35–40 cm SH: 40–55 cm G: 4–12 kg	Buschiger Schwanz	Tz: 62 Tage J: 3–6 Gg: nicht bekannt
Pampasfuchs, Azarafuchs *Dusicyon gymnocercus* mit 10 (?) Unterarten E: Pampas fox, Argentine gray fox, Azara's fox F: Renard d'Azara	KRL: 65 cm SL: 30 cm SH: 40 cm G: 3–6 kg	Rotfuchsähnlich, aber meist etwas kleiner; Fell vorwiegend grau	Tz: 2 Monate J: 3–6 Gg: nicht bekannt
Brasilianischer Kampfuchs *Dusicyon vetulus* E: Hoary fox F: Renard du Brésil	KRL: etwa 60 cm SL: 32 cm SH: nicht bekannt G: 2,7–4 kg	Kurzes Fell, vorwiegend grau; schwarzer Längsstreifen auf Schwanzoberseite, Schwanzspitze ebenfalls schwarz	Tz: nicht bekannt J: 2–4 Gg: nicht bekannt
Mähnenwolf *Chrysocyon brachyurus* E: Maned wolf F: Loup à crinière	KRL: 110 cm SL: 40–45 cm SH: 85–90 cm G: 20–25 kg	Sehr lange Beine; Paßgänger	Tz: 65 Tage J: 2–5 Gg: 500 g
Löffelhund *Otocyon megalotis* E: Bat-eared fox F: Otocyon	KRL: 50–60 cm SL: 30–35 cm SH: 35–40 cm G: 3–4,5 kg	Ohren auffallend groß und breit; Fang kurz und schmal, mit 46–50 Zähnen; Gestalt hochbeinig und schakalähnlich	Tz: 2 Monate (höchstens 70 Tage) J: 1–5 Gg: nicht bekannt

Lebensablauf **Entwöhnung (Ew)** **Geschlechtsreife (Gr)** **Lebensdauer (Ld)**	**Nahrung**	**Feinde**	**Lebensweise und Lebensraum**	**Häufigkeit**
Ew: mit 10–12 Wochen Gr: mit etwa 18 Monaten Ld: etwa 10 Jahre	Hauptsächlich mittelgroße Gazellen und Antilopen, auch Großantilopen und Zebras	Hyänen und Adler (rauben zuweilen Jungtiere)	Zusammenleben und gemeinsame Jagd in Rudeln von durchschnittlich etwa 10 Tieren; kein stark ausgeprägtes Revierverhalten; große Jagdgebiete; männliche und weibliche Rangordnungen; in wildreichen Savannen-, Steppen- und lichten Waldgebieten	Bedroht durch Lebensraumschwund
Ew: nach der 8. Lebenswoche Gr: nicht bekannt Ld: nicht bekannt	Hauptsächlich Huftiere, aber auch kleinere Säuger	Mensch, Greifvögel	Rudelbildung, vermutlich keine längerwährende Paarbindung; je nach geographischer Verbreitung von offenen Grassteppen bis zu Dschungelwäldern, Ebene bis Hochgebirge; Reviergröße 20–40 km² (in Indien)	Nur in dichter besiedelten Gebieten gefährdet, vor allem in Java und Mittelchina von der Ausrottung bedroht
Ew: mit 50 Tagen Gr: mit 1 Jahr Ld: 6–7 Jahre, in Menschenobhut 11 Jahre	Pflanzen, Insekten, Fische, Amphibien, Vögel, Kleinsäuger	Große Raubsäuger, vor allem Wölfe	Versteckt und vorwiegend nachtaktiv; in gewässerreichen Gebieten, mit dichtem Unterholz; Reviergröße 8–12 km²	Nicht gefährdet, breitet sich aus
Ew: mit 6 Wochen Gr: nicht bekannt Ld: in Menschenobhut über 13 Jahre	Wirbellose, Insekten, Kleinsäuger, Vögel, pflanzliche Nahrung	Größere Raubtiere	Nachtaktiv; in Trockengebieten, Buschland und lockeren Waldungen	Noch ziemlich häufig
Ew: mit etwa 3 Monaten Gr: mit etwa 9 Monaten Ld: nicht bekannt	Früchte, Insekten, Krebse, Amphibien, Eidechsen, Nagetiere	Höchstens größere Raubtiere, Haushunde	Dämmerungs- und nachtaktiv; in dichtem Gras- und Buschland, offeneren Waldgebieten und an Flußufern; Reviergröße 1–2 km²	Wohl nicht gefährdet
Nicht bekannt	Pflanzen, Wirbeltiere, besonders Nagetiere	Nicht bekannt	Im tropischen Regenwald; Lebensweise noch nicht erforscht	Gefährdung durch Rückgang der Lebensräume
Ew: mit 13–27 Wochen Gr: mit 14–18 Monaten Ld: in Menschenobhut über 10 Jahre	Vorwiegend Fleisch, besonders Wirbeltiere; gelegentlich Früchte	Nicht bekannt	Sozial lebende Art; Zusammenarbeit bei der Jagd; sehr guter Schwimmer; in lockerem und dichterem Busch, Galeriewäldern, tropischem Regenwald	Selten; bedroht durch Rückgang der Lebensräume
Nicht bekannt	Magellangänse, junge Robben, Pinguine, Schafe	Mensch	Inselbewohner; auffallend zutraulich; Herkunft noch ungeklärt	Im 19. Jahrhundert ausgerottet
Ew: nach 2 Monaten Gr: nicht bekannt Ld: nicht bekannt	Pflanzen, Früchte, Obst, Reptilien, kleine und große Nager, Hasen, Schafe	Mensch, Hunde	Bewohner offenen Geländes in der Cordillere und Patagonien; Einzelgänger; vorwiegend Räuber; Reviergröße mehrere km²	Wohl noch recht häufig
Nicht bekannt	Kleinsäuger, Vögel, Reptilien, Amphibien, Pflanzen, Früchte	Besonders Menschen und Hunde	Dämmerungs- und nachtaktiver, aber auch tagaktiver Einzelgänger; in offenen und halboffenen Landschaften	Wohl nicht gefährdet
Nicht bekannt	Kleinsäuger, Vögel, Insekten, Pflanzen	Mensch	Wie Pampasfuchs; Bewohner von Savannen mit Waldinseln	Kaum bekannt
Ew: nicht bekannt Gr: mit 1 Jahr, Fortpflanzung im 2. Jahr Ld: 12–15 Jahre in Menschenobhut	Kleine Nager, Vögel, Eidechsen, Frösche, Weichtiere, Früchte	Kaum	Einzelgänger, der in schlenderndem Paßgang Beute macht; in Savannen, von Waldinseln und Flüssen durchzogenen offenen Landschaften; Reviergröße 30 km² (für 1 Paar)	Gefährdet
Ew: mit 15 Wochen Gr: mit 1 Jahr Ld: in Menschenobhut 6 Jahre, im Freileben vermutlich länger	Kerbtiere (Termiten, Heuschrecken usw.), Echsen, Kleinvögel, Eier, Kleinsäuger, Früchte	Greifvögel	Meist nachtaktiv; monogame Paarbildung; gemeinsame Jungenaufzucht in Höhlen, diese mit mehreren Ausgängen; nach dem Absetzen der Jungen stets gemeinsame Futtersuche; in Steppengebieten; Reviergröße bis 1,5 km²	Nicht gefährdet

Wolf

von Erik Zimen

Von Wölfen und Menschen

Sehen wir vom Menschen ab, hat kein Säugetier eine größere natürliche Verbreitung als der Wolf *(Canis lupus)*. Kein wildlebendes Säugetier zeigt eine derartige Schwankungsbreite der Körpergröße; der kleine Arabische Wolf *(Canis lupus arab)* wiegt im Durchschnitt 15 Kilogramm, große Wölfe in Nordamerika erreichen 80 Kilogramm. Die Farbe reicht von rein weiß bis ganz schwarz. Kaum ein Tier in unserem Kulturbereich hat zudem unsere Phantasie, unseren Haß und unsere Ängste, aber auch unsere Bewunderung stärker beflügelt als der Wolf. Seine Haustierwerdung, seine Domestikation zum Haushund vor etwa 15 000 Jahren, hat die größte Kulturrevolution aller Zeiten eingeleitet: den Übergang des Menschen vom Jäger und Sammler zum seßhaften Bauern. Der Wolf, ein Säugetier der Superlative!

Ein Indianer im Westen Kanadas, dessen noch freies Leben ich vor 25 Jahren einen Sommer lang beobachten und teilen konnte, verstand meine Frage, ob er vor dem Wolf Angst habe, überhaupt nicht: »Vor dem Grislybären ja, aber vor dem Wolf...?« Fünfzehn Jahre später bekamen wir von den Schäfern in den Abruzzen Mittelitaliens, deren Leben und Kampf mit den Wölfen wir wissenschaftlich untersuchten, eine ähnliche Antwort. Nein, Angst hätten sie nicht, sie seien nur manchmal wütend. Nur mit einem Stock bewaffnet vertrieben sie nachts ganze Wolfsrudel aus ihren Schafspferchen.

Kaum ein anderes Tier hat – unverdientermaßen – einen so üblen Leumund wie der Wolf, der seit jeher vom Menschen erbarmungslos verfolgt worden ist. Das Bild zeigt eine Wolfshatz im 17. Jahrhundert (nach einem Gemälde von P. P. Rubens).

Auf dieselbe Frage an den Nachbarn des Schäfers im Dorf, erhielt ich hingegen eine ganz andere Antwort. Natürlich habe er Angst. Wie gefährlich Wölfe sind, habe er schon häufig in Büchern und Filmen erlebt. Die gegenteilige Erfahrung seiner Freunde, die als Schäfer, Wald- oder Straßenarbeiter den Wolf in natura kennen, gilt nicht.

Nicht anders verhält es sich damit in Nordamerika: Tödliche Begegnungen zwischen Mensch und Bär werden alljährlich beklagt. Angst aber hat man vor dem Wolf, und dies, obwohl hier kein einziger Fall belegt ist, bei dem ein gesunder, freilebender Wolf einen Menschen angegriffen und getötet hätte. Es gibt aber viele Geschichten darüber. Hierfür ist vor allem das Gebiet um Sault Ste. Marie am Ostufer des Lake Superior berühmt geworden. Immer wieder wurde berichtet, wie etwa der Held am Lagerfeuer mit dem inzwischen leergeschossenen Gewehr sich und seinen Hund gegen die angreifenden Bestien verteidigt haben soll; letztlich doch erfolgreich, versteht sich. Vor fast 50 Jahren stiftete daraufhin ein skeptischer Journalist einen Preis von 100 Dollar für denjenigen, der beweisen könne, daß ihn tatsächlich ein Wolf angegriffen habe. Der Preis samt Zins und Zinseszins ist immer noch zu haben.

Es fällt allgemein auf, daß jede Epoche und auch jede Region im großen Verbreitungsgebiet des Wolfes ihre eigenen Erzähltraditionen von Wolfsüberfällen aufweist. Im ausgehenden europäischen Mittelalter wird beispielsweise immer wieder von Angriffen berichtet, die in ihrem Ablauf einem geradezu stereotypen Schema folgen. Bei einer Version wird zuerst im Dorf ein Kind vom Wolf verschleppt. Daraufhin jagen die Männer den Wolf, fassen ihn – meist wird er in eine Fallgrube getrieben – und halten dann ein Standgericht über ihn ab. Schließlich wird der Frevler zum Tode verurteilt und – angezogen wie ein Mensch – gleich am Galgen aufgehängt.

Nicht minder unglaubwürdig sind die aus dem letzten Jahrhundert stammenden russischen Berichte über Wölfe, die eine Troika in der tiefverschneiten Winternacht angreifen. Oder der immer aufs neue aufer-

standene englische Postbote, der sich auf dem winterlichen Moor zuerst erfolgreich gegen die Angreifer verteidigen kann. Erst beim zweiten Angriff, als sein soeben noch bluttriefendes Schwert in der Scheide festgefroren ist, fällt er – jetzt waffenlos – den Wölfen zum Opfer.

Sehr berühmt geworden ist auch die »Bestie von Gévaudan«, ein vermeintlich riesengroßer Wolf, der in den Jahren zwischen 1764 und 1767 über hundert Menschen – meist Frauen und Kinder – in den französischen Provinzen Auvergne und Languedoc getötet haben soll. Von den besten Jägern des Königs und bis zu 20 000 Bauern in einem Treiben verfolgt, gelang es ihm immer wieder, wie ein Fabeltier zu entkommen und seine Schreckensherrschaft fortzusetzen. Kein Tier Europas hat wohl eine größere Berühmtheit erlangt, noch hat je ein Tier selbst Jahrhunderte nach seinem vielfach angesagten Tod derartig viel Angst und Schrecken ausgelöst wie dieses legendäre Schreckgespenst Frankreichs. Ob die Geschichte aber tatsächlich wahr ist, weiß niemand mehr genau; ebensowenig, ob in den sogenannten Wolfsjahren 1880 und 1881 tatsächlich 22 Kinder zwischen zwei und neun Jahren bei Åbo in Finnland von Wölfen gerissen wurden, wie berichtet wird.

Im nachhinein ist es allzu schwer, zwischen Dichtung und Wahrheit der schriftlich überlieferten »Zeugnisse« solcher Vorgänge zu unterscheiden. Neben der bereits erwähnten Gleichförmigkeit der Überlieferungen lassen häufig auch die vielen Fehleinschätzungen wölfischer Verhaltensweisen und Fähigkeiten an der Glaubwürdigkeit der Berichte zweifeln. Übertreibungen, Sensationslust, Lüge und Geschäft sind gewiß nicht nur eine Erscheinung des 20. Jahrhunderts. Eine bestimmte Erwartungshaltung in bezug auf Wölfe wurde in allen Jahrhunderten befriedigt, je nach den Bedürfnissen der Zeit und vermutlich auch weitgehend unabhängig vom wirklichen Verhalten des Wolfes.

Das subjektive Erlebnis, der Schrecken und die Angst, die etwa das nächtliche Heulen eines Wolfsrudels den Menschen eingejagt hat, welche von der Gefährlichkeit des Wolfes, ja sogar von seinem Pakt mit dem Teufel überzeugt waren und sich daher in größter Not fühlten, konnten am nächsten Tag wohl nur durch die Schilderung eines blutigen Angriffs annähernd gerecht wiedergegeben werden. Nichts konnte wohl auch die Eintönigkeit ländlichen Lebens früherer Jahrhunderte besser unterbrechen als die überlieferten und ständig neu erzählten Gruselgeschichten aus der damals noch bedrohlichen Natur.

Doch völlig unabhängig von der gängigen Erwartungshaltung kann das Benehmen des Wolfes nicht gewesen sein. Wenn auch der wirklich stichhaltige Nachweis eines Angriffs eines gesunden und wildlebenden Wolfes auf Menschen mit tödlichem Ausgang uns nach wie vor fehlt, müssen wir doch annehmen, daß solche Fälle tatsächlich – wenn auch nur sehr selten – eingetreten sind. Ein Gespenst allein hält ein ganzes Volk nicht über Jahre in Aufregung, wie im Falle der »Bestie von Gévaudan«. Aus eigener Erfahrung weiß ich auch, wieviel weniger Angst Wölfe im Schutze der Dunkelheit vor Menschen haben. In den Abruzzen dringen nachts dieselben Wölfe, die tagsüber jede Begegnung mit Menschen ängstlich meiden, bis in die Dorfmitte ein. Sie wissen genau, wann ihnen der Mensch gefährlich werden kann und wann nicht.

Trotzdem ist heute ein Angriff dieser Wölfe auf Menschen kaum denkbar. Wann und unter welchen Bedingungen mag Menschenraub überhaupt vorgekommen sein? Folgende Voraussetzungen scheinen hierfür notwendig gewesen zu sein: 1. Die Bejagung der Wölfe hat nachgelassen. Als Folge längerer Kriege etwa sind die Männer fort, Wolfsjagden bleiben aus. Die Zahl der Wölfe nimmt zu, und sie verlieren langsam ihre Scheu vor dem Menschen. 2. Die Bewaffnung der Menschen ist zudem mangelhaft, die Bewachung von

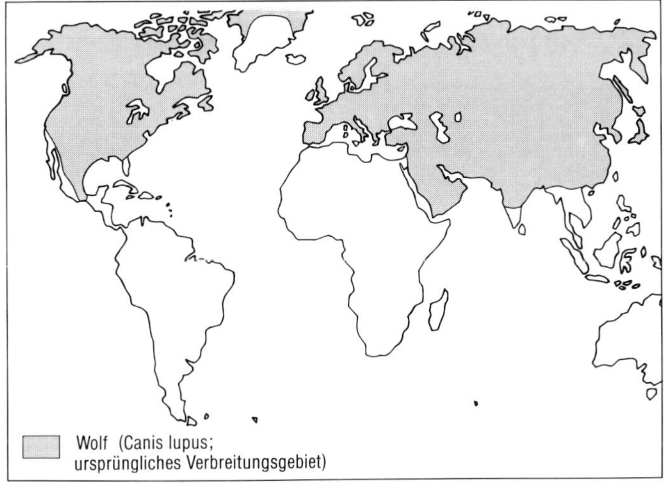

Einödhöfen und Weilern unzureichend. Nur hier aber finden die Wölfe Nahrung. Wildlebende Beutetiere fehlen weitgehend. 3. Kriegs- oder Seuchenopfer werden kaum noch begraben. Wie Hunde, Füchse und Geier lernen womöglich auch die Wölfe, sich von Leichen zu ernähren.

Solche Bedingungen lagen in Europa vor allem im Mittelalter und in der frühen Neuzeit vor. Vermutlich haben sich hier die meisten Fälle von Menschenraub durch Wölfe ereignet. Mit der besseren Bewaffnung und der stärkeren Verfolgung des Wolfes in späteren Jahrhunderten ist die Gefahr aber immer geringer geworden. Nur in langen Kriegszeiten, etwa im Dreißigjährigen Krieg oder während der Napoleonischen Kriege, kam es wieder in bestimmten Gegenden zu Angriffen auf Menschen, insbesondere auf Kinder. Heute hingegen leben unsere letzten Wölfe unter Bedingungen, die einen Angriff auf Menschen höchst unwahrscheinlich machen; genauso wie in Nordamerika, wo diese Bedingungen auch in früheren Jahrhunderten niemals gegeben waren, weder zu Zeiten der Indianer noch danach. Dies könnte erklären, warum glaubwürdige Berichte über Wolfsüberfälle in Nordamerika gänzlich fehlen. In anderen Teilen des Verbreitungsgebietes des Wolfes hingegen werden die obengenannten Bedingungen heute noch weitgehend erfüllt, so in manchen Teilen Indiens. In der Tat wird hier auch immer wieder aufs neue vom sogenannten *child lifting* (»Kinderraub«) einzelner Wölfe berichtet, was man durchaus ernst nehmen muß.

Verbreitung und Verhalten

Es ist eine Erkenntnis der modernen Wildbiologie, daß man die Ergebnisse von Studien über Verhalten und Ökologie einzelner Tierpopulationen nicht verallgemeinern kann. Allzu groß ist die Veränderlichkeit lokaler Anpassungsformen bei vielen Arten – eine Erkenntnis, die in ganz besonderem Maße auf den Wolf zutrifft. Wie kein anderes Säugetier hat er verstanden, die unterschiedlichsten Lebensräume zu besiedeln: von der baumlosen Tundra im Norden über die Taiga, den Mischwaldgürtel bis in die Steppen und sogar Wüstengegenden seines Verbreitungsgebietes. Wölfe leben in sumpfigen Niederungen wie im Hochgebirge, in ausgesprochenem Meeres- wie Festlandsklima, in menschenleeren wie in dicht von Menschen besiedelten Gebieten. Bis zum Beginn der Neuzeit hatte er eine fast flächendeckende holarktische Verbreitung; das heißt, er war auf der gesamten Nordhalbkugel bis hinab zum Nördlichen Wendekreis vertreten. Erst mit der großflächigen Rodung des Waldes, mit der weitgehenden Ausrottung seiner natürlichen Beutetiere, mit der Aufgabe der Waldweide vieler Haustiere und nach einer beispiellosen Verfolgung durch den Menschen ist er vor allem aus großen Teilen Nordamerikas und aus Westeuropa weitgehend vertrieben worden.

In der Neuen Welt leben, bis auf kleine Restbestände in Mexiko und im Norden Minnesotas und in angrenzenden Gebieten, Wölfe nur noch in Kanada und Alaska. Hier jedoch haben sie sich noch auf etwa 90% ihres ursprünglichen Verbreitungsgebietes halten können. Man schätzt ihre Zahl auf 50 000 bis 100 000. Außerordentlich stark bedroht ist der Rotwolf *(Canis lupus niger)* im Süden der USA, den einige amerikanische Autoren gar als eine eigene Art bezeichnen. Früher lebte dieser nur etwas mehr als kojotengroße Wolf beiderseits des Mississippi, dürfte aber heute aus der freien Wildbahn nahezu verschwunden sein. Eine Vermischung der letzten Exemplare mit den sich immer weiter ausbreitenden Kojoten dürfte hierfür mit ein Grund gewesen sein. Die mit dem Schutz des Rotwolfs beauftragten Forscher jedenfalls haben es sehr schwer, reinrassige Tiere für die notwendig gewordene Erhaltungszucht in Zoos zu finden.

In Europa leben Wölfe vereinzelt noch in Skandinavien, Finnland, Polen, der Tschechoslowakei, Bulga-

Wölfe führen ein ausgesprochen harmonisches Familienleben. Die Eltern, aber auch andere Rudelmitglieder, kümmern sich liebevoll um den Nachwuchs. Bei einer Ortsveränderung befördert die Mutter ihre Kinder mit dem Mund.

rien, Portugal, Spanien und Italien, in etwas größerer Zahl, wenn auch hier in stark eingeengter Population, in Jugoslawien, Albanien, Griechenland und Rumänien sowie in recht großer Zahl und weit verbreitet in der Sowjetunion. Stark bedroht oder womöglich schon ausgerottet ist der Wolf auf der arabischen Halbinsel *(Canis lupus arab)*, endgültig ausgerottet ist er in Japan *(Canis lupus hodophilax)*.
Im Unterschied zu den nordamerikanischen Wölfen, die nur in der weitgehend noch von Menschen unbesiedelten »Wildnis« überleben konnten, haben die Wölfe Europas und Asiens es geschafft, sich bis zum heutigen Tage auch in vielen von Menschen dicht besiedelten und genutzten »Kulturlandschaften« zu halten. Die Verhältnisse in Italien sind hierfür bezeichnend. Um 1975 schätzten wir nach eingehenden Untersuchungen den Gesamtbestand auf rund 100 Tiere, die in kleinen, weitgehend voneinander getrennten Populationen im mittleren und südlichen Teil des apenninischen Gebirgszuges lebten. Ausschlaggebend für die Verbreitung dieses Restbestandes ist zum einen die Nutzung des Gebietes durch den Menschen. Seine Schaf- und Ziegenzucht und seine häuslichen Abfälle sind lebensnotwendig für die Wölfe. Das Reh ist aus den Apenninen nahezu verschwunden, der Rothirsch und die Gemse als weitere wildlebende Beutetiere, bis auf kleine Restbestände im Abruzzen-Nationalpark, ebenso. Wichtig sind zudem Rückzugsgebiete für die Wölfe, in denen ihnen Menschen nur schwer folgen können. Tagsüber ziehen sie sich ins steile, felsige und dichtbewaldete Gebirge zurück, um dann im Schutze der Dunkelheit nachts die Siedlungen des Menschen im Tal aufzusuchen. Die dörfliche Müllhalde ist stets ein Ziel, wo sie nach Schlachtabfällen und Nahrungsresten suchen, die Misthaufen vor den Ställen ein weiteres. Manchmal gelingt es ihnen sogar, in einen Schafspferch einzudringen. Wenn der Schäfer oder seine Hunde die Gefahr nicht rechtzeitig bemerken, entsteht leicht ein Blutbad. Fast 300 getötete Schafe, der gesamte Besitz eines Bauern, waren das Ergebnis einer einzigen stürmischen Winternacht im Jahre 1974 – der schlimmste Fall, den wir bis jetzt feststellen konnten. Auch bei einem plötzlichen Nebeleinbruch im Gebirge gelingt es den Wölfen manchmal, sich sogar tagsüber unbemerkt an vielen Tieren auszutoben. Vor lauter Töten kommen sie dann gar nicht zum Verzehren der Opfer. Allzu stark sind die Auslöser für den Beuteerwerb: kopflos durcheinanderrennende Schafe!
Wenn auch die Schuld hierfür letztlich den Schäfer selbst trifft, der die Schafe zu willfährigen und fügsamen Herdentieren herangezüchtet hat, die bei Gefahr nicht mehr wie ihre wilden Artgenossen in alle Richtungen davonstieben, so sind derartige Verluste für den einzelnen Schafhalter bitter, sein Haß auf den Wolf verständlich. Erst als es uns gelang, neben der vollkommenen Unterschutzstellung des Wolfes in ganz Italien auch den Ersatz solcher Schäden durch den Staat zu bewirken, legte sich die Aufregung bei den Schäfern. Manche nützten gar das neue Gesetz zu unerlaubter Bereicherung, indem sie geschlachtete und bereits verkaufte Tiere als Wolfsopfer ausgaben. Inzwischen ist das Verfahren jedoch gut eingespielt und Mißbrauch selten, vielköpfige Schäden zudem weiterhin rar. Einzelne verirrte oder im Gebirge krank zurückgebliebene Schafe sind in der Regel die einzigen seltenen Opfer der Wölfe. Ohne weggeworfene Schlachtabfälle und Spaghetti gäbe es in Italien sicher keine Wölfe mehr, ebensowenig wie ohne staatlichen Schutz. Gerade noch rechtzeitig wurde das Auslegen von Gift gegen die Wölfe wie auch gegen Füchse und andere Beutegreifer in ganz Italien verboten.
So scheint zumindest hier das Überleben des Wolfes vorerst gesichert. Die Bestände nehmen sogar leicht zu, das Verbreitungsgebiet dehnt sich aus. Inzwischen leben Wölfe auch im nördlichen Teil der Apenninen,

Wenn ein Wolf sein Raubtiergebiß entblößt und die langen kräftigen Reißzähne zur Schau stellt, wissen Freund und Feind, daß mit ihm nicht zu spaßen ist. Doch im allgemeinen sind Wölfe weitaus friedlicher und sanftmütiger, als man meint.

▷ Im Norden Nordamerikas verteidigt ein Grislybär seine Beute, einen Maultierhirsch, gegen konkurrierende Wölfe. Ob ihm dies gelingen wird, ist angesichts der zahlenmäßigen Übermacht ungewiß.

in Umbrien und in der Toscana, und alljährlich werden Wölfe unmittelbar am Stadtrand Roms gesichtet. All dies ist in den ältesten und schönsten Kulturlandschaften Europas möglich.

Wie anders sind das Verhalten und die Ökologie des Wolfes in Nordamerika! Obwohl im Wettbewerb um dieselben Beutetiere, wurde er von der indianischen Bevölkerung weitgehend geduldet; seine Verbreitung war auch hier flächendeckend. Erst die europäischen Einwanderer gingen daran, jede Bedrohung ihrer Alleinherrschaft - ob durch Indianer oder Wolf - mit allen nur erdenklichen Mitteln zu bekämpfen. Die gegenüber einer schonungslosen Verfolgung durch den Menschen unerfahrenen Wölfe hatten keine Chance, ebensowenig wie die Indianer. Innerhalb von wenigen Jahrzehnten nach der jeweiligen Inbesitznahme eines Landstriches starben sie aus. Ursache hierfür war stets die Verfolgung mit Hilfe von Fallen, Blei und Gift; auch dies ein Unterschied zu Europa, wo in erster Linie die veränderten ökologischen Lebensgrundlagen den hier vieltausendjährigen Konkurrenzkampf zwischen Mensch und Wolf schließlich zugunsten des ersteren entschieden.

So gelang es den Wölfen Nordamerikas, sich nur noch in den verbliebenen Wildnisgebieten hauptsächlich des Nordens zu halten. Aber auch hier werden sie weiter verfolgt, jetzt als Konkurrent des Jägers. Sogar in den großen neugegründeten Nationalparks wurden die Wölfe als »Feind« des Wildes bekämpft und vielerorts ausgerottet. Die seitdem stark überhegten Waipitibestände, etwa im Yellowstone-Nationalpark, sind eine Folge davon. Erst langsam begann man die Rolle des Beutegreifers im Ökosystem neu zu überdenken, so auch den Einfluß des Wolfes auf seine Beute. War man ursprünglich davon ausgegangen, die Bestandsdichte des Räubers würde die Zahl der Beutetiere bestimmen, glaubte man später, es sei genau umgekehrt: Allein das Nahrungsangebot bestimme die Bestandsentwicklung des Beutetiers, und diese wiederum die Populationsdichte der Beutegreifer.

Die ersten wildbiologischen Wolfsuntersuchungen schienen diesen Vorstellungen zu entsprechen. In den vierziger Jahren dieses Jahrhunderts beobachtete A. Murie Wölfe und Dallschafe *(Ovis dalli)* im Mount-McKinley-Nationalpark in Alaska und stellte fest, daß die Wölfe hauptsächlich junge und kranke Tiere erbeuteten. Ähnliches konnte man in der Beziehung zwischen Wolf und Elch *(Alces alces)* auf Isle Royale, einem Nationalpark im Lake Superior, beobachten. Auf diese etwa 70 km lange und 8 km breite

Dieses Bild illustriert die Redensart »mit den Wölfen heulen«, die auf die Vorliebe der Tiere für den Chorgesang anspielt. Er dient der Gleichschaltung der Aktivitätsphasen und fördert den Zusammenhalt. Mit seinem Geheul signalisiert das Rudel den benachbarten Artgenossen, daß es ein Revier besetzt hat. So werden unnötige Grenzstreitigkeiten vermieden.

Insel waren erst Anfang dieses Jahrhunderts Elche gekommen. Ohne die Konkurrenz mit anderen Pflanzenessern und ohne Feinde vermehrten sie sich sehr schnell. Man schätzte, daß bald 3000 bis 4000 Elche auf der Insel lebten. Die Folgen waren verheerend: Der zerstörte Pflanzenwuchs ließ die Elche massenhaft verhungern. Übrig blieben nur einige hundert Tiere, die mit der wieder ermöglichten Erholung der Nahrungspflanzen sich erneut kräftig vermehrten, bis wiederum – Ende der vierziger Jahre – der Elchbestand zum zweiten Mal zusammenbrach.

Welchen Einfluß würde ein Beutegreifer auf dieses stark schwankende Gefüge haben? Der Zufall spielte mit in Form des besonders kalten Winters 1948. Eine Eisbrücke bildete sich zum Festland, und auf ihr kamen Wölfe auf die Insel. Die Gelegenheit, ein ungestörtes Räuber-Beute-Verhältnis zu erforschen, wird seitdem genutzt. Vermutlich handelt es sich hier um die längste populationsbiologische Felduntersuchung, die je unternommen worden ist.

Zuerst stellte man fest, daß die Wölfe lange nicht jeden Elch töten konnten. Bei 131 Jagden, die Dave Mech im Schnee rekonstruieren konnte, flüchteten 54 Elche so schnell, daß die Wölfe die Verfolgung bald aufgaben. Die restlichen 77 Elche wurden zwar von den Wölfen eingeholt und angegriffen, doch viele rannten weiter und entkamen, andere blieben stehen und verteidigten sich erfolgreich. Nur sechs der entdeckten und angejagten Elche konnten die Wölfe schließlich töten. Das entspricht einer Erfolgsquote von nur 4,6%. An diesen und weiteren gefundenen Rissen bildeten Kälber und alte Tiere den weitaus größten Anteil. Elche der mittleren Altersgruppe zwischen zwei und sechs Jahren waren kaum dabei.

Immerhin erlegten die Wölfe über 100 Elche im Jahr. Trotzdem nahm die Zahl der Elche zu, jetzt aber deutlich langsamer als in der vergangenen wolfsfreien Zeit. Auch der Wolfsbestand blieb vorerst verhältnismäßig stabil. Die Insel wurde von einem etwa 15 Tiere starken Rudel beherrscht. Daneben lebten weitere Einzelgänger oder Paare, die allerdings keine Jungen gebaren beziehungsweise diese nicht erfolgreich aufzogen. Nur im großen Rudel kam Jahr für Jahr ein Wurf zur Welt. Dieser Zuwachs wurde jedoch durch den Tod anderer Tiere wieder ausgeglichen. Das Räuber-Beute-Verhältnis schien sich Mitte der sechziger Jahre auf etwa 1000 Elche und 25 Wölfe einzupendeln.

Doch diese scheinbare Stabilität zwischen Vegetation, Pflanzenessern und Beutegreifern war nur von kurzer Dauer. Anfang der siebziger Jahre war ich zweimal auf der Insel und konnte feststellen, daß die jetzt fast 20 Jahre bestehende Population von etwa 1000 Elchen ihrer Nahrungsgrundlage kräftig zugesetzt hat. Die von den Elchen bevorzugten Weichlaubhölzer waren weitgehend vernichtet. Nur Fichten blieben übrig, und so sprachen wir von einer »Elch-Fichten-Savanne«. Es folgten einige besonders kalte Winter. In dem tiefen Schnee hatten die geschwächten Elche kaum eine Chance gegen die Wölfe. Diese vermehrten sich auch kräftig, zuerst in zwei, dann in fünf Rudeln mit je einem eigenen Jagdgebiet (Territorium). Immer mehr Elche, auch der mittleren Altersgruppe, wurden Opfer der Wölfe. Viele Elchkadaver ließen die Wölfe einfach unverwertet liegen, um erneut nach frischer Beute zu suchen. Die in diesen Jahren zudem besonders zahlreichen Biber sicherten den Wölfen auch im Sommer reiche Beute.

So kam es zu einer auf den ersten Blick geradezu widersinnig erscheinenden Entwicklung. Trotz abnehmendem Elchbestand vermehrten sich die Wölfe immer weiter. Im Spätwinter 1980 zählte man 50 Wölfe auf der Insel, aber nur noch 650 Elche. Die Vegetation erholte sich langsam, doch der hohe Druck der Räuber verhinderte vorerst ein erneutes Ansteigen der Beutepopulation.

In der Körpersprache der Wölfe spielt der lange, buschige Schwanz eine besondere Rolle. An der Schwanzhaltung eines Wolfs können die Artgenossen (und wir Menschen) seine Stimmung und seine Absichten ablesen. Von links nach rechts: Imponieren, Angriffslust, entspannte Normalhaltung, Demut und Angst.

Doch auch dieser Gleichgewichtszustand währte nicht lange. Die üppige Vegetation ließ die Elche immer kräftiger, erneut milde Winter das Jagdglück der Wölfe immer schlechter werden. Jetzt war es genau umgekehrt: Trotz zunehmendem Elchbestand kam es zu einem drastischen Zusammenbruch des Wolfsbestandes. In nur zwei Jahren starben mindestens 53 Wölfe: verhungert oder im Kampf mit Nebenbuhlern getötet. Im Winter 1982 zählte man nur noch 19 Tiere. Ein Jahr danach lebten wieder 23 Wölfe auf der Insel und etwa 900 Elche – ein Bestand wie vor 20 Jahren.

Diese einmalige Langzeitbeobachtung der Beziehung zwischen Wolf und Elch läßt folgende vorsichtigen Verallgemeinerungen zu:

1. Im artenarmen borealen Ökosystem (nördlicher Nadelwald) schwankt die Elchpopulation gebietsweise ohne Jagddruck von Wölfen periodisch mit hohen Ausschlägen.

2. Mit Wölfen kommt es zu einer deutlichen Abflachung und zu einer leichten Phasenverlängerung der Bestandsschwankungen der Elche.

3. Nicht der Wolfsbestand, sondern das Nahrungsangebot bestimmt langfristig die Höhe des Elchbestandes. Kurzfristig aber können die Wölfe zum einen den Wiederanstieg der Elchpopulation nach erreichtem Tiefpunkt verzögern, zum anderen können sie ein exponentielles Anwachsen der Elchpopulation weit über die Tragfähigkeit des Lebensraums verhindern.

Eine ebenso große Bedeutung für die wölfische Körpersprache kommt dem Gesichtsausdruck zu. Die Zeichnungen zeigen die Mimik im Konflikt zwischen Angriffstendenz (zunehmend von links unten nach rechts unten) und Angst (zunehmend von links unten nach links oben).

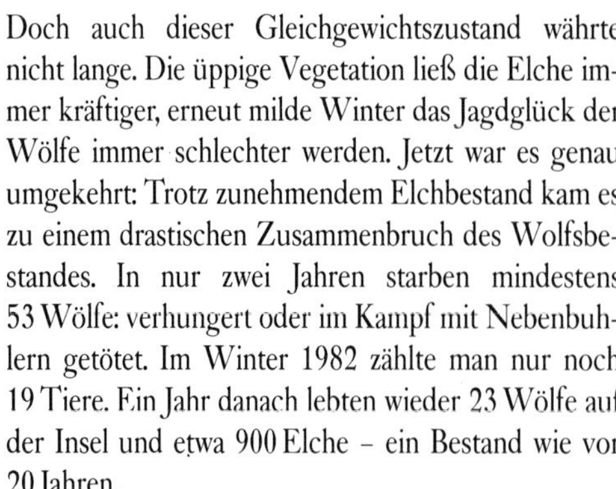

4. Auch der Wolfsbestand wird langfristig vom Nahrungsangebot bestimmt. Dieses ist aber nicht stets gleichbleibend von der Beutedichte abhängig. In Zeiten zerstörter Vegetation und einer entsprechend schlechten Verfassung der Beute steigt das Nahrungsangebot trotz eventuell sinkender Beutezahl. Umgekehrt sinkt das Nahrungsangebot für die Wölfe mit verbesserten Ernährungsbedingungen und einer entsprechenden Zunahme der Beutebestände. Dadurch kann es zu einer zeitlichen Verschiebung der Bestandsentwicklung der Wölfe in bezug auf die Bestandsentwicklung der Beute von mehreren Jahren kommen.

5. Nicht vorhersagbare Umwelteinflüsse, wie Klima oder Waldbrände, die Bestandsentwicklung weiterer Beutearten sowie soziale Vorgänge in den Wolfsgruppen selbst können solche Räuber-Beute-Verhältnisse zusätzlich beeinflussen.

Gemeinschaftsleben

Damit wären wir bei einer weiteren wichtigen Wechselbeziehung im Leben der Wölfe: die zwischen ihrer sozialen Organisation und ihrer Umwelt. In den Abruzzen bestand das größte von uns jemals beobachtete Rudel aus acht Wölfen, den beiden Elterntieren und ihren sechs halbwüchsigen Jungen. Meist aber sind die Wölfe nachts allein oder in kleinen Gruppen unterwegs, wenn sie auch tagsüber in ihren angestammten Einständen wieder zusammenkommen. Ähnliche Verhältnisse werden aus den Steppen- und Wüstengebieten Asiens berichtet, wo ebenfalls allein oder in kleinen Gruppen jagende Wölfe die Regel sind. In Alaska hingegen sind zeitweilig Ansammlungen von über 50 Wölfen in der Nähe von im Winter auf engem Raum zusammengedrängten Karibuherden gesichtet worden. Das größte über längere Zeit zusammenbleibende Rudel von 20 Wölfen beobachtete man auf Isle Royale. Doch dies war eine Ausnahmeerscheinung. Auch hier sind Rudel von mehr als zwölf Tieren selten. In Gebieten, wo Hirsche die Hauptbeute ausmachen, sind sogar Rudel mit weniger als zehn Tieren die Regel.

Vielfach wird angenommen, diese Unterschiede in

Zusammenhalt und Größe der Wolfsrudel seien typische, erblich festgelegte Artmerkmale. So sollen die körperlich kleineren »Südwölfe« (z.B. *Canis lupus pallipes* aus Afghanistan, Pakistan und Indien) grundsätzlich auch kleinere und weniger festgefügte Rudel bilden als die größeren »Nordwölfe«. In Anbetracht der großen Anpassungsfähigkeit des Wolfes halte ich diese Vorstellung nicht für zwingend. Vielmehr scheint eine bestmögliche Anpassung der Rudelgröße an das jeweilige Nahrungsangebot vorzuliegen: Je größer und wehrhafter die Hauptbeute, desto größer sind in der Regel die Wolfsrudel.

Diese Größe hängt, neben der Sterblichkeit der Rudelmitglieder, weitgehend davon ab, zu welchem Zeitpunkt die alljährlich im Frühjahr geborenen Jungwölfe ihre Eltern verlassen und eigene Wege gehen. In

den Abruzzen geschieht dies für gewöhnlich, wenn die Jungwölfe etwa ein Jahr alt sind, also im Frühjahr und Sommer, wenn ihre Eltern erneut Welpen zu versorgen haben. Um Abfall zu finden oder Schafe zu töten, bedarf es keiner Gruppenjagd. Hier ist nach einer kurzen »Lehrzeit« die Einzeljagd wirtschaftlicher, die Gefahr, dabei entdeckt zu werden, geringer. Die komplizierte soziale Abstimmung des Rudellebens als Voraussetzung dafür, daß alle Mitglieder zur selben Zeit das gleiche tun, fällt weg.

Wenn die Hauptbeute hingegen nicht nur sehr viel größer als ein Schaf, sondern auch gefährlich wehrhaft ist, bedarf es zwingend der Gruppenjagd. Zudem müssen hier die Jungwölfe viel länger Erfahrungen sammeln, bis sie sich zweckdienlich selbst an der Jagd beteiligen oder gar ohne die Hilfe älterer Rudelmitglieder allein im Verband ihrer Altersgenossen erfolgreich jagen können. So greifen auf der Isle Royale auch in größeren Rudeln meist nur fünf bis sechs Wölfe den sich verteidigenden Elch unmittelbar an. Die anderen sind nur am Rande beteiligt: Jungwölfe, die erst einmal lernen müssen. Sie bleiben länger im Rudel, manchmal mehrere Jahre. Dies erhöht ihre Überlebenschance beträchtlich, wenn sie dadurch auch vorerst auf eigene Nachkommen verzichten müssen.

Fast alle Beobachtungen freilebender wie in Men-

Links: Wer hier der Ranghohe und wer der Rangniedere ist, macht die Körpersprache der beiden Tiere unmißverständlich klar.

Im Wolfsrudel gibt es zwei Rangordnungen, eine für die Rüden, eine für die Weibchen. An der Spitze steht das Alpha-Tier. Darunter folgen – in der Regel altersbedingt – die weiteren erwachsenen Rudelmitglieder. In der Gruppe der Jugendlichen verhalten sich einige wie »Klein-Alphas«. Die Welpen stehen, bis zur Geschlechtsreife, noch etwas außerhalb der Rangordnung.

schenobhut gehaltener Rudel belegen, daß meist nur das sogenannte Alpha-Paar während der Ranzzeit im Spätwinter ein »Sexualrecht« hat. Diese beiden Tiere stehen an der Spitze ihrer jeweiligen Geschlechtsrangordnung. In der Regel sind es die beiden ältesten Tiere im Rudel, häufig auch die Eltern der in der Rangordnung unter ihnen Stehenden. Ihre Position wird so lange nicht in Frage gestellt, wie sie sich in den meist spielerisch ausgetragenen Auseinandersetzungen behaupten können. Wechsel auf den niedrigeren Rängen sind dagegen häufiger. Doch erst wenn eines der beiden ranghöchsten oder Alpha-Tiere aufgrund hohen Alters, Verletzungen oder fehlender Durchsetzungskraft Schwäche zeigt, wird der dann bald fast zwangsläufig folgende Rangstreit mit voller Härte ausgetragen. Häufig ergreifen weitere Rudelmitglieder Partei für den vermeintlichen Sieger. Ja, sogar der langjährige Partner kann sich voll auf die Seite des Angreifers stellen und sich an den bald hemmungslosen Angriffen beteiligen. Der Verlierer solcher Kämpfe kann sich nur durch Flucht aus dem Rudel vorübergehend retten. Ansonsten wird er getötet.

Mehrere Langzeituntersuchungen belegen, daß solche Rangwechsel an der Spitze bei den Rüden häufiger sind als bei den Weibchen. Die Alpha-Wölfin bleibt in der Regel über viele Jahre die alles Beherrschende, während der einmal aufgestiegene Alpha-Rüde meist nur wenige Jahre seine Stellung behaupten kann. Vordergründig scheint er der »Leitwolf« des Rudels zu sein, um ihn scheint sich alles zu drehen. Doch erst die genaue Beobachtung eines Wolfsrudels zeigt, daß die Alpha-Wölfin den eigentlichen Mittelpunkt des Rudels bildet. Sie ist es, die die anderen Rudelmitglieder um sich schart, damit sich diese möglichst wirksam an der Aufzucht ihrer Welpen beteiligen. Zeigt der Partner Schwächen, ist es auch in ihrem Interesse, diesen möglichst schnell gegen einen kraftvollen Nachfolger auszutauschen. Die »idyllische« Vorstellung von einer lebenslangen treuen Partnerschaft bei den Wölfen ist demnach nicht minder ein Mythos als die »naive« von ihrer großen Gefährlichkeit oder die »faschistoide« vom allmächtigen (Rudel-) Führer, der zum vermeintlichen Wohl des Ganzen seine unbeschränkte Herrschaft ausübt. Übertragungen menschlicher Vorstellungen haben unser Bild vom Wolf stets verklärt oder getrübt. Erst langsam beginnen wir, sein wirkliches Verhalten und seine Stellung im Ökosystem nüchtern zu erkennen.

Der Wolf ist nach heutigen Erkenntnissen der alleinige Stammvater aller Haushundrassen – vom winzigen Chihuahua bis zum Bernhardiner.

Haushund

von Eberhard Trumler

Haustierwerdung und Rassenbildung

Nach dem Stande gegenwärtigen Wissens stammt der HAUSHUND *(Canis lupus f. familiaris)*, und zwar in allen seinen Ausprägungen, vom Wolf ab. So unbestritten das auch sein mag, so muß man doch dabei berücksichtigen, daß die Art Wolf *(Canis lupus)* aus vielen geographisch weit verstreuten Unterarten besteht, von denen sich manche in Körperbau und Verhalten und in ihren jeweiligen Anpassungen an unterschiedliche Lebensräume ganz erheblich unterscheiden. Da die nacheiszeitlichen Kulturen der Menschheit aber im orientalischen Raum – Vorderasien bis Indien – entstanden sind, liegt es nahe, daß es die kleinen Wolfsformen dieser Zonen gewesen sind, aus denen unsere Haushunde hervorgingen. Dafür spricht auch die Tatsache, daß Haushunde wie Südwölfe in der relativen Gehirngröße (bezogen auf die Körpergröße) einander ähnlicher sind, während das Gehirn bei den großen Nordwölfen entsprechend größer ist. Ebenso stammen die ältesten Knochenfunde von Haushunden aus diesem Raum.

Eine sehr häufig erörterte Frage ist, wie die Freundschaft zwischen Wolf und Mensch wohl begonnen haben mag. Hier sind wir auf Mutmaßungen angewiesen. So könnte man sich vorstellen, daß ganz zu Anfang Steinzeitjäger aus dem Umstand Nutzen zogen, daß Wölfe häufig mehr Jagdglück hatten als sie selber; die Wölfe von ihrer Beute zu vertreiben war bei der Scheu dieser Tiere keine besondere Leistung. So mögen unseren Vorfahren die Wölfe recht sympathisch gewesen sein, und sie werden deren Nähe gesucht haben. Daher ist es gut vorstellbar, daß jene Steinzeitmenschen Wolfswelpen nicht totschlugen, wie das heute fast immer geschieht, wenn ein Wolfslager aufgefunden wird, sondern die Welpen aufzogen. Nicht von der Hand zu weisen ist allerdings auch, daß da oder dort andere Stämme, die unter schwierigen Ernährungbedingungen leben mußten, auch das Fleisch junger Wölfe zum Überleben benötigten – schließlich werden bis heute Hunde nicht nur in China, sondern selbst hierzulande gegessen. Aber sicher hat es dort, wo die Lebensverhältnisse günstiger waren und der Mensch Zeit hatte, sich mit seiner lebendigen Umwelt friedvoll zu befassen, auch Menschen gegeben, denen es eine Freude bereitete, junge Tiere aufzuziehen. Daß hier Frauen und Kinder eine entscheidende Rolle gespielt haben, hat neuerdings der Wolfsforscher und Ökologe Erik Zimen eindrucksvoll dargestellt. Jedenfalls kann man annehmen, daß die erste Wolfshaltung völlig zweckfrei, aus der natürlichen Zuwendung zum Tier, erfolgt ist.

Jungwölfe, die man nicht zur Unterordnung und zu bedingungslosem Gehorsam erzieht, können sich sehr eng an den Menschen anschließen, da ihnen das Gruppenleben ein Bedürfnis ist. Die außerordentliche Wesensvielfalt der Wölfe bringt es mit sich, daß einzelne Tiere weitaus anlehnungsbedürftiger, vertrauter und weniger schreckhaft sind. Solche mögen bei Eintritt des fortpflanzungsfähigen Alters nicht die Gesellschaft ihrer Artgenossen gesucht haben, sondern blieben in der Obhut des Menschen, wo sie sich geborgener fühlten. Nur sie aber kamen dann in der Menschengemeinschaft zur Fortpflanzung und konnten so ihre erwähnte Veranlagung weitergeben. Da es nur einige wenige solcher zutraulichen Wölfe gab, kam es allmählich zu einer engen Inzucht, die stets auch die Grundlage für Erbänderungen ist.

Bei solchen Inzuchten treten dann auch bald nicht nur Instinktausfälle auf, sondern auch erbliche Farbänderungen, wie Albinismus oder gegenteilig Schwärzlinge (Melanismus). Neuere Untersuchungen erweisen, daß solche farblichen Mutationen auch mit verhaltensmäßigen Eigenschaften gekoppelt sein können.

Eine der frühen Farbänderungen jener Inzuchtwölfe ist uns durch einen besonderen Umstand bis heute erhalten. Es sind das die in Neuguinea und vor allem in Australien lebenden DINGOS, von denen noch die Rede sein wird. Bei jenen zeigt es sich, daß der ein wenig in Richtung Spitz gestaltete Neuguinea-Dingo in mancher Hinsicht leichter eine menschliche Bindung eingeht als der weit wölfischere Australier. Er ist zwar deswegen noch immer nicht als Stubenhund geeignet, aber er hat einen sicherlich sehr nahen Verwandten,

der schon seit alten Zeiten zum echten Haushund geworden ist. Das ist der japanische Shiba-Inu (japan. *inu* = Hund), ein Hund von 35 bis 40 Zentimeter Schulterhöhe, der in seiner Inselheimat als der älteste Rassehund bezeichnet wird. Viele Vertreter dieser Rasse gleichen dem verwilderten Hund des Papualandes fast aufs Haar. Andere wieder weisen deutlich in Richtung des ursprünglich aus China stammenden Chow-Chow, der allerdings heute aus einem unverständlichen Modetrend heraus mit einem viel zu kurzen Fang gezüchtet wird. Wir können aber noch einen Schritt weitergehen: Der Shiba-Inu weist unter seinen Vertretern nicht nur dingofarbene Tiere auf, sondern auch wolfsfarbene oder schwarze; geringfügige körperbauliche Abweichungen deuten dann nicht nur auf verschiedene andere japanische Hunderassen hin, wie den Nippon-Inu oder den Akita-Inu, sondern sogar auf Spitzformen, die man unter dem Sammelbegriff Laikahunde zusammenstellt. Vorweg sind das der Karelische Bärenhund oder der fast dingofarbene und auch sonst recht häufig dingoähnliche Finnenspitz, beide als Jagdhunde im Gebrauch. Wie jene rechnet man alle Laikahunde zu den Nordischen Hunden, denn sie alle sind heute im Norden Amerikas, Asiens und Europas zu Hause. Allgemeiner bekannt ist der Sibirische Husky, ursprünglich auch ein Jagdhund, heute als Schlittenhund weit verbreitet, dann der ihm überaus ähnliche Malamut sowie der Samojedenspitz. Noch ursprünglicher sind dann die Eskimohunde, insbesondere die in Grönland. Wir können mit Fug und Recht annehmen, daß die Ahnen der Laikahunde, die ihren Namen übrigens von einer besonderen, im Norden Rußlands gezüchteten Rasse haben, alle aus dem südasiatischen Raum stammen.

Von den Grönlandhunden wissen wir, daß sie bis in die jüngste Zeit gelegentlich zur »Blutsauffrischung« mit dem in Grönland beheimateten Wolf *(Canis lupus orion)* verpaart wurden, womit wir zur Frage der so mannigfaltigen Rassenbildung unserer Haushunde gelangen. So gut wir uns die Ableitung der Laikahunde zumindest vom Neuguinea-Dingo über andere asiatische Hundeformen vorstellen können, so schwierig wird es, will man alle anderen Hunderassen, vom winzigen Chiuahua bis zum großen rauhhaarigen Irischen Wolfshound, von dingoartigen Vorfahren ableiten. Hier hat neuerdings der am Britischen Museum arbeitende Zoologe Juliet Clutton-Brock eine Vorstellung entwickelt, für die sehr viel spricht. So wie wir das aus Grönland wissen, dürfen wir annehmen, daß auch anderswo in der Welt Wölfe immer wieder mit Hunden verpaart wurden, vielleicht sogar des öftern ohne Wollen und Wissen der frühgeschichtli-

Seit ihrer Haustierwerdung stehen Hunde überall auf der Welt im Dienste des Menschen, als Wächter von Haus und Hof, als Hüter der Herden, als Jagdgefährten oder Zugtiere – so wie diese Schlittenhunde im hohen Norden, die für die Eskimos zu unentbehrlichen Helfern geworden sind.

chen Hundehalter. Ebenso ist es durchaus vorstellbar, daß die Hundezucht nicht nur in einem einzigen Gebiet entstand, sondern mehr oder weniger gleichzeitig in verschiedenen Teilen Eurasiens. Jedenfalls hält es der genannte Forscher für möglich, daß von den Indischen Wölfen nicht nur der Dingo abstammt, sondern daß auch die asiatischen Pariahunde weitgehend auf jene zurückgehen. Pariahunde sind herrenlose Hunde, die man im ganzen Orient antrifft, im Osten bis nach Japan, im Westen bis in die Mittelmeerländer, wo sie allerdings weit mehr als im Osten mit neuzeitlichen Rassehunden durchmischt sind. Es sind vielgestaltige Hunde, darunter auch sehr dingoähnliche Typen; sie wurden im israelischen Raum von dem aus Österreich stammenden Forscherehepaar Menzel näher erforscht, und aus einem Typ haben sie sogar einen heute anerkannten Rassehund gezüchtet, der bei uns als KANAAN-DOG viele Freunde gefunden hat. Da die Pariahunde als verwilderte Haushunde, meist wohl noch auf die frühen Zeiten der Haustierwerdung zurückführbar, sich der künstlichen Zuchtwahl durch den Menschen entzogen haben und unter härtesten Bedingungen überleben müssen, ist bei ihnen wohl noch das ganze Verhaltensinventar ihrer wölfischen Vorfahren erhalten geblieben.

Unter jenen Pariahunden findet man auch Formen, die deutlich in Richtung unserer heutigen Windhundrassen weisen, von denen der arabische (heute auch über Nordafrika verbreitete) SLOUGHI wohl zu den ursprünglichsten Vertretern zählt, neben ihm auch wohl der aus dem Iran stammende SALUKI und schließlich der besonders kräftige und langhaarige AFGHANE, bei dem aber bereits mit der Einkreuzung anderer Wolfsformen gerechnet werden kann. Wahrscheinlich läßt sich auch der kurzhaarige GREYHOUND unmittelbar von den orientalischen Pariahunden ableiten, und der BARSOI ist sicher orientalischen Ursprungs.

Bei den anderen Windhunden, wie dem großen DEERHOUND und dem größten aller Windhundrassen vor allem, nämlich dem IRISCHEN WOLFSHOUND, dürfen wir einen Blutsanteil der einstmals in Europa verbreiteten Wölfe annehmen. Zu den weiter verbreiteten Windhunden gehören noch der besonders in England so beliebte WHIPPET und der im Gegensatz hierzu als Schoßhund gehaltene kleinste Windhund, das ITALIENISCHE WINDSPIEL.

Teils von indischen, teils von europäischen Wölfen leitet Clutton-Brock die umfangreiche Gruppe doggenartiger Hunde ab, an deren Basis er die MASTIFFS stellt, jene schweren, ursprünglich als Kampfhunde gezüchteten Nachfahren altrömischer Kampfhunde, die heute in Italien durch den MASTINO NAPOLITANO vertreten werden und die wieder auf die in den Kämpfen eingesetzten Hunde der MOLOSSER zurückgeführt werden, also zumindest von dieser Seite her das Blut südasiatischer Wölfe mitbringen. Diese kraftvollen Hunderassen hatten in der Geschichte der Hundezucht ursprünglich eine andere Aufgabe, nämlich die Schaf- und Ziegenherden, später dann auch die Rinder vor den Angriffen der Wölfe zu schützen; das heißt, sie waren ursprünglich wohl Hirtenhunde, von denen die TIBETDOGGE vermutlich den ältesten Typ heute noch verkörpert und die in unterschiedlicher Ausprägung bei den Hirtenvölkern Asiens bis zum Kaukasus gebräuchlich sind. Das Beschützen der Herden, aber auch der in Lagern und Dörfern oftmals ohne den Schutz der Männer verbleibenden Frauen und Kinder dürfte wohl auch die älteste Aufgabe des Hundes in Menschenhand sein. Nach ihrer späteren Rolle als Kriegshunde erwarben sie bald auch die Befähigung, Rinderherden nicht nur zu beschützen, sondern auch zu treiben. Solche Treibhunde jedenfalls verwendeten die Römer bei ihren Zügen über die Alpen, wo die Tiere wohl an so manchem Rastplatz Verbindung mit ansässigen Hunden eingingen, was sich in den SCHWEIZER SENNENHUNDEN – zum Beispiel dem Berner, dem Luzerner, dem Appenzeller – bis heute niederschlägt und im St.-Bernhards-Hund, dem BERNHARDINER, zur Weltberühmtheit führte. Solche Treiberhunde ergaben aber auch die Grundlage für

Es ist erstaunlich, welche Formenvielfalt der Mensch im Laufe der Jahrtausende aus der Stammart Wolf herausgezüchtet hat. Oben: Chihuahua, die kleinste Rasse der Welt. – Unten: Saluki oder Persischer Windhund (links) und englischer Greyhound (rechts).

sehr moderne Rassen, wie den Rottweiler oder in zotthaariger Form den Leonberger und den nordamerikanischen Neufundländer. Letzterer ist englischen Ursprungs; sein englischer Vertreter ist der mit ihm verwandte weiße, mit geringer Schwarzscheckung versehene Landseer, der im letzten Krieg ausgestorben, danach aber aus dem Neufundländer wieder herausgezüchtet worden ist. Treiberhunde hatten sicherlich auch noch Anteil an der Erzüchtung des Boxers, dessen Fangverkürzung, sofern sie nicht zu weit getrieben und dadurch diesen Hund am freien Durchatmen hindert, sich großer Beliebtheit erfreut. Auch der Englische Bulldog weist diese Fangverkürzung auf, wird aber dadurch zugleich mit der erwünschten übermäßigen Fettanlagerung zum Zerrbild des Hundes, zumal hier die Fangverkürzung in einer von jedem Tierfreund abzulehnenden Weise so übertrieben wird, daß es zur Atemnot und anderen schwerwiegenden Einschränkungen der allgemeinen Gesundheit kommt. Weit weniger ist das der Fall bei den ebenfalls rundgesichtigen kleinen Doggenvertretern, nämlich dem Mops und dem Französischen Bulldog oder Bully. Bei vernünftiger Züchtung können diese munteren Kleinhunde eine erstaunlich gute körperliche Verfassung aufweisen, was man von den großen, molosserartigen Doggenvertretern wohl kaum behaupten kann. Wenn man bedenkt, daß diese eine durchschnittliche Lebenserwartung von nur sechs Jahren (im Gegensatz von 15 Jahren bei sehr gesund gezüchteten Rassen) haben, häufig genug aber schon früher auftretender Mängel wegen eingeschläfert werden müssen, muß man erkennen, daß hier die Hundezucht Wege beschritten hat, die dem entsprechen, was der Gesetzgeber heute unter dem Begriff »Qualzucht« ganz zu Recht verurteilt. Hier muß nun leider auch einer der ursprünglich schönsten deutschen Rassehunde angefügt werden – die Deutsche Dogge. Noch vor zehn Jahren hatte sie eine durchschnittliche Lebenserwartung von acht Jahren, wenig genug; heute jedoch geben die Verantwortlichen eine solche von nur mehr sechs Jahren zu. Nach Inkrafttreten des Kupierverbotes, zumindest hinsichtlich der Ohren, besteht die Hoffnung, daß man bei der Weiterzucht dieser früher so schönen Rasse neue Wege gehen und sich dabei vielleicht auch der alten Vorbilder erinnern wird.

Die Aufzählung der Doggenartigen wäre unvollständig, würde man nicht auch des in England erzüchteten Bloodhounds gedenken, dessen Name nichts mit Blutgier zu tun hat, sondern nur bedeutet, daß es sich um einen gut durchgezüchteten Hund handelt, um eine reine Blutlinie, ähnlich wie das der Begriff »Vollblüter« bei den Pferden ausdrückt. Seine Neigung zur Bildung langer Behänge und tiefer Hautfalten beruht auf einer übersteigerten Hautentwicklung, wie sie bei einer neuerdings bei uns in Mode gekommenen kleinen Hunderasse, dem Shar-Pei, noch auffallender in Erscheinung tritt. Ob letzterer wirklich aus China stammt, sei dahingestellt.

Wenn auch ihre unmittelbare Verwandtschaft nicht erwiesen ist, so kann man doch der Anschaulichkeit wegen hier noch weitere große, dem Hirtenhundtyp angehörende Rassen anführen, die alle zotthaarig sind. Zunächst die aus Ungarn stammenden weißen Rassen, nämlich den Kuvasz mit gewelltem Haar und den Komondor, dessen Haar so beschaffen ist, daß das Fell ohne Eingreifen des Menschen völlig verfilzt; es muß in der Jugend zu Bändern oder Schnüren gestrichen und geflochten werden, bildet dann aber einen sehr wirksamen Schutz beim Kampf gegen Wölfe. Dem Kuvasz recht ähnlich ist der ebenfalls weiße Pyrenäenhund, der auch in der Fellbeschaffenheit dem ersteren gleicht, aber ausgezeichnet ist durch eine Besonderheit: Er hat an den Hinterpfoten nicht nur eine Afterklaue, wie sie häufiger vor allem bei Bastarden, aber auch ingezogenen Hunden vorkommt, sondern gleich deren zwei, was dem Standard dieser Rasse entspricht. Ein vierter treib- oder hirtenhundähnlicher Rassetyp gehört noch hierher, der Bergamasker Hirtenhund, und schließlich als fünfter der ebenfalls auf altrömische

Von links nach rechts: Cockerspaniel, Airedaleterrier, Deutscher Schäferhund, Dobermann, Deutsche Dogge, Bedlingtonterrier, Pekinese.

Hunde zurückgehende Maremmaner Hirtenhund, beide in Italien beheimatet.
Zusammenfassend kann man sagen, daß die Vorläufer der Doggen urtümliche Hirtenhunde waren und daß es nur eine künstliche Einteilung ist, wenn man heute hier von Hirtenhunden, dort von Doggen spricht. Es ist anzunehmen, daß ursprünglich auch die ersteren aus Südwölfen hervorgegangen sind, wohl aber durch die in den Gebirgen des mittleren Asiens lebenden großen Wolfsformen beeinflußt wurden, ebenso wie später von europäischen Wölfen, unter denen es auch unterschiedliche Lokalformen gibt.
Auf diese europäischen Wölfe werden nun zunächst die Schäferhunde, die Spitze und die Terrier zurückgeführt. Schäferhunde sind Hütehunde; ihre Aufgabe ist es, die Herden zusammenzuhalten, eine Notwendigkeit seit der Zeit, da der Mensch seßhaft wurde und Ackerbau betrieb. Nun durften die Wanderhirten ihre Schafe nicht mehr nach deren Gutdünken über das Land ziehen lassen, sie mußten verhindern, daß diese in die Felder einfielen. So brauchten sie als Helfer hochintelligente Hunde, wendig und ausdauernd, wie das auch vom um die Jahrhundertwende erzüchteten Deutschen Schäferhund gefordert wird. Solche Eigenschaften machen dann aber so einen Hund auch für andere Aufgaben geeignet, etwa als Blindenführhund, als Bewacher von Haus und Hof, als Sanitätshund, als Rettungshund, als Helfer von Polizei, Grenzschutz und Zoll. Sogar im Einsatz als Jagdhund hat er schon die Tüchtigkeit seiner Rasse erwiesen. Er versagt aber gänzlich, da es seiner Natur völlig entgegensteht, wenn er als eine Art »Kampfmaschine« mißbräuchlich »scharf« gemacht wird, denn durch derartige Maßnahmen wird seine wichtigste Eigenschaft – nämlich seine Intelligenz – völlig unterdrückt. Durch solche widersinnigen Bestrebungen ist der Deutsche Schäferhund hierzulande ungerechterweise in Verruf geraten. Diese durch unsachgemäße Führung und tierquälerische Maßnahmen seelisch zerstörten Hunde haben schon viele Blutopfer unter Kindern und Erwachsenen gefordert, die allesamt auf das Konto jener Mitmenschen gehen, aber nicht auf das der bedauernswerten Hunde, die nur deren Charakter widerspiegeln. Kein Wunder, daß man sich heute vielfach anderer Schäferhunde erinnert, bei uns vor allem derer aus Belgien, wie Tervueren oder Malinois, Groenendael oder Laekenois. Neuerdings gibt es bei uns auch andere ausländische Rassen von Schäferhunden, so aus Jugoslawien oder dem Kaukasus.
Schäferhunde mögen auch Anteil an den schon erwähnten Deerhounds und dem Irischen Wolfshound gehabt haben, vor allem die vielen englischen Rassen, von denen der Collie wohl der bekannteste ist. Leider haben jene vielen gleichartig gezüchteten und unterschiedlich dressierten, aber stets einen Hund, nämlich die weltweit bekannte »Lassie«, vorstellenden Collies in den gleichnamigen Fernsehserien viel Unheil angerichtet, einmal wegen der völlig unrealistisch dargestellten Hundenatur, zum anderen, weil durch diese Filme diese einstmals so wertvolle Schäferhundrasse zu einem in unvorstellbar großen Mengen gezüchteten und weitgehend degenerierten Modehund gemacht worden ist. Neben dem Collie ist bei uns auch der Bearded Collie, ausgezeichnet durch seine starke Behaarung über den Augen und am Fang, bekannt geworden, weniger jedoch der kurzhaarige Collie oder der weit ansprechendere Border-Collie. Hier schließt sich dann noch der Bobtail an, der Altenglische Schäferhund mit bis auf den Boden reichenden, die Pfoten völlig verdeckenden Zotthaaren an den Beinen und solchen, die den ganzen Kopf einhüllen. Häufig

bereits mit Stummelrute geboren, erspart er sich dann das sonst übliche Kupieren der Rute auf einen fünf Zentimeter langen Rest.

Nach Clutton-Brock sollen europäische Wölfe über die Schäferhunde auch zu den Jagdhundrassen geführt haben. Dem soll hier nicht ganz gefolgt werden, da schon im Altertum im westlichen Asien Jagdhunde gehalten wurden, die sich durch die herabhängenden Ohren – das »Hubertus-Ohr« – auszeichneten und körperbaulich weit mehr an jene orientalischen Pariahunde erinnern, die wohl den Ursprung zu den Laufhunden des Mittelmeerraums und damit zu den Bracken bildeten. Unsere Jagdhunde sind doch wohl mehr südlichen und vorderasiatischen Ursprungs und waren bereits den alten Ägyptern bekannt, was natürlich nicht ausschließt, daß in unseren Breiten vor allem auch das Blut von westlichen Schäferhunden eingeflossen ist.

Im Laufe der Jahrhunderte wurden Jagdhunde unterschiedlichster Schläge gezüchtet, sozusagen für jede Wildart eine eigene Rasse. Wer es sich leisten kann, geht auch heute noch mit mehreren unterschiedlichen Rassen auf die Jagd, die je nach der zu erlegenden Wildart auch besonders ausgebildet sind.

Man kann die Jagdhunde in Bracken, Schweißhunde, Vorstehhunde, Stöberhunde, Apportierhunde und Erdhunde unterteilen, darf dabei aber nicht vergessen, daß manche Rassen aus der Vermischung solcher Grundformen hervorgegangen sind. In Zeiten, als man noch keine weittragenden Schußwaffen kannte, verwendete man auch vielfach große doggenartige Hunde, die die Aufgabe hatten, größeres Wild sowie Schwarzwild oder gar Bären zu stellen, notfalls auch niederzukämpfen. Die heute anerkannten Rassen sind ursprünglich als »Spezialisten« gezüchtet worden; unter ihnen als besonders auffallende Erscheinung der englische Pointer, der bei uns durch die Vorstehhundrassen Deutsch Kurzhaar (DK), Deutsch Langhaar (DL), Deutsch Drahthaar (DD) sowie den Pudelpointer vertreten wird; letzterer verdankt seine Entstehung der beiden in seinem Namen genannten Rassen. Hierher gehören auch weitere deutsche Rassen, wie der Weimaraner, der Grosse und der Kleine Münsterländer, der Stichelhaarige Vorstehhund, sowie die englischen Setter und der Ungarische Vorstehhund.

Gegensätze: der kleine und zierliche, aber schneidige Rehpinscher (oben) und der zur Legende gewordene Bernhardiner, der trotz seines Riesenwuchses als besonders gutmütig und kinderfreundlich gilt (unten).

Der Ausdruck »Vorstehen« bedeutet, daß der sich vorsichtig im offenen Gelände bewegende Hund mitten aus der Bewegung heraus erstarrt, sobald er einen Hasen oder ein am Boden sitzendes Federwild wahrgenommen hat, wobei dann ein Vorderlauf angehoben wird und der Fang starr in Richtung der zu erlegenden Beute gerichtet ist. Das können bereits Wölfe, ist aber bei diesen Hunden bis zur Meisterschaft entwikkelt worden, woran natürlich die gute Ausbildung einen wesentlichen Anteil hat. Bei gedecktem Gelände mit hochstehenden Gräsern und Kräutern haben die Stöberhunde – die eine geringere Schulterhöhe als die vorigen aufweisen, wie der Deutsche Wachtelhund und die englischen Spaniels – die Aufgabe, das Wild aus dieser Deckung herauszujagen und in das Schußfeld des Jägers zu bringen. Während der Wachtelhund eine deutsche Jagdhundrasse ist, die ab 1897 aus schwäbisch-bayerischen Bauernhunden zielstrebig erzüchtet wurde, weisen die Spaniels eine wesentlich längere und schwer durchschaubare Zuchtgeschichte auf, die einerseits zu den Hütehunden, andererseits zu den Spitzen weist. Im deutschen Jagdwesen von geringerer Bedeutung, haben die aus England stammenden Springer-, Clumber-, Sussex-, Field- und vor allem Cocker-Spaniels bei Hundefreunden eine größere Verbreitung gefunden, da sie sich auch sehr gut als stets lebhafte Begleithunde und Hausgenossen erweisen. Im Jagdeinsatz gelten sie auch als für kleineres Jagdwild sehr gut geeignete Apportierhunde, ebenso der Wachtelhund, und für Wasservögel bewährt sich besonders der hierfür in Irland gezüchtete Wasserspaniel.

Die als vielseitige Jagdhunde sehr beliebten Bracken sind allesamt kurzhaarig, wie die Deutsche Bracke, die Tiroler Bracke, die aus Kärnten stammende Brandlbracke, die Finnische Bracke, die Dunkerbracke aus Norwegen und die hierher zu stellenden

schweizerischen Niederlaufhunde sowie deren hochläufige Stammformen aus Bern, Luzern und dem Jura; eine Ausnahme bildet nur die rauhhaarige Steirische Hochgebirgsbracke, deren Haarkleid auf einen Brakkenschlag im Raum von Istrien (Jugoslawien) zurückgeht.

Die Aufgabe der Schweißhunde ist es, der Blutspur angeschossenen Wildes zu folgen, sein »Wundbett« aufzuspüren; »Schweiß« bedeutet in der Jägersprache Blut, daher der Name. Bekanntere Rassen sind der Hannoversche Schweisshund und der Bayerische Gebirgsschweisshund; sie sind im Grunde nichts anderes als Bracken, nur ihr Verwendungszweck führte dazu, daß man sie massiver, kräftiger in ihrer Gesamterscheinung züchtete.

Zuletzt bleiben die wieder nach ihrem Verwendungszweck so benannten Erdhunde, die sich aus den Dachshunden und den Terriers zusammensetzen. Jeder kennt wohl den kurzhaarigen, den rauhhaarigen, den langhaarigen Dachshund, Teckel oder Dackel; außerdem unterscheidet man noch eine Kleinform, die in der Lage ist, Kaninchen aus ihren unterirdischen Röhren zu jagen. Neben diesem Kaninchenteckel hat man neuerdings eine noch kleinere Rasse, den Zwergteckel erzüchtet. Ihrer Herkunft wegen spricht man bei diesen ungewöhnlich kurzbeinigen Hunden auch von Dachsbracken. Dachs und Fuchs aus dem Bau zu treiben ist Aufgabe dieser Hunde, aber darüber hinaus haben sie vor allem im süddeutschen Raum eine kaum zu überbietende Beliebtheit erlangt. Ihre sprichwörtliche Unfolgsamkeit ist allerdings nur eine Folge falscher, zu nachgiebiger Welpenaufzucht.

Die sehr umfangreiche Gruppe der ursprünglich in England entstandenen Terriers (von lat. *terra* = Erde) nimmt unter den gesamten Haushunden eine gewisse Sonderstellung ein. Man könnte sie zutreffend als rauhhaarige Kleinwölfe bezeichnen, vor allem in Hinblick auf ihre »Raubzeugschärfe«; man weiß, daß Wölfe Füchse, in Nordamerika sogar Kojoten töten, und diese Neigung hat sich die Terrierzucht offenbar zunutze gemacht. Bekannt ist die Furchtlosigkeit dieser Hunde, und selbst Kleinstformen wie der Yorkshire-Terrier können bei geeigneter Aufzucht schneidige Draufgänger sein. Bekannte Rassen sind der Foxterrier und der Welsh-Terrier, der blauschwarze Kerry-Blue-Terrier, der vor allem durch seine »Frisur« eher einem Lamm als einem Hund ähnelnde Bedlington-Terrier und schließlich der Bullterrier, der glatthaarig und niederläufig ist; früher hatte er einen ganz normalen Hundekopf, heute verläuft die Profillinie vom Nacken zur Nase bogenförmig, was ihm ein sehr ungewöhnliches Aussehen verleiht. Einstmals zu blutigen Hundekämpfen eingesetzt, ist er doch seiner Natur nach ein lebhafter, freundlicher und anhänglicher Hund. Leider wird in Amerika eine Nebenlinie dieser alten Rasse gezüchtet und sogar bei uns eingeführt, von der man das Gegenteil behaupten muß; sie wird trotz aller Verbote immer noch in der Unterwelt für blutige und überaus grausame Hundekämpfe verwendet.

Als Schutz- und sogar als Jagdhund beliebt ist dann noch die größte aller Terrierformen, der

Oben: Barsoi oder Borsoi, ein großer Windhund aus altem russischem »Hundeadel«. – Links: Wolfsspitz, ein intelligenter, mutiger und unbestechlicher Wach- und Hütehund. – Unten: Mops, einst Liebling der Damenwelt, heute etwas aus der Mode gekommen und sehr zu Unrecht als Hundekarikatur belächelt.

Airedale-Terrier, und neben ihm ist im deutschen Jagdwesen auch der viel kleinere Jagdterrier im Einsatz. Die kleinste Hundeform der Welt, der angeblich aus Mexiko stammende und nach einer dortigen Stadt benannte Chihuahua (sprich: schiwawa), gleicht in seinem Wesen ganz einem Terrier, wobei es nicht geklärt ist, ob er wirklich dieser Rassengruppe zuzuordnen ist.

Es kann hier nur ein grober Überblick über die einzelnen Rassengruppen geboten werden, ohne jeden Anspruch auf Vollständigkeit. Doch soll zuletzt die Gruppe der Spitze nicht vergessen werden, zumal dieses Kapitel bereits zu Anfang spitzartige Hunde als Nachfahren der Südwölfe behandelte. Nun gab es bereits in der Mittleren Steinzeit in Mitteleuropa spitzartige Hunde, die möglicherweise mehr mit europäischen Wölfen als mit deren südlichen Verwandten zu tun hatten. Spitze waren auch noch im vorigen Jahrhundert in Deutschland ungemein verbreitet, sie waren Hütehunde und in Kleinzüchtungen Modehunde, und der Spitz gehörte zum Alltagsbild eines Dorfes. Diese mitteleuropäischen Spitze gehen nahtlos in die aus Asien stammenden, im Norden als Laikahunde bekannten Spitze über, so daß man möglicherweise auch zu der Annahme kommen könnte, daß sie doch asiatischen Ursprungs sind. Für diese, sowie für die kleinen Zwergspaniels und Pekinesen, nimmt Clutton-Brock auch den Einfluß einer chinesischen Wolfsform *(Canis lupus chanco)* an.

Wie man sieht, ist das letzte Wort über die Abstammung unserer Hunde und deren Rassengruppen noch nicht gesprochen. Es ist aber zu erwarten, daß die modernen Verfahren der Eiweiß- und Vererbungsforschung auch auf diesem Gebiet zu neuen Erkenntnissen führen und uns mancherlei Überraschungen bringen werden.

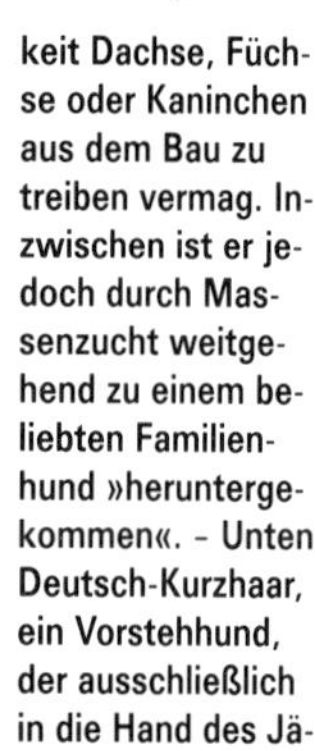

Oben: Der in mehreren Schlägen gezüchtete Dachshund, meist Dackel oder Teckel genannt, ist von Hause aus ein tüchtiger Jagdhelfer, der dank seiner Kleinheit und Kurzläufigkeit Dachse, Füchse oder Kaninchen aus dem Bau zu treiben vermag. Inzwischen ist er jedoch durch Massenzucht weitgehend zu einem beliebten Familienhund »heruntergekommen«. - Unten: Deutsch-Kurzhaar, ein Vorstehhund, der ausschließlich in die Hand des Jägers gehört.

Das Verhalten des Haushundes

Grundsätzlich können wir das Verhalten unserer Hunde von dem des Wolfes ableiten. Allerdings dürfen wir dabei nicht übersehen, daß wir zwar über die Verhaltensweisen der Wölfe des nördlichen Eurasiens und die der Wölfe Nordamerikas sehr gut unterrichtet sind, nicht aber über die der Wölfe im Süden Asiens. Da aber gerade unter diesen die ersten Vorfahren unserer Haushunde zu suchen sind und da wir mit großer Wahrscheinlichkeit annehmen dürfen, daß deren Verhalten in einigen Zügen von dem der Nordwölfe abweicht, müssen wir bei der Beurteilung unserer Haushunde sehr vorsichtig sein: Einerseits können bei ihnen Verhaltensunterschiede domestikationsbedingt sein, andererseits aber können sie vielleicht dem uns fast unbekannten Verhaltensinventar der Südwölfe entstammen.

Hierauf weist auch der Umstand, daß sich Dingos verhaltensmäßig in mancher Hinsicht von Nordwölfen unterscheiden. Da sie nach anfänglicher Frühdomestikation in Australien seit einigen tausend Jahren als Wildhunde leben, erscheint es zweckmäßiger, deren Verhalten als Grundlage für die Frage zu nehmen, wieweit unsere Hunde durch die nacheiszeitliche Haustierwerdung verhaltensmäßig abgewandelt sind. Hier ergeben eingehende eigene Untersuchungen erfreulich wenig Unterschiede, zumindest nicht im Grundverhalten, soweit nicht krankhafte Abweichungen überzüchteter Rassehunde als Störfaktor auftreten.

Gehen wir vom körperlich und seelisch normalen Haushund aus, so fällt auf den ersten Blick allerdings doch ein ganz erheblicher Verhaltensunterschied auf – allerdings einer, der grundsätzlich alle Haustiere von ihren wildlebenden Ahnen unterscheidet: Unsere Haushunde haben das jedem Wildtier eigene Scheuverhalten verloren. Das ist nicht besonders erstaunlich, da es derartiges auch auf freier Wildbahn gibt, und zwar überall dort, wo die Tiere keine Feinde zu fürchten haben. So fiel es schon Charles Darwin auf, daß die Tiere auf den Galapagos-Inseln vor dem Menschen nicht flüchteten und sich sogar anfassen ließen.

Der Wolf und nicht minder der Dingo hingegen sind überaus schreckhaft; in einem allseits geschlossenen Raum schnappen sie sofort zu, wenn eine fremde Per-

son es wagt, ihnen die Hand hinzuhalten. In der Fachsprache der Kynologen (Hundekenner) nennt man Hunde, die sich ebenso benehmen, »Angstbeißer« und bezeichnet sie als »wesensschwach«. Da das Märchen vom »bösen Wolf« die Erkenntnisse unserer Wolfsforscher nicht in die Köpfe unserer Mitmenschen eindringen läßt, glauben immer noch viele Hundezüchter, sie könnten eine Hunderasse »schärfer« machen, wenn sie einen Wolf einkreuzen. Obgleich es sich schon vor hundert Jahren erwiesen hat, daß man auf diese Weise nur »wesensschwache«, also ängstliche Nachkommen erzielt, wurden und werden

bis heute immer wieder derartige Einkreuzungen vorgenommen, natürlich alle mit demselben Erfolg. Das Ende solcher Wolf-Hund-Mischlinge ist in der Regel ein früher Tod. Es kann nicht oft genug betont werden, daß man dadurch nur zerstört, was als beste Errungenschaft der Domestikation zu gelten hat: dem Wildtier die Scheu abgezüchtet zu haben.

Für den Umgang mit dem Hund heißt das, daß wir dadurch auch die Möglichkeit haben, unsere Hunde nicht nur an unterschiedliche Lebensbedingungen anzupassen, sondern sie auch mit ihnen bislang fremden Situationen vertraut zu machen. Ein scheues Wildtier schreckt vor fremden Situationen zurück, es meidet sie; dadurch kommt es aber auch nicht in die Lage, diese zu prüfen und sich mit ihnen so vertraut zu machen, wie das unsere Hunde jederzeit können. Damit ist aber auch die Lernfähigkeit letzterer bei weitem größer.

Selbstverständlich darf nicht übersehen werden, daß auch das übrige Verhaltensinventar unserer Hunde häufig genug nicht mehr das ihrer wilden Ahnen ist. Es handelt sich hierbei aber in keinem Fall um irgendwelche neuartigen Verhaltensweisen, sondern es kommen ausschließlich Abschwächungen, in einigen Fällen auch Übersteigerungen des Urverhaltens vor. Bisweilen können gewisse angeborene Verhaltensweisen völlig verlorengehen – wie beim Ablegen des Scheuverhaltens bereits dargelegt.

Eine Übersteigerung des Aggressionsverhaltens gibt es leider überall in der Haustierzucht, und sie wird gerade bei unseren Hunden von gewissen Mitmenschen züchterisch gefördert. Es handelt sich hierbei um einen Verlust jener Gene (Erbanlagen), die für die Bildung der Aggressionshemmer im Gehirn verantwortlich sind. Man sagt dann, solche Hunde hätten eine »niedrige Reizschwelle«, wobei man einen physiologischen Begriff falsch anwendet. Nur der Reiz hat einen Schwellenwert – der Reizempfänger reagiert je nach Stimmung oder Beschaffenheit seines Nervensystems auf höhere oder niedrigere Schwellenwerte der Reizquelle. So genügt also schon eine niedrige Reizschwelle, um bei einem Hund mit verminderten Hemmzentren sofort blindwütige Angriffslust auszulösen.

Die Terrier ganz allgemein, als alte Züchtung auf »Raubzeugschärfe«, weisen gegenüber allen nicht rauhhaarigen Hunden eine höhere Aggressionsbereitschaft auf, die allerdings bei vernünftiger Behandlung niemals gegen den Menschen gerichtet wird. Sie können dennoch sehr freundliche und anschmiegsame Hausgenossen sein – aber ihr Verhältnis zu anderen Tieren, selbst zu Artgenossen, ist doch ein wenig heikler und wird geradezu mörderisch, wenn über gezielte Einwirkung diese Veranlagung weiterentwickelt wird. Der hier gebrauchte vermenschlichende Ausdruck hat insofern seine Berechtigung, als er eben jene Einwirkung voraussetzt. Hierzu sei betont, daß gerade beim Hund – dem einzigen Haustier der Welt, das imstande ist, sich voll und ganz in eine menschliche

Wolfserbe im Verhalten junger Haushunde (es handelt sich hier und auf den folgenden Seiten um Pariahunde, also verwilderte Haushunde, bei denen sich das Verhaltensinventar der wildlebenden Ahnen noch recht unverfälscht erhalten hat). Schon in früher Jugend werden im Spiel Rang- und Rudelordnungskämpfe ausgetragen (Mitte). Auch bei den kleinen Welpen zeigen sich bereits Ansätze zu solchen Kampfspielen (unten).

▷ Hundeaufzucht unter möglichst natürlichen Bedingungen: Eine geduldige Hundemutter säugt ihre Welpen am Eingang der Wurfhöhle.

Familie einzufügen – es erlaubt sein muß, Worte aus der uns geläufigen Umgangssprache zu entlehnen, da es sonst bei einem seelisch, vor allem aber sozial so hochstehenden Geschöpf unmöglich wäre, alle seine Regungen zu beschreiben. Zumindest beim Haushund reicht der Sprachschatz einer beschreibenden Verhaltensforschung nicht aus.

Um nun das Verhalten unserer Haushunde richtig verstehen zu lernen, ist es wohl der beste Weg, wenn wir deren Jugendentwicklung Schritt für Schritt verfolgen. Es erweist sich dabei als zweckmäßig, diese in mehrere Abschnitte aufzuteilen, die zu einem Teil erstmals von dem ursprünglich in Österreich, danach aber bis zu seinem Tode in Israel wirkenden Forscherehepaar Menzel umrissen worden sind.

Drei Wochen nach ihrer Geburt ist es für die weitere seelische Entwicklung der Welpen notwendig, daß ihre Neugier angeregt wird und sie die Möglichkeit erhalten, ihre engste Umwelt genau zu erkunden.

Bereits bei der Geburt, kaum von der Mutterhündin von den Eihäuten befreit und abgenabelt, zeigt ein gesunder Welpe alles, was er angeborenermaßen kann. Da er mit verschlossenen Augenlidern und ebenso durch eine weißliche Haut verschlossenen Ohröffnungen zur Welt kommt, ist er auf einige angeborene Bewegungsweisen angewiesen, die sein Überleben und seine Weiterentwicklung im Wurflager gewährleisten. Wir können sie prüfen, indem wir den Welpen auf den Tisch legen. Er wird ein deutlich vernehmbares Fiepen oder Quieken hören lassen; dieses dient als Alarmsignal für die Hündin, die sich sofort bemühen wird, ihren Welpen wiederzuerlangen.

Verhindern wir das, sehen wir gleich auch das »Suchpendeln« des Kopfes; hierbei pendelt der große Kopf von einer zur anderen Seite hin und her, kann aber auch gehoben und gesenkt werden. Im Wurflager kann das genügen, um Kontakt mit dem mütterlichen Körper zu finden – ebenfalls ein angeborenes Streben.

Bringt das Kopfpendeln keinen Erfolg, beginnt der Welpe zu kriechen, wobei die Beine den am Boden liegenden Körper umherschieben; der Welpe kriecht aber niemals geradlinig, sondern im Kreis. Dieses »Kreiskriechen« ist in der Lagermulde ausreichend, um den gesuchten Kontakt zu finden. Würde der Welpe geradlinig kriechen, könnte er sich, falls er den Lagerausgang zufällig findet, zu weit entfernen und verlorengehen.

Man kann den Versuch fortsetzen, indem man eine mit irgendeinem Fell bedeckte Thermosflasche in unmittelbare Nähe des Welpen bringt. Durch Suchpendeln und Kreiskriechen wird er sie finden und sofort still sein, sich ganz dicht mit Hilfe seiner Hinterbeine an sie heranschieben und deutlich seiner Zufriedenheit Ausdruck geben, wenn die Temperatur in etwa der seiner Mutter entspricht. Aber er wird nicht ruhen, sondern sofort versuchen, mit der Nasenkuppe die Fellhaare hochzuschieben. Er sucht nämlich nach einer Zitze; wer nicht zu große Hände hat, kann ihm jetzt den kleinen Finger reichen – sofort wird ihn der Welpe in seinen Mund nehmen und versuchen, daran zu saugen. Auf diese Weise erfahren wir auch, was der Ausdruck »Lecksaugen« bedeutet, denn wir spüren dabei, wie er seine zu einer Rinne geformte Zunge an unserem Finger hin und her schiebt. Diesen Versuch

dürfen wir aber nicht zu lange ausdehnen, sonst weiß am Ende der Welpe hinterher mit der echten Zitze nichts mehr anzufangen, obgleich Hundewelpen in dieser Hinsicht leichter umlernen können als manche Huftiere, die ja viel ausgereifter geboren werden. Daher ist es auch möglich, Welpen einmal an der Mutterhündin und abwechselnd an einem Flaschenschnuller saugen zu lassen, wie das manchmal bei Hündinnen notwendig wird, die aus irgendwelchen Gründen zu wenig Milch erzeugen.

Um nun auch den Milchfluß zu steigern, hat der Welpe noch zwei weitere angeborene Verhaltensweisen. Das ist einmal etwas dem »Euterstoß« der Huftiere Entsprechendes, bewirkt dadurch, daß sich der Welpe mit aller Kraft mittels der Hinterbeine gegen das Gesäuge schiebt, zum anderen der »Milchtritt«, bei dem die Vorderpfoten abwechselnd gegen die unmittelbare Umgebung der Zitze und damit auf die ihr zugeordneten Milchdrüsen schlagen.

Alle die hier geschilderten Verhaltensweisen des neugeborenen Welpen können nicht im Mutterleib er-

lernt worden sein – sie treten spontan zum Zeitpunkt der Geburt auf und veranschaulichen uns mit aller Deutlichkeit, was die Verhaltensforschung unter »Erbkoordinationen« versteht. Gleichzeitig erkennen wir, daß es einen Wärme- und einen Tastsinn gibt; ob die Nase ebenfalls schon über ausreichende Riechleistungen verfügt, ist trotz beweiskräftig erscheinender Versuche noch nicht so ganz geklärt – wahrscheinlich ist zu diesem Zeitpunkt bestenfalls ein im Gaumendach liegendes, von den Reptilahnen herzuleitendes Organ in Gebrauch, das bei den Säugetieren vielfach zum Erkennen ganz besonderer, arteigener Duftstoffe immer noch eingesetzt werden kann (Vomeronasal- oder Jacobsonsches Organ).

Zunächst nun ändert sich innerhalb der nächsten 14 Tage nichts, auch wenn sich so um den 12. oder 13. Tag die Augenlider und Ohrverschlüsse öffnen. Die Seh- und Hörleistung müssen sich erst entwikkeln. Manche Hundewelpen beginnen mit dem Augenöffnen bereits am 10. Lebenstag, was aber zu den Ausnahmen gehört. Sicher ist jedenfalls, daß sich nun im Verlauf bis zum 21. Lebenstag alle Sinnesorgane voll entfalten. Das hat das Forscherehepaar Menzel veranlaßt, die ersten 14 Tage im Leben eines Welpen als »Schlauch- oder vegetative Phase« zu bezeichnen und die dritte Woche als »Übergangsphase« – ist sie doch der Übergang von einer Art Embryonalstadium zu einem Jungtier, das sich bereits gut im Raum zurechtfinden und bewegen kann. Auch das bisherige Kriechen geht nun allmählich in eine Fortbewegung über, bei der die Körperunterseite keine Bodenberührung mehr hat. Es gibt in dieser dritten Lebenswoche auch einen Übergang zur Ernährung mit festen Stoffen, denn die Hündin würgt nun ihren Welpen ab dem 16. oder 17. Lebenstag einen halb vorverdauten Futterbrei vor, den diese leicht auflecken können.

Die Berührung mit den Nasen (»Nasonasalkontakt«) ist zwischen Hunden ein offenkundig friedfertiges Zeremoniell.

Jetzt tauchen auch neue Verhaltensweisen auf. So lösen die Welpen das Vorwürgen von Futter seitens der Hündin (und, so vorhanden, auch des Rüden) dadurch aus, daß sie gezielt mit der Nase gegen die Mundwinkel des Althundes stoßen. Auch das können sie vorher nicht gelernt haben, denn das können auch Welpen, die ab dem 14. Lebenstag handaufgezogen wurden.

Wie die Augen in Funktion treten, erkennen wir daran, daß die Welpen um den 15. Lebenstag zielstrebig irgendeinen Punkt in ihrer Umgebung fixieren und sich dann auf diesen zubewegen. Sie beginnen, ihre Geschwister wahrzunehmen, erkenntlich daran, daß sie zum Beispiel versuchen, das Ohr des nächsten Welpen in den Mund zu bekommen. Gelingt das, bearbeiten sie es so lange, bis der so mißhandelte Welpe aufschreit und nun seinerseits versucht, den anderen mit dem Mund zu fassen. Daraus entwickeln sich Beißspiele, bei denen die beiden Beteiligten mit weit aufgesperrten Rachen versuchen, Ober- oder Unterkiefer des anderen zu erfassen. Hierbei kann man auch sehen, wie die nun einander gegenübersitzenden Welpen abwehrend eine Pfote erheben, dem anderen gar auf die Schulter legen. Alle diese Bewegungsweisen laufen in dieser Zeit noch mit bedachtsamer Langsamkeit ab, wie in Zeitlupe gefilmt. Auch die in diesem Alter noch kurzen Schwänze können, wenn auch nur andeutungsweise, freudige Erregung als Vorstufe des allbekannten Wedelns zum Ausdruck bringen, vor allem, wenn die Mutterhündin ins Lager zurückkehrt und den Welpen ihre Zitzen darbietet oder durch den geschilderten »Mundwinkelstoß« veranlaßt wird, Futter vorzuwürgen.

Am 21. Lebenstag beginnt für die Welpen aller Hunderassen, genau wie auch bei Wölfen und Dingos, ein neuer Lebensabschnitt. An diesem Tag verlassen sie erstmals für kurze Zeit das Wurflager, vor allem, um sich nun außerhalb zu entleeren, wobei sie sich kaum weiter als ein bis zwei Meter vom Lagereingang entfernen. Das ist übrigens ein unübersehbarer Unterschied zum Verhalten von Goldschakalwelpen, die nämlich schon am 14. Lebenstag erstmals das Wurflager verlassen.

Von nun ab kommen die Welpen jeden Tag aus dem Lager, um die engste Umgebung genau zu erkunden und auch um miteinander zu spielen. Viele Hundehalter verhindern diese für die seelische Entfaltung der

Welpen so wichtige Möglichkeit, zeitweilig das Lager zu verlassen, indem sie viel zu hohe Wurfkisten verwenden und nicht dafür sorgen, daß die Welpen leicht herauskommen können. Sorgen sie doch dafür, sollten sie auch nicht vergessen, das Neugierverhalten der Welpen zu nutzen, indem sie jeden Tag andere Gegenstände aller Art, vom Zeitungspapier oder Holzstück bis zum handelsüblichen Hundespielzeug, vor das Lager legen. Es ist erwiesen, daß sich gewisse Zentren im Gehirn von Jungtieren nur dann weiterentwickeln können, wenn dem jeweiligen Alter entsprechende Umweltreize vorhanden sind; andernfalls veröden sie, was im äußersten Fall sogar zu einer Wachstumshemmung des Gehirns führen kann. Dies mag einer der Gründe sein, warum Haustiere ganz allgemein meist kleinere Gehirne haben als ihre wilden Verwandten.

In dieser Zeit müssen auch die Welpen lernen, wer Artgenosse ist – ein Vorgang, der wohl schon gegen

Ein junger Hund zeigt seinem Vater seine Zuneigung, die freundlich und wohlwollend entgegengenommen wird.

Ende der dritten Lebenswoche beginnt, aber spätestens am Ende der siebten Woche beendet ist. Das bedeutet, daß ein Welpe, der bis zu diesem Zeitpunkt allein als »Flaschenkind« aufgezogen wurde, danach nie mehr in der Lage ist, andere Hunde als Artgenossen zu erkennen. Er wird sich vor ihnen fürchten oder kann zu ihnen doch keine richtige Beziehung mehr aufnehmen. Er wird zwar noch erfassen, daß ihr Geruch dem seinen ähnlicher ist als der des menschlichen Betreuers, den er bislang für seinen wirklichen Artgenossen gehalten hat, aber er wird zu anderen Hunden zeitlebens ein schlechtes Verhältnis haben.

Umgekehrt – lernt ein Welpe in jenem Zeitabschnitt, den man als »Prägungsphase« bezeichnen kann, keinen Menschen näher kennen, wird er künftig zu Menschen kein richtiges Vertrauen entwickeln können, er wird Menschen gegenüber gehemmt bleiben und nicht kontaktfreudig sein. Die Kontaktfreudigkeit gegenüber dem Menschen wird um so größer, je mehr unmittelbaren Körper- und Riechkontakt er in diesem Lebensabschnitt mit einem, noch besser mit mehreren Menschen gehabt hat. Das ist etwas, was einen Hund sofort als »Erzeugnis« eines erwerbsmäßigen Massenzüchters von dem eines verständnisvollen Liebhaberzüchters unterscheidbar macht.

In den ersten Tagen nach dem Lagerverlassen entdekken wir wieder eine neue Verhaltensweise, die stets zu sehen ist, wenn ein solcher Welpe mit einem erwachsenen Hund oder mit dem ihm bereits vertrauten, als »zweiten Artgenossen« anerkannten Menschen zusammentrifft. Er wirft sich nämlich auf den Rücken und bietet seine Bauchseite dar. Das ist eine Demutsstellung, mit der der Welpe dem älteren Artgenossen seine Unterwerfung anzeigt. Es ist natürlich auch ein Signal, auf das jene Hemmzentren im Gehirn ansprechen, die für die Beherrschung der Aggressionstriebe verantwortlich sind. Aber auch das Lorenzsche »Kindchenschema« wird auf diese Weise ausgelöst – selbst ein alter Rüde, der bislang mit Welpen nichts zu tun gehabt hat, fühlt sich oftmals veranlaßt, deren Bauchseite, Geschlechtsteile und After wie eine Mutterhündin zu belecken, so als wollte er die Verdauung und die Ausscheidungen damit anregen.

Diese Demutsstellung bleibt durchgehend im weiteren Leben erhalten und wird stets einem Ranghöheren gegenüber eingenommen, wenn es ein Anlaß erfordert. Dabei wird man unschwer bei der Begegnung zweier Hunde feststellen, daß es stets der jüngere Hund ist, der diese Haltung zeigt, sobald sich die beiden Hunde unter der Schwanzwurzel berochen haben. Die in diesem Bereich liegenden Drüsen offenbaren augenscheinlich das jeweilige Alter. Man geht aber falsch in der Annahme, daß die Anerkennung des Älteren als Ranghöheren angeboren ist. Das beweisen leider alle jene Hunde, die ab der siebten oder achten Woche einen Besitzer gefunden haben, der es tunlichst vermeidet, das Hündchen mit anderen Hunden in Berührung zu bringen. So kann der kleine Welpe niemals die »guten Hundesitten« lernen und wird sich späterhin fremden Hunden gegenüber so unver-

schämt und respektlos benehmen, daß er deren Aggression auslöst. Er wird von dem rangmäßig überlegenen Hund zurechtgewiesen, was bei einigermaßen normalen Hunden ohne jede Tötungsabsicht erfolgt. Ist der gezüchtigte Hund aber wesentlich kleiner, dann kann er dennoch schwer verletzt oder gar getötet werden. Es muß hier ausdrücklich klargestellt werden, daß in solchen Fällen die Schuld nicht den großen Hund beziehungsweise dessen Halter, trifft, sondern den Eigner des kleinen Hundes, weil er ihn nicht artgerecht aufgezogen und damit seine artgemäße Entwicklung verhindert hat! Hier treffen wir auf eine Besonderheit, die gerade den Hund weit mehr als alle anderen unserer Haustiere auszeichnet.

Es ist nämlich so, daß wir mit der bisherigen Aufzählung von angeborenen Verhaltensweisen – sieht man vom Verhalten bei der Brutpflege ab, ebenso vom Sexualverhalten – fast schon alles behandelt haben, was es an solchen gibt. Das angeborenermaßen vorhandene Verhaltensinventar eines Hundes wird nämlich durch ein Lernvermögen ergänzt, das besonders bei unseren Haushunden noch weiter entwickelt ist als bei Wildhunden. Man kann fast sagen: Das Wichtigste, was unsere Haushunde angeborenermaßen mit auf den Lebensweg bekommen, sind seine im Gehirn vorgegebenen Lernbefähigungen. Wie schon Konrad Lorenz vorweggenommen hat, können es gerade domestikationsbedingte Instinktausfälle sein, die den Hund zu besonderen Lernleistungen befähigen, unter Umständen sogar zwingen.

Voraussetzung hierfür ist aber, daß der Hund auch ein Umfeld findet, das ihm erlaubt, diese Befähigung zu nutzen. Muß er zeitlebens den größten Teil seines Daseins im Zwinger oder an der Kette leben, dann verkümmern seine Befähigungen. Dafür können Übersteigerungen ansonst sinnvoller Fähigkeiten an deren Stelle treten. So ist es bestimmt nützlich, daß uns der Hund durch ein kurzes, richtungweisendes Gebell auf das Nahen eines Fremden aufmerksam macht; es wird aber zu einer unerträglichen Umweltbelastung, wenn ein Hund mangels anderer Befähigungen ersatzweise zum lästigen Kläffer wird – ein Fehlverhalten, das der Verständnislosigkeit des Hundehalters zuzuschreiben ist.

Nicht anders ist es, wenn solche Hunde mangels Befriedigung ihrer Lernbedürfnisse und aufgrund der damit verbundenen Unausgefülltheit zu aggressiven, bissigen Hunden werden. So könnte man noch viele »Unarten« anführen, bis zur völligen Gehorsamsverweigerung, die alle darauf beruhen, daß die Bedeutung der Jugendentwicklung des Hundes als Hauptzeit der Lernfähigkeit nicht erkannt und jene wichtige Periode übergangen worden ist.

Wie das welpenhafte Vorzeigen der Bauchseite als Zeichen der Anerkennung der höheren Rangstellung des Älteren späterhin seine Bedeutung hat, so werden auch alle anderen im frühen Welpenalter erkennbaren Erbanlagen später wohl auch über Lernerfahrungen gewissermaßen umfunktioniert und in den Dienst der weiterführenden Verständigung (Kommunikation) mit Artgenossen gestellt. Wenn die Hündin die etwa fünf Wochen alten Welpen im Stehen säugt, kann man sehen, wie der Milchtritt der nun hochaufgerichtet sitzenden Welpen nur mehr mit einer Pfote ausgeführt wird, um dann später und weiterhin als einfacher Pfotenschlag stets da angewendet zu werden, wo der Hund etwas erreichen will – auch die Gunst des Menschen oder eines anderen, ranghöheren Hundes –, und damit wird aus dem einstigen Milchtritt eine Beschwichtigungsgebärde. Oder es wird der Mundwinkelstoß, der der eben heimgekehrten Mutterhündin gegenüber dargebracht wird, zum Begrüßungszeremoniell, zu einer sinnbildlichen Geste, die ohne wirkliche Berührung, aber gerichtet auf den Ranghöheren hin, sozusagen in die Luft erfolgt.

Schon die Welpen üben im Verfolgungsspiel miteinander das Beutefangverhalten ein.

Bis hin zur achten Woche zeigen die Welpen kaum noch ein Sozialverhalten. Findet einer einen ihn interessierenden Gegenstand, dann verteidigt er ihn gegen seine Geschwister und versucht, sich mit diesem zu verstecken, um sich allein damit zu beschäftigen. Andererseits wird er von der Mutterhündin zur Unterordnung erzogen. Er darf sich zum Beispiel nicht zu weit vom beschützenden Lager entfernen. Versucht er

es dennoch, wird er von ihr oftmals mit rüder Gewalt daran gehindert.

In der siebten bis achten Woche ergibt sich für die Welpen abermals ein neuer Lebensabschnitt. Es ist das die Zeit, in der üblicherweise die Welpen an neue Besitzer abgegeben werden. Wer aber einen Rüden zusammen mit der Hündin hält, wird erleben, daß dies auch von der Natur vorgegeben ist. Die Hündin gibt nämlich in dieser Zeit ihre Welpen an den Rüden ab. Bislang durfte er nicht mit den Welpen spielen – versuchte er es, fuhr die Hündin dazwischen. Nun aber fordert sie ihrerseits den Rüden an einem vom Lager etwas weiter entfernten geeigneten Platz zum Spielen auf. Die Welpen kommen hinzu, versuchen mitzuspielen, und wenn dann das gemeinschaftliche Spiel im schönsten Gange ist, verschwindet die Hündin unbemerkt von den übrigen und überläßt die Welpen dem Rüden. Solche Spielstunden wiederholen sich im Beisein der Mutter noch einige Tage, bis sie überhaupt nicht mehr in Erscheinung tritt und die weitere Erziehung der Welpen allein dem Rüden überläßt.

Die Beobachtung solcher intakten Hundefamilien in einem einigermaßen natürlichen Gelände lehrt uns, daß der Rüde zwar durchaus und oftmals sehr grobe disziplinarische Maßnahmen anwendet, die er aber durch sein unermüdliches Eingehen auf die Spielfreudigkeit der Welpen wettmacht. Trotz mancher »Prügelstrafe« bei Übertretung einmal gesetzter Verbote hängen die Welpen voll Vertrauen an dem sie nunmehr erziehenden Rüden (der übrigens gar nicht der wirkliche Vater sein muß und ebenso von der Mutterhündin ersetzt werden kann). Das gibt ihm die Möglichkeit, nicht nur ihre körperliche Geschicklichkeit im Spiel zu fördern, sondern sie auch mit dem vertraut zu machen, was er selber einmal von seinen Eltern gelernt hat. So kann man auch verstehen, daß ein Welpe, den man einem wohlerzogenen Rüden zugesellt, sehr schnell alle jene Befehle auszuführen lernt, die sein Ziehvater kann – oder aber alle Unarten übernimmt, die dieser an den Tag legt.

Die etwas älter gewordenen Welpen werden in der Regel vom Vater erzogen. Hier bringt ein Hundevater seinem Sprößling ziemlich nachhaltig Disziplin bei, was dem gegenseitigen Vertrauensverhältnis keinen Abbruch tut.

Wer jedoch einem Rüden oder einer Hündin, also dem im Hause vorhandenen Althund, einen Welpen übergibt, ohne zu beachten, daß ebendieser Althund selbst nie gelernt hat, was eine artgemäße Erziehung ist, wird erleben, daß sich eines Tages – so etwa im Alter von ein bis eineinhalb Jahren – der junge Hund rangmäßig über den älteren Hund erheben und, wenn es sein muß, dies sogar mit den Zähnen durchsetzen wird. Nicht anders ergeht es dem Hundehalter, der den Welpen zu nachgiebig behandelt und dem Zauber des »Kindchenschemas« so sehr erliegt, daß er von diesem nicht als überlegene Respektsperson betrachtet werden kann, sondern nur als Schwächling eingeschätzt wird, der vernunftlos ein Übersoll an Streicheleinheiten abgibt. Dann kann der Hund sich zum »Herrn im Hause« aufwerfen.

Wenn aber umgekehrt der Welpe so wie im artgleichen Familienverband diszipliniert, aber durch gutes Zusammenspiel belohnt wird, wenn er wie dort nie alleingelassen wird, entsteht eine sehr enge Bindung, und es wird auch das angebahnte Sozialverhalten gefördert, macht der Hund doch die Erfahrung, daß gemeinsames Tun viel befriedigender ist, als sich allein zu beschäftigen. Er entwickelt in diesem Alter ein überaus reges Interesse am Tun und Lassen des Althundes, dem er nachzueifern sucht und dessen Wohlwollen er immer wieder prüft. Das wird vor allem durch häufiges Belecken von Nase und Lippen des Althundes verdeutlicht. Für den Hundehalter bedeutet das, daß er in dieser »Sozialisierungsphase« ungemein viel Zeit für den stets Kontakt suchenden Welpen aufbringen muß. Entsprechend dem bereits vorweggenommenen Einüben des Sozialverhaltens anderen Hunden gegenüber wird er dafür sorgen, daß der Welpe ausreichend Kontakt mit welpenfreundlichen Althunden bekommt. Je mehr man sich in dieser Zeit mit dem Welpen beschäftigt, um so lernfreudiger wird dieser, was aber nicht heißt, daß man dabei das Ruhebedürfnis eines Welpen außer acht lassen darf. Ebensowenig darf man in diesem frühen Alter Spaziergänge mit dem Welpen unternehmen, da dies im Grundverhalten nicht vorgegeben ist. Zwar sollte man ihn täglich an einen zum Spielen geeigneten Platz

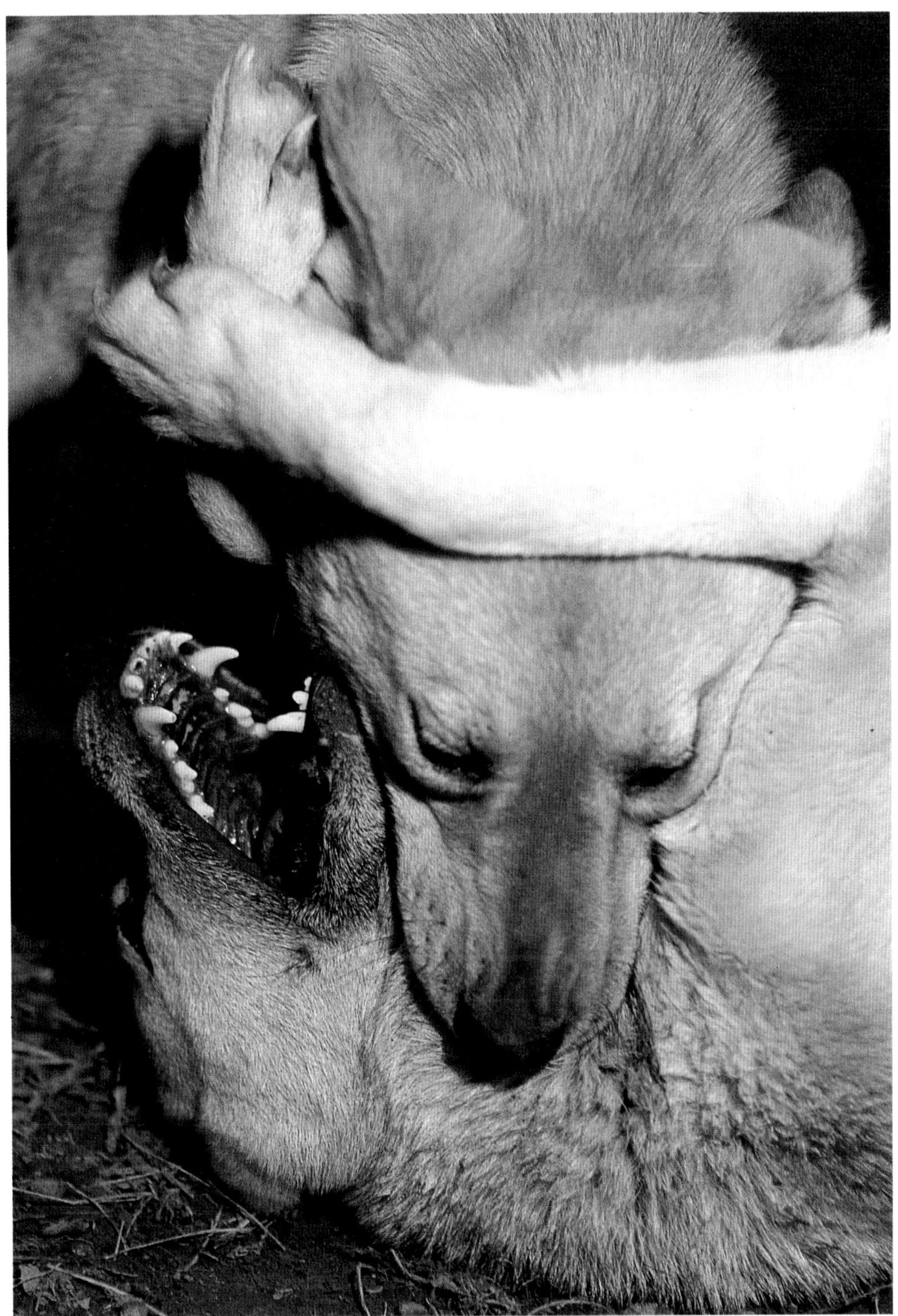

Der Kehlgriff ist in Hundekreisen eine zeremonielle Überlegenheitsdemonstration.

bringen, aber nie an der Leine dorthin führen, wenn er mehr als 20 Meter entfernt sein sollte. Man sollte daran denken, daß das nicht nur nicht artgemäß ist, sondern auch den Gelenken der Gliedmaßen schadet. Auch Verfolgungsspiele erstrecken sich im dritten Lebensmonat zunächst nur auf kurze Entfernungen, die sich erst nach und nach mit Zunahme der Körperkräfte erweitern. Es sei gleich vorweggenommen, daß man bis zum Ende des fünften Lebensmonats den bis dahin zu Junghunden ausgereiften Vierbeinern keine größeren Entfernungen zumuten darf. Auch Jungwölfe begleiten erst in diesem Alter ihre Eltern in die weiter entfernten Jagdgründe.

Der vierte Lebensmonat, die sogenannte »Rangordnungsphase«, zeichnet sich dadurch aus, daß die Welpen nun bestrebt sind, durch Scheinkämpfe, die bisweilen, vor allem bei Terriern, recht ernsthaft wirken, die künftige Rangordnung untereinander festzulegen. Ein Vorgang, der beim Halter eines Einzelwelpen natürlich nicht in Erscheinung tritt; immerhin wird er feststellen, daß der Welpe in dieser Zeit oftmals aggressive Anwandlungen zeigt, die man ganz nachdrücklich unterbinden muß. In diesem Lebensabschnitt stellt man bei Dingos und freigehaltenen Hundefamilien ferner fest, daß so gegen Ende des vierten Monats die Hündin eines Tages von früh bis abends die Welpen von einem Futterstück vertreibt, das sie entweder neben sich abgelegt hat oder im Fang hocherhobenen Hauptes umherträgt. Es kann auch so sein, daß die Hündin den Welpen Futter vorwürgt, diese dann aber sehr heftig von dannen jagt und danach das Vorgewürgte wieder verspeist. Dies kann als Stichtag gelten: Von jetzt ab sind es keine Welpen mehr, die gegenüber Althunden das Vorrecht am Futter haben, sondern Junghunde, die selber sehen müssen, wie sie an ihr Futter herankommen. Der Hundehalter muß also in dieser Zeit durchsetzen, daß er jederzeit seinem Junghund das Futter wegnehmen kann, ohne von ihm angeknurrt oder gar geschnappt zu werden. Das ist insofern notwendig, als bei künftigen Spaziergängen stets die Gefahr besteht, daß der Hund vergiftete Futterstücke verschlingt.

An dieser Stelle müssen wir auch bedenken, daß wir dennoch anders handeln, als das im Normalverhalten aller Hundeartigen vorgesehen ist. Wir schaffen nämlich weiterhin die Nahrung für unseren Hund heran, was bis zu einem gewissen Grad bedeutet, daß wir ihn im Bereich des Nahrungserwerbes eigentlich gar

Kleine Hunde lieben die Geselligkeit und Bequemlichkeit. Das enge Beieinanderliegen (»Kontaktliegen«) gehört zu ihrem Komfortverhalten.

nicht erwachsen werden lassen. Das ist auch gut so, denn sonst könnte es geschehen, daß sich der Hund eines Tages aus unserem Familienverband löst und seinen eigenen Weg geht, wie das sich stark genug fühlende Dingos spätestens im Alter von 18 Monaten zu tun pflegen.

So gelangen wir nun in die »Rudelordnungsphase«, für die wir den fünften und sechsten Lebensmonat ansetzen können. Konrad Lorenz hat bereits geschildert, daß in diesem Alter eine unverbrüchliche »Gefolgschaftstreue« entsteht; das wird allerdings nur dann der Fall sein, wenn der Hundehalter bis zu jener Zeit dafür gesorgt hat, daß der Junghund ihn nunmehr als »Vorbild« anerkennen kann. Ist das nicht der Fall, wird er spätestens mit sechs Monaten versuchen, sich so oft wie möglich der Gesellschaft seines Halters zu entziehen, und sich unter Umständen sogar zum »Streuner« entwickeln.

Nach dem sechsten Monat beginnt die »Pubertätsphase«, die häufig erneut gewisse Schwierigkeiten mit sich bringt. Nochmals versuchen viele Hunde jetzt, die eigenen Interessen vor jene des Hundehalters zu stellen. Konsequenz, verbunden mit einer ausgewogenen Nachsicht, ist jetzt erforderlich. Gesunde Hündinnen werden mit sieben, spätestens mit acht Monaten erstmals läufig; bei den Dingos kann es in diesem Alter bereits zu erfolgreichen Begattungen kommen, ebenso bei Rassehunden, die unter ihren Vorfahren keine nördlicheren Wolfsformen aufweisen.

In dieser Zeit entfalten Hündin und Rüde das gesamte Verhaltensrepertoire erwachsener Hunde besonders deutlich. Auch davon wissen die meisten Hundehalter oder Züchter nicht viel, denn es ist üblich, die läufige Hündin zu einem ausgesuchten Rüden zu bringen in der Erwartung, daß sich jene anstandslos von diesem decken lassen wird. Für den, der das gesamte Paarungszeremoniell bei Wölfen, Dingos oder freilebenden Hunderudeln beobachten konnte, bleibt es immer wieder erstaunlich, daß das überhaupt funktioniert, während umgekehrt der Hundezüchter staunt, wenn es einmal nicht so geht, wie er sich das gewünscht hat, und die Begattung ausbleibt; sie wird meist von der Hündin verhindert. Hierfür gibt es verschiedene Ursachen. Das mangelnde Interesse der Hündin liegt häufig daran, daß sie den Rüden grundsätzlich ablehnt. Eine instinktsichere Hündin erkennt auf eine uns wohl noch verborgene Weise, daß der Rüde genetisch, also in seinen Erbanlagen, nicht zu ihr paßt. Es kann auch sein, daß sie eine Begattung deswegen ablehnt, weil sie sich oder ihren heimischen Lebensraum als zu wenig geeignet betrachtet, einen Wurf auszutragen und aufzuziehen. Bei unseren hochgezüchteten Rassehunden, die zu wenig Beziehung zu anderen Hunden haben, kann der Triebstau dann doch wieder so groß sein, daß die Gelegenheit zur Paarung angenommen wird, auch wenn das artgemäße Paarungszeremoniell sich auf einige wenige Minuten beschränken muß.

Bei ständig zusammenlebenden Hundepaaren treten die ersten Anzeichen der sich vorbereitenden Läufigkeit oft schon weit mehr als einen Monat vor der Paarungsbereitschaft in Form einer sich zunehmend stei-

Wenn ein alter Hund einem jungen so freundschaftlich die Vorderpfote auflegt, so ist das unverkennbar ein Beweis seiner Zuneigung.

gernden Spielbereitschaft der Hündin auf. Auch eine gewisse Nervosität und Reizbarkeit sind zu beobachten; war die Hündin bislang gegenüber anderen, blutsfremden Hündinnen verträglich, so ist sie das jetzt nicht mehr. Das kann so weit gehen, daß sie mit Hilfe ihres Rüden fremde Hündinnen sehr gefährlich angreift. Überhaupt weicht nun der Rüde nicht von ihrer Seite, läßt sich von ihr in jeder Weise unterjochen und wird zuletzt selber so reizbar, daß er jeden Rüden angreift, der es wagt, sich seiner Hündin zu nähern. In der Zeit, in der die Hündin acht Tage lang blutige Schleimtropfen absondert, ist er bestrebt, sie auf allen Wegen in einer engen Schulterberührung zu »hüten«. Immer wieder prüft er ihre Geschlechtsteile, um dann

so um den 10. oder 11. Tag nach Einsetzen der Blutungen die Hündin so stark anzuregen, daß sie die Paarungsstellung einnimmt. Hierbei steht sie mit weit auseinandergestellten Hinterbeinen still und wendet die Rute zur Seite. Der Rüde springt auf, umklammert die Hündin in der Hüfte mit den Vorderbeinen und führt die Begattung aus, die nur einige Sekunden währt. Danach aber kommt es zum »Hängen«, ein Vorgang, der vor allem unerfahrene Hündinnen überaus irritiert und bei den so fest miteinander verbundenen Hunden zu den absonderlichsten Körperstellungen führt. Erfahrene Partner stehen meist Hinterteil an Hinterteil und warten mehr oder weniger geduldig das Abnehmen der Schwellkörper ab, um sich nach 10 bis 30 Minuten zu trennen, wonach sie ihre Geschlechtsteile säubern. Hündinnen vollführen danach gewöhnlich spielerische Sprünge, die man als eine Art von Fröhlichkeit deuten mag. Die Deckperiode kann bis zu 10 Tagen währen.

In diesem Zusammenhang bedeutsam ist, daß die geschilderten Verhaltensweisen bereits im frühen Welpenalter spielerisch ausgeführt werden, sobald die Bewegungsfähigkeit der Welpen hierzu ausreichend ausgereift ist. Aufreiten, Klammern und Hüftbewegungen des Rüden, Spreizstellung und Schwanzwenden der Hündin sind dabei so überzeugend, daß der Schluß berechtigt ist, es könne sich hierbei ausschließlich um angeborene Verhaltensweisen handeln. Um so erstaunlicher ist es daher, wenn es einer sachunkundigen Rassehundezucht in den letzten Jahren gelungen ist, diese Grundbestandteile allen tierischen Verhaltens zumindest bei vielen Rüden bestimmter Rassen wegzuzüchten und damit nun auf die künstliche Besamung der Hündin angewiesen zu sein. Grotesk aber hört es sich an, wenn das Versagen des Rüden damit entschuldigt wird, daß er unerfahren sei und das noch nie gesehen habe!

Ein ebenso schlechtes Licht auf den Stand der Rassehundezucht wirft die Tatsache, daß sehr viele Hündinnen nicht mehr jene erblich verankerten Verhaltensweisen besitzen, die zur reibungslosen Geburt und Aufzucht der Welpen führen. Immer häufiger muß der Tierarzt zur Geburt herangezogen werden, immer öfter muß er einen Kaiserschnitt durchführen, und immer mehr muß der Züchter eingreifen, damit die Welpen überhaupt aufkommen können; so überläßt ihm die Hündin in solchen Fällen das Abnabeln, das Säubern der Welpen, oder sie bekommt keine Milch, und was es da an Störungen noch mehr gibt.

Die nach durchschnittlich 63 Tagen erfolgende Geburt (59 bis 69 Tage als Extremwerte; beim Dingo stets 60 bis 61 Tage nach der ersten Begattung) kündigt sich etwa zwei Tage vorher dadurch an, daß die Hündin eifrig scharrt; im Freien legt sie jetzt eine Wurfhöhle an. Einige Stunden vor der Geburt ist die Hündin nicht mehr bereit, das ihr geeignet erscheinende Wurflager zu verlassen, und zwei Stunden vor der ersten Austreibung scharrt sie »ins Leere«, falls sie sich keine Höhle im Erdreich anlegen hat können. Sie verkrampft sich oft, die ersten vorbereitenden Wehen treten ein. Gewöhnlich tritt nun Fruchtwasser aus, oder ein dunkel gefärbter Ausfluß, und wenn nicht schon früher, so wird in diesen letzten zwei Stunden auf jeden Fall jede Nahrung verweigert. Dann treten

Aufreiten einer Hündin als zeremonielle Demonstration ihrer Überlegenheit.

die ersten Preßwehen auf, und der Welpe gleitet, meist noch von den Eihüllen umgeben, sehr schnell aus der Geburtsöffnung heraus. Die Hündin reißt sofort die Eihäute auf, entfernt sie durch Leckbewegungen und verschlingt sie; dabei tritt gewöhnlich auch gleich die Nachgeburt aus, die Hündin trennt mittels der Backenzähne die Nabelschnur etwa vier Zentimeter oberhalb der Bauchdecke des Welpen ab und verschlingt nun auch die Nachgeburt. Nun beschäftigt sie sich sehr angelegentlich mit dem Trockenlecken des Welpen, den sie häufig festhalten muß, da er schon mit aller Kraft bemüht ist, sich ihr zu entziehen, um an die Milchquellen zu gelangen. Von ihm ist noch zu sagen, daß er gleich nach dem Entfernen der Eihäute seinen ersten, naturgemäß noch nicht sehr lauten Schrei von sich gibt, mit dessen Hilfe er nicht nur das Brutpflegeverhalten der Mutterhündin aus-

löst, sondern auch Rückstände des Fruchtwassers aus dem Nasen-Rachen-Raum ausstößt.
Diese Schilderung bezieht sich auf eine ganz normale Geburt, bei der übrigens auch die einzelnen Austreibungen in Abständen von 15 bis 25 Minuten erfolgen. Leider treffen wir derartige Normalgeburten bei unseren Rassehunden immer seltener an. Einer der Gründe hierfür – neben vielen anderen! – ist der Umstand, daß viele Menschen aus falschverstandener Tierliebe oder aus Gewinnsucht übertriebene Vorbereitungen für die werfende Hündin treffen und meinen, mit Heizstrahlern oder heizbaren Wurflagern der Hündin und ihren Welpen helfen zu müssen. Sehr

viele Hündinnen weigern sich, obgleich sie sich sonst als instinktsicher erweisen, bestimmte Welpen ihres Wurfes aufzuziehen. Sie entfernen sie aus dem Lager, meist am zweiten bis vierten Lebenstag der Welpen. Hierbei handelt es sich nachweislich um erbgeschädigte Welpen, die die weiter oben geschilderten angeborenen Grundbestandteile des Verhaltens nicht in voller Ausprägung besitzen. Solche Welpen werden dann wieder aus den zuvor genannten Gründen künstlich aufgezogen, was naturgemäß viel zur Degeneration unserer Hunderassen beiträgt.
Es wurde hier bewußt auf die genaue Schilderung all jener Verhaltensweisen verzichtet, die schon bei der Beschreibung des Wolfsverhaltens zur Sprache gekommen sind, da es in diesem Beitrag weit mehr um das Zusammenleben von Mensch und Hund gehen sollte.
Die der Verständigung dienenden Ausdrucksmittel unserer Hunde stimmen in ihren Grundzügen mit denen der Wölfe überein, sind jedoch sehr unterschiedlich bei den einzelnen Rassen noch erkennbar. So wird die bei Wölfen so eindrucksvolle Mimik bei den meisten unserer Hunde mehr oder minder abgeschwächt gezeigt, oftmals durch Langhaarigkeit völlig verdeckt.
In diesem Bereich zeigen sich jedenfalls sehr viele durch die Haustierwerdung bedingte Abschwächungen gegenüber den Wölfen, die man nur beurteilen kann, wenn man sich diese Ausdrucksmittel bei den Hundeahnen vor Augen führt. Es sei darauf hingewiesen, daß man innerhalb jeder Hunderasse immer noch einzelne Tiere vorfinden kann, deren Verhaltensinventar noch fast zur Gänze in seiner Ursprünglichkeit erhalten ist, neben solchen, bei denen fast alle Erbkoordinationen erloschen sind – dementsprechend natürlich auch alle Übergänge zwischen beiden Extremen. Es sollte eine Verpflichtung für jeden Hundezüchter sein, neben dem äußeren Erscheinungsbild einer Rasse auch zumindest alle jene grundlegenden Verhaltensmuster zu erhalten, die eine Verständigung mit Artgenossen gewährleisten und die im Dienste der Fortpflanzung stehen, sowie alle jene erblich festgelegten Lernbegabungen, die weiterhin die Verständigung mit dem Menschen ermöglichen.

Unter naturnahen Bedingungen, wie hier in einem sogenannten Offenlager, wird eine gesunde Hündin ganz allein mit dem Geburtsvorgang fertig.

Zuletzt sei noch der Vorstellung entgegengetreten, daß sich die einzelnen Hunderassen grundsätzlich verhaltensmäßig unterscheiden würden. Sie haben alle das gleiche, hier geschilderte Grundverhalten. Körperliche Eigenschaften und die hohe Lernfähigkeit sind es in Wahrheit, die der Mensch ausnützt, um die erwünschten Leistungen unterschiedlicher Art zu erzielen.
Unbestreitbar hat eine jahrtausendealte Zucht auf Hüte- oder Jagdaufgaben die entsprechenden Lernbefähigungen besonders entwickelt. Aber wenn ein Jagdhund aus bester Gebrauchszucht nicht von erfahrener Jägerhand geschult wird, taugt auch er nicht zu der Aufgabe, auf die hin er gezüchtet worden ist. Unbestreitbar gibt es auch Hunderassen, die ganz allgemein zurückhaltender sind als andere, aber auch hier spielt die Aufzucht eine ganz erhebliche Rolle; oft genug wird dabei ganz unbewußt auf den Welpen eingewirkt, der dadurch wirklich so wird, wie man es seiner Rasse nachsagt. Man sollte eben stets daran denken, daß der Hund immer von dem Menschen, bei dem er aufwächst, geformt wird und daß die besten Veranlagungen, die ein Hund von seinen Vorfahren ererbt hat, verkümmern, wenn sie nicht vom Hundehalter genützt und gefördert werden.

Dingo

von Bernhard Grzimek und Eberhard Trumler

Die Australischen Dingos - oben eine Mutter mit ihrem Kind, rechts ein erwachsenes Tier - gehören ebenfalls zu den Haushunden, doch sie sind schon in einem frühen Stadium der Haustierwerdung wieder verwildert. In ihrer Heimat führen sie das freie Leben von Wildhunden, soweit ihnen der Mensch, der sie als »Schafräuber« erbarmungslos verfolgt, dies noch gestattet.

Über den Australischen Dingo *(Canis lupus f. dingo)* hat man sich gute hundert Jahre gestritten. War er ein echter Wildhund wie die Wölfe auf der nördlichen Halbkugel oder die schönen, kühnen gefleckten Hyänenhunde in Afrika? Oder war er nur der Nachkomme von verwilderten Haushunden der Menschen? Ganz sicher jagten wilde Dingos schon in ganz Australien, als die ersten Europäer diesen Erdteil entdeckten.

Man kann Dingos weder nach den Zähnen und dem Knochenbau noch nach sonst irgendeinem Körpermerkmal oder nach ihrer Lebensweise sicher von Haushunden unterscheiden. Sie sind also, so nimmt man heute allgemein an, erst in erdgeschichtlich jüngster Zeit mit dem Menschen zusammen nach dem fünften Erdteil gekommen, wenngleich das auch viele Jahrtausende zurückliegen mag. Dingos sind verwilderte Haushunde, wie auch ihr heutiger wissenschaftlicher Name verrät; das »f.« zeigt an, daß wir es mit einem ehemaligen Haustier zu tun haben. Ich (B. G.) habe als junger Mann in Zoos gelernt, daß man bei Dingos immer darauf achten muß, Tiere in rein rötlicher Farbe zu haben. Solche mit weißen Schwanzspitzen, weißen Pfoten oder hellen Flecken an der Kehle sollten Mischlinge mit Haushunden sein. Aber das trifft nicht zu. Es gibt reinblütige wilde Dingos, die gescheckt sind, dunkelbraune, sogar schwarze, auch solche, bei denen die Ohren umknicken oder die den Schwanz höher nach dem Rücken tragen.

Vielleicht hätten ihnen die australischen Schaffarmer wirklich schon den Garaus gemacht, wenn nicht andere Europäer diesen rötlichen Wildhunden wieder ungewollt geholfen hätten. Sie führten das Kaninchen ein, das sich zu Millionen vermehrte und den Dingos auch dort das Weiterleben ermöglichte, wo man sie von den Schaffarmen weghielt. Ja, sie machten sich als Kaninchenjäger sogar recht nützlich.

»Dingo« ist unter weißen Australiern gleichwohl ein böses Schimpfwort. Nur die schwarzen Ureinwohner, die »Aboriginals«, haben für die Wildhunde etwas übrig. Sie fangen sich Junge und ziehen sie auf. Dabei stellt sich heraus, daß diese Wildlinge immer wieder leicht zu treuen Menschengefährten werden. Bellen können sie nicht, nur knurren, singen, winseln. Aber das Bellen gehört keineswegs unbedingt zum Haushund; auch in weiten Teilen Afrikas können es die Hunde der Afrikaner nicht.

Wer sich in Europa einen halbwüchsigen Dingo aus der Zucht eines zoologischen Gartens geholt hat, fand immer, daß das Tier ein guter vierbeiniger Freund wurde, auch wenn er mancherlei Unterschiede zu gewöhnlichen Hunden erkennen wollte. Der Tierpsy-

chologe Bastian Schmid hat einen Rüden gezähmt und lange Zeit in Haus und Garten gehalten; ähnliche Erfahrungen machte Eberhard Trumler.

Entsprechend dem Haß und der Verachtung, welche seine menschlichen Landsleute für ihn hegen, wissen wir vom Freileben der Dingos nur sehr wenig. Die Rüden haben wohl Territorien, Eigenbesitzgebiete, die sie ähnlich wie Wölfe und andere Hundeartige mit Harnmarken kennzeichnen. Wo man die Dingos nicht verfolgt, sind sie nicht unbedingt nächtlich, sondern jagen auch tagsüber. Känguruhs werden gehetzt. Oft stellen diese Beuteltiere sich zum Schluß mit dem Rücken gegen einen Baum, versuchen den angreifenden Hund mit den Vorderpfoten zu packen und ihn, auf den starken Schwanz gestützt, mit den scharfkralligen Hinterbeinen in den Bauch zu treten. Andere Känguruhs retten sich in Wasserlöcher, gehen bis an die Brust hinein und versuchen dann, die heranschwimmenden Dingos einzeln zu packen und unter Wasser zu drücken.

Dingos sollen in Australien regelmäßige Wanderungen machen, im Winter nach der Ostküste und im Sommer nach dem Westen, und zwar auf uralten, immer wieder benützten Wegen. Es wird wohl schwer sein, sie ganz auszurotten. Denn Australien hat immerhin eine Fläche, ähnlich groß wie die Vereinigten Staaten, aber nur zehn Millionen Einwohner, von denen eine Hälfte in den Hauptstädten, die meisten der übrigen in Streifen von wenigen hundert Kilometer Länge an der Küste leben. So werden auch jetzt noch jedes Jahr viele tausend Schafe durch Dingos umgebracht, berichtet man.

Wie zu erwarten, ist es niemals schwer gewesen, in zoologischen Gärten Dingos zu züchten. Andererseits hat man keinen großen Wert darauf gelegt, weil Dingos eben zu sehr wie Haushunde aussehen. Dingoweibchen gebären nach neun Wochen Tragzeit im Durchschnitt vier bis fünf Junge, die zwei Monate gesäugt werden. Die Kinder folgen den Eltern mindestens ein Jahr lang bei der Jagd, oft auch mehrere Jahre, ähnlich, wie das bei Wölfen und Hyänenhunden üblich ist. Selbst die größten Dingohasser sind sich darüber einig, daß diese Wildhunde, mögen sie noch so verhungert sein, niemals Menschen angreifen.

Wie alt diese australischen Wildhunde werden können, weiß man auch nur aus zoologischen Gärten: ziemlich genauso alt wie Haushunde. Am längsten hat ein Dingo im Zoologischen Garten von Washington gelebt: 14 Jahre und 9 Monate.

Der Neuguinea-Dingo ist 1956 von dem australischen Zoologen E. Troughton als eigenständige Wildhundeart unter dem wissenschaftlichen Namen *Canis hallstromi* erstmals beschrieben worden. Grundlage für diese Neubeschreibung war ein wohl noch jüngeres Paar dieser Tiere, die in über 2000 Meter hoch gelegenen Bergwäldern Neuguineas eingefangen und von dem damaligen Gouverneur Hallstrom in den Zoo von Sydney gebracht worden waren. Es stellte sich aber sehr bald heraus, daß es sich nicht um echte Wildhunde wie etwa Wolf oder Schakal handelt, sondern um eine offenbar dem Leben im rauhen Bergwaldklima angepaßte Sonderform des Dingos, also um verwilderte Haushunde, was eine Änderung der ursprünglichen wissenschaftlichen Benennung notwendig macht: *Canis lupus f. hallstromi*. Einige Forscher vermuteten sogar, daß es sich nur um verwilderte Papuahunde handeln könnte.

Diese Annahme mag nicht ganz unberechtigt sein, denn dieser kleine, 40 bis 45 Zentimeter hohe, verhältnismäßig kurzbeinige Hund gleicht in mancher Hinsicht weitgehend einem Spitz, was vor allem durch die buschige, meist über den Rücken gerollte Rute betont wird. Er hat kurze Stehohren, einen ziemlich kurzen, stumpfen Fang, und sein Haarkleid ist etwas länger und reicher an Unterwolle als das des Steppendingos Australiens. Seine Färbung erinnert an den Dingo, ist aber vor allem am Rücken dunkler, mehr braun; die weißen Pfoten, die weiße Schwanzspitze sowie ein ebensolcher Brustfleck und gelegentlich ein weißer Streifen am Nasenrücken weisen wie beim Dingo auf ein sehr frühes Stadium der Haustierwerdung hin.

Jenes Erstlingspaar brachte im Zoo von Sydney mehrfach Junge. Von diesem gelangte ein Paar in den Zoo von San Diego, aus dessen Nachzucht wieder ein Paar 1963 in das Institut für Haustierkunde der Universität Kiel kam. Es pflanzte sich dort so erfolgreich fort, daß die Nachkommen an andere Zoos abgegeben werden konnten und zuletzt sogar mit ihrem australischen Vetter vermischt worden sind. Die meisten in der Bundesrepublik vorhandenen Dingos sind solche Mischlinge; viele von ihnen gelangten über den Tierhandel in Privathand. So anschmiegsam sie in ihrer Jugend auch sind – erwachsen werden sie ebenso schwierig wie Wölfe und enttäuschen dann ihre Besitzer. In ihrer Heimat sind sie offenbar sehr bedroht, da sie von den Eingeborenen ihres Fleisches und Felles wegen stark bejagt werden.

Auch der stämmige, kurzschnäuzige und kurzbeinige Neuguinea-Dingo ist nach heutiger Auffassung eine früh verwilderte Haustierform. Er ist seltener und weniger bekannt als sein australischer Vetter und wurde auch erst 1956 wissenschaftlich beschrieben.

▷ Zwei Australische Dingos, in deren Erscheinungsbild sich natürliche Wildheit und urwüchsige Anmut vereinen.

Kojote

von Cornelis Naaktgeboren

Verbreitung und Lebensweise

Es gibt in Nordamerika kaum einen Lebensraum, wo der Kojote *(Canis latrans)* nicht leben kann. Diese äußerst anpassungsfähigen Wildhunde haben etwa die halbe Körpergröße des Wolfes, sind aber größer als Schakale. Die Wölfe sind in Amerika, wie in vielen anderen Ländern, stark zurückgedrängt worden, aber die Kojoten haben sich trotz der vielen Eingriffe des Menschen (Jagd, Fang mit Fallen, Gift) seit 1920 weiter ausgebreitet. Die Tiere leben und jagen vorwiegend in Paaren mit dauerhafter Bindung. Die Paarbildung für das Leben ist eine Eigenschaft der Kojoten, der diese Art eine Zwischenstellung zwischen dem geselligen Wolf und dem solitär, d. h. als Einzelgänger lebenden Fuchs verdankt. Für vergleichende Verhaltensstudien sind Kojoten von Bedeutung.
Die Tiere leben hauptsächlich von kleineren Beutetieren und Abfällen. Sie greifen kein Großvieh an, obwohl dies in Wildwestgeschichten manchmal behauptet wird. Daß diese Tiere für den Menschen und seine

Ein Kojote wandert einsam durch die amerikanische Prärielandschaft, ängstlich beobachtet von einem Präriehund, der trotz seines volkstümlichen Namens nicht zu den Hunden, sondern zu den Hörnchen gehört.

Viehherden eine Gefahr darstellen sollen, ist eine bedauerliche Übertreibung, weil sie dazu geführt hat, daß das Töten von Kojoten noch immer mit Prämien belohnt wird. Außer ihrer Hauptnahrung, die aus Nagern und Kaninchen besteht, fangen Kojoten von Zeit zu Zeit Fische, Frösche und Krabben, während sie im Winter manchmal auch Biber an Löchern im Eis zu erbeuten versuchen. Auch Pflanzennahrung und Früchte werden verzehrt, Hirsche und Elche sind für Kojoten gefährlich und werden fast niemals angegriffen. Schon mancher Kojote ist von diesen großen Wiederkäuern zertrampelt worden. Auch Wölfe und Pumas sind gefährlich, denn sie reißen und verspeisen Kojoten. Schakale bedienen sich des öfteren an Mahlzeitresten von Großkatzen, aber die Kojoten halten sich meist von den Rißplätzen der Pumas und Jaguare fern. Im Ökosystem nimmt der Kojote eine wertvolle Stellung ein, indem er das Wachstum der Nagerbestände eindämmt und Tierleichen beseitigt. Sein Nutzen wird vom Menschen vielfach unterschätzt.

Verhalten

Der amerikanische Forscher M.W.Fox hat das Verhalten der Caniden auf Eigentümlichkeiten der jeweiligen Art und auf die Entwicklung bestimmter Verhaltensweisen zurückgeführt. Neben den Erbanlagen der Art spielen soziale Erfahrungen während der Jugend eine entscheidende Rolle bei der Ausbildung des normalen Verhaltens. Er hat seine Auffassung belegt, indem er Wölfe, Kojoten und Füchse in ihrer Verhaltensentwicklung gründlich studiert und mit-

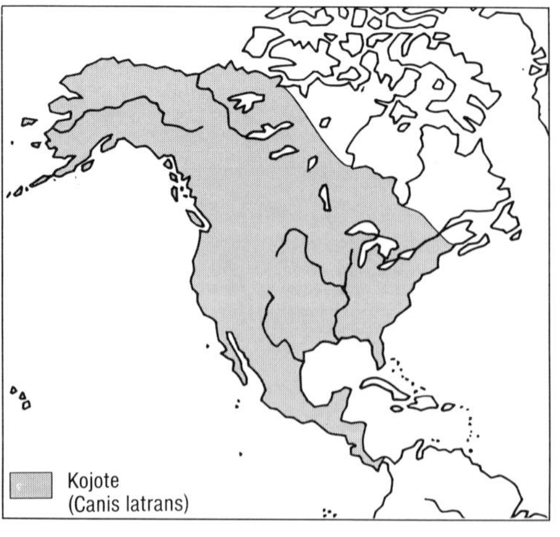

einander verglichen hat. Dabei hat er festgestellt, daß die Jungtiere von Füchsen und Kojoten früher aggressives Verhalten ihren Eltern und Geschwistern gegenüber zeigen als Jungwölfe. Das ursprüngliche Band zwischen Eltern und Jungtieren wird dadurch aufgelockert, was bei Wölfen nicht der Fall ist. Die primären (anfänglichen) Sozialbeziehungen entstehen während der Welpenbetreuung. Die baldige Zunahme der Unverträglichkeit und der Aggression bei den rein solitären Arten (z.B. Rotfuchs) ist Ursache des Auseinanderfallens der Zuchtgruppe, wenn die Welpen etwa fünf Monate alt sind. Bei den gesellig lebenden Arten (z.B. Wolf) verhalten sich die Welpen erheblich weniger aggressiv, und die primären Sozialbeziehungen können sich daher allmählich in eine Rangordnung mit persönlichen Vorlieben oder Abneigungen umwandeln. Dies sind also sekundäre (nachträgliche) Sozialbeziehungen mit ausgeprägter Rangordnung. Der Kojote nimmt eine Zwischenstellung ein. Der primäre Sozialkontakt kann leicht bis zum Erwachsenwerden der Welpen erhalten bleiben, aber der Kojote ist erheblich weniger wandlungsfähig als der Wolf bei der Bildung der sekundären Sozialbeziehungen. Demzufolge kommt es nicht zur Entstehung größerer Rudel, sondern nur zu Paaren.

Fortpflanzung

Die Paarungszeit fällt in die ersten Monate des Jahres. Die Geschlechtsreife setzt im zweiten Lebensjahr ein. Die weiblichen Tiere werden einmal jährlich läufig. Die Tragzeit dauert etwa neun Wochen. Die fünf bis sieben (in Ausnahmefällen bis zu zehn) Jungen sind völlig braun. Der schwarze Punkt am Schwanz und die hellgraue oder weiße Zeichnung entwickeln sich erst später. Der Vater versorgt das säugende Weibchen, das in der ersten Zeit nach der Geburt bei den Jungen bleibt, regelmäßig mit Nahrung. Die Kinderstube befindet sich meistens unter der Erde; vorzugsweise wird unter einem Baum eine Höhle gegraben oder ei-

Der ungemein anpassungsfähige Kojote hat im nördlichen Amerika fast alle Lebensräume erobert, und obwohl er seit langem vom Menschen verfolgt wird, konnte er sein Verbreitungsgebiet in den letzten Jahrzehnten sogar noch erweitern – eine große Seltenheit unter den Wildtieren dieser Erde.

ne Felsspalte benutzt. Auch Höhlen anderer Tiere werden bewohnt, nachdem die Kojoten sie vergrößert haben. Beide Eltern halten zusammen das Nest in Ordnung und betreuen gemeinsam die Welpen. Wenn die Jungen geboren werden, schläft der Vater in einer Höhle in der Nähe des Nestes, aber nicht bei der Mutter mit ihren Jungen. Sobald die Jungen zwei Monate alt sind, fangen die Eltern an, ihnen die Jagd auf lebende Beute beizubringen. Mit etwa einem Jahr beginnen die Jungtiere sich ein eigenes Wohngebiet (Territorium) zu suchen, wobei sie sich manchmal bis zu 150 Kilometern von ihrem Geburtsort entfernen. Bei diesen Wanderungen sind die noch unerfahrenen

Kojoten beim Nahrungserwerb. Während das eine Tier seinen typischen »Beutesprung« vollführt, scharrt sein Artgenosse einen von Präriehunden bewohnten Bau auf (rechts).

Jungtiere eine leichte Beute für große Raubtiere und für den Menschen. Wie alt Kojoten im Freileben werden können, ist nicht sicher, aber in einigen amerikanischen Zoos hat man öfters Tiere gepflegt, die ein Alter von 15 Jahren und mehr erreichten. Im allgemeinen werden diese Tiere in Zoos auf zu engem Raum untergebracht, was gesteigerte Aggressivität, verringerte Fortpflanzung und kürzere Lebensdauer zur Folge hat.

Coydogs

Kojoten und Haushunde paaren sich ohne Zutun des Menschen. Die Bastarde, die in Amerika »Coydogs« genannt werden, kommen also in freier Wildbahn vor. Sie sind sehr wohl imstande zu überleben, wobei sie Haustieren gegenüber aggressiver sind als die reinen Kojoten. Sie greifen auch größere Haustiere an und sind daher gefährlich für Wild und Viehherden. Sie pflanzen sich rasch fort, weil sie wie Haushunde schon mit einem Jahr geschlechtsreif sind und die Weibchen zweimal jährlich läufig werden. Früher hat man gemeint, daß diese Tiere Bastarde von Kojoten und Wölfen seien, aber es hat sich herausgestellt, daß dies nicht zutrifft. Wölfe paaren sich nie mit Kojoten, weil die beiden Arten einander nicht mögen. Wenn ein Wolf einen Kojoten erwischt, tötet und verspeist er ihn.

Außerdem macht der Größenunterschied die Begattung schwierig oder unmöglich. Paarungen zwischen Kojoten und Schakalen sind möglich, aber nur in zoologischen Gärten, weil Kojoten in Amerika und Schakale nur in der Alten Welt vorkommen. Die beiden Arten können zu Versuchszwecken gut zusammen gehalten werden und vertragen sich dann auch gut miteinander. Zwischen Kojote und Haushund gibt es keine Feindschaft, und die Paarungen finden vor al-

lem zwischen Kojoten und wildernden Haushunden von ähnlicher Größe statt. Auch die Auffassung, Coydogs seien verwilderte Haushunde, ähnlich wie die Dingos in Australien, ist nicht stichhaltig. Die Coydogs stimmen in ihrem Aussehen mehr oder weniger mit Kojoten überein, aber die Veränderlichkeit ist doch größer als beim reinen Wildtier. Die Jagd auf Coydogs ist sehr schwierig, weil die Tiere nicht auf nachgeahmtes Kojotengeheul reagieren. Bei der Kojotenjagd heult der Jäger, und die Tiere kommen auf den »Heuler« zu und können dann aus einem Hinterhalt erschossen werden. Dies ist bei Coydogs nicht möglich.

Schakale

von Cornelis Naaktgeboren

Allgemeines – Verbreitung – Kulturgeschichte

Die drei Schakalarten, der Goldschakal *(Canis aureus)*, der Streifenschakal *(Canis adustus)* und der Schabrackenschakal *(Canis mesomelas)*, zeigen in ihrer Lebensweise und in ihrem Verhalten viele Ähnlichkeiten, aber auch gewisse Unterschiede, etwa in der Wahl ihres Lebensraumes (Biotop). Zusammen sind sie von Südosteuropa bis Südafrika und von Westafrika bis Mittel- und Südasien verbreitet, also im größten Teil der Alten Welt; nur die wirklich kalten Gegenden meiden sie. Innerhalb der großen Verbreitungsgebiete kommen die einzelnen Arten fast nirgendwo zusammen vor, und in den Ländern, wo dies der Fall ist, leben sie in anderen Biotopen. So bevorzugt der Schabrackenschakal die Savannen, und der Streifenschakal lebt mehr im Wald, der von ersterem gemieden wird. Nur in Ostafrika kommen Goldschakale und Schabrackenschakale im selben Lebensraum, nämlich in der Savanne, vor, und man sieht sie dort oft gemeinsam bei der Mahlzeit. Die Schakale jagen kleine Säuger, aber verzehren auch Reptilien, Insekten und Früchte. In Südafrika werden die Schabrackenschakale bejagt, weil man annimmt, daß sie den Schafherden gefährlich werden. Eine eingehende Untersuchung von 200 Mageninhalten zeigte aber, daß in 35 Mägen überhaupt keine Reste von Säugern vorhanden waren, und nur in 28 Mägen waren Reste von Schafen nachweisbar. Die Vorliebe für eine abwechslungsreiche Ernährung ergibt sich aus der Liste der Mageninhalte: Einige Mägen waren voll von fliegenden Ameisen (über 1000); ein anderer enthielt 72 Grillen, 3 Tausendfüßler, 26 Beeren und 2 Heuschrecken, wieder ein anderer 100 Käfer, und es waren auch Mägen dabei mit bis zu 500 wilden Beeren. Manche Mägen enthielten bis zu 10 Insektenarten, und sogar Schlangen und Skorpione wurden verzehrt. Auch der Goldschakal liebt eine abwechslungsreiche Kost, greift aber größere Säuger wie Schafe normalerweise nie an.

Schakale graben Höhlen oder benutzen Felsspalten oder Höhlen, die von anderen Tieren gegraben wurden. Der Schabrackenschakal soll nach südafrikanischen Angaben kein guter Gräber sein und gerne Termitenhügel als Unterkunft benutzen. Hier werden dann auch die Jungen geboren. Es ist sehr schwer, die Schabrackenschakale aus diesen »Festungen« zu vertreiben; man benutzt dazu Hunde, die eigens für diese schwere Aufgabe abgerichtet sind. Außer dem Menschen haben Schakale auch natürliche Feinde wie Wölfe im Norden und Hyänenhunde im Süden ihres Verbreitungsgebietes. Dazu kommen Raubvögel, die viele Jungtiere schlagen, wenn diese anfangen den Bau zu verlassen.

Die Schakale haben viele unterschiedliche Namen. Besonders aus den vielen englischen und südamerikanischen Namen geht hervor, wie groß die Abweichungen in Farbe und Zeichnung beim Schabrackenschakal von der des Streifenschakals sind. Die Namen des Goldschakals sind ebenfalls sehr bezeichnend. Diese Art lebt in trockenen und dürren Gegenden und hat seit alters her einen tiefen Eindruck auf die Menschen im Mittleren Osten gemacht. In vielen Fabeln spielen Schakale eine wichtige Rolle; bei der Übersetzung wird diese allerdings manchmal Füchsen übertragen. Wie dem auch sei, die Schakale stehen hier in ähnlicher Funktion wie der schlaue Fuchs in den europäischen Fabeln. Eine Fabel, in der zwei Schakale eine Hauptrolle spielen, ist unter dem Titel »Das Buch von Kalila und Dimna« weltberühmt geworden. Das Buch entstand im 4. Jahrhundert v. Chr. in Indien, kam im 6. Jahrhundert n. Chr. nach Persien, und im 13. Jahrhundert entstanden dann die arabischen Fassungen, die einen Siegeszug durch die zivilisierte Welt machen sollten. Auch in der Bibel werden Schakale mehrfach erwähnt, besonders im Zusammenhang mit Schilderungen wüster Gegenden. Sie sind Sinnbild des Untergangs und der Verlassenheit in der Prophezeiung Jesajas (13:22) über Babylon, wo es heißt: »Heulen werden Schakale in seinen Burgen, ja, Schakale in den herrlichen Palästen, denn nahe kommt seine Zeit, und seine Tage werden nicht verlängert« (wörtliche Übersetzung).

Interessant ist, daß die Schakale mit Ijim und Tanim

Goldschakal in der gleißenden Sonne der ostafrikanischen Serengeti. In der offenen Steppenlandschaft, die dennoch ausreichend Deckung bietet, fühlt sich diese nördlichste Schakalart am wohlsten.

Die drei Schakalarten auf einen Blick. Von oben nach unten: Streifenschakal, Goldschakal und Schabrackenschakal. Während Streifen- und Schabrackenschakale nur in Afrika leben, kommen Goldschakale auch in Südosteuropa, auf der arabischen Halbinsel und ebenfalls in Südasien vor.

bezeichnet werden. Das Wort Ie (Mehrzahl Ijim) ist als eine Nachahmung des Heulens zu deuten, während Tan (Mehrzahl Tanim) der gängige Name ist, auch noch im modernen Hebräisch. Im Arabischen heißt der Goldschakal Ibn-awa, »Sohn des Zufluchtsuchens«, und im Aramäischen Abu-hava, »Vater von Eva«. Aber es kann auch »Vater des Mitteilens« bedeuten. Mit dem »Mitteilen« ist dann ohne Zweifel das Heulen gemeint.

Kulturgeschichtlich hat der Goldschakal eine bedeutende Rolle im alten Ägypten gespielt. Hier war es der Gott Anubis, der als Schakal oder als Mensch mit dem Kopf eines Schakals abgebildet wurde. Dieser Gott der Unterwelt und des Mumifizierungsvorgangs führte auch das letzte Gericht durch, indem er das Herz des Verstorbenen wog, ein Vorgang, der auf vielen ägyptischen Sarkophagen abgebildet ist. Es ist leicht verständlich, daß gerade der Goldschakal diese Aufgabe in der ägyptischen Götterwelt erfüllt. Das abendliche Heulen dieser am Rande der Zivilisation lebenden Tiere ängstigte die Menschen und erregte ihre Neugier, ähnlich wie der Tod. Dabei verblieben die Tiere nicht selten in Grabkammern, lebten also gleichsam schon in einer anderen Welt. Die armen Bauern, die es sich nicht leisten konnten, ihre toten Verwandten mumifizieren zu lassen und Grabkammern zu bauen, bestatteten die Toten außerhalb des fruchtbaren Nildeltas am Rande der Wüste, wo die Schakale hausten. Daß der Goldschakal zum Gott Anubis wurde, verdankt er sicherlich seinem natürlichen Verhalten und seinem Biotop.

Der Goldschakal als »Haustier«

Alle Schakale werden leicht zahm, wenn man sie von klein auf in menschlicher Obhut aufzieht. Diese zahmen Schakale sind keine echten Haustiere in der zoologischen Bedeutung des Begriffes, obwohl man sie im Hause halten kann. Ich möchte hier einiges über meine eigenen Erfahrungen mit zahmen Goldschakalen berichten.

Handaufgezogene Goldschakale werden bald stubenrein und freuen sich über einen Spaziergang genau wie unser Haushund. Fremden Menschen gegenüber bleiben sie aber scheu und lassen sich von ihnen nicht streicheln. Sobald Besuch kam, flüchtete das Weibchen immer auf den Dachboden, und es kam erst wie-

der ins Wohnzimmer zurück, nachdem die Fremden das Haus verlassen hatten. Den eigenen Familienmitgliedern und dem Schäferhund gegenüber zeigte das Tier überhaupt keine Scheu oder Angst.
Die Schakale spielten im Garten mit den Kindern, genauso wie Haushunde das tun. Während der Spaziergänge harnte das Männchen in hockender Stellung.

Erst im Spätherbst fing es an, mit Beinheben zu markieren. Zu dieser Zeit wurden auch die Heulkonzerte häufiger. Im Juli und im August wurde je nur einmal geheult, im September zweimal und im Oktober dreimal. Im November wurden 17 und im Dezember sogar 30 Heulkonzerte gezählt. Mit dem gemeinsamen Heulen zeigen die Tiere ihre Verbundenheit an, und das Chorheulen könnte man somit als eine Art Verlobung auffassen. Die eigentliche Fortpflanzungszeit beginnt erst im Januar, also nachdem eine feste Paarbildung zustande gekommen ist. Nach einer Tragzeit von etwa neun Wochen werden die Jungen geboren und von den Eltern gemeinsam gepflegt. Wegen des plötzlichen Todes des Männchens habe ich dies bei meinen eigenen Tieren nicht beobachten können. Das Heulen ist leicht auszulösen, zum Beispiel durch das Abspielen eines Tonbandgerätes mit den Aufnahmen eines anderen Heulkonzertes, aber auch durch das Weinen eines menschlichen Babys oder Schiffssirenen und andere Laute, die nur eine sehr geringe Ähnlichkeit mit dem Schakalheulen haben. Handaufgezogene Schakale zeigen ihre normalen Verhaltensweisen dem Menschen gegenüber, wie sie sich sonst zu ihren Artgenossen verhalten. Das Unterwerfungsverhalten wurde oft beobachtet, wobei sich die Schakalin entweder vor mir oder vor dem Hund auf den Rücken warf. Die Aufforderung zum Spiel unterscheidet sich gar nicht von dem ähnlichen Verhalten bei jungen Hunden. Als die Tiere älter wurden, blieben mehrere jugendliche Verhaltensweisen erhalten, aber eine gewisse Aggressivität, wie M.W.Fox sie beim Kojoten beschrieben hat, trat ebenfalls auf, besonders dann, wenn das Tier versuchte, etwas Unerlaubtes zu tun. Einmal hatte die Schakalin ein Babyhemdchen geraubt und sich in einer Ecke des Wohnzimmers auf das Hemd gelegt. Als ich versuchte, es zurückzuholen, verteidigte sie ihren neuerworbenen Besitz mit Drohen und Zähneblecken und versuchte sogar zu beißen. Das Tier war zu der Zeit erst sieben Monate alt, was also die Beobachtungen von Fox bestätigt.
Trotzdem kann von einer allgemeinen Aggressivität dem Menschen gegenüber nicht die Rede sein, denn die Tiere zeigten das Verhalten der »Schnauzenzärtlichkeit« auch mir gegenüber, besonders zu der Zeit, da sie es auch untereinander taten: »Verlobte« Schakale lecken einander die Schnauze und beweisen so ihre gegenseitige Zuneigung. Trotz allem Bösen, das den Schakalen nachgesagt wird, bleibt der Goldschakal seines Charakters und Temperamentes wegen für mich ein »Hund von Gold«, obwohl er bei der Domestikation des Haushundes nicht mitgewirkt hat.

Schakale verzehren zwar gerne Aas, aber sie sind auch tüchtige Jäger. Dieser Schabrackenschakal (links) hat soeben ein Dikdik, eine winzige Antilopenart, erbeutet.

Schakalverhalten in freier Wildbahn

von Bernhard Grzimek

Warum haben die Schabrackenschakale eigentlich einen schwärzlichen Rücken? Abends am Lagerfeuer antwortete mir ein Afrikaner, die Sonne sei daran schuld. Sie habe sich eines Tages vorübergehend in einen Menschen verwandelt, in ein bildhübsches Mädchen. Ein Schakal sah sie im Vorbeilaufen und lud sie begeistert ein, sich auf seinen Rücken zu setzen. Gesagt, getan! Doch bald wurde dem Schakal der Rükken zu warm. Er bat seine Reiterin, wieder abzusteigen. Sie aber hatte Gefallen an dem Ritt gefunden. Es wurde immer heißer und heißer. Schließlich zwängte sich der Schakal unter einer Baumwurzel durch und streifte so die glühende Fracht ab. Aber sein Rücken blieb schwärzlich versengt.
Soweit das afrikanische Märchen. Eine andere Erklärung kenne ich nicht. Noch heute sind, wie schon erwähnt, nicht nur viele Märchen, sondern auch viele irrige Meinungen über Schakale verbreitet. Sie seien nur feige Aasesser, so wird behauptet, im Gegensatz

▷ Im Streit um das begehrte Aas legt sich ein Schabrakkenschakal mit zwei großen Ohrengeiern an. Die drei Gänsegeier schauen der Auseinandersetzung interessiert, aber vorsichtig abwartend zu.

zu den Wölfen, Leoparden oder Löwen, die sich ihre Beute selber erjagen. Allerdings beteiligen sich Schakale gern an den Mahlzeiten der Großen. Sie heulen, wenn Löwen eine Beute gemacht haben. Das lockt oft andere Schakale herbei. Gemeinsam rücken sie näher und näher, so weit der Löwe es erlaubt. Ist der satt und schleppt sich ein Stück fort, um auszuruhen, huschen die Schakale heran und greifen sich so schnell wie möglich Beutestücke, noch bevor Hyänen, Geier oder Marabus eintreffen. Vor denen müßten sie weichen. Wo aber die Fleischstücke lassen? Schakale vergraben sie. Mit den Vorderpfoten scharren sie eine Grube, legen die Beutereste in die Vertiefung, die sie nachher mit dem Nasenrücken wieder verschließen. Dieses Verhalten ist also wesentlich anders als das Kotverscharren der Katze, denn Katzen benutzen zum Schließen der Grube niemals den Nasenrücken.
Schon das »Stehlen« der Beutereste vom Tisch der Löwen verlangt Mut. Mehr Mut noch ist erforderlich, wenn ein Leopard bei einer Löwenbeute wartet, wie ich es einmal beobachten konnte. Vier Schakale umstellten ihn und heulten. Später wollte der Leopard am nahen Wasser trinken. Nun folgten ihm schon neun Schakale, umringten ihn und ließen ihre Gesänge ertönen. Die kräftige Katze wurde so unruhig, daß sie schließlich im Gebüsch verschwand. Die Schakale

hatten einen überlegenen Mitbewerber vom Rest der Löwenmahlzeit vertrieben! In den meisten Märchen der Afrikaner wird der Schakal – übrigens neben dem Hasen – als besonders schlau und durchtrieben geschildert. Wir haben schon festgestellt, daß Schakale in ihrer Heimat die gleiche Rolle spielen wie bei uns der Fuchs.
Der Schabrackenschakal riecht, hört und sieht ausgezeichnet. Wo er sich vor Menschen fürchtet, erkennt er sie schon auf Hunderte von Metern. Wenn er sich auch gern an anderen Mahlzeiten beteiligt, so verzehrt er doch keineswegs nur Aas. Gern beißt er Schlangen tot, sogar giftige packt er hinter dem Kopf. Als Israelis Gift auslegten gegen ihre Goldschakale und Mangusten, stieg die Zahl der Giftschlangenbisse in nur zwei Jahren von 229 auf 435. Sobald das Vergiften eingestellt wurde, nahmen die Schlangenbisse wieder ab. Der Wildwart des Wilpattu-Nationalparks (Sri Lanka) sah zu, wie fünf Goldschakale einen viereinhalb Meter langen Python so zerbissen, daß er am nächsten Tag tot im Gebüsch lag. Ein Goldschakal packte aus dem Versteck heraus erwachsene weibliche Axishirsche, die trinken wollten, riß an ihrer Kehle und brachte nacheinander sechs um.
Wenn in der Serengeti die Gazellen beinahe gleichzeitig gebären, werden jeden Tag etliche Neugeborene von Schakalen gepackt und in deren Erdbaue gezerrt. Es stört die kleinen Räuber nicht, wenn die Gazellenmutter sie wütend stößt und sie sich dabei mehrfach überkugeln. In Südafrika konnte man beobachten, wie Schakale in die Robbenherden hineinliefen, Neugeborene umbrachten und verzehrten. Die Alten nahmen keinerlei Notiz davon. Auch Schafe sind vor ihnen nicht sicher, jedenfalls Lämmer. Die Karakulzüchter, die ja die teuren Persianerpelze liefern, haben teilweise ihre Weiden schakalsicher eingezäunt, was gar nicht so einfach ist. Allerdings wird Schakalen wohl so manches angekreidet, was in Wirklichkeit auf das Konto von verwilderten Haushunden oder zweibeinigen Dieben geht.
Ernstlichen Schaden jedoch können Schakale und andere Beutegreifer den riesigen Gnu-, Antilopen- und Gazellenherden nicht zufügen. Weil deren Junge nahezu gleichzeitig geboren werden, können die Beutegreifer nur einen Bruchteil töten und verzehren. Gerade das ist aber offensichtlich nötig, um das Gleichgewicht in der Natur zu erhalten. Als ich vor bald

40 Jahren das erste Mal die steile Wand des Ngorongoro-Kraters hinabfuhr, schossen die – damals noch englischen – Wildwarte in der riesigen Senke möglichst jede Hyäne, jeden Wildhund, auch die Schakale ab. Es war mühsam, ihnen immer wieder klarzumachen, daß ohne die Beutegreifer, ohne gelegentliche Seuchen und Dürrezeiten aus den Hunderttausenden von äsenden Tieren bald Millionen würden, genug, um den Pflanzenwuchs völlig zu vernichten.

Schakale leben paarweise und erweisen sich untereinander oft als sehr freundlich. Die Ehepaare kraulen sich gegenseitig, zwischen und hinter den Ohren, am Hals, ja am ganzen Körper. Von 28 verschiedenen Verhaltensweisen, so haben Wissenschaftler gezählt, drücken bei Ehepaaren 23 Freundlichkeit aus. Begegnen sich hingegen fremde Schakale, kommt in den meisten Verhaltensweisen Unterwürfigkeit, Überlegenheit oder sogar Angriffslust zum Ausdruck. Unterwerfung bedeutet es zum Beispiel, wenn man einen Vorderfuß auf den Rücken des anderen setzt. Andererseits benehmen sich Schakale ähnlich wie Haushunde und Wölfe. Auch sie heben ein Hinterbein, wenn sie mit Harn spritzen und so ihre »Visitenkarte« abgeben wollen, mit der sie ihre Grundstücke kennzeichnen. Die Schakalrüden tun dies vorwiegend während der Paarungszeit. Auch die Weibchen markieren dann. Sie ducken sich dabei aber etwas mit dem anderen Hinterbein; sie gehen während des Harnens langsam in halbhockender Stellung vorwärts. Bei läufigen Hündinnen kann man gelegentlich ein ähnliches Verhalten beobachten. Grasbüschel werden besprenkelt und nachher zerscharrt, wodurch sich der Geruch weiter ausbreitet. »Jagdbezirk besetzt«, bringt so ein Paar mit seinen Kindern zum Ausdruck. Im dichtbevölkerten Ngorongoro-Krater besitzt ein Schakal einen Jagdbezirk von 2,6 km^2, in der Serengeti sogar von 10 bis 20 km^2. Wenn dort die großen Gnu- und Gazellenherden weit umherwandern, folgen ihnen etliche Schakale, werden auch sie zeitweise zu Nomaden. Sie erkennen Gnukühe und andere Antilopen, welche ihre Nachgeburt noch nicht ausgestoßen haben, vermutlich am Geruch. Jedenfalls verfolgen sie sie über Stunden.

Als ein Schakalpaar im Ngorongoro-Krater Junge hatte, schnüffelte eines Morgens eine stämmige Flekkenhyäne tief in den Bau hinein. Auf einmal schrie sie laut auf, sprang zurück und schnappte kräftig nach dem Schakalweibchen, das herausgeschossen war und sie gebissen hatte. Die Schakalmutter jedoch flitzte schnell zurück, hob ihre Nase zum Himmel und heulte in hohen Tönen. Verdutzt sah die Hyäne ihr nach. Doch schon sprang von der anderen Seite der Scha-

Schakale benutzen selbstgegrabene oder vorgefundene Erdhöhlen als Wohnstatt. In ihr werden auch die Jungen geboren, wie diese beiden kleinen Schabrakkenschakale, die vor dem Höhleneingang auf die Rückkehr der Eltern warten. Daß es Jungtiere sind, erkennt man vor allem an der noch schwach ausgebildeten »Schabracke«.

kalrüde herzu und biß sie kräftig in den Hinterschenkel. Rasch fuhr der Hyänenkopf auf die andere Seite herum, doch da biß auch schon die Schakalin aufs neue. So ging das hin und her, bis sich die Hyäne setzte und derart ihre Hinterbeine schützte. Langsam schlurfte sie in dieser unbequemen Haltung fort. Die aufgebrachten Schakale folgten ihr und bissen immer wieder von hinten zu. Schließlich lief die Hyäne mit fast spaßigen Wendungen davon, weil sie ihr Hinterteil nach beiden Seiten verteidigen mußte. Andere Hyänen mieden fortan den Schakalbau und gingen dadurch Schwierigkeiten und Ärger aus dem Wege. Nein, nur feige Aasesser sind Schakale wirklich nicht!

Wer in der Lage ist, das Verhalten der Schakale in der Natur zu beobachten, kann manchmal wirklich erstaunliche und ganz neue Erkenntnisse gewinnen. So beschreibt R. B. Green in »African Wildlife«, wie sich ein Schakal als Schäferhund benahm: »Als wir kürzlich Skukuza im Krüger-Nationalpark um 6.30 Uhr morgens verließen, sahen wir einen Schabrackenschakal, der sich höchst seltsam benahm. Er rannte von rechts nach links und links nach rechts entlang einer Strecke von etwa 50 Metern, hielt gelegentlich inne und lief dann weiter hin und her. Wir fuhren ein bißchen näher heran, um besser sehen zu können, was vorging, und zu unserem Erstaunen und Entzücken konnten wir einen Vorgang beobachten, der für uns ganz neu war und den wir niemals erwartet hätten.

Der Schakal ›hütete‹ gewissermaßen eine Gruppe von etwa zwanzig kleinen, dunklen Tieren und bewegte sich dabei in genau derselben Weise wie ein Schäferhund, der seine Herde treibt. Der Schakal hielt die Gruppe der kleinen Tiere in Bewegung, indem er nach rechts und links rannte, die Zurückbleibenden nachtrieb, sie wieder mit dem Haupthaufen vereinigte und auf diese Weise die ganze Gruppe stets in einer bestimmten Richtung weitertrieb. Im Verlauf von einer halben Stunde hatte er sie glücklich etwa 250 Meter vorwärts gedrängt. Dabei bewegte er sich etwa gleichlaufend zu unserer Autostraße.

Die Gruppe der kleinen Tiere schien wenig erregt durch das Gehabe des Schakals und suchte weiter in der Erde herum, während sie sich vorwärts bewegte. Es war lustig anzuschauen, wie sie hin und her hasteten. Wenn sie herumliefen, hielten sie ihre buschigen Schwänze steil nach oben und machten so den Eindruck einer kleinen Gruppe von Kriegern, die mit wehenden Fahnen auf ihr Ziel losstürmen. Näherte sich der Schakal einem Tierchen zu sehr, machte dieses kehrt und tat, als ob es ihn angreifen wollte. Daraufhin wich der Schakal immer zurück. Nach einem solchen Angriff hielt der Schakal an, rieb seine Nase mit der Vorderpfote und rollte sich im Sand, wie ein Hund das tut, nachdem er gebadet hat. In diesem Fall hatte sich das angreifende Tierchen gleich hinterher umgedreht und den Schwanz gehoben – eine Bewegung, bei der ich mich fragte, ob die kleinen Tiere nicht vielleicht Skunks seien. Auf Grund ihrer einheitlich dunklen Färbung ohne hellere Streifen kam ich jedoch zu dem Schluß, daß ich einen Trupp von Zwergmangusten gesehen hätte, die vorsichtig und höchst erfolgreich von einem Gebiet weggetrieben wurden, das wohl der besondere Besitz des Schakals war.«

Daß Schakale ein derartiges Verhalten zeigen können, war vorher unbekannt. Genaue Verhaltensstudien an Schakalen können sicher noch viele und unerwartete Dinge ans Tageslicht bringen, denn leider meint man über diese Tiere mehr zu wissen, als man wirklich weiß.

Nur wenig Schatten bietet die steile Erdwand, an der zwei Schabrackenschakale etwas Schutz vor der glühenden Mittagssonne suchen.

Abessinischer Fuchs

von Cornelis Naaktgeboren

Beim Abessinischen Fuchs *(Canis simensis)* wäre es eigentlich besser, vom Abessinischen Schakal zu sprechen, weil das Tier mehr einem Schakal als einem Fuchs ähnelt. Dies gilt sowohl für sein Aussehen als auch für sein Verhalten. Deswegen sind auch die Namen Äthiopienfuchs und Äthiopischer Wolf nicht sehr gut gewählt. Das Tier hat einen schlanken Kopf mit spitzer Schnauze, was ihm sehr wahrscheinlich den Namensteil »Fuchs« eingetragen hat, doch sein Schwanz ist nicht so lang wie bei den echten Füchsen. Man könnte das Aussehen dieses Tieres so umschreiben: ein Fuchs mit kurzem Schwanz. In den Gebirgsgegenden Äthiopiens (früher Abessinien genannt) leben drei Unterarten. Die Tiere sind sowohl am Tag als auch in der Nacht munter und können einzeln oder paarweise leben und jagen. Manchmal leben sie auch in kleinen Gruppen.

Die Hauptnahrung besteht aus kleinen Nagern, die auf dem Boden gefangen werden. Die Tiere graben angeblich nicht gerne, aber die Angaben über ihr Leben sind sehr karg. Ob es wahr ist, daß sie manchmal Schafe reißen, ist nicht bekannt, aber der bloße Verdacht ist für diese bedrohte Tierart schon lebensgefährlich. Die Lautäußerungen dieser Tiere sind ein hohes Geschrei oder Bellen. Sie bellen aber nur bei Aufregung und Unruhe, wie dies für fast alle Wildcaniden gilt. Nach den Angaben von D. Starck soll in Addis Abeba der Pelz dieses Tieres sehr begehrt sein, was also die zweite Ursache für die Bedrohung der Art darstellt.

Der Kopf des Goldschakals spielte auch kulturhistorisch eine bedeutende Rolle: Bereits im Alten Ägypten wurde der Gott Anubis mit dem Kopf dieser Schakalart dargestellt.

Eis- und Steppenfuchs

von Erik Zimen und Cornelis Naaktgeboren

Der Eisfuchs *(Alopex lagopus)* ist wie kein anderes Tier ein Wahrzeichen der Tundren, Schneewüsten und der eisigen Küsten und Inseln des hohen Nordens. Auf Island ist er das größte wildlebende Säugetier. Anderswo teilt er seinen Lebensraum mit den Eisbären, weiter südlich mit dem Wolf, dem Vielfraß und neuerdings auch mit dem Rotfuchs. Von letzterem wird er gebietsweise sogar verdrängt, so etwa im Norden Skandinaviens. Vermutlich fehlt dem Eisfuchs hier die Beute des Wolfes, von der er sich früher, vor allem im Winter, mit ernährt hat. Andernorts wird er seines Pelzes wegen von Menschen stark verfolgt, auf Island zudem, weil er angeblich der Schafzucht großen Schaden zufügt.

Über die verwandtschaftlichen Beziehungen zwischen dem Eisfuchs (Gattung *Alopex*) und den Echten Füchsen (Gattung *Vulpes*) sind die Fachleute geteilter Meinung. Pelztierzüchter kreuzen Eis- und Rotfüchse immer wieder in der Hoffnung, die hohen Nachwuchsraten des Eisfuchses mit der Größe des Rotfuchses zu vereinen. Doch die Nachkommen sind unfruchtbar. Die Tatsache aber, daß beide Arten überhaupt gemeinsam lebensfähige Junge hervorbringen können, spricht für ihre enge Verwandtschaft. Demnach müßte auch der Eisfuchs zur Gattung *Vulpes* gehören. Eine unterschiedliche Chromosomenzahl (57 für den Eisfuchs, 34 für den Rotfuchs) und vor allem zwei kennzeichnende Körperbaumerkmale des Eisfuchses rechtfertigen jedoch bis jetzt die Trennung in verschiedene Gattungen. Zum einen sind beim Eisfuchs als einzigem Caniden die Pfoten im Winter dicht behaart; daher auch der Name *lagopus,* »der Hasenfüßige«. Zum anderen wechselt er – ebenfalls als einziger Canide – zweimal im Jahr mit dem Fell auch seine Farbe. Hinzu kommt das besonders dichte und feine Fell, der lange und sehr buschige Schwanz, die kurzen Ohren und Beine sowie die kurze Schnauze. Ob diese den harten Lebensbedingungen seiner Umwelt angepaßten Merkmale jedoch ausreichen, den Eisfuchs so weit von den Echten Füchsen abzusetzen, bleibt einer notwendigen Überarbeitung der Taxonomie (Einordnung in das Verwandtschaftsgefüge) aller Füchse vorbehalten.

Auffällig ist die Färbung des Eisfuchses. Beim »Weißfuchs« ist das Winterfell ganz weiß, das Sommerfell unterschiedlich grau bis braun auf dem Rükken und etwas heller am Bauch. Beim »Blaufuchs« ist das Winterfell hellgrau oder fahlblau, manchmal braun bis fast schwarz. Im Sommer sehen diese Füchse wie die Weißfüchse aus.

Beide Farbschläge können in einem Wurf vorkommen. Kreuzungsversuche haben gezeigt, daß die dunkle Färbung vorherrschend (dominant) ist. Trotzdem sind die Weißfüchse in der Regel viel häufiger anzutreffen, vor allem in schneereichem Binnenland. An den Küsten mit ihrem etwas milderen Klima hingegen überwiegen die Blaufüchse. Jedoch wird dieses den jeweiligen Umweltbedingungen angepaßte Verhältnis der Weiß- und Blaufüchse zueinander stark durch den Menschen beeinflußt. Vielerorts sind die durch ihr Fell wertvolleren Blaufüchse fast ausgerottet worden. Es gibt aber auch Gebiete, in denen die Fuchsfänger alle in Lebendfallen gefangenen Weißfüchse töten. Die Blaufüchse hingegen lassen sie im Frühjahr und Sommer, wenn das Fell wertlos ist, wieder laufen, um diesen Farbschlag zu begünstigen. Auf den Pribiloff-Inseln in Alaska werden die Eisfüchse

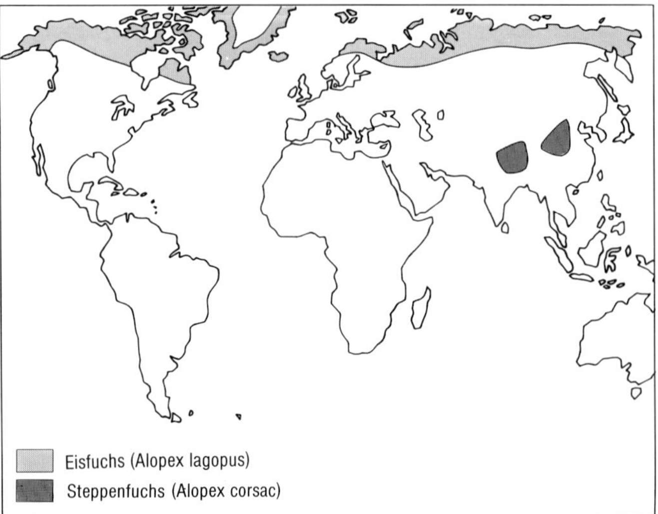

sogar das Jahr über gefüttert – eine riesige Pelztierfarm im Freien.

Wie kein anderer Canide gehört der Eisfuchs zu den Tierarten instabiler Ökosysteme (sog. »r-Strategen«; s. S. 132). Zumindest im Binnenland ernährt sich der Eisfuchs fast ausschließlich von Kleinsäugern, insbesondere von Lemmingen, deren Populationszyklen ungeheure Schwankungen aufweisen. Wie alle Füchse kann er sich als »Opportunist« in schlechten Lemmingjahren mit anderen Nahrungsquellen zwar zeitweilig über die Runden retten. So folgt er dem Eisbären, dem Wolf, dem Vielfraß und nutzt deren Beute mit. An der Küste sucht er den Strand nach Strandgut ab. Wenn die Seevögel im Sommer brüten, lebt er hier ohnehin wie im Paradies. Auch in der Nähe menschlicher Siedlungen geht es ihm nicht schlecht. Vielerorts wird er zur Plage, wenn er alles nur Denkbare auf seine Eßbarkeit überprüft. Insekten, Beeren, Aas, ja sogar den Kot anderer Tiere und des Menschen verwertet er bei Bedarf.

Doch wenn die Lemminge rar sind, können alle diese zusätzlichen Nahrungsquellen für die Mehrzahl der

Der Eis- oder Polarfuchs ist ein Charaktertier der Tundren, Schneewüsten und der eisigen Küsten und Inseln des hohen Nordens. Sein dichter Pelz, die runden kleinen Ohren und die gedrungene Schnauzenpartie sind Anpassungen an seine Lebensbedingungen in der Kältezone.

Eisfüchse nur gerade den eigenen Lebensunterhalt sichern. Zur Fortpflanzung kommen sie dann nicht. Entweder werden die Fähen gar nicht erst läufig, oder es kommt zu keiner Befruchtung, die Jungen sterben in der Gebärmutter ab oder kurz nach der Geburt. Die Bestände nehmen ab. Vermehren sich die Lemminge wieder, machen die Eisfüchse diese Verluste aber innerhalb nur einer einzigen Fortpflanzungszeit wieder wett. Geburten von zehn und mehr Welpen sind dann keine Seltenheit. Sogar von zwanzig wurde berichtet. Ob hier aber nicht zwei Fähen beteiligt waren, womöglich Mutter und Tochter, die in Fuchsmanier ihre Welpen gemeinsam aufgezogen haben, ist unsicher. Trotzdem ist das Vermehrungsvermögen des Eisfuchses unter den Füchsen einmalig. Voll ausgeschöpft wird es allerdings nur im ersten Jahr der Massenvermehrung ihrer Beute. Danach führt der erhöhte Wettbewerb um geeignete Baue und Reviere unter den bereits mit zehn Monaten geschlechtsreifen Eisfüchsen selber zu einer – jetzt sozial bedingten – Einschränkung der Geburtenrate. Der Bestand bleibt unverändert, bis wieder magere Jahre erneut Grenzen setzen.

Leider werden heute viele Eisfüchse in Pelztierfarmen gehalten. Völlig verstört springen sie in ihren engen Käfigen unaufhörlich hin und her, sinnlos ständig auf der Wanderung, auf der Flucht. Es ist kein Anblick, der uns Menschen zur Ehre gereicht. Und es liegt nur an uns, dieser Qual ein Ende zu bereiten.

Der Steppenfuchs oder Korsak *(Alopex corsac)* ist in den asiatischen Steppen weit verbreitet und kommt allgemein vor. Im Winter wird er seines dichten und wertvollen Pelzes wegen bejagt. Bei der Jagd benutzt man auch abgerichtete Steinadler. Jährlich werden viele Tausende von Pelzen angeliefert. Die Tiere ernähren sich von Nagern, aber sie nehmen auch Vögel, Eidechsen, Frösche und Insekten. Der Korsak ist wie der Polarfuchs leicht zu zähmen und kann sich besser an unterschiedliche Klimabedingungen anpassen.

Im 18. Jahrhundert wurden die Steppenfüchse in Rußland oft gezähmt als Haustier gehalten. In menschlicher Obhut pflanzen sie sich gut fort. Trotzdem sieht man diese Tiere nicht allzu häufig in zoologischen Gärten, wahrscheinlich weil sie keinen sehr großen Schauwert für das breite Publikum haben. Im Tierpark Berlin wurden öfters Steppenfüchse gezüchtet. Auch der Vater beteiligte sich an der Jungenaufzucht. Im Amsterdamer Zoo wurden vor Jahren fünf Junge geboren, die nicht von den Eltern betreut wurden. Diese Jungen habe ich einer zahmen Rotfüchsin anvertraut, die zu der Zeit Welpen säugte, und sie hat die Steppenfüchse gemeinsam mit ihren eigenen Jungen gesäugt. Die zwei Tiere, die ich längere Zeit beobachten konnte, waren immer zusammen, sie legten sich dicht beieinander in die Sonne und schliefen gemeinsam. Die Fähigkeit, soziale Verhaltensweisen zu entwickeln, dürfte besser ausgebildet sein als beim Rotfuchs, obwohl dies aufgrund der geringen Zahl von Beobachtungen nur eine Mutmaßung ist.

Echte Füchse

von Erik Zimen

Der Rotfuchs *(Vulpes vulpes)*

»Er ist ein Dieb, ein Mörder! ich darf es kühnlich behaupten;/Ja, es wissen's die Herren, er übet jeglichen Frevel.« So beschreibt Goethe seinen Reineke, den Fuchs, und so kennen wir ihn aus den Fabeln Äsops, aus vielen alten Märchen und unzähligen modernen Naturschilderungen. Für den einen gilt der Fuchs geradezu als Inbegriff des Überlebenskünstlers, der mit List und Tücke seine Nische im Kampf ums Dasein sichert. Für den anderen aber, für den Jäger, ist er Konkurrent, Schädling, ein dreister Räuber, den es zu vernichten gilt.

Die Jäger waren hierbei allerdings nicht sonderlich erfolgreich. Im Unterschied zum Wolf, der ständig an Boden verliert, breitet sich der Rotfuchs heute sogar noch weiter aus. Einst kam er überall auf der nördlichen Erdhalbkugel vor, mit Ausnahme der Arktis, der Wüsten und der tropischen Regenwälder. Heute aber macht der Rotfuchs sogar Spezialisten aus der eigenen Verwandtschaft Konkurrenz. Als der offensichtlich anpassungsfähigste aller Füchse folgt er dem Vormarsch der westlichen Zivilisation; so auch in die arktischen Bereiche, wo er den Eisfuchs *(Alopex lagopus)* zum Teil verdrängt. Von einigen ewig britisch gebliebenen Einwanderern zum jagdlichen Vergnügen nach Australien geholt, haben Rotfüchse inzwischen auch diesen fernen Erdteil völlig erobert. Sogar viele bereits verlorene Lebensräume in der alten Welt erobern sie sich zurück. Die »Stadtfüchse« von Bristol oder London etwa kennen Wiese und Wald nicht mehr, sondern suchen nachts auf Asphalt ihre Beute und schlafen tagsüber in Kellerverliesen, Kanalisationsrohren und Autowracks.

Als ich vor einigen Jahren anfing, Verhalten und Ökologie des Fuchses zu erforschen, dachte ich, diese ungewöhnliche Anpassung des Fuchses sei eine auf die besonderen Bedingungen englischer Städte beschränkte Entwicklung. Bald darauf aber untersuchten wir selbst eine höchst lebenskräftige Fuchspopulation im Industriegebiet an der Saar. Und unsere an Ködern angebrachten automatischen Kameras fotografierten Füchse mitten im Ruhrgebiet. Nur in den völlig zubetonierten innerstädtischen Bereich scheinen die Füchse bei uns noch nicht vorgedrungen zu sein. Ansonsten aber fanden wir keinen Landlebensraum Mitteleuropas, der nicht von Füchsen besiedelt war, ob Wald, Stadtrand, Agrarwüste oder Hochgebirge. Kein Wirbeltier hat demnach bei uns heute eine derart flächendeckende Verbreitung – bei dem (in biologischen Zeiträumen betrachtet) rasanten Tempo unserer Umweltveränderungen eine beachtliche Leistung für eine Tierart, die zudem vom Menschen stark verfolgt wird.

Was ist es, das den Fuchs so erfolgreich macht? Nach dem »Absteiger« Wolf wollte ich den »Aufsteiger« Fuchs kennenlernen. Um seine Eigenarten, sein Verhalten, seine Laut-, Duft-, und Körpersprache hautnah mitzuerleben, besorgte ich mir von Freunden zwei erst 14 Tage alte Fuchswelpen und zum Vergleich auch zwei gleichaltrige Wolfswelpen. Alle vier quar-

»Mein Haus ist meine Festung«, scheint dieser Rotfuchs zu verkünden. Sein selbstgegrabener unterirdischer Bau, in der Sprache der Fabeldichter und der Weidmänner »Malepartus« genannt, schützt ihn vor natürlichen Feinden, nicht aber vor seinem Hauptfeind, dem Menschen.

tierte ich in derselben Kiste neben meinem Schreibtisch ein. Alle vier wurden mit Babymilch aus derselben Nuckelflasche alle drei Stunden gefüttert. Und alle vier wurden noch am selben Tag von meiner Frau aus dem Haus ausquartiert, weil sie den Gestank nicht mehr ertragen konnte.

Freilich stanken nur die Füchse. Warum? Nun, erwachsene Füchse leben und jagen nicht im Rudel wie

Der sprichwörtlich schlaue Fuchs ist ein ausgemachter Opportunist, der jede Gelegenheit zur Nahrungsbeschaffung nutzt. Er schreckt selbst nicht davor zurück, in menschliche Siedlungen vorzudringen und dort von den Abfällen zu leben.

die Wölfe, die hierfür eine ausgeklügelte optische Körpersprache entwickelt haben. Füchse gehen allein auf Jagd, können Maus und Regenwurm, ja sogar auch mal einen zu langsamen Hasen oder ein Rehkitz ohne Hilfe erbeuten. Dennoch leben sie nicht getrennt von anderen Füchsen. Für Mitteilungen an Freund und Feind im Revier bedienen sie sich daher dauerhafter »Informationsträger«: Geruchsmarken geben Nachrichten weiter, auch wenn der Sender gar nicht mehr zur Stelle ist. Deswegen also der Gestank; er ist eine sinnvolle »Sprache« für Tiere, die zwar einzeln jagen, trotzdem aber gesellig leben.

Weil meine Frau aber für diese Sprache wenig Verständnis aufbrachte, lebten dann meine stinkenden Zöglinge und die beiden jungen Wölfe an der frischen Luft in einem Gehege. Stundenlang spielten meine Kinder mit ihnen, und auch jeder Mitarbeiter wurde, mit einem Notizbuch ausgerüstet, zur Welpenwache verpflichtet. So gelang es uns, alle vier Welpen zahm zu bekommen und die weitere Entwicklung ihres Verhaltens zu studieren. Anfangs zeigten sich auch kaum Unterschiede. Die nahe Verwandtschaft zwischen Wolf und Fuchs bedingt ähnliche Grundformen des Verhaltens. Doch bald zeigte es sich, daß sie doch verschiedene »ökologische Nischen« besetzt haben. Bei der Fütterung etwa stürmten alle vier heran und rissen uns mit gleichem Ungestüm das Fleisch aus den Händen. Doch während die Wölfe sich sofort den Bauch vollschlugen, trugen die Füchse ihre erbeuteten Futterstücke in entfernte Ecken des Geheges und vergruben sie dort. Erst später scharrten sie einen Teil davon wieder hervor und verzehrten ihn.

Rotfuchs auf seinem Kontrollgang durchs Revier.

Hier zeigten sich offenbar schon die unterschiedlichen Vorgehensweisen von Rudeljägern und Einzelkämpfern. Wölfe trachten danach, sich von einer gemeinsam mit dem Rudel zur Strecke gebrachten Beute einen möglichst großen Anteil zu sichern. Also verschlingen sie ihn möglichst schnell an Ort und Stelle. Zuweilen müssen sie lange aushalten, denn wann es die nächste Mahlzeit gibt, ist ungewiß. Außerdem zieht das Rudel weiter, vergrabenes Futter wäre also verloren. Die Füchse hingegen müssen vorerst ihre Beute mit niemandem teilen. Erbeuten sie mehr, als sie im Augenblick bewältigen können, legen sie einen Vorrat für schlechte Zeiten an. In ihrem kleinen Wohngebiet oder Revier können sie stets zu ihren Reserven zurückkehren.

Je älter die Füchse und Wölfe in unserem Gehege wurden, desto deutlicher prägten sich die unterschiedlichen Verhaltensnormen aus. Die Wölfe begrüßten uns weiterhin begeistert, wenn wir kamen, waren »verzweifelt«, wenn wir gingen. Sie suchten »Trost« beieinander und blieben unzertrennlich. Die jungen Füchse dagegen gingen zunehmend eigene Wege. Im Alter von vier Monaten spielten sie immer seltener miteinander und schliefen danach auch voneinander weit entfernt im Gehege. Auch wir wurden für ihre sozialen Bedürfnisse überflüssig. Sie kamen kaum noch zur Begrüßung und wurden immer ängstlicher. Schließlich hielt sie der Zaun nicht mehr zurück, und sie liefen – jetzt vollkommen selbständig geworden – auf und davon.

Vielleicht ist es gerade diese soziale Unabhängigkeit, die den Fuchs so erfolgreich macht. Mein britischer Freund und Kollege Dave Macdonald hat über viele Jahre Füchse in den Außenbezirken Oxfords beobachtet und eine erstaunliche soziale Wandlungsfähigkeit festgestellt. Sein Untersuchungsgebiet mit vielen Feldern, Bauernhöfen, Siedlungen, Hecken, kleinen Wäldern, städtischen Parks und Universitätsgärten bietet den Füchsen besonders günstige Lebensbedingungen. Sie werden dort zudem kaum bejagt, und so ist die Zahl der Füchse sehr hoch, der Lebensraum, der jedem Fuchs zusteht, entsprechend klein; teilweise weniger als zehn Hektar. Der Biotop scheint bis zur höchstmöglichen Dichte von Füchsen besiedelt zu

sein. Mehr können hier nicht leben. Da Füchse jedoch mit zehn Monaten geschlechtsreif werden und jede gedeckte Fähe 51 Tage später mindestens vier Welpen zur Welt bringt, könnte sich auch hier der Bestand in jedem Frühjahr mehr als verdoppeln. Eine verhängnisvolle Bevölkerungsexplosion wäre die Folge – aber dazu ist es nie gekommen.

Bestandsschwankungen und Geburtenregelung

Die Erklärung dafür liegt in der sozialen Organisation der Füchse begründet. Wo sie anderswo paarweise ein Revier besetzen, leben hier bis zu fünf erwachsene Füchse zusammen, meist ein Rüde mit mehreren Fähen. Von diesen bekommt aber meist nur eine, die älteste und ranghöchste, im Frühjahr Welpen. Die anderen, in der Regel früher geborene Töchter, beteiligen sich nur an der Aufzucht der einen Nachkommenschaft. Geburtenbeschränkung also statt Massenelend!

Mit diesen Erkenntnissen lassen sich viele bislang unerklärte Vorgänge im Leben der Füchse deuten. In

den großen Waldgebieten Mittel- und Nordschwedens beobachten meine schwedischen Kollegen Jan Englund und Erik Lindström seit geraumer Zeit, wie die Zahl der Fähen, die Junge bekommen, von einem Jahr zum anderen sehr stark schwankt. Einmal gebären im Frühling so gut wie alle Fähen, ein andermal nur ganz wenige. Inzwischen hat man den Regler entdeckt, der dieses Auf und Ab einstellt: Es sind die Mäuse. In den Populationen der Kleinsäuger treten regelmäßig wiederkehrende Schwankungen auf. Die bei uns heimischen Füchse finden beim Rückgang einer Mäuseart leicht Ersatz bei anderen Arten oder aus sonstigen Nahrungsquellen. Im nordschwedischen Fichten- und Kiefernwald dagegen sind die Füchse fast ausschließlich von Mäusen abhängig. Die Folge ist: wenig Fuchswelpen in schlechten Mäusejahren, viele in guten.

Den meisten Nachwuchs haben die Fähen dann, wenn die plötzliche Mäusevermehrung beginnt. Danach geht ihre Nachkommenzahl, obgleich es noch immer »fette« Jahre sind, rasch wieder zurück. Offensichtlich kann der Biotop einen weiteren Fuchszuwachs trotz des üppigen Nahrungsangebots nicht verkraften.

Die Geburtenregelung funktioniert nach dem Oxforder Muster: Wo viele Füchse zusammenleben, entstehen größere Familiengruppen mit mehreren Weibchen. Nur eines, das »ranghöchste«, bekommt Junge, weil sein Herrschaftsanspruch bei den Unterlegenen die Fortpflanzungsfähigkeit unterdrückt. In den folgenden »mageren« Mäusejahren regelt dann das geringere Nahrungsangebot die Fortpflanzung der Füchse. Da sie sich im Winter paaren, wenn es am wenigsten zu essen gibt, kommen schlecht ernährte Fähen gar nicht erst in Hitze, bei anderen sterben die Leibesfrüchte in der Gebärmutter ab, wieder andere verlieren die Welpen gleich nach der Geburt. Den Mäusemangel überleben fast nur kräftige, fortpflanzungsfähige Tiere, die auf den ersten Aufwärtstrend bei den Mäusen wieder mit zahlreichen Geburten reagieren.

Bei nordamerikanischen Füchsen gibt es sogar eine Beziehung zwischen der Welpenzahl und dem Preis

▷ Die großen Stehohren, die spitze Schnauze und die wachsamen Augen verleihen dem Fuchsgesicht einen aufgeweckten, intelligenten, aber sicherlich keinen verschlagenen oder heimtückischen Ausdruck. Dennoch hängt Meister Reineke von altersher ein schlechter Ruf an. Als roten Schelm, Strauchritter, Strauchdieb, Buschklepper und Raubritter hat ihn der Volksmund verteufelt.

Erst fünf Tage sind diese Rotfuchswelpen alt. Noch sind sie völlig hilflos und blind. Ihre Augen öffnen sich mit etwa zehn Tagen.

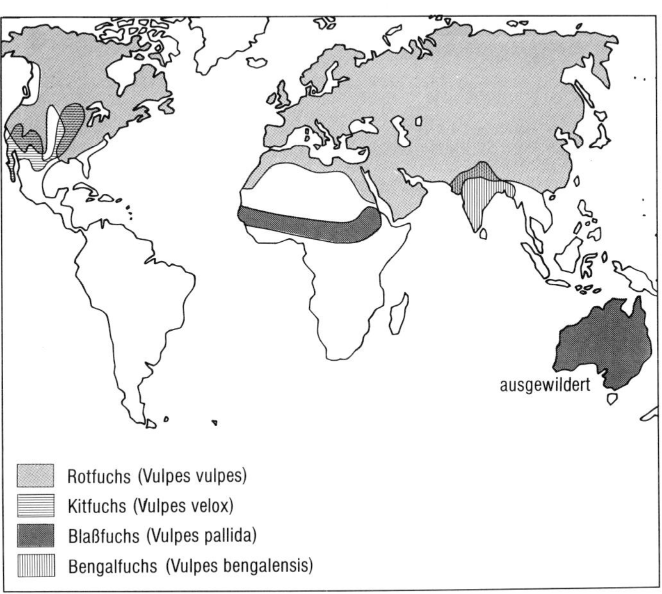

für Fuchspelze. Bei steigenden Preisen wird den Füchsen stärker nachgestellt. Dadurch verbessert sich das Nahrungsangebot für die Überlebenden, und sie bringen daraufhin größere Würfe von zehn und mehr Welpen zur Welt.

In Mitteleuropa finden wir weder derart hohe Fuchspopulationen wie in manchen Gebieten Englands noch so starke Bestandsschwankungen wie in Schweden oder Nordamerika. Der Jagddruck ist zwar sehr hoch, aber von Jahr zu Jahr gleichbleibend. Allein in der Bundesrepublik werden alljährlich etwa 200 000 Füchse erlegt. Zudem sterben viele Füchse an der Tollwut, eine recht hohe Zahl auch im Verkehr. Je nach Landschaftsform ist die Fuchssterblichkeit – durch die Seuche oder durch die Jäger – unterschiedlich. Besonders hohe Abschußzahlen werden aus reinen Feldrevieren gemeldet. Hier kennt der Jäger je-

Fuchsmutter mit etwa zwei Wochen alten Welpen, die noch das graue Kinderkleid tragen.

den Fuchsbau. Da er »seine« Hasen, Fasane und Rebhühner nicht mit dem Fuchs teilen will, ist er noch dazu stark motiviert, den Fuchs zu jagen. Die Mehrzahl aller Füchse wird während der Aufzuchtzeit im Frühsommer erlegt, meist als Welpen am Bau.

In ausgesprochenen Waldrevieren sehen die Jäger, die hier auf Reh, Hirsch und Wildschwein Jagd machen, im Fuchs hingegen nicht den gleichen Konkurrenten. Die jeweils genutzten Fuchsbaue sind kaum bekannt, und die Jagd auf den Fuchs ist außerdem sehr schwierig. Wenn überhaupt, werden hier die Füchse hauptsächlich im Winter am Luderplatz erlegt, also dort, wo die Jäger Aas (Luder) als Lockspeise auslegen. Diese Jagd verringert aber den jährlichen Zuwachs nicht. Entsprechend hoch ist daher der Wettbewerb unter den Füchsen. Ihr Territorialverhalten (Verteidigung des Wohngebiets) ist ausgeprägt, das Durchschnittsalter hoch. Viele Jungfüchse wandern in die angrenzende Feldflur ab. Gemischte Feld/Wald-Reviere entsprechen ohnehin den Lebensanforderungen der Füchse besser als reine Waldgebiete. Hier finden sie tagsüber Schutz in Dickungen, am Waldrand oder in Hecken und nachts ihre Beute auf den Feldern. Wühlmäuse leben im Sommer in großer Zahl in den Getreidefeldern und quartieren sich im Winter an den Wald- und Heckenrändern oder auf den Wiesen ein. In der Nähe der Höfe, an Dorf- oder Stadtrand finden sie auch Obst unter den Bäumen und manch verwertbaren Abfall auf Misthaufen und Müllhalden.

Feldfüchse und Waldfüchse reagieren also auf die vorgefundenen Lebensbedingungen mit entsprechender sozialer Strategie und »Familienplanung«. Im Wald sind die Füchse bei hoher Dichte ausgesprochen territorial mit Reviergrößen zwischen ein und zehn Quadratkilometern. Drei oder vier Welpen je Geburt sind hier normal. In Feldrevieren hingegen fanden wir viele Baue mit sechs, einmal sogar neun Welpen. Die Feldfüchse machen ihre hohen Verluste durch starke Jahrgänge wett. Der Wald als »Fuchsreservoir« entläßt zudem seinen Überschuß in die Feldflur. Demnach gleichen sich in allen Gebieten Mitteleuropas, wo kleine und große Wälder, Siedlungen und landwirtschaftliche Nutzflächen eng verzahnt sind – und das ist die weitaus größte Fläche –, alljährlich die unterschiedlich stark verminderten Fuchsbestände wieder aus. Hierbei gibt es – hauptsächlich bewaldete – Räume mit verhältnismäßig ausgewogener Fuchspopulation, andere – hauptsächlich Feldreviere – mit starken Schwankungen sowohl hinsichtlich der Dichte als auch der sozialen Organisation. Nur in der waldarmen norddeutschen Tiefebene ist es dem Jäger gelungen, zumindest gebietsweise die Fuchsdichte großflächig und langfristig erheblich zu verringern.

Tollwutbekämpfung

Dieser schnelle Ausgleich zwischen unterschiedlich stark verringerten Beständen ist auch Ursache für den Mißerfolg der herkömmlichen Tollwutbekämpfung. Kein anderes Säugetier in Mitteleuropa erkrankt inzwischen so häufig an Tollwut wie der Fuchs. Und es

Ehestreitigkeiten kommen auch bei Füchsen vor. Doch die »handfest« ausgetragene Auseinandersetzung zwischen dem Rüden (Männchen) und der Fähe (Weibchen) mutet eher wie ein lustiges Spiel an.

ist auch der Fuchs, der in den allermeisten Fällen die stets tödlich verlaufende Krankheit durch Biß auf andere Tiere - meist ebenfalls Füchse - überträgt. So können innerhalb weniger Monate große Gebiete durch die Seuche von Füchsen geradezu leergefegt werden; je höher die anfängliche Fuchsdichte, je größer ist auch die Ansteckungsgefahr, und um so schneller breitet sich die Seuche aus. Dieser Umstand veranlaßte die Veterinär- und Jagdbehörden bereits in den fünfziger Jahren - als die Westgrenze des großen euroasischen Tollwutgebietes die Bundesrepublik erreicht hatte -, Maßnahmen zu ergreifen, den Fuchsbestand zu verringern. So wurde bald alljährlich im Frühjahr flächendeckend jeder bekannte Fuchsbau begast und auch die Jägerschaft unermüdlich zu verstärkten Fuchsabschüssen angehalten. Die Tollwut aber breitete sich trotzdem weiter aus, und die Tollwutfälle in den bereits verseuchten Gebieten stiegen stetig an. Im Jahre 1976 wurden in der Bundesrepublik fast 9000 Tollwutfälle verzeichnet, etwa 75% davon waren Füchse. Die Dunkelziffer lag sicher um ein Vielfaches höher.

Offensichtlich war es nicht gelungen, die Fuchsdichte mit diesem Verfahren großflächig erheblich herabzusetzen. Unsere Untersuchungen zeigen auch, daß der jährliche kleinräumige Populationsausgleich zwischen den meist in Feldfluren stark und den in Waldgebieten kaum verringerten Beständen eher zum Tollwutgeschehen beigetragen hat als zu seiner Eindämmung. Unter den Jungfüchsen, die vor allem im Herbst in die verdünnten Feldreviere eindrangen, waren einige bereits von der Tollwut angesteckt. Nach einer Inkubationszeit (der Zeit zwischen der Ansteckung und dem Ausbruch der Krankheit) von etwa drei Wochen folgt die kurze Phase, in der der Fuchs erkrankt und die Übertragung erfolgt. Die hohe Unbeständigkeit vieler Feldpopulationen mit den ständig wechselnden sozialen Beziehungen unter den Füchsen hat hierbei die Übertragung auf weitere Füchse vermutlich zusätzlich begünstigt. So werden nach wie vor die meisten Tollwutanfälle in der Bundesrepublik in Gebieten verzeichnet, in denen große, geschlossene Wälder an reichgegliederte Wald/Feld-Mischgebiete angrenzen, in denen zudem besonders nachhaltig versucht

Der Fuchs gilt als ungesellig und geht für gewöhnlich allein auf die Jagd. Doch hier haben sich zwei Tiere, vermutlich ein Rüde und eine Fähe, die Beute geteilt.

wurde, die Fuchsbestände zu verkleinern – so etwa in den Mittelgebirgsgegenden Hessens oder im Voralpenraum. Erst langjährige und weit ausgedehnte Impfmaßnahmen mittels ausgelegter Köder versprechen eine Besserung des Tollwutgeschehens. So ist inzwischen die Schweiz, wo die »Schluckimpfung« bereits seit Anfang der achtziger Jahre gezielt durchgeführt wird, inzwischen so gut wie tollwutfrei. Der Erfolg der Schweizer Behörden bei der Tollwutbekämpfung beruht nicht zuletzt darauf, daß hier Zoologen beteiligt sind, die viel vom Verhalten des Fuchses verstehen.

Lebensweise, Fortpflanzung und Jungenaufzucht

Tagsüber halten sich die Füchse irgendwo im Wald versteckt. Im Bau – er liegt fast immer im Wald – sind sie jedoch nur im Winter und auch dann nicht immer. Es scheint vielmehr, als ob die Baue gar nicht in erster Linie als Wetterschutz dienen, denn häufig sehen wir Füchse zusammengerollt auf einem Stubben oder Stein in Regen oder Schnee schlafen; manchmal sogar unmittelbar vor dem Eingang zu einem Bau. Alle Baue im Revier werden aber regelmäßig besucht und nicht selten Kot- und Urinmarkierungen hier abgesetzt. Wenn ein Fuchs dann auch im Bau schläft, scheint er damit eher seinen Besitzanspruch zu unterstreichen. Sein Winterfell ist so dicht, daß er fast jedes Wetter unbeschadet überstehen kann.

Mit Einbruch der Dunkelheit wird der Fuchs munter. Zuerst hält er sich noch versteckt, um dann, wenn auch draußen auf den Feldern endlich das Büchsenlicht schwindet, den Wald zu verlassen. Schnell rennt er erst einmal dorthin, wo er Wühlmäuse vermutet. Ein paar Mäuselsprünge, und bald hat er die erste Beute, die er verschlingt. Die nächsten Opfer aber vergräbt er schon für schlechte Zeiten. Vielleicht besucht er auch eine geeignete Kurzgraswiese, wo die Regenwürmer jetzt an die Oberfläche kommen. Nach unseren Untersuchungen nutzt er diese Futterquelle aber nur, wenn sonst nichts Besseres zu finden ist.

Im Spätherbst ist das Nahrungsangebot besonders groß: Hier noch ein paar Hagebutten, dort ein paar halbfaule Pflaumen oder ein Apfel, nichts verschmäht er. Doch sehr bald ist er satt, und dann wendet er sich wichtigeren Dingen zu. Vereinzelt kommen noch fremde Füchse durch sein Revier. Vor allem an den großen Bauen riecht er die fremden Spuren, und wehe, wenn er einen Rüden dort oder sonstwo auf seinem Kontrollgang durchs Revier erwischt. Er jagt diesen dann so lange, bis der Fremde jeden Gedanken, sich hier niederzulassen, aufgibt und weiterzieht. Eine fremde Fähe begrüßt er jedoch freundlich, versucht mit ihr zu spielen und ihr seine schönen Baue zu zeigen. Doch irgendwo ist noch die alte Fähe, vielleicht auch noch eine ihrer Töchter im Revier. Und diese sind es jetzt, die das neue Weibchen vertreiben, womöglich noch unerbittlicher als zuvor der Rüde seinen Nebenbuhler.

So ist der größte Teil der Nacht mit sozialen Betätigungen ausgefüllt. Auf die Jagd geht er zwar allein, nützt aber sonst die Zeit, das Verhalten von Freund und Feind zu überwachen. Erst bei Tagesanbruch verschwindet er wieder im Wald, manchmal sogar erst, wenn es bereits ganz hell ist. Viele unserer Füchse haben sich bereits an den zivilisationsverzögerten Tagesrhythmus des Menschen angepaßt. Abends müssen wir lange warten, bis der Fuchs, den wir die Nacht über beobachten wollen, endlich losläuft. Meist ist es schon ganz dunkel, wenn er aus dem Wald tritt. Morgens dagegen wärmt die Sonne längst unsere müden Gesichter, der Fuchs aber streift immer noch durch die Felder.

Dieses Tätigkeitsmuster ändert sich allerdings zweimal im Jahr. Ende Januar beginnt die Ranzzeit, die Paarungszeit der Füchse. Jetzt folgen ein oder gar mehrere Rüden ständig der läufigen Füchsin ohne Rücksicht auf mögliche Gefahren. Tag und Nacht sind sie unterwegs, zuerst die Fähe, dann ihr Rüde und zuletzt ein oder mehrere Nebenbuhler. Der stärkste unter ihnen – meist ist es wohl der Revierinhaber – paart sich schließlich mit der Fähe. Wie bei allen Hundetieren (Canidae) »hängen« sie bis zu 40 Minuten und länger zusammen.

Genau 51 Tage später findet die Geburt statt. Schon Tage vorher hat die Fähe den von ihr ausgesuchten Bau gesäubert, all den Schmutz der letzten Jahre entfernt und die Aus- und Eingänge freigegraben. Es sind immer wieder dieselben alten Mutterbaue im Revier, in denen die Welpen zur Welt kommen. Häufig sind es große Baue mit vielen Eingängen, in denen manchmal auch Dachse wohnen. Manchmal werden in einem kleinen Bau in unmittelbarer Nähe eines gro-

ßen Mutterbaus ebenfalls Welpen geboren, in diesem Fall von einer jungen Fähe, häufig einer Tochter der älteren Fähe im Mutterbau. Viele dieser Welpen sterben früh. Offensichtlich ist die junge Mutter noch nicht stark und erfahren genug, Welpen selbst aufzuziehen. Dafür hilft sie dann anschließend ihrer Mutter bei der Aufzucht ihrer jüngeren Geschwister. Manchmal aber bringt sie auch ihre eigenen Welpen zu denen der Mutter, und alle werden zusammen aufgezogen, neun oder mehr.

Die Welpen wachsen schnell heran. Im Alter von etwa zehn Tagen öffnen sie die Augen, und drei Wochen später spielen sie schon ausgelassen vor dem Bau. Häufig ist auch der Rüde dabei. Bald entzieht er sich jedoch den aufdringlichen Welpen und legt das herangeschleppte Futter irgendwo in der Umgebung des Baus ab, bevor er wieder verschwindet. Die Hauptlast aber trägt die Fähe. Tag und Nacht ist sie jetzt unterwegs und erlaubt sich Dinge, die sie sonst nie tun würde, zum Beispiel am hellichten Tag Hühner auf einem Bauernhof zu stehlen, wie wir es selbst mehrfach beobachten konnten. Auch läuft sie jetzt am Abend, lange bevor es dunkel wird, und morgens ebenfalls lange nach Sonnenaufgang über die Felder auf dem Weg von und zu ihrem Bau. Es ist die Zeit, in der auch die

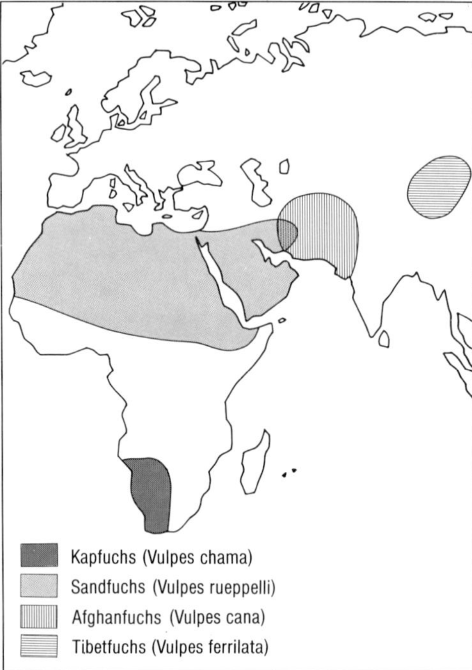

Jäger überall auf Rehböcke ansitzen. Und so wird dabei auch manch eine Fähe erlegt, denn Füchse haben keine Schonzeit.

Wir erhalten von der Jägerschaft zehn Monate im Jahr weitaus mehr erlegte Rüden als Fähen, die für gewöhnlich weniger lebhaft und deutlich vorsichtiger sind. In den Monaten Mai und Juni jedoch ist es genau umgekehrt: Jetzt sind es meist Fähen; leider vielfach erschossen, ohne daß vorher ihre Welpen am Bau erlegt wurden. Einige der Welpen kommen mit Hilfe des Vaters oder anderer Helfer durch, die Mehrzahl aber verhungert. Häufig haben wir Fuchswelpen im Wald gefunden, bis aufs Skelett abgemagerte kleine Wesen, für die jede Hilfe zu spät kam. Es ist für mich einfach unbegreiflich, wie viele der sonst so auf ethische Grundsätze bedachten Jäger hier völlig gedankenlos alljährlich wieder Elend erzeugen. Es ist höchste Zeit, daß auch eine Schonzeit für Füchse gesetzlich festgelegt wird. Etwa im Alter von acht Wochen verlassen die am Leben gebliebenen Fuchswelpen den Bau und halten sich vorerst noch alle zusammen irgendwo in einem Dickicht am Waldrand auf. Bald aber gehen sie zunehmend eigene Wege. Die ausgelassenen Spiele haben schon längst aufgehört, und es kommt hin und wieder zu ernsten Kämpfen unter den gleichgeschlechtlichen Jungfüchsen. Auch der Vater zeigt sich nicht mehr immer nur freundlich, und die Mutter verspeist ihre Beute meist selbst.

Was die Jungfüchse im Herbst aber dazu veranlaßt, plötzlich das Revier ihrer Eltern zu verlassen und abzuwandern, wissen wir nicht genau. Es scheint, daß hier ein innerer Trieb vorliegt, ein Zwang zur Wanderung. Meist konnten wir am Abend schon voraussagen, daß es bald wieder einen der Jungfüchse »packt«. Es sind kalte, klare Herbstabende, wenn es losgeht. Innerhalb weniger Stunden sind 10 oder 20 Kilometer zurückgelegt, meist in gerader Linie weg von zu Hause. Größere Straßen, Täler oder auch Flüsse sind kein Hindernis. Nur große Waldgebiete scheinen sie zu meiden und natürlich auch große menschliche Siedlungen.

Nach Mitternacht nimmt die Laufgeschwindigkeit deutlich ab, und bald ruht der Fuchs bis zum nächsten Abend. Einige von ihnen bleiben bereits jetzt im neuen Gebiet, andere aber laufen noch einige Nächte weiter. Bis zu 100 Kilometer und mehr liefen einige unserer Füchse, doch die Mehrzahl von ihnen blieb in

Zwei nordamerikanische Füchse: Der flinke, zierliche Kitfuchs (oben) bewohnte einst die weiten Prärien und Halbwüsten des Wilden Westens. Heute ist sein Verbreitungsgebiet durch die Umwandlung der Prärien in Agrarland und durch die systematische »Raubzeugbekämpfung« stark eingeschränkt. Im übrigen Nordamerika herrscht die amerikanische Unterart des Rotfuchses vor (unten).

einem Abstand von 10 bis 30 Kilometern vom Revier ihrer Eltern. Hier streunen sie noch wochenlang umher, bis sie sich endgültig für ein neues Revier entscheiden.

Bald lernen sie nicht nur die Eigenarten ihrer Artgenossen, sondern auch die des Menschen kennen und auszunützen. Einer unserer mit Sendern ausgestatteten Füchse etwa schlief im Stadtwald von Saarbrücken regelmäßig in einer Dickung, keine zehn Meter von einem Grillplatz entfernt, wo ständig laute, fröhliche Menschen ihren Schwenkbraten übers Feuer hielten. Zuerst staunten wir über solche Dreistigkeit, mußten aber bald feststellen, daß dieses Zutrauen genau berechnet war. So fanden wir einen Welpenspielplatz neben der Bushaltestelle der Universität, nur durch eine dornige Hecke vor Einsicht geschützt. Andere Füchse hatten sich als Ruhehort ausgerechnet den Schießplatz der Jäger ausgesucht. Frische Fuchsbaue wurden sogar unmittelbar neben beliebten Wanderwegen ausgehoben. Häufig haben wir einen Fuchs verfolgt, der nachts auf einer Forststraße, einem Wanderpfad oder gar auf Vorstadtstraßen durch sein Revier lief. Der Geruch von Menschen, die dort gegangen waren, schien ihn nicht zu stören. Traf er aber am Waldrand oder im Feld auf eine frische Menschenspur, schleuderte es ihn förmlich vom Boden hoch: Mit einem Satz war er in der nächsten Deckung.

Nicht, daß ein Spaziergänger anders röche als der Weidmann, er läuft nur auf anderen Wegen. So lebt der Fuchs mitten unter uns und wird doch nicht gesehen. Das enge Zusammenleben mit dem Menschen hat ihn herausgefordert, seine Fähigkeiten gefördert: Rasch erfaßt er verwickelte Zusammenhänge und paßt sich neuen Lagen blitzschnell an. Seine Anpassungsfähigkeit macht ihn zum geheimen Eroberer unserer Kulturlandschaft, in der er von uns Menschen abhängig und zugleich frei lebt. Ein schlauer Fuchs, dieser Reineke!

Die übrigen Fuchsarten der Gattung *Vulpes*

Im Westen Nordamerikas weist der Rotfuchs eine große Verbreitungslücke auf. Die Gattung wird hier durch den kleinen Kitfuchs *(Vulpes velox)* vertreten. Dieser bewohnte einst die offene Prärie östlich der Rocky Mountains von Kanada bis Texas sowie die Halbwüsten und Küstengebiete von Kalifornien bis Nordmexiko. Die Umwandlung der Prärie in eine Agrarwüste sowie die in Nordamerika nach wie vor üblichen »Predatorcontrol«-Maßnahmen (die Verfolgung und Vernichtung aller Beutegreifer) haben die Zahl und die Verbreitung des Kitfuchses stark eingeschränkt. Mehr als seine größeren Verwandten, der Rot- und der Graufuchs, der Kojote und einst auch der Wolf, scheint er Schwierigkeiten zu haben, die vielen Fallen und Giftköder des Menschen zu meiden. So ist er heute in Kanada ganz verschwunden und anderswo sehr selten oder ebenfalls großflächig ausgerottet.

Früher unterschied man zwei Arten: den Swiftfuchs *(Vulpes velox)* im östlichen und den Kitfuchs *(Vulpes macrotis)* im westlichen Teil des Verbreitungsgebietes. Da sich beide aber geographisch vertreten und bis auf

die etwas hellere Fellfarbe der Kitfüchse kaum unterscheiden, faßt man sie heute als eine Art mit mehreren Unterarten zusammen. Auffallend sind die vergleichsweise großen Ohren des sonst recht kleinen Fuchses. Er ist fast nur nachts tätig und kann auf kurze Strekken sehr schnell laufen, wenn er verfolgt wird, zudem in rasendem Zickzackkurs; daher auch der Name »Swift« (flink). Wie alle Füchse nützt der Kitfuchs ein großes Beuteangebot, wobei Grashüpfermäuse *(Onychomys)* und Erdhörnchen *(Eutamias)* besonders wichtig sind. Hinzu kommen Insekten, bodenbrütende Vögel und pflanzliche Stoffe. Im sandigen Boden gräbt er sich seinen Bau selber oder nützt die ausgedehnten Baue der Präriehunde. Die Paarungszeit im Winter, die Tragdauer von 51 bis 53 Tagen, die durchschnittliche Welpenzahl von vier bis fünf, die Mitarbeit des Rüden bei der Welpenaufzucht, das Selbständigwerden der Jungen im Laufe des Sommers und ihre Abwanderung aus dem Revier ihrer Eltern im Herbst – all das entspricht ganz dem, was wir von

Oben: Blaßfuchs aus der afrikanischen Sahelzone. – Rechts oben: Nordamerikanischer Kitfuchs. – Rechts unten: Kapfuchs, auch Kama- oder Silberrückenfuchs genannt, aus Südwestafrika.

anderen Vertretern der Gattung, insbesondere vom Rotfuchs her kennen.

Bei vielen dieser Füchse wissen wir jedoch sehr wenig über ihre verwandtschaftlichen Beziehungen, ihre genaue Verbreitung, ihre Ökologie und ihr Verhalten. Keiner von ihnen weist die vielfältige Umweltanpassung und die entsprechend weite Verbreitung des Rotfuchses auf.

Der Kapfuchs, Kamafuchs oder Silberrückenfuchs *(Vulpes chama)* lebt auf der offenen Savanne und in den Halbwüsten im Südwesten Afrikas von Südsimbabwe bis zur Kapprovinz.

Der Sandfuchs oder Rüppellfuchs *(Vulpes rueppelli)* bewohnt Wüstengebiete in ganz Nordafrika sowie auf der arabischen Halbinsel, im Iran, Afghanistan bis nach Pakistan. Sein Verbreitungsgebiet überschneidet sich zum Teil mit dem des Rotfuchses an der Nordküste Afrikas, in der Sahara mit dem des Fennek (mit dem er wegen seiner ebenfalls langen Ohren häufig verwechselt wird), mit dem des Blaßfuchses in Äthiopien und Somalia und schließlich mit dem des Afghanfuchses in Afghanistan. Da er jedoch steinige Wüstengebiete bevorzugen soll, einen Lebensraum also, den die anderen Füchse eher meiden, liegt eine ökologische Trennung der Arten vor.

Der Blassfuchs *(Vulpes pallida)* ist ebenfalls ein kleiner großohriger Fuchs, der in der Sahelzone südlich der Sahara von Senegal bis nach Somalia vorkommt. Sein Lebensraum ist die Halbwüste, die Steppe und die Savanne. Vom Sandfuchs unterscheidet er sich kaum, nur hat er eine schwarze Schwanzspitze; dafür fehlt ihm die rötliche Rückenfärbung.

Der Afghanfuchs oder Canafuchs *(Vulpes cana)* ist neben dem Fennek der kleinste Fuchs. Er lebt im Iran, in Afghanistan, Pakistan sowie im Süden von Turkmenien in der Sowjetunion.

Der Bengalfuchs *(Vulpes bengalensis)* hat sein Verbreitungsgebiet südlich des Himalajas in Nepal, Indien und Bangladesch. Ein schwarzer Fleck im Mundwinkel unterscheidet ihn von anderen Füchsen. Ähnlich unserem Rotfuchs besiedelt er auch ganz verschiedene Lebensräume von der Halbwüste bis zu geschlossenen Waldgebieten, und wie dieser kommt er auch in unmittelbarer Umgebung menschlicher Siedlungen vor. Er wird von den Hindus kaum verfolgt und ist daher wenig scheu, auch tagsüber aktiv und recht häufig. Er ist leicht zähmbar und wird in Indien vielfach als Hausgenosse gehalten.

Der Tibetfuchs *(Vulpes ferrilata)* ist etwas größer als der Bengalfuchs und der Afghanfuchs. Über seine Verbreitung wissen wir wenig. Er soll auf den Hochflächen von Nepal und Tibet bis zur Mongolei vorkommen.

Fennek oder Wüstenfuchs

von Erik Zimen

Was der Eisfuchs für die polaren Lebensräume, ist der Fennek *(Fennecus zerda)* für die Wüste: ein an extreme Lebensbedingungen hoch angepaßter Fuchs. Er lebt in den Gebirgs- und Wüstengebieten von ganz Nordafrika sowie auf der Sinai- und der arabischen Halbinsel. Traditionell wird er – wie der Eisfuchs – seiner besonderen Merkmale wegen einer eigenen Gattung zugeordnet, doch wie dieser neuerdings von einigen Autoren als ein echter Fuchs der Gattung *Vulpes* bezeichnet.

Kennzeichnend für den Fennek ist erst einmal seine geringe Größe. Rüden wiegen selten mehr als 1,5 Kilogramm, die Fähen etwas weniger. Seine Ohren hingegen sind mit 15 Zentimetern und mehr im Verhältnis zu anderen Füchsen die weitaus längsten. Wie die spitze Schnauze dienen sie auch als Wärmeabstrahler. Neben der Trockenheit kennzeichnen vor allem sehr große Temperaturunterschiede seinen Lebensraum. Tagsüber hält er sich zwar meist in seinem weitverzweigten Bau unterirdisch auf. Doch auch hier muß er sich vor der großen Hitze schützen, wobei ihm – wie allen Caniden – die Schweißdrüsen fehlen. Auch die helle Fellfarbe dient dem Temperaturausgleich. Das dichte und feine Fell hingegen hilft ihm, die Kälte der Nacht zu ertragen.

Seine auf die Nacht beschränkte Aktivität scheint angeboren zu sein. Bei uns in Menschenobhut gehaltene Fenneks jedenfalls sind ebenso vorwiegend bei Dunkelheit munter. Dies unterscheidet ihn vom Rotfuchs, dessen Aktivitätsrhythmus weitgehend dem des Menschen angepaßt ist. Wie alle Füchse jedoch läßt sich auch der Fennek leicht zähmen. Ein Bekannter hält mehrere von ihnen in seinem Haus und Garten und ist begeistert. Der Gestank und die Unordnung sind zwar nicht jedermanns Sache, aber die große Verträglichkeit und die Spielfreude der Fenneks sind bemerkenswert. Auch in freier Wildbahn scheint der Fennek eher in größeren Gruppen zu leben, als es bei anderen Füchsen die Regel ist. Viel ist über sein Verhalten und seine Ökologie zwar noch nicht bekannt. Es wird jedoch berichtet, daß manchmal mehrere Familien eng benachbart leben und ihre Baue teilen. Auf Jagd hingegen geht auch der Fennek – wie alle Füchse – allein. Dabei erbeutet er in erster Linie Insekten, Kriechtiere und Kleinsäuger. Auch pflanzliche Nahrung nützt er je nach Angebot. Wenn Wasser vorhanden ist, trinkt er; er muß aber auch lange Zeit ohne Wasser auskommen können, denn viele Fenneks leben weit von der nächsten Oase entfernt. Der Wassergehalt seiner Beute scheint auszureichen.

Die Ranzzeit des Fenneks ist im Januar und Februar. Die Tragzeit beträgt wie bei allen Füchsen etwas mehr als 50 Tage. Die Zahl der Welpen ist für einen Fuchs allerdings recht niedrig: zwei bis vier, ganz selten mehr als fünf. Zwischen dem 10. und 14. Tag öffnen die Welpen die Augen, im Alter von vier Wochen beginnen sie zu spielen, ab der fünften Woche auch vor dem Bau, und mit neun Monaten sind sie voll ausgewachsen; alles ganz nach Fuchsmanier. Nur die recht lange Säugezeit, zehn bis zwölf Wochen, ist wieder ungewöhnlich, entspricht aber dem, was wir auch von anderen Tierarten stabiler Ökosysteme (sog. »K-Strategen«) her kennen. In Anpassung an ihre ziemlich gleichbleibenden Lebensbedingungen bekommen sie verhältnismäßig wenige Junge, die sie besonders sorg-

Der kleinste Vertreter der Hundefamilie ist der Fennek, der die Wüsten und Halbwüsten von Nordafrika bis zur arabischen Halbinsel bewohnt. Er ist ein Meister der Umweltanpassung: Die wärmeabstrahlenden Riesenohren schützen ihn vor Überhitzung, das dichte, feine Fell hält ihn in der empfindlich kalten Wüstennacht warm, die großen Augen erleichtern ihm die nächtliche Beutejagd, und die helle Färbung dient zugleich der Tarnung und dem Temperaturausgleich.

fältig und lange betreuen, damit diese für den harten Konkurrenzkampf mit ihren Artgenossen möglichst gut gewappnet sind. Meist beteiligen sich beide Eltern, nicht selten auch ältere Geschwister an der Aufzucht der Nachkommen. Die Tragfähigkeit des Biotops wird voll ausgeschöpft, starke Populationsschwankungen sind selten. Wenn die Bestände trotzdem, etwa durch den Einfluß des Menschen, abnehmen, dauert es lange, bis sie sich wieder erholt haben – ganz anders als bei vielen Tierarten instabiler Ökosysteme (sog. »r-Strategen«), zu denen beispielsweise der Eisfuchs gehört. Diese können auf die in ihrem Lebensraum üblichen »Katastrophen« sehr schnell mit einer den jeweiligen Verhältnissen angepaßten Zahl von Jungen reagieren, in diesem Falle zwischen null und zwanzig. Es sind in jeder Hinsicht ausgeprägte Opportunisten. Der Rotfuchs steht zwischen diesen beiden extremen »Fortpflanzungsstrategen« irgendwo in der Mitte.

Einst lebte der Fennek ziemlich gleichmäßig über ganz Nordafrika verteilt. Heute aber wird er gebietsweise stark bejagt, ohne daß hierfür ein triftiger Grund vorläge. Er ist weder für Haustiere gefährlich, noch ist er ein Konkurrent des Menschen um dieselben Beutetiere. Wegen seiner niedrigen Geburtenrate ist er für diese Verfolgung recht anfällig. Es wird jedenfalls berichtet, daß er in vielen Gebieten seines früheren Verbreitungsraums selten geworden ist oder gar ausgerottet wurde. Schade um diesen niedlichen kleinen Kerl, der wie kaum ein anderes Tier zum Sinnbild für das karge Leben in der Wüste geworden ist.

Afrikanischer Wildhund

von Bernhard Grzimek

Wie hartnäckig doch manche Geschichten über afrikanische Tierarten von Jahrzehnt zu Jahrzehnt, über ein Jahrhundert lang, in den Büchern wiederholt worden sind! Die buntgefleckten Afrikanischen Wildhunde oder Hyänenhunde *(Lycaon pictus)* sollen wie rasende, wütende Teufel in eine Gegend einfallen, weit mehr Wild zerreißen, als sie jemals verzehren können, ganze Gegenden entvölkern oder zumindestens die Weidetiere daraus vertreiben. Keine Gazelle könne ihnen entkommen, weil sie in Stafetten jagen: Ein Hund hetzt das Wild, bis ihm die Zunge matt aus dem Hals hängt, und dann löst ihn der nächste aus dem Rudel ab. Ja, in einem neueren Buch sollen sie sogar einen Menschen umgebracht haben. Ich habe allerdings noch von keinem einzigen wirklich bezeugten Fall gehört, in dem afrikanische Wildhunde Menschen angegriffen oder gar umgebracht hätten.

Wildhunden bei der Jagd zuzusehen ist nicht einmal so schwer, weil sie, im Gegensatz zu manchen anderen wilden Tieren, gar nicht viel gegen menschliche Zuschauer einzuwenden haben. In der Serengeti und im Ngorongoro-Krater von Tansania, wo es genug Beutetiere gibt, jagen sie nur, wenn die Sonne dicht über dem Horizont steht, also früh von halb sieben bis acht Uhr und abends zwischen achtzehn und zwanzig Uhr. Natürlich gibt es gelegentlich auch Ausnahmen. Sonst gehen sie tagsüber sogar hinab in ihre kühlen Höhlen, die ursprünglich sicher von Erdferkeln oder Warzenschweinen gegraben sind, oder das Rudel liegt in kleinen Gruppen im Schatten von einzelnen Bäumen. Regt sich bei diesem oder jenem Hunger oder Jagdlust, so steht er auf, geht zu einer anderen Gruppe, ermuntert sie zum Aufstehen, beginnt herumzuspielen. Schließlich ist alles im Gange, man entleert sich, und wenn einer in der Richtung auf eine Gruppe Thomson- oder Grant-Gazellen lostrabt, folgen die anderen nach. Es kann aber auch sein, daß er sie nicht in Bewegung bringen kann, dann gehen die ein, zwei Jagdwilligen wieder zurück und legen sich hin. Einzeln wird nicht gejagt.

Wildhunde greifen ihre Beute nur auf Sicht an, nicht nach dem Geruch. Sie kümmern sich auch kaum um die Windrichtung und bemühen sich kaum, wie etwa Löwen oder wie Leoparden, Deckung auszunutzen. Das Rudel geht oder trabt unauffällig durch die Gegend und sucht dabei möglichst dicht an die Beutetiere heranzukommen. Laufen diese schon in einem Abstand von über 300 Metern weg, dann folgen ihnen die Hunde so gut wie nie. Sonst aber rast der Leithund oder die Leithündin den davonstiebenden Gazellen mit etwa 55 km/st Geschwindigkeit nach. Mit rund 50 km/st kann er ein paar Kilometer durchhalten.

Das flüchtende Tier wird von hinten gepackt, meist an den Beinen oder Schenkeln, auch an der Bauchseite, und zusammen mit den anderen, aufholenden Hunden in ganz kurzer Zeit buchstäblich in Fetzen gerissen. Die ganze Jagd dauert durchschnittlich drei bis fünf Minuten und ist ein bis drei Kilometer lang. Das Wild hat geringe Aussichten zu entkommen. Von 28 im Ngorongo-Krater beobachteten Hetzjagden der Wildhunde führten 25 zum Tod der Beute.

Nicht soviel Jagdglück haben sie offensichtlich in der weiten Serengeti, wie der Verhaltensforscher Hugo van Lawick ermittelte, der die Wildhunde dort

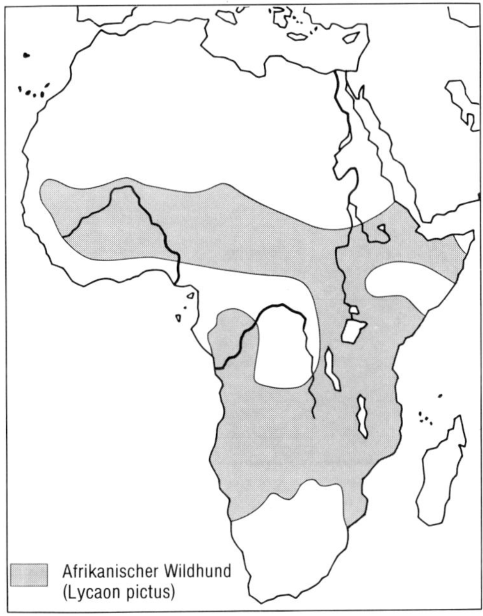

gründlich studiert und ihre Jagdweise genau beschrieben hat:
»Im Laufe der Jahre haben meine Assistenten und ich bei zahlreichen Gelegenheiten jagende Wildhunde beobachtet, und von den 91 Jagden, die wir sahen, waren 39 erfolgreich. Obwohl im allgemeinen das Gegenteil angenommen wird, bricht unter den Herden der Beutetiere nicht sofort Panik aus, wenn ein Wildhundrudel über die Steppe trottet. Ist die Steppe von einem Horizont bis zum anderen schwarz von wandernden Gnu- und Zebraherden, dann traben oder galoppieren gewöhnlich diejenigen, die den Hunden am nächsten sind, ziemlich langsam beiseite, drehen sich dann und sehen den Jägern nach, die ihren Weg fortsetzen. Nur wenn ein Rudel ein paar erfolglose Jagden hintereinander gemacht oder lange Zeit in ein und demselben Gebiet gejagt hat, werden die Beutetiere bei seinem Näherkommen von Schrecken gepackt. Sobald die Hunde allerdings rennen und nicht bloß laufen oder trotten, machen sich gewöhnlich alle Beutetiere in einem Umkreis von ein paar hundert Metern eiligst davon.
Sobald ein Beutetier zu rennen beginnt, machen die Wildhunde gewöhnlich mit der Verfolgung Ernst. Und nun gibt es verschiedene Möglichkeiten, wie sich die Jagd abspielt. Manchmal, besonders wenn sich die Hunde einer kleinen Herde nähern, sieht es so aus, als sei die Beute schon vor Beginn der Jagd ausgewählt worden, oft vom Führer des Rudels. Wenn er losrennt, folgen die anderen Hunde seinem Beispiel, und sein, daß sie einem einzelnen Tier nachjagen, oder aber sie trotten davon und wiederholen dieselbe Taktik bei einer anderen Herde. Auch kommt es vor, daß sich die Hunde eines Rudels, nachdem sich eine Herde in Bewegung gesetzt hat, verteilen und mehrere verschiedene Jagden gleichzeitig unternehmen. Gelegentlich werden zwei solche Jagden erfolgreich sein, vor allem während der Wurfzeit der Gnus, wenn die Hunde es auf die Kälber abgesehen haben. Häufiger werden die verschiedenen Jagden dann zu einer. Es ist, als ob jeder Hund die Erfolgsaussichten auch der anderen Jagden im Auge behält und seine Beute fahren läßt, sobald er merkt, daß ein anderer Hund oder eine andere Gruppe von Hunden mehr Glück hat.
Während der tatsächlichen Jagd schneiden die Wildhunde, die hinter den Führern laufen, den Weg ab, wenn das Beutetier eine Richtungsänderung vornimmt, und gelangen dadurch mehr an die Spitze des Rudels oder übernehmen sogar die Führung. Das fällt besonders auf, wenn die Hunde eine Thomson-Gazelle jagen, denn diese Tiere laufen gewöhnlich im Zickzack über die Steppe, wenn sie gejagt werden, oder beschreiben einen sehr großen Kreis, so daß im Laufe der Jagd mehrere verschiedene Hunde das Rudel führen können, weil sie ein Stück des Weges abschneiden. Das war vermutlich der Grund, warum früher als sicher angenommen wurde, daß sich Wildhunde beim Jagen abwechseln, daß ausgeruhte Hunde, die langsam hinterhergelaufen waren, nach vorn stürzen, wenn die Rudelführer müde werden.«

Afrikanische Wildhunde lieben die Geselligkeit und die Gemeinschaftsjagd. Dieses Rudel hat Beute gewittert und trabt los, an der Spitze der Rudelführer, der die Richtung bestimmt.

alle zusammen jagen demselben Beutetier nach, bis es entweder erlegt oder entkommen ist. Zu anderen Zeiten, gewöhnlich wenn die Wildhunde große Herden jagen, rennt das Rudel kurz auf eine Gruppe Tiere zu und bleibt dann stehen oder geht langsam weiter und beobachtet genau, wie die Herde rennt. Dann kann es

Für gewöhnlich sucht sich wohl jeder Beutegreifer Opfer aus, mit denen er leichtes Spiel hat, die also kleiner sind oder bestenfalls ebenso groß wie der Töter selbst. Nur wenn der Hunger gar zu sehr quält, wagt man sich an mächtige Gegner, gefährdet damit aber auch leicht das eigene Leben. Über zwei Drittel der

Opfer der Wildhunde im Ngorongoro-Krater und auf den Serengeti-Ebenen sind die kleinen Thomson-Gazellen, nur jedes zehnte eine der größeren Grant-Gazellen, von Gnus und anderen großen Weidetieren bestenfalls Kälber und Jungtiere. Größeren Tieren reißen die Hunde von hinten einfach den Bauch auf, so daß die Eingeweide herausfallen. Das unglückliche Opfer bricht mit den Hinterbeinen zusammen und sucht sich nur schwach mit den Hörnern zu verteidigen. Das ist ein scheußlicher, grauenvoller Anblick.

Aber man muß den Hunden zugute halten, daß sie eben nur auf das Rennen eingerichtet sind und nicht wie Löwen oder Leoparden mächtige Pranken mit Widerhaken haben und kräftige Schulter- oder Halsmuskeln, um dem Opfer das Genick zu brechen. Wildhunde sieht man nur an der selbstgerissenen Beute, während Löwen sich gern mit dem Aas und dem Überbleibsel anderer Jäger begnügen. In Südafrika allerdings, wo das Wild selten geworden ist, sollen die Hunde oft weite Strecken hetzen und sich auch viel mehr an größerem Wild vergreifen. Dort sind die Wildhunde auch etwas schwerer und stärker als die ostafrikanischen.

Wieviel die Wildhunde in den westlichen Serengeti-Ebenen töten, hat Bruce S. Wright genau vermerkt: 0,15 kg täglich auf 1 kg Hund im Rudel. Löwen verbrauchten 0,11 bis 0,13 kg auf 1 kg Lebendgewicht des Raubtieres. Das Wildhundrudel tötete in einem Jahr 281 Tiere, fast ausschließlich Thomson-Gazellen.

Zwei Drittel von diesen waren erwachsene Böcke. Dies liegt vermutlich daran, daß diese Böcke sich einzeln halten und einen bestimmten Eigenbezirk behaupten. Je größer ein Rudel Wildhunde ist, um so weniger Beute muß es, auf einen Hund umgerechnet, machen. Ein Rudel von 21 Hunden tötete 1,8 kg je Tag und Hund, ein kleines Rudel von sechs Hunden doppelt soviel. Das kommt wahrscheinlich daher, daß den kleinen Wildhundgruppen viel Beute von Hyänen abgejagt wird.

In der Serengeti trieben in einem Jahr, in der Nähe von Seronera, drei Rudel von Wildhunden ihr Unwesen. Sie waren zehn, acht und sechs Köpfe stark. Außerdem gab es noch ein Rudel von 24. Einmal töteten zwei alte und fünf junge Hunde eine Thomson-Gazelle dicht am Auto nahe am Lager Seronera. Ein anderes Mal liefen von einem Rudel aus vierzehn Alten

und neun Jungen zwei große Hunde auf 40 Gnus zu, die etwa 800 Meter entfernt standen. Das Hauptrudel folgte im Abstand von 200 Metern. Als eine große Hyäne auftauchte, lief ein Hund zu ihr hin, packte sie am Hinterbein und warf sie um. Die Hyäne schrie, wehrte sich aber nicht. Im Abstand von etwa 400 Metern von den Gnus liefen die beiden Hunde plötzlich sehr schnell mitten in die Tiere hinein. Sie stoben nach allen Seiten auseinander. Als sich der Staub etwas verzogen hatte, sah man kleine Gruppen von Gnus stehen, alle mit den Hörnern gegen das Hunderudel, welches jetzt vollzählig eingetroffen war. Die Gnus machten Drohangriffe gegen die Hunde, die sich abwartend verhielten. Ein aufgeregtes Gnukalb brach aus und wurde sofort zerrissen. Die anderen Gnus kümmerten sich kaum darum.

Wenn bei solch einer Jagerei, sobald sich die Meute aufspaltet, ein Hund den Anschluß an die anderen verloren hat, so bringt er den Kopf sehr nahe an die Erde und ruft mehrmals einen glockenähnlichen röhrenden Ton. Gleich hinterher nimmt er jeweils den

Mitte: Drei Wildhunde haben ein Gnu bis zur Erschöpfung gehetzt und sich dann so an ihm festgebissen, daß es nicht mehr entkommen kann. - Rechts: Drei andere Wildhunde teilen sich einen Gazellenriß. - Unten: Sehr große runde Ohren, mächtige Kiefer, ein kraftvolles Gebiß und ein buntgeflecktes Fell sind die besonderen Kennzeichen des Wildhunds.

▷ Auch in der Mittagspause halten die Wildhunde trotz der Hitze, die sie zum Hecheln zwingt, engen Körperkontakt.

Kopf hoch und lauscht eindringlich. Innerhalb von fünf Minuten kommt dann meist das ganze Rudel über die Hügel angaloppiert.

Wochen und Monate hat der Zoologe Wolf-Dietrich Kühme in der Serengeti in einem vergitterten Auto gelebt und geschlafen, um den Hunden zuzusehen, wie sie sich untereinander benehmen. Die Ergebnisse waren recht erstaunlich, wurden aber inzwischen von zwei anderen Wildhund-Forschern in der Serengeti und im Ngorongoro, den Biologen R. Estes und J. Goddard, durchaus bestätigt. Im Gegensatz zu so vielen geselligen Lebewesen gibt es keine richtige Befehlsgewalt und keine deutlich ausgeprägte Rangordnung bei afrikanischen Wildhunden. Man will den andern nicht einschüchtern, nicht überspielen, sondern unterspielen. Will ein Hund etwas von einem andern, etwa ein Stück Fleisch oder seine Begleitung, sein Mitspielen, so macht er sich recht klein und demütig. Sobald zwei Gruppen einer Meute, die eine Weile getrennt waren, sich treffen oder wenn nach dem Ausruhen die Tiere wieder lebendig werden, begrüßt man sich. Man leckt dem andern das Gesicht, steckt die Nase in seinen Mundwinkel. Dabei macht man sich recht klein, knickt in den Beinen ein, hebt Kopf und Mund empor. Auf diese Weise bringen es auch Jungtiere, Kranke und Schwache fertig, ihren Anteil an der Beute zu bekommen. Ja, sie bewegen sogar die anderen, das Fleisch wieder für sie herauszuwürgen.

Im Rudel kann jeder Wildhund offensichtlich jede Rolle übernehmen, bis auf das Säugen der Jungen. Mit herausgewürgtem Fleisch gefüttert werden sie jedoch von allen Angehörigen des Rudels, auch von den Männern. Eine Gruppe, der Kühme wochenlang in der Serengeti zusah, bestand aus sechs Rüden und zwei Weibchen. Eine davon hatte elf etwa dreiwöchige Junge, die Kleinen der zweiten waren noch in der Höhle. Nach einer erfolgreichen Jagd kamen die alten Tiere zum Bau und würgten den bettelnden Jungen und den zurückgelassenen erwachsenen Wächtern blutigfrisches Fleisch aus. Vor dem Aufbruch zu einer neuen Jagd liefen die Großen mit angelegten Ohren und weit vorgestreckter Nase tänzelnd aufeinander zu, leckten sich gegenseitig die Lefzen, sogar den Weibchen das Gesäuge, und ließen wie aufgeregte Kinder Harn unter sich. In größter Freude warfen sie sich sogar auf den Rücken und strampelten mit den Beinen in der Luft. Beim Grüßen geben sie zwitschernde, schnatternde Töne von sich, überhaupt in der Aufregung, beim Beginn der Jagd, auch beim Niederreißen der Opfer und beim Verschlingen des Fleisches. Werden sie erschreckt, so bellen sie kurz und tief.

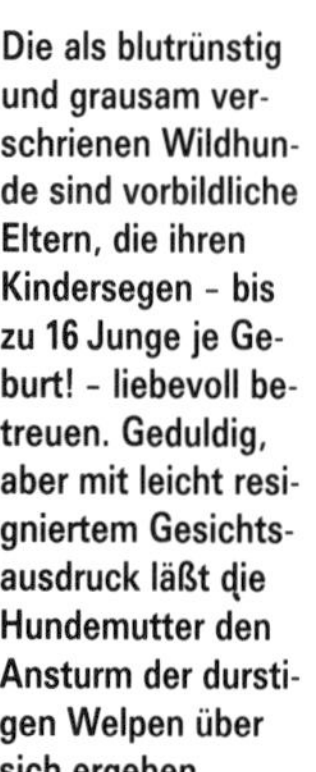

Die als blutrünstig und grausam verschrienen Wildhunde sind vorbildliche Eltern, die ihren Kindersegen – bis zu 16 Junge je Geburt! – liebevoll betreuen. Geduldig, aber mit leicht resigniertem Gesichtsausdruck läßt die Hundemutter den Ansturm der durstigen Welpen über sich ergehen.

Fast das ganze Jahr hindurch hielt sich im Ngorongoro-Krater in Tansania ein Rudel auf, das aus fünf Rüden und einem Weibchen bestand. Sie machten regelmäßig Ausflüge aus dem Krater heraus, kamen aber nach kurzer Zeit immer wieder. Ende Februar gebar die einzige Hündin im Rudel neun Junge; acht Männchen und ein Weibchen. Die Mutter starb am 3. April. Der Biologe Goddard beobachtete, wie einer der Rüden ihre Leiche aus der Höhle zerrte, dicht gefolgt von den empörten Jungen, die noch an ihr zu saugen versuchten. Das Wildhundrudel, das nun nur noch aus fünf Rüden bestand, zog die Jungtiere auf, indem die alten Tiere regelmäßig Nahrung wieder hervorwürgten. Die Jungen warteten in der Höhle, wobei für gewöhnlich ein Erwachsener dabeiblieb, während der Rest des Rudels auf Jagd war. Sobald die Erwachsenen Beute gemacht hatten, kamen sie zu der Höhle zurück. Die Jungen drückten ihre Nasen in die Mundwinkel der Erwachsenen, worauf diese das Fleisch emporwürgten. Alle Kleinen wurden so großgezogen, bis sie hinter dem Rudel hertrotten konnten.

Dann allerdings starben doch viele von ihnen. Am Ende des Jahres lebten nur noch vier von den ursprünglich neun. Leider war auch das einzige weibliche Tier unter den Toten. Einige der kleinen Wildhunde trotteten bis zu drei Kilometern hinter dem Rudel her, und bis sie die Beute erreichten, war wenig Nahrung übriggeblieben. Hin und wieder würgte einer der Erwachsenen noch Fleisch für sie wieder hervor; je älter die Jungtiere wurden, um so seltener wurde das jedoch.

Zebras und ausgewachsene Gnus zeigen wenig Furcht vor den Wildhunden, sie gehen sogar drohend auf sie zu. Andererseits kommt es vor, daß selbst Zebras von Wildhunden gerissen werden; das konnte van Lawick wiederholt beobachten. Wenn ein Rudel sogar Flußpferde oder gar Elefanten belästigt, handelt es sich wohl mehr um Spielerei.

Zu Hyänen verhalten sich die gefleckten Wildhunde ganz verschieden. Eine Tüpfelhyäne, die von acht Wildhunden verfolgt wurde, flüchtete im Mikumi-Nationalpark unter den Geländewagen des Wildwartes, der vor seinem Haus geparkt war. Die Wildhunde umschlossen den Geländewagen. Da sie jedoch Menschen in der Nähe sahen, gingen sie weg. Als vier Wildhunde in der Serengeti eine junge Hyäne gepackt hatten, wurden sie durch elf Hyänen vertrieben, die dem Jungtier zu Hilfe kamen.

Kleine Gruppen von etwa zwei Wildhunden könnten sich im Ngorongoro-Krater, wo etwa 420 Tüpfelhyänen leben, gar nicht behaupten. Sie würden regelmäßig ihre Beute an die Hyänen verlieren. Selbst einem Rudel von 21 Wildhunden wurde die Jagdbeute zum Teil noch durch die Hyänen abgenommen.

Wenn die »Vorreiter« eines Hunderudels ein Tier niedergerissen haben, werden sie oft durch herumstehende Hyänen von der Beute vertrieben, können sie aber wieder erobern, sobald der Hauptteil der Hundemeute nachkommt. Die Hyänen warten manchmal stundenlang bei den ruhenden Hunderudeln, bis diese mit der Jagd beginnen. Manchmal laufen Hyänen sogar zwischen den liegenden Hundegruppen umher, schnüffeln und verschlingen Kotballen, die nach van Lawick offenbar ein »besonderer Leckerbissen« für sie sind. Kühme sah, daß so eine ungeduldige Hyäne das Gesicht eines Hundes berührte und dabei »freundlich winselte«. Sobald die Hyänen an der Beute zu lästig werden, können die Hunde sich auf sie stürzen. Eine große Hyäne, die von mehreren Hunden angegriffen wird, setzt sich meistens einfach nieder, schreit und knurrt und schnappt erfolglos über ihre Schulter. In seltenen Fällen legt sie sich einfach hin und gibt auf. Merkwürdig genug, flüchten sie niemals in ihre Höhlen; selbst halberwachsene Jungtiere stürzten lieber in dichtes Gebüsch am Bach, wohin ihnen die Hunde nicht folgen. Es ist eigentlich niemals beobachtet worden, daß die Hunde eine Hyäne getötet oder sie auch nur ernstlich verletzt hätten. Umgekehrt treiben die Hyänen häufig die letzten Hunde von der Beute weg, solange nicht das übrige Rudel in der Nähe bleibt. Es ist daher eine Überlebensfrage für afrikanische Wildhunde, sich zu möglichst großen Rudeln zu vereinigen und zusammenzuhalten.

Oben: Einzeln muß die Wildhundmutter ihre Kleinen in einen neuen Bau tragen. – Links: Die schon etwas älter gewordenen Jungtiere kommen aus dem Erdbau und betteln ihre Eltern an, die sie bereitwillig mit ausgewürgter Festnahrung versorgen.

Rothund

von Eberhard Trumler

Der über weite Teile Asiens verbreitete Rothund *(Cuon alpinus)* wird je nach seinem Heimatland unter verschiedenen Namen geführt; so heißt er im Norden, entsprechend seinem wissenschaftlichen Artnamen, Alpenwolf, in einigen Teilen Indiens Kolsun, in anderen Dhole, während man die kleinste, auf Java lebende Form Adjag nennt. Entsprechend auch seiner weiträumigen Verbreitung ist es kaum möglich, die Gesamtart umfassend zu schildern, da die einzelnen Unterarten die verschiedenartigsten Lebensräume besiedeln und an diese entsprechend angepaßt sind, so etwa an den tropischen Dschungel Malaysiens, an die Bergwälder Indiens, die Buschwälder Chinas oder an die offenen Hochgebirgsfluren des Himalajas, wo der Rothund bis 4000 Meter hoch noch vorkommt, und schließlich an die kühlen Steppen der Mongolei. Es gibt wohl unter allen Hundeartigen keine Art, die sich an so unterschiedliche Lebensräume angepaßt hat.

Als Beutegreifern, die zwar Kleintiere nicht verschmähen, aber doch größere Pflanzenesser bevorzugen, ist allen Rothundformen zunächst gemeinsam, daß sie in kleineren oder größeren Rudeln jagen. Die diesbezüglichen Angaben schwanken zwischen fünf und zwanzig Einzeltieren. Die Jagdgewohnheiten dieser Rudel richten sich naturgemäß nach der in den jeweiligen Gebieten vorhandenen Beute. So ziehen sie in Sibirien den wandernden Rentierherden nach, gleich den Wölfen in den Tundrengebieten im Norden, oder sie überfallen die Sambarhirsche Indiens an der Tränke. Von den in offenen Landschaftsformen lebenden Rothunden wird berichtet, daß sie einzelne Beutetiere gleich Wölfen aus der Herde heraustreiben und hetzen. Einzelne Tiere wurden als »Späher« beobachtet, wohl die erfahrenen Alttiere, die dem Rudel vorausziehen, das zu bejagende Stück auswählen und dann das Signal zum Hetzen geben.

Rothund (Cuon alpinus)
Marderhund (Nyctereutes procyonoides)

Die Rothunde wagen sich in Indien, wo sie in den letzten Jahren eingehender beobachtet worden sind, sogar an so große Tiere wie Gaur und Banteng heran, und ganz erstaunlich ist, daß stärkere Rudel schon mehrfach bei der Tötung von Leoparden und Tigern beobachtet worden sind. Dem österreichischen Tierfilmer Werner Fend gelang in Indien ein ganz erstaunliches Filmdokument: Er hatte das seltene Glück, ein etwa zwanzigköpfiges Rothundrudel bei der Erbeutung eines Sambarhirsches zu filmen. Als die Tiere aber an der Beute eben ihr Mahl beginnen wollten, trat eine nicht minder kopfstarke Rotte von Wildschweinen auf den Plan; sie war von einem Keiler, der die Rothunde schon vorher beobachtet hatte, herbeigeholt worden. Überraschenderweise überließen die Jäger den Wildschweinen ihre Beute und zogen sich zurück. Erst nachdem diese alles bis auf einige Knochen verzehrt hatten und abgezogen waren, erschienen die Rothunde wieder und suchten die Überreste zusammen. Dieses einzigartige Naturdokument steht offenbar in Widerspruch zu den Angaben, denen zufolge Rothunde auch Wildschweine erbeuten sollen. Dennoch ist das wohl dann der Fall, wenn die Rothunde einer kleineren Rotte zahlenmäßig überlegen sind.

Wie das früher bei allen größeren und in Rudeln auftretenden Hundeartigen stets behauptet wurde, sagte man auch den Rothunden nach, daß sie sogar Menschen anfielen; dies ist inzwischen auch hier zweifels-

frei widerlegt. Sie weichen dem Menschen aus, auch wenn ihre Scheu – zumindest da, wo sie nicht bejagt werden – recht gering ist. Sie werden auch den Haustieren des Menschen nicht gefährlich, wohl deswegen, weil sie die Nähe menschlicher Siedlungen meiden.
Bei der Jagd verhalten sich die Rothunde weitgehend still, doch dürfte es auch hier regionale Unterschiede geben; während russische Forscher betonen, daß sie überhaupt keine Laute von sich geben, stellten indische Beobachter eine Lautgebung fest. So unterscheidet der indische Zoologe A. J. T. Johnsingh grundsätzlich acht verschiedene Lautformen, die im großen und ganzen denen der afrikanischen Hyänenhunde ähneln; er hat sie allerdings nicht während der Jagdzüge vernommen, wo nach anderen Autoren »hyänenartige« und »knurrende Keuchlaute« zu hören sein sollen.
Die Fortpflanzungszeit der Rothunde fällt in Indien in die Wintermonate; wieder regional verschieden werden die zwei bis neun Jungen zwischen November und April geboren. Als Wurflager dienen häufig von anderen Tieren angelegte Höhlen, es werden aber auch eigene Erdbaue ausgescharrt. Die Jungen werden von beiden Elternteilen versorgt, sobald sie feste Nahrung zu sich nehmen können. Beide, aber auch andere Rudelangehörige, würgen ihnen Futter vor. Nach etwa sechs Wochen verlassen die Junghunde die Höhle und folgen der Mutter nach. An der Jagd selbst dürfen sie sich aber erst nach dem siebten Monat beteiligen.

Der Rothund ist in vielen Unterarten über weite Gebiete Asiens verbreitet und hat sich dort an die unterschiedlichsten Lebensräume und -bedingungen angepaßt. – Unten: Eine Rothundmutter säugt ihre beiden Welpen.

Das Ausdrucksverhalten gleicht wieder dem des Hyänenhundes und ist von dem allgemeinen Grundverhalten unserer Hunde nicht sehr verschieden. In diesem Zusammenhang ist die Beobachtung des obengenannten Forschers aufschlußreich, der berichtet, daß eine Dorfhündin sich mit ihren drei annähernd halbjährigen Junghunden einer Gruppe von neun erwachsenen und neun fast viermonatigen Rothunden näherte, die sich bei ihrer Beute befanden. Vier erwachsene Rothunde verjagten die Dorfhunde, verfolgten einen der Junghunde sogar 500 Meter weit, vergriffen sich aber nicht an ihm, sondern begnügten sich mit seiner Vertreibung.
Rothunde sind in zoologischen Gärten selten zu sehen. Ihre Zucht gelang wohl erstmals im Zoo von Moskau, in den 1956 Rothunde gelangt waren, die in der chinesischen Provinz Kukunor in einer Höhe von 3000 Metern gefangen worden waren. Von hier gelangten deren Nachkommen in andere Tiergärten, so auch in den Tierpark Berlin-Friedrichsfelde. Auch der Zoo Krefeld pflegt Rothunde, und zwar die indische Form.

Marderhund

von Manfred Röhrs

In Gestalt, Gesichtszeichnung und Behaarung ähnelt der Marderhund *(Nyctereutes procyonoides)* als urtümlicher Canide einem Waschbären. Der Entfaltungsgrad des Gehirns liegt etwa 30% unter dem der übrigen Canidenarten. Einmalig für die Familie ist eine Winterruhe.

Das ursprüngliche Verbreitungsgebiet erstreckt sich über Ostsibirien, die Mandschurei, Nordchina und Japan. Der bevorzugte Lebensraum sind wasserreiche Niederungen und angrenzende unterholzreiche Waldgebiete mit guten Versteckmöglichkeiten. Überwachsene Mulden, dichtes Gebüsch und verlassene Baue anderer Tiere dienen als Lager und Behausungen. Seit 1928 wurden Marderhunde im europäischen Rußland ausgesetzt, von dort verbreiteten sie sich nach Ost-, Nord- und Mitteleuropa. Auch in den sekundären, also nachträglich besiedelten Verbreitungsgebieten werden Fluß-, Seen- und Waldgebiete bevorzugt (z. B. Donaudelta).

Die Nahrung ist ungewöhnlich vielseitig. Im Sommer besteht sie aus verschiedenen Pflanzen, Früchten, Insekten, Weichtieren, Fischen, Lurchen, Vögeln und Kleinsäugern; Aas wird ebenfalls nicht verschmäht. Hervorzuheben ist der Verzehr von Molchen und Kröten, die von anderen Säugetieren wegen der giftigen Hautdrüsensekrete gemieden werden. Die Aufnahme dieser Lurche geschieht unter starker Speichelabsonderung.

Im Herbst mästen sich die Marderhunde. Sie nehmen reichlich pflanzliche Nahrung auf, besonders Beeren, Holzäpfel und verschiedenste Samen; das Sommergewicht von vier bis sechs Kilo wird auf sechs bis zehn Kilo gesteigert. Mit einem großen Energievorrat versehen, suchen die Tiere Höhlen und Verstecke auf und halten von November bis Februar Winterruhe. Es handelt sich um keinen echten Winterschlaf, denn die Ruhe kann unterbrochen werden.

Im Ussuri-Gebiet liegt die Ranzzeit von Mitte März bis Anfang April, in den neubesiedelten Gebieten je nach Klima von Februar bis April; die Hitze dauert sechs Tage. Nach einer Tragzeit von etwa zwei Monaten werden sechs bis acht Welpen und mehr geboren. Die Säugezeit beträgt 50 Tage. Die Aufzucht der Jungtiere wird von den Eltern gemeinsam durchgeführt; im Alter von drei bis vier Wochen beginnen die Welpen, von den Eltern herbeigeschaffte Beutetiere zu verzehren. Bei günstigen Ernährungsbedingungen liegen die Aufzuchtbauten mehrerer Paare oft recht nahe beieinander, und es entstehen gewisse Sozialbeziehungen. Die nicht sehr ortsfesten Familienrudel lösen sich Ende Sommer auf. Bevorzugt leben Marderhunde paarweise, die Paarbildung der Jungtiere beginnt bereits im Oktober. In der Nähe ihrer Höhlen und Lager legen die Tiere regelrechte Kotplätze an; solche Plätze werden auch von Gehegetieren angelegt und benutzt. Besonders im Sommer werden durch diese Kotplätze Markierungen gesetzt und wohl Eigenbezirke (Territorien) abgegrenzt.

Marderhunde sind in der Dämmerung und in der Nacht tätig, ausnahmsweise auch tagsüber. Sie bewegen sich recht unauffällig und suchen ständig Deckung. Ihre Feinde sind Wölfe, Luchse, Steinadler und Uhus. Gegen Angreifer setzen sich die Tiere zur Wehr; dabei richten sie sich steifbeinig auf, krümmen den Rücken und sträuben die Rückenhaare. Bei nächtlichen Streifzügen werden drei bis zehn, höchstens zwanzig Kilometer zurückgelegt; während der Jungenaufzucht beträgt der »Aktionsraum« acht bis zwölf Quadratkilometer. Marderhunde stoßen in regelmäßigen Abständen gedehnte Laute aus, bei der Verteidigung lassen sie schnarrende Töne hören und bei der Ranz ein Muffen. Es sind die einzigen Caniden, die nicht bellen. Ranghohe Tiere tragen den Schwanz wie ein umgekehrtes U.

Schon immer wurde der dichte und widerstandsfähige Pelz der Marderhunde geschätzt, und so hat die Jagd auf die Tiere – vor allem mit Hunden – eine lange Tradition. Die Einbürgerung westlich des Urals hatte vor allem die Gewinnung von Fellen zum Ziel, teilweise werden Marderhunde auch in Farmen gehalten. Haltung und Zucht bereiten offensichtlich keine großen Schwierigkeiten. In den neubesiedelten Gebieten konnten sich Marderhunde ausgezeichnet durchsetzen, was auf eine gute Anpassungsfähigkeit hindeutet.

Wald mit dichtem Unterholz ist der Lieblingsaufenthalt des versteckt lebenden Marderhundes, der vorwiegend in der Dämmerung und in der Nacht auf Futtersuche geht. Kleine Tiere aller Art sowie Pflanzenkost stehen auf seinem Speisezettel.

▷ Der urtümliche Marderhund wird auch Waschbärhund genannt, weil er in Gestalt, Gesichtszeichnung und Behaarung viel Ähnlichkeit mit einem Waschbären hat. Die fernöstliche Art wurde, ihres wertvollen Pelzes wegen, im europäischen Rußland eingebürgert und hat sich von dort aus inzwischen bis Mitteleuropa ausgebreitet.

Graufuchs

von Manfred Röhrs

Der Graufuchs *(Urocyon cinereoargenteus)* ist ein kleiner, fuchsähnlicher Canide mit auffälliger Färbung; vorherrschend sind silbergraue und rötlichgelbe Tönungen. Bemerkenswert ist die Fähigkeit, Bäume zu erklettern. Populationen auf den Inseln vor Südkalifornien wurden als eine eigene Art *Urocyon littoralis* beschrieben; das ist sicher nicht gerechtfertigt.

Graufüchse sind von Südkanada bis zum nördlichen Südamerika verbreitet, nach Kolumbien und Venezuela gelangten sie erst in erdgeschichtlich jüngster Zeit. Die südlichen Vertreter sind wesentlich kleiner als die nördlichen. Entsprechend der weiten Verbreitung ist der Lebensraum vielgestaltig: Trockengebiete, Buschsteppe, lockere Waldungen, Gebirgswälder. Graufüchse können in vielen Landschaften von Trokkenzonen bis in den Urwald leben. Sie richten sich Lager ein in Felsspalten, hohlen Bäumen und vorgefundenen Höhlen; selbst graben sie nur sehr wenig.

Die Tiere sind Allesesser, und offensichtlich nehmen sie mehr Pflanzennahrung auf als die anderen Caniden. Je nach Jahreszeit und Verbreitung besteht die Nahrung aus Früchten, Getreide, allen möglichen Wirbellosen, besonders Insekten, weiterhin aus Taschenratten, Mäusen und gelegentlich Vögeln.

Die Paarungszeit dauert von Februar bis März, nach einer Tragezeit von ungefähr zwei Monaten werden etwa drei oder vier Junge geboren, die ein dunkles Fell tragen. Im Alter von sechs Wochen nehmen die Welpen feste Nahrung auf. Graufüchse leben paarweise, Eltern bleiben das ganze Jahr über zusammen. Im Sommer bilden Jungtiere mit ihren Eltern Familienrudel, die sich im Herbst auflösen.

Graufüchse sind in der Dämmerung und Nacht munter, am Tage verstecken sie sich in dichtem Gebüsch. Sie sind sehr scheu und flüchten bei Bedrohung sofort, manchmal auf Bäume, die sie aber auch freiwillig erklettern. Die Tiere sind leicht zu zähmen und werden in Nordamerika oft aus Liebhaberei gehalten. Leider sind sie starker Verfolgung ausgesetzt. Das Fell gilt zwar nicht als besonders »edel«, gelangt jedoch häufig in den Handel. Wegen der großen Anpassungsfähigkeit und weiten Verbreitung haben Graufüchse aber gute Aussichten zu überleben.

Graufuchs (Urocyon cinereoargenteus)

Ein Fuchs, der auf Bäume steigt. Der amerikanische Graufuchs - hier ein jugendliches Weibchen - ist der einzige Canide, der häufig und aus freien Stücken im Geäst umherklettert. Sogar in luftigen Höhen von fast zehn Metern hat man von diesen Füchsen bewohnte Baumhöhlen entdeckt.

Südamerikanische Wildhunde

von Manfred Röhrs

Der Waldfuchs oder Savannenfuchs *(Cerdocyon thous)* hat ein großes Verbreitungsgebiet: Kolumbien, Venezuela, Guayana, Ost- und Südbrasilien, Südostbolivien, Paraguay, Uruguay und Nordostargentinien. Es handelt sich um rotfuchsgroße Tiere, doch sie sind etwas gedrungener als unser Fuchs, und in der Färbung herrschen graue, braune und schwarze Töne vor. Die Veränderlichkeit der Färbung und Zeichnung ist sehr groß. Mit Ausnahme sehr offener Landschaften, von dichtem Urwald und Gebirgsgegenden kommen Waldfüchse in allen südamerikanischen Lebensräumen vor: Buschgebiete, halboffene Savannen, aufgelockerte Waldgebiete, Galeriewälder, Ufer von Flüssen und Tümpeln.

Wie bei vielen kleineren Caniden ist die Zusammensetzung der Nahrung sehr vielseitig: alle möglichen Früchte, Insekten, Krebse, Frösche, Eidechsen, Schildkröteneier, kleine Nagetiere, Aas; gelegentlich wird Hausgeflügel erbeutet, und auch Abfälle menschlicher Siedlungen werden nicht verschmäht. Die Nahrung wechselt nach jahreszeitlichem Angebot. So besteht sie in Venezuela in der Regenzeit zu 54% aus Insekten und zu 20% aus Wirbeltieren, in der Trockenzeit zu 48% aus Wirbeltieren, zu 31% aus Krebsen und zu 16% aus Insekten.

Die Aussagen über die Fortpflanzungszeiten sind uneinheitlich, es gibt Berichte über Geburten im Januar–Februar, aber auch im Juli–August. Diese unterschiedlichen Zeiten können durchaus in Zusammenhang stehen mit Nahrungsangebot, Klima und geographischer Verbreitung. In menschlicher Obhut sind zwei Geburten innerhalb eines Jahres möglich, für die freie Wildbahn ist das nicht erwiesen. An der Jungenaufzucht beteiligt sich auch der Rüde. Die Eltern tragen Beutetiere herbei, und die Welpen »betteln« durch Lecken und Stoßen an der Schnauze, besonders an den Mundwinkeln. Eltern und Jungtiere bilden für gewisse Zeit Familienrudel.

Waldfüchse sind vorwiegend vom späten Nachmittag bis nach Mitternacht munter; Tätigkeiten am Tage verbieten sich wegen der meist hohen Temperaturen im Verbreitungsgebiet. Verstecke und Lager werden unter Büschen oder in dichtem Gras angelegt; Graslager haben mehrere Zugänge. Über selbstgegrabene Höhlen ist nichts bekannt, verlassene Baue anderer Tiere aber werden benutzt. In der Nähe der Lager befinden sich Kotplätze.

Die Methoden des Beutefangs sind den verschiedenen Beutetieren angepaßt. Bei Wahrnehmung eines Wirbeltieres stoppen die Waldfüchse, orientieren sich genau und springen dann zu. Die Beute wird mit Vorderläufen und Schnauze gepackt und totgeschüttelt. Krabben und Insekten werden unmittelbar mit dem Mund aufgenommen, sich schnell bewegende Insekten werden auch mit den Vorderpfoten festgehalten. Waldfüchse jagen einzeln und paarweise, gemeinschaftliche Jagd wird vor allem von Elterntieren während der Welpenaufzucht betrieben. Bei reichem Angebot wird Nahrung auch vergraben. Die Tiere scharren Höhlen mit den Vorderpfoten und bedecken dann die Nahrung mit Erde, die sie mit der Schnauze zusammenschieben.

Lautäußerungen sind Knurren, Bellaute und ein sirenenähnliches Heulen. Dies Heulen wird vor allem von Paaren benutzt, die den unmittelbaren Kontakt verloren haben. Treffen die Tiere sich wieder, begrüßen sie sich mit aufgerichtetem Schwanz, dabei beschnüffeln und belecken sie gegenseitig ihre Gesichter. Schwanzwedeln wird ebenfalls als Verständigungsmittel eingesetzt; weiterhin verständigen sich die Tiere dadurch, daß sie sich auf den Rücken rollen, die Ohren anlegen

Die in Südamerika weitverbreiteten Wald- oder Savannenfüchse ernähren sich, wie die meisten kleineren Caniden, sehr vielseitig von tierlicher und pflanzlicher Kost, haben aber eine besondere Vorliebe für Krebse. Das hat ihnen den seltsamen englischen Namen Crab-eating fox (krabbenessender Fuchs) eingetragen.

oder sich mit den Vorderläufen auf den Rücken des Partners stellen.

Etwas außergewöhnlich ist das Markieren mit Urin durch ausgewachsene Tiere beiderlei Geschlechts. Die Rüden machen das in der üblichen Canidenhaltung, die Weibchen heben dabei einen Hinterlauf nach vorne. Es werden dadurch Geruchspfade angelegt, die unter anderem der Partnerfindung dienen.

Waldfüchse lassen sich ohne Schwierigkeiten halten und züchten, Indianer ziehen sie häufig auf. Leider werden die Tiere durch Menschen verfolgt, obwohl das Fell kaum einen Wert hat.

Der KURZOHRFUCHS oder KURZOHRHUND *(Atelocynus microtis)* ist ein Canide von sehr dunkler Färbung mit sehr kurzen Ohren (5 cm). Die Tiere sind wohl recht selten, und das Wissen über diese Art ist ausgesprochen dürftig.

Kurzohrfüchse sind verbreitet in Kolumbien und Venezuela, im Amazonasbecken von Brasilien, Ekuador und Peru sowie im Bereich des oberen Paraná. Sie sind Bewohner des dichten tropischen Regenwaldes und in diesem Lebensraum die am besten angepaßten Wildhunde. Darauf weisen folgende Merkmale hin: sehr kurze und dichte Behaarung, Hinterkörper höher als Vorderkörper; große, stark reflektierende Augen, die auf gute Fähigkeit zum Dämmerungssehen schließen lassen. Das Gebiß ist kräftig, die Stirn aufgewölbt, der Hirnschädel ziemlich breit.

Die Nahrung besteht aus Pflanzen, Früchten, Wirbeltieren, besonders den Nagern des südamerikanischen

Das ungewöhnlich dunkle Fell, die kurzen Ohren und der sehr lange Schwanz sind die auffälligsten äußeren Kennzeichen des Kurzohrfuchses oder -hundes, der im tropischen Regenwald ein heimliches (und noch kaum erforschtes) Leben führt.

Regenwaldes, und Wirbellosen. Über die Fortpflanzung sind keine Einzelheiten bekannt.

Die Afterdrüsen der Männchen erzeugen ein Sekret mit starkem, moschusartigem Geruch – wahrscheinlich ein wichtiges Verständigungsmittel im dichten Wald. Der Schwanz – oben schwarz, unten hell – besitzt auf der Oberseite dichte, lange Haare; oft wird er an der Außenseite eines Hinterlaufs nach vorne gebogen getragen. Bei Erregung werden die langen Haare aufgerichtet, man spricht vom »Fahnenschwanz«, der durch verschiedene Haltungen und Bewegungen ebenfalls der Fühlungnahme mit Artgenossen dient. An weiteren Ausdrucksmitteln stehen zur Verfügung: typische Canidenlaute, besonders ein kehliges Grollen, Zähnefletschen, Wälzen, Schwanzwedeln.

Da die Kurzohrfüchse sehr versteckt und im schwer zugänglichen Regenwald leben, dürften sie noch nicht gefährdet sein. Die Tiere sollen recht zahm werden. Schon 1882 zeigte der Londoner Zoo ein Exemplar, später wurden Kurzohrfüchse in den Zoologischen Gärten von Wien, Köln und Chicago gehalten.

Eine sehr ungewöhnliche Erscheinung unter den Caniden ist der WALDHUND oder BUSCHHUND *(Speothos venaticus)* mit seinen kurzen Beinen und kleinen Ohren; auch der Schwanz ist recht kurz. Die Tiere haben einen gedrungenen Körperbau und wirken muskulös; Schädel, Gebiß und Skelett sind kräftig ausgebildet. Das Gebiß weist im Vergleich zu anderen Hundeartigen eine Rückbildung der Backenzähne auf.

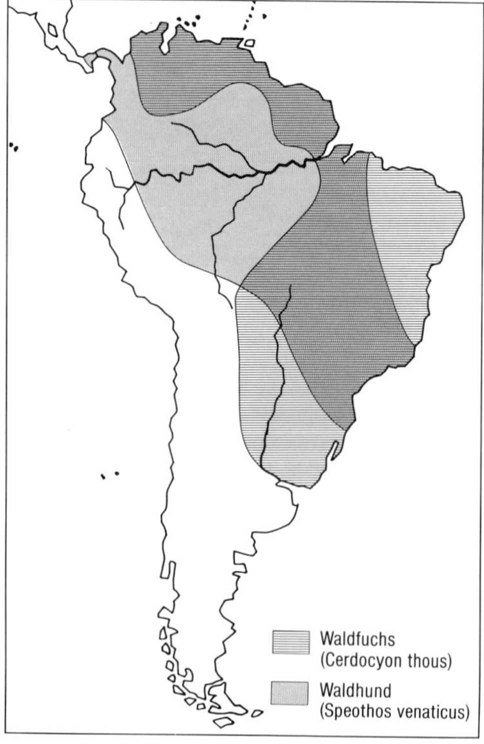

Buschhunde kommen vor in Panama, Ostkolumbien, Guayana, Brasilien, Paraguay, Ostperu und Nordbolivien. Der Lebensraum ist vielgestaltig: tropische Regen- und Bergwälder, halboffene Savannengebiete, Flußufer, Randgebiete von Sümpfen, Busch- und Waldgebiete. Der Körperbau ist gut an das Durchschlüpfen dichtbewachsener Gegenden angepaßt. Die Waldhunde nutzen gerne verlassene Höhlen anderer Tiere, besonders von Gürteltieren, sie graben aber auch selber.

Waldhunde bevorzugen tierliche Nahrung: Weichtiere, Krabben, Agutis, Pakas, junge Wasserschweine, kleine Hirsche; Früchte und Obst werden aber auch aufgenommen.

Über das Fortpflanzungsverhalten in freier Wildbahn ist wenig bekannt. Wahrscheinlich graben die Weibchen Höhlen, in denen die Jungtiere unter Mithilfe des Vaters aufgezogen werden. In Menschenobhut werden die Weibchen zweimal im Jahr läufig, im Frühjahr und im Herbst; dies ist ungewöhnlich für Wildcaniden, bei Haushunden ist es die Regel. Die Ranzzeit dauert etwa zwei Wochen, wobei die erste Woche mehr eine Einleitungsphase darstellt. In dieser Zeit ist das Weibchen sehr lebhaft und markiert sehr eifrig. Das Absetzen von Harn und Duftstoffen vollzieht das Weibchen gleichsam im »Handstand«, indem es sich rückwärts an einer Fläche hochzieht. Männchen markieren in der für Caniden üblichen Weise.

Durch die Duftmarken des weiblichen Tieres wird dem Rüden die Fortpflanzungsbereitschaft angezeigt. Er beschnuppert die Marken, das weibliche Geschlechtsteil und zeigt Flehmen. Paarungsbereite Weibchen lassen ihr Geschlechtsteil beriechen, wedeln mit dem Schwanz und bieten sich mit durchgedrücktem Rücken an. Die Rüden scharren auf dem Rücken des Weibchens und legen den Kopf auf. Bei der Begattung beugt das weibliche Tier den Vorderkörper nach unten und berührt mit der Brust den Boden. Nach einer Tragzeit von gut zwei Monaten werden vier bis sechs Junge geboren. Der Rüde beteiligt sich sofort an der Betreuung. Er leckt bei der Geburt die Scheide des Muttertiers, die Neugeborenen und hilft bei der Trennung der Nabelschnur; weiterhin bringt er dem Weibchen Futter. Nach gut vier Wochen verzehren die Welpen von den Eltern eingetra-

Eine Ausnahmeerscheinung unter den Wildcaniden ist der Wald- oder Buschhund, der eher einem Bären als einem typischen Hund ähnelt. Doch der gedrungene Körperbau ist eine gute Anpassung an das Waldleben: Er erleichtert ihm das Durchschlüpfen der dichten Vegetation.

gene Nahrung; der Rüde erbricht seinen Mageninhalt für die Jungtiere, welche durch Schnauzenstoßen betteln. Eltern und Kinder bleiben 18 Monate zusammen, die Familienrudel bestehen also recht lange.

Waldhunde sind morgens und nachmittags munter, wahrscheinlich auch in der Nacht. Sie leben sozial und jagen paarweise in Rudeln von vier bis sechs Tieren, aber auch größere Rudel bis zu zwölf Köpfen sind beobachtet worden. Bei der Jagd arbeiten mehrere Tiere zusammen und hetzen gemeinsam. Waldhunde sind sehr gute Schwimmer; es gibt Berichte, nach denen sich einige Tiere im Wasser auf Lauer befinden und andere Rudelmitglieder Pakas oder junge Wasserschweine ins Wasser treiben, die dann dort überwältigt werden. Ob Waldhundrudel den Wolfsrudeln entsprechen oder ob es sich nur um Familienverbände handelt, ist schwer zu sagen.

Fotos von lebenden Falklandwölfen gibt es nicht, denn diese Art, die nur auf den gleichnamigen Inseln im Südatlantik heimisch war, wurde schon im vorigen Jahrhundert ausgerottet.

Eine Reihe von Ausdrucksbewegungen und Verhaltensweisen sprechen dafür, daß Waldhunde sozial lebende Tiere sind. Sie sind untereinander kontaktfreudig, beschnuppern sich und nähern sich einander mit gekrümmtem Rücken, Ohrenanlegen und aufgerichtetem Schwanz. Ranghohe Tiere gehen aufrecht, richten den Schwanz nach oben und sträuben die Haare. Das Drohen kann gesteigert werden durch Zähnezeigen, Knurren, Scheinangriffe und Halsbisse. Beschwichtigungs- oder Unterwerfungsgesten sind: Einknicken der Beine, Wegsehen, Quieken, Wälzen. Die Lautäußerungen reichen vom Quieken über Bellen, Knurren und Schmerzlaute bis zum Heulen.

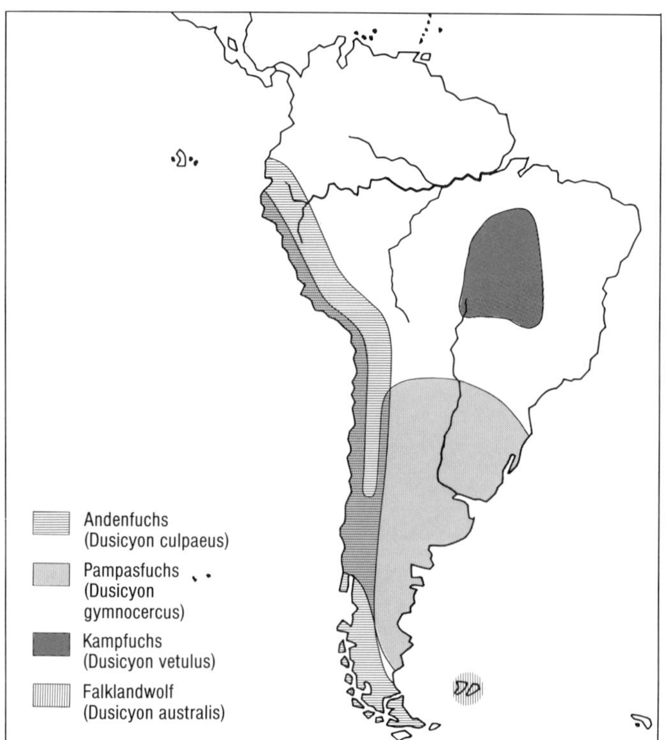

Waldhunde wurden schon öfter zahm gehalten, sie lebten und leben in den Zoos von San Diego, Chicago, Los Angeles, Frankfurt und Berlin. Die Zucht ist nicht ganz einfach, oft müssen die Welpen von Hand aufgezogen werden. Natürliche Aufzucht gelang in Frankfurt. Es ist schwer zu beurteilen, wieweit die Art bedroht ist; eine Gefährdung stellt bestimmt die zunehmende Kultivierung der ursprünglichen Lebensräume dar.

Der Falklandwolf *(Dusicyon australis)* war nur auf den Falklandinseln zu Hause, er wurde Ende des vorigen Jahrhunderts von Menschen ausgerottet; das letzte Tier wurde wahrscheinlich 1876 getötet. Falklandwölfe waren den Andenfüchsen außerordentlich ähnlich und als südliche Vertreter recht groß mit kräftigem Gebiß; ein Unterschied zum Andenfuchs soll die weiße Schwanzspitze gewesen sein. Möglicherweise waren sie nur eine Inselform, eine Unterart des Andenfuchses.

Es ist viel darüber gerätselt worden, wie die Falklandwölfe von Argentinien zu den 450 Kilometer entfernten Falklandinseln gelangen konnten. Gegen eine Verdriftung weniger Tiere auf Treibholz sprechen die Strömungsverhältnisse. Vermutet wurde, daß Menschen in früher vorkolumbianischer Zeit gezähmte, vielleicht sogar domestizierte, also zu Haustieren gewordene Andenfüchse auf die Inseln mitgebracht haben. In Südamerika aber gibt es keine domestizierten Andenfüchse, und bei der Entdeckung durch die Eu-

ropäer waren die Falklandinseln nicht von Menschen besiedelt. Möglich ist, daß im Pleistozän während einer der Absenkungen des Meeresspiegels Ahnen der Falklandwölfe auf die Insel kamen.

Die Nahrung der Falklandwölfe bestand wohl ursprünglich zur Hauptsache aus Pinguinen, Magellangänsen, jungen Robben und vielleicht Wirbellosen. Baue wurden in den Sandhügeln der Küste angelegt. Mit der Besiedlung und dem Einsetzen der Schafzucht und dem damit verbundenen Rückgang der ursprünglichen Beutetiere wurden die Schafe wichtige Nahrungsquelle, und das war der Anfang vom Ende der Falklandwölfe. Da sie Menschen nicht kannten, waren sie außerordentlich zutraulich, ließen sich mit Ködern anlocken und wurden einfach erschlagen. Darüber hat schon Charles Darwin berichtet und selbst auf diese Weise Forschungsmaterial gesammelt; Falklandwölfe kamen damals in die Zelte und stahlen Nahrung der Reiseteilnehmer. Falklandwölfe gelangten mehrmals in den Londoner Zoo, Nachwuchs brachten sie aber nicht hervor.

Sieht man zum ersten Mal einen Andenfuchs *(Dusicyon culpaeus)*, so ruft das Erinnerungen an einen Rotfuchs wach. Die Tiere sind schlank, aber doch von kräftigem Körperbau, die Schnauze ist lang und schmal, der Schwanz lang und buschig. Sehr auffallend ist die große Veränderlichkeit innerhalb dieser Art. In der Färbung ist immer ein Rotschimmer vorhanden, aber selbst innerhalb von Populationen gibt es Tiere, deren Fell von dunkelbraunrot mit allen Übergängen bis zu gelblichweiß gefärbt ist. Ausgeprägt ist ein dunkler Rückenstreifen von unterschiedlicher Breite. Die Kopfoberseite und die Ohrenhinterseiten sind vorwiegend rötlichbraun, desgleichen die Flanken und die Außenseite der Beine. An der Schwanzwurzel befindet sich an der Oberseite ein schwarzer Fleck, ebenso ist die Schwanzspitze dunkel. Die Bauchfarbe ist gelbweißlich.

Andenfüchse sind vom südlichen Ekuador über die gesamte Andenkette bis hin nach Feuerland verbreitet, ferner in den südlichen patagonischen Ebenen. Sie liefern ein gutes Beispiel für die Bergmannsche Regel, nach der die Körpergröße einer Art in Richtung von wärmeren zu kälteren Gebieten zunimmt. In der Hochcordillere in 4000 bis 5000 Meter Höhe und im kalten Klima Patagoniens und Feuerlands erreichten sie ein Gewicht von acht bis zwölf Kilogramm, in den Küstengebieten Perus werden sie nur halb so schwer. Die großen Tiere sind sehr beeindruckend. Sie haben ein starkes Gebiß und eine kräftige Kiefermuskulatur; diesen ist sicher die Bezeichnung Andenwolf zu verdanken. Die außerordentliche Färbungsvielfalt und die beträchtlichen Unterschiede der Körpergröße sowie die daran gekoppelten Proportionsunterschiede haben früher die Zoologen in ihrer Entdeckerfreude dazu verleitet, viele Arten und Unterarten zu beschreiben. Das hat die Aufklärung der systematischen Beziehungen gerade bei der Gattung *Dusicyon* bis heute sehr erschwert.

Die Heimat des Andenfuchses oder -wolfs ist, wie der Name sagt, fast die gesamte Andenkette bis hinunter nach Feuerland. Ein dikker Pelz schützt ihn vor der Kälte, die insbesondere im südlichen Teil seines Verbreitungsgebiets in den Gebirgshochlagen herrscht.

Andenfüchse sind vorwiegend Bewohner offener und trockener Landschaften. Sie leben in Tälern und auf Ebenen der Hochcordillere, an den Abhängen bis in Meereshöhe, in Buschsteppen Patagoniens. Anpassungen an kalte Klimabereiche sind ein dichtes Fell und die Körpergröße, an die Höhe das große Herz.

Die Nahrung ist vielseitig, aber Andenfüchse sind wohl ausgeprägtere Fleischesser als kleinere Caniden. Die Zusammensetzung des Speisezettels wechselt mit der Jahreszeit, der Verbreitung und der Körpergröße. Pflanzen, Samen, Früchte, Zuckerrohr werden aufgenommen; in Peru treiben sich Andenfüchse gern in den Flußtalkulturen herum, um ihren Anteil an der Ernte zu sichern. Zur tierlichen Nahrung gehören Insekten, besonders Heuschrecken, Frösche, Eidechsen, Vögel, kleinere und große Nagetiere, vielleicht manchmal ein junges Vikunja; ferner Hasen und Schafe. Die Tiere verschmähen aber auch Abfälle aus menschlichen Siedlungen nicht, selbst Hühner und Enten werden dort erbeutet.

Die Paarungszeit beginnt im August, während dieser Zeit heulen Andenfüchse recht ausgiebig. Nach etwa zwei Monaten werden drei bis sechs Junge geboren.

Aufgezogen werden die Welpen in einem Bau, der sich in Felshöhlen, unter dichtem Busch oder in einer verlassenen Viscachahöhle (Viscacha = Großes Chinchilla) befinden kann; ein solcher Bau kann mehrere Eingänge haben. Bei Gefahr verteidigen Andenfüchse die Jungtiere außerordentlich heftig. Zur Fortpflanzungszeit leben sie paarweise. Die Welpen werden gut zwei Monate gesäugt, sie bleiben dann noch drei Monate mit den Eltern zusammen und erlernen den Beutefang. Der Rüde hilft bei der Aufzucht, vor allem bei der Nahrungsbeschaffung. In der Nähe der Aufzuchtbaue legen die Eltern Futterverstecke an.

Der Pampas- oder Azarafuchs gleicht unserem heimischen Rotfuchs, ist aber in der Regel etwas kleiner, und sein Fell weist mehr Grautöne auf. Er bewohnt die fast baumlosen Pampas und andere offene und halboffene Landschaften.

Außerhalb der Fortpflanzungszeit sind Andenfüchse Einzelgänger. Sie sind vorwiegend in der Dämmerung und nachts aktiv. In der Hochcordillere aber dehnen sie ihre Tätigkeiten auch über den Tag aus. Ich sah einmal einen Andenfuchs am späten Vormittag gemütlich in der Sonne sitzen, ein anderer tat sich an von Wilderern geschossenen Vikunjas gütlich, und ein dritter lief mir am Nachmittag mit einem Steißhuhn im Fang über den Weg. Andenfüchse haben einen großen Bewegungsraum, innerhalb von 24 Stunden können sie mehrere Quadratkilometer durchstreifen. Die Jagdmethoden sind den jeweiligen Beutetieren sehr gut angepaßt. Kleine Säuger bewegen sich auf bestimmten Pfaden, andere, auch größere Säuger verlassen zu bestimmten Zeiten ihre Verstecke; an solchen Pfaden und vor den Verstecken legt sich der Andenfuchs auf die Lauer und fängt die Tiere mit einem schnellen Sprung. Vögel werden sehr vorsichtig angepirscht bis auf eine kurze Entfernung und dann nach schnellem Sprung gepackt. Größere Tiere werden sogar gehetzt. Die Anpassungsfähigkeit hinsichtlich der Ernährung ist sehr groß, sie entspricht sicher der des Rotfuchses. Andenfüchse dringen in Plantagen, Weingärten und Obstbaugebiete ein, die ihnen pflanzliche Nahrung vielseitiger Art bieten. Sie haben besonders in Patagonien gelernt, die dort eingebürgerten europäischen Hasen zu fangen, und manchmal werden auch Schafe erbeutet. Nachts schleichen sich die Tiere an menschliche Siedlungen heran und durchstöbern Abfallhaufen; beliebt sind Schlachtplätze.

Nennenswerte Feinde dürfte der Andenfuchs kaum haben, vielleicht kommt der Puma in Frage. Verfolgt wird er allerdings von Menschen und Haushunden, da die Schafzüchter im Andenfuchs einen gefährlichen Schafräuber sehen; er kann sich aber gegen Hunde erfolgreich zur Wehr setzen. Die Verluste in Schafherden durch Andenfüchse werden sicher stark überschätzt.

In zoologischen Gärten werden die Tiere kaum gehalten, selbst nicht in Südamerika. Daher sind viele Tatsachen über ihr Verhalten unbekannt. Auf Grund seiner guten Anpassungsfähigkeit an von Menschen kaum besiedelte Gebiete, aber auch an Kulturlandschaften dürfte der Andenfuchs in absehbarer Zeit noch nicht gefährdet sein.

Zum Pampasfuchs oder Azarafuchs *(Dusicyon gymnocercus)* werden hier auch die beschriebenen »Arten« *Dusicyon griseus, Dusicyon sechurae, Dusicyon inca* und *Dusicyon fulvipes* gestellt. Die systematische Gliederung ist ausgesprochen unsicher, die »Artbeschreibungen« beruhen meist auf sehr geringem Material, berücksichtigen nicht die innerartliche Vielfalt und die von der geographischen Verbreitung und vom Klima abhängigen Merkmalsunterschiede. Wie viele Arten überhaupt bei der Gattung *Dusicyon* vorhanden sind, müssen künftige gründliche Untersuchungen erst ergeben.

Pampasfüchse ähneln den Rotfüchsen, sie sind aber durchschnittlich etwas kleiner, und in der Färbung herrschen mehr Grautöne vor. Pampasfüchse sind von Südargentinien und Chile über Uruguay und Paraguay bis Südbrasilien verbreitet, an der südamerikanischen Westküste bis Nordperu. Die Tiere sind Bewohner offener und halboffener Landschaften: fast baumlose Pampas, hügelige Buschsteppen, Halbwüsten, Täler der Vorcordilleren; in der Hochcordillere habe ich Pampasfüchse nie angetroffen.

Die Nahrung ist – wie bei den meisten Caniden – ausgesprochen verschiedenartig: Kleinsäuger, Vögel, Ei-

dechsen, Eier, Frösche, gelegentlich Fische und Krabben, Insekten und andere Wirbellose. Der Anteil pflanzlicher Kost ist hoch, nahezu die meisten Ackerfrüchte werden verzehrt. Aas, besonders von Schafen und Rindern, gehört ebenfalls zum Speisezettel.

Zur Fortpflanzungszeit bilden die Pampasfüchse Paare; nach einer Tragzeit von ungefähr zwei Monaten werden im Oktober-November drei bis sechs Junge geboren. Als Behausungen werden verlassene Baue von Gürteltieren und Viscachas benutzt, auch Verstecke unter Baumwurzeln und in Felsspalten. Pampasfüchse sind aber durchaus in der Lage, selbst Baue zu graben. Die Jungtiere werden von den Eltern gemeinsam aufgezogen, für eine gewisse Zeit betreiben kleine Familienverbände Nahrungssuche im Verband. Ansonsten sind die Pampasfüchse ausgesprochene Einzelgänger, die besonders in der Dämmerung und Nacht tätig sind; in von Menschen nur wenig besiedelten Gebieten Mittelargentiniens und Patagoniens konnte ich auch den ganzen Tag über aktive Tiere beobachten. Viele Pampasfüchse sind Kulturfolger, sie dringen nachts in Dörfer ein, durchstöbern Abfallhaufen, stehlen Geflügel und suchen in Obst- und Gemüsegärten nach Nahrung. Sie benutzen auch Ställe und verlassene Gebäude als Verstecke, Ruhe- und Schlafplätze.

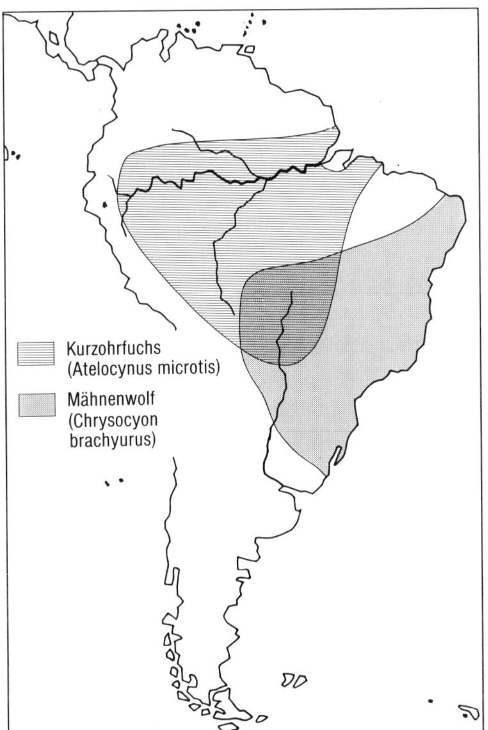

Pampasfüchse sind nicht sehr schnell, sie flüchten in Schlangenlinien und benutzen hohes Gras und Büsche sehr geschickt als Deckung. Das ganze Jahr über markieren Pampasfüchse mit Urin. Lautäußerungen sind Bellen, Heulen, Keckern, Fauchen und Knurren. Abgestufte Schwanzbewegungen mit unterschiedlicher Schnelligkeit drücken verschiedene Stimmungen aus; waagerechte Schwanzhaltung bedeutet Dominanz (Überlegenheit).

Natürliche Feinde dürften Pampasfüchse kaum haben; vielleicht gelegentlich größere Raubtiere wie Pumas. Verfolgt werden die Tiere von Menschen und ihren Hunden vorwiegend wegen der Felle. In zoologischen Gärten Südamerikas werden sie ohne Schwierigkeiten gehalten.

Der Name Kampfuchs, den man dieser wenig erforschten Art gegeben hat, leitet sich von den »Campos« her, den mit Waldinseln durchsetzten Savannen Mittelostbrasiliens, in denen der Kampfuchs seine Heimat hat.

Der brasilianische Kampfuchs *(Dusicyon vetulus)* wird manchmal in eine eigene Gattung *(Lycalopex)* gestellt; aufgrund der bisher bekannten Merkmale erscheint dies aber nicht gerechtfertigt. Kampfüchse sind kleiner als Pampasfüchse, fast gleichmäßig grau gefärbt, mit weißer Kehle; die Außenseite der Beine ist gelblich, über der Schwanzdrüse befindet sich ein schwarzer Fleck. Kiefer und Zähne sind nicht sehr kräftig ausgebildet.

Kampfüchse sind in Hochgrassteppen, Savannen, die von Waldinseln durchsetzt sind, zu Hause. Ihr Verbreitungsgebiet erstreckt sich über die mehr offenen Landschaften Mittelostbrasiliens. Über ihre Lebensweise liegen nur wenige Erkenntnisse vor, sie dürfte sich aber nur geringfügig von jener der Pampasfüchse unterscheiden. Im September werden zwei bis vier Welpen geboren, die Nester werden in verlassenen

Gürteltierbauen angelegt oder in allen möglichen anderen Verstecken. Kampfüchse sind vorwiegend dämmerungs- und nachtaktiv, zum Teil sind sie Kulturfolger.

Der Mähnenwolf *(Chrysocyon brachyurus)* ist der auffälligste und für viele Zoologen auch der schönste Vertreter der Caniden, eine Begegnung mit ihm in freier Wildbahn ist ein aufregendes Erlebnis, das man nie vergißt. Sein Bellen soll Wetterumschwünge ankündigen, sein Blick ein Huhn töten; Fellstücke dieses Tiers dienen als Amulett und werden bei Beschwörungen verwendet.

Hans Krieg war bei seinen Südamerikareisen (1922–1938) vom Mähnenwolf, den die Südamerikaner »Aguará Guazu« nennen, außerordentlich beeindruckt: »Oft hörten wir damals in den Nächten das eigenartige Rufen des Aguará Guazu. ›Uaah Uaah‹ tönte es in langen Abständen; manchmal, wenn der Ruf sich näherte, hörte man noch ein kurzes, leises ›Au‹. Das Zusammentreffen mit einem Mähnenwolf ist stets nur einem glücklichen Zufall zuzuschreiben. Meist allein, wohl nur in der Ranzzeit zu zweien, bummelt der Aguará Guazu über die Steppe. Mit seiner steilen Halsmähne und seiner hohen kurzen Gestalt sieht er aus der Ferne gar nicht wie ein Wolf aus, sondern vielmehr wie ein Fohlen oder eine Antilope. Immer wieder verhofft er und bewegt lebhaft die Lauscher. Dann geht er weiter, stutzt plötzlich und faßt mit raschem, steilem Griff, den Kopf tief ins hohe Gras tauchend, ein kleines Beutetier. Man sieht ihn ein paarmal schnappen und würgen; dann geht er weiter in jenem unermüdlichen Schlendern, das viel langsamer aussieht als es ist.«

Im geöffneten Mund des Mähnenwolfs erkennt man die großflächigen Backenzähne - eine Anpassung an den großen pflanzlichen Anteil in seiner Ernährung.

Der Mähnenwolf verdankt seinen Namen seiner aufrichtbaren schwarzen Rückenmähne. Er hat eine prächtige rotbraune Färbung, Kehle und Schwanzspitze sind weiß, die Ohren und Füße schwarz, so daß er wie gestiefelt aussieht. Am auffälligsten sind die überlangen Beine, aber auch die großen, langen Ohren (17 cm). Der Schwanz ist verhältnismäßig kurz, die Körpergröße fast wie bei Wölfen. Mähnenwölfe sind verbreitet in Zentral- und Südbrasilien, Paraguay, Ostbolivien, Südostperu und Nordargentinien. Ihr Lebensraum ist die Grassteppe, aber auch Trockenbuschwald, Feuchtwaldinseln, ausgetrocknete Flußbetten, Landschaften zwischen Galeriewäldern.

Die langen Beine sind eine Anpassung an das hohe Gras; Mähnenwölfe sind Paßgänger, das ist ganz ungewöhnlich für Raubtiere. Hinter- und Vorderlauf einer Körperseite werden fast gleichzeitig aufgesetzt; das ergibt eine schlendernde, schaukelnde Gangart. Der Mähnenwolf kann auf diese Weise mit einer guten Durchschnittsgeschwindigkeit weite Strecken zurücklegen, seine Körperhöhe erlaubt ihm dabei einen weiten Blick über die Landschaft.

Trotz ihrer Körpergröße schlagen Mähnenwölfe vergleichsweise kleine Beutetiere; es sind Meerschweinchen und andere Nagetiere, manchmal Pakas und Gürteltiere, außerdem Vögel, Eidechsen, Frösche, ausnahmsweise Fische; von den Wirbellosen gehören vor allem Heuschrecken und Weichtiere zur Nahrung. Neben tierlicher Nahrung wird aber auch eine Vielfalt an pflanzlicher Kost verzehrt, zum Beispiel Feigen, Zuckerrohr, Früchte der Fächerpalme usw.

Zur Fortpflanzungszeit bilden Mähnenwölfe Paare. Sie liegen beieinander und belecken sich oft die Gesichter. Das weibliche Tier bewegt sich schnell, legt die Ohren an, spitzt sie dann nach vorne, beugt sich vor dem Rüden, reibt sich gegen ihn und schlägt mit den Vorderbeinen auf den Boden. Die Paarung selbst vollzieht sich in der bei Caniden üblichen Weise. Nach etwa zwei Monaten werden im Juni bis September zwei bis fünf Junge geboren. Bei der Geburt beteiligt sich der Rüde am Trockenlegen der Neugeborenen, verzehrt sogar Teile der Nachgeburt. Durch Belecken der Aftergegend löst neben der Mutter auch der Rüde die Kot- und Urinabgabe der Jungen aus. Der Rüde trägt auch Futter für Mutter und Jungtiere ein. Einzelne Beobachtungen sprechen dafür, daß erbeutete und verschlungene Nahrung für die Jungtiere erbrochen wird. Die Neugeborenen sind dunkel bis schwarzgrau gefärbt. Die Langbeinigkeit und die großen Ohren kommen erst mit der Vollendung des ersten Lebensjahres voll zur Ausprägung.

Außerhalb der Fortpflanzungszeit sind Mähnenwölfe Einzelgänger, die Aktivitätszeiten liegen in der Dämmerung und Nacht, in von Menschen nicht berührten Gegenden sind die Tiere aber auch tagsüber munter. Der Mähnenwolf trabt im Paßgang durch die Landschaft, hält den Kopf über die Körperachse getragen und richtet die Schnauze schräg nach vorn auf den Boden. Zum Auffinden von Beutetieren werden Augen, Ohren und Nase eingesetzt, beim Fang werden verschiedene Methoden angewandt: Ausgraben,

Eine ebenso stattliche wie attraktive Erscheinung ist der hochbeinige Mähnenwolf mit seinem rötlich getönten Fell und den großen Ohren. Der erste Teil seines volkstümlichen Namens bezieht sich auf die aufrichtbare dunkle Rückenmähne. Der zweite Namensteil ist weniger glücklich gewählt; denn mit den Wölfen ist der Mähnenwolf nicht näher verwandt, und sein spitzer Kopf gleicht eher einem »Fuchsgesicht«.

Die langen Beine des Mähnenwolfs sind eine Anpassung an das hohe Gras seiner Heimat und gestatten ihm einen weiten Überblick. Außerdem eignen sie sich gut zum Springen und Schlagen. Noch eine weitere, für Raubtiere ungewöhnliche Besonderheit zeichnen diese Beine aus: Sie bewegen sich im Paßgang; Hinter- und Vorderlauf werden fast gleichzeitig aufgesetzt, und so entsteht eine unverwechselbare schaukelnde Gangart.

Schlag mit der Vorderpfote, schneller Beutesprung, Zugriff mit dem Fang und Totschütteln. Bei reichlichem Angebot versteckt der Mähnenwolf Nahrung; er gräbt mit den Vorderpfoten ein Loch, gibt die Nahrung hinein und schiebt die Höhlung anschließend mit der Schnauze zu.

Die einzeln lebenden Mähnenwölfe besetzen jeweils ein großes Revier. Begegnen sich zwei Tiere, kommt es zu Auseinandersetzungen. Das überlegene Tier richtet sich steifbeinig hoch, stellt die schwarze Rükkenmähne auf, ebenso die weißen Haare an der Kehle und am Schwanz; auch der Schwanz wird steil aufgerichtet. Durch diese Haltung wird der Körperumriß eindrucksvoll vergrößert. Beim Drohen bilden Kopf, Hals, Rücken und Schwanz eine gerade Linie, die Ohren sind nach hinten gerichtet, der Gegner wird fixiert, und durch Öffnen der Schnauze werden die Eckzähne entblößt. Unterlegene Tiere knicken in der Hinterhand ab, legen das Fell glatt an, klemmen den Schwanz zwischen die Beine oder an die Körperseite. Bei Kämpfen springen sich die Tiere mit lautem Knurren gegenseitig an. Beißereien dürften in freier Wildbahn kaum vorkommen. In Menschenobhut lassen sich zwar mehrere Tiere gemeinsam halten, sie zeigen aber auch dort vorwiegend Verhaltensweisen von Einzelgängern.

Beide Geschlechter markieren das gesamte Jahr über mit Urin. Rüden heben dabei das Hinterbein, weibliche Tiere stellen sich mit dem Hinterteil gegen einen Baum. Auch Kot scheint als Markierung benutzt zu werden, er wird entlang von festgelegten Pfaden und in der Nähe von Ruheplätzen abgesetzt. Die Lautäußerungen sind recht vielfältig: Bei Kämpfen ertönt lautes Knurren; hohes Jaulen und Winseln deutet Unterlegenheit an; tiefes Bellen in der Nacht dient der Revierbehauptung, es ist ein Verständigungsmittel über große Entfernungen.

Der Mähnenwolf hat kaum natürliche Feinde. Er ist aber trotzdem stark gefährdet, da er große, ungestörte Lebensräume benötigt. Wegen seiner auffälligen Erscheinung und seiner Lebensweise eignet er sich nicht als Kulturfolger. In den letzten Jahrzehnten konnten Mähnenwölfe in mehreren zoologischen Gärten erfolgreich gehalten und gezüchtet werden.

Löffelhund

von Eberhard Trumler

Der LÖFFELHUND *(Otocyon megalotis)* leitet sowohl seinen deutschen als auch seinen wissenschaftlichen Artnamen von seinem auffallendsten Merkmal, nämlich seiner Großohrigkeit ab. Aber nicht nur die Ohren geben diesem kleinen, etwas schakalähnlichen Steppenhund sein unverwechselbares Gepräge, sondern auch die langen, schlanken Beine, die ihn besonders anmutig erscheinen lassen.

Wahrscheinlich waren die Löffelhunde noch in geschichtlicher Zeit über die ganze östliche und südliche Steppenlandschaft Afrikas verbreitet, heute aber sind sie wohl durch Eingriffe des Menschen in das Gefüge ihres Lebensraumes auf zwei weit voneinander getrennte Gebiete im Nordosten und Südwesten zurückgedrängt. Da sie aber wohl kaum verfolgt werden, darf ihr Bestand als gesichert gelten. Schließlich können sie nach menschlichen Denkmaßstäben sogar als »äußerst nützlich« angesprochen werden, denn sie

sind in erster Linie tüchtige Vertilger von Insekten und Mäusen. Besonders abgesehen haben sie es auf Termiten und Heuschrecken, folgen mitunter auch den Zügen der Wanderheuschrecken, die auch den Feldfrüchten bedeutenden Schaden zufügen können. Man kann sie als die Insektenesser unter den Hundeartigen bezeichnen, wenn sie auch – wie die meisten Vertreter ihrer Ordnung – daneben auch Kleinsäuger, Kleinvögel, die Eier von Bodenbrütern und Reptilien, manche kleinere Echsen und ebenfalls Früchte verzehren.

Auf der Jagd nach solchen Beutetieren bewegen sie sich äußerst behutsam auf ihren langen Beinen durch das Steppengras, den spitzen Kopf gesenkt, die großen Ohren vorgestellt; vorwiegend mit ihnen spüren sie nämlich ihre Beute auf: Sie vernehmen das leiseste Geräusch, das ein Kerbtier verursacht, und sind sogar in der Lage, die unterirdischen Grab- und Nagegeräusche jener Termiten zu hören, die zur Nahrungsbeschaffung abseits ihrer Burgen im Erdboden lange Gänge graben. Hat ein Löffelhund so etwas entdeckt, ortet er durch seitliches Kopfwenden die erfolgversprechendste Stelle und gräbt dann blitzschnell mit seinen Vorderpfoten diesen Gang auf. Im Gras laufende oder gerade auffliegende Insekten und andere Kleintiere erbeutet er nach Art unserer Füchse mit einem hohen »Mäusesprung«. Für gewöhnlich gehen die vor allem von Taggreifvögeln gefährdeten Löffelhunde in der Nacht auf Jagd. Nur wenn die Aufzucht

In Ostafrika verteidigen die paarweise oder in Familien zusammenlebenden Löffelhunde ihr Territorium und markieren es mit Harn, wie es dieses Tier im kenianischen Massai-Mara-Schutzgebiet gerade zeigt. Bei ihren Artgenossen im fernen südafrikanischen Verbreitungsgebiet scheint dagegen dieses Territorialverhalten nicht so stark ausgeprägt zu sein.

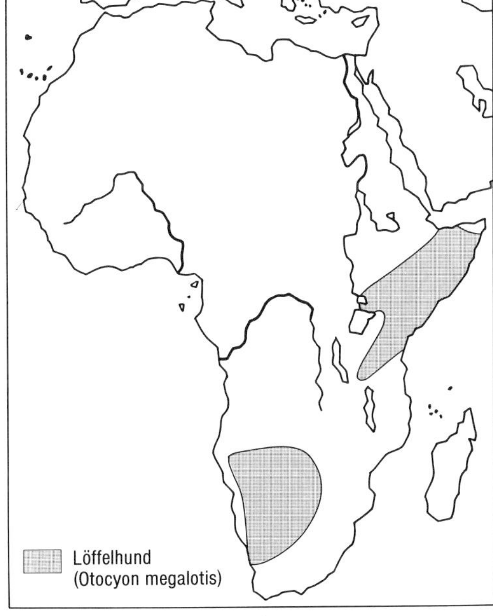

Gegenüberliegende Seite: Die Robben gehören zu den Raubtieren, werden allerdings in der zoologischen Systematik als eigene Unterordnung von den Landraubtieren abgetrennt. Im Bild der Kopf einer Weddell-Robbe.

der Jungen größere Futtermengen erfordert, kann man sie auch tagsüber in der Umgebung der Baue beim Nahrungserwerb antreffen. Da die Löffelhunde in Einehe leben, jagen sie dann auch einzeln, denn einer der beiden Partner bleibt bei den Jungen, solange sie noch klein sind. Sind die Jungen herangewachsen, wird wieder vorzugsweise nächtlich und wohl im Dienste der Feindvermeidung stets im Familienverband gejagt, bis die Jungen sich etwa im Alter von zehn Monaten selbständig machen.

Haben sich zwei Partner gefunden, was im Juli üblich ist, erfolgt die Paarung im August oder September, je nach den örtlichen Verhältnissen und klimatischen Bedingungen. Das Paar besetzt einen durch Harnabgabe markierten Eigenbezirk (Territorium), dessen Größe je nach Nahrungsangebot einen halben bis eineinhalb Quadratkilometer groß ist. Hier wird eine Höhle gegraben oder eine solche von einem Erdferkel bereits vorgefertigte übernommen, die möglichst von Buschwerk umgeben ist und mehrere Ausgänge besitzt. In ihr bringt dann die Hündin nach zweimonatiger Tragzeit, die bis zu 70 Tagen währen kann, in der Zeit zwischen Oktober und Dezember ein bis fünf Junge zur Welt, gewöhnlich drei bis vier, die eine erstaunlich lange Saugzeit haben, nämlich 15 Wochen – doppelt so lang wie bei Wolf und Hund! Sobald die Welpen groß genug sind, erscheinen sie auch bei Tag vor dem Bau, um sich in den Morgenstunden zu sonnen und ihre weitgehend hundeartigen Spiele zu vollführen und neugierig die Umwelt zu erkunden. Kommen die Eltern mit Nahrung zum Bau zurück, werden sie ebenfalls ganz nach Hundeart begrüßt. Die Alttiere würgen ihnen Futter vor oder bringen es, soweit es sich um größere Beute handelt, im Fang. So lebhaft auch die Begrüßung durch die Welpen ist, die hierbei auftretende Lautgebung ist sehr zurückhaltend und auf ein leises Fiepen beschränkt.

Hier und auch im übrigen Verhalten gibt es viele Unterschiede zu den anderen Hundeartigen. So ist das Wedeln nur im Welpenalter ausgeprägt, wird danach aber nicht mehr gezeigt. Der mimische Ausdruck erhält durch die großen Ohren einen anderen Charakter, zumal deren Innenseiten weiß, die äußeren oberen Ohrränder aber schwarz sind, was eine entsprechende Signalwirkung ergibt. Am Drohverhalten fällt auf, daß der Kopf tief zu Boden gesenkt, der Rücken aufwärtsgekrümmt und der Schwanz nach unten gestreckt

Der Löffelhund oder -fuchs (rechts und unten) tanzt ein wenig aus der Reihe der Hundeverwandtschaft, vor allem dadurch, daß er sich hauptsächlich von Insekten ernährt. Zum Aufspüren der kleinen Beutetiere braucht er die namengebenden großen Ohren, die wie verstellbare Schalltrichter auf den Boden gerichtet werden und auch feinste Geräusche auffangen. Überdies dienen die Ohren, wie beim Fennek, als Wärmeabstrahler in der heißen Steppenlandschaft.

wird. Neben den Fieplauten, die auch erwachsene Tiere hören lassen, etwa bei der sehr gern geübten gegenseitigen Fellpflege, kommt nur noch ein kreischender Laut bei höchster Angriffslust vor. Ein Chorheulen gibt es nicht.

Löffelhunde zeigen im Freileben vor dem Menschen wenig Scheu, und Jungtiere werden in menschlicher Obhut sehr zutraulich. In zoologischen Gärten sind sie schon öfter gehalten worden, scheinen sich dort aber nicht ohne weiteres fortzupflanzen. Bekannt ist nur, daß es dem Zoo von Washington ab 1950 mehrfach gelungen ist, mit einem Paar zu züchten, und ebenso wurden im Tiergarten Augsburg erstmals 1969 vier Jungtiere geboren. Die Lebensdauer des Löffelhundes ist im Freileben noch nicht geklärt; keine sechs Jahre alt wurden Zootiere in Washington und London.

ROBBEN

Kategorie
UNTERORDNUNG

Systematische Einteilung: Unterordnung der Ordnung Raubtiere (Carnivora), als »Wasserraubtiere« den »Landraubtieren« gegenübergestellt. Die Unterordnung umfaßt 2 Überfamilien mit insgesamt 3 Familien, 19 Gattungen und 34 Arten.

ÜBERFAMILIE OHRENROBBENARTIGE
(Otarioidea)
Familie Ohrenrobben (Otariidae)
Familie Walrosse (Odobenidae)

ÜBERFAMILIE SEEHUNDE ODER HUNDSROBBEN
(Phocoidea)
Familie Seehunde oder Hundsrobben (Phocidae)

OHRENROBBEN (6 Gattungen mit 14 Arten)

Kopfrumpflänge: 1,40–3 m
Gewicht: 50–1000 kg
Auffällige Merkmale: Durchwegs erheblicher Größen- und Gewichtsunterschied zwischen Männchen und Weibchen; nicht vollständig rückgebildete Ohrmuscheln; kräftig entwickelte Vorder- und insbesondere Hinterflossen, deshalb sehr beweglich an Land (Körper wird vom Boden abgehoben); Antrieb im Wasser durch Ruderbewegung der Vorderflossen; Hoden in Hodensack.
Fortpflanzung: Tragzeit (mit längerer Keimruhe) bis zu 1 Jahr; 1 Junges je Geburt; Geburtsgewicht, soweit bekannt, etwa 5–20 kg.
Lebensablauf: Entwöhnung mit 4–12 Monaten; Geschlechtsreife mit 3–7 Jahren, soziale Reife erst später; Lebensdauer, soweit bekannt, etwa 17–25 Jahre.
Nahrung: Vorwiegend Fische und Tintenfische.
Lebensweise und Lebensraum: Männchen polygam; starke Bullen während der Fortpflanzungszeit an Land sind »Haremsbesitzer« und verteidigen ihre Territorien; an sandigen oder felsigen Küsten.

WALROSSE (nur 1 Gattung mit nur 1 Art)

Kopfrumpflänge: Männchen bis 4 m, Weibchen bis 2,60 m
Gewicht: Männchen bis 1600 kg, Weibchen bis 1250 kg
Auffällige Merkmale: Kleiner Kopf mit kleinen Augen; fehlende äußere Ohren; hauerartig verlängerte obere Eckzähne, bei Männchen größer als bei Weibchen; »Bart« aus steifen Borsten; faltige und runzlige Haut; verschließbare Schlundtaschen als Auftriebsorgan und Resonanzkörper.
Fortpflanzung: Tragzeit 12 Monate (mit 3 Monaten Keimruhe); 1 Junges je Geburt; Geburtsgewicht 50–60 kg.
Lebensablauf: Entwöhnung wahrscheinlich mit 2 Jahren; Geschlechtsreife ab 6–8 Jahren; Lebensdauer 40 Jahre.
Nahrung: Hauptsächlich Weichtiere und Stachelhäuter.
Lebensweise und Lebensraum: Gesellig und kontaktfreudig; Geschlechter zeitweise voneinander getrennt; in der Fortpflanzungszeit Weibchengruppe mit einem erwachsenen Bullen; größere Wanderbewegungen; in flachen Küstengewässern der Arktis.

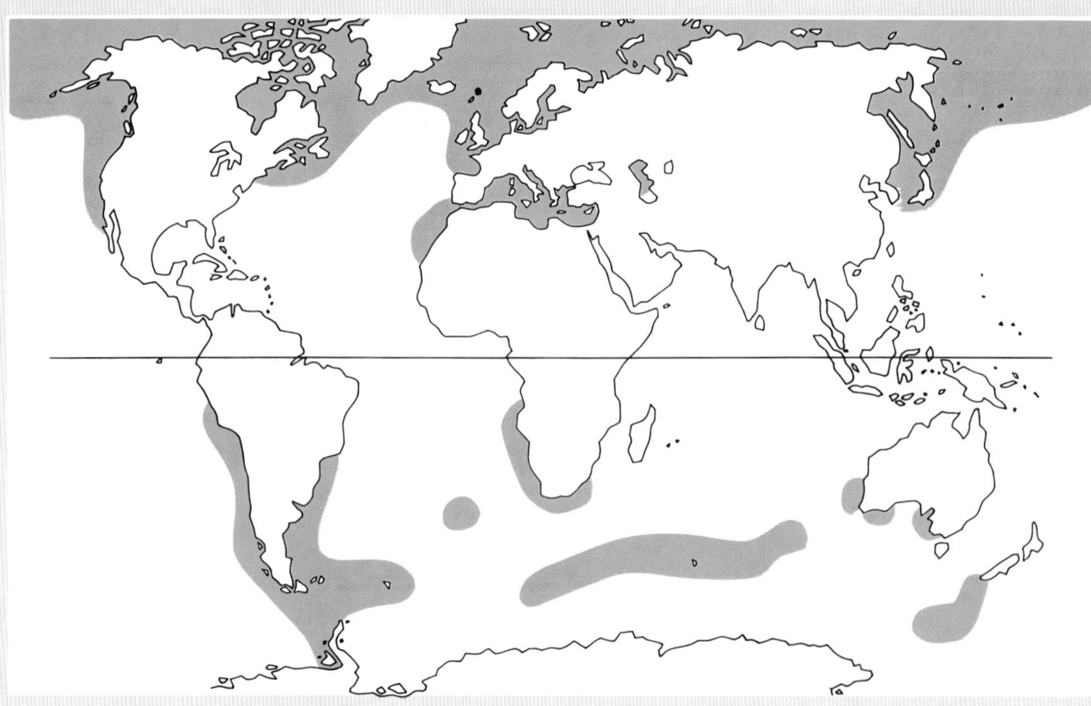

Pinnipedia WISSENSCHAFTLICH
Seals and Sea lions, Pinnipeds ENGLISCH
Pinnipèdes FRANZÖSISCH

SEEHUNDE ODER HUNDSROBBEN
(12 Gattungen mit 19 Arten)

Kopfrumpflänge: 1,20–5 m
Gewicht: etwa 50–4000 kg
Auffällige Merkmale: Äußeres Ohr fehlt; Hintergliedmaßen können nicht unter den Körper gebracht werden, deshalb unbeholfene Fortbewegung an Land; Vortrieb im Wasser hauptsächlich durch Ruderbewegungen der Hintergliedmaßen; kein Hodensack; Weibchen der meisten Arten mit nur 2 Zitzen.
Fortpflanzung: Tragzeit (mit längerer Keimruhe) im Schnitt etwa 11 Monate; in der Regel 1 Junges je Geburt; Geburtsgewicht etwa 3–40 kg.
Lebensablauf: Entwöhnung mit 12 Tagen bis 7 Wochen; Geschlechtsreife mit 2–7 Jahren, soziale Reife vielfach erst einige Jahre später; Lebensdauer etwa 14–46 Jahre.
Nahrung: Vorwiegend Fische und Tintenfische, aber auch Krebse und andere Wirbellose; Seeleopard sogar Robben und Pinguine.
Lebensweise und Lebensraum: Sehr unterschiedliches Sozialverhalten; solitär, monogam oder polygam; einige Arten harembildend und territorial; sehr verschiedenartige Lebensräume (Sandbänke, Watten, Felsküsten, Packeis, festes Eis usw.).

Haarkleid
Die Anpassung an das Wasserleben ist bei den Robben noch nicht so weit fortgeschritten wie bei den Walen und Seekühen. Dafür spricht auch die Tatsache, daß das Haarkleid bei allen Robben noch vorhanden ist und sich in unterschiedlichem Stadium der Rückbildung befindet. Bei den meisten Robben bilden sich die Wollhaare zurück (Haarrobben), bei anderen (Pelzrobben) bilden sie eine dichte wärmeschützende Unterwolle (Abbildung).

Skelett
Am Skelett der Robben sieht man die deutlich ausgebildete vordere wie auch die hintere Gliedmaße. Die Schwanzwirbelsäule ist stark verkürzt, denn im Gegensatz zu den Walen oder den Seekühen bildet sich bei den Robben keine Schwanzflosse aus. Die Schwimmbewegungen gehen von den Armen, von den nach hinten ausgestreckten Beinen und von den Schlängelungen der Wirbelsäule aus. Die Wirbelsäule der Robben ist dementsprechend sehr beweglich und mit kräftiger Muskulatur ausgestattet, bei den Seehunden (oben) hauptsächlich im Lenden-, bei den Ohrenrobben (unten) überwiegend im Hals- und vorderen Brustbereich.

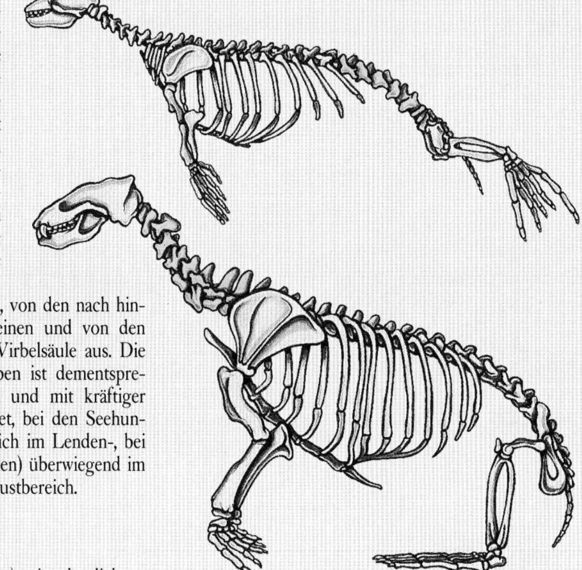

Äußere Körperform
Die äußere Körperform der Seehunde (oben) und der Ohrenrobben (unten) zeigt deutlich, daß die Seehunde sich von den Landsäugern mehr entfernt haben und enger an das Wasserleben gebunden sind als die Ohrenrobben. Ihre Ohrmuscheln sind zurückgebildet, die Vordergliedmaßen zu kurzen Flossen umgewandelt, die Hintergliedmaßen nach hinten gestreckt und für die Bewegung am Boden ungeeignet. Bei den Ohrenrobben dagegen sind noch kleine äußere Ohrmuscheln vorhanden, die verhältnismässig langen Gliedmaßen, auch die hinteren, können unter den Rumpf nach vorn gedreht werden und sind für die Bewegung am Boden noch recht gut geeignet.

Hintergliedmaßen
Die Hinterfüße der Robben werden zu Rudern umgewandelt. Von links nach rechts: Seelöwe, Seehund, See-Elefant. Zwischen den Zehen erstreckt sich eine Schwimmhaut. Bei den Seelöwen reichen häutige Schwimmlappen, mit Bindegewebe versteift, weit über die Endglieder der Zehen hinaus. Beim See-Elefanten sind die Randzehen verlängert und verstärkt.

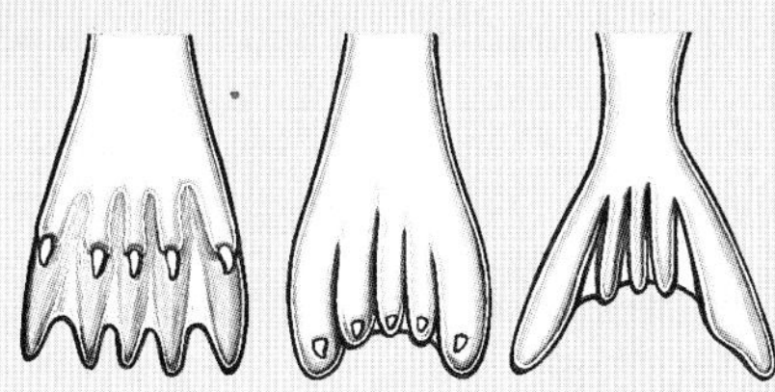

ROBBEN

Einleitung

von Harald Schliemann

Die Robben sind im System der Säugetiere eine Unterordnung der Raubtiere, die der Pinnipedia, und werden den Landraubtieren gegenübergestellt. Innerhalb dieser Unterordnung unterscheidet man zwischen Otarioidea (Ohrenrobben, Familie Otariidae, und Walrosse, Familie Odobenidae) und Phocoidea (Hundsrobben, Familie Phocidae). Die Unterordnung umfaßt 34 lebende Arten in 19 Gattungen.

Nach den Walen und den Seekühen sind die Robben diejenigen Säuger, die die weitestgehenden Anpassungen an das Leben im Wasser besitzen. Sie widerstehen niedrigen, zum Teil sogar sehr niedrigen Temperaturen des Wassers und können arktischen Winden trotzen. Im Wasser können sie sich mit einer Geschwindigkeit von bis zu 25 bis 30 Stundenkilometern fortbewegen. Verschiedene Robbenarten vermögen mehrere hundert Meter tief zu tauchen; den Rekord hält die antarktische Weddell-Robbe mit 600 Metern und einer Tauchzeit von 70 Minuten.

Die auffälligsten Anpassungen betreffen die der äußeren Körpergestalt und -größe: Robben sind bei allen Unterschieden im Durchschnitt größer als Landraubtiere. Es gibt unter ihnen keine kleinen Formen; die kleinsten unter ihnen (Männchen) wiegen immer noch beinahe 100 Kilogramm. Diese Körpergröße ist eine Anpassung der Tiere an die kalte Umgebung des Wassers; größere Körper kühlen weniger rasch aus als kleine. Der Körper ist stromlinienförmig, die Gliedmaßen sind durch Verkürzung der rumpfnahen Teile und deren Einbeziehung in den Umriß des Körpers sowie durch die Verlängerung der Finger und Zehen und die Ausbildung von Schwimmhäuten zu Flossen umgewandelt. Die hinteren Gliedmaßen, genauer die Füße, dienen bei Walrossen und Hundsrobben dem Vortrieb des Körpers im Wasser. Hierbei spielen bei den letzteren ebenfalls Bewegungen des Rumpfes, der eine kräftige Muskulatur besitzt, eine wichtige Rolle; bei den Ohrenrobben wird die Vorwärtsbewegung im wesentlichen durch die ruderartig wirkenden Vorderflossen bewerkstelligt. Die äußeren Ohren sind entweder ganz oder in großem Umfang zurückgebildet. Der äußere Schwanz ist kurz, und die äußeren Geschlechtswerkzeuge sind nahezu vollkommen in die stromlinienförmige Oberfläche des Körpers einbezogen; der Penis zum Beispiel ist rückziehbar in eine Hauttasche, und die Zitzen der Brustdrüsen sind unter die Hautoberfläche zurückgezogen.

Neben diesen äußeren Anpassungen gibt es zahlreiche der inneren Organe und ihrer Funktionen: Das Unterhautfettgewebe ist besonders kräftig – als der sogenannte »Blubber« – entwickelt, um den Körper, dessen Temperatur zwischen 36,5 und 37,5 °C liegt, gegen Auskühlung zu schützen. Seehunde können zusätzlich die Temperatur der Haut durch Drosselung der Blutzufuhr herabsetzen und damit ebenfalls der Auskühlung entgegenwirken. Die Bronchien der Lungen besitzen Versteifungen in ihrer Wand und muskulöse Verschlußvorrichtungen. Beim Tauchen wird die Luft aus den dünnwandigen Lungenbläschen in die Verzweigungen des Bronchialbaumes gedrückt und durch diese Verschlußvorrichtungen dort gehalten; so wird die Aufnahme von Stickstoff, die zur Taucherkrankheit führen würde, verhindert. In diesem Sinne wirkt auch das Ausatmen vor dem Tauchen.

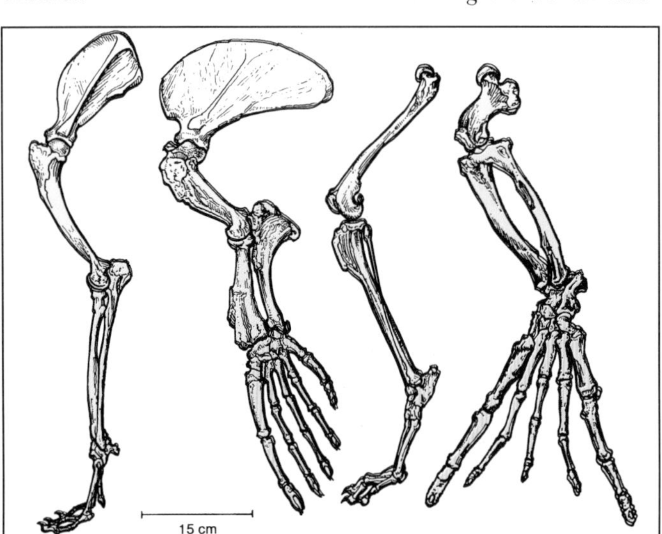

Vordere (links) und hintere (rechts) Gliedmaßenskelette eines Hundes (jeweils links) und einer Robbe zum Vergleich der Proportionen. Bei den Robben sind die rumpfnahen Teile der Gliedmaßen verkürzt und in den stromlinienförmigen Umriß des Rumpfes einbezogen. Hand und Fuß sind dagegen verlängert und verbreitert, so daß mit Ausbildung einer Schwimmhaut große Ruderflächen entstehen.

Anpassungen an das Tauchen schließen neben der Lunge auch den Herzkreislaufapparat mit ein. Der verbesserten Sauerstoffversorgung beim Tauchvorgang dienen unter anderem die große Blutmenge (ein Seehund besitzt je Kilogramm Körpergewicht 130 ml Blut, der Mensch bringt es nur auf etwa 70 ml) und die große Sauerstoffbindungsfähigkeit des Blutes und des Muskelgewebes aufgrund des hohen Gehaltes an Hämo- und Myoglobin (Blut- und Muskelfarbstoff). Beim Tauchen wird die Blutversorgung der meisten Organe mit Ausnahme des Gehirns auf ein Zehntel verringert.

Das Gehirn ist im Verhältnis zum Körpergewicht und verglichen mit Landraubtieren eher groß, wie dies bei anderen Wassersäugern ebenfalls beobachtet wurde. Wenn auch solche groben Vergleiche, die so unterschiedliche Lebewesen wie Wasser- und Landraubtiere einschließen, nur ganz vorsichtige Deutungen erlauben, so können wir doch annehmen, daß das Robbenhirn besonders leistungsfähig ist. Die großen Augen weichen wenig von der Kugelform ab; sie sind nach vorn und oben gerichtet. Sie sind zum Sehen im Wasser eingerichtet; beim Sehen an Land kann der Astigmatismus (Brennpunktlosigkeit) der Hornhaut nur bei enggestellter Pupille ausgeschaltet werden. Wichtigstes Sinnesorgan ist allerdings wohl das Gehör. Das Ohr besitzt viele anatomische Anpassungen an die Bedingungen des Hörens im Wasser, dazu gehören zum Beispiel ein Schwellgewebe aus Blutadern im Mittelohr, das der Zusammenpressung dieses lufterfüllten Raumes beim Tauchen entgegenwirkt, und die Umwandlung der äußeren Ohrmuskeln zu einer Verschlußvorrichtung für den äußeren Gehörgang. Die Leistungsfähigkeit des Gehörs ist groß und schließt die Fähigkeit zum Richtungshören mit ein. Es gibt ein paar Beobachtungen, die die Vermutung nahelegen, daß einige Robben für das Zurechtfinden im Wasser selbsterzeugte Echos benutzen; hierüber ist jedoch das letzte Wort noch nicht gesprochen. Der Geruchssinn ist, verglichen mit dem der Landraubtiere, weniger gut ausgebildet; es ist aber nicht so, daß Geruchsreize für Robben keine Rolle spielen. So geschieht das Auffinden der Kinder in großen Scharen gleich aussehender Tiere wohl vorwiegend mit Hilfe des Geruchs; ferner überprüfen die Bullen mit der Nase den Fortpflanzungszustand der Weibchen.

Die Kalifornischen Seelöwen, den meisten Menschen aus Zoo oder Zirkus bekannt, zeigen die äußeren Merkmale der Robben in Vollendung. Sie besitzen einen glatten und geschmeidigen, torpedoförmigen Körper und zu Flossen umgewandelte Gliedmaßen, deren verlängerte Finger und Zehen mit Schwimmhäuten versehen sind. Die Ohrmuscheln sind bei den Ohrenrobben, zu denen die Seelöwen gehören, stark zurückgebildet, bei den Seehunden oder Hundsrobben völlig verschwunden.

Der Galapagos-Seelöwe, die häufigste Robbe des einsam im Pazifik gelegenen Galapagos-Archipels, ist eine Unterart des Kalifornischen Seelöwen, von dem er sich vor allem durch seine geringere Körpergröße unterscheidet.

Kalifornisches Seelöwenpaar, das eine wichtige Eigentümlichkeit der Ohrenrobben veranschaulicht: den ausgeprägten Geschlechtsdimorphismus: Die männlichen Tiere sind auffallend größer als die weiblichen.

Der Magendarmkanal ist wie bei allen Fleischessern verhältnismäßig einfach gebaut. Auch die Zähne des Backengebisses sind im Vergleich zu denen der Landraubtiere einfacher gestaltet, sie dienen weniger dem Kauen als dem Greifen und Festhalten. »Fleisch« ist hierbei nicht zu wörtlich zu nehmen, die Nahrungspalette reicht von den Fischen über Meeresvögel bis zu den Krebsen, Muscheln und Tintenfischen.

Im Gegensatz zu den Walen und Seekühen ist den Robben die vollkommene Unabhängigkeit vom Land nicht gelungen. Sie sind zumindest für bestimmte Vorgänge auf das Land angewiesen. So erfolgt die Fortpflanzung teilweise oder ganz – fast alle Robben gebären auf dem Land oder dem Eis – auf festem Grund, genauso wie vielfach der Haarwechsel. Diese biologische Notwendigkeit hat für viele Robben bittere Folgen gehabt. Für die Fortpflanzung sammeln sich viele Arten vor allem der polygamen, also »Vielweiberei« treibenden Ohrenrobben in zum Teil sehr großen Scharen auf verhältnismäßig kleinen Küstenflächen. Hier konnte der Mensch gefahrlos (Robben sind für die Verteidigung nur schlecht ausgerüstet) mit wenig Aufwand, regelmäßig wiederkehrend und in kurzer Zeit große Zahlen von Robben, die vor allem ihres Felles und des Blubbers wegen für den Handel interessant waren, erbeuten und große Gewinne erzielen. Unvernünftiges und ungeregeltes Profitstreben hat manche Robbenart schwer geschädigt und einige Arten an den Rand des Erlöschens gebracht; die Karibische Mönchsrobbe gilt als ausgestorben. Die zwei verbliebenen Mönchsrobbenarten, die Walrosse, die See-Elefanten und die Bärenrobben genießen heute Schutz nach dem Washingtoner Artenschutzübereinkommen, das den Handel mit bedrohten Tier- und Pflanzenarten überwacht und damit zumindest einschränkt. Gesetzliche Regelungen nehmen sich in der einen oder anderen Form der Bestandserhaltung der Robben an; viele Arten werden jedoch auch heute noch aus wirtschaftlichen oder vorgeblich bestandsregelnden Gründen »genutzt« oder ausgebeutet. Der Naturschutz kann für sich in Anspruch nehmen, daß er einige stark bedrohte Arten retten beziehungsweise die Bestände einigermaßen erhalten konnte; das gilt etwa für den Nördlichen See-Elefanten und den Nördlichen Seebären.

Die heutige Verbreitung der Robben weist die meisten Vertreter dieser Gruppe als kaltwasserangepaßte Tiere aus. Die kalten und kühleren Meere der Nord- und Südhalbkugel sind die bevorzugten Lebensräume der Robben, subtropische und tropische Gewässer werden nur von vergleichsweise wenigen Arten besiedelt. Wenige Formen leben in Binnengewässern, so im Baikalsee, im Kaspischen Meer und im Ladogasee. Sie haben verwandtschaftliche Beziehungen zu Bewohnern der Meere; das Alter dieser Formen steht im Zusammenhang mit der Besiedlungsgeschichte ihres Lebensraumes. Manche Arten haben in Anpassung an die Verfügbarkeit ihrer Nahrung die Gewohnheit jahreszeitlicher Wanderungen entwickelt und legen hierbei unter Umständen große Entfernungen zurück. Robben sind insgesamt geselligere Tiere als Landraubtiere; zumindest während der Fortpflanzungszeit scharen sich Angehörige vieler Arten zusammen. Solche Gemeinschaften können aus wenigen Tieren bestehen, aber auch mehr als eine Million Köpfe umfassen.

Die Lebensspanne der Robben in der freien Natur liegt zwischen etwa 15 und 30 Jahren; naturgemäß können Robben in Menschenobhut älter werden, so wird von einer Kegelrobbe berichtet, die 41 Jahre alt geworden sein soll. Unter entsprechenden Haltungsbedingungen sind häufiger Verbastardierungen (Vermischungen) von Robbenarten beobachtet worden, allerdings nur jeweils innerhalb der Familien der Ohren- oder der Hundsrobben, also etwa zwischen dem Südafrikanischen Seebären und dem Kalifornischen Seelöwen.

▷ Im Flachwasser vor einer Galapagos-Insel säugt eine Seelöwenmutter ihr Kind.

Seelöwengeburt auf dem Strand einer Galapagos-Insel.

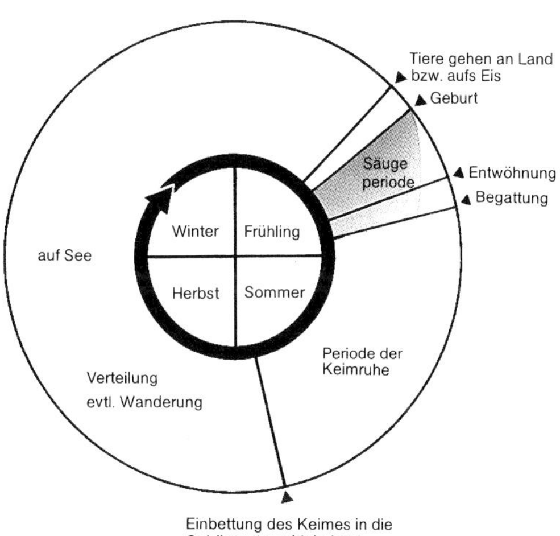

Unten:
Das Leben der Robben im Ablauf des Jahres. Zur Fortpflanzung begeben sich die Tiere, häufig in großen Zahlen, an Land oder auf das Eis. Die Säugeperiode ist lang bei den Ohrenrobben, unterschiedlich kurz bei den Hundsrobben. Die Weibchen der Ohrenrobben gelangen kurz nach dem Gebären zu erneuter Paarungsbereitschaft, die Hundsrobben nach Entwöhnung des Nachwuchses. Der Keim beginnt kurz nach der Befruchtung der Eizelle mit einer Entwicklungspause, nach der er sich zur weiteren Entwicklung in die Gebärmutterschleimhaut einnistet (verzögerte Implantation).

Ohrenrobben und Walrosse

von Harald Schliemann

Ohrenrobben wie dieser Australische Seelöwe bewegen sich an Land viel geschickter und schneller fort als die Hundsrobben. Diese Fähigkeit verdanken sie der Tatsache, daß sie ihre Hintergliedmaßen nach vorn unter den Körper bringen können, so daß der Leib in der Bewegung vom Boden abgehoben wird.

Ohrenrobben (Familie Otariidae)

Die Familie der Ohrenrobben (Otariidae) umfaßt 14 Arten in sechs Gattungen; sie hat hinsichtlich der Artenzahl den Schwerpunkt ihrer Verbreitung auf der Südhalbkugel, jedoch muß man nach den Fundorten der bekanntgewordenen fossilen (ausgestorbenen) Ohrenrobben an eine Entstehung dieser Familie im Nordpazifik denken. Die Ohrenrobben haben sich in vielen Merkmalen weniger weit von ihren landlebenden Vorfahren entfernt, als dies für die Hundsrobben gilt. Am auffälligsten sind in diesem Zusammenhang die nicht vollständig rückgebildete Ohrmuschel und die hinteren Gliedmaßen, die im Gegensatz zu den Hundsrobben nach vorn unter den Körper gebracht werden können. So verwundert es nicht, daß die Ohrenrobben auf dem Lande eine erhebliche Beweglichkeit besitzen. Das Körpergewicht wird von den Hand- und Fußflächen auf den Untergrund übertragen, der Rumpf in der Bewegung vom Boden abgehoben. Vorder- und Hinterflossen werden dabei abwechselnd bewegt und bei schnellerer Fortbewegung jeweils gleichzeitig, wie das auch für den Galopp der Landsäugetiere bezeichnend ist. Der Antrieb im Wasser wird vorwiegend durch eine rudernde Bewegung der Vorderflossen bewerkstelligt, die Hinterflossen sind hieran nicht beteiligt. Die Vorderflossen sind dadurch ausgezeichnet, daß der erste Finger auffallend länger und kräftiger entwickelt ist als die übrigen. Die Krallen sind nur unscheinbar. An der Hinterflosse sind der erste und der fünfte Zeh beträchtlich kräftiger als die zwischen ihnen liegenden Zehen; der erste Finger und diese beiden Zehen sind durch Knorpelgewebe über ihre »normale« Länge hinaus verlängert. Die Krallen der Zehen zwei, drei und vier sind lang und werden für die Fellpflege benutzt. Die Rückseiten der Flossen sind behaart, Hand- und Fußtellerseiten haarlos.

Bei den Robben stehen, wie bei anderen Raubtieren auch, die Haare in Bündeln zusammen. Zu einem kräftigeren und längeren Stammhaar gehören mehrere bis viele Beihaare, die unter der Schicht der Stammhaare die Unterwolle bilden; diese Beihaare treten mit dem Stammhaar aus demselben Haarbalgtrichter an die Hautoberfläche. Innerhalb der Familie der Ohrenrobben unterscheidet man nach der Beschaffenheit des Haarkleides zwischen den Pelzrobben oder Seebären und den Seelöwen; erstere umfassen die Unterfamilie der Arctocephalinae, letztere die der Otariinae. Zur Gruppe der Seebären werden die Gattungen *Callorhinus* (1 Art) und *Arctocephalus* (8 Arten) gerechnet, zur Gruppe der Seelöwen die Gattungen *Zalophus, Otaria, Eumetopias* (je 1 Art) und *Neophoca* (2 Arten), von denen eine, der Neuseeland- oder Auckland-Seelöwe, zwischen beiden Gruppen eine vermittelnde Stellung einnimmt.

Bei den Pelzrobben gehören zu einem Stammhaar vergleichsweise viele Beihaare – beim Nördlichen Seebären bis über 50, da beim Haarwechsel nicht immer alle Beihaare verlorengehen. Dadurch haben die Pelzrobben, wie ihr Name schon deutlich macht, eine ausgesprochen dichte Unterwolle. Im Fell des Nördlichen

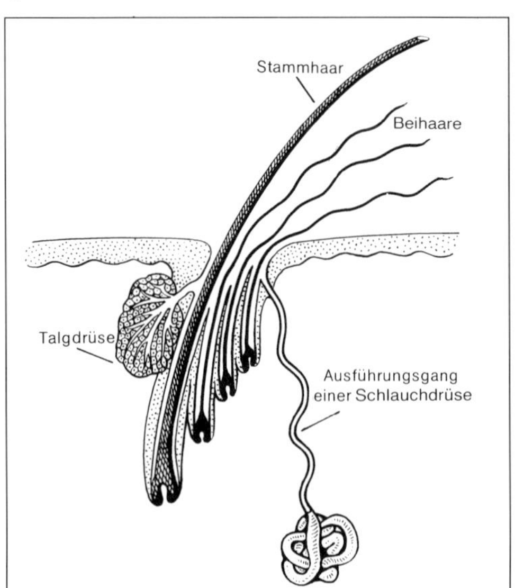

Haarbündel mit Stammhaar und Beihaaren, die die Unterwolle bilden, sowie mit Talgdrüse und Schweißdrüse; letztere dient mehr der Erzeugung von Geruchsstoffen als der Temperaturregulation.

Seebären hat man über 50 000 Haare auf einem Quadratzentimeter Hautoberfläche festgestellt. Dieses dichte Fell ist es, was die Häute der Pelzrobben für den Fellhandel und die Bekleidungsindustrie so interessant gemacht hat. Das Fell der Seelöwen besitzt je Stammhaar nur sehr wenige Beihaare und damit so gut wie keine Unterwolle; es liegt der Körperoberfläche glatt an. Beim Auckland-Seelöwen haben die Jungtiere eine sehr dichte Unterwolle, die bei Erwachsenen die Beschaffenheit eines typischen Seelöwenfelles annimmt. Es ist interessant, daß bei den Pelzrobben das Haarkleid für die Isolation des Körpers eine größere Rolle spielt als der Blubber; diese sehr wirksame Isolation bewahrt die Pelzrobben nicht nur vor Auskühlung in kaltem Wasser; sie schafft anderseits bei körperlicher Betätigung auf dem Lande Probleme bei der Abfuhr überschüssiger Wärme. Da die überschüssige Wärme kaum über die pelzbedeckten Körpergegenden abgeleitet werden kann, werden bei solchen Gelegenheiten die Flossen an ihrer Oberfläche von großen Mengen Blut durchflossen; die Tiere unterstützen die Abkühlung dadurch, daß sie mit den Flossen fächeln.

Das Milchgebiß der Ohrenrobben umfaßt 26 Zähne, die Erwachsenen haben 34 bis 38 Zähne in ihrem Gebiß – in jeder Oberkieferhälfte drei Schneidezähne, einen Eckzahn sowie fünf bis sieben Backenzähne und in jeder Unterkieferhälfte zwei Schneidezähne, einen Eckzahn und fünf Backenzähne. Gegenüber den Hundsrobben sind bei den Ohrenrobben die Kronen der Backenzähne verhältnismäßig einfach und einheitlich gebaut. Das Vorkommen zweiwurzeliger Bakkenzähne wird als primitives Merkmal gewertet.

Im Gegensatz zu den Walrossen und den Hundsrobben liegen die Hoden der Ohrenrobben in einem Hodensack wie bei vielen anderen Säugetieren auch. Dieses Merkmal ist ebenfalls ein Hinweis darauf, daß die Ohrenrobben sich ursprünglicher verhalten als ihre Verwandtschaft. Der Hodensack befindet sich in normaler Lage vor dem After und besteht aus einem Gebiet sich vorwölbender, nackter Haut. Kennzeichnend für diese Gruppe der Robben ist auch der auffallende Größenunterschied zwischen den Geschlechtern. So können Bullen des Nördlichen Seelöwen über 1000 Kilo wiegen, die Weibchen bringen es dagegen nur auf etwa ein Drittel dieses Gewichtes. Im Gegensatz zu den meisten Hundsrobben zeichnen sich die Ohrenrobben dadurch aus, daß die Männchen während der Fortpflanzungszeit einen »Harem« besitzen; das Geschlechtsverhältnis kann bis 1:50 betragen. Die Haremsbullen verteidigen in der Regel ein Territorium (Eigenbezirk), und die Junggesellen sind gezwungen, sich am Rande der Kolonie aufzuhalten. Diese Kolonien umfassen, und auch das ist für diese Familie kennzeichnend, sehr häufig große Zahlen von Einzeltieren. So finden sich auf den Pribilof-Inseln Alaskas alljährlich weit mehr als eine Million Nördliche Pelzrobben ein, um sich dort fortzupflanzen. Man muß diese unvorstellbaren Mengen von Robben gesehen haben, um verstehen zu können, daß es sich hierbei um die größte Ansammlung von Säugetieren auf der ganzen Welt handelt.

Die Seelöwen

Unter den Seelöwen (s.o.) kann man zwischen nördlichen und südlichen Formen unterscheiden; zu ersteren gehören der Stellersche und der Kalifornische Seelöwe, zu letzteren die Mähnenrobbe (Südlicher Seelöwe), der Australische und der Neuseeland-Seelöwe.

Der Stellersche Seelöwe *(Eumetopias jubatus)* ist der Riese unter den Seelöwen. Ausgewachsene Bullen werden über drei Meter lang und wiegen dann über eine Tonne, die sehr viel kleineren Weibchen messen etwas mehr als zwei Meter und wiegen um 300 Kilo. Die weitgehend haarlose Körperoberfläche ist gelbbraun; die Männchen entwickeln einen mächtigen, bemuskelten Nacken, der eine Mähne aus kräftigen und längeren Haaren trägt. Auffällig ist, daß die Regenbogenhaut von einem weißen Kreis umgeben ist, der den Tieren einen starren Blick verleiht. Robben haben im allgemeinen einen sehr langen Darm, was im

Die im nördlichen Pazifik lebenden Stellerschen Seelöwen sind die Riesen unter den Ohrenrobben. In der Fortpflanzungszeit scharen die mächtigen Bullen in ihrem Territorium einen Harem um sich.

übrigen funktionell bislang noch nicht verstanden ist, und eine große individuelle Veränderlichkeit dieser Länge im Verhältnis zum Körpergewicht. Der Stellersche Seelöwe fällt mit seiner Darmlänge nun sogar unter den Robben auf; man hat im äußersten Fall eine Länge von Dünn- und Dickdarm von etwa 80 Metern gemessen.

Dieser Seelöwe ist eine weitverbreitete Form der kühleren Gewässer des nördlichen Pazifiks, auf dessen beiden Seiten er vorkommt (im Westen bis zur Insel Hokkaido, im Osten bis nach Kalifornien). Am zahlreichsten ist der Stellersche Seelöwe auf den Aleuten, große Kolonien gibt es auf verschiedenen Inseln im Golf von Alaska (Kerouard und Scott Islands). Der Gesamtbestand wird nach Judith King auf bis zu 300 000 Tiere geschätzt.

Auf diesem Kopfporträt eines Kalifornischen Seelöwen sind die kleinen, stark rückgebildeten Ohrmuscheln und die »hohe Stirn« der männlichen Tiere gut zu sehen.

Stellersche Seelöwen leben hauptsächlich von Tintenfischen, nehmen aber auch verschiedene Fische auf, so etwa Dorsch, Heilbutt, Neunaugen, Heringe und andere. Die Lachse, die von ihnen erbeutet werden, sollen nur einen sehr kleinen Anteil der kommerziellen Anlandung ausmachen. Daneben wird beobachtet, daß diese großen Robben gelegentlich andere Robben erbeuten. Insbesondere jüngere Seelöwenbullen sollen bei den Pribilof-Inseln die ganz jungen Nördlichen Seebären reißen, die sich erstmals im Wasser befinden und dementsprechend ungewandt sind.

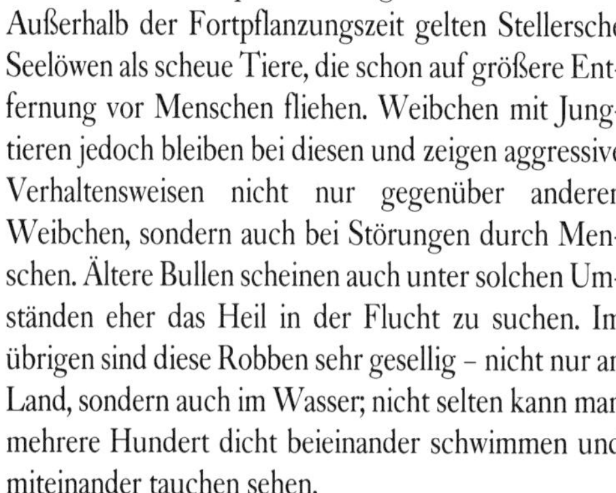

Außerhalb der Fortpflanzungszeit gelten Stellersche Seelöwen als scheue Tiere, die schon auf größere Entfernung vor Menschen fliehen. Weibchen mit Jungtieren jedoch bleiben bei diesen und zeigen aggressive Verhaltensweisen nicht nur gegenüber anderen Weibchen, sondern auch bei Störungen durch Menschen. Ältere Bullen scheinen auch unter solchen Umständen eher das Heil in der Flucht zu suchen. Im übrigen sind diese Robben sehr gesellig – nicht nur an Land, sondern auch im Wasser; nicht selten kann man mehrere Hundert dicht beieinander schwimmen und miteinander tauchen sehen.

Von Mai an besetzen die Bullen an den Ufern felsiger Inseln und an geeigneten Küsten ihre Territorien, die Weibchen folgen etwas später. Zwischen 10 und 20 weibliche Tiere bilden einen Harem. Wie die Narben der Bullen beweisen, werden die Territorien in heftigen Kämpfen verteidigt. Aggressives Verhalten wird zwischen den Haremsbullen beobachtet, die größeren Störenfriede scheinen aber diejenigen Bullen zu sein, die noch nicht in der Lage sind, sich einen Eigenbezirk zu erobern. Die Bullen bleiben bis Ende August an Land und zehren, ganz hingegeben an ihre Aufgabe, in dieser Zeit von ihren im Körper gespeicherten Vorräten. Die Jungtiere werden kurz nach Ankunft der Weibchen geboren; am meisten Junge kommen in der ersten Hälfte des Monats Juni zur Welt. Neugeborene wiegen etwa 20 Kilo und sind ungefähr einen Meter lang. Sie werden über eine lange Zeit von der Mutter gesäugt, zumindest so lange, bis das nächste Junge geboren ist; man hat sogar schon Jungtiere im Alter von mehr als drei Jahren saugend bei einem Weibchen gefunden. Insbesondere in der Zeit kurz nach der Geburt ist die Mutter eifrig um das Junge bemüht und versucht, es durch wiederholtes Hochheben und Fallenlassen zur Eigentätigkeit anzuregen. 8 bis 14 Tage nach der Geburt gelangen die weiblichen Seelöwen wieder in einen Östrus (Brunst). Die Begattung findet entweder auf dem Lande oder im seichten Wasser statt; die meisten Begattungen werden zwischen Anfang Juni und Anfang Juli beobachtet. Der sich entwickelnde Keim erfährt nicht sofort eine Einnistung in die Gebärmutterschleimhaut, sondern ruht etwa drei Monate in der Gebärmutter, also bis Ende September/Anfang Oktober (»verzögerte Implantation«).

Im 19. Jahrhundert wurden auch die Stellerschen Seelöwen aus wirtschaftlichen Gründen verfolgt, insbesondere ihrer Häute und des Öls wegen. Fischer haben immer wieder geklagt, daß ihnen die Robben zu viele Lachse wegfingen; heute weiß man, daß es sich hierbei um unerhebliche Mengen handelt und daß vielmehr dadurch, daß die Seelöwen den an Lachsen schmarotzenden Neunaugen nachstellen, Nutzen für die Fischerei gestiftet wird. In zoologischen Gärten sind Stellersche Seelöwen nur selten anzutreffen.

Eine unmittelbare Bedrohung der nördlichen Bestände könnte lediglich durch sich rasch ausbreitende Krankheiten gegeben sein. Es gibt sogar Anzeichen dafür, daß sich diese Tiere so stark vermehrt haben, wie es der Lebensraum gerade noch gestattet. Die Tiere des südlichen Vorkommens vor der amerikanischen Küste – hierbei handelt es sich um vergleichsweise kleine Zahlen – sind am ehesten durch Zivilisationsgifte, Störungen und Einschränkungen des Lebensraums beeinträchtigt.

Stellersche Seelöwen werden bis zu 23 Jahre alt.

In jedem Kalifornischen Seelöwen steckt ein geborener Artist. Ihre Kunststücke zeigen die Tiere nicht nur im Zirkus, sondern auch im Freileben. So braucht der Dompteur ihr Naturtalent nur in die richtigen Bahnen zu lenken.

▷ Stellersche Seelöwen auf einer nordpazifischen Felsküste. Rechts im Vordergrund ein aus dem Wasser kommendes Männchen, an dem der gewaltige Nacken und der runde Kopf gut zu sehen sind.

▷▷ Kalifornische Seelöwen im Spiel mit den Brandungswellen.

Der Kalifornische Seelöwe *(Zalophus californianus)* ist sowohl durch Zirkusvorführungen als auch dadurch, daß er sehr häufig in zoologischen Gärten gehalten wird, eine der bekanntesten Robben überhaupt. Drei Unterarten sind von diesem Seelöwen beschrieben worden: Der eigentliche Kalifornische Seelöwe *(Zalophus californianus californianus)* lebt vor der südkalifornischen Küste, der Küste der Baja California, im Golf von Kalifornien und vor der mexikanischen Küste. Der Galapagos-Seelöwe *(Z. c. wollebaeki)* kommt an den namengebenden Inseln vor und ist hier die häufigste Robbe. Die größten Kolonien wurden in den Lagunen der Ostküste von Isla Fernandina beobachtet, jedoch werden die Küsten auch der anderen Inseln besiedelt. Von der kalifornischen Form unterscheidet sich der Galapagos-Seelöwe durch eine geringere Körpergröße in beiden Geschlechtern und durch einen schlankeren Schädel. Der Japanische Seelöwe *(Z. c. japonicus)* ist der Wissenschaft nur in sehr wenigen Exemplaren bekannt geworden. Es ist umstritten, ob er zu Recht als eine eigene Unterart gelten kann oder ob er nicht mit der kalifornischen Form identisch ist. Über den Japanischen Seelöwen gibt es darüber hinaus so gut wie keine Informationen, so daß auch keine Angaben über die Zahl der vielleicht noch lebenden Tiere gemacht werden können; es steht sogar zu befürchten, daß es diese »Unterart« nicht mehr gibt.

Verspieltes Techtelmechtel zweier Seelöwen am Strand von Kalifornien.

Der Gesamtbestand der Gattung *Zalophus* wird auf etwa 170 000 Tiere geschätzt; hieran ist allerdings auch der Galapagos-Seelöwe mit einer erheblichen Anzahl (20 000 Tiere) beteiligt. Die Bestände haben sich in den letzten Jahrzehnten offenbar vergrößert, und diese Erscheinung ist mit einer Ausdehnung des Verbreitungsgebiets in Richtung Norden verbunden gewesen.

Der Kalifornische Seelöwe ist sehr viel kleiner als der Stellersche, obwohl auch bei dieser Robbe der Geschlechtsdimorphismus klar erkennbar ist: Bullen werden reichlich über zwei Meter lang und wiegen dabei nahezu 300 Kilo, Weibchen haben bei einer Länge von 1,80 Metern ein Gewicht von etwas unter 100 Kilo. Die ausgewachsenen Männchen sind durch einen höckerartigen Aufsatz auf dem Schädel gekennzeichnet, der eine »hohe« Stirn vortäuscht; er ist durch einen Knochenkamm bedingt, der dem Ursprung der Kaumuskulatur dient, die diese großen Bullen im besonderen Maße benötigen. Von den übrigen Seelöwen sind die »Kalifornier« durch ihre schlanke Körpergestalt, die fehlende Mähne und durch den verhältnismäßig schlanken, fast hundeartigen Kopf unterschieden. Das Fell ist schokoladenfarbig und wirkt im nassen Zustand schwarz. Die Stimme, die diese Tiere häufiger als andere Seelöwen hören lassen, klingt bellend. Bemerkenswert ist die Gewandtheit und Flinkheit der Bewegungen an Land; ihretwegen und wegen der guten Abrichtbarkeit erfreuen sich

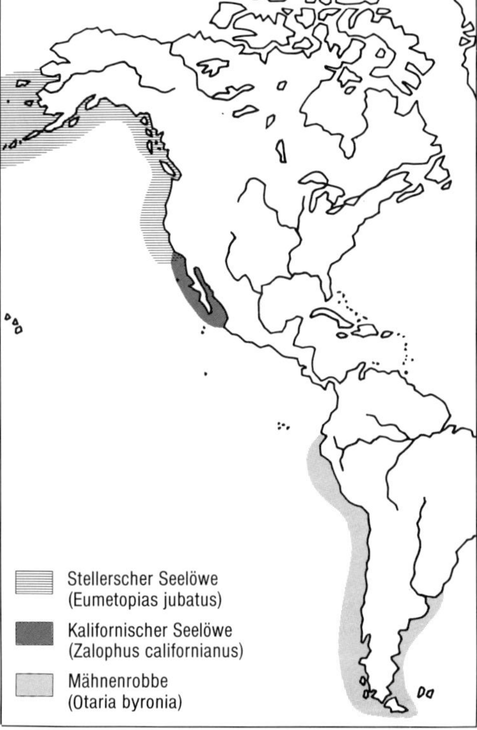

diese Tiere in Tierschauen und im Zirkus einer so großen Beliebtheit.
Kalifornische Seelöwen ernähren sich hauptsächlich von Tintenfischen, nehmen aber auch bei sich bietender Gelegenheit alle passenden Fische; Lachse stehen auf der Speisekarte dieses Seelöwen jedenfalls nicht an bevorzugter Stelle. Wie der Stellersche Seelöwe erbeutet auch der Kalifornische Neunaugen. Zwischen beiden Arten besteht im übrigen nicht nur hinsichtlich der Nahrung, sondern auch in bezug auf die Lebensraumansprüche ein Wettbewerbsverhältnis, das die Verbreitung dieser Tiere sehr wohl beeinflußt. Bevorzugt wird in flacheren Gewässern gejagt, und zwar sowohl am Tage als auch zur Nachtzeit.
Die Männchen besetzen ab Anfang Juni an sandigen oder auch felsigen Küsten ihre Eigenbezirke oder Reviere, die bevorzugt an der Wasserlinie liegen, so daß die Tiere immer Zugang zur See haben. Diese Reviere werden an den Grenzen gegen andere Bullen verteidigt; es handelt sich also um Territorien. Durch ständige Aktivität in diesem Territorium und durch Ertönenlassen der Stimme macht der Revierinhaber auf seine Anwesenheit aufmerksam. Nach 14 Tagen verläßt der territoriale, also revierverteidigende Bulle sein Gebiet, um sich auf Nahrungssuche zu begeben; er hat danach ein neues Territorium zu erobern. Die Harems umfassen 5 bis 20 Weibchen, die nicht aktiv von den Bullen in den Territoriumsgrenzen zusammengehalten werden. Vor der kalifornischen Küste werden die Jungen im Laufe des Monats Juni geboren; auf den Galapagos-Inseln geschieht dieses zwischen den Monaten Oktober und Dezember, dehnt sich also -vermutlich wegen der klimatischen Bedingungen - wie das gesamte Fortpflanzungsgeschehen über einen längeren Zeitabschnitt aus. Die neugeborenen Jungtiere wiegen sechs bis sieben Kilo und sind etwa 75 Zentimeter lang. Sie werden so lange gesäugt, bis der nächste Nachwuchs geboren ist. Jedoch nehmen Häufigkeit und Dauer des Stillens mit wachsendem Alter der Jungen ab, wie das wohl für alle Seelöwen gilt. Auch hier kümmert sich das Muttertier in den ersten Tagen nach der Geburt besonders angelegentlich um ihr Junges und nimmt es auch mit ins Wasser. Später, wenn die Mutter nur noch einmal am Tage zum Stillen kommt, scharen sich die Jungen zu Gruppen zusammen. Wie schon für den Stellerschen Seelöwen beschrieben, kommen die Weibchen des Kalifornischen Seelöwen ebenfalls etwa 14 Tage nach der Geburt ihrer Jungen wieder in einen Östrus. Die Trächtigkeitsdauer beträgt knapp ein Jahr, über eine verzögerte Einnistung des Keims ist nichts bekannt.
Die beiden »echten« Unterarten des Kalifornischen Seelöwen sind sowohl auf den Galapagos-Inseln als auch an den mexikanischen und US-Küsten geschützt. Für die amerikanischen Tiere ist am ehesten eine Bedrohung durch Zivilisationsgifte und menschliche Störungen gegeben.
Kalifornische Seelöwen erreichen ein Lebensalter von über 20 Jahren.
Der »Südliche Seelöwe« ist bei uns bekannter als MÄHNENROBBE *(Otaria byronia).* Er steht, was die Körpergröße angeht, zwischen den vorher besprochenen Arten; Männchen werden bei einer Körperlänge von

Der Südliche Seelöwe, der an den Küsten Südamerikas zu Hause ist, wird meist Mähnenrobbe genannt. Die Mähne, der riesige Kopf und die aufwärts gerichtete Schnauzenpartie sind an diesem ausgewachsenen Männchen gut zu erkennen.

etwa 2,50 Metern über 300 Kilo schwer, die kleineren Weibchen werden keine zwei Meter lang und wiegen etwa 150 Kilo. Bei beiden Geschlechtern ist eine Braunfärbung des Pelzes typisch, obwohl gelegentlich auch hellere, »goldfarbene« Tiere gesehen werden; die Bauchseite ist dunkelgelb gefärbt. Männchen besitzen eine sehr auffällige Mähne und sind vor allem neben der sehr massig erscheinenden Hals- und Brustregion durch einen schweren Kopf mit aufwärts gebogener Schnauze gekennzeichnet.
Die Tiere dieser Art - Unterarten sind nicht beschrieben - leben auf der pazifischen und atlantischen Küste Südamerikas in einem zusammenhängenden Verbrei-

tungsgebiet; es reicht von der Südspitze des Erdteils bis nach Peru beziehungsweise bis nach Uruguay im Norden. Die geschätzten 270 000 Tiere sichern den Fortbestand dieser Art; aber in früheren Zeiten war die Zahl weit größer. So sollen in den dreißiger Jahren allein an den Falkland-Inseln 400 000 Tiere beobachtet worden sein. Nach Einführung des gesetzlichen Schutzes in Chile und Peru nehmen diese Bestände wieder zu. Auch in Argentinien und auf den Falkland-Inseln sind die Tiere unter Schutz gestellt.

Die Fortpflanzungsbiologie der Mähnenrobbe zeigt viele Ähnlichkeiten mit den zuvor besprochenen Seelöwen. Die Männchen zeigen ab August Interesse an den Weibchen. Die von ihnen besetzten Territorien werden heftig verteidigt; den Weibchen wird erst nach der Paarung erlaubt, zur Nahrungsaufnahme ins Wasser zurückzukehren. Die Begattung erfolgt kurz nach der Geburt der Jungtiere, und ihr geht eine Werbung voraus. Die meisten Jungtiere werden (in Uruguay) um die Jahreswende herum geboren. Wenn die Harems sich allmählich auflösen, weil immer mehr Weibchen ins Meer zurückkehren, dann haben die Haremsbullen viele Wochen anstrengenden Lebens ohne Nahrungsaufnahme hinter sich.

Die Australischen Seelöwen gelten als angriffslustig und rauhbauzig, doch sie können, wie man sieht, auch recht freundschaftlich und zärtlich miteinander umgehen - sowohl an Land als auch unter Wasser.

Die Jungtiere messen bei der Geburt etwa 80 Zentimeter bei einem Gewicht zwischen 11 und 14 Kilo und besitzen einen dicken schwarzen Pelz, der allmählich etwas verblaßt. Sie werden von den aus dem Wasser zurückkehrenden Weibchen regelmäßig gesäugt und verbringen die Zeit in Gruppen mit viel Schlaf und Spiel nahe dem Wasser. Tieferes Wasser suchen sie erst und offenbar gar nicht so freiwillig zusammen mit der Mutter auf.

Hinsichtlich der Nahrung der Mähnenrobben muß nur zu dem, was über die anderen Seelöwen gesagt wurde, hinzugefügt werden, daß diese Robbe aufgrund ihrer Verbreitung in der Lage ist, Pinguine zu erbeuten; dies geschieht wohl gar nicht so selten.

Der Australische Seelöwe *(Neophoca cinerea)* und der Neuseeland-Seelöwe *(Neophoca hookeri)* sind ohne Zweifel sehr eng miteinander verwandte Formen, deren Verbreitungsgebiete heute nahezu 2000 Kilometer voneinander entfernt sind. Der Australische Seelöwe ist auf die Südküste Australiens beschränkt, der Neuseeland-Seelöwe besitzt ein sehr kleines Verbreitungsgebiet; er kommt an und in der Nachbarschaft der Neuseeland südlich vorgelagerten Inseln (hauptsächlich Auckland- und Campbell-Inseln) vor. Diesen vergleichsweise kleinen Verbreitungsgebieten entsprechen kleine Bestandszahlen; man schätzt die Gesamtzahl des Neuseeland-Seelöwen heute auf über 4000 Tiere, die des Australischen Seelöwen auf etwas weniger.

Die Wissenschaftler sind sich nicht ganz einig darüber, wie die verwandtschaftliche Stellung dieser Robben zu bewerten ist. Sie werden gelegentlich auch in verschiedene Gattungen gestellt (Australischer Seelöwe: *Neophoca*; Neuseeland-Seelöwe: *Phocarctos*). Hier wird der Auffassung gefolgt, daß die Verschiedenheiten zwischen beiden Formen es nicht rechtfertigen, sie mit verschiedenen Gattungsnamen zu belegen. Sie werden also lediglich als zwei Arten der Gattung *Neophoca* angesehen.

In der Größe weichen beide Arten nicht sehr voneinander ab. Erwachsene Bullen des Neuseeland-Seelöwen messen bis 2,50 Meter und haben ein Gewicht von bis zu 400 Kilo, die Weibchen werden 1,80 Meter lang und wiegen dabei 230 Kilo. Die Maße für den

Australischen Seelöwen liegen etwas darunter. Weibliche Tiere beider Arten sind oberseits silbergrau und auf der Unterseite cremefarben. Die Bullen des Australischen Seelöwen haben eine mächtige Hals- und Schulterpartie mit leicht verlängerten Haaren am Hals; ihr Fell ist schokoladenfarbig, Scheitel und Nakken heben sich durch weiße Behaarung deutlich ab. Die Bullen der Neuseeland-Seelöwen haben ein schwarzes Fell, wiederum mit der Andeutung einer Mähne, und ebenfalls eine massige Schulter- und Halspartie; lediglich ihr Kopf wirkt kürzer und runder.

Die Ernährung beider Arten ist nicht grundsätzlich unterschieden. Beide Seelöwen ernähren sich von Fischen, Tintenfischen, Krebstieren und nehmen wohl gelegentlich auch Pinguine auf, ohne daß diese für die Ernährung von größerer Bedeutung wären.

Beide Seelöwen sind ein gutes Beispiel dafür, daß nahe verwandte Formen sich in ihrer Biologie, hier der Fortpflanzungsbiologie, erheblich unterscheiden können. Im Gegensatz zu allen anderen Seelöwen erfolgt die Geburt beim Australischen Seelöwen nicht in einem zeitlich vergleichsweise eng begrenzten Rahmen, sondern in einem längeren Zeitabschnitt (Oktober bis in den Januar hinein). Man hat auch schon Geburten im Juni und März beobachtet. Dieser einzigartige Sachverhalt ist bislang noch nicht erklärbar, genausowenig wie die Zeit von 18 Monaten zwischen zwei beobachteten Geburten. Die Bullen des Australischen Seelöwen verteidigen ihre Harems nachdrücklich und verhalten sich gegenüber den Weibchen recht rauh. Ganz anders die Bullen des Neuseeland-Seelöwen; sie verteidigen gerade das Stückchen Strand, auf dem sie liegen, und hierbei spielen die Weibchen offenbar keine Rolle. Diese werden nicht getrieben und dürfen sich frei am Strand bewegen. Beim Neuseeland-Seelöwen werden die Jungtiere in einem kurzen Zeitabschnitt, nämlich von Dezember bis Anfang Januar, geboren. Nach wenigen Tagen bewegen sich die Jungtiere frei am Strand und auf dem Hinterland und sind im ganzen viel lebhafter als die des Australischen Seelöwen.

Im ganzen ist der Australische Seelöwe ein viel angriffslustigeres Tier als der neuseeländische. Das zeigt sich vor allem auch im Verhalten der Bullen den Jungtieren gegenüber, von denen manches an den Bißwunden der Männchen verendet.

Beide Formen stehen unter Schutz, so daß man hoffen kann, daß sie trotz der geringen Kopfzahl einer gesicherten Zukunft entgegengehen.

Die Seebären

Die Seebären oder Pelzrobben umfassen den Nördlichen Seebären und die sogenannten südlichen Seebären der Gattung *Arctocephalus,* die zwar zum größten Teil, jedoch nicht ausschließlich, auf der Südhalbkugel der Erde über ein riesiges Gebiet verteilt vorkommen.

Der Nördliche Seebär *(Callorhinus ursinus)*: Ihm ist ein eigener, an dieses Kapitel anschließender Beitrag von Bernhard Grzimek gewidmet (s. S. 207).

Die südlichen Seebären der Gattung *Arctocephalus* geben den Säugetierforschern immer noch manche Nuß zu knacken auf. Das beginnt damit, daß man nicht genau weiß, wie viele Arten nun wirklich zu dieser Gruppe gehören; insbesondere ist die Abgrenzung der Formen, die in kleinen Populationen vorkommen, schwierig. Von ihnen weiß man einfach zu wenig. Hier folgen wir der Auffassung, daß die Gattung acht Arten umfaßt; es gibt andererseits auch die Ansicht, daß es sich lediglich um sechs Arten handelt. Der Mangel

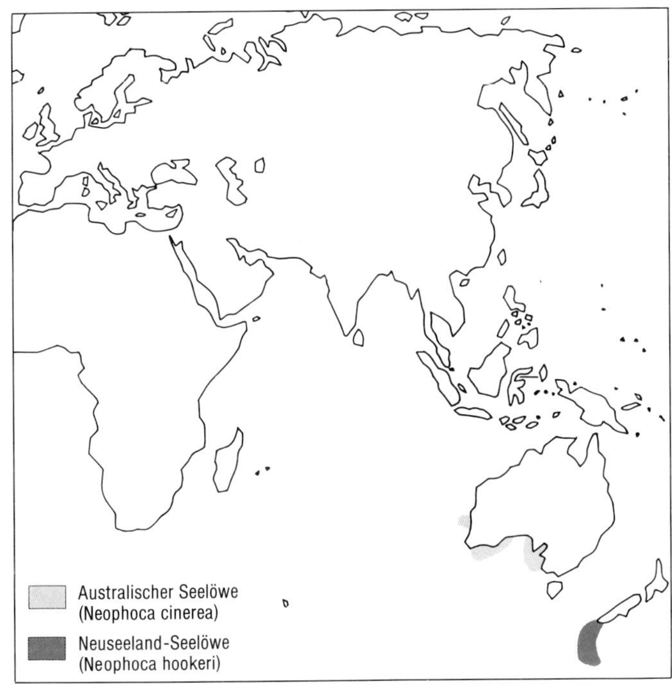

an Kenntnis bezieht sich jedoch nicht nur auf systematische Fragen, sondern auch auf die Lebensweise einiger Arten, so daß im folgenden die Biologie der Bärenrobben nur beispielhaft dargestellt wird.

Folgende Arten werden hier zu den südlichen Seebären gerechnet: Der Südafrikanische Seebär, der Südamerikanische Seebär, der Guadelupe-Seebär, der Juan-Fernandez-Seebär, der Galapagos-Seebär, der Neuseeland-Seebär, der Kerguelen-Seebär und der »Subantarktische« Seebär.

Der Südafrikanische Seebär *(Arctocephalus pusillus)* ist bei uns auch unter der irreführenden Bezeichnung Zwergseebär bekannt. Irreführend deswegen, weil es sich bei dieser Form ausgerechnet um den größten Seebären überhaupt handelt, der im männlichen Geschlecht bei einer Körperlänge von 2,30 Metern ein Gewicht von gut über 300 Kilo erreichen kann. Wir begegnen bei den Seebären, wie bei den Seelöwen, auch wieder der Erscheinung, daß die Weibchen sehr viel kleiner und leichter sind (Geschlechtsdimorphismus). So werden die Weibchen des »Südafrikaners« bei einer Körperlänge von bis zu 1,80 Meter über 100 Kilo schwer.

Von dieser Art sind zwei Unterarten beschrieben worden: Der eigentliche Südafrikanische Seebär *(A. p. pusillus)* und der Australische Seebär *(A. p. doriferus)*; beide Formen sind auch schon als getrennte Arten behandelt worden. Die sehr große Ähnlichkeit ihrer Schädel läßt es gerechtfertigter erscheinen, sie in einer Art zu vereinen. Der Südafrikanische Seebär kommt an der südwest- und südafrikanischen Küste (bis etwa Port Elizabeth) vor; die Größe des Gesamtbestandes wird auf 850 000 Tiere geschätzt. Jährlich werden allein über 200 000 Jungtiere geboren, die allermeisten an der Küste Südwestafrikas. Das Vorkommen der Seebären in dieser Gegend hat seinen Grund darin, daß der kalte, sauerstoffreiche Benguela-Strom, von Süden kommend, an der Küste entlangstreicht und, verstärkt durch ablandige Passatwinde, nährstoffreiches Wasser aus der Tiefe an die Oberfläche befördert, was zur Entwicklung einer reichen Fischfauna führt.

Der über eine so weite Entfernung von Südafrika getrennte Australische Seebär weist mit etwa 20 000 Tieren eine sehr viel geringere Kopfzahl auf. Er ist in seinem Vorkommen auf die Südküste Australiens (Victoria, New South Wales, Tasmanien) beschränkt. Beide Unterarten führen keine Wanderungen durch, einzelne Tiere legen bei der Jagd jedoch weite Strecken zurück. Erwachsene Bullen haben ein rauh wirkendes Fell von schwärzlich grauer Farbe auf dem Rücken und den Flanken; die Australier sind

Die Südafrikanischen Seebären sind wie andere Seebären auch gesellige Tiere. Das Foto, aufgenommen am Cape Cross in Namibia, zeigt nur einen Ausschnitt mit wenigen Weibchen aus der dicht bevölkerten Kolonie.

eher graubraun, die Bauchseite ist heller. Die Weibchen schwanken zwischen grauer und graubrauner Färbung. Die Jungtiere sind nach der Geburt schwärzlich oder schwärzlichbraun auf der Oberseite, ihr Gewicht beträgt etwa sechs Kilogramm und ihre Körperlänge ungefähr 70 Zentimeter.
Durch Mageninhaltsuntersuchungen an Südafrikanischen Seebären weiß man recht genau über deren Nahrung Bescheid: 70% sind Fische, 20% machen Tintenfische aus, und unter dem Rest befinden sich 2% Krebstiere. Bei Jungrobben, besonders bei Jährlingen, findet man häufig Steine im Magen, von denen angenommen wird, daß sie zur Unterdrückung von Hungergefühlen aufgenommen werden, wenn die sie noch säugenden Mütter sich auf dem Meer befinden.
Die Speisekarte des Australischen Seebären dürfte nicht sehr viel anders aussehen als die des Südafrikanischen, und dennoch sind die Gewohnheiten beim Nahrungserwerb dieser beiden so nahe verwandten

Kopf eines Kerguelen-Seebären.

Formen sehr unterschiedlich. Der Südafrikaner jagt vorwiegend in der Nähe der Wasseroberfläche und geht vermutlich nicht tiefer als 45 Meter; größere Fische werden an die Oberfläche gebracht und dort zerrissen. Bemerkenswert ist, daß diese Robben gelernt haben, ihre Beutetiere in der Nähe von Fischerbooten, ja sogar in deren Fangnetzen, in die sie gelegentlich hineinspringen, zu suchen. Der Australische Seebär erbeutet seine Nahrungstiere nicht nahe der Wasseroberfläche, sondern taucht sehr viel tiefer, mindestens bis 120 Meter.
Hinsichtlich der Fortpflanzung ähneln die einzelnen Bärenrobben-Unterarten einander sehr, soweit wir das nach dem Stand unserer Kenntnisse beurteilen können. Die Geburts- und Liegeplätze beider Formen sind niemals völlig verlassen, da zumindest die Weibchen und Jungtiere auch außerhalb der Fortpflanzungszeit das Land aufsuchen. Aber im Oktober begeben sich die ausgewachsenen Bullen an Land, um ihre Territorien einzurichten, die sie über mehrere Wochen gegen Nebenbuhler mit großer Heftigkeit verteidigen, ohne in dieser Zeit das Meer zur Nahrungsaufnahme aufzusuchen. Die Weibchen, die sich in diesen Territorien befinden, bilden die Harems, die im Falle der Südafrikanischen Bärenrobbe über 50 Tiere umfassen können (der Schnitt liegt bei 28 und bei der Australischen Robbe bei 10). Diese große Zahl von Weibchen in den Harems ist bemerkenswert. Die Weibchen werden übrigens nicht durch Treiben in den Grenzen der Territorien gehalten, sondern können sich am Strand frei bewegen. Die meisten Jungen werden gegen Ende November/Anfang Dezember geboren. Kurz nach der Geburt gelangen die Weibchen wieder in einen Östrus und werden zumeist am sechsten Tag nach der Geburt der Jungen wieder begattet. Die Trächtigkeit dauert rund ein Jahr und schließt eine etwa dreimonatige Verzögerung der Einnistung des sich entwickelnden Keimes mit ein. Ein Jahr lang – also bis zur Geburt des nächsten Jungen – wird auch der Nachwuchs gesäugt. Mutter und

▷ Diese beiden Australischen Seelöwinnen, erkennbar an der gelblich-cremefarbenen Körperunterseite, haben wohl eine kleine Meinungsverschiedenheit auszufechten.
▷▷ Ein Südafrikanischer Seebär mit zwei Weibchen seines Harems; vorn der Kopf eines Jungtiers.
▷▷▷ Zwei Subantarktische Seebären zwischen Büscheln des Tussock-Grases. Auffällig sind die großen Augen und die weißen Schnurrhaare.

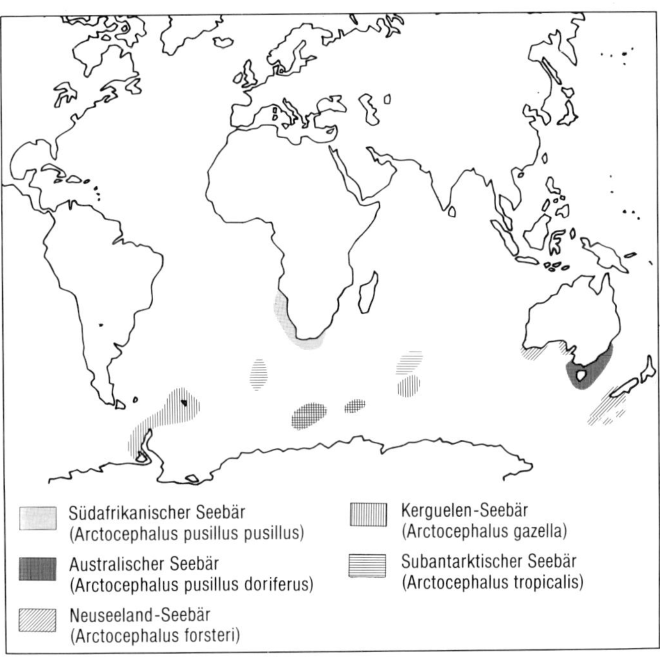

Kind bleiben nach der Geburt etwa eine Woche beieinander, bis dann das Muttertier für wenige Tage das Meer aufsucht, um zu essen. Diese Zeiten, in denen die Kleinen allein gelassen werden, dehnen die Mütter immer weiter aus, so daß der Nachwuchs bald länger als eine Woche ohne die Versorgung durch die Mütter auskommt. Nach dem Verlust der Milchzähne können dann auch bereits zusätzlich zur Milch Fische und Krebse aufgenommen werden. Von den heranwachsenden Südafrikanischen Bärenrobben ist bekannt, daß sie schon sehr früh unternehmungslustig sind, lange im Meer bleiben, aber auch an Land spielen, indem sie auf den Felsen herumrutschen oder sich gegenseitig am Strand jagen. Geschlechtsreif werden die Weibchen mit etwa drei Jahren, die Männchen ein wenig später; zur Fortpflanzung jedoch gelangen sie erst sehr viel später, wenn sie genügend Kraft besitzen, um ein eigenes Territorium zu halten. Bullen ohne Territorium halten sich während der Fortpflanzungszeit in der Umgebung der Kolonien, abseits der geschlechtsaktiven Tiere und der Jungen auf.

Nachdem auch die Australische Bärenrobbe im 19. Jahrhundert in allen Kolonien stark verfolgt worden ist, steht sie heute unter gesetzlichem Schutz und ist lediglich durch Zivilisationseinflüsse beeinträchtigt. Ein ganz so sorgenloses Leben ist den südafrikanischen Vettern auch heute nicht gestattet. In der Vergangenheit sind die Bestände bereits mehr als einmal durch das Gewinnstreben des Menschen stark verringert worden. Heute erfolgt die Nutzung des Bestandes unter gesetzlicher Überwachung und nach wissenschaftlichen Erkenntnissen, so daß keine Gefährdung der Bestände eintreten kann. Während des Sommers werden etwa 2000 »überschüssige« Bullen entnommen, hauptsächlich des Blubbers wegen. Im Winter werden – im wesentlichen der Felle wegen – sieben- bis zehnmonatige Jungtiere getötet, und zwar in einer Zahl von 60000 bis 80000. In diesem Alter haben die Jungen das beste Fell, aber neben den Fellen wird natürlich auch der Blubber genutzt. Als Tierfreund kann man sich mit der Vorstellung, daß so viele Tiere aus wirtschaftlichen Gründen sterben müssen, sicher nicht anfreunden, auch wenn Naturschutzinteressen durch die Entnahme festgelegter Mengen von Tieren nicht berührt sind. Es wird jedoch glaubhaft geltend gemacht, daß die sich ja recht stark vermehrenden Robben bereits Seevögel verdrängt hätten und Nahrungskonkurrenten für mehrere Vogelarten seien, so daß der Abschuß von Robben zugleich zu einer Hegemaßnahme werde.

Der Neuseeland-Seebär *(Arctocephalus forsteri)* ist kleiner als die vorher besprochene Art; Männchen erreichen zwei Meter Körperlänge und wiegen bis zu 200 Kilo, Weibchen werden nur 1,50 Meter lang und haben dann ein Gewicht von ungefähr 70 Kilo. Diese Art kommt in zwei vollkommen getrennten Populationen vor. Die Angehörigen beider Populationen unterscheiden sich in körperlichen Merkmalen nicht. Der größte Teil der Tiere dieser Art (rund 50000) leben an den Küsten der neuseeländischen Inseln, etwa 2000 Tiere bewohnen südaustralische Küsten und kommen sogar an den Liege- und Geburtsplätzen des Australischen Seebären vor. Von diesem unterscheiden sie sich aber unter anderem in ihren stimmlichen Äußerungen, was möglicherweise verhindert, daß die Weibchen die Bullen beider Arten verwechseln. Diese Art steht in ihrem ganzen Verbreitungsgebiet unter gesetzlichem Schutz. Sowohl die australische als auch die neuseeländische Population ist im 19. Jahrhundert jedoch bis nahe an den Rand des Aussterbens ausgebeutet worden; hiervon haben sich offenbar nur die neuseeländischen Bestände wirklich erholt.

Der Kerguelen-Seebär *(Arctocephalus gazella)* würde, wie auch in der englischsprachigen Literatur üblich, bei uns besser »Antarktischer Seebär« genannt. Auf den Kerguelen kommen – wenn überhaupt – nur noch sehr wenige dieser Robben vor, die ein wenig kleiner als die Neuseeland-Seebären sind. Der Hauptbestand wird an den Küsten von Südgeorgien gefunden; es handelt sich hier um etwa 350000 Tiere. Andere Inseln (z.B. South Shetland, South Orkney, South Sandwich) haben nur sehr kleine Bestände. Auch dieser Seebär wurde im vergangenen Jahrhundert bis nahe an das Erlöschen der Art ausgebeutet. Die Erholung der Bestände hat sich erst in jüngster Zeit abgespielt; so hat man auf Südgeorgien in den dreißiger Jahren 100 und 1957 bereits wieder 15000 Tiere gezählt. Die Bestandsvermehrung hält auch heute noch an, so daß damit gerechnet wird, daß die Gesamtzahl einmal zwischen einer und zwei Millionen betragen wird. Trotz der etwas verwikkelten Besitzverhältnisse der Inseln im Südpolarmeer ist die Art heute vollkommen vor Ausbeutung geschützt.

Der Kerguelen-Seebär ernährt sich vorwiegend vom Krill, jenen kleinen Krebsen, die in diesen Meeresgegenden besonders reichlich vorkommen und die auch der Ernährung der Bartenwale dienen.

Der »Subantarktische« Seebär *(Arctocephalus tropicalis)* lebt gewissermaßen in der Nachbarschaft des Kerguelen-Seebären, nämlich auf Inseln nördlich der antarktischen Konvergenz (eine Linie, entlang deren das kalte antarktische Wasser unter das wärmere subantarktische sinkt), zum Beispiel an den Küsten der New-Amsterdam-, der St.-Paul-, der Prince-Edward-Inseln und auf Tristan da Cunha; auf Marion Island kommt dieser Seebär zusammen mit dem Kerguelen-Seebären vor. Gelegentlich sind einzelne Tiere oder kleine Gruppen recht weit entfernt von ihrem eigentlichen Vorkommensgebiet beobachtet worden, so vor der südafrikanischen Küste oder in Neuseeland.

In der Größe unterscheiden sich diese Seebären nicht erheblich vom Kerguelen-Seebären (ausgewachsene Bullen bis zu 1,80 Meter Länge, Gewicht bis etwa 150 Kilo; Weibchen 1,30 Meter lang und etwa 50 Kilo schwer). Ansonsten ist jedoch eine Unterscheidung leicht möglich. Der Schädel ist schmaler und in seinem vorderen Teil schlanker als beim Kerguelen-Seebären, und zusätzlich gibt es noch Unterschiede im Gebiß. Die Vorderflossen sind kürzer als beim Kerguelen-Seebären – im Verhältnis auch kürzer als bei Südafrikanischen Seebären. Auffällig soll der starke Moschusgeruch dieser Art sein. Die erwachsenen Tiere sind dunkel graubraun auf dem Rücken und den Körperseiten, Brust und Gesicht sind bis über die Augen weißlich bis gelblich gefärbt; die Männchen entwickeln, wenn sie etwas älter geworden sind, einen bürstenförmigen Haaraufsatz auf dem Kopf. Auch nach diesen äußeren Merkmalen lassen sich beide Arten gut auseinanderhalten, selbst wenn sie nebeneinander vorkommen. Im Zusammenhang mit dem gemeinsamen Vorkommen auf Marion Island wird sogar der Verdacht geäußert, daß gelegentlich Kreuzungen zwischen beiden erfolgten; dies ist jedoch bis jetzt nicht zuverlässig nachgewiesen.

Die Kopfzahl dieser Art mag in der Nähe von 120 000 Tieren liegen; ähnlich wie beim Kerguelen-Seebären besteht eine Neigung zur Vergrößerung der Populationen. Allerdings scheint die Geschwindigkeit, mit der sich dieser Vorgang abspielt, bei dieser Robbe ge-

Paar der Kerguelen-Seebären auf der Inselgruppe im Südpolarmeer, die der Art den Namen gegeben hat. Allerdings kommen dort nur noch sehr wenige dieser Tiere vor; die meisten leben an den Küsten von Südgeorgien.

ringer zu sein als beim Kerguelen-Seebären. Die Subantarktische Robbe ernährt sich zwar auch von Krill, jedoch steht dieser an Wichtigkeit wohl hinter Fischen und Tintenfischen zurück. Für den Kerguelen-Seebären findet man, daß seine raschen Bestandsvermehrungen mit dem sehr reichlich vorhandenen Krill zusammenhängen könnte; dessen Vorkommen hängt wiederum mit seiner geringeren Inanspruchnahme durch die heute ja leider nur noch kleine Zahl von Bartenwalen zusammen. Auch die Subantarktische Robbe ist durch unverantwortliche Ausbeutung in den beiden letzten Jahrhunderten schwer geschädigt worden; manche Kolonien sind offenbar bis heute noch nicht wieder besiedelt.

Auch für den GUADELUPE-SEEBÄREN *(Arctocephalus townsendi)* muß angeführt werden, daß diese Tiere in sehr großer Zahl unverantwortlicher Gewinnsucht zum Opfer gefallen sind, so daß heute nur an der Ostküste der Insel Guadelupe ein sich fortpflanzender Bestand gefunden wird. Noch 1954 sahen amerikanische Forscher dort nicht mehr als 14 Tiere; heute steht diese Art in den Vereinigten Staaten und in Mexiko unter Schutz; man schätzt den Gesamtbestand auf etwa tausend Tiere. Durch die ausgedehnten, blankpolierten Felsen an diesen Küsten kann man sich eine Vorstellung davon machen, wie viele Robben hier einst gelebt haben; es werden allein auf Guadelupe 200 000 gewesen sein.

Einige Wissenschaftler halten den Guadelupe-Seebären nicht für eine selbständige Art, sondern für eine Unterart des Juan-Fernandez-Seebären. Eng verwandt sind beide Formen auf jeden Fall. Beide zeichnen sich durch eine unverwechselbare, langgezogene Nasenpartie aus. Ansonsten wissen wir über diesen kleinen, dunkel gefärbten Seebären (Männchen werden keine zwei Meter lang und wiegen dabei unter 150 Kilo) nicht allzuviel.

Der JUAN-FERNANDEZ-SEEBÄR *(Arctocephalus philippii)* bildet, wie gesagt, möglicherweise mit dem Guadelupe-Seebären eine einzige Art; die Wissenschaft hat hierüber noch nicht das letzte Wort gesprochen. Diese Robbe ist nahezu vollständig auf die Inseln der Juan-Fernandez-Gruppe und auf die San-Felix-Inseln vor der chilenischen Küste beschränkt. Letzte Zählungen haben ergeben, daß die Art jetzt immer noch nicht einmal aus 1000 Tieren besteht. Auch der Juan-Fernandez-Seebär ist in früheren Jahrhunderten sehr zahlreich vorgekommen, war jedoch schon zu Beginn des 19. Jahrhunderts durch das Abschlachten von Millionen von Tieren so selten geworden, daß sich weitere Nachstellungen nicht mehr lohnten. Man hielt die Art bereits für ausgestorben; erst in den sechziger Jahren wurde sie durch Wissenschaftler aus Chile und den USA »wiederentdeckt«. Der Juan-Fernandez-Seebär steht heute unter Schutz; die Zahl der jetzt lebenden Tiere läßt erwarten, daß er vor dem Artentod bewahrt ist. Dennoch sind Tierarten, die nur so wenig Mitglieder umfassen, als bedroht anzusehen, da sie durch Krankheiten sehr leicht schwer beeinträchtigt werden können. Dieser Seebär gehört zu den am wenigsten bekannten Angehörigen der Gattung *Arctocephalus.* Sein Erscheinungsbild soll dem des Guadelupe-Seebären sehr ähneln.

Der GALAPAGOS-SEEBÄR *(Arctocephalus galapagoensis)* ist die dritte Seebärenart, die an Inseln vor der westamerikanischen Küste vorkommt. Von dieser Art, die auf die Inseln der Galapagos-Gruppe beschränkt ist, kann man sagen, daß sie aufgrund ihrer inzwischen erreichten Kopfzahl (mehrere Tausend, nach F. Trillmich sollen es sogar rund 40 000 sein) außer Gefahr ist. Auch ihr ist das Schicksal der Bestandseinbuße aus wirtschaftlichen Gründen nicht erspart geblieben; allerdings hat es um die Galapagos-Seebären niemals so schlimm ausgesehen wie um die zuvor erwähnten Formen.

Der Galapagos-Seebär ist ganz ohne Zweifel eng mit dem südamerikanischen verwandt und sicher von diesem abzuleiten. Das spiegelt sich darin wider, daß er von einigen Wissenschaftlern nur als eine Unterart der südamerikanischen Form angesehen wird. Beide Seebären unterscheiden sich in bestimmten Merkmalen des Schädels voneinander, aber auch in der Körpergröße. Der Galapagos-Seebär ist die kleinste Pelzrobbe überhaupt; es liegen jedoch kaum Angaben über Körperlänge und -gewicht vor. Auffällig ist, daß die Geschlechter sich in der Größe nur sehr wenig voneinander unterscheiden, die Fellfarbe wird als bräunlichgelb beschrieben. Über die Lebensweise ist sehr wenig bekannt. Es wird vermutet, daß die Tiere keine Wanderungen machen und sich von den in den Galapagos vorkommenden Fischen ernähren, eine Nahrungsquelle, in die sie sich mit den Galapagos-Seelöwen teilen müssen. An Land gibt es keinen Wettstreit zwischen diesen beiden Robbenarten; die Seelöwen bevorzugen sandige Strände, die Seebären, die viel scheuer sind, felsige Küsten.

Der Seebär der Falklandinseln - das Foto zeigt einen ausgewachsenen Bullen - ist eine Unterart des Südamerikanischen Seebären.

Der Südamerikanische Seebär *(Arctocephalus australis)* bewohnt die Küsten und vorgelagerten Inseln Südamerikas - die Westküste nach Norden bis zur Halbinsel Paracas in Peru und die Ostküste bis Rio de Janeiro in Brasilien - sowie die Falkland-Inseln. Es gibt Fortpflanzungskolonien in Peru, Chile, auf den Falkland-Inseln, in Uruguay und Argentinien. Der Gesamtbestand wird auf über 300 000 Tiere veranschlagt; hierbei schlägt der Bestand in Uruguay mit über 200 000 Tieren zu Buche. Die übrigen Bestände sind nach Einstellung der Verfolgung wahrscheinlich stabil oder nehmen leicht zu. Eine wirtschaftliche Nutzung erfolgt nur in Uruguay, und zwar unter staatlicher Aufsicht. Dort werden jedes Jahr während des Winters durchschnittlich 11 000 bis 12 500 acht oder mehr Monate alte Robben getötet.

Die Seebären auf dem Festland sollen ein wenig kleiner sein als diejenigen auf den Falkland-Inseln, so daß es gerechtfertigt erscheint, beide als getrennte Unterarten zu bezeichnen (*A. a. australis* auf dem Festland, *A. a. gracilis* auf den Falkland-Inseln). Bullen erreichen im Schnitt eine Körperlänge von 1,90 Meter und ein Gewicht von 158 Kilo, Weibchen bei 1,40 Meter knapp 50 Kilo. Männchen haben eine grauschwarze Fellfärbung und verlängerte Haare an Hals und Schultern, die Weibchen sind oberseits gewöhnlich grau.

Obwohl man davon ausgehen muß, daß diese Robben keine regelmäßigen Wanderungen unternehmen - so ist von den Tieren aus Uruguay bekannt, daß sie das ganze Jahr über immer wieder an Land gehen -, nutzen sie offenbar den ganzen Kontinentalabhang für die Nahrungssuche. Aus Mageninhaltsuntersuchungen weiß man, daß auch der Südamerikanische Seebär von Fischen, Tintenfischen, Muscheln und Schnecken lebt.

Die erwachsenen Bullen besetzen ihre Territorien von November an und verteidigen sie bis zum Ende der Fortpflanzungszeit im Januar. Die Weibchen werden nicht in Form festumrissener Harems in diesen Territorien gehalten, obwohl sie in der Überzahl sind. Bullen ohne Territorien versammeln sich meist seewärts von den Fortpflanzungsgruppen. Die neugeborenen Jungtiere wiegen zwischen drei und fünf Kilogramm, und die Weibchen werden, wahrscheinlich wie bei den anderen Seebären, kurz nach der Geburt wieder begattet. Säugedauer und Verzögerung der Einnistung des befruchteten Keimes spielen sich vermutlich in demselben zeitlichen Rahmen ab wie bei den anderen Seebären. Zum Streit um die Küstenplätze kommt es zwischen diesem Seebären und der viel mächtigeren Mähnenrobbe kaum, da der Seebär felsigen Untergrund und die Mähnenrobbe sandigen bevorzugt.

Walrosse (Familie Odobenidae)

Die Familie der Walrosse (Odobenidae) steht den Ohrenrobben näher als den Hundsrobben. Man faßt daher Walrosse und Ohrenrobben zur Überfamilie der Otarioidea zusammen.

WALROSSE *(Odobenus rosmarus)* – die Familie besteht nur aus dieser einen Art – sind nach den See-Elefanten die Robben mit den zweitgrößten Körpermaßen; alte Walroßbullen sollen über vier Meter lang und 1600 Kilo schwer werden und haben dabei einen Leibesumfang von drei Metern; weibliche Walrosse erreichen 2,60 Meter und 1250 Kilo. Diese Maße gelten allerdings für das Pazifische Walroß, die atlantischen Tiere sind etwas kleiner und leichter. Die bekannte äußere Gestalt der Walrosse ist durch einen im Verhältnis zum Rumpf kleinen Kopf mit kleinen Augen und fehlenden äußeren Ohren sowie durch eine in viele Falten und Runzeln geworfene Haut gekennzeichnet. Diese kann bei Männchen am Hals und an den Schultern eine Dicke von fünf und mehr Zentimetern erreichen. Unter der Haut liegt noch der Blubber mit einer Dicke von etwa sieben Zentimetern.

Die Behaarung der Walrosse wird mit zunehmendem Alter spärlicher. Während Jungtiere und Halbwüchsige noch eine völlständige und dichte Behaarung aufweisen, ist das erwachsene Walroß häufiger dünn behaart und stellenweise kahl. Erna Mohr macht jedoch geltend, daß man auch dünnbehaarte Jungtiere und alte Bullen mit dichter Behaarung findet; es müsse auf jeden Fall der Zustand des Haarwechsels berücksichtigt werden. Eine Ausnahme von der spärlicheren Behaarung Erwachsener machen auf jeden Fall die steifen Bartborsten, die für die Gesichter der Walrosse so kennzeichnend sind und die eine Länge von etwa 30 Zentimetern haben können. Der lange »Bart«, wie wir ihn von Zootieren kennen, kann bei freilebenden Tieren seltener beobachtet werden, obwohl auch bei ihnen Einzeltiere mit kurzen und solche mit langen Borsten vorkommen. Da die Borsten dem Aufspüren der Nahrung im Boden dienen, werden sie unter natürlichen Lebensumständen regelmäßig abgenutzt. Aber auch diese Borsten werden beim Haarwechsel ersetzt. Dieser erfolgt bei ausgewachsenen Männchen im Juni und Juli, bei den Weibchen offenbar etwas später. Die Tiere gehen in dieser Zeit nicht gern in das Wasser, und es wird behauptet, daß sie im Zusammenhang mit dem Haarwechsel von einem ausgeprägten Schlafbedürfnis befallen werden. Jungtiere sind nicht nur aufgrund ihrer vollständigeren Behaarung, sondern auch wegen ihrer Hautfärbung dunkler als Erwachsene. Im übrigen wechselt der Farbeindruck der Tiere erheblich mit dem Durchblutungsgrad der Haut; mit steigender Temperatur wird die Durchblutung der Haut vermehrt, die Tiere bieten dann im Sommer an Land das bekannte Bild dicht an dicht liegender rosaroter Leiber – eine Färbung, die vielfach und fälschlich für Sonnenbrand gehalten wurde.

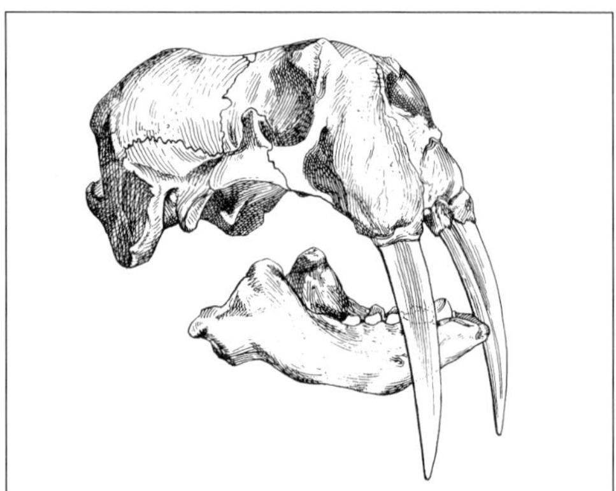

Walrosse besitzen einen massiven Schädel, dessen Gesichtsteil in seiner Konstruktion durch die Zahnfächer für die hauerartigen Eckzähne bestimmt wird.

Unten: Vier Meter lang und gut anderthalb Tonnen schwer kann ein solcher Walroßbulle werden.

Hände und Füße der Robben und damit auch der Walrosse sind zu Flossen umgewandelt und größer als die entsprechenden Gliedmaßenteile landlebender Säugetiere. Die einzelnen Finger und Zehen sind nicht frei, sondern durch Hautduplikaturen, die Schwimmhäute, untereinander verbunden. Die Gestalt der Flossen der Walrosse ähnelt derjenigen der Ohrenrobben; sie sind verhältnismäßig kurz. Die Arme sind vom Ellenbogen an frei, der erste Finger ist ein wenig länger als die übrigen, die zum fünften hin allmählich etwas kürzer werden. Die Hintergliedmaße ist bis zur Ferse in die Körperhaut eingeschlossen, erster und fünfter Zeh sind etwas länger als die übrigen, die jedoch gut entwickelte Krallen tragen. Für den

Antrieb im Wasser kommt den abwechselnden Bewegungen der Hinterflossen die größte Bedeutung zu; bei den Vorderflossen ist die Aufgabe des Steuerns der Bewegungen die wichtigere. Die Bewegungen an Land sind selbstverständlich wegen des großen Körpergewichtes vergleichsweise schwerfällig; sie gleichen im Prinzip und hinsichtlich der Gliedmaßenstellung denen der Ohrenrobben. Hierbei ist besonders wichtig, daß der Fuß wie bei diesen durch Beugung im oberen Sprunggelenk seitlich neben und unter den Leib gebracht werden kann. Zwischen den stützenden Gliedmaßen schleift der Rumpf auf dem Untergrund. Trotz des großen Gewichtes sind die Tiere auf dem Lande zu erstaunlichen Bewegungsleistungen in der Lage, was etwa dann deutlich wird, wenn ein besonders begehrter, aber nicht leicht zugänglicher Platz in der Kolonie hartnäckig erklommen wird. Es sei noch ergänzt, daß den Walrossen ein äußerer Schwanz fehlt; er ist in eine kleine Hautfalte eingeschlossen.

Ein unverwechselbares Kennzeichen der Walrosse sind die hauerartig verlängerten oberen Eckzähne, deren mächtige Zahnfächer die Gestaltung des gesamten Schädels beeinflussen. Es sind wurzeloffene Zähne, die zeitlebens wachsen und bei den Bullen eine größere Länge und ein höheres Gewicht erreichen als bei den Weibchen. Ausnahmsweise sollen die Hauer einen Meter lang werden können, in der Regel bleiben sie jedoch unter 50 Zentimetern. Bei einjährigen Tieren sind die Hauer etwa 2,5 Zentimeter, bei zweijährigen etwa 10 Zentimeter lang. Die dünne Schmelzkappe geht durch Abrieb schnell verloren. Bei so auffälligen Gebilden wie diesen Zähnen stellt sich selbstverständlich sofort die Frage nach ihrer Aufgabe. Ein Zusammenhang mit dem Nahrungserwerb besteht ganz offensichtlich nicht. Die naheliegende Vermutung, die Zähne dienten zum Ausgraben der Nahrungstiere, ist nicht nur nicht bewiesen, sondern falsch. Man kommt dem Verständnis der Aufgabe dieser Zähne näher, wenn man sich mit dem Verhalten der Tiere beschäftigt. Die Zähne werden nämlich bei innerartlichen Auseinandersetzungen benutzt und sind, wie man unschwer einsehen kann, durchaus geeignet, dem Gegner tiefe, blutende Wunden beizubringen. Es hat sich darüber hinaus gezeigt, daß diejenigen Bullen einer Herde, die die längsten Hauer besitzen, die angriffslustigsten und in Auseinandersetzungen erfolgreichsten sind. Die Länge der Hauer beeinflußt also offensichtlich die Rangverhältnisse zwischen den Bullen.

Diesen Zähnen, die seit altersher begehrtes Elfenbein für Schnitzereien liefern, verdanken es die Walrosse, daß ihnen bereits früh unbarmherzig nachgestellt wurde. Darauf wird noch weiter eingegangen werden. Die besondere Beschaffenheit des Sekundärdentins (Zahnbein, das an der Wandung der Pulpahöhle abgelagert wird) macht es übrigens dem Fachmann leicht, Walroßelfenbein als solches zu erkennen.

Die übrigen Zähne sind wenig bemerkenswert. Die Zähne des Milchgebisses fallen kurz nach der Geburt aus, aber es wird auch angegeben, daß das Milchgebiß bereits vor der Geburt rückgebildet werden soll. Auf jeden Fall haben nicht alle Zähne des Milchgebisses Nachfolger im bleibenden Gebiß. Wir finden gewöhnlich in jeder Oberkieferhälfte einen Schneidezahn und drei Backenzähne, in den Unterkieferhälften je drei Backenzähne. Auch diese Zähne sind nur mit einer dünnen Schmelzkappe ausgerüstet und im Backenzahngebiß gleichartig gebaut sowie für eine gewisse Zeit wurzeloffen. Im übrigen zeigen Walrosse hinsichtlich der bei ihnen ausgebildeten Zahnzahl eine gewisse Schwankungsbreite – ein sicherer Hinweis darauf, daß dem Gebiß keine überragende Bedeutung für die Ernährung zukommt.

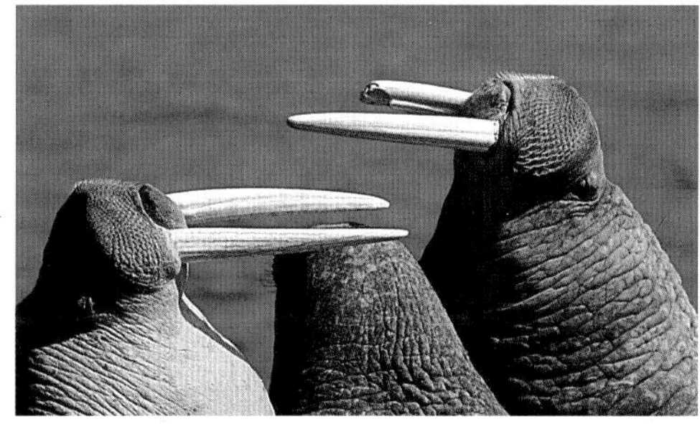

Zu den seltsamsten Tiergestalten der Welt gehören zweifellos die Walrosse: Auf dem unförmigen, schwergewichtigen Rumpf sitzt ein geradezu winzig wirkender Kopf mit kleinen Augen und hauerartig verlängerten Eckzähnen.

▷ Die Eckzähne werden bei Auseinandersetzungen benutzt, und sie sind Rangabzeichen. Tiere mit längeren Hauern sind Artgenossen mit kürzeren überlegen.
▷▷ Ein jugendliches Walroß, dem noch keine Hauer gewachsen sind.
▷▷▷ Walrosse sind ausgesprochen gesellig, nicht nur an Land, sondern auch im Wasser.

Eine ungewöhnliche Eigenart des Körperbaues der Walrosse muß noch erwähnt werden. Es sind dies die Schlundtaschen, die sich beiderseits in den Rachenraum öffnen. Die Öffnungen sind durch Muskeln verschließbar, und die Wandung der Schlundtaschen ist reich an elastischem Fasermaterial. Diese Schlundtaschen können bis zu 50 Liter Luft fassen und erstrekken sich nach hinten zwischen den Muskeln des Halses bis auf die Höhe des Schulterblattes oder sogar noch weiter. Mit Luft gefüllt, können sie dem Auftrieb

dienen und zum Beispiel die aufrecht im Wasser schlafenden Tiere tragen. Eine weitere, womöglich sogar wichtigere Aufgabe ist die von Resonanzkörpern und Verstärkern des einem Glockenläuten ähnelnden Lautes, den Walrosse während der Fortpflanzungszeit von sich geben.

Bevorzugte Nahrungstiere sind auf und im Boden lebende niedere Tiere: Muscheln, Schnecken, Stachelhäuter und Krebse. Daneben finden sich in den Walroßmägen auch Fische und Fleisch von Walen und anderen Robben. Sie sollen den Jungen der Weißwale nachstellen, und es scheint wohl begründet zu sein, wenn sich Robben so rasch wie möglich aus der Nähe von Walrossen entfernen. Diese sind nämlich in der Lage, die Robben mit ihren Vorderflossen zu erdrükken und die Körper mit den Hauern aufzureißen. Solche Nahrung bleibt aber die Ausnahme neben der Hauptnahrung, den Weichtieren. Nicht geklärt ist bislang, wie die Walrosse es fertigbekommen, die

Selbst die spitzen, langen Zähne beeinträchtigen nicht das Verlangen der Walrosse nach höchst innigem Körperkontakt.

Weichkörper der Muscheln und Schnecken von den Schalen zu trennen; Tatsache ist jedenfalls, daß sich diese Schalen im Verhältnis zu den Mengen der aufgenommenen Weichtiere nur sehr selten in den Mägen finden. Es ist beobachtet worden, daß Walrosse Molluskenschalen zwischen ihren Flossen geknackt und dann die Weichkörper gegessen haben. Sicher spielt ihr gewaltiges Saugvermögen in diesem Zusammenhang eine wichtige Rolle; sie sind offenbar in der Lage, durch Erzeugung eines starken Sogs die Weichkörper von den Schalen zu trennen. So behandelte Schalen findet man häufig in der Nähe der Atemlöcher.

Abnutzungserscheinungen an der Vorderseite der Hauer und an entsprechenden Teilen des Bartes haben zu dem Schluß geführt, daß die Walrosse bei der Nahrungssuche annähernd senkrecht auf dem Meeresboden stehen und sich auch so fortbewegen. Walrosse bevorzugen für die Nahrungssuche flachere Gewässer, und es scheint so zu sein, daß jenseits einer Tiefe von etwa 75 Metern nicht mehr nach Nahrung getaucht wird. Diese Ernährungsgewohnheiten beeinflussen selbstverständlich die Verbreitung der Tiere und ihr Wanderverhalten.

Walrosse sind ausgesprochen gesellige Tiere, die man immer in größeren oder kleineren Gruppen antrifft. Dabei sind Männchen und Weibchen den größten Teil des Jahres über voneinander getrennt. Sie scheinen den Körperkontakt sehr zu lieben. Auch wenn an Land reichlich Platz ist, liegen sie neben- und übereinander, häufig sich mit den Hauern auf dem Nachbarn abstützend. Der Platz in der Mitte einer Gruppe ist stets am meisten begehrt, da hier der Kontakt zu den Nachbarn am stärksten ist.

Die Geschlechtsreife tritt bei den Weibchen zumeist wohl zwischen dem sechsten und siebten, bei den Männchen mit dem achten bis zehnten Lebensjahr ein; die Bullen sind aber eine Reihe von Jahren danach erst fähig, mit älteren Bullen zu konkurrieren. Die Fortpflanzungszeit liegt, zumindest beim Pazifischen Walroß, zwischen Januar und April. Die paarungsbereiten Weibchen sammeln sich abseits der trächtigen, und hierbei wird jede Gruppe von Weibchen von einem erwachsenen Bullen begleitet, der seinen Anspruch auf die Frauen durch ein eigentümliches Verhalten, insbesondere durch stimmliche Äußerungen, bekundet und gegebenenfalls auch verteidigt. Zu den Lautäußerungen gehören auch die bereits erwähnten »Glockentöne«, die unterhalb der Wasseroberfläche erzeugt werden. Die Weibchengruppe und der zu ihr gehörende Bulle bleiben bei Ortsveränderungen zusammen; Jungbullen ohne Weibchen verbleiben am Rande und zeigen kein Sexualverhalten. Die Begattung ist bislang genausowenig wie eine Geburt beobachtet worden; man nimmt an, daß beides unter Wasser stattfindet.

Es muß eingeräumt werden, daß hinsichtlich des Familienlebens einander widersprechende Angaben gemacht werden. Es gibt Forscher, die annehmen, daß die Walrosse weitgehend monogam (einehig) leben (Erna Mohr); und bei Alwin Pedersen, der sich auf Beobachtungen von Eskimos beruft, findet man, daß die Paarung im Smith-Sund ab April stattfindet. Bei die-

Am Strand von Round Island, Bristol Bay, drängt sich eine vielköpfige Walroßkolonie eng zusammen. Dieses im Sommer entstandene Bild zeigt die Walrosse mit gut durchbluteter Haut.

Ohrenrobben und Walrosse (Otarioidea)

Name **deutscher Name** **wissenschaftlicher Name** **englischer Name (E)** **französischer Name (F)**	**Körpermaße** **Kopfrumpflänge (KRL)** **Gewicht (G)**	**Auffällige Merkmale**	**Fortpflanzung** **Tragzeit (Tz)** **Zahl der Jungen je Geburt (J)** **Geburtsgewicht (Gg)**
Stellerscher Seelöwe *Eumetopias jubatus* E: Northern sea lion, Steller's sea lion F: Otarie de Steller	KRL: ♂♂ bis 3 m, ♀♀ bis 2 m G: ♂♂ bis 1000 kg, ♀♀ bis 300 kg	Größter Seelöwe; Männchen mit mächtig bemuskeltem Nacken; starker Geschlechtsdimorphismus; Iris von weißem Kreis umgeben	Tz: 12 Monate (bei 3 Monaten Keimruhe) J: 1 Gg: etwa 20 kg
Kalifornischer Seelöwe *Zalophus californianus* mit 3 Unterarten E: California sea lion F: Lion de mer de Californie	KRL: ♂♂ 2,20 m, ♀♀ 1,80 m G: ♂♂ bis 300 kg ♀♀ knapp unter 100 kg	Ausgewachsene Männchen mit höckerartigem Aufsatz auf dem Schädel (»hohe Stirn«); ansonsten schlanker Körper und schlanker Kopf	Tz: 50 Wochen J: 1 Gg: etwa 6 kg
Mähnenrobbe, Südlicher Seelöwe *Otaria byronia* E: South American sea lion F: Otarie à crinière d'Amérique du Sud	KRL: ♂♂ 2,50 m, ♀♀ 2 m G: ♂♂ 300 kg und mehr, ♀♀ 150 kg	Männchen mit massiger Hals- und Brustgegend und auffälliger Mähne; aufwärts gebogene Schnauzenpartie	Tz: fast 1 Jahr J: 1 Gg: 11–14 kg
Australischer Seelöwe *Neophoca cinerea* E: Australian sea lion F: Lion de mer d'Australie	KRL: ♂♂ 2 m, ♀♀ 1,50 m G: ♂♂ 300 kg, ♀♀ 100 kg	Mächtige Hals- und Schulterpartie der Männchen; diese mit sehr heller Behaarung auf Scheitel und Nacken; sehr ausgedehnte Geburtsperiode	Tz: etwa 12 Monate, möglicherweise auch 14 J: 1 Gg: etwa 6–7 kg
Neuseeland-Seelöwe *Neophoca hookeri* E: Hooker's sea lion, New Zealand sea lion F: Lion de mer de Nouvelle-Zélande	KRL: ♂♂ 2,50 m, ♀♀ 1,80 m G: ♂♂ bis 400 kg, ♀♀ bis 230 kg	Männchen mit schwarzem Fell, massige Hals- und Schulterpartie; Mähne; kürzerer und runderer Kopf als Australischer Seelöwe	Tz: etwa 12 Monate J: 1 Gg: nicht bekannt (75 cm lang)
Nördlicher Seebär *Callorhinus ursinus* E: Alaskan fur seal, Northern fur seal F: Otarie à fourrure du Nord	KRL: ♂♂ 2,13 m, ♀♀ 1,42 m (Durchschnittswerte) G: ♂♂ bis 270 kg, ♀♀ bis 50 kg	Beim Männchen Fell tief dunkelbraun; Weibchen dunkelgrau auf dem Rücken, hellgrau unterseits	Tz: 51 Wochen (mit Keimruhe von 3,5–4 Monaten) J: 1 Gg: etwa 5 kg
Südafrikanischer Seebär, Zwergseebär *Arctocephalus pusillus* mit 2 Unterarten E: Cape fur seal, South African fur seal F: Otarie à fourrure d'Afrique du Sud	KRL: ♂♂ 2,30 m, ♀♀ 1,80 m G: ♂♂ über 300 kg, ♀♀ über 100 kg	Starker Geschlechtsdimorphismus wie bei Seelöwen und anderen Seebären; erwachsene Bullen mit rauh wirkendem, schwarzgrauem Fell; Weibchen heller; größter Seebär	Tz: fast 1 Jahr (bei etwa 4 Monaten Keimruhe) J: 1 Gg: etwa 6 kg
Neuseeland-Seebär *Arctocephalus forsteri* E: New Zealand fur seal F: Otarie à fourrure de Nouvelle-Zélande	KRL: ♂♂ 1,45–2 m, ♀♀ bis 1,50 m G: ♂♂ bis 200 kg, ♀♀ bis 70 kg	Geschlechtsdimorphismus; Männchen mit Mähne	Tz: etwa 12 Monate (?) J: 1 Gg: etwa 4 kg
Kerguelen-Seebär *Arctocephalus gazella* E: Antarctic fur seal, Kerguelen fur seal F: Otarie de Kerguelen	KRL: ♂♂ bis 2,00 m, ♀♀ bis 1,45 m G: ♂♂ bis 200 kg, ♀♀ bis 50 kg	Geschlechtsdimorphismus	Tz: wahrscheinlich 51 Wochen J: 1 Gg: etwa 6 kg
Subantarktischer Seebär *Arctocephalus tropicalis* E: Subantarctic fur seal	KRL: ♂♂ bis 1,80 m, ♀♀ bis 1,45 m G: ♂♂ 165 kg, ♀♀ 55 kg	Bullen mit längeren Haaren auf dem Kopf	Tz: vermutlich 51 Wochen J: 1 Gg: etwa 5 kg
Guadelupe-Seebär *Arctocephalus townsendi* E: Guadalupe fur seal F: Otarie de Townsend	KRL: ♂♂ etwa 1,80 m, ♀♀ keine Angaben G: ♂♂ unter 150 kg, ♀♀ keine Angaben	Langgezogene Nasenpartie (gemeinsames Merkmal mit Juan-Fernandez-Seebär); naher Verwandter des Juan-Fernandez-Seebären, möglicherweise nur Unterart	Tz: nicht bekannt J: 1 Gg: nicht bekannt
Juan-Fernandez-Seebär *Arctocephalus philippii* E: Juan Fernandez fur seal F: Otarie de Chili	KRL: ♂♂ etwa 2 m, ♀♀ etwa 1,40 m (Schätzwerte) G: ♂♂ 140 kg, ♀♀ 50 kg (Schätzwerte)	Sehr ähnlich wie Guadelupe-Seebär; auch Lebensgewohnheiten ähnlich; diese Art ist der am wenigsten bekannte Seebär	Tz: nicht bekannt J: 1 Gg: nicht bekannt
Galapagos-Seebär *Arctocephalus galapagoensis* E: Galapagos fur seal F: Otarie de Galapagos	KRL: vermutlich etwa 1,50 m G: nicht bekannt	Geringer Geschlechtsdimorphismus; kleinste Bärenrobbenart	Tz: nicht bekannt J: wahrscheinlich 1 Gg: nicht bekannt

Lebensablauf Entwöhnung (Ew) Geschlechtsreife (Gr) Lebensdauer (Ld)	Nahrung	Feinde	Lebensweise und Lebensraum	Häufigkeit
Ew: nach 8–11 Monaten, gelegentlich später Gr: Weibchen mit 4–5, Männchen mit 5–7 Jahren (sozial erst mit 7–9 Jahren) Ld: 23 Jahre	Tintenfische, Fische	Haie, Schwertwal	Die Männchen sind polygam und an Land territorial; kühlere Gewässer des Nordpazifiks	Nicht selten und nicht unmittelbar bedroht
Ew: nach 5–12 Monaten Gr: nicht bekannt Ld: 17 Jahre	Tintenfische, alle sich bietenden Fische	Haie, Schwertwal	Männchen polygam und territorial bei Aufenthalt an Küsten; Weibchen bewegen sich frei in Territorien; für die Nahrungssuche offenbar flacheres Wasser bevorzugend	Vor der kalifornischen und mexikanischen Küste und auf den Galapagos vollkommen geschützt; japanische Seelöwen wahrscheinlich ausgestorben
Ew: nach 6–12 Monaten, möglicherweise später Gr: mit 4–6 Jahren (?) Ld: 20 Jahre	Kleine Schwarmfische, Tintenfische, auch Pinguine	Haie, Schwertwal	Männchen polygam und während der Fortpflanzungszeit territorial; bevorzugt sandige und steinige, auch felsige flache Ufer	In den meisten Gegenden des Vorkommens geschützt; keine unmittelbare Bedrohung
Ew: möglicherweise mit 1 Jahr Gr: Männchen mit 6 oder mehr Jahren, Weibchen evtl. schon mit 3 Jahren Ld: nicht bekannt	Fische, Tintenfische, selten Pinguine	Vor allem Haie	Begeben sich zur Nahrungssuche von den felsigen Küsten auf die offene See	Gesamtpopulation recht klein (etwa 3000), eine unmittelbare Gefährdung besteht dennoch nicht
Ew: wahrscheinlich mit 1 Jahr Gr: Männchen wahrscheinlich mit 6 Jahren, Weibchen unbekannt Ld: nicht bekannt	Fische, Krebse, Tintenfische, Seesterne	Weniger häufig von Haien angegriffen als Australischer Seelöwe	Männchen polygam mit Territorien an Sandstränden; weniger aggressiv als Australische Seelöwen	Kleine Gesamtpopulation (4000), doch keine unmittelbare Gefährdung
Ew: mit 4 Monaten Gr: Männchen mit 4–5 Jahren (sozial erst mit etwa 10 Jahren), Weibchen ab 3 Jahren Ld: etwa 25 Jahre	Tintenfische, viele Fischarten	Stellerscher Seelöwe (nimmt Jungtiere), sonst wahrscheinlich nur Haie und Schwertwal	Im Verhältnis zur Größe des Lebensraumes sehr kleine Fortpflanzungsgebiete; Männchen hochgradig polygam (Haremsgröße bis 100), auf dem Lande sehr gesellig, sehr viel weniger auf See	Dank strenger Schutzmaßnahmen wieder häufig (etwa 1 750 000); jährliche Fänge genau festgelegt
Ew: mit 12 Monaten oder später Gr: Weibchen mit 3 Jahren oder später, Männchen unbekannt Ld: nicht bekannt	Fische, Tintenfische, Krebse	Haie, Schwertwal; Schakale (nehmen Jungtiere)	Männchen polygam; Art insgesamt sehr gesellig; Harems können über 50 Tiere umfassen; südafrikanische Form lebt vorwiegend von Fischen des freien Wassers und jagt gern nahe den Fischerbooten, die australische Form taucht recht tief und jagt am Kontinentalabhang	Australische Unterart vollkommen geschützt, südafrikanische Unterart nicht bedroht
Ew: mit 10–11 Monaten Gr: Männchen mit 4–6 Jahren (sozial erst mit 10–12 Jahren), Weibchen mit 4–6 Jahren Ld: nicht bekannt	Fische, Tintenfische, Krebse, gelegentlich Pinguine	Haie, Schwertwal	Männchen polygam, insgesamt sehr gesellig	Vollkommen geschützt; keine unmittelbare Bedrohung
Ew: mit 4 Wochen Gr: Weibchen mit 3–4, Männchen mit 6–7 Jahren Ld: etwa 20 Jahre	Hauptsächlich Krill, daneben Fische, Tintenfische	Seeleoparden (nehmen Junge)	Gesellig und Männchen polygam während der Fortpflanzungszeit an Land	Nicht unmittelbar bedroht
Ew: mit 7 Monaten Gr: nicht bekannt Ld: nicht bekannt	Fische, Tintenfische, Krill, gelegentlich wohl auch Pinguine	Vermutlich Schwertwal und Haie	Männchen polygam; gesellig; wahrscheinlich außerhalb der Fortpflanzungszeit auf See	Nicht unmittelbar bedroht; alle Kolonien stehen unter Schutz
Ew: nicht bekannt Gr: nicht bekannt Ld: nicht bekannt	Nicht bekannt	Nicht bekannt	Bullen besetzen wahrscheinlich Territorien; die Harems umfassen vielleicht 10 Weibchen; ausschließlich an felsigen Ufern, häufig in der Nähe von oder in Höhlen	Galt bereits als ausgestorben; heute wieder 500 oder mehr Tiere; vollkommen geschützt
Ew: Nicht bekannt Gr: Nicht bekannt Ld: Nicht bekannt	Wahrscheinlich Fische, Tintenfische, Krebse	Nicht bekannt	Bevorzugt felsige Küsten; vermutlich polygame Männchen und Haremsbildung; können sich offenbar in vom Wasser aus zugängliche Höhlen zurückziehen	Heute vollkommen geschützt; Bestand auf weniger als 1000 Tiere geschätzt
Ew: Nicht bekannt Gr: Nicht bekannt Ld: Nicht bekannt	Nicht bekannt	Nicht bekannt	Bevorzugt felsige Ufer mit Höhlen, daher an Land vom Galapagos-Seelöwen getrennt; offenbar keine Wanderungen; wurde bislang nicht weiter vom Land entfernt gesichtet	Dank der nunmehr erreichten Kopfzahl wohl nicht mehr ausgesprochen gefährdet

Name **deutscher Name** **wissenschaftlicher Name** **englischer Name (E)** **französischer Name (F)**	**Körpermaße** **Kopfrumpflänge (KRL)** **Gewicht (G)**	**Auffällige Merkmale**	**Fortpflanzung** **Tragzeit (Tz)** **Zahl der Jungen je Geburt (J)** **Geburtsgewicht (Gg)**
Südamerikanischer Seebär *Arctocephalus australis* mit 2 Unterarten E: South American fur seal F: Otarie à fourrure australe	KRL: ♂♂ 1,90 m, ♀♀ 1,40 m G: ♂♂ etwa 160 kg, ♀♀ etwa 50 kg	Geschlechtsdimorphismus wie bei den meisten Seebären	Tz: fast 1 Jahr (mit Keimruhe) J: 1 Gg: etwa 5 kg
Walroß *Odobenus rosmarus* mit 2 Unterarten E: Walrus F: Morse	KRL: ♂♂ bis 4 m, ♀♀ bis 2,60 m (Pazifik) G: ♂♂ bis 1600 kg, ♀♀ bis 1250 kg (Pazifik)	Hauerartig verlängerte obere Eckzähne; auffälliger Bart aus steifen Borsten; ohne äußere Ohren	Tz: 12 Monate (mit 3 Monaten Keimruhe) J: 1 Gg: 50–60 kg

ser Ansicht mag eine Rolle spielen, daß Neugeborene ab Anfang April beobachtet werden; bei einer Trächtigkeitsdauer von etwa 12 Monaten ergibt sich hieraus die angegebene Paarungszeit. Ganz offensichtlich aber wird die Entwicklung der Eizelle nach der Befruchtung nur bis zu einem vergleichsweise wenige Zellen umfassenden Stadium fortgeführt und ruht dann für eine Zeit von knapp vier Monaten. Diese Erscheinung der sogenannten verzögerten Implantation (Einbettung in die Schleimhaut der Gebärmutter) ist von vielen Säugetieren bekannt und hat hier zur Folge, daß die Entwicklung erst im Juni fortgesetzt wird; diese nimmt dann weitere elf Monate in Anspruch. Durch diesen Zeitablauf ist bedingt, daß die Weibchen frühestens in dem Jahr nach der Trächtigkeit wieder begattet werden, also höchstens jedes zweite Jahr ein Kalb bekommen können. Es sind ungefähr 80% der Weibchen, die jedes zweite Jahr Nachwuchs zur Welt bringen, 15% schaffen das sogar nur jedes dritte Jahr. Die Säugezeit beträgt bis zu zwei Jahren, ein Zeitraum, der aber auch eine lange Entwöhnungsperiode mit einschließt. Das Muttertier kümmert sich eifrig um das Junge und schützt es zwischen den Vorderflossen unter ihrem Rumpf. Man findet Angaben über die Maße der Jungen nach der Geburt von etwas mehr als einem Meter Länge (1,40 m) und einem Gewicht zwischen 40 und 60 Kilogramm. Das Embryonalhaar wird drei Monate vor der Geburt gewechselt, und die Neugeborenen besitzen eine graue Fellfärbung, die bald ins Bräunliche übergeht. Im Alter von zwei Monaten wird das Haar noch einmal gewechselt, danach folgen die Jungtiere dem jährlichen Rhythmus des Haarwechsels wie die Erwachsenen, die ein Alter von etwa 40 Jahren erreichen können.

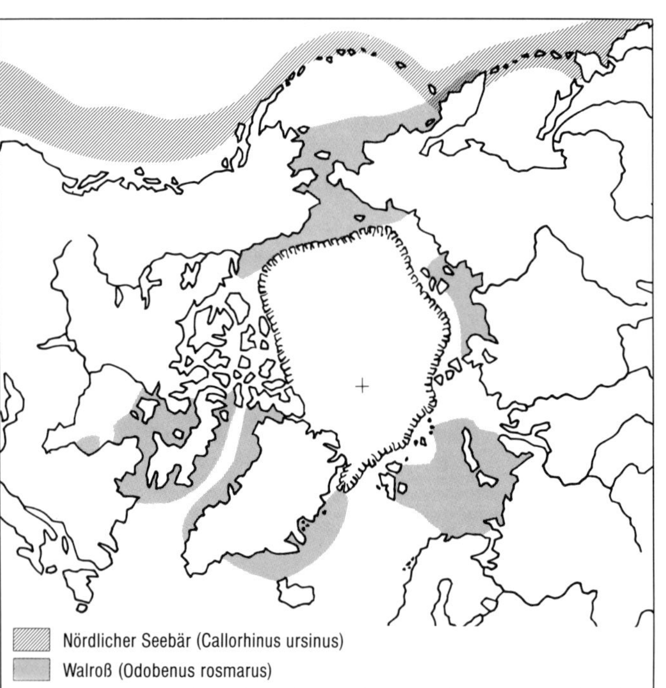

Für die Verbreitung der Walrosse ist ihre Ernährungsweise von ausschlaggebender Bedeutung. Sie sind auf die flacheren Gebiete nahe der Küsten der arktischen Gewässer angewiesen und bevorzugen hier zusätzlich die Bereiche mit Treibeis, die ihnen die Möglichkeit verschaffen, wann immer sie wollen, »festen« Boden aufzusuchen. Da die Walrosse sowohl im Nordatlantik als auch im Nordpazifik vorkommen, also rings um den Nordpol, spricht man von einer zirkumpolaren Verbreitung. Entsprechend dieser Verbreitung unterscheidet die Wissenschaft zwei Unterarten: das Atlantische Walross *(Odobenus rosmarus rosmarus)* und das Pazifische Walross *(Odobenus rosmarus divergens)*. Viele der am Schädel beschriebenen Unterscheidungsmerkmale beider Unterarten haben sich bei genauerer Kenntnis der Schwankungsbreite

Lebensablauf Entwöhnung (Ew) Geschlechtsreife (Gr) Lebensdauer (Ld)	Nahrung	Feinde	Lebensweise und Lebensraum	Häufigkeit
Ew: nach 1 Jahr Gr: Männchen wahrscheinlich mit 7, Weibchen mit 3 Jahren Ld: nicht bekannt	Fische, aber auch Wirbellose (Tintenfische, Krebse, Muscheln)	Haie, Schwertwal	Männchen polygam und territorial; Harems locker organisiert; Felsuntergrund bevorzugt	Nicht unmittelbar bedroht
Ew: wahrscheinlich erst mit 2 Jahren Gr: Männchen ab 8, Weibchen ab 6 Jahren Ld: 40 Jahre	Hauptsächlich Weichtiere, Stachelhäuter	Keine	Gesellig, polygam, mit zeitweiliger Trennung der Geschlechter; flache Küstengewässer der Arktis, nach Möglichkeit mit Treibeis	Der ostatlantische Bestand ist gefährdet

dieser Merkmale als wenig oder gar nicht brauchbar erwiesen, so daß hier nur festgestellt werden soll, daß das Pazifische Walroß größer als das Atlantische wird und daß sein Schädel auf der Höhe der Hauer (im Verhältnis zum Hinterschädel) breiter ist. Die Walrosse der Laptevsee, die gelegentlich als eine dritte Unterart *(Odobenus rosmarus laptevi)* beschrieben wurden, werden heute im allgemeinen als zur pazifischen Unterart gehörig betrachtet; größenmäßig liegen sie zwischen der atlantischen und der pazifischen Form.

Beide Unterarten besitzen jeweils zwei geographisch voneinander getrennte Bestände: Das Pazifische Walroß umfaßt neben der Population in der Laptevsee die Tiere im Beringmeer und in der Tschuktschensee, die den Großteil dieser Unterart und auch der Art insgesamt ausmachen. Nach neueren Angaben ist dieser Bestand auf mehr als 140 000 Tiere zu schätzen, während in der Laptevsee nach 30 Jahre alten Angaben rund 3000 und nach neueren Erkenntnissen 4000 bis 5000 Tiere leben sollen. Im Sommer hält sich das Gros der Hauptpopulation des Pazifischen Walrosses nördlich der Beringstraße in der Tschuktschen-, der Beaufort- und der Ostsibirischen See auf; mehrere tausend Bullen bleiben jedoch auch im Sommer südlich der Beringstraße und sind an Land auf Inseln der Bristolbucht und des Golfes von Anadyr anzutreffen. Im Winter befinden sich die Tiere im Beringmeer mit Schwerpunkten der Verbreitung in und nahe der Bristolbucht und in mittleren Bereichen des Beringmeeres südlich der St.-Lawrence-Insel. Die Tiere wandern mit dem vordringenden Eis nach Süden und leben dabei an der Packeisgrenze, wo sie ausreichend Öffnungen im Eis zum Atmen während ihres Aufenthaltes im Wasser vorfinden; sie sind jedoch auch in der Lage, dünneres Eis mit dem Kopf aufzustoßen.

Die beiden Populationen des Atlantischen Walrosses umfassen zum einen die Tiere westlich von Grönland und in den östlichen arktischen Gewässern Kanadas, zum anderen die Tiere östlich von Grönland, um Spitzbergen herum, in der Barents- und der Karasee. Die kanadisch-westgrönländische Population soll aus etwas mehr als 20 000 Tieren bestehen, während es um die zweite, die östliche Population des Atlantischen Walrosses, sehr viel schlechter bestellt ist. Die Angaben sind sehr spärlich, aber man muß davon ausgehen, daß die Zahl dieser Tiere so stark verringert worden ist, daß ihr Fortbestand als unmittelbar bedroht angesehen werden muß. Die Wanderbewegungen des Atlantischen Walrosses sind weniger ausgeprägt als bei den pazifischen Tieren; sie bleiben entsprechend den örtlichen Eisverhältnissen mehr oder weniger an denselben Plätzen. Die gar nicht so seltenen Berichte über Walrosse in europäischen Gewässern beziehen sich auf Irrgäste. Allerdings sollen noch im 15. Jahrhundert Walrosse an den schottischen Küsten gar nicht selten gewesen sein.

Walrosse bevorzugen küstennahe Gewässer mit Treibeis. Große Eisschollen werden gern als Rastplatz benutzt.

Der Rückgang des Atlantischen Walrosses östlich von Grönland und das Erlöschen von Teilpopulationen an einzelnen Orten gehen auf eine wirtschaftliche

Ausbeutung der Bestände zurück, die bereits im 16. und 17. Jahrhundert stattfand. Begehrte Erzeugnisse waren neben dem Elfenbein die Häute und das Öl, das aus dem Unterhautfettgewebe gewonnen wurde. Elfenbeinschnitzereien waren seit dem frühen Mittelalter über mehrere Jahrhunderte hochgeschätzt, und dieses Elfenbein stammte vorwiegend von Tieren der in Frage stehenden Population. Das Leder der Häute fand zur Herstellung von Treibriemen Verwendung, wurde aber auch für viele andere Zwecke genutzt. Neben der wirtschaftlichen Ausbeutung hat die Jagd der Eskimos durch Einführung von Feuerwaffen und motorgetriebenen Booten zum Rückgang der Bestände insgesamt beigetragen. Die Regierungen aller Länder, in deren Hoheitsgebieten Walrosse leben (USA, Sowjetunion, Kanada, Dänemark), haben in der einen oder anderen Form Bestimmungen mit dem Ziel erlassen, die Tiere zu schützen, ihre wirtschaftliche Ausbeutung zu beenden und der Jagd durch Eingeborene Beschränkungen aufzuerlegen. So dürfen in Alaska ab 1972 nur noch Eskimos, Indianer und Bewohner der Aleuten Walrosse für ihren eigenen Bedarf jagen; nach russischen Bestimmungen können nur noch Tiere auf dem Eis erlegt werden, und in Kanada werden jeder Eskimofamilie nur noch sieben Walrosse jährlich zugestanden. Es bleibt abzuwarten, ob diese Maßnahmen ausreichen, die bedrohten Bestände zu retten. Neue Bedrohungen ergeben sich daraus, daß in den Vorkommensgebieten der Walrosse nach Bodenschätzen, Öl vor allem, gesucht wird.

Walrosse sind sehr beliebte Pfleglinge in zoologischen Gärten – jedenfalls beim Publikum. Für den Tiergärtner sind sie jedoch häufig Sorgenkinder. Das hängt einmal damit zusammen, daß sie die Angewohnheit besitzen, ihre Hauer aufzureiben, zum anderen damit, daß sie alle in ihre Becken geworfenen Gegenstände zu verschlucken pflegen. Selbstverständlich bedeuten diese heruntergeschluckten Gegenstände, die in aller Regel zumindest unverdaulich sind, eine große gesundheitliche Gefahr für die Tiere. Darüber hinaus sind Walrosse außerordentlich schreckhaft und geraten leicht in Panik, in der sie sich rasch Verletzungen zuziehen können. Alle in zoologischen Gärten gehaltenen Walrosse sind Wildfänge, und zwar zumeist sehr junge Tiere, die erst langsam an neue Kost und ihre neue Umgebung gewöhnt werden müssen; soweit bekannt, gibt es bislang keine Zuchterfolge in zoologischen Gärten. Besondere Erfahrung in der Aufzucht von jungen Walrossen besitzt man im Tierpark Hagenbeck in Hamburg-Stellingen.

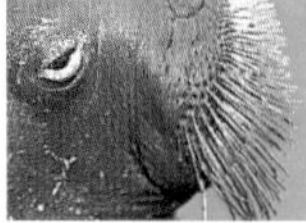

In der Seitenansicht erkennt man zwei typische Merkmale des Walroßkopfes: die kleinen Augen und den langen »Stoppelbart«, der zum Aufspüren der Nahrung im Meeresboden dient. – Rechts: Hier sieht man auch, daß Walrosse keine Ohrmuscheln besitzen. Außerdem ist deutlich erkennbar, daß die Bartborsten freilebender Tiere bei der Nahrungssuche abgenutzt werden.

Nördlicher Seebär

von Bernhard Grzimek

Nur wenige von den 1,7 Millionen Nördlichen Seebären, die es jetzt wieder auf Erden gibt, ziehen im Sommer an den Pribilof-Inseln vorbei weiter nach Norden. Es gibt noch kleinere Zuchtstätten auf zwei Inseln vor dem sowjetischen Kamtschatka und auf der Robben-Insel im sowjetischen Ochotskischen Meer. Neuerdings züchten die Seebären auch wieder auf der San-Miguel-Insel vor Kalifornien und auf den Kurilen-Inseln nördlich von Japan. Die Hauptmenge dieser stattlichen Tiere vermehrt sich jedoch auf den kleinen Pribilof-Inseln.

Der Nördliche Seebär *(Callorhinus ursinus)* liebt Wasser von 8 bis 12 °C. Er hat auf jedem Quadratzentimeter Haut rund 50 000 Haare. Das Fell ist daher völlig wasserundurchlässig, und die dicke Fettschicht darunter hilft zusätzlich, die 38° Körperwärme in dem kalten Wasser zu erhalten. Liegen die Tiere im Sommer an Land und es scheint die Sonne, so müssen sie hecheln und mit den Flossen wedeln, um sich abzukühlen. Während die drei- bis viermal so schweren Stellerschen Seelöwen auch oft zum Schlafen an das Land kommen, bleiben die Seebären das ganze Jahr – außer während der Fortpflanzungszeit – im Wasser. Sie tauchen bis zu 54 Meter tief und können 27 Stundenkilometer schnell schwimmen.

Im Oktober/November wandern als erste die alten Weibchen nach Süden, einzeln oder in kleinen Gruppen, meist 50 bis 100 Kilometer von der nordamerikanischen oder japanischen Küste entfernt. Sie schwimmen bis zum südlichen Teil Kaliforniens, etwa in die Gegend von San Diego. Die Mehrzahl der Männchen überwintert hingegen an den Aleuten-Inseln oder im Golf von Alaska. Sie leben dabei von etwa 30 verschiedenen Arten von Seetieren, Sardellen, Dorschen, Dickmaul, Hering, Schellfisch, Tintenfisch, und jagen oft nachts, schlafen dagegen am Tage. Ein Weibchen ist 1,50 Meter lang, 40 bis 60 Kilo schwer, die Männchen aber messen 2,10 Meter und wiegen 275 Kilo und mehr. Die Tiere sind schwarz bis hellbraun gefärbt, wenn sie jedoch an der Küste liegen, sehen sie meist einheitlich gelbbraun aus, von Schmutz und Kot gefärbt.

Wie die Lachse kehren sie stets dorthin zurück, wo sie geboren worden sind. Anfang Mai treffen die alten, ausgewachsenen Männer hier auf den Pribilofs ein, die erwachsenen Weibchen und die älteren Junggesellen erst im Juni, die zweijährigen im Juli, einige der Jährlinge erst Ende August oder September. Mehr als die Hälfte der Jährlinge bleibt in diesem zweiten Sommer des Lebens sogar ganz im Meer. Sobald die erwachsenen Bullen sich auf die Küste gerobbt haben, essen und trinken sie nicht mehr, und zwar mindestens zwei Monate lang, nach manchen Behauptungen sogar bis September. Diese Küstenbeherrscher bellen oder brüllen wie die Stiere. Jeder von ihnen erkämpft sich

Bei den Nördlichen Seebären herrschen strenge Sitten: Die Mutter säugt nur ihr leibliches Kind, das sie am Geruch und an der Stimme erkennt. Die beiden Jungtiere im Hintergrund haben bei ihr keine Chance; sie müssen schon auf die Rückkehr ihrer eigenen Mütter warten.

einen Eigenbezirk, möglichst dicht an der Küste und mit der Aussicht auf die ankommenden Weibchen. Von denen geht jede sofort zu solch einem Bullen. So haben die »alten Herren« bis über 100 Kühe um sich versammelt, die aber keinen Harem im landläufigen Sinne bilden. Denn sie gehen, aus dem Meer zurückkommend, auch zu anderen Bullen oder paaren sich mitunter mit solchen, wenn sie deren Bezirk durchqueren. Schon wenige Stunden nach ihrer Ankunft gebären sie ein Kind, das 4,5 bis 5,5 Kilogramm schwer ist. Jede Mutter nährt nur ihr eigenes Kind, die beiden lernen sich an ihren Rufen und am Geruch erkennen. Nach den ersten 14 Tagen verbringt die

Mutter jeweils sechs von sieben Tagen jagend im Meer. Die Jungen spielen in Gruppen und wandern umher. Die neugeborenen Seebären können zwar gleich schwimmen, gehen aber selten vor der vierten Woche ins Wasser.

Wenige Tage nach der Geburt wird die Mutter neu begattet. Der Keimling siedelt sich jedoch erst drei bis vier Monate später in der Gebärmutterwand an und fängt dann an zu wachsen. Auf diese Weise ist gesichert, daß das Kind erst nach 51 Wochen geboren wird.

Die Milch der Seebären enthält 50% Fett, aber leider auch Hakenwurmlarven, an denen 15% der Jungen sterben. Bei der ersten Südwanderung, während der sie nicht mehr von den Müttern gesäugt werden, gehen wiederum etwa je zwei von dreien zugrunde.

Während der russischen Herrschaft sind etwa 2,5 Millionen Seebärenhäute erbeutet und verkauft worden. Auch unter den Amerikanern wurde es nicht besser. Um 1870 nahmen die Nördlichen Seebären vor allem deswegen immer mehr ab, weil jedermann sie auf dem offenen Meer jagte. »Schieß nur jede Robbe in den Kopf«, so riet man, »hat der Seebär gerade ausgeatmet, dann geht er unter, und du bekommst ihn nicht. Hat er aber zufällig die Lunge voll Luft, dann bleibt er über Wasser, und du kannst ihn abhäuten.« Fett und Fleisch wurden weggeworfen. So ankerten vor allem Japaner und Kanadier vor den Küsten der Pribilofs und schossen auf alles, was da herumschwamm. Das waren ja überwiegend Weibchen, da die Bullen während der Paarungszeit auf der Küste bleiben. Für jedes Weibchen aber mußte ein Junges am Lande verhungern. Walschiffe, die keine Wale erbeutet hatten, füllten ihre Vorratsräume mit Robben-

Bei diesem drohenden Nördlichen Seebärenbullen sind die charakteristische kurze Schnauze und der graue Schimmer des Fells an Nacken und Hals gut sichtbar. Nördliche Seebären werden vor allem des wertvollen, ungemein dichten Pelzes wegen bis zum heutigen Tage verfolgt.

fellen. So waren 1909 nur noch 130 000 Seebären übrig. Weil die Jagd kaum noch lohnte, schlossen im Jahre 1911 Rußland, Japan, Großbritannien und die Vereinigten Staaten einen Vertrag, wonach die Seebären nicht mehr im Meer getötet werden durften. Dafür verpflichteten sich die USA und Rußland, den anderen 30% der an Land abgezogenen Felle abzugeben. 1912 wurde das Schlachten für fünf Jahre überhaupt verboten, und dann durften nur noch die Aleuten Seebären töten. So haben diese Robben sich allmählich

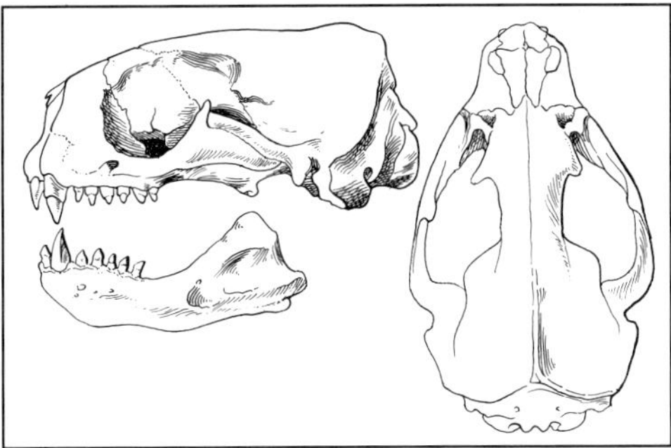

Schädel des Nördlichen Seebären von der Seite und von oben. Am Schädel schon fällt die kurze Gesichtspartie dieser Tiere auf. Hier, aber noch deutlicher bei den Hundsrobben, ist am Schädel sichtbar, daß Robben große Augen und Gehirne besitzen. Die Kronen der Backenzähne sind einfach und gleichartig gestaltet.

wieder vermehrt, sie dürften heute wohl beinahe die gleiche Zahl wie in alten Zeiten haben.

Aufgrund dieser zwischenstaatlichen Abmachung aber werden jedes Jahr von den Pribilof-Aleuten auf St. Paul 24 000 bis 30 000 drei- bis vierjährige männliche Seebären getötet und enthäutet. Diese Junggesellen sind schon geschlechtsreif, können aber bestenfalls gelegentlich ein zufällig vorüberkommendes Weibchen begatten. Sie sammeln sich abseits von den Harems auf Rückzugsgebieten an. Jeden Werktag vom ersten Montag bis zum letzten Freitag im Juli geht eine Gruppe von Aleutenmännern in der Morgendämmerung zwischen diese Junggesellengruppen und das Meer. Sie treiben die Tiere weiter ins Inland, indem sie auf leere Blechbehälter klopfen und Lärm machen. Für gewöhnlich sind es mehrere hundert Seebären. Die werden dann in kleine Gruppen aufgeteilt, Jungtiere, die noch nicht über 2,50 Meter lang sind, sowie etwa dazwischengeratene Weibchen dürfen entkommen. Die Robben werden alsdann mit Hartholzkeulen sehr wuchtig auf den Kopf geschlagen und anschließend sofort mit dem Stich eines langen Messers ins Herz getötet. Dann werden sie, noch warm, enthäutet. Jeder Besucher darf, wenn er den Mut dazu hat, dabei zusehen und sich überzeugen, daß das Töten blitzschnell vor sich geht. Die Fischereiverwaltung hat umgerechnet 400 000 Mark ausgegeben, um die rascheste und schmerzloseste Art des Schlachtens herauszufinden. Man hat es mit Elektrolähmung, Schießen, Gift und Giftgasen versucht, aber der Schlag auf den Schädel durch einen geübten Schlächter erwies sich als der rascheste und schmerzloseste Tod. Eine erfahrene Mannschaft kann einen Seebären in weniger als einer Minute bewußtlos schlagen, abstechen und enthäuten. Auch die Schweine, Rinder und Schafe in unseren Schlachthäusern, deren Fleisch wir täglich essen, werden ja auf ähnliche Weise umgebracht.

Trotzdem haben sich viele Tierfreunde in den Vereinigten Staaten und auf der ganzen Welt gegen diese Seebären-»Ernte« auf St. Paul gewandt und tun das auch heute noch immer wieder. Ich bin sicher weitgehend dafür verantwortlich. Denn ich habe vor Jahren als erster die grausame Massenschlächterei von Sattelrobben vor den Ostküsten Kanadas durch Fernsehen, meine Bücher und Aufsätze in der ganzen Welt bekanntgemacht.

Aber das Schlachten auf den Pribilofs wäre eher ein Vorbild für die Kanadier, die vielfach Robbenbabys lebend und bei vollem Bewußtsein enthäuten. Würde man es ganz abschaffen, wie manche Tierschützer fordern, wäre auch die internationale Abmachung hinfällig, und die Japaner und Russen – berüchtigt wegen ihrer Walausrottung – würden sofort wieder mit der Robbenjagd im offenen Meer anfangen, ebenso die Kanadier, deren Land ja auch an den Pazifik angrenzt.

Außerdem werden hier die geschlachteten Robben wirklich voll verwertet. Jeden Sommer werden etwa 500 000 Kilogramm Robbenfleisch gewonnen, das in der Hauptsache mit in Hunde-, Katzen- und vor allem Futter für Pelztierfarmen verarbeitet wird. Die Aleutenkinder sammeln die Knöchlein im männlichen Glied der Seebären und bekommen dafür etwa je 30 Pfennig. Die Knochen werden nach dem Orient verkauft, wo man abergläubisch annimmt, daraus Geschlechts-Anregungsmittel herstellen zu können wie aus Nashorn-Hörnern. Sechs bis acht Seebärenhäute ergeben einen Pelz. 85% aller Robbenmäntel kommen von den Pribilof-Inseln. Nur wer selbst als reiner Pflanzenköstler keine Wurst und keinen Schinken ißt, kann wohl gegen diese Bewirtschaftung der Robbenbestände Einspruch erheben.

▷ Nur zur Fortpflanzungszeit steigen die Nördlichen Seebären an Land. Dort versammeln die »alten Herren« manchmal mehr als hundert Weibchen um sich. Etwa zwei Tage, nachdem die Weibchen an Land gegangen sind, werden die Jungen geboren. Engen Kontakt haben sie zur Mutter nur eine Woche lang. Danach werden sie nur einmal pro Woche gesäugt. In Gruppen spielen und schlafen sie zusammen.

Seehunde oder Hundsrobben

von Harald Schliemann

Zur Familie der Seehunde oder Hundsrobben (Phocidae) zählen 19 Arten aus 12 Gattungen, von denen die eigentlichen Seehunde und ihre Verwandtschaft (Phocinae) auf der Nordhalbkugel, die »Südrobben« hauptsächlich auf der Südhalbkugel in südpolaren Gewässern und die noch lebenden zwei Mönchsrobbenarten in subtropischen oder tropischen Gewässern vorkommen. Nach der heutigen Verbreitung der Seehunde und ihrer nächsten Verwandten ist davon auszugehen, daß diese Tiere im Nordatlantik entstanden sind.

Die Hundsrobben sind die spezialisiertesten Vertreter der Pinnipedia. Ihnen fehlt im Gegensatz zu den Ohrenrobben das äußere Ohr; ihr Gehörgang kann an seiner Öffnung an der Körperoberfläche durch Muskeln willkürlich verschlossen werden. Ein sehr wichtiger Unterschied im Körperbau zu den Ohrenrobben ist, daß die hintere Gliedmaße nicht unter den Körper gebracht werden kann; sie wird bei Bewegungen an Land über dem Boden gehalten. Daher ist die Fortbewegung der Hundsrobben an Land vergleichsweise unbeholfen. Sie besteht darin, daß das Körpergewicht einmal auf der Brust ruht, während der Hinterleib unter Krümmung des Körpers nach vorn gebracht wird; dann stützen sich die Tiere auf das Hinterende und bewegen den Vorderkörper nach vorn. Die Vorderflossen können bei den einzelnen Arten in unterschiedlichem Maße durch Abstützen des Vorderkörpers die Bewegung unterstützen. Die eleganten Bewegungen im Wasser werden im wesentlichen durch die Ruderbewegungen der Hinterflossen bewirkt, die durch seitliche Bewegungen des Rumpfes verstärkt werden. Die Vorderflossen werden nur bei langsamen Bewegungen zum Rudern benutzt, sie dienen ansonsten der Ausführung von Steuerbewegungen. Diese Vorderflossen besitzen einen ersten Finger, der deutlich länger und kräftiger als die übrigen ist. Alle Finger tragen kräftige Krallen. An den Hinterflossen sind der erste und der fünfte Zeh länger als die übrigen; alle Zehen der Seehunde sind mit kräftigen Krallen versehen, die bei den Südrobben rückgebildet sind. Die Tatsache, daß bei den Hundsrobben im Gegensatz zu den Ohrenrobben der Vortrieb der Bewegung durch die hintere Gliedmaße geleistet wird, bedingt wohl auch, daß Kopf und Rumpf zumeist ohne äußerlich deutlich erkennbaren Hals ineinander übergehen; ein langer beweglicher Hals würde bei dieser Art von Antrieb ungünstig sein.

Das Fell der Hundsrobben besitzt wenig Unterwolle und ist daher zur Wärmeisolation – insbesondere im Wasser – nicht sonderlich gut geeignet. Es ist im wesentlichen der Blubber, der die Tiere vor Auskühlung in ihrer teils sehr kalten Umgebung schützt; hierbei muß man in Betracht ziehen, daß viele Hundsrobben nicht nur der Kälte des Wassers, sondern auch der eisigen polaren Luft standhalten müssen. Die Isolationsfähigkeit des Blubbers wird dadurch entscheidend verbessert, daß die Blutzufuhr der oberen

Rechts: Wie geschickt ein Seehund seine Vorderflossen benutzen kann, zeigt dieses Tier, das sich am Gesicht kratzt. – Unten: Seehunde auf einer Sandbank. Sie bilden kleine Ansammlungen, in denen kein ausgeprägtes Sozialgefüge erkennbar ist.

Körperschichten sehr stark herabgesetzt werden kann. Es liegt in der Natur der Sache, daß bei der erwähnten Fellbeschaffenheit eine Überhitzung nicht so leicht auftritt; jedoch können die besonders gut durchbluteten Unterseiten der Hinterflossen, wenn erforderlich, überschüssige Wärme ableiten.

Merkwürdigerweise werden bei den Hundsrobben die sehr kleinen Milchzähne noch vor der Geburt zurückgebildet oder aber gehen kurz danach verloren; bei manchen Arten hat man festgestellt, daß die Milchzähne ihre höchste Entwicklung erreichen, wenn die Leibesfrucht erst wenige Monate alt ist. Erwachsene Hundsrobben besitzen 30 bis 34 Zähne. Die Backenzähne sind bei sehr vielen Formen zweiwurzelig; im Gegensatz zu den Verhältnissen bei den Ohrenrobben sind die Kronen bei den einzelnen Arten recht unterschiedlich gebaut und insgesamt sehr viel komplizierter als bei den Ohrenrobben.

Daß die Hundsrobben gegenüber den Ohrenrobben einen höheren Grad der Spezialisierung und damit auch der Anpassung an ihr Lebenselement erfahren haben, läßt sich am Bau und der Funktion vieler Organe zeigen. So ist das System der venösen Blutgefäße bei den Ohrenrobben eher nach dem Schema der Landsäugetiere gebaut; dasjenige der Hundsrobben zeigt demgegenüber viele Besonderheiten. Die Kreislauforgane der Hundsrobben sind offenbar auch leistungsfähiger; jedenfalls besitzen sie eine größere Blutmenge und höhere Konzentrationen an Blut- und Muskelfarbstoffen, die der Bindung von Sauerstoff dienen. Die Hoden liegen zwar außerhalb der Bauchhöhle, zwischen der Bauchmuskulatur und der Haut, es gibt aber keine Andeutung eines Hodensackes. Im Gegensatz zu den Ohrenrobben besitzen die Weibchen der meisten Hundsrobben auch nur zwei Zitzen. Ihre Jungtiere werden über eine sehr viel kürzere Zeit gesäugt als die der Ohrenrobben; dafür ist aber auch ihre Gewichtszunahme in der Zeit sehr viel größer – sie kann bei mehreren Kilo je Tag liegen; Südliche See-Elefanten können in weniger als zwei Wochen ihr Geburtsgewicht verdoppeln! Auffällig für diese Gruppe ist ferner, daß Männchen und Weibchen meist etwa dieselbe Körpergröße besitzen, ja bei manchen Arten ist sogar das Weibchen ein wenig größer. Geschlechtsdimorphismus in der Körpergröße wie bei den Ohrenrobben kommt nur bei den See-Elefanten vor, die auch eine vergleichbare soziale Organisation aufweisen.

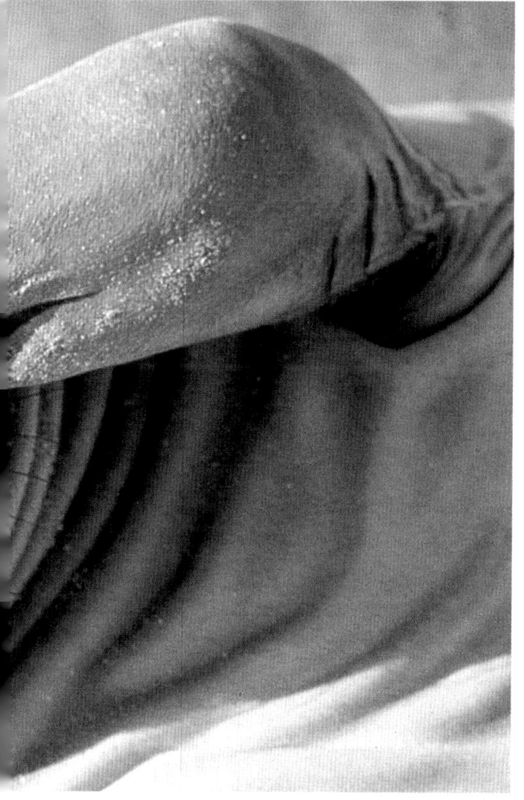

Seehunde sind Flachwasserbewohner und leben bevorzugt in und in der Nähe von großen Flußmündungen, in denen sie winterliche Vereisungen vermeiden können. Dies hindert sie nicht, bei Gelegenheit auf einer Eisscholle zu ruhen.

Die Wissenschaft unterscheidet innerhalb der Hundsrobben zwei Gruppen, nämlich die Unterfamilie der Phocinae, der eigentlichen Seehunde, sowie die Unterfamilie der Monachinae, der Mönchsrobben und ihrer Verwandtschaft. Die Phocinae umfassen die Gattungen *Phoca* (5 Arten), *Pagophilus, Histriophoea, Halichoerus, Erignathus* und *Cystophora* (je 1 Art), die

Monachinae die Gattungen *Monachus* (3 Arten), *Mirounga* (2 Arten), *Lobodon*, *Ommatophoca*, *Hydrurga* und *Leptonychotes* (je 1 Art). Diese Einteilung unterscheidet sich von älteren darin, daß sie die Klappmütze *(Cystophora)* als eine Verwandte der Seehunde und die See-Elefanten als zu den Mönchs- und Südrobben gehörig ausweist. Klappmütze und See-Elefanten wurden früher wegen ihres aufblasbaren rüsselartigen Nasenaufsatzes für enger miteinander verwandt gehalten.

Die Seehunde

Der Seehund *(Phoca vitulina)* besitzt ein außerordentlich großes Verbreitungsgebiet. Er besiedelt sowohl im Nordatlantik als auch im Nordpazifik die Ost- und die Westküsten. Entsprechend diesem großen Verbreitungsgebiet sind mehrere Unterarten beschrieben worden, die hier aber nicht im einzelnen aufgeführt werden sollen, da die unterartliche Gliederung dieser Art noch nicht abgeschlossen ist. Der Seehund ist ein Flachwasserbewohner und lebt vornehmlich in und nahe der Mündungen großer Flüsse. In seinen bevorzugten Wohngebieten liegen ausgedehnte Sandbänke, die während der Ebbe trockenfallen, jedoch können felsige Küsten mit leichtem Zugang zum Wasser

Den Seehunden fehlen die äußeren Ohren. Nur eine kleine Vertiefung zeigt die verschließbare Mündung des äußeren Gehörgangs an. – Rechts: Meeresverschmutzung und häufige Beunruhigung haben, besonders in der Deutschen Bucht, oft flächige Hauterkrankungen zur Folge.

ebenfalls vom Seehund benutzt werden. Küsten mit regelmäßigen winterlichen Vereisungen werden nach Möglichkeit gemieden.

Der ostatlantische Seehund bewohnt die Küsten Islands, Englands, Norwegens, Dänemarks, Deutschlands sowie Hollands und lebt ebenso in der Ostsee. Seine Vorliebe für die Mündungsgebiete großer Flüsse und für das von ihnen zum Meer beförderte Süßwasser hat schon manchen Seehund zu weiten Wanderungen flußaufwärts verleitet. So berichtet Erna Mohr von einer Rekordwanderung, die einen Seehund 1813 die Elbe 757 Kilometer flußaufwärts geführt hat. Auch an den Westküsten des Atlantiks wandern Seehunde häufig flußaufwärts. Die in manchen kanadischen Seen lebenden Seehunde stammen wahrscheinlich von solchen Wanderern ab. Auf der Westseite des Atlantiks bewohnt der Seehund die südlicheren Küsten von Grönland, die Küsten von Baffinland und der Hudsonbucht und folgt dann dem Küstenverlauf nach Süden bis etwa Virginia. Der Nordpazifik wird an seinen Küsten von Baja California im Osten bis nach Hokkaido im Westen besiedelt. Auch der westatlantische und der pazifische Seehund versuchen in ihrem arktischen Vorkommen Küstenteile mit Vereisung zu vermeiden und suchen dafür Flußmündungen oder Strömungen auf, die eine Eisbildung verhindern. Der ostatlantische Bestand wird auf etwa 50 000, der westatlantische (nur Kanada) auf 20 000 bis 30 000 und die pazifischen Vorkommen auf etwa 300 000 Tiere geschätzt, so daß man von einem Weltbestand von etwas weniger als 400 000 Köpfen ausgehen kann.

Seehunde gehören zu den bekanntesten Tiergestalten überhaupt; Feriengäste an der Nordsee haben leicht Gelegenheit, diese anmutigen Tiere auf den Sandbänken des Wattenmeers liegen zu sehen. Man sollte bei solchen Beobachtungen allerdings nicht vergessen, daß wiederholte Störungen von den Tieren übelgenommen werden und dann möglicherweise zum Verlassen der Jungtiere führen. Erwachsene männliche Seehunde werden bei einer Körperlänge von 1,30 bis 1,80 Meter bis etwa 100 Kilo schwer, die Weibchen sind im Durchschnitt ein wenig kleiner und leichter. Die Geschlechter sind durchweg gleich gefärbt; Fellfärbung und -zeichnung schwanken allerdings erheblich. Die Grundfärbung des Fells ist ein Grau oder Graubraun mit einer Vielzahl dunkler Flecke, die auf dem Rücken zusammenfließen können. Auffällig ist im Vergleich zu anderen Robben der kurze, runde Kopf und die V-förmige Anordnung der äußeren Nasenöffnungen.

Die Nahrung wird in den flachen Gewässern der Küste, und zwar am Tage, aufgenommen, und hier ist den Seehunden jeder Fisch (Dorsch, Hering, Plattfische usw.) recht, dessen sie habhaft werden können; auch Tintenfische und Krebse werden genommen. Jungtie-

re nach der Entwöhnung leben erst einmal von Krabben. Erwachsene Seehunde benötigen je Tag bis zu fünf Kilogramm Fische.

Weder außerhalb noch während der Fortpflanzungszeit lassen Seehunde irgendein Sozialgefüge erkennen. Sie leben in kleinen Gruppen zusammen; in sehr nahrungsreichen Gegenden können solche Ansammlungen größer sein. Auch zwischen den Geschlechtspartnern bestehen keine andauernden Beziehungen, es herrscht vielmehr Promiskuität (beliebige Partnerwahl). Die Jungtiere werden bei der ostatlantischen Form um die Monatswende Juni/Juli geboren; sie sind bei der Geburt zwischen 70 und 90 Zentimeter lang und wiegen etwa zehn Kilo. Das erste (embryonale) Haarkleid, Lanugo genannt, wird bereits im Mutterleib oder bei der Geburt gewechselt, so daß die Jungtiere gleich nach der Geburt ins Wasser können. Sie werden vier bis sechs Wochen lang gesäugt, und während dieser Zeit folgt das Muttertier dem Jungen, beschützt und behütet es. Danach wird es von der Mutter weggebissen. Zumeist wird nur ein einziges Junges geboren, Zwillingsgeburten sind aber wohl gar nicht so selten. Von Zwillingen wird jedoch nur eines hochgebracht, da die Mutter nur einem ihrer Kinder folgen kann. Die verlassenen Jungen werden zu »Heulern«; ihr Klagen klingt wie das Weinen eines menschlichen Kindes. Diese Suchlaute hört man selbstverständlich auch von Jungtieren, die aus anderen Gründen verlassen sind, wenn also etwa infolge von Störungen Mutter und Kind einander verloren haben oder die Mutter umgekommen ist.

Die Seehundweibchen kommen innerhalb von 14 Tagen nach dem Ende der Säugezeit in Fortpflanzungsbereitschaft (Östrus). Zuvor erfolgte bereits der Haarwechsel. Die Männchen verfolgen aufgeregt die Weibchen, und es kommt offenbar auch zwischen den Männchen zu Beißereien; jedenfalls künden die Narben dieser Tiere davon. Man kann beobachten, daß die aufgeregten Männchen sich im Wasser absinken und dabei Luft aus dem Mund entweichen lassen, wodurch ein blubberndes Geräusch entsteht.

Die Begattung findet offensichtlich unter Wasser statt; einschlägige Beobachtungen sind bislang nicht verbürgt. Die Tragzeit beträgt etwa 11 Monate und schließt eine zweimonatige Keimruhe mit ein. Die Geschlechtsreife wird von den Männchen mit drei bis sechs, von den Weibchen mit drei bis vier Jahren erreicht. Die Lebensdauer kann bis zu 40 Jahre betragen.

Die Seehunde sind in ihrem gesamten Verbreitungsgebiet im wesentlichen ihrer Felle wegen bejagt worden. In vielen Ländern gibt es auch heute noch keine gesetzlichen Bestimmungen, die die Jagd einschränken; dies gilt zum Beispiel für Island. In anderen Ländern ist die Jagd durch Gesetze geregelt oder auch stark eingeschränkt. In Deutschland gehört der Seehund leider immer noch zum jagdbaren Wild. Die Zahl der auf diese Weise insgesamt verlorengehenden Tiere wird heute noch auf rund 20 000 im Jahr geschätzt. Der Gesamtbestand wird trotz der Verluste durch die Jagd für einigermaßen stabil gehalten. Naturgemäß ist diese Robbe jedoch in der Nähe menschlicher Ansiedlungen durch Zivilisationseinflüsse gefährdet. Dies gilt ganz besonders für die Tie-

Seehunde wirken wie alle Hundsrobben an Land ziemlich unbeholfen. Die Stellung ihrer Hintergliedmaße bedingt, daß der Leib nicht vom Boden abgehoben werden kann. Sie müssen sich durch abwechselndes Abstützen auf Brust und Hinterleib und Krümmung des Körpers fortbewegen.

▷ Ein Seehund in seinem Element. Nur die Fernsinnesorgane (Augen, Ohren- und Nasenöffnungen) ragen aus dem Wasser.
▷▷ Eismeer-Ringelrobbe. Auf dem Rücken werden die schwarzen Flecken häufig von hellen Ringen umgrenzt.

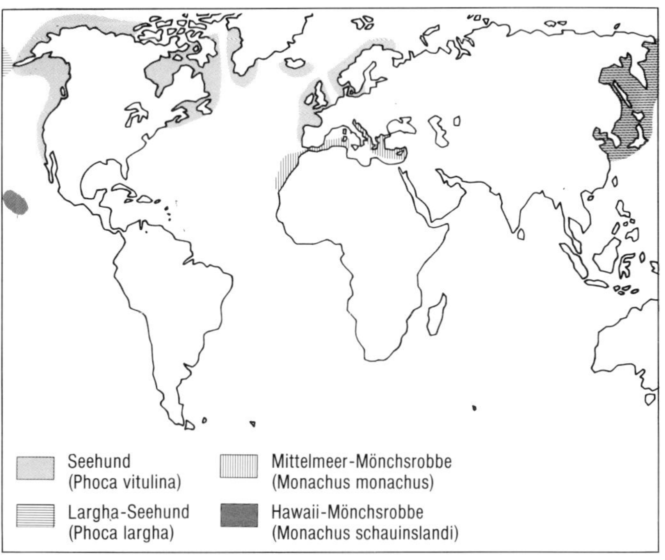

re in der Deutschen Bucht. Zu häufige Störungen durch Touristen und sicher auch der Einfluß giftiger Chemikalien beeinträchtigen ihren Bestand.

Der Largha-Seehund *(Phoca largha)* wird heute zumeist als eine eigene Art angesehen, während man ihn früher als eine Unterart von *Phoca vitulina* betrachtete. Bei im Durchschnitt etwas größeren Körpermaßen sehen diese Tiere wie »normale« Seehunde aus. Der entscheidende Unterschied ist der, daß der Largha-Seehund in enger Beziehung zum Packeis lebt und seine Jungen auf dem Eis zur Welt bringt. Bemerkenswert sind einige weitere biologische Unterschiede zu den nahverwandten Seehunden: Die Jungtiere werden mit dem hellen Embryonalhaarkleid geboren, und die Erwachsenen leben während der Fortpflanzungszeit über einige Wochen paarweise zusammen. Der Gesamtbestand der Largha-Seehunde umfaßt mehrere hunderttausend Tiere, die in der Tschuktschen- und der Beringsee sowie im nordwestlichen Pazifik leben. Im Sommer folgen die Robben dem zurückweichenden Eis und leben dann im Küstenbereich.

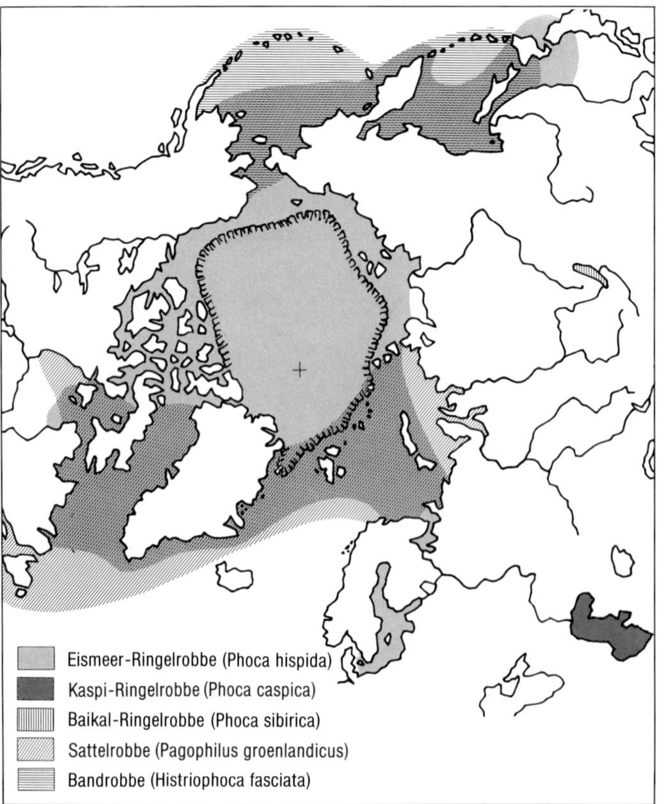

Die Ringelrobben umfassen drei Arten, die ein ungeheuer großes Verbreitungsgebiet besiedeln: das gesamte Nördliche Eismeer, den nördlichen Atlantik, die Beringsee und den nordwestlichen Pazifik; daneben haben diese Robben eine Reihe von Süßwasserseen erobert, unter anderen den Kaspi- und den Baikalsee. Die Eismeer-Ringelrobbe *(Phoca hispida)* hat an diesem riesigen Verbreitungsgebiet den größten Anteil; sie ist es, die das Eismeer, den Nordatlantik und -pazifik bewohnt; sie ist es auch, die in den weniger salzigen oder sogar ausgesüßten Teilen der Ostsee (Finnischer und Bottnischer Meerbusen) vorkommt und von hier aus den finnischen Saimaa- und den russischen Ladogasee besiedelt hat.

Von der Eismeer-Ringelrobbe sind, und dies hängt mit dem großen Verbreitungsgebiet zusammen, sechs Unterarten zu benennen: *Phoca hispida ladogensis* und *Ph. h. saimensis* in den eben erwähnten Seen; *Ph. h. botnica* in der Ostsee, *Ph. h. hispida* an den Küsten Europas, Kanadas, Grönlands und Alaskas; *Ph. h. krascheninikovi* in der nördlichen Beringsee und *Ph. h. ochotensis* im Ochotskischen Meer. Die beiden anderen Arten sind die der großen Binnenmeere, des Kaspi- und des Baikalsees: Kaspi-Ringelrobbe *(Phoca caspica)* und Baikal-Ringelrobbe *(Phoca sibirica)*. Die Besiedlung dieser und zweier kleinerer Seen ist wahrscheinlich erst in erdgeschichtlich jüngerer Zeit erfolgt.

Die Körpergröße der Ringelrobben unterliegt gewissen Schwankungen; die Körperlänge beträgt bis zu 1,50 Meter (Baikal-Ringelrobbe 1,30 Meter), und das Gewicht liegt zwischen 60 und 70 Kilogramm. Die Weibchen sind ein wenig kleiner als die Männchen. Die Fellfärbung beider Geschlechter ist einander sehr ähnlich; die Arten unterscheiden sich aber in dieser Hinsicht. Bei der Eismeer-Ringelrobbe fallen auf dem grauschwarzen Rücken ovale, helle Ringe auf, die aber nicht bei allen Tieren des Verbreitungsgebietes ausgebildet sind; die Baikal-Ringelrobbe ist auf dem Rücken einheitlich dunkel graubraun und auf der Bauchseite silberfarben getönt; die Kaspi-Ringelrobbe zeigt bei den Männchen auf dem gesamten Körper kleine schwarze Flecken, die Weibchen haben hellere Flecken und nur auf dem Rücken.

Ringelrobben leben in ufernahen Zonen und haben eine Vorliebe für das Eis. Die ausgewachsenen Tiere bevorzugen das feste Eis in Küstennähe, unter dem sie sich aufhalten, während die jüngeren Tiere weiter ent-

fernt vom Ufer in der Zone des weniger festen Eises anzutreffen sind. Die unter dem Eis lebenden Tiere benutzen Atemlöcher im Eis, die bis zu einer Eisdicke von zwei Metern offengehalten werden können und bereits im Herbst bei beginnender Vereisung angelegt werden. Diese Atemlöcher gebrauchen die Robben auch, um auf das Eis zu gelangen; Schnee über dem Atemloch deckt häufig höhlenartig den Eingang ab. Solche Schneehöhlen werden als Lager- und auch als Geburtsplätze benutzt. Sie bieten insbesondere den Jungtieren Schutz gegen Auskühlung und entziehen sie in einem gewissen Maße auch den Eisbären und Polarfüchsen. Nach der Geburtszeit im Juni sind viele Ringelrobben auf dem Eis liegend anzutreffen; sie wärmen sich in dieser Zeit, in der auch der Haarwechsel erfolgt, in der Sonne. Jetzt sind im übrigen auch Ansammlungen von Robben zu sehen, während diese Art sonst eher ein solitäres (einzelgängerisches) Leben führt. Die Nähe des Eisrandes ist ganz offenbar auch besonders fischreich. Die Ringelrobbe kann sowohl in Bodennähe als auch im freien Wasser jagen und taucht möglicherweise sogar bis zu 90 Meter tief. Fische, und zwar in sehr großer Artenzahl, sind während der Wintermonate die Hauptnahrung, im Sommer bekommen Krebse und andere Wirbellose mehr Bedeutung; dies ist jedenfalls für die Eismeer-Ringelrobbe nachgewiesen. Die Tiere führen jahreszeitlich bedingte Wanderungen entsprechend der Verteilung des Eises durch. Die Baikal-Ringelrobbe hält sich im Winter im Norden des Sees auf und wandert im Sommer in den Süden. Die Kaspi-Ringelrobbe treibt ihre Vorliebe für das Eis ebenfalls im Winter in den Norden des Sees, dessen flaches Wasser sich aber im Sommer zu stark erwärmt, so daß sie in das tiefere und kühlere Wasser des südlichen Sees ausweicht.

Die Jungtiere der Eismeer-Ringelrobbe werden zwischen Ende März und Ende April auf dem Eis geboren. Festes Eis ist für die Aufzucht der Jungtiere die beste Voraussetzung, da sich dort die Mütter länger um ihren Nachwuchs kümmern. Neugeborene sind bis zu 70 Zentimeter lang und wiegen wenige Kilogramm. Sie werden bei allen drei Arten in ihrem weißen Embryonalhaarkleid geboren, das nach drei bis vier Wochen gewechselt wird. Die Jungtiere werden vier bis sechs Wochen oder länger gesäugt – eine im Vergleich zu anderen Hundsrobben recht lange Zeit, die offenbar in einer Beziehung zu dem verfügbaren festen Eis steht. Die Jungtiere der Baikal-Ringelrobbe werden um die Mitte März geboren und bis zu zehn Wochen gesäugt; bei der Kaspi-Ringelrobbe liegen die Geburtstermine noch früher (Ende Januar/Anfang Februar). Die Männchen der Eismeer-Ringelrobbe interessieren sich ab März bis in den Mai hinein für die Weibchen; die Paarungen erfolgen im ersten Monat nach Geburt der Jungtiere; die Trächtigkeit dauert 10,5 bis 11 Monate, von denen die ersten 3,5 Monate die Keimruhe umfassen. Männliche Eismeer-Ringelrobben werden mit etwa sieben Jahren und Weibchen mit etwa sechs Jahren geschlechtsreif.

Baikal-Ringelrobbe zu Lande und zu Wasser. Während sie auf festem Grund recht plump und schwerfällig wirkt (links), tummelt sie sich im nassen Element mit der Eleganz eines Akrobaten (unten).

Für diese Art ist eine Lebensdauer von 46 Jahren nachgewiesen. Es sei noch angefügt, daß es Hinweise darauf gibt, daß die Kaspi-Ringelrobbe in Einehe lebt.

Die Eismeer-Ringelrobbe ist eine der häufigsten Robbenarten überhaupt; man schätzt die Bestände auf sechs bis sieben Millionen Tiere. Für die Robben im Kaspisee werden 500 000 und für die im Baikalsee 50 000 Tiere angegeben. Obwohl jährlich beträchtliche Zahlen von Robben, insbesondere Jungtiere, getötet werden (wahrscheinlich gegen 100 000 Eismeer-Ringelrobben, 2000 bis 3000 im Baikalsee und 60 000 im Kaspisee), sind die Bestände mit Ausnahme desjenigen in der Ostsee offenbar nicht gefährdet.

Auf eine etwas weniger große, aber dennoch beachtliche Kopfzahl bringt es die Sattelrobbe *(Pagophilus groenlandicus)*; ihr Gesamtbestand wird auf bis zu etwas mehr als zwei Millionen Tiere geschätzt. Ihre Heimat ist der arktische Atlantik von der Kara- und der Barentssee bis zu den Gewässern um Grönland und Neufundland. Sattelrobben sind Tiere der offenen See, die im Sommer, wenn sich das Packeis zurückzieht, nach Norden und

▷ Junge Sattelrobbe, die auf dem Eis drei bis vier Wochen nach der Geburt ihr weißes Embryonalhaar gegen einen Pelz eingetauscht haben wird, der ihr erst das Leben im Wasser gestattet. Damit entgeht sie auch den Nachstellungen der Menschen, die es vor allem auf die »Whitecoats«, die weißgekleideten Robbenkinder, abgesehen haben.

im Herbst nach Süden wandern. Bei schlechtem Wetter verläßt diese Robbe häufig das Wasser und begibt sich aufs Eis, dessen Ränder als Ruheplätze dienen. Sattelrobben werden bis zu zwei Meter lang und wiegen dabei bis zu 150 Kilo. Die erwachsenen Tiere sind silbergrau mit einem schwarzen Kopf und der unverwechselbaren schwarzen Zeichnung in Form eines Hufeisens auf dem Rücken.

Die Nahrung der Sattelrobben besteht aus Fischen (Lodde, Polardorsche, Dorsche, Heringe, Heilbutt) und zu einem geringeren Teil aus Krebsen. Kleine Krebse (Euphasiaceen) bilden die Hauptnahrung gerade entwöhnter Jungtiere. Offenbar können Sattelrobben bei der Nahrungssuche recht tief tauchen; in 280 Meter Tiefe ist schon ein Tier an einer Dorschangel gefangen worden.

Zur Fortpflanzungszeit, je nach Gegend Ende Februar bis Ende März, kommen die Sattelrobben in großer Zahl an vier bevorzugten Plätzen im Weißen Meer, nördlich von Jan Mayen und bei Neufundland zusammen. Sie suchen dabei das Eis in einiger Entfernung von seinen Rändern auf und bevorzugen dabei Stellen mit einer gewissen Oberflächengliederung, so daß die Jungtiere etwas Schutz finden. Löcher im Eis gewährleisten den Zugang zum Wasser. Die Jungtiere (etwa einen Meter lang und 10 Kilo schwer) werden nur bis zu zwölf Tage lang gesäugt, verbringen aber danach noch mindestens zehn weitere Tage allein auf dem Eis, bis das helle Embryonalhaar, nach dem sie »Whitecoats« genannt werden, durch ein Haarkleid ersetzt wird, das ihnen das Aufsuchen des Wassers gestattet und damit zu ihrer Unabhängigkeit führt. Die fettreiche Milch ermöglicht den Jungen eine tägliche Gewichtszunahme von über zwei Kilogramm, von denen der größere Anteil auf den sich rasch entwickelnden Blubber entfällt. Diesem kommt natürlich für das Liegen auf dem Eis eine besondere Bedeutung zu.

Nach der Entwöhnung ihrer Jungen werden die Weibchen wieder begattet; ganz offenbar sind die Sattelrobben monogam. Im übrigen deutet nichts darauf hin, daß es irgendeine soziale Ordnung in diesen großen Scharen von Robben gibt, die sich für das Fortpflanzungsgeschäft oder in noch größeren Versammlungen zum Haarwechsel im April und Mai treffen.

Der Mensch als Freund und Feind der Robben: Im nächsten Augenblick wird das Mordwerkzeug auf den Kopf des nichtsahnenden Sattelrobbenbabys niedersausen (rechts). Die kleine Robbe rechts unten wird vermutlich dem gewaltsamen frühen Tod entgehen, denn ein Vertreter der Umweltschutzorganisation »Greenpeace« hat das weiße Fell mit Farbe besprüht, um es für die Robbenmörder uninteressant zu machen. Ein Wissenschaftler (Mitte) beobachtet eine ausgewachsene Robbe, die zum Luftholen in einem Atemloch im Eis aufgetaucht ist.

Die Trächtigkeit dauert einschließlich der viereinhalbmonatigen Keimruhe 11,5 Monate. Sattelrobben können 30 oder mehr Jahre alt werden.

Neuere Untersuchungen haben gezeigt, daß der Gesamtbestand der Art in zwei Gruppen zerfällt, die sich in bestimmten Eiweißmerkmalen voneinander unterscheiden. Auf der einen Seite steht dabei die Population um Neufundland; die hier zur Fortpflanzung kommenden Tiere der »Golfherde« und der »Frontherde« sind nicht zu unterscheiden. Auf der anderen Seite stehen die Tiere, die sich bei Jan Mayen und im Weißen Meer fortpflanzen. Die Tatsache, daß es zwei voneinander getrennte und unterscheidbare Fortpflanzungsgemeinschaften gibt, hat für Überlegungen des Naturschutzes Bedeutung. Gegen das Robbenschlachten vor der kanadischen Küste – hierbei handelt es sich um die Bestände um Neufundland –, sind in den letzten Jahren Tierfreunde und Naturschützer in aller Welt aufgestanden. Es ist das besondere Verdienst Bernhard Grzimeks, auf Art und Umfang des Tötens dieser Robbenjungen aufmerksam gemacht zu haben. Seine mahnende Stimme ist dabei auch jenseits unserer Grenzen gehört worden.

Ein enger Verwandter der Sattelrobbe ist die BANDROBBE *(Histriophoca fasciata)*, deren Biologie, soweit uns bekannt ist, in manchen Zügen derjenigen der Sattelrobbe ähnelt. Sie ist im arktischen Teil des Pazifiks (Ochotskisches Meer, Beringmeer, Tschuktschenmeer) zu Hause; ihr Verbreitungsgebiet ist jedoch von dem der Sattelrobbe getrennt. Die einzelgängerische Bandrobbe lebt im Winter auf dem sich bewegenden Packeis in großer Entfernung vom Lande. Auf dem Eis werden auch im April die Jungen geboren und drei bis vier Wochen lang gesäugt; in dieser Zeit verdoppeln sie ihr Geburtsgewicht. Auch der Haarwechsel vollzieht sich noch auf dem Eis, bis dieses dann im Juni im Beringmeer schmilzt. Mit dem schmelzenden Eis verschwinden auch die Robben, ohne daß wir genau wissen, wo sie bleiben.

Es handelt sich hierbei um eine kleine Robbe mit einer Körperlänge von etwa 1,50 Meter und einem Gewicht von rund 80 Kilo, die eine sehr auffällige (namengebende) Zeichnung besitzt: Der dunkelbraune Körper zeigt um den Hals, um den Hinterleib und um den Ansatz der vorderen Gliedmaßen am Körper breite, weiße oder gelbliche, bandartige Muster; bei den Weibchen hebt sich die Zeichnung nicht so auffällig ab, da sie insgesamt heller gefärbt sind. Der Gesamtbestand wird auf 200 000 bis 250 000 Tiere geschätzt, von denen hauptsächlich in den russischen Gewässern alljährlich mehrere Tausend getötet werden; hierbei ist der Bestand im Ochotskischen Meer möglicherweise überbeansprucht.

Die KEGELROBBE *(Halichoerus grypus)* ist eine große Robbe, deren Männchen größer und schwerer als die Weibchen werden (ausgewachsene Männchen bis 2,20 Meter lang und weit über 200 Kilo schwer, Weibchen bei unter zwei Meter Länge bis 150 Kilo schwer). Der Name nimmt Bezug auf die kegelartig verjüngte Schnauzenpartie. Die Fellfärbung schwankt von dunkel- bis hellgrau und silbrig bis zu einem bräunlichen Ton. Interessanterweise unterscheiden sich die Geschlechter in der Fellfärbung: Bei den Männchen bildet ein dunklerer Farbton die »Hintergrundfärbung«, von der hellere Flecken abgesetzt sind; bei den Weibchen ist der Hintergrund des Felles hell, und die Abzeichen sind dunkler.

Die Kegelrobbe kommt auf beiden Seiten des Atlantiks und in der Ostsee vor. Diese drei Bestände sind voneinander getrennt und haben unterschiedliche Fortpflanzungszeiten. Der westatlantische Bestand ist an den Küsten Labradors, Neufundlands und der USA bis etwa Boston heimisch. Das Verbreitungsgebiet des ostatlantischen Bestandes reicht vom Weißen Meer über die norwegische Küste und die Küsten Englands und Irlands bis nach Nordspanien; die West- und Südküste Islands gehört auch dazu. Die Tiere der Ostsee besiedeln den östlichen Teil dieses

Wie ein Zwerg wirkt der Zoowärter neben dem Südlichen See-Elefantenbullen, dem Riesen unter den Hundsrobben. – Rechts: Futterneid im Ozean. Die Kegelrobbe kann ihren frischgefangenen Lachs nicht in Ruhe verzehren, weil die aufdringlichen Silbermöwen ihr den Leckerbissen streitig machen wollen. Gut zu sehen ist das namengebende Merkmal dieser Robbenart: die kegelförmig verjüngte Schnauzenpartie.

Meeres bis in den Bottnischen Meerbusen nach Norden. Während die hier lebenden Tiere sich auf dem Eis fortpflanzen, bevorzugen die Kegelrobben ansonsten felsige Ufer. Die Hauptfortpflanzungsgebiete liegen vor den britischen Küsten (Hebriden, Orkney- und Farne-Inseln). Der Gesamtbestand der Kegelrobben wird mit etwas weniger als 100 000 Tieren angegeben. Während der Ostseebestand abnimmt, haben die Bestände vor der englischen und der kanadischen Küste in den letzten Jahren nicht unerheblich zugenommen. In einigen Ländern sind Kegelrobben vollkommen geschützt, in anderen (z.B. Kanada) werden sie zur Bestandsregelung bejagt; dieses geschieht unter anderem deswegen, weil man sie wegen der Übertragung von Schmarotzern als schädlich für die Fischerei ansieht. In Island und auf den Faröern genießen sie überhaupt keinen Schutz.

Die Kegelrobbe ist ein Fischesser, der hauptsächlich in Küstennähe jagt; Dorsche, Lachse, Plattfische und Heringe stehen auf seiner Speisekarte, und gelegentlich werden auch Tintenfische und Krebse genommen. Die Nahrungstiere und Ernährungsgewohnheiten bedingen, daß diese Robbe in Gebieten gemeinsamen Vorkommens in Konkurrenz zum Seehund steht.

Mit Ausnahme der sich auf dem Eis fortpflanzenden Tiere der Ostsee und einiger Gegenden Kanadas versammeln sich die Kegelrobben zur Fortpflanzungszeit in großen Scharen, um sich danach wieder auf ein größeres Gebiet zu verteilen. Für gewöhnlich sind die Gegenden, die für die Fortpflanzung aufgesucht werden, nicht identisch mit den Jagdgründen. Der Größenunterschied zwischen Männchen und Weibchen war bereits ein Hinweis auf das Sozialgefüge der Fortpflanzungsgesellschaft: Kegelrobben sind polygam (mit Ausnahme der Gegenden mit sehr dünner Besiedlung), die Männchen richten ein Territorium ein und bilden Harems. An den englischen Küsten werden die Jungtiere im Herbst geboren. Bereits einen Monat zuvor treffen an den Fortpflanzungsgründen trächtige Weibchen und die Bullen ein. Sobald die ersten Jungen geboren sind, besetzen die alten Bullen ihre Territorien, bevorzugt solche, die weiter entfernt vom Ufer liegen. Diese Territorien werden heftig gegen Nebenbuhler verteidigt; man sagt den Kegelrobben überhaupt nach, daß sie sich, besonders wenn sie in die Enge getrieben werden, nachdrücklich verteidigen können, wie mancher Robbenschläger in der Vergangenheit erfahren hat.

Die Jungtiere werden in ihrem weißgrauen Lanugo (Embryonalhaar) geboren, das nach der dritten Lebenswoche gewechselt wird. Gewöhnlich gehen die Jungtiere erst nach diesem ersten Haarwechsel in das Wasser, obwohl sie schon gleich nach der Geburt schwimmen können. Sie wiegen bei der Geburt etwa 15 Kilo und werden rund 21 Tage lang gesäugt. Während dieser Zeit erkennt die Mutter ihren Nachwuchs sowohl an der Stimme wie auch am Geruch, wenn sie ihn für das wenige Minuten dauernde Säugen aufsucht. Die Jungen vermehren ihr Körpergewicht um 1,5 Kilo je Tag, so daß sie zum Zeitpunkt der Entwöhnung 50 Kilo wiegen und kleinen, fetten Tonnen gleichen. Nach der Entwöhnung ihres Nachwuchses kommen die Weibchen wieder in die Brunst; die Begattungen finden meist wohl im Wasser statt. Sechs oder sieben Weibchen gehören zu einem Harem, dessen Angehörige sich allerdings auch mit anderen Bullen paaren. Die Trächtigkeit beträgt 11,5 Monate unter Berücksichtigung der verzögerten Einbettung des Keimes in die Gebärmutterschleimhaut.

Bei den Weibchen der Kegelrobbe stehen dunkle Flecken auf hellem Grund; bei den Männchen ist es umgekehrt.

Die Bartrobbe *(Erignathus barbatus)* führt ihren Namen wegen der auffälligen langen Barthaare, die an den Spitzen in enge Spiralen gedreht sind. Es handelt sich um Robben, die etwas über zwei Meter lang werden und bei reichlicher Nahrung über 300 Kilo wiegen können. Die Fellfärbung ist ein Grau, das auf der Bauchseite heller getönt ist und auf dem Kopf in einen Braunton übergeht. Kennzeichnend sind ebenfalls die im Umriß quadratischen Vorderflossen. Zusammen mit den Mönchsrobben haben Bartrobben, im Gegensatz zu den übrigen Hundsrobben, vier Zitzen.

Bartrobben kommen im Nortatlantik und Nordpazi-

fik sowie an den Küsten Europas, Asiens und Amerikas vor. Die atlantischen und pazifischen Bestände leben nicht voneinander getrennt; ob diese Bestände als eigene Unterarten anzusehen sind, ist bislang nicht eindeutig entschieden. Bartrobben bevorzugen das sich bewegende Packeis über flacherem Wasser und mit freien Wasserflächen zwischen dem Eis, sie vermögen aber auch Atemlöcher in dünnerem Eis offenzuhalten, zuweilen Hunderte von Kilometern vom Packeis entfernt. Im Sommer suchen sie sich flachere Strände für ihren Landgang aus. Die Vorliebe der Bartrobbe für flache Gewässer hat mit der Art ihrer Nahrung zu tun: Sie erbeutet vorwiegend bodenlebende Tiere (Weichtiere, Krebse und Meeresringelwürmer).

Die Jungtiere werden in der Barentssee zwischen Ende März und Anfang Mai geboren. Die Geburt vollzieht sich auf den Eisschollen. Nach der kurzen Zeit von 12 bis 18 Tagen, während der die Mutter bei ihrem Nachwuchs bleibt und das Junge säugt, wird das embryonale Haar gewechselt. Nach dem Abstillen finden die neuerlichen Paarungen statt. Auch für das Fortpflanzungsgeschäft bilden sich bei dieser einzeln lebenden Robbe nur recht kleine Ansammlungen. Die Trächtigkeit nimmt unter Einschluß der Keimruhe etwa elf Monate in Anspruch.

Der Gesamtbestand der Bartrobben wird auf über 500 000 Tiere geschätzt, jedoch liegen keine Zahlenangaben aus Kanada und Norwegen vor. Man kann davon ausgehen, daß diese Art im Augenblick nicht bedroht ist.

Die Klappmütze *(Cystophora cristata)* ist eine große Robbe, deren Männchen bis über 2,50 Meter lang und rund 400 Kilo schwer werden können, die Weibchen sind ein wenig kleiner und leichter. Auffälligstes Merkmal der Klappmütze ist der bei den Männchen ausgebildete aufblasbare Rüssel: eine stark erweiterungsfähige, in der Wandung mit Muskelfasern und elastischem Bindegewebe versehene sackartige Hautpartie auf dem Vorderkopf. Im nicht aufgeblasenen Zustand hängt dieses Gebilde faltig vor dem Mund. Zum Aufblasen werden die Nasenlöcher verschlossen und der Rüssel mit ausgeatmeter Luft gefüllt; er kann dabei die doppelte Größe eines Fußballes erreichen. Dieser Rüssel erfährt seine volle Entwicklung, die im dritten Jahr beginnt, erst im zwölften Lebensjahr.

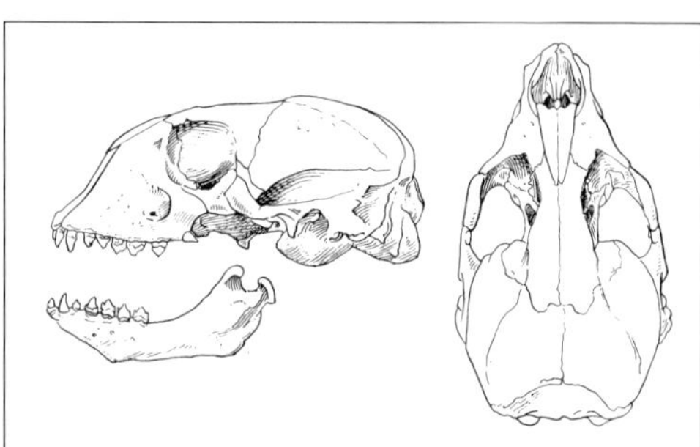

Schädel der Bartrobbe von der Seite und von oben. Die großen Augen und das große Gehirn der Robben bedingen am Schädel große Augenhöhlen, zwischen denen der Schädel wie zusammengedrückt erscheint, sowie einen großen Hirnschädelinhalt. Die Zahnkronen sind komplizierter gestaltet als bei den Ohrenrobben.

Klappmützen blasen ihren Rüssel auf, wenn sie erregt sind, sei es im Zusammenhang mit dem Paarungsverhalten oder etwa bei Störungen durch den Menschen. Dieses Verhalten wurde aber auch schon bei vollkommen ungestörten Tieren beobachtet. Die Männchen verfügen aber noch über ein weiteres Mittel, ihrer Erregung Ausdruck zu verleihen: In ihrer Nasenscheidewand besitzen sie ein sehr dehnungsfähiges häutiges Gebilde, das sie ebenfalls aufblasen können und das dann als eine bis etwa straußeneigroße, blutrote Blase aus einem Nasenloch austritt; das gegenüberliegende Nasenloch wird dabei verschlossen, damit durch die Atemluft ein ausreichend großer Druck erzeugt werden kann.

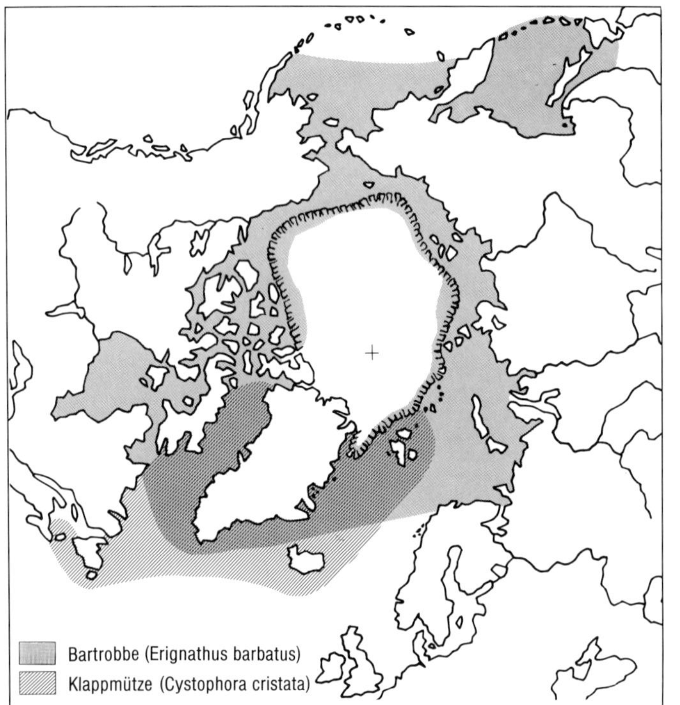

Die Fellfärbung der Klappmützen verändert sich im Laufe des Lebens sehr. Eine Besonderheit ist die Tatsache, daß die Jungen nicht mit einem embryonalen Haarkleid, sondern mit einem eng anliegenden »fertigen« Pelz zur Welt kommen, der auf der Unterseite silbriggrau und auf dem Rücken bläulich ist; diese Tiere heißen »Blaumänner«. Schon beim ersten Haarwechsel nach einem Jahr zeigt sich eine Fleckenzeichnung auf dem Rücken, und der Kopf wird schwarz. Die Flecken dehnen sich dann aus, so daß die erwachsenen Tiere auf einem grauoliven Grund eine schwarze wolkenartige Zeichnung aufweisen.

Die Klappmütze ist eine Robbe der nordatlantischen Gewässer (europäisches Nordmeer, Eismeer, Davisstraße sowie die Gewässer vor Labrador und Neufundland) und bevorzugt das Packeis, auf dem auch die Jungen geboren werden. Die Hauptfortpflanzungsgebiete liegen nördlich von Jan Mayen, vor der Westküste von Grönland sowie nördlich und südlich von Neufundland. Die Gebiete, in denen sich die ansonsten allein lebenden Robben für den Haarwechsel in größeren Zahlen versammeln, liegen im wesentlichen östlich von Grönland. Anscheinend besteht zwischen den Beständen östlich und westlich von Grönland kein nennenswerter Austausch. Als Nahrung werden Rotbarsche, Heilbutt und Dorschverwandte bevorzugt; dies entspricht der Vorliebe der Klappmützen für tieferes Wasser.

Die Fortpflanzungszeit ist die zweite Gelegenheit, bei der die Klappmützen ihr Einzelgängerdasein aufgeben und sich auf dem Treibeis zusammenfinden. Die Jungtiere werden dort in der zweiten Hälfte des März geboren. Während der Zeit, in der das Junge gesäugt wird – es handelt sich dabei um nur etwa zwölf Tage –, findet man neben dem Muttertier ein Männchen, gelegentlich wohl auch einmal mehrere. Klappmützen bilden in dieser Zeit also richtige Familien, in denen die Erwachsenen die Jungtiere heftig verteidigen. Die Weibchen werden nach der Entwöhnung der Jungen begattet und bringen nach einer Tragzeit von nahezu einem Jahr, das die Zeit für die verzögerte Einbettung des Keims in die Gebärmutterschleimhaut von mehr als vier Monaten mit einschließt, den nächsten Nachwuchs zur Welt.

Der Gesamtbestand wird auf etwa 500 000 Tiere veranschlagt. Alljährlich wird eine große Zahl (mehr als 40 000) von Jungtieren der Klappmütze zusammen mit jungen Sattelrobben getötet, hauptsächlich der

Woher die Bartrobbe ihren Namen hat, macht dieses Foto deutlich. Ins Auge fallen auch die starken Krallen und ihr Gebrauch auf dem Eis.

schönen Felle wegen. Aber natürlich sind auch die Felle und der Blubber der Erwachsenen wirtschaftlich von Interesse. Die Zahlen der getöteten Jungtiere entsprechen festgelegten Quoten, so daß man nur hoffen kann, daß dieser erhebliche Aderlaß die Bestände nicht gefährdet. Besonders bedrohlich war das Schlagen von im Haarwechsel befindlichen erwachsenen Tieren, wobei natürlich auch trächtige Weibchen mit umkamen. Da dies erkannt wurde, sind solche Tiere jetzt östlich von Grönland geschützt. Man hat ferner vereinbart, ausgewachsene Robben nur in Höhe von 10% des Gesamtfanges zu töten.

Die Mönchsrobben

Die Mönchsrobben umfassen drei sehr ähnliche Arten, die vollkommen getrennt voneinander vorkommen. Vor allem diese vollständige Isolation hat die Wissenschaftler bewogen, die drei Formen als eigene Arten anzusehen. Eine der drei Arten, die Karibische Mönchsrobbe *(Monachus tropicalis)*, gilt als ausgestorben; die angestrengte Suche nach Überlebenden dieser einst häufigen Art verlief ergebnislos. Die beiden anderen Arten, die Mittelmeer-Mönchsrobbe und die

Mutter und Kind der Hawaii-Mönchsrobbe bleiben während der Zeit, in der das Junge gesäugt wird - etwa sechs Wochen - beieinander. Vier Tage nach der Geburt kann das Kleine schon schwimmen.

Hawaii-Mönchsrobbe, gelten als unmittelbar bedroht, und es ist mehr als unsicher, ob diese Arten, obwohl sie vollkommen geschützt sind, eine echte Überlebenschance besitzen. Im Mittelmeer, bei Madeira, vor der marokkanischen Küste und der Küste der spanischen Sahara, leben nur noch etwas mehr als 500 Tiere mit einer deutlichen Tendenz zur Abnahme; die Hawaii-Mönchsrobbe lebt in den Gewässern dieser und der Laysan-Inseln in einer Kopfstärke von allerhöchstens 1000 Tieren - ebenfalls ein rückläufiger Bestand.

Die Mittelmeer-Mönchsrobbe *(Monachus monachus)* erreicht bei einer Körperlänge von eben unter drei Metern ein Gewicht von bis zu 400 Kilogramm. Die Fellfärbung ist ein Dunkelbraun bis Schwarz mit einer helleren Unterseite, die häufig auch unter dem Bauch eine weiße Fleckung aufweist.

Mönchsrobben leben von den am Ort verfügbaren Fischen, und es gibt Anzeichen dafür, daß sie bei der Nahrungssuche nicht sehr tief tauchen. Über ihre Biologie ist leider nicht sehr viel bekannt. Von der Mittelmeer-Art wissen wir, daß sie offenbar nachts auf Nahrungssuche geht und sich tagsüber wohl häufig in den Gewässern von Höhlen aufhält. Auf Sardinien fand man, daß eine Höhle von zwei Männchen und vier Weibchen benutzt wurde. In den Höhlen werden auch die Jungtiere geboren; anscheinend kann dies das ganze Jahr über geschehen. Es gibt also keine feste Geburtszeit wie bei anderen Robben, wenn auch die meisten Geburten im Sommer und Herbst beobachtet wurden. Wann die Weibchen wieder mit einer neuen

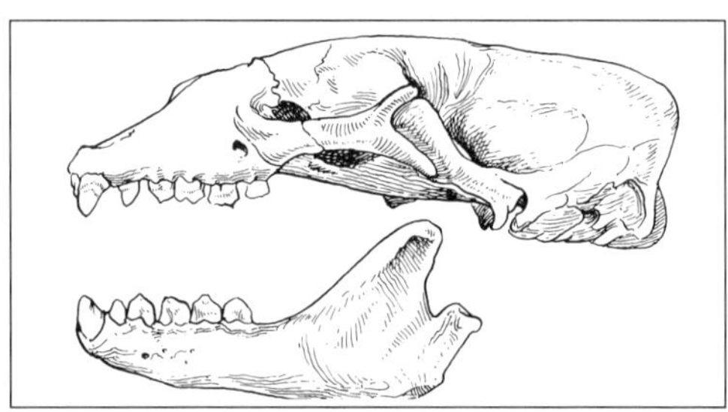

Schädel einer Mönchsrobbe von der Seite. In dem langgestreckten Kieferskelett des Schädels der Mönchsrobbe sitzen große, massive Zähne, die zum Zerquetschen der Nahrung geeignet sind.

Trächtigkeit beginnen und wie lange sie dauert, ist nicht bekannt. Die Bedrohung dieser Art scheint darin zu liegen, daß sie nicht zusammen mit dem Menschen zu existieren vermag. Es ist sogar möglich, daß sie ursprünglich einmal sandige Ufer bevorzugte, von diesen aber durch die Menschen vertrieben wurde, so wie sie auch heute überall dort zurückweicht, wo sie gestört wird.

Die Hawaii-Mönchsrobbe *(Monachus schauinslandi)* ist ein wenig kleiner als die des Mittelmeeres, und bei ihr sind die Weibchen etwa 100 Kilo schwerer als die Männchen. Die Tiere sind grau gefärbt, auf dem Rükken etwas dunkler als auf der Unterseite, und die Weibchen heller als die Männchen. Die Jungtiere werden an sandigen Küstenstreifen in guter Entfernung vom Wasser hauptsächlich zwischen Mitte März und Ende Mai geboren; aber auch bei dieser Art ist die Zeitspanne, in der Geburten beobachtet werden können, größer als bei anderen Robben. Die Jun-

gen kommen mit einem weichen, schwarzen Fell zur Welt, das nach einigen Wochen gewechselt wird. Die Entwöhnung findet wahrscheinlich mit etwa sechs Wochen statt. Bis dahin bleibt die Mutter bei ihrem Nachwuchs und nimmt offenbar selbst keinerlei Nahrung zu sich. Die Weibchen kommen zur Zeit der Geburt ihrer Jungen nicht in größeren Gruppen zusammen. Auch bei dieser Art ist es die Störung durch den Menschen, die ihren Fortbestand bedroht. Der Grund für die Abnahme scheint in einer erhöhten Sterblichkeit der Jungtiere zu liegen.

Die See-Elefanten

See-Elefanten sind die größten und schwersten Robben überhaupt; sie übertreffen sogar noch bei weitem die mächtigen Walrosse. Die Männchen des Südlichen See-Elefanten wiegen bis 4000 Kilo bei einer Körperlänge von vier bis fünf Metern; die entsprechenden Maße der Weibchen betragen bis zu 900 Kilo und zwei bis drei Meter. Die Bullen des Nördlichen See-Elefanten sind etwas leichter (etwa 2500 Kilo) bei etwa derselben Körperlänge, während sich die Weibchen beider Arten im Körpergewicht nicht unterscheiden.

Der deutsche Name für diese Tiere bezieht sich nicht nur auf ihre Körpergröße, sondern auch auf die rüsselartige Verlängerung der Nase der Männchen. Dieser Rüssel beginnt sich im Alter von zwei Jahren zu entwickeln und erreicht bei den reifen Haremsbullen mit acht Jahren seine volle Größe. Nicht aufgeblasen, hängt der Rüssel vor dem Mundspalt, dabei zeigen die Nasenlöcher nach unten. Insbesondere während der Fortpflanzungszeit kann man beobachten, daß er ähnlich wie bei der Klappmütze gewaltig vergrößert auf dem Vorderkopf liegt. Die Vergrößerung wird durch Aufblasen aus der Nasenhöhle, aber wohl auch durch Muskelzusammenziehung und einen örtlichen Blutstau erzeugt. Der von außen sichtbaren Unterteilung des Rüssels in zwei hintereinander liegende Abschnitte entspricht eine innere Gliederung durch eine Scheidewand. In Feinheiten unterscheiden sich die Rüssel der beiden Arten: Beim Nördlichen See-Elefanten ist der Rüssel ein wenig länger, und im aufgeblasenen Zustand weisen die Nasenöffnungen in den geöffneten Mund hinein, der offenbar dann für die aus den Nasenöffnungen ausgestoßenen Laute als Schallverstärker dient; beim Südlichen See-Elefanten liegen die Nasenöffnungen vor dem Mund, und es ist wohl auch die Mundöffnung, durch die bei dieser Art die Laute ausgestoßen werden. Nach Judith King tragen die Laute des Nördlichen See-Elefanten über einen Kilometer, und interessanterweise sollen die Robben verschiedener Inseln unterschiedliche »Dialekte« besitzen.

Links: Junge Nördliche See-Elefanten. – Unten Mitte: Größe und Beweglichkeit der vorderen Gliedmaße dieser Südlichen See-Elefantin sind gut sichtbar. Vielleicht führt sie die Flosse zum Mund, weil sie Zahnbeschwerden hat.

Der Südliche See-Elefant (*Mirounga leonina*) ist zirkumpolar verbreitet. Es sind im wesentlichen drei Bestände, unter denen offenbar kein nennenswerter Austausch stattfindet. Einer der Bestände ist der von Südgeorgien (einschließlich der südamerikanischen Tiere und der von den Falkland-Inseln), der zweite lebt an und in der Nachbarschaft der Kerguelen und der dritte bei der südlichsten Insel Neuseelands (Macquarie). Der Gesamtbestand wird auf mehr als eine halbe Million Tiere veranschlagt und heute als nicht bedroht angesehen. Im 19. Jahrhundert jedoch haben menschliche Nachstellungen auch diese Robbe nahe an den Rand des Aussterbens gebracht. Die industrielle Ausbeutung, die auf Südgeorgien mit einer die biologischen Gegebenheiten berücksichtigenden Hege einherging, wurde 1964 ebenfalls eingestellt. Seitdem ist der Südliche See-Elefant vollkommen geschützt.

▷ Dieses Weibchen des Südlichen See-Elefanten benutzt seine Vorderflossen, um sich mit Sand zu bewerfen, ein Verhalten, das möglicherweise dazu dient, sich vor Sonne und Hitze zu schützen oder die Haut vor Austrocknung zu bewahren.

Kein sportlicher Ringkampf, sondern ein ernsthafter Rangordnungskampf zwischen zwei Nördlichen See-Elefantenbullen. Die schwergewichtigen Kämpen richten sich auf, brüllen sich an, blasen vor Erregung ihre Rüssel auf und bringen sich mit den kräftigen Eckzähnen blutende Wunden bei, die jedoch meist schnell wieder verheilen.

Der Nördliche See-Elefant *(Mirounga angustirostris)* ist in seinem Vorkommen, soweit es seinen Aufenthalt an Land angeht, beschränkt auf die Inseln vor der südwestlichen Küste der USA und des anschließenden Mexiko; es gibt in dem gesamten Bestand keinerlei voneinander abgesonderte Gruppen. Man findet das ganze Jahr über Tiere an Land, die meisten aber selbstverständlich während der Fortpflanzungszeit und während des Haarwechsels. Im Wasser hat man Tiere bis nach Alaska und über 200 Kilometer von der Küste entfernt angetroffen. Dieser See-Elefant war Ende des vergangenen Jahrhunderts dem Artentod ganz nahe. Es wird geschätzt, daß der gesamte Bestand zur damaligen Zeit nur noch zwischen 8 und vielleicht 100 Tiere gezählt hat. Diese Art steht heute vollkommen unter Schutz und umfaßt jetzt nahezu 100 000 Tiere mit einer steigenden Tendenz. Die Tatsache, daß der gesamte Bestand von nur sehr wenigen Tieren abstammt, hat jedoch zu einer Verarmung der Erbanlagen geführt, ein Umstand, dessen Bedeutung für die Zukunft der Art bislang nicht klar ist.

Zu dem Aussehen der See-Elefanten ist noch Folgendes zu ergänzen: Die Erwachsenen sind dunkelgrau gefärbt, die Weibchen beim Südlichen See-Elefanten etwas dunkler als die Männchen; beim nördlichen Vetter unterscheiden sich Männchen und Weibchen in der Fellfärbung nicht. Die Hals- und Nackenhaut der ausgewachsenen Männchen ist infolge der vielen Kämpfe mit Narben übersät; die Haut macht hier den Eindruck einer dicken Baumborke, deren Risse in der Tiefe vielfach rötlich schimmern. Die gewaltige Größe der Bullen zusammen mit dem eindrucksvollen Rüssel und der narbigen Nackenhaut erzeugen beim Beobachter einen unvergeßlichen Eindruck von Kraft und Urtümlichkeit. Zum Fellwechsel begeben sich die Südlichen See-Elefanten ab Dezember an Land; bei jüngeren Tieren erfolgt der Haarwechsel früher als bei älteren Tieren und dauert offenbar auch weniger lange. Er kann insgesamt eine Zeitspanne von bis zu 40 Tagen in Anspruch nehmen, während derer die Tiere keinerlei Nahrung zu sich nehmen. Beim Haarwechsel lösen sich zusammen mit den Haaren ganze Teile der Oberhaut vom Körper; diese Erscheinung ist bei keiner anderen Robbe so auffällig ausgebildet.

Beide See-Elefanten-Arten ernähren sich von Fischen und von Tintenfischen; letztere werden wahrscheinlich in größerer Entfernung von den Küsten und in größerer Tiefe (100 Meter) erbeutet. Bei den Fischen handelt es sich zumeist um Bodenbewohner und recht langsame Schwimmer.

Trotz ihrer riesigen Größe erreichen beide Arten die Geschlechtsreife nicht später als andere Arten; die Weibchen bekommen zum erstenmal Junge mit drei bis fünf Jahren, die Männchen werden mit vier bis fünf Jahren geschlechtsreif, müssen aber wohl nahezu zehn Jahre alt sein, bis es ihnen gelingt, einen Harem zu besitzen. Wie bei anderen Robben mit so gewaltigen Größenunterschieden zwischen Männchen und Weibchen ist das soziale Gefüge während der Fortpflanzungszeit dadurch gekennzeichnet, daß zu einer Gruppe von Weibchen, die dann einen Harem bilden, ein ausgewachsener Bulle gehört. Die Harems umfassen gewöhnlich bis zu 40 Weibchen; sehr viel mehr Tiere (100) können nur noch sehr schlecht überwacht werden. Die Männchen kämpfen vorwiegend um ihre soziale Stellung und offenbar nicht so sehr unmittelbar um das Territorium oder den Besitz von Weibchen. Männchen, die nicht in der Lage sind, sich einen Harem zu erobern, sind von der Fortpflanzung ausgeschlossen. Bei den Kämpfen, vor denen sich die Bullen gegenseitig anbrüllen, richten sich die Tiere auf und versuchen mit den kräftigen Eckzähnen, dem Gegner Verletzungen beizubringen. Dies führt zu tiefen und stark blutenden Wunden, die anscheinend aber schnell heilen. Die Bullen des Südlichen See-Elefan-

Südlicher See-Elefant (Mirounga leonina)

ten begeben sich ab September an die Ufer (beim Nördlichen See-Elefanten geschieht das ab Dezember). Bald folgen ihnen die Weibchen, und nach etwa einem Monat sind so viele Weibchen angekommen, daß sich die Harems bilden. Eine Woche nach Ankunft der Weibchen werden die Jungen geboren (Länge bis zu 1,50 Meter, Gewicht zwischen 30 und 45 Kilo), die durchschnittlich 23 Tage lang gesäugt werden. Hierbei nehmen die Jungen gegen Ende dieser Periode bis zu neun Kilogramm täglich an Gewicht zu und vervielfachen so ihr Geburtsgewicht innerhalb dieser kurzen Zeit. Die Mütter verlieren dabei mehrere hundert Kilogramm an Gewicht. Die Jungen werden mit einem wolligen schwarzen Haarkleid geboren, dessen Wechsel etwa zehn Tage nach der Geburt beginnt und nach der Entwöhnung mit etwas mehr als 30 Tagen beendet ist. Bis dahin bleiben die Jungen gewöhnlich an Land. 19 Tage nach der Geburt werden die Weibchen wieder begattet. Daran schließt sich eine dreimonatige Keimruhe an; die Trächtigkeit insgesamt dauert etwas länger als elf Monate. Nach Entwöhnung der Jungen verlassen die Weibchen nach und nach die Küsten und begeben sich ins Meer. Die Männchen folgen ihnen dann bald (November beim Südlichen See-Elefanten), um nach dem langen Fasten endlich wieder Nahrung aufzunehmen. Diese großen Tiere erreichen nur ein erstaunlich geringes Lebensalter (12 bis 20 Jahre); das bedeutet, daß Haremsbullen häufig nur ein oder zwei Jahre lang ihre Stellung zu halten vermögen und viele Männchen überhaupt nicht zur Fortpflanzung gelangen.

Die Südrobben

Die im Folgenden besprochenen Robben werden in der wissenschaftlichen Systematik zu der Gruppe der Lobodontini zusammengefaßt; hierunter versteht man die vier antarktischen Hundsrobben, nämlich den Krabbenesser, die Ross-Robbe, den Seeleoparden und die Weddell-Robbe; der Südliche See-Elefant ist trotz seiner Verbreitung nicht in diese Gruppe mit eingeschlossen. Die antarktischen Hundsrobben sind ursprünglicher als viele Angehörige dieser Familie, etwa als die eigentlichen Seehunde. Obwohl alle antarktischen Robben rings um den Pol verbreitet sind, machen sie einander aufgrund ihrer Verteilung und besonderen Nahrungsansprüche keine Konkurrenz. Keine dieser Arten wird wirtschaftlich ausgebeutet. Es gibt jedoch internationale Abmachungen, die dem Schutz der Robben, auch des See-Elefanten, dienen und auch Quoten für den Fall festlegen, daß zukünftig ein wirtschaftliches Interesse an diesen Robben entstehen sollte.

Der Krabbenesser *(Lobodon carcinophagus)* ist die häufigste Robbe überhaupt. Die Zahl von 15 Millionen Tieren beruht auf nicht umfassenden Zählungen; wären es aber auch »nur« so viele, dann würden die Krabbenesser etwa die Hälfte aller lebenden Robben stellen. Diese Robbe wird etwa 2,50 Meter lang und erreicht ein Gewicht von 225 Kilo; dabei können die Weibchen die Männchen ein wenig übertreffen. Die Tiere machen einen schlanken Eindruck und besitzen einen langgestreckten Kopf. Das Fell ist silbrig graubraun und verändert sich im Laufe des Jahres zu einem cremefarbenen Weiß; dazu besitzt es braune, ringförmige Abzeichen an den Seiten und den Schultern. Während des Haarwechsels im Januar wird dieses Fell durch ein anfangs dunkleres ersetzt.

Die Krabbenesser werden in größeren Zahlen entlang der Packeisgrenze gefunden, aber auch innerhalb des Packeises, wenn sie nur die Möglichkeit haben, aus dem Wasser herauszugelangen. Ihre Verbreitung ist abhängig von der Ausdehnung des Packeises, das heißt, im Südwinter liegt ihr Hauptvorkommensgebiet weiter im Norden und im Südsommer weiter südlich; insbesondere werden sie dann in den südlichen Teilen der Ross-See angetroffen. Sie bevorzugen Packeis mit unregelmäßig gestalteter Oberfläche. Irr-

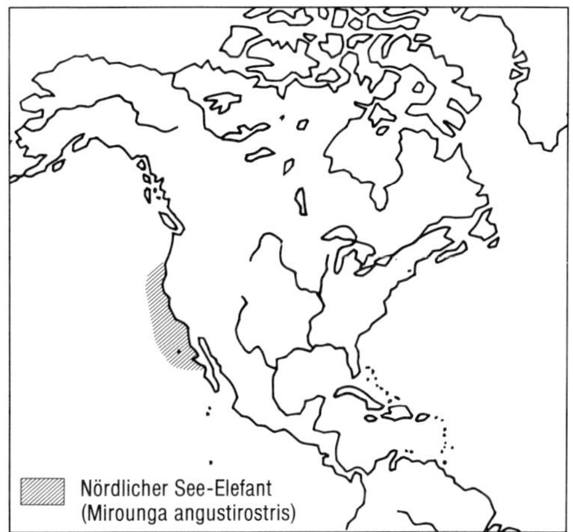

▷ **Der Kampf beginnt. Vorerst tragen diese beiden Südlichen See-Elefantenbullen die Meinungsverschiedenheiten über ihre gesellschaftliche Stellung noch »verbal« aus. Dabei geht es allerdings schon sehr lautstark zu.**

Seehunde oder Hundsrobben (Phocidae)

Name deutscher Name wissenschaftlicher Name englischer Name (E) französischer Name (F)	**Körpermaße** Kopfrumpflänge (KRL) Gewicht (G)	**Auffällige Merkmale**	**Fortpflanzung** Tragzeit (Tz) Zahl der Jungen je Geburt (J) Geburtsgewicht (Gg)
Seehund *Phoca vitulina* mit 4 (?) Unterarten E: Harbour seal, Common seal F: Phoque veau marin	KRL: ♂♂ 1,30–1,95 m ♀♀ 1,20–1,69 m G: ♂♂ etwa 100 kg (Extremwerte über 200 kg) ♀♀ 45–80 kg (Extremwerte über 100 kg)	Kurzer, runder Kopf; V-förmige Anordnung der Nasenöffnungen	Tz: 10,5–11 Monate (einschließlich Keimruhe) J: 1, Zwillinge offenbar gar nicht so selten Gg: etwa 10 kg
Largha-Seehund *Phoca largha* E: Largha seal, Spotted seal F: Phoque largha	KRL: ♂♂ bis 1,80 m ♀♀ bis 1,80 m G: bis 150 kg	Aussehen wie Seehund bei etwas größeren Körpermaßen	Tz: 10,5 Monate J: 1 Gg: etwa 7 kg
Eismeer-Ringelrobbe *Phoca hispida* mit 6 Unterarten E: Ringed seal F: Phoque annelé	KRL: im Schnitt 1,25 m G: im Schnitt 65 kg	Auf grauschwarzem Rücken ovale helle Ringe, die aber nicht überall im Verbreitungsgebiet ausgebildet sind	Tz: 10,5–11 Monate (mit 3,5 Monaten Keimruhe) J: 1 Gg: 4–5 kg
Kaspi-Ringelrobbe *Phoca caspica* E: Caspian seal F: Phoque de la Caspienne	KRL: bis 1,40 m G: bis 60 kg (ausnahmsweise 90 kg)	Männchen mit schwarzen Flecken auf dem Körper; Weibchen mit helleren Flecken, nur auf dem Rücken	Tz: etwa 11 Monate J: 1 Gg: 5 kg
Baikal-Ringelrobbe *Phoca sibirica* E: Baikal seal F: Phoque du Baikal	KRL: 1,20–1,40 m G: 80–90 kg	Rückenfärbung einheitlich graubraun; auf der Bauchseite silberfarben	Tz: etwa 11 Monate J: 1 Gg: etwa 3 kg
Sattelrobbe *Pagophilus groenlandicus* E: Harp seal F: Phoque du Groenland	KRL: bis 2 m G: bis 150 kg	Männchen mit schwarzem Kopf und schwarzer »hufeisenförmiger« Zeichnung auf dem Rücken; Zeichnung bei Weibchen weniger deutlich, auch in Flecken aufgelöst	Tz: 11,5 Monate (mit 4,5 Monaten Keimruhe) J: 1 Gg: etwa 10 kg
Bandrobbe *Histriophoca fasciata* E: Ribbon seal F: Phoque à bandes	KRL: etwa 1,50 m G: etwa 80 kg	Dunkelbrauner Körper; um Hals, Hinterleib und Ansatz der vorderen Gliedmaßen breite, helle, bandartige Muster (bei Weibchen weniger auffällig)	Tz: 10,5–11 Monate J: 1 Gg: etwa 10 kg
Kegelrobbe *Halichoerus grypus* E: Grey seal F: Tête de cheval	KRL: ♂♂ bis 2,20 m, ♀♀ bis knapp 2 m G: ♂♂ bis 300 kg (im Schnitt 230 kg), ♀♀ bis 150 kg	Kegelartig verjüngte Schnauzenpartie; Männchen auffällig größer und schwerer als Weibchen, Unterschiede in der Fellfärbung	Tz: 11,5 Monate (mit 3 Monaten Keimruhe) J: 1 Gg: etwa 15 kg
Bartrobbe *Erignathus barbatus* mit 2 (?) Unterarten E: Bearded seal F: Phoque à barbe	KRL: 2,25 m G: etwa 300 kg (Wintergewicht über 300 kg)	Lange Barthaare; quadratische Vorderflossen; 4 Zitzen	Tz: 10,5–11 Monate (mit 2,5–3 Monaten Keimruhe) J: 1 Gg: 43 kg
Klappmütze *Cystophora cristata* E: Hooded seal F: Phoque à capuchon	KRL: ♂♂ 2,50 m, ♀♀ 2,20 m G: ♂♂ 400 kg, ♀♀ 350 kg	Männchen mit aufblasbarem Rüssel	Tz: 11,7 Monate (mit 4 Monaten Keimruhe) J: 1 Gg: bis 15 kg
Karibische Mönchsrobbe *Monachus tropicalis* E: Caribbean monk seal F: Phoque moine des Indes occidentales	KRL: um 2 m G: bei einem einzigen Weibchen 160 kg	Sehr kurzes Haar; 4 Zitzen	Nicht bekannt
Mittelmeer-Mönchsrobbe *Monachus monachus* E: Mediterranean monk seal F: Phoque moine	KRL: ♂♂ bis 2,90, ♀♀ bis 3,80 m G: höchstens 400 kg	Häufig weiße Fleckung auf der Bauchseite; 4 Zitzen	Tz: wahrscheinlich etwa 11 Monate J: höchstwahrscheinlich 1 Gg: um 20 kg
Hawaii-Mönchsrobbe *Monachus schauinslandi* E: Hawaiian monk seal F: Phoque moine de Hawaï	KRL: ♂♂ bis 2,10 m, ♀♀ bis 2,30 m G: ♂♂ bis 173 kg, ♀♀ bis 273 kg	4 Zitzen; eine tropische Form (wichtige Ausnahme unter den Robben); keine physiologischen Anpassungen, dafür am Tage nicht aktiv, sondern nachts	Tz: nicht bekannt J: wahrscheinlich 1 Gg: 16–17 kg

Lebensablauf Entwöhnung (Ew) Geschlechtsreife (Gr) Lebensdauer (Ld)	Nahrung	Feinde	Lebensweise und Lebensraum	Häufigkeit
Ew: nach 4–6 Wochen Gr: Männchen mit 3–6, Weibchen mit 2–5 Jahren Ld: 40 Jahre	Fische, Tintenfische; Jungtiere Krabben	Haie, Schwertwal, Bären, Walrosse; bei Jungtieren Adler	Kein ausgeprägtes Sozialgefüge; in kleinen Gruppen, deren Größe von Nahrung usw. abhängt; wandert nicht; Flachwasserbewohner in und nahe Flußmündungen; liebt trokkenfallende Sandbänke, Watten; regelmäßige Vereisungen werden möglichst gemieden	Gesamtbestand der Art nicht gefährdet
Ew: mit 4 Wochen Gr: Männchen mit 4–5, Weibchen mit 3–4 Jahren Ld: 35 Jahre	Fische, Tintenfische und Krebse in der Nähe des Eises; in Landnähe hauptsächlich Lachse	Bären, Wölfe, Füchse	Lebt in enger Beziehung zum Packeis; bringt Junge auf dem Eis zur Welt; Erwachsene während der Fortpflanzungszeit paarweise zusammen (alles im Gegensatz zum Seehund)	Nicht genau bekannt; mehrere 100 000 Tiere
Ew: mit 4–6 Wochen Gr: Männchen mit 6–8, Weibchen mit 5–8 Jahren Ld: 46 Jahre	Fische, Krebse und andere Wirbellose	Vor allem Eisbären, auch Polarfüchse, Schwertwale, Walrosse	Ansammlungen in der Zeit des Haarwechsels, sonst eher solitär (einzelgängerisch); bevorzugen festes Eis in Küstennähe	Gesamtbestand nicht gefährdet
Ew: mit etwa 1 Monat Gr: Männchen mit 6–7, Weibchen mit frühestens 5 Jahren Ld: 35 Jahre	Fische, verschiedene Krebstiere	Wölfe, Adler	Möglicherweise monogam; verteilt lebend mit Ausnahme der Zeiten des Haarwechsels und der Fortpflanzung; im Winter im Norden; nach Aufbrechen des Eises begeben sich die Tiere in südliche Richtungen	Nach Beschränkung der Jagd offenbar keine unmittelbare Bedrohung
Ew: mit 2,5 Monaten Gr: Weibchen mit 2–5, Männchen frühestens mit 4 Jahren Ld: nicht bekannt	Fische	Außer dem Menschen keine	Im Winter im Nord-, im Sommer im Südteil des Sees, ufernah und im Sommer häufig am Ufer; möglicherweise polygam	Nach Fangbeschränkung vergrößert sich die Kopfzahl
Ew: spätestens nach 12 Tagen Gr: Männchen mit 6, Weibchen mit 5 Jahren Ld: 30 und mehr Jahre	Fische und Krebse, daneben auch andere Wirbellose	Haie, Schwertwale	Offene See am Packeisrand; große Ansammlungen zur Fortpflanzungszeit, jedoch keine Hinweise auf ein Sozialsystem; möglicherweise monogam	Trotz großer Zahl Überbeanspruchung der Bestände durch das Robbenschlagen
Ew: mit 3–4 Wochen Gr: Männchen mit 3–5, Weibchen mit 2–4 Jahren Ld: etwa 25 Jahre	Fische, Tintenfische	Schwertwale, Eisbären	Einzelgänger, weit entfernt vom Land auf sich bewegendem Packeis	Nicht unmittelbar bedroht; einige Bestände vermutlich durch Jagd zu sehr in Anspruch genommen
Ew: mit 21 Tagen Gr: mit 4–7 Jahren (Männchen sozial erst mit 10 Jahren) Ld: über 40 Jahre	Fische, vor allem in Küstennähe und Flußmündungen (z. B. Lachse)	Schwertwal	Polygam; Männchen richten Territorien ein und besitzen Harems; Bewohner der Küstengewässer, bevorzugt felsige Ufer	Keine unmittelbare Bedrohung des Gesamtbestandes
Ew: nach 12–18 Tagen Gr: Männchen mit 6–7, Weibchen mit 5–6 Jahren Ld: nicht bekannt	Krebse, Weichtiere, Meeresringelwürmer, Fische	Eisbär (für einige Populationen), Schwertwal	Einzelgänger; kleine Ansammlungen zur Fortpflanzungszeit; bevorzugt das sich bewegende Packeis über flacherem Wasser	Gesamtbestand nicht gefährdet; mancherorts möglicherweise zu stark bejagt
Ew: mit 12 Tagen Gr: wahrscheinlich mit 3 Jahren Ld: nicht bekannt	Fische, vorwiegend der tieferen Wasserzonen	Eisbär, Hai	Einzelgänger; in der Fortpflanzungszeit werden Familien angetroffen; Packeiszone und tiefere Gewässer bevorzugt	Einzelne Bestände, vorwiegend der von Jan Mayen, durch die Jagd in Gefahr, überbeansprucht zu werden
Nicht bekannt	Vermutlich Fische	Nicht bekannt	Man glaubt, daß diese Robbe vornehmlich an den Ufern unbewohnter Inseln für das Fortpflanzungsgeschäft an Land gegangen ist	Art gilt als ausgestorben
Ew: mit 6–7 Wochen Gr: möglicherweise mit 4 Jahren Ld: nicht bekannt	Fische	Nicht bekannt	Lebensweise kaum bekannt; einzelne Tiere wurden in kleinen Gruppen zusammen gesehen; sie bevorzugen felsige Uferzonen und wurden in Felshöhlen mit Zugängen vom Wasser her angetroffen	Wegen der geringen Kopfzahl unmittelbar bedroht
Ew: nach etwa 6 Wochen Gr: vermutlich mit 3 Jahren Ld: nicht bekannt	Vermutlich Fische und Tintenfische	Haie	Keine großen Ansammlungen, auch nicht zur Fortpflanzung; dann eher verteilt an den passenden (sandigen) Ufern; bevorzugt offenbar flachere Gewässer	Gilt als stark bedroht; gegen menschliche Störungen sehr empfindlich

Name **deutscher Name** **wissenschaftlicher Name** **englischer Name (E)** **französischer Name (F)**	**Körpermaße** **Kopfrumpflänge (KRL)** **Gewicht (G)**	**Auffällige Merkmale**	**Fortpflanzung** **Tragzeit (Tz)** **Zahl der Jungen je Geburt (J)** **Geburtsgewicht (Gg)**
Südlicher See-Elefant *Mirounga leonina* E: Southern elephant seal F: Eléphant de mer du Sud	KRL: ♂♂ bis 5,00 m, ♀♀ etwas weniger als 3,00 m G: ♂♂ bis 4000 kg, ♀♀ bis 900 kg	Größte Robbe; starker Sexualdimorphismus in der Körpergröße; aufblasbarer Rüssel der Männchen; diese mit borkiger Hals- und Nackenhaut	Tz: 50 Wochen (mit 12 Wochen Keimruhe) J: 1 Gg: um 40 kg
Nördlicher See-Elefant *Mirounga angustirostris* E: Northern elephant seal F: Eléphant de mer du Nord	KRL: ♂♂ 4,5 m, ♀♀ 3,6 m G: ♂♂ 2500 kg, ♀♀ 900 kg	Geschlechtsdimorphismus; aufblasbarer Rüssel der Männchen; borkige Hals- und Nackenhaut	Tz: 11,3 Monate (mit 3 Monaten Keimruhe) J: 1 Gg: etwas über 30 kg
Krabbenesser *Lobodon carcinophagus* E: Crabeater seal F: Phoque crabier	KRL: ♂♂ etwa 2,50 m, ♀♀ etwa 2,60 m G: 225 kg	Schlanke Tiere mit langgestrecktem Kopf	Tz: 11 Monate (mit 2–3 Monaten Keimruhe) J: 1 Gg: 20 kg
Ross-Robbe *Ommatophoca rossi* E: Ross seal F: Phoque de Ross	KRL: ♂♂ im Schnitt 2 m, ♀♀ im Schnitt 2,10 m G: ♂♂ im Schnitt 173 kg, ♀♀ 186 kg	Kleiner Mund; große Augen; aufgerichtete Haltung bei Störungen	Tz: nicht bekannt J: vermutlich 1 Gg: 27 kg
Seeleopard *Hydrurga leptonyx* E: Leopard seal F: Léopard de mer	KRL: ♂♂ im Schnitt etwa 2,80 m, ♀♀ etwa 2,90 m G: ♂♂ 325 kg, ♀♀ 360 kg	Unverhältnismäßig großer Kopf; deutlicher Hals; lange Vorderflossen	Tz: nicht bekannt J: wahrscheinlich 1 Gg: etwa 30 kg
Weddell-Robbe *Leptonychotes weddelli* E: Weddell seal F: Phoque de Weddell	KRL: bis über 3 m G: bis über 500 kg	Verhältnismäßig kleiner Kopf; sehr gut entwickeltes Tauchvermögen	Tz: etwa 11 Monate (mit 2 Monaten Keimruhe) J: 1 Gg: bis 25 kg

gäste gelangen gelegentlich bis nach Südafrika und nach Australien.

Der Name dieser Robbe beschreibt zutreffend ihre Ernährung. Sie nimmt wohl nahezu ausschließlich kleine Krebse zu sich, die als Krill auch den großen Bartenwalen und den Adelie-Pinguinen zur Nahrung dienen. Ein Nahrungswettbewerb besteht dennoch zwischen dem Krabbenesser und diesen Tieren kaum, da sie nicht bevorzugt in der Randzone des Packeises den Krebsen nachstellen. Es ist allerdings nicht auszuschließen, daß die Abnahme der Bartenwalbestände ursächlich mit der Zunahme der Zahl der Krabbenesser zu tun hat. Die Krabbenesser jagen wohl vorwiegend nachts, wenn die Krebse sich näher der Wasseroberfläche aufhalten als zu anderen Tageszeiten. Die Tiere schwimmen mit geöffnetem Mund in die Schwärme hinein und lassen anschließend das mit aufgenommene Wasser seitlich aus dem Mund abfließen. Hierfür weisen die Backenzähne eine eigentümliche Anpassung auf: Sie besitzen mehrere nach hinten weisende, fortsatzähnliche Höcker, so daß die ineinandergreifenden Zahnreihen des Ober- und Unterkiefers eine Seihvorrichtung bilden, welche die Krebse zurückhält, aber das Wasser austreten läßt.

Die Fortpflanzung der Krabbenesser ist nicht in allen Zügen bekannt. Die Jungtiere werden im September und Oktober geboren. Die Weibchen begeben sich kurz vor der Geburt auf das Eis, und ihnen schließt sich wohl bald jeweils ein Männchen an; jedenfalls kann man häufig Gruppen beobachten, die aus dem Nachwuchs, einem Weibchen und einem Männchen bestehen. Die Männchen verteidigen das Junge und das Weibchen, das wahrscheinlich zwei bis drei Wochen nach der Geburt wieder begattet wird. Die Paarung ist bislang noch nicht gesehen worden. Die Trächtigkeit dauert elf Monate, einschließlich der verzögerten Einbettung des Keims.

Die Ross-Robbe *(Ommatophoca rossi)* ist etwa ebenso groß wie der Krabbenesser. Das Fell ist oberseits silbrig grau und auf der Unterseite silbrig weiß; an der Unterseite des kräftigen Halses verlaufen parallele dunkelgraue Streifen. Auffällig sind ferner der verhältnismä-

Fast zärtlich mutet es uns an, wenn ein See-Elefantenmann, ein Koloß, der fünf Meter lang und vier Tonnen schwer werden kann, seine sehr viel kleinere Partnerin umarmt.

Lebensablauf Entwöhnung (Ew) Geschlechtsreife (Gr) Lebensdauer (Ld)	Nahrung	Feinde	Lebensweise und Lebensraum	Häufigkeit
Ew: nach 23 Tagen Gr: Weibchen frühestens mit 2–3, Männchen frühestens mit 4 Jahren (sozial erst mit 7–10 Jahren) Ld: 20 Jahre	Fische, Tintenfische	Schwertwal, Seeleopard (für Jungtiere)	Polygam; harembildend; Männchen verteidigen Territorien und soziale Stellung; Beutejagd in größerer Entfernung von der Küste und in größeren Wassertiefen (100 m)	Bestände jetzt stabil; vollkommen geschützt; keine unmittelbare Bedrohung
Ew: nach 27 Tagen Gr: Weibchen mit 2–4, Männchen mit 4–5 Jahren (sozial erst mit 9–10 Jahren) Ld: etwa 14 Jahre	Fische, Tintenfische	Schwertwal, Haie	Polygam; harembildend; man findet Tiere das ganze Jahr über an Land; Zusammensetzung dieser Gruppen wechselt nach Jahreszeit ebenso wie ihre Verteilung; jagen in tieferem Wasser langsam schwimmende Bodenfische	Keine unmittelbare Bedrohung, da sich die Bestände erholt haben
Ew: nicht bekannt Gr: wahrscheinlich mit 2–6 Jahren Ld: 33 Jahre	Krill	Seeleopard, Schwertwal	Zur Fortpflanzungszeit (Junge werden auf dem Eis geboren) Gruppen aus Männchen, Weibchen und Jungtier zusammen; bevorzugt Packeisgrenze und Packeis mit unregelmäßig gestalteter Oberfläche	Keine Gefährdung; individuenreichste Robbenart
Ew: nicht bekannt Gr: wahrscheinlich Männchen mit 2–7, Weibchen mit 3–4 Jahren Ld: nicht bekannt	Tintenfische	Nicht bekannt	Ungleichförmige Verteilung; Ansammlungen in Abhängigkeit von der Nahrung und dem bevorzugten Eistyp: Packeis hoher bis mittlerer Dichte mit kleineren Eisschollen mit glatter Oberfläche	Bedrohungen des Bestandes nicht bekannt
Ew: nicht bekannt, nach 4 Wochen (?) Gr: vermutlich Männchen mit 2–6, Weibchen mit 3–7 Jahren Ld: 26 Jahre und mehr	Säugetiere (vor allem junge Krabbenesser und See-Elefanten); Pinguine, auch Fische, Tintenfische und Aas; Junge nehmen Krill	Nicht bekannt	Zumeist einzelne Tiere; gleichförmig im Lebensraum verteilt; bevorzugt äußeren Rand des Packeises	Keine unmittelbare Bedrohung
Ew: nach 5–6 Wochen Gr: vermutlich mit 3–6 Jahren Ld: 25 Jahre und mehr	Fische	Seeleopard und Schwertwal	Männchen besitzen Territorien unter dem Eis während der Fortpflanzungszeit; auch Weibchen halten Abstand voneinander; bevorzugen das feste Eis in Landnähe	Keine unmittelbare Bedrohung

ßig kleine Mund sowie die großen, ein wenig vorstehenden Augen. Es wird berichtet, daß die Ross-Robben bei Störungen ihren Vorderkörper aufrichten und aus dem weit aufgerissenen Mund eine Reihe unterschiedlicher und lauter Geräusche ausstoßen können; diese sollen sich wie Triller, vogelähnliches Gezwitscher oder Gurren anhören. Mit diesen Lautäußerungen gehen Anschwellungen der Kehle einher, die vermutlich im Zusammenhang mit der Entstehung dieser seltsamen Laute stehen. Zugleich wölben sich im Inneren des aufgerissenen Mundes Zunge und weicher Gaumen sichtbar vor.

Ross-Robben sind nur aus der Antarktis bekannt. Es handelt sich um eine solitär (einzeln) lebende Robbe, von der größere Ansammlungen lediglich dort angetroffen werden, wo ihnen die Beschaffenheit des Packeises besonders zusagt; sie bevorzugen nach Judith King kleinere Eisschollen mit glatten Oberflächen. Es finden sich jedoch gerade hinsichtlich der bevorzugten Beschaffenheit des Eises auch andere Angaben. Die Verteilung der Tiere in der Antarktis ist jedoch an die Verbreitung und das Vorkommen des Packeises überhaupt gebunden. Der Gesamtbestand wird auf etwas über 200 000 Tiere geschätzt. Ross-Robben ernähren sich in erster Linie von Tintenfischen, und zwar vermutlich von größeren Tieren als die übrigen Robben mit einer ähnlichen Ernährungsweise. Ihre großen Augen und spezialisierten Vorderflossen werden als Anpassungen an die Jagd auf die schnellen und gewandten Beutetiere gedeutet.

Über das Fortpflanzungsverhalten der Ross-Robbe fehlen noch zuverlässige Angaben. Nach Untersuchung von Embryonen in erlegten Tieren ist es wahrscheinlich, daß die Jungtiere in den Monaten November/Dezember geboren werden. Die Weibchen werden vermutlich im Dezember wieder begattet.

Der Seeleopard *(Hydrurga leptonyx)* – nach seiner räuberischen Lebensweise benannt – ist erheblich größer als die zuvor besprochenen antarktischen Hundsrobben; Männchen können über drei Meter lang und über 300 Kilo schwer werden, die Weibchen sind auch bei dieser Art etwas größer als die Männchen. Die Oberseite der Tiere ist dunkel-, die Unterseite hellgrau; Kehle und Seiten tragen in wechselndem Aus-

Gegenüberliegende Seite: Hasentiere sind Überlebenskünstler. Sie behaupten sich erfolgreich in nahezu allen Lebensräumen der Erde, auch in den Hochgebirgsregionen und in der kalten Arktis wie dieser Schneehase.

Ein Krabbenesser aalt sich auf dem Eis. Diese Art wird bevorzugt an der Grenze des Packeisgürtels angetroffen, der den Kontinent Antarktika umgibt. Je nach Ausdehnung des Packeises ändert sich ihr Hauptvorkommen.

maß dunklere Flecken. Sehr auffällig sind der unverhältnismäßig große Kopf, der deutlich abgesetzte Hals und die langen Vorderflossen. Bei geöffnetem Mund kann man die kräftige Bezahnung erkennen.

Der Seeleopard ist im wesentlichen Einzelgänger, der die äußeren Ränder der Packeiszone bevorzugt. Die Tiere sind mehr oder weniger gleichförmig in diesem Bereich über die ganze Antarktis verteilt. Zwischen Juni und Dezember kann man Seeleoparden an den Küsten der antarktischen Inseln sehen, und ebenso werden diese Tiere an den südlichen Küsten Neuseelands, Australiens und Südamerikas gesichtet. Man schätzt den Bestand auf eine halbe Million Tiere.

Die Nahrung der Seeleoparden besteht keineswegs nur aus Säugern und Vögeln, obwohl Pinguine, junge Krabbenesser und See-Elefanten einen wichtigen Bestandteil darstellen. Aber ebenso werden Krill – wahrscheinlich bevorzugt von jungen Tieren – sowie Fische, Tintenfische und auch Aas verzehrt. Die Pinguine werden unter Wasser ergriffen, dann auf das Eis gebracht und dort verspeist, nachdem durch Schütteln Haut und Federn zumeist entfernt worden sind; zurück bleibt nach kurzer Zeit nur das Skelett. Seeleoparden reagieren auf Störungen durch den Menschen offenbar angriffslustiger als die anderen Robben der Antarktis. Es ist wiederholt berichtet worden, daß Seeleoparden Menschen angegriffen und sogar auf dem Eis verfolgt haben.

Die Fortpflanzungsgewohnheiten des Seeleoparden sind ebenfalls nur sehr lückenhaft bekannt. Es gibt Anzeichen dafür, daß die Jungen über einen größeren Zeitraum (vielleicht von September bis Januar) hinweg geboren werden; sie sind bei der Geburt etwa 1,60 Meter lang und wiegen nahezu 30 Kilo. Es sind Jungtiere beobachtet worden, die im Januar den Haarwechsel teilweise oder sogar gänzlich beendet hatten. Man vermutet, daß die Jungtiere etwa vier Wochen lang gesäugt werden.

Weddell-Robben *(Leptonychotes weddelli)* können bis über drei Meter lang und dabei über 500 Kilo schwer werden. Diese südlichste der antarktischen Robben ist auf der Oberseite gewöhnlich schwarz und auf der Unterseite grau gefärbt. An den Körperseiten geht die dunkle Färbung des Rückens in eine zum Bauch hin sich aufhellende Fleckenzeichnung über.

Weddell-Robben kommen im Gegensatz zu den zuvor besprochenen Arten nicht im Packeis, sondern auf dem festen Eis vor, sehr häufig nahe den Küsten. Entsprechend der Verbreitung des Eises zu den verschiedenen Jahreszeiten ändert sich auch das Vorkommen dieser Robbe. Einzelne Tiere sind an den Küsten vieler subantarktischer Inseln, selbst Australiens und Neuseelands und sogar Uruguays, gesichtet worden. Man kann wohl davon ausgehen, daß es insgesamt mehr als 750 000 Tiere gibt. Ihre Hauptnahrung besteht aus Fischen, daneben werden aber auch verschiedene Krebsarten aufgenommen.

Wenige Tage bevor die Jungtiere geboren werden, begeben sich die Weibchen auf das Eis. Hierbei finden sich ganze Ansammlungen von Weibchen zusammen, die aber einen individuellen Abstand voneinander halten. Solche Ansammlungen sind offenbar nicht Ausdruck eines sozialen Zusammenhalts, sondern wahrscheinlich durch die gegebenen Platzverhältnisse bedingt. Die Jungen werden von Mitte Oktober bis Mitte November geboren und wiegen bei der Geburt etwa 25 Kilo bei einer Körperlänge von 1,50 Meter. Das graue Haarkleid wird nach etwa 14 Tagen gewechselt, ein Vorgang, der etwa vier Wochen in Anspruch nimmt. Die Erwachsenen können ihr Haarkleid im übrigen von Dezember bis März wechseln, ohne dadurch beim Schwimmen oder der Nahrungsaufnahme behindert zu sein.

Mutter- und Jungtier bleiben die ersten zwei Wochen nach der Geburt eng beieinander. Gegen Ende der Säugezeit, die etwa sechs Wochen umfaßt, gehen Mutter und Kind häufig einmal täglich ins Wasser, gelegentlich wohl sogar zusammen. Die Weibchen werden Ende der Säugezeit wieder begattet; nach der einzigen vorliegenden Beobachtung geschieht die Paarung unter Wasser. Die Trächtigkeit dauert etwa elf Monate einschließlich Keimruhe.

Weddell-Robben haben die Wissenschaftler wegen ihrer verblüffenden Tauchleistungen besonders interessiert. Eingangs wurde schon darauf hingewiesen, daß diese Robbe der Rekordhalter unter ihren Verwandten ist. Tauchtiefen von 600 Metern und Tauchzeiten von 70 Minuten sind verbürgt. Eingehend wurden die körperlichen Leistungen untersucht, die Voraussetzung für ein solches Tauchvermögen sind. Gleichzeitig wurde aber auch sehr viel über das Verhalten dieser ungewöhnlichen Tiere bekannt. Die Robben zeigen auf dem Eis keine Furcht vor sich nähernden Menschen, sondern Neugierde.

Oberkieferzähne in Seitenansicht. Die Backenzähne des Krabbenessers (rechts) bilden einen Seihapparat, der die Krebse zurückhält. Die großen Backenzähne des Seeleoparden (Mitte) gleichen einer Säge. Die vorstehenden Eck- und Schneidezähne dienen der Weddell-Robbe (links) dazu, die Atemlöcher offenzuhalten.

HASENTIERE

Kategorie
ORDNUNG

Systematische Einteilung: Ordnung der Säugetiere mit 2 Familien, die insgesamt 11 Gattungen mit 58 Arten umfassen.

FAMILIE HASENARTIGE MIT HASEN UND KANINCHEN
(Leporidae)

FAMILIE PFEIFHASEN ODER PIKAS
(Ochotonidae)

HASENARTIGE (10 Gattungen mit 44 Arten)

Kopfrumpflänge: 25–76 cm
Schwanzlänge: 1,7–12 cm
Gewicht: 0,4–6,5 kg
Auffällige Merkmale: Weiches, durchwegs ziemlich langhaariges Fell; Grundfarbe meist rötlich- bis graubraun; Füße vollständig behaart; ein- bis dreimaliger Haarwechsel im Jahr; bei vielen Arten deutliche Unterschiede zwischen Sommer- und Winterfell; in der Regel auffällige lange Ohren (»Löffel«), bei Hasen länger als bei Kaninchen; Hasen stets mit schwarzer Ohrspitze; große, seitlich angeordnete Augen; Oberlippe aus zwei getrennten Hautfalten (»Hasenscharte«); schlanker Hals, einziehbar und gut beweglich; lange Hinterbeine und -füße; vorne 5, hinten 4 Zehen; sehr großer Blinddarm als »Gärkammer«.
Fortpflanzung: Tragzeit im Schnitt 30–40 Tage; 1–9 Junge je Geburt; meist mehrere Geburten im Jahr; Geburtsgewicht, soweit bekannt, etwa 30–170 g.
Lebensablauf: Entwöhnung mit etwa 1 Monat; Geschlechtsreife, soweit bekannt, ab dem 5. Monat; Lebensdauer bis etwa 10 Jahre.
Nahrung: Rein pflanzlich, Kräuter, Gräser, Knospen, Rinde, Zweige usw., auch Kulturpflanzen; »doppelte Verdauung« (Verzehr des ausgeschiedenen, von Mikroorganismen aufbereiteten Blinddarminhalts).
Lebensweise und Lebensraum: Vielfach einzelgängerisch; bei einzelnen Arten Bildung von Gruppen mit Sozialgefüge (z. B. Feldhase) oder von großen Gesellschaften (Schneehase); sehr unterschiedliche Wohngebietsgrößen; tag- und/oder nachtaktiv; fast ausschließlich in offenen, aber deckungsreichen Landschaften; meist oberirdisch lebend.

PFEIFHASEN ODER PIKAS
(nur 1 Gattung mit 14 Arten)

Kopfrumpflänge: 12–25 cm
Schwanzlänge: etwa 0,5–2 cm
Gewicht: etwa 100–400 g
Auffällige Merkmale: In Gestalt und Größe eher meerschweinchen- als hasenartig; Fell überwiegend rotbraun und grau; zweimaliger Haarwechsel im Jahr; Winterkleid meist heller als Sommerkleid; rundliche, aber ziemlich große Ohren; recht kurze Gliedmaßen; Hinterbeine nur wenig länger als Vorderbeine, deshalb Fortbewegung in kleinen Sprüngen; Schwanz kaum sichtbar; gemeinsame Körperöffnung für Geschlechtsprodukte, Harn und Kot (»sekundäre Kloake«); die meisten Arten sehr stimmfreudig.
Fortpflanzung: Tragzeit 20–30 Tage; 2–13 Junge je Geburt, im Schnitt weniger als 5; Geburtsgewicht 6–7 g (Steppenpika).

Lagomorpha WISSENSCHAFTLICH
Lagomorphs ENGLISCH
Lagomorphes FRANZÖSISCH

Lebensablauf: Entwöhnung, soweit bekannt, mit etwa 3 Wochen; Geschlechtsreife mit etwa 7–10 Monaten, weibliche Steppenpikas bereits mit 25–30 Tagen; Lebensdauer höchstens 4–6 Jahre.

Nahrung: Ausschließlich Pflanzenkost; »doppelte Verdauung« wie bei den anderen Hasentieren; Anlage von Wintervorräten.

Lebensweise und Lebensraum: Vorwiegend tagaktiv; Bewohner von selbstgegrabenen Bauen oder Felsverstecken; Sozialverhalten noch nicht im einzelnen erforscht, doch offenbar meist Zusammenleben in Paaren oder Familiengruppen und mehr oder weniger ausgeprägte Territorialität; in Geröll- und Blockhalden des Gebirges bis in Höhen von über 6000 m, auf Hochebenen, in Steppen und Halbwüsten.

Schädel und Gebiß
Ihres Nagegebisses und der Schädelform wegen zählte man früher die Hasentiere zu den Nagetieren. Man bezeichnete sie als Duplicidentata, da sie statt einem, wie bei den Nagetieren üblich, zwei Paare Schneidezähne im Oberkiefer besitzen. Hinter den großen vorderen Schneidezähnen sitzen kleine Stiftzähnchen. Trotz mancherlei Ähnlichkeit besteht zwischen den Hasentieren und den Nagetieren keine engere Verwandtschaft. Beide Gruppen haben sich unabhängig voneinander zu einem »Nagertyp« entwickelt.

Kopf und Sinnesorgane
Neben Geruchssinn spielen Tastsinn und Gehörssinn bei den Hasentieren die wichtigste Rolle. Alle Hasenartigen besitzen ein ausgedehntes Feld von langen Tasthaaren um die Schnauze und über den Augen. Die äußeren Ohrmuscheln, bei Pfeifhasen (oben) nur mäßig groß, erreichen bei den Kaninchen und besonders bei den Hasen (unten) eine beträchtliche Größe, die ihrem Kopf ein charakteristisches Aussehen verleiht.

Doppelte Verdauung
Die frische pflanzliche Nahrung (in der Abbildung grün) vermischt sich im Magen mit aufgenommenem Kot (braun) zu einem Gemisch (gelb), dessen Nährstoffe im Dünndarm teilweise resorbiert werden. Danach sammelt sich das Gemisch im Blinddarm, wo es mit Hilfe von Bakterien weiterverarbeitet wird. Aber nur bestimmte Spaltungsprodukte können durch die Wand des Blinddarms auch resorbiert werden. Die meisten müssen zur Resorption dem Dünndarm zurückgeführt werden. Da die Darmperistaltik keinen Rückfluß des Inhalts erlaubt, muß das nur unvollkommen verwertete Gemisch noch einmal verzehrt werden. Es werden zwei Arten von Kot ausgestoßen: eine größere, härtere, die auf die übliche Weise den Darmtrakt verläßt (violett), und eine kleinere, dünnere (braun), die in der Regel nur während der Ruhepause nachts bei den tagaktiven und tagsüber bei den nachtaktiven Tieren ausgeschieden und verzehrt wird. Diese Art der doppelten Verdauung bezeichnet man als Caecotrophie.

Blinddarm
Der Blinddarm der Hasentiere bildet den weitaus größten Abschnitt des gesamten Verdauungstraktes. Die Abbildung zeigt deutlich den Blinddarm (grün) eines Kaninchens im Verhältnis zu Dünndarm (T), Dickdarm (C) und Mastdarm (R).

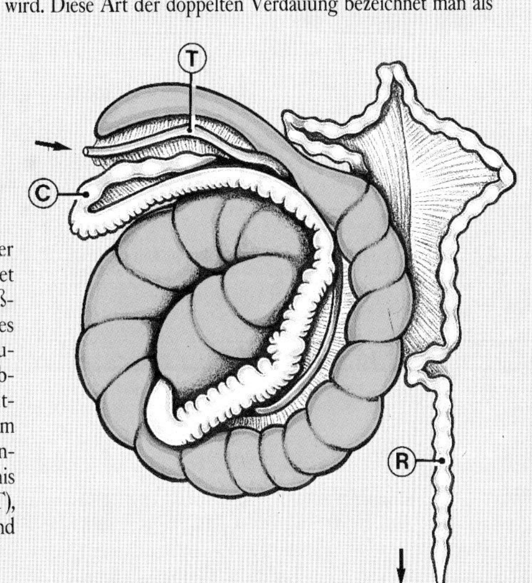

HASENTIERE

Einleitung

von Eberhard Schneider

Die Hasentiere stellen eine gegenwärtig fast weltweit verbreitete Tiergruppe dar, deren einzelne Vorkommen natürlich sind oder vom Menschen durch Ansiedlungen begründet wurden.

Zwei Familien gehören zur Ordnung Lagomorpha: einerseits die kleinen nagetierähnlichen Pfeifhasen (Ochotonidae) von nur etwa 500 Gramm Körpermasse und andererseits die Hasenartigen, die Hasen und Kaninchen (Leporidae), von denen die größten mehr als fünf Kilogramm wiegen können. Die an das Leben im Felsgeröll angepaßten Pfeifhasen besitzen kurze Vorder- und Hinterbeine, verhältnismäßig große, rundliche Ohren und einen gedrungenen Körper ohne erkennbaren Schwanz. Die Hasenartigen hingegen weisen einen schmalen, langgestreckten Körperbau auf, ihre Ohren sind auffallend lang, der Schwanz ist gut sichtbar. Die Hinterbeine sind deutlich länger als die Vorderbeine.

Einige besondere Merkmale kennzeichnen alle Hasentiere: Sie besitzen gewöhnlich ein ziemlich langhaariges, weiches Fell. Die Füße sind vollständig behaart. Die großen, seitlich am Kopf sitzenden Augen vermitteln ein Sehfeld mit Rundumsicht. Die Oberlippe besteht aus zwei getrennten Hautfalten, die embryonal, also im Mutterleib, nicht miteinander verwachsen sind. Nasenwärts kommt eine Fellfalte hinzu, deren rhythmische Bewegungen die Nasenöffnungen verschließen können (»Nasenblinzeln«). Diese »Hasenscharte« (Rhinarium) ist als Anpassung an die nagende Ernährungsweise zu verstehen. Zu erwähnen bleibt noch der schlanke Hals, mit dem der Kopf nicht nur deutlich vom Rumpf abgesetzt ist, sondern der diesen auch gut beweglich macht. In der Ruhe ziehen die Hasentiere aber den Hals zwischen die Schultern zurück, so daß der Kopf unmittelbar am Körper zu sitzen scheint.

Alle Hasentiere ernähren sich von Pflanzen. Dieses sind überwiegend Gräser und Kräuter; neben Früchten, Samen und Wurzeln verschiedener Pflanzenarten werden auch die Blätter, Knospen oder Rinden verschiedener Laub- und Nadelgehölze verzehrt. Bei manchen Arten können auch Kulturpflanzen, wie Getreide, Klee, Rüben oder Kohlarten, die Hauptnahrung bilden.

Entsprechend dieser Nahrungswahl ist das Verdauungssystem der Hasentiere ausgerichtet auf die Bewältigung großer Mengen pflanzlicher Kost von meist schwerer Verdaulichkeit. Insbesondere ist der Blinddarm zu einer großen »Gärkammer« entwickelt, deren Fassungsvermögen das Zehnfache einer Magenfüllung ausmachen kann. Ihr Inneres ist durch eine in Längsrichtung spiralförmig verlaufende Hautfalte in verschiedene Abschnitte unterteilt, und das gesamte Organ endet dann in einem langen Wurmfortsatz.

Der dem Blinddarm über den Dünndarm zugeführte, erst teilweise verdaute Nahrungsbrei bildet den Nährboden für Bakterien und andere Kleinstlebewesen (Mikroorganismen), die darauf gut gedeihen und solche Stoffe ausnutzen, welche das Wirtstier selbst gar nicht aufschließen kann. Dieser von Mikroorganismen aufbereitete Blinddarminhalt, das Coecotrophe (von lat. *coecus* = blind), wird schließlich von Zeit zu Zeit durch den Enddarm ausgeschieden. Es handelt sich bei diesem Ausscheidungsprodukt aber keineswegs um nicht mehr verwertbaren Kot des Hasentieres.

Vielmehr wird die grünliche, breiige Masse vom Tier mit dem Mund unmittelbar vom After abgenommen. Sie wird abgeschluckt und so noch einmal der Verdauung zugeführt. Mit dieser »doppelten Verdauung« erreichen die Hasentiere nicht nur eine bessere Ausnutzung der pflanzlichen Nährstoffe. Vor allem gewinnen sie auf diesem Wege wertvolle Proteine (Eiweiße) und Aminosäuren aus den Zellen der Mikroben; daneben stehen ihnen aber auch verschiedene Vitamine (B_1, K) zur Verfügung, welche zuvor von den Mikroorganismen selbst hergestellt wurden, so daß das Coecotrophe einen höheren Vitamingehalt besitzt als die ursprüngliche Pflanzennahrung.

Der Franzose C. Morot wies 1882 erstmals auf die schleimüberzogenen »Magenpillen« hin, die sich vor allem tagsüber in dem Magen des Kaninchens (Cardiaregion) finden. Diese Magenpillen gehen hervor aus dem Blinddarminhalt; sie sind deutlich kleiner als die festen, derben Kotkugeln, die sonst so bezeichnend für die Hasentiere sind. Das Kaninchen schluckt diese weichen Kügelchen unzerkaut. Beim Feldhasen hingegen wird das Coecotrophe zuvor im Enddarm nicht geformt. Es wird als zäh-weicher Brei portionsweise aufgenommen, dann aber unter deutlichen Kaubewegungen abgeschluckt, wie meine eigenen Filmbilder von solcherart beschäftigten Feldhasen zeigen.

Diese Eigenheit der Hasentiere, die aber auch bei manchen Nagetieren zu beobachten ist, war offenbar schon zu biblischen Zeiten bekannt; denn die Hasen werden dort als »Wiederkäuer« bezeichnet, was aus physiologischer Sicht keineswegs so falsch ist. Für die Hasentiere ist der Verzehr des Blinddarminhaltes lebensnotwendig. Sind Tiere daran gehindert, so sterben sie innerhalb kurzer Zeit unter deutlichen Vitamin-Mangelerscheinungen.

Diese Besonderheit ihres Stoffwechsels dürfte eine wichtige Voraussetzung für die Besiedlung der unterschiedlichsten Lebensräume mit teilweise außergewöhnlichen Bedingungen durch die Hasentiere sein. Sie können dadurch auch sonst schlecht erschließbare Nahrungsquellen entsprechend ausnutzen. So finden wir denn auch mit dem Polarhasen oder dem Schneeschuhhasen Vertreter der Ordnung in den kalten, schneebedeckten Gebieten des Nordens; die Jackrabbits leben in den Halbwüsten Nordamerikas, der Feldhase besiedelt Steppen und Kulturlandschaften Europas und Asiens. Die südamerikanischen Regenwälder werden vom Waldkaninchen bewohnt und die tropischen Bergwälder Sumatras vom Sumatrakaninchen; die großen Sümpfe Nordamerikas hingegen hat das Wasserkaninchen erobert. Die Pfeifhasen haben andererseits eine Anpassung an die Hochgebirgs-Lebensräume Nordamerikas und Asiens sowie die asiatischen Hochlandsteppen erfahren.

Hasentiere stellen die notwendigen Beutetiere für zahlreiche Arten kleiner und mittelgroßer bis großer Beutegreifer dar. So liefert auf der an Beutetierarten recht armen Iberischen Halbinsel das Europäische Wildkaninchen für etwa 40 Arten (Greifvögel, Eulen

Die beiden Familien der Hasentiere auf einen Blick: Ganz links der schlanke, hochbeinige und langohrige Feldhase als bekanntester Vertreter der Hasenartigen (Leporidae); links der meerschweinchenähnliche, kurzbeinige und kleinohrige Nordamerikanische Pika, ein Mitglied der Pfeifhasenfamilie (Ochotonidae).

und Säuger) mehr oder weniger ausschließlich die Nahrung. Krankheiten, Witterungseinflüsse und Beutegreifer können, wie beim Wildkaninchen oder den Baumwollschwanzkaninchen, an die 90% Verluste unter den Jungtieren eines Jahrganges zur Folge haben. Zum Ausgleich dafür sind die jährlichen Fortpflanzungsraten der Hasentiere recht hoch. Bei vielen Arten tritt die Geschlechtsreife früh ein, bei weiblichen Wildkaninchen unter Umständen schon mit drei Monaten. Die Tragezeit ist kurz: etwas über 40 Tage bei den Echten Hasen (Gattung *Lepus*) und unter 30 Tage bei den übrigen Angehörigen der Ordnung. Meist werden mehrere Würfe mit zahlreichen Jungen je Jahr gezeitigt. Die zeitlichen Abstände zwischen aufeinanderfolgenden Geburten werden vielfach verkürzt dadurch, daß sofort nach der Niederkunft die Weibchen wieder in Hitze geraten und begattet werden. Sogar während der bestehenden Trächtigkeit – beim Europäischen Feldhasen ab dem 36. Tag – kann es zum erneuten Östrus (Brunst des Weibchens) und einem Deckakt mit der Folge eines ausgelösten Eisprunges und erfolgreicher Befruchtung kommen. In einer »Schachtelträchtigkeit« (Superfötation) trägt dann die Häsin gleichzeitig zwei Würfe unterschiedlichen Entwicklungszustandes in ihrer Gebärmutter. Mit der rascheren Folge zweier Würfe können jeweils herrschende günstige Bedingungen für eine erfolgreiche Jungenaufzucht besser genutzt werden. Andererseits können bei vielen Arten auch die ungeborenen Embryonen im Mutterleib resorbiert (»aufgesogen«) werden, zum Beispiel wenn Witterungsbedingungen, hohe Siedlungsdichten mit sozialem Streß oder andere Faktoren ungünstige Voraussetzungen liefern.

Hasen haben seltsame Eßgewohnheiten, die nicht allgemein bekannt sind. Daß sie Gras, Klee und andere Pflanzenkost mümmeln (oben), weiß zwar jedes Kind. Aber dabei lassen sie es nicht bewenden. Sie haben nämlich eine »Doppelverdauung«: Um überleben zu können, müssen sie den ausgeschiedenen Blinddarminhalt nochmals aufnehmen und verdauen (unten).

Die Hasentiere wurden wegen ihrer als Nagezähne ausgebildeten Schneidezähne und ihrer pflanzlichen Nahrung ehemals zu den Nagetieren (Ordnung Rodentia) gezählt. Jedoch wies J. W. Gridley bereits 1912 auf verschiedene Unterschiede hin und erhob die Hasentiere in den Rang einer eigenen Ordnung. Denn sie besitzen im Oberkiefer, hinter dem Schneidezahn jeder Kieferhälfte stehend, noch je einen kleinen Stiftzahn. Dieser ist in der Entwicklungsgeschichte durch Umbildung hervorgegangen aus dem ehemaligen zweiten Schneidezahn des Säugetiergebisses. Er ist von rundlich-ovalem Querschnitt und stößt als gerades Säulchen gegen den nach hinten gekrümmten Schneidezahn. Dieser selbst ist, im Gegensatz zum Zahn des Nagers, in Längsrichtung durch eine oberflächliche Rinne im Zahnschmelz noch in zwei ungleiche Abschnitte getrennt. Bei flüchtiger Betrachtung entsteht so der Eindruck, daß dort zwei Zähne stehen. Der ursprüngliche dritte Schneidezahn wird zwar angelegt, fällt aber zum Geburtstermin aus. Im Gegensatz zu den Schneidezähnen zahlreicher Nagerarten sind die allseitig von Schmelz umgebenen Schneidezähne der Hasentiere nicht durch eingelagerte Farbstoffe gefärbt. Aber ihre Schneiden sind ebenfalls scharfkantig, und wie alle Zähne der Nager wachsen auch die ebenfalls »wurzellosen«, besser: unten offenen, Schneide- und Backenzähne der Hasentiere ständig nach und bedürfen einer dauernden Abnutzung.

Dem Hasengebiß fehlen auch die Eckzähne; zwischen den Schneide- und Backenzähnen findet sich eine Lücke, das Diastema. Die Zahnformel lautet: $\frac{2\cdot0\cdot3\cdot3}{1\cdot0\cdot2\cdot3}=28$ bei den Echten Hasen; für die Pfeifhasen, die oben nur zwei Dauermahlzähne (Molaren) besitzen, lautet sie: $\frac{2\cdot0\cdot3\cdot2}{1\cdot0\cdot2\cdot3}=26$.
Beim Vergleich zwischen Ober- und Unterkiefer findet man, daß die Backenzahnreihen oben weiter auseinanderstehen als unten. Auch im Bau des Schädels

Ein Merkmal haben alle Hasen gemeinsam: die dunklen Ohrenspitzen. Selbst der Schneehase im Winterkleid behält dieses Abzeichen bei.

zeigen sich deutliche Unterschiede zu den Nagern. Die Hasentiere besitzen einen schmalen, leichten Schädel mit starker innerer Gliederung. Insbesondere liegen vor den seitlichen großen Augenhöhlen netzartig durchbrochene Knochenplatten (Maxillare). Das Unterkiefergelenk ist in eine quer-ovale Gelenkgrube eingesenkt und ermöglicht, in Verbindung mit einer entsprechend ausgebildeten Kaumuskulatur, auch seitliche Kaubewegungen. Ferner können die Hasentiere, anders als viele Nager, mit ihren Händen nicht greifen. Ihre Blutzusammensetzung (Serum) entspricht mehr jener der Huftiere; Proteine und Nukleinsäuren zeigen aufgrund ihrer Zusammensetzung eher eine Beziehung zu den Herrentieren (Primaten) und Spitzhörnchen auf. Hasentiere sind also mit den Nagern nicht näher verwandt als mit anderen Säugern. Die Ähnlichkeiten zwischen beiden Gruppen sind nicht Ausdruck der Verwandtschaft, sondern stellen eine Konvergenz, eine gleichgerichtete Entwicklung, der Organe in Anpassung an bestimmte Lebensgewohnheiten dar.
Das Gehirn der Hasentiere ist wenig gefurcht, also nicht sehr hoch entwickelt. Für das Gehör gilt jedoch das Gegenteil. Jüngste Untersuchungen von S. Broekhuizen weisen aus, daß durch Reiben der unteren Schneidezähne an den Stiftzähnen Ultraschallaute erzeugt werden, die der innerartlichen Verständigung dienen. Im übrigen sind, bis auf die Pfeifhasen, die Hasentiere meist wenig stimmfreudig.
Das Skelett besitzt ebenfalls einige Besonderheiten, die vielfach als Anpassung an schnellen Lauf zu verstehen sind. Das sind nicht nur die langen Beine mit den großen Hinterfüßen. Das Wadenbein ist fast zur Hälfte mit dem Schienbein verschmolzen; das Schlüsselbein ist, bei den Echten Hasen, auf ein schlankes, ohne knöcherne Verbindung in der Muskulatur liegendes Knöchelchen rückgebildet.
Zwar zählen die Hasentiere zu den stammesgeschichtlich alten Säugetiergruppen, doch haben sie weder eine große Formenmannigfaltigkeit noch irgendwelche weitergehenden Anpassungen an besondere Umweltverhältnisse entwickelt. Eher haben sie eine Reihe ursprünglicher Merkmale bewahrt, worauf sich wohl auch ihr Erfolg in der Besiedlung weltweit verbreiteter Lebensräume begründet. Für die Pfeifhasen ist festzustellen, daß sie ihren stammesgeschichtlichen Höhepunkt offenbar längst überschritten haben und sich heute nur noch in Rückzugsgebieten finden. Einige Hasenartige, wie das Europäische Kaninchen, zeigen sich jedoch in der Gegenwart so erfolgreich wie nie zuvor.

Stammesgeschichte

von Erich Thenius

Die Hasentiere (Lagomorpha) sind bis vor wenigen Jahrzehnten stets als Angehörige der Nagetiere (Rodentia) angesehen worden. Dies erscheint in Anbetracht des gemeinsamen Nagezahngebisses verständlich. Allerdings ist ein durchgreifender Unterschied gegenüber den »echten« Nagetieren vorhanden, der bereits frühzeitig zur Abtrennung der Hasentiere als Duplicidentata von den übrigen Rodentia, die als Simplicidentata bezeichnet wurden, geführt hatte. Während nämlich bei den Nagetieren nur jeweils ein vergrößertes, wurzelloses Schneidezahnpaar im Ober- und Unterkiefer ausgebildet ist, kommt bei Hasen,

Kaninchen und Pfeifhasen noch ein stiftförmiges Schneidezahnpaar hinter den Nagezähnen des Oberkiefers hinzu. Erst im Jahr 1912 trennte J.W. Gidley die Brandtsche Unterordnung Lagomorpha als eigene Ordnung ab.

Sind nun die Rodentia und Lagomorpha näher miteinander verwandt? Diese Frage wird nach wie vor erörtert. Viele Forscher nehmen einen gemeinsamen Ursprung von Hasentieren und Nagetieren an, was auch in der Bezeichnung Glires als Überbegriff zum Ausdruck kommt. Gemäß dieser Auffassung bilden Hasen- und Nagetiere zwei Schwestergruppen, die auf einen gemeinsamen Ahnen zurückzuführen sind. Nach der Meinung anderer Wissenschaftler sind Hasen- und Nagetiere nicht näher miteinander verwandt, das Nagezahngebiß demgemäß nur als Ausdruck einer gleichgerichteten Entwicklung anzusehen. Für letztere Auffassung sprechen nicht nur tiefgreifende morphologisch-anatomische Unterschiede, sondern auch Blutserumbefunde und Verhaltensweisen. Die Fossilzeugnisse belegen eine frühe Trennung, die bereits zur ältesten Tertiärzeit erfolgt sein muß, ohne jedoch Aufschluß über den Ursprung geben zu können. Die ältesten Hasen- und Nagetiere sind bereits stark verschieden. Nach den serologischen Befunden zeigen die Hasentiere Gemeinsamkeiten mit Huftieren, und zwar Paarhufern, während den Nagetieren eher ursprüngliche Beziehungen zu den Herrentieren (Primaten) zugeschrieben werden. Die Richtigkeit dieser Befunde vorausgesetzt, würde das bedeuten, daß die Hasentiere völlig unabhängig von den Nagetieren entstanden sind.

Was Kaninchen von Hasen unterscheidet: Unser Wildkaninchen hat nicht nur einen kleineren, rundlicheren Körper und kürzere Ohren als der Feldhase, es hebt sich auch in der Lebensweise deutlich von ihm ab. Während der Hase offenes, steppenartiges Gelände bevorzugt und in flachen Bodenvertiefungen (Sassen) Unterschlupf sucht, bewohnt das Kaninchen selbstgegrabene Baue oder ähnlich sichere Verstecke.

Die stammesgeschichtliche Herkunft der Hasentiere selbst wird gleichfalls diskutiert. Sie reicht von Triconodonten des frühen Erdmittelalters (Mesozoikum) über (Proto-)Insectivora bzw. Anagalida (Pseudictopidae, Zalambdalestidae) und Stammhuftieren (Condylarthra) des späten Erdmittelalters bis zu den Paarhufern. Eine endgültige Beantwortung dieser Frage hängt nicht zuletzt von der Homologisierung (Herkunftsbestimmung) der Backenzahnhöcker der Hasentiere ab, die bisher nicht einwandfrei feststeht. Wichtig ist jedoch, daß die Hasentiere als eigene Ordnung anzusehen sind.

Die Hasentiere sind gegenwärtig eine eher artenarme Säugetierordnung, deren Angehörige sich zwei Familien - Pfeifhasen (Ochotonidae) und Hasenartige (Leporidae) - zuordnen lassen. Als erdgeschichtlich älteste Hasentiere wurden meist die Eurymyliden (z.B. *Eurymylus*) aus dem ältesten Tertiär (Paleozän) Asiens angesehen. Diese nur auf Zahn- und Kieferresten beruhende Säugetierfamilie wird neuerdings als Vertreter einer eigenen Ordnung (Mixodontia) eingeordnet. Als unmittelbare Stammformen der Hasentiere kommen sie wegen des stärker rückgebildeten Gebisses nicht in Betracht. Als ältestes echtes Hasentier galt lange Zeit *Mimolagus* aus dem Alttertiär (? Paleozän) Asiens, doch dürfte dies nach M. C. McKenna eher für *Hsiuannania* aus dem Paleozän Chinas mit niedrigkronigen Backenzähnen zutreffen. Obwohl von beiden Gattungen nur Zahn- und Kieferreste bekannt sind, lassen sie auf einen Ursprung der Hasentiere in Asien schließen. Besser belegte Formen sind erst aus dem Jungeozän Ostasiens *(Lushilagus, Shamolagus)* und etwas später auch aus Nordamerika *(Mytonolagus)* bekannt. Es sind primitive Hasenartige (Leporiden), die im Gebiß ursprünglicher gebaut sind als die heutigen Hasen und im Gliedmaßenskelett eher den Pfeifhasen (Ochotoniden) entsprechen. Von ihnen lassen sich nicht nur die übrigen Palaeolaginen (z. B. *Palaeolagus* im Oligozän) als Leporiden ableiten, sondern auch die Pfeifhasen, die erstmalig mit *Desmatolagus gobiensis* im (Mittel-) Oligozän Asiens erscheinen und auch noch im Oligozän nach Europa gelangten. Als weitere Entwicklungsstufen sind unter den Leporiden die Archaeolaginen (z. B. *Archaeolagus* im Miozän) und die Leporinen, denen alle rezenten (heute lebenden) Gattungen angehören, zu unterscheiden (z. B. *Lepus, Oryctolagus, Nesolagus, Romerolagus*).

Die gegenwärtig durch eine einzige Gattung *(Ochotona)* auf die nördliche Halbkugel beschränkten Pfeifhasen (Ochotonidae) waren im Tertiär Eurasiens und Afrikas außerordentlich formenreich verbreitet (z. B. *Titanomys, Amphilagus, Prolagus, Kenyalagomys*). Die Pfeifhasen, die im Gebiß höher spezialisiert, im Gliedmaßenbau jedoch ursprünglicher gebaut sind als die Hasen, erreichten ihren stammesgeschichtlichen Höhepunkt und ihre größte Verbreitung bereits im Miozän. Das heutige Verbreitungsgebiet der Pfeifhasen ist als Schrumpfgebiet zu bezeichnen.

Ihre Waffe ist die Flucht: Als Bewohner offener Landschaften können sich die wehrlosen Hasen ihren Widersachern, wie dem Fuchs (links), nur durch raschen Lauf entziehen. Ihre kräftigen langen Hinterbeine befähigen sie zum ausdauernden Rennen und zum sprichwörtlichen Hakenschlagen.

▷ Feldhase im Morgenlicht. Die Dämmerung und die Nacht sind für Hasen meist Hauptbetätigungszeit.

Hasenartige

von Eberhard Schneider

Die Hasenartigen (Familie Leporidae) sind in einem Maße mit dem Menschen verbunden wie kaum eine andere Säugetiergruppe. Dieses trifft vor allem für das Europäische Wildkaninchen zu, das bereits in römischer Zeit in Italien (oder früher schon in Nordafrika?) als Haustier gehalten wurde und fortan diese Rolle beibehalten hat. Heutzutage gibt es mehr als 50 eigenständige Kaninchenrassen, die alle durch gezielte Zuchtwahl aus der Wildform hervorgegangen sind. Aus frühen Haustierformen sind im übrigen alle unsere mitteleuropäischen Wildkaninchenbestände hervorgegangen, indem Tiere entwichen sind oder bewußt in die freie Wildbahn entlassen wurden. Seit dem Altertum stehen so die Kaninchen dem Menschen als Lieferanten hochwertiger fleischlicher Nahrung, von Pelzen oder Wolle zur Verfügung. Wesentlich aus diesen Gründen erfolgten zahllose Ansiedlungen dieser Tierart in Ländern wie Australien und anderswo. Um die aus der Heimat vertraute Tierwelt in den von Siedlern besetzten Gebieten einzuführen oder auf den Inseln der Weltmeere eine Nahrungsquelle für Schiffbrüchige zu schaffen, wurden Kaninchen freigelassen. Nahezu 500 Inseln sind heute von diesem Hasentier bewohnt.

Viele dieser Kaninchenbevölkerungen, deren natürliche Regulatoren in Form von Krankheiten, Witterungsunbilden, Beutegreifern oder Abwehrvorrichtungen der Nahrungspflanzen in den eroberten Gebieten fehlen oder unzureichend wirken, vermehrten sich ungehemmt. Sie wurden an zahlreichen Stellen der Erde zu einer regelrechten Plage mit oftmals schweren Schädigungen der natürlichen Lebensgemeinschaften und Lebensräume in den Ansiedlungsgebieten.

Nicht minder volkstümlich als das Kaninchen ist der Feldhase; beide werden häufig verwechselt oder gleichgestellt. Bereits im antiken Schrifttum findet er Erwähnung, und zwar so häufig, daß er nach dem Hund und dem Hauspferd an dritter Stelle steht und damit das am häufigsten erwähnte Wildtier ist, wie der Frühgeschichtler Driehaus herausfand. Welche Gründe insgesamt zu dieser Bedeutung des Europäischen Feldhasen geführt haben, bleibt zunächst ungeklärt. Bekannt ist aber, daß diese Tierart bereits im Al-

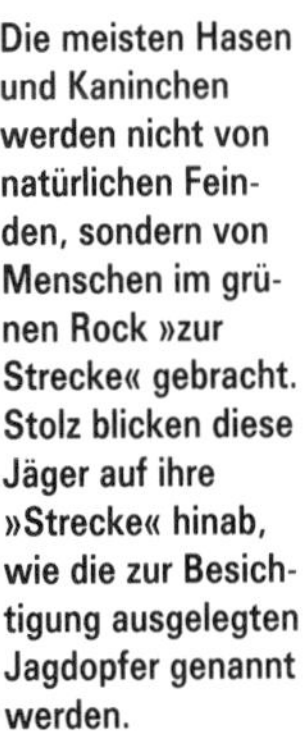

Die meisten Hasen und Kaninchen werden nicht von natürlichen Feinden, sondern von Menschen im grünen Rock »zur Strecke« gebracht. Stolz blicken diese Jäger auf ihre »Strecke« hinab, wie die zur Besichtigung ausgelegten Jagdopfer genannt werden.

tertum eine beliebte Jagdbeute war. Nicht nur zur Beizjagd mit dem Falken, die bei den asiatischen Steppenvölkern ihren Ursprung hat, mußte der Hase herhalten. Von einem Volk der südosteuropäischen Steppen, den Skythen, ist folgendes überliefert: In den kriegerischen Auseinandersetzungen mit dem mächtigen Perserkönig Dareios waren sie (512 v.Chr.) zu einer Entscheidungsschlacht angetreten. Als plötzlich zwischen den kampfbereiten Kriegern ein Hase aufsprang, übermannte sie ihre Leidenschaft für die Hasenjagd, das ganze Heer verfolgte den Hasen und kümmerte sich nicht mehr um den großen Gegner.

Seine Rolle als beliebtes Jagdtier hat der Feldhase in nahezu allen europäischen Ländern bis heute behalten. So wurden im nichtsowjetischen Teil Europas während der letzten Jahrzehnte alljährlich mehr als zehn Millionen Hasen von Jägern erlegt. Auch er wurde in manchen Gebieten angesiedelt und zeigte sich dort durchaus erfolgreich, wurde sogar zur Plage. Das gilt insbesondere für Argentinien, wo er aber heute eine wirtschaftliche Bedeutung erlangt hat. Denn dieses Land führt jährlich etwa fünf Millionen Tiere als Wildbret aus.

Andere Hasenarten, wie die nordamerikanischen Jackrabbits, werden bis heute vom Menschen verfolgt, da die Tiere in ihrer natürlichen großen Anzahl mit dem Vieh in einem Wettstreit um die gemeinsamen Nahrungspflanzen stehen oder land- und forstwirtschaftliche Kulturen schädigen. Der Schneeschuhhase war für die Fallensteller stets nur ein Pelzlieferant, heute ist er Jagdtier der »Sportjäger« geworden. Verzehren mag ihn kaum jemand. Sein Wildbret, wie auch das mancher anderer Hasenarten, ist so mager, daß es keine Bedeutung für die menschliche Ernährung erlangte. Denn nur von fetthaltigem Fleisch vermag der Mensch sich zu ernähren; das magere Hasenfleisch macht nur hungrig.

Ganz im Gegensatz zur allgemeinen Verbreitung und gebietsweise anzutreffenden Häufigkeit der Hasenartigen steht unser Wissen um ihre Naturgeschichte, ihre Lebensweise und ihre Bedeutung in den Lebensgemeinschaften. Bis zum heutigen Tage ist diese Tiergruppe, mit nur wenigen Ausnahmen vor allem einiger amerikanischer Arten, von der Forschung weitgehend vernachlässigt geblieben – sieht man ab von der Einbindung des Kaninchens in die medizinische Forschung und den zahlreichen Arbeiten über diesen Plagegeist in Australien. Demzufolge verfügen wir kaum über Erkenntnisse zum Vorkommen und zur Bestandsdichte zahlreicher Arten in Asien, Afrika oder dem südlichen Amerika, deren Aussterben möglicherweise bevorsteht. Ähnliches gilt sogar für den heimischen Feldhasen, dessen Bestände sich europaweit in einem seit Jahren andauernden starken Rückgang befinden.

Die Familie der Hasenartigen umfaßt 44 Arten, wobei zwei Gruppen zu unterscheiden sind: die Hasen und Jackrabbits als Echte Hasen (Gattung *Lepus*) und die Kaninchen der übrigen neun Gattungen.

Alle sind angepaßt an schnellen Lauf und das Entkommen bei Gefahr. Das ermöglichen insbesondere die langen Hinterbeine und -füße, deren Hebelverhältnisse vor allem auch das Hakenschlagen so gut vollbringen wie bei keinem ihrer Verfolger. Manche Formen können auf der Flucht Geschwindigkeiten von bis zu 80 Stundenkilometern erreichen. Die meist langen Ohren sind gut beweglich, dienen aber nicht nur zur Ortung von Geräuschen, sondern auch zur Regelung der Körpertemperatur, indem sie bei Hitze weit aufgefächert in den vorbeistreichenden Luftstrom gestellt werden. Im übrigen steht aber die Ohrlänge, bezogen auf die jeweilige Körpergröße einer Art, in enger Beziehung zum Lebensraum, wie dieses von der Allenschen Regel beschrieben wird: In den kalten Klimazonen des Nordens sind diese »Körperanhänge« verhältnismäßig kleiner als in südlichen Gegenden oder heißen Wüstengebieten.

Oben: Einsatz aller Sinne: Zur besseren Beobachtung richtet sich der Hase auf und macht Männchen (einen »Pfahl«). – Links: Große Ohren sind nicht nur zum Lauschen da, sondern auch zur Wärmeregulierung wie bei diesem wüstenbewohnenden Antilopen-Jackrabbit.

Die Augen der Hasenartigen entsprechen in ihrer Größe der meist nächtlichen oder dämmerungsaktiven Lebensweise. Die seitliche Anordnung der Augen kennzeichnet die Tiere als ausgesprochene »Fluchttiere«. Sie verfügen so über ein vollständiges Gesichtsfeld. Der Vorteil dieser Rundumsicht liegt darin, daß jede sich nähernde Gefahr frühzeitig erkannt wird. Allerdings kommt es nur zu geringen Überlappungen der einzelnen Sehfelder der beiden Augen, so daß der daraus hervorgehende Bereich des räumlichen Sehens sehr schmal ist. Für den Hasenartigen ist dieser Nachteil aber weitgehend unerheblich, denn ihm wächst seine Pflanzennahrung ja gleichsam in den Mund, und das zielgerichtete Greifen des Futters ist für ihn nicht so lebensnotwendig wie etwa für einen Beutegreifer. Diesem rechtzeitig zu entkommen, ist aber dem Hasen durch das Bewegungssehen in weitem Umkreis möglich.

Die Vorderfüße der Hasenartigen besitzen fünf Zehen, nur vier finden sich an den Hinterfüßen. Aber alle tragen kräftige Krallen. Die behaarten Fußsohlen, deren einzelne Haare einen etwa viereckigen Querschnitt aufweisen, wirken beim Laufen als griffiges Polster. Das gilt besonders für den Schneeschuhhasen, der wie auf Schneereifen über den Tiefschnee hinweg laufen kann.

Die Unterschiede zwischen Hasen und Kaninchen beruhen vor allem auf der Spezialisierung auf ausdauernden schnellen Lauf (Hasen) und verstärkte Ausrichtung auf Grabetätigkeit und weniger ausdauerndes Rennen (Kaninchen). So besitzen die Hasen auch ein dunkelrotes Fleisch mit einem Reichtum an Mitochondrien (den »Kraftwerken« der Zelle) und langfaseriger Muskulatur. Die Kurzstreckenläufer Kaninchen hingegen verfügen über ein helles, kurzfaseriges Fleisch mit viel weniger Mitochondrien.

Das Anlegen von Bauen ist nur von wenigen Hasenarten in außergewöhnlichen Klimabereichen bekannt. Der Kalifornische Jackrabbit verbringt die Hitzeperioden der Wüstensommer in seinen kühleren Bauen. Schneeschuhhase und Polarhase legen Burgen im Schnee an; die schottischen Schneehasen scharren bis zu zwei Meter lange Gänge, die meist aber nur von Jungtieren bewohnt werden. In Irland oder im Alpenraum tun ihre Artgenossen jedoch nichts dergleichen. Die Hasen scharren sich meist nur eine körpergroße »Sasse« in den Boden, in die sie sich zu Ruhe und Schlaf hinlegen. Häufig wählen sie auch ein nicht gescharrtes Lager im Pflanzenbestand.

Die Kaninchen hingegen, die zwar auch in Lagern oder Sassen angetroffen werden, legen unterirdische Systeme aus Gängen und Kammern an, in denen sich ein erheblicher Teil ihres Alltagsgeschehens abspielt. Gestalt und Umfang dieser Baue erweisen sich oftmals als artcharakteristisch oder abhängig vom Lebensraum. So wurden schon Kaninchenbaue oberirdisch in die Zweigschicht von Hecken hinein angelegt, wobei die Zweige abgebissen wurden. Bretterstapel, Trümmergrundstücke und ähnliches haben ebenfalls schon häufig Kaninchenunterschlupfe hergegeben.

In deutlicher Abhängigkeit zu den klimatischen Bedingungen des Vorkommensgebietes steht der Haarwechsel der Hasenartigen. Ein- bis dreimaliger Wechsel des Haarkleides kommt bei den verschiedenen Arten vor; meist bestehen deutliche Unterschiede zwischen Sommer- und Winterkleid. Nördliche Formen legen einen weißen Winterbalg an. Die Haarlängen sind im Winter größer, und die Haare stehen dichter als im Sommerkleid. Die Hautdicke hingegen ist im Sommer größer. Der Haarwechsel wird im wesentlichen beeinflußt durch die Temperaturen des Gebietes sowie durch die dort auftretenden Lichtstärken. So legt der Schneehase in Irland kein weißes Winterkleid an, in Nordeuropa trägt er ein solches aber über fünf Monate und in den nordasiatischen Gebieten sogar sieben Monate lang.

Im Haarkleid zeigt sich weiterhin ein wesentlicher Unterschied zwischen Hasen und Kaninchen. Die erstgenannten tragen an den Spitzen ihrer langen »Löffel« (Ohren) stets ein ausgeprägtes Feld mit schwarzer Behaarung. Diese schwarze Löffelspitze, die auch im weißen Winterkleid so verbleibt, fehlt hingegen den Kaninchen.

Junge Hasen werden in einer oberirdisch gelegenen Nestmulde, wenn nicht einfach ohne jede Vorbereitung auf dem Boden geboren. Sie sind bereits weit entwickelte »Nestflüchter« oder »Laufjunge«, die bei der Geburt schon ein vollständiges Haarkleid tragen, ihre Augen öffnen und sich alsbald auch selbständig fortbewegen können. Die spätere Betreuung durch die Mutter bleibt oft auf das Säugen der Jungen und wenige Sozialkontakte begrenzt.

Junge Kaninchen hingegen kommen weitgehend unbehaart zur Welt. Das Haarkleid wächst erst in den

nächsten Tagen, wie auch die Augen erst nach einiger Zeit geöffnet werden. Diese jungen »Nesthocker« sind vorerst wenig bewegungsfähig und auf die »Brutpflege« der Mutter angewiesen. Geboren werden sie in einem wohl vorbereiteten Nest, das die Mutter mit ihren Bauchhaaren und Pflanzenstoffen ausgepolstert hat. Es befindet sich entweder innerhalb des gemeinsamen Baues einer Kaninchengruppe, vor allem dann, wenn die Mutter eine ranghohe Stellung in der Baugemeinschaft innehat, oder es wird in einer abseits gelegenen, eigens vom Weibchen gegrabenen »Setzröhre« errichtet. Der Eingang einer solchen Setzröhre wird jeweils von dem Kaninchenweibchen nach dem Verlassen sorgfältig mit Erde zugescharrt und bei jedem Besuch ihrer Jungen neu geöffnet. So gesichert, bleiben die Jungen vor Witterungseinflüssen und den Zugriffen von Beutefeinden, welche vielfach achtlos an einer abgedeckten Setzröhre vorbeilaufen, recht gut geschützt. Dennoch haben die Jungen des Europäischen Wildkaninchens eine deutlich höhere Aussicht aufs Überleben, wenn sie als Kinder ranghoher Mütter im Hauptbau geboren werden und aufwachsen.

Wie die Hasenjungen werden auch die Kaninchensäuglinge, soweit bisherige Forschungsergebnisse dies erkennen lassen, allgemein nur einmal während des 24-Stunden-Tages von der Mutter aufgesucht und gesäugt. Dies geschieht bei beiden Gruppen meist während der Dunkelheit des frühen oder späteren Abends. Die langen Abstände zwischen zwei Säugevorgängen können die Jungen deshalb überstehen, weil die Muttermilch äußerst nahrhaft ist. Für die Milch des Europäischen Kaninchens wurde der Fettgehalt mit etwa 10% ermittelt und der Anteil der Proteine mit 15%. Die Milch des Europäischen Feldhasen, wie auch seines nördlichen Vetters, des Schneehasen, enthält sogar um die 23% Fett. Damit erweist sich die Muttermilch der Hasentiere als weitaus reichhaltiger als etwa Kuh- oder Ziegenmilch.

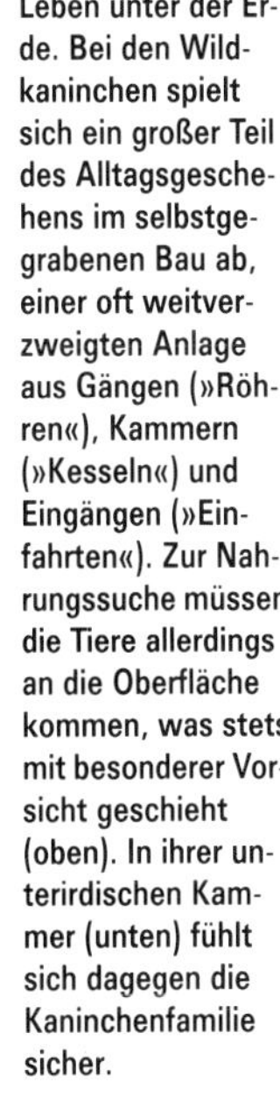

Leben unter der Erde. Bei den Wildkaninchen spielt sich ein großer Teil des Alltagsgeschehens im selbstgegrabenen Bau ab, einer oft weitverzweigten Anlage aus Gängen (»Röhren«), Kammern (»Kesseln«) und Eingängen (»Einfahrten«). Zur Nahrungssuche müssen die Tiere allerdings an die Oberfläche kommen, was stets mit besonderer Vorsicht geschieht (oben). In ihrer unterirdischen Kammer (unten) fühlt sich dagegen die Kaninchenfamilie sicher.

Die Geschlechtsreife der sich rasch entwickelnden Jungtiere tritt manchmal sehr früh ein: beim Europäischen Kaninchen durchaus schon mit drei bis fünf Monaten, beim Europäischen Feldhasen gegebenenfalls schon ab dem siebten bis neunten Monat. Meist werden die Hasen aber mit einem Jahr, bei manchen Arten sogar erst mit zwei Jahren fortpflanzungsfähig. Das gesamte Fortpflanzungsgeschehen steht in einem Zusammenhang mit den klimatischen und sonstigen Gegebenheiten. Vor allem auch der Einfluß des Lichtes ist von großer Bedeutung als Zeit- und Taktgeber, wie L. Martinet das für den Feldhasen aufgezeigt hat. Diesbezüglich untersucht sind auch die nordamerikanischen Baumwollschwanzkaninchen (Gattung *Sylvilagus*). Diese zeigen einen unmittelbaren Zusammenhang der jeweiligen Wurfgröße mit der geographischen Breite ihres Wohngebietes. Die nördlichen Formen verfügen über die kürzere Fortpflanzungszeit und bringen jeweils größere Würfe hervor.

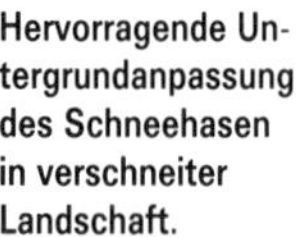

Hervorragende Untergrundanpassung des Schneehasen in verschneiter Landschaft.

Bei ihnen sind auch die Tragzeiten kürzer. Das führt dazu, daß tatsächlich während der kurzen Zeit mit günstigen Bedingungen für die Jungenaufzucht eine Höchstzahl an Nachkommen aufgezogen werden kann. Demgegenüber erweist es sich für die südlichen Formen als vorteilhaft, wenn die Jungen nach längerer Tragzeit weiter entwickelt geboren werden und dann viel besser den zahlreichen Gefahren der Umwelt entgehen können.

Das Vermögen der Hasenartigen, hohe Nachkommenzahlen hervorzubringen, kann bei manchen Arten einen jeweils sehr raschen Anstieg der Bevölkerungszahlen zur Folge haben. Für einige Arten, wie den amerikanischen Schneeschuhhasen oder den Kalifornischen Jackrabbit, aber auch für den Feldhasen in Europa, wurden regelmäßig (zyklisch) ablaufende Bestandsschwankungen ermittelt. Nach einem starken Anstieg der Siedlungsdichte erfolgt ein plötzlicher Zusammenbruch des Bestandes, um dann aus einer »Talsohle« heraus eine neue Bestandsentwicklung einzuleiten. Die nördlichen Hasenformen schwanken in einem etwa zehnjährigen Zyklus; weiter nach Süden verkürzen sich die Abstände zwischen zwei »Massenvermehrungen« bzw. Zusammenbrüchen auf vier bis fünf Jahre, wie etwa bei Feldhasen in Mitteleuropa. Bei den afrikanischen Arten hingegen treten keinerlei derartige regelmäßige Bestandsveränderungen auf.

Im Verhalten aller Hasenartigen erweist sich die »Feindvermeidung« mit Schutz- und Fluchtverhalten als vorrangig vor anderen Verhaltensweisen. In Verbindung mit der als »Untergrundangleichung« zu verstehenden Tarnfarbigkeit des Haarkleides verleiht vor allem das regungslose »Drücken« in der Sasse oder im Pflanzenbestand den Tieren bestmöglichen Schutz.

Einhergehend mit dem Drücken kommt es übrigens, wie Otto von Frisch herausfand, zu einer Absenkung der Herztätigkeit. Beim Anblick einer Gefahr macht sich der Feldhase nicht nur möglichst klein, sondern sein normaler Pulsschlag von etwa 120 Schlägen je Minute sinkt auf die Hälfte ab. Dadurch bleibt er möglichst regungslos. Am stärksten ist diese Pulsänderung bei den Jungtieren. Unterschreitet allerdings das gefährliche Gegenüber die »Fluchtdistanz«, so steigt der Herzschlag auf das Dreifache, und der Hase schnellt »sprungfederartig« aus seinem Lager empor und flüchtet mit sogleich hoher Geschwindigkeit.

Soziales Verhalten ist bei den einzelnen Arten unterschiedlich weit ausgebildet. Manche Hasen neigen zum Einzelgängerdasein, was aber nicht ausschließt,

daß sie zur Erfüllung ihres Sicherheitsbedürfnisses auch die Nachbarschaft von Artgenossen suchen. Wohl auch aus Gründen der Erhöhung der persönlichen Sicherheit bilden in arktischen Gebieten die Schnee- oder Polarhasen große anonyme Gesellschaften, in denen sie den harten Winter besser überdauern können. Aber auch Formen der sozialen Organisation mit rangordnungsmäßigen Beziehungen der Tiere wurden beim Schneehasen wie beim Europäischen Feldhasen festgestellt.

Bei den Kaninchen finden sich alle Übergänge von den in höchstem Maße revierverteidigenden, rangordnungsmäßig streng gegliederten Gruppen beim Europäischen Kaninchen bis hin zum nicht territorialen (revierbesitzenden) Florida-Waldkaninchen. Bei allen Kaninchen werden, in weitaus stärkerem Maße als bei den Hasen, Absonderungen verschiedener Drüsen zur innerartlichen Verständigung eingesetzt. Diese Duftstoffe stammen einmal aus den im Mundinneren befindlichen Wangendrüsen, deren Sekrete vor allem bei dem häufig ausgeführten Putzen durch Belecken auf das Haarkleid aufgetragen werden. Diese Drüsen sind auch bei den Hasen gut entwickelt, im Gegensatz zu den unter dem Kinn sitzenden Drüsen (Submandibulardrüsen), deren Sekrete die Kaninchen

sehr häufig zur Abgrenzung ihrer Reviere und auch zur Kennzeichnung ihrer Geschlechtspartner benutzen. Gleichermaßen werden auch Duftstoffe aus den neben der Geschlechtsöffnung sitzenden Drüsen eingesetzt. Daneben dienen auch Harn und Kot als Träger geruchlicher Mitteilungen, wie etwa bei der Abgrenzung und Markierung von Revieren, Futterstellen und sonstigen auffälligen Punkten.

Vornehmlich bei den Kaninchen mit ihrem ausgeprägten Sozialgefüge spielt die geruchliche Mitteilung eine größere Rolle als Lautäußerungen oder andere Anwesenheitsmerkmale. An erstgenannten sind die meisten Hasentiere arm. Neben schrillen Alarmschreien kommt noch das Hinterfußklopfen als Warnsignal oder in aggressiver Stimmung vor, ferner murrende Laute, die wohl als Abwehrlaute zu verstehen sind. Hohe Kontaktlaute wurden bei neugeborenen Feldhasen vernommen, wie auch die mit den Stiftzähnen erzeugten Ultraschallaute vorwiegend im freundschaftlichen Kontakt eingesetzt werden. Nur von wenigen Arten wird eine große Stimmfreudigkeit berichtet, so vom mexikanischen Vulkankaninchen (Gattung *Romerolagus*).

Eine Reihe von Arten ist heute vom Aussterben bedroht. Es handelt sich bei diesen meist um Rest- oder Reliktformen, vielfach jeweils die einzige Art ihrer Gattung. Diese haben anscheinend bestimmte Anpas-

Der Kinderreichtum der Hasenartigen ist ein biologisches Mittel gegen die Widrigkeiten der Umwelt. Er führt allerdings in regelmäßigen Abständen zu einer überhöhten Siedlungsdichte und schließlich zu einem jähen Zusammenbruch des Bestandes, der sich jedoch bald wieder erholt. Wie die beiden Bilder zeigen, sind neugeborene Kaninchen hilflose und blinde »Nesthocker«, während Hasenjunge als weitentwickelte »Nestflüchter« zur Welt kommen.

sungen an ihre Lebensräume erfahren, die durch die modernen Veränderungen der gesamten Umwelt gefährdet sind. So leidet das Vorkommen des afrikanischen Buschmannhasen unter der rasch fortschreitenden Kultivierung der von ihm bewohnten Flußauen. Der Sumatrahase, der ohnehin seit jeher sehr selten ist, so daß bisher überhaupt nur etwa zwanzig Tiere beschrieben wurden, bewohnt die in starkem Rückgang befindlichen Wälder Sumatras. Das Borstenkaninchen in den verstreuten Salzwäldern am Fuße des Himalaja unterliegt im Wettstreit mit den Menschen. Diese brennen die Wälder ab, um Weideflächen zu gewinnen, oder sie benutzen die vom Hasen beweideten großen Gräser als Dachdeckungsmaterial. Das Vulkankaninchen, das nur an den Vulkanhängen nahe

Mexico City vorkommt, leidet sowohl unter der Zerstörung des Lebensraumes wie unter dem Druck von Tourismus und Jagd, der von der 17 Millionen Menschen zählenden Stadt ausgeht. Auf zweien der dichtbewaldeten japanischen Amami-Inseln lebt das Amamikaninchen. Infolge des starken Holzeinschlags wird aber auch ihm der Lebensraum genommen. Die Entwicklung dieses Bestandes von ehemals mehr als 5000 Tieren hin zum Status »Besonderes Nationales Denkmal« zeigt stellvertretend das Schicksal mancher Hasenartiger auf. Dies sollte, auch vor dem Hintergrund, daß manche Arten gebietsweise eine Plage darstellen und als »Schädlinge« bis heute verfolgt werden oder zumindest dem Druck von Jagd und Sportschießen standhalten, nicht darüber hinwegtäuschen, daß die Vertreter dieser sehr alten und vielfach ursprünglichen Säugetiergruppe möglicherweise bald von der Erde unwiederbringlich verschwunden sein können.

Der Feldhase

In der Gemeinschaft der heimischen Tierwelt stellt der Europäische Feldhase *(Lepus europaeus)* ein recht junges Mitglied dar. In einer nacheiszeitlichen Steppenperiode hatte er zwar Mitteleuropa bereits besiedelt, aber mit der fortschreitenden Bewaldung großer Teile Europas verschwand er weitgehend. Erst als der Mensch begann, mit seinen in Waldweide gehaltenen Haustieren die Wälder zu zerstören, diese zu roden und Ackerbau zu treiben, konnte der Feldhase erneut einwandern und sich ausbreiten. In der Folge besiedelte er vor allem die neu entstandenen Lebensräume der fruchtbaren Ackergebiete – Gegenden, die sich weiterhin auszeichnen durch geringe Niederschlagstätigkeit mit weniger als 500 mm durchschnittlichem Jahresniederschlag und Wärme mit über + 8 °C mittlerer Jahrestemperatur. Dort hat sich diese Tierart im Laufe weniger Jahrhunderte so gut entwickelt, daß Siedlungsdichten von mehr als fünf Tieren je Hektar erreicht worden sein dürften. Gebietsweise, etwa in Weinbaugegenden, wurde der Feldhase aufgrund seiner Häufigkeit zum Schädling an den Kulturen und deshalb ganzjährig verfolgt. Allgemein hat er sich als Kulturfolger erwiesen, der einen großen Nutzen aus den vom Menschen vorgenommenen Veränderungen der natürlichen Lebensräume zieht. Daneben wurden und werden vom Feldhasen auch andere Lebensräume besiedelt, so daß wir ihn heute über weite Teile Eurasiens (Europa und Asien) verbreitet finden. Wenn auch mit recht unterschiedlichen Siedlungsdichten, kommt er heute sowohl in den Dünen der Meeresküsten wie auch in den Hochlagen der Gebirge bis gegen 2800 Meter vor.

In seiner Entwicklungsgeschichte hat sich der Feldhase an den natürlichen Lebensraum der Steppe angepaßt, den er in den sommertrockenen Gebieten Osteuropas und Asiens vorgefunden hat. Verschiedene Körpermerkmale wie solche des Verhaltens, der Physiologie und der Umweltbeziehungen lassen dies heute noch erkennen, selbst wenn die Art gegenwärtig in Gebieten vorkommt, die aufgrund ihres Klimas, ihrer Pflanzenwelt und anderer Eigenschaften nicht als Steppenlebensräume angesehen werden können.

Der Feldhase ist also zunächst ein Bewohner der offenen Landschaft mit Bewuchs aus verschiedenen Gräsern, Kräutern, Zwergsträuchern und Gebüschen. Die Pflanzengesellschaften der Steppen sind gekennzeichnet dadurch, daß sie, bei allem Reichtum der Steppenböden an Nährstoffen, unter einem Mangel an Stickstoff in pflanzenverwertbarer Form leiden und sich deshalb diesbezüglich zu »Hungerkünstlern« entwikkelt haben. Sie gehen mit ihren stickstoffhaltigen Substanzen (Proteinen, Aminosäuren) sparsam um. Zu Beginn der sommerlichen Trockenperiode befördern sie diese in ihre unterirdischen Teile, die Wurzeln und Rhizome (Wurzelstöcke), um sie dort zu speichern. Einem Pflanzenesser wie dem Feldhasen stehen also zumindest über einen Großteil des Jahres diese Nährstoffe nicht zur Verfügung, da er nicht nach Wurzeln gräbt. Hier liegt aber seine Anpassung an den Lebensraum. Denn infolge der besonderen Entwicklung seines Verdauungssystems und anderer Anpassungen des Stoffwechsels kommt er mit den abgewelkten oberirdischen Pflanzenteilen als Nahrung gut aus. Er hat eine besondere Entwicklung dahin genommen, daß er eine schwerverdauliche Energie aus seinen Nahrungsmitteln bezieht; nämlich solche aus der Gruppe der Kohlenhydrate wie Stärke und verschiedene Zucker.

Das sommerliche Abwelken der Pflanzendecke bedeutet aber auch, daß die von ihr für sich verbergende Tiere gelieferte Deckung geringer ist oder besondere Voraussetzungen schafft. Auch daran hat sich der Feldhase ausgezeichnet angepaßt. Er hat eine Unter-

grundangleichung erworben: Sein Haarkleid hat auf der Körperoberseite eine farbliche Ausbildung angenommen, die den Erdboden, Pflanzenteile und das Spiel zwischen Licht und Schatten nachahmt. Der Balg des Hasen, wie es jagdlich heißt, zeigt sich in einem Gemisch aus hellen und dunklen Farbtönen. Das einzelne Grannen- oder Deckhaar endet in einer dunklen Spitze. Darunter liegt dann ein mehrere Millimeter breiter, hell beigefarbener Abschnitt, der sogenannte Agutiring (Aguti = ein mittel- und südamerikanisches Nagetier), unter dem dann bräunliche bis weißgraue Farbtöne im weiteren Verlauf des Haarschaftes zu finden sind. Außerdem stehen im Fell einheitlich helle Haare, wie aber auch auf der Schwanzoberseite oder an den Spitzen der Ohren rein schwarze Haare wachsen. Weißlichgraue finden sich auf den kurz behaarten Rückseiten der Ohrmuscheln und im lebhaft gezeichneten Gesicht. An der Bauchseite und unterseits der »Blume« (Schwanz) hat sich hingegen ein rein weißes Haarkleid entwickelt. Die zwischen den Grannen liegende feine Unterwolle ist hellgrau, ebenso die länger herausragenden Leithaare.

Innerhalb einer Hasenbevölkerung kommt es zu beträchtlichen Unterschieden in der Färbung der Einzeltiere. Manche sind heller, andere dunkler gefärbt. Polnische Wissenschaftler fanden bei den Tieren im Osten des Landes ein mehr graues Winterkleid als bei denen der westlichen Provinzen. Allgemein sind auch südliche Formen mehr rostrot gefärbt, an den Bein-Innenseiten aber mehr weißlich, als das bei ihren nördlichen Artgenossen der Fall ist. Auch treten gelegentlich Fehlfärbungen auf, die vom weißlichgelben bis zum rein schwarzhaarigen Balg reichen. Grundsätzlich bleibt jedoch eine bestmögliche Tarnung durch Einbindung in die Farben und Strukturen der jeweiligen Umgebung erhalten. Die Kontraste der Schwarzweißzeichnung der Löffel und der Blume bleiben ebenfalls durchgängig erhalten; sie finden in der innerartlichen Verständigung unter Benutzung dieser »Signalgeber« Anwendung.

In Verbindung mit seinem Schutzverhalten ist der Hase mit diesem Tarnkleid für das Überleben in der schütter bewachsenen Steppe oder ihr ähnlichen Lebensräumen gut gerüstet. Hat er sich zur Ruhe in seine Sasse oder sein Lager begeben, fällt er kaum auf. Er selbst hingegen beobachtet mit seinen großen hellbraunen Augen die Umgebung, die er im Umkreis von 360 Grad überblicken kann.

Keineswegs hält er aber auch im Schlaf die Augen offen. Wie ich selbst häufig beobachten und filmen konnte, schließen die Hasen, wenn sie sich sicher füh-

Unten: Mächtige Galoppsprünge bringen diesen Hasen in die schützende Deckung. Bis achtzig Stundenkilometer schnell kann er seinem Feind hakenschlagend davonrennen.

▷ Schneehase im Sommerkleid. Auch er ist ein tüchtiger Sprinter.

▷▷ Das »Steppentier« Feldhase erobert das Deichvorland und nimmt auch nasse Füße in Kauf.

▷▷▷ Große Ansammlungen der sehr geselligen Schneehasen findet man vor allem im hohen Norden. Sie dienen der erhöhten Sicherheit des Einzeltiers und tragen auch sonst zum besseren Überleben bei.

len, ihre Augen mehr oder weniger fest und verfallen in einen dösenden Halbschlaf. Der Tiefschlaf, wie ich ihn an einem Junghasen verfolgen konnte, währt aber kaum mehr als etwa eine Minute am Tag. Dabei sind die Augen fest geschlossen, und das Tier legt sich zur Seite. Vernimmt aber der Hase Geräusche oder sieht er eine mögliche Gefahr nahen, so drückt er sich fest an den Boden und verharrt regungslos. Wenngleich er auf der Flucht bis zu 80 Stundenkilometer schnell sein kann, seine Sprünge bis zweieinhalb Meter weit und fast ebenso hoch sein können und das Hakenschlagen ihm gute Entkommensaussichten bietet, versucht er doch zunächst, sich der Gefahr durch Verbergen zu entziehen. Bei der Flucht rennt er übrigens nicht blindlings davon. Er kennt sich aus in seinem Wohngebiet, benutzt verschiedene vertraute Pfade, die Hasenpässe, die ihn notfalls zu einem anderen Versteck führen. Dabei zeigt er sich sogar als guter Kletterer, der einen Zaun überwindet, so wie er auch als guter Schwimmer ein Gewässer durchqueren kann.

Der Feldhase orientiert sich geruchlich an seinen Duftmarken, die er im Gelände anbringt. Dazu verwendet er neben seinen kugeligen Kotpillen auch den Urin, wobei das Anbringen einer Urinmarkierung auch mit einem sichtbaren Signal an Artgenossen verbunden ist: Er klappt seinen Schwanz hoch, so daß die weiße Unterseite weithin sichtbar ist. Ich habe das »Blumeweisen« genannt. Ferner finden die duftenden Absonderungen verschiedener Drüsen Verwendung.

Die seitliche Anordnung der Augen ist typisch für ein Fluchttier, das auf gute Rundumsicht angewiesen ist.

Auf der Nasenspitze trägt der Feldhase die stecknadelkopfgroße Pigmentdrüse, mit der er an Pflanzenstengeln und ähnlichem reibt und duftende Teilchen hinterläßt. Gleiches tut er mit den am Kinn sitzenden Drüsen. Mit jenen nahe der Geschlechtsöffnung und am After mündenden stempelt er regelrecht beim Sitzen seinen Duft auf den Erdboden. Schließlich bezieht er Duftstoffe aus den Wangenorganen, jenen Drüsenfeldern im Mundinnern, die durch die dort sitzenden feinen Härchen abzugrenzen sind.

Beim Putzen, das der Hase zur Pflege seines Haarkleides mehrfach am Tage mit großer Sorgfalt vornimmt, streicht er mit den Händen die Ausscheidungen dieser Drüsen heraus und überträgt sie beim Belecken des Haarkleides auf den Balg. Auf diese Weise werden auch die Pfoten mit Duft versehen. Der Putzvorgang, der zunächst in einem »kleinen Putzritus«, wie M. Bürger es nannte, das »Waschen« des Gesichtes umfaßt, geht im »großen Putzritus« auf den gesamten Körper über. Dabei wird das Haarkleid nicht nur mit der Zunge beleckt, sondern auch mit den Zähnen beknabbert, um Fremdkörper zu entfernen. Die dabei fein verteilten Drüsenabsonderungen imprägnieren offenbar das Haarkleid; denn Feldhasen erscheinen stets tadellos gepflegt. Selbst die langen Löffel werden mit den Händen gebürstet, beleckt und beknabbert, und die großen Hinterfüße erfahren die gleiche Aufmerksamkeit, nicht zu reden von den Händen. Auch diese duften anschließend. Allein aus dem Putzvorgang stammen jene Teilchen, die den Duft der Hasenspur ausmachen. Denn an seinen Händen und Füßen besitzt der Hase keinerlei Drüsen, die Geruchsteilchen absondern. Doch ist er zur eigenen Orientierung und zur geruchlichen »Benachrichtigung« seiner Artgenossen darauf angewiesen, dem Gelände seine Duftmarken aufzustempeln. Den daraus erwachsenden Nachteil, daß auch manche Beutegreifer den Geruch wahrnehmen und der Spur folgen können, damit den Hasen auch in seinem Versteck aufstöbern, nimmt er in Kauf.

Die sorgfältige Fellpflege, die noch durch Sand- und Schneebaden, Schüttel- und Streckbewegungen ergänzt wird, ist beim Feldhasen kein Zeichen von Eitelkeit. Sie dient dem Wohlbefinden des Tieres und stellt eine lebenswichtige Notwendigkeit dar. Denn nur das gepflegte Haarkleid gewährt den erforderlichen Schutz gegen alle möglichen Einflüsse, vor allem

Im verdorrten Gras ist das Fell des Feldhasen eine hervorragende Tarnung (oben), und fast unsichtbar wird er, wenn er sich in solcher Umgebung in seine Sasse drückt (unten).

Wer klein und wehrlos ist, muß sich ducken und noch kleiner machen, um den Blikken der allgegenwärtigen Feinde zu entgehen. Diese Grundregel befolgen die Hasen sowohl im Schnee als auch auf der Sommerwiese.

aber auch gegen zu hohe Verluste der eigenen Körperwärme. Immerhin stellt der Feldhase das kleinste Säugetier unserer Breiten dar, das den Winter ohne einen schützenden Bau oder ähnliches übersteht.
Dementsprechend unterbrechen Putzhandlungen, vorwiegend des kleinen Putzritus, die ausgedehnten Ruhezeiten des Hasen, die er insbesondere vormittags und am frühen Nachmittag einhält, aber auch während der Nachtstunden. Ebenso werden andere Betätigungen, wie Nahrungssuche oder Kontakte mit Artgenossen, häufig von Putzpausen unterbrochen.
Gestört wird die Ruhe auch durch eine andere Lebensnotwendigkeit: das Aufnehmen des Blinddarminhaltes. Dieses findet vorwiegend in den Vormittags- und frühen Nachmittagsstunden statt. Ohnehin bleibt aber ein Hase nicht den ganzen Tag über nur in seinem Lager sitzen. Zumindest wenn keine Beunruhigung besteht, verläßt er es zwischendurch, um in der Nähe ein wenig zu weiden, um seinen »Mittagsbummel« zu machen, was ich häufig beobachten konnte, und dabei auch Artgenossen zu treffen und mit ihnen Geselligkeit zu pflegen. Zur Fortpflanzungszeit ist es ohnehin mit der Tagesruhe nicht weit her, denn besonders lebhaft »rammeln« Feldhasen am späten Vormittag oder frühen Nachmittag. Andererseits sind die Tiere auch während ihrer allgemeinen Zeiten der Regsamkeit nicht unentwegt geschäftig.
Zur ausgedehnten Nahrungssuche zieht der Feldhase meist in den späten Nachmittagsstunden. Um den Magen zu füllen, benötigt er etwa eine halbe Stunde. Dabei bewegt er sich mehr oder weniger weit auf seiner »Äsungsfläche«, wie der Jäger sagt, und sucht sich die ihm zusagenden Nahrungspflanzen. Macht er kleine Einzelschritte mit den Vorderfüßen, um nur gelegentlich die hinteren nachzuziehen, nennt man es »Rutschen«. Ansonsten »hoppelt« der Hase: Er bewegt sich in einem langsamen Galopp, bei dem jeweils in einem vollen Schritt die Vorderfüße hintereinander auf den Boden aufgesetzt und dann die Hinterfüße gleichzeitig nach vorne geführt werden. Sie »übereilen« die Hände und werden nebeneinander aufgestellt. So entsteht dann auch das kennzeichnende Bild der Hasenspur. Daß dabei die Hinterfußabdrücke ein wenig gegeneinander versetzt sind, liegt nicht daran, daß ein Bein ein wenig kürzer wäre und der arme Hase deshalb lebenslang im Kreise laufen müßte. Die Betonung eines Fußes findet sich auch bei anderen galoppierenden Tieren; man spricht vom Rechts- bzw. Linksgalopp.
Im Wechsel mit der Nahrungssuche läuft der Hase umher, auch um seine Duftmarken zu überprüfen und zu erneuern. Sein Streifgebiet überlappt sich mit dem anderer Artgenossen und kann sich auch jahreszeitlich verändern. In der Größe und Lage ist dieses Gebiet von den jeweiligen örtlichen Gegebenheiten abhängig; meist wird es kaum größer als 50 Hektar sein, in guten Lebensräumen eher kleiner. Für Häsinnen ermittelte ich geringere Streifgebietsgrößen als für die Männchen. Allerdings können in Wald-/Feldgebieten die Tages- und Nachtaufenthaltsbereiche auch entfernt voneinander liegen und durch Pfade miteinander verbunden sein. Insgesamt ist ja der Feldhase aufgrund seiner Körpergröße zu erheblichen Bewegungsleistungen fähig, so daß Tiere auch an weit entfernten Orten auftauchen oder wiederauftauchen können, soweit es sich um zuvor eingefangene und verfrachtete Stücke handelt. Von Entfernungen bis zu 400 Kilometern wird berichtet. Aus den russischen Steppengebieten liegen Berichte vor, daß dort in strengen Wintern große Hasenansammlungen entstehen und die Tiere gemeinsam weite Züge unternehmen, um Nahrungsquellen zu suchen. Und auch aus anderen Gebieten wurde in der Vergangenheit immer wieder von »Hasenwanderungen« erzählt, ohne daß diese aber jemals sicher nachgewiesen wurden. Ganz unwahrscheinlich sind diese Berichte aber nicht, da es durchaus erklärbar ist, daß zumindest in strengen Wintern Feldhasen aus höheren Lagen auch über

▷ **Vollendete Untergrundangleichung eines sich drückenden Feldhasen in der Sasse.**

▷▷ **Wenn es sein muß, erweist sich ein Hase sogar als vorzüglicher Schwimmer.**

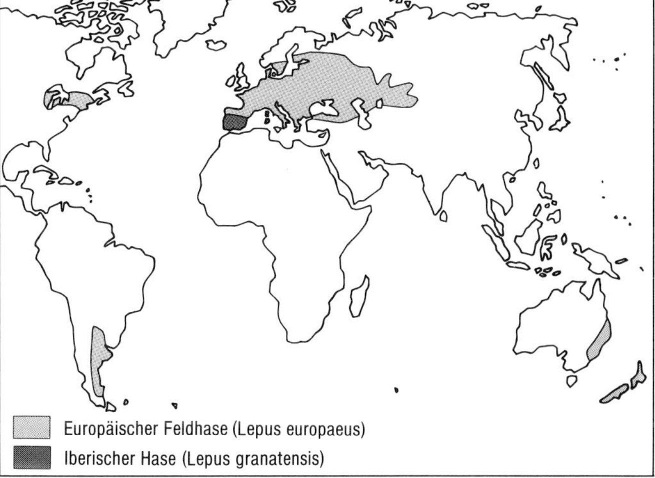

größere Entfernungen in mildere Lagen ziehen. Eine derartige Beobachtung einer Gruppe von 27 Tieren, die weder zuvor noch später zu ermitteln waren, gab immerhin auch einen Anstoß zu meinen späteren eigenen Arbeiten.

Doch zurück zur Nahrungssuche, die nur vergleichsweise wenig Zeit des mehrgipfeligen Aktivitätsverlaufes im Tagesgang einnimmt. Bei der Nahrungswahl zeigt sich der Feldhase als vielseitiger Pflanzenesser. Grundsätzlich ist festzustellen, daß er seine Anpassung an die Pflanzen des Steppenlebensraumes bewahrt hat und dementsprechende Pflanzen bevorzugt. Er wählt seine Äsung aus einer Vielzahl von Pflanzenarten aus. Das sind Gräser und Kräuter, zahlreiche Kulturpflanzen und Gehölze. Der Feldhase ist ein Nahrungsgeneralist; das ergaben die verschiedenen Untersuchungen an Mageninhalten erlegter Hasen.

Wie viele andere Tiere kennt auch der Feldhase ein »Putzritual«. Dieses Tier säubert seine Hinterpfote durch Belecken. Dabei trägt es Duftstoffe aus seinen »Wangendrüsen« auf das Haar auf.

Darin fanden sich die Reste so ziemlich aller im jeweiligen Gebiet vorkommenden Pflanzenarten. Jedoch fällt der Anteil der einzelnen Pflanzenarten oder -gruppen äußerst unterschiedlich aus. Verwunderlich ist nicht, daß in der heutigen Kulturlandschaft der Anteil der landwirtschaftlichen Nutzpflanzen hoch ist. Die verschiedenen Getreide, vor allem die Wintergetreide Raps, Kohl und Rüben und andere, wie Klee oder Luzerne, stellen zu bestimmten Jahreszeiten die Hauptnahrung des Hasen dar. Wie sollte es auch anders sein, wenn vielfach landwirtschaftliche Monokulturen nur noch eine einzige Nutzpflanzenart enthalten und »Pflanzenschutzmittel« alles andere getötet haben?

Dabei kann es für einen »generalistischen« Pflanzenesser nur äußerst schädliche Folgen haben, wenn er sich so einseitig ernährt. Denn in den Pflanzen finden sich alle möglichen Stoffe, die in stärkeren Ansammlungen eine Unverträglichkeit oder sogar giftige Wirkung hervorrufen. Deshalb muß ein Tier, es sei denn, es hat sich auf den Verzehr nur ganz weniger Nahrungspflanzenarten spezialisiert (z. B. Koala, Großer Panda), stets eine gemischte Kost wählen. Dies tut der Feldhase! Wie U. Brüll bei seinen Untersuchungen an schleswig-holsteinischen Hasenmägen und nach ihm Forscher in Bayern, Baden-Württemberg und Österreich fanden, nehmen selbst in der im Höchstmaß genutzten Ackerlandschaft die Feldhasen noch zu etwa 50% ihrer Gesamtnahrung solche Gräser und Kräuter auf, die nicht zu den kultivierten Nutzpflanzen zählen und aus der Sicht des Landwirts »Unkräuter« darstellen.

Damit bleibt der Hase seiner Herkunft aus den Steppen treu. Denn viele dieser Gräser und Kräuter stammen selbst aus solchen oder ähnlichen Lebensräumen. Auch sie besiedelten weite Teile Europas erst, nachdem die Wälder gerodet und Felder entstanden waren. Bei genauer Betrachtung dieser Pflanzen stellt sich heraus, daß es sich bei ihnen um die bereits erwähnten »Hungerkünstler« handelt, die mit wenig Stickstoff auskommen. Außerdem sind sie aber sehr lichtbedürftig, gedeihen also nicht im Schatten etwa gutwüchsiger Kulturpflanzenbestände. Sie fanden die ihnen zusagenden Bedingungen in der Kulturlandschaft an den Rändern der Felder, an Wegböschungen und dergleichen. Überall dort, wo der Bauer weniger oder gar nicht düngt, mit seiner Landbestellung aber alljährlich dafür sorgt, daß die Fläche offen bleibt, sogar umgebrochen wird, und wo die Kulturpflanzen weniger üppig wachsen, dort haben sie ihr Auskommen. Für den Feldhasen ergibt sich daraus, daß seine Lebensbedingungen wesentlich vom Vorkommen der Acker- und Wiesenunkräuter abhängen. Er ist auf die Pflanzen an den Rändern der Felder angewiesen. Zu Zeiten kleinbäuerlicher Wirtschaft ergab sich aus der Vielparzellierung der Felder ein hoher Anteil an Acker- und Wegrainen, bezogen auf die

Gesamtfläche. Damit bestanden große Siedlungsflächen für diese Unkräuter, die reichlich Hasennahrung boten. Die moderne, produktionsgerechte Feldlandschaft hingegen ist arm an Rainen, an »Grenzlinien«, wie wir sie nennen, deren Anteil bei großen Schlägen verschwindend gering ist.

Verschwindend zeigen sich damit auch die Feldhasen, so wie wir das gegenwärtig in höchstem Maße auf dem Gebiet der DDR finden. Dort gab es noch vor einem halben Jahrhundert die besten Feldhasengebiete Europas. Es bestand dort ein »ökologisches Optimum«, das dem Hasen weit bessere Lebensbedingungen bot als seine alte Steppenheimat, vor allem weil auf den landwirtschaftlichen Kulturen das bessere Nahrungsangebot bestand. Noch im Jahre 1961 wurden in dem Gebiet 420 000 Hasen von Jägern erbeutet. Doch für 1984 wurde nur noch ein Ergebnis von 10 600 Tieren ausgewiesen. Gerade in der ehemaligen »Hasenkammer«, der Magdeburger Börde, stirbt der Feldhase aus!

Nicht ganz so schlimm, aber keineswegs beruhigend stellt sich die Lage in anderen Ländern dar. Im gesamten Verbreitungsgebiet, von den Britischen Inseln bis weit in den Osten des Kontinents hinein, wird von starken Rückgängen der Vorkommen berichtet. Dafür sind aber nicht allein strukturelle Veränderungen der Lebensräume verantwortlich. Meine eigenen Untersuchungen zeigen einen Rückgang des Feldhasen im Zusammenhang mit dem hohen Eintrag an Nährstoffen auf. Mehr als 200 Kilogramm düngender Stickstoff gehen jährlich auf den Hektar heutiger Akkerflächen nieder. Davon stammen oftmals über 50 Kilogramm allein aus der allgemeinen Luftverschmutzung. Diese Düngung fördert zwar eine Reihe von Pflanzenarten und von ihnen sich nährenden Tieren. Den »Hungerkünstlern« macht sie aber den Garaus. Damit verschwindet dann auch die Nahrungsgrundlage für den Feldhasen. Denn ein Ausweichen auf die üppig gedeihenden Pflanzen ist ihm offenbar nur in begrenztem Maße möglich. In der Welt der landwirtschaftlichen Überschüsse fehlt es ihm an artgemäßer Nahrung!

Dazu kommen schließlich noch weitere Erschwernisse, die sich für den Hasen aus den modernen Bewirtschaftungs- und Ernteverfahren ergeben. Denn mit der in wenigen Tagen vollzogenen Getreideernte und dem sofortigen Umpflügen der Felder verschwinden in kürzester Zeit jede Nahrung und vertraute Dekkung. Die Österreicher K. Onderscheka und G. Gattinger nannten es »Ernteschock«, was sie durch Messung eines gefährlich absinkenden Blutzuckerspiegels bei den Hasen feststellten: eine unnatürliche Hungersituation der Tiere zu einer Jahreszeit, in der sie naturgemäß ihre Fettvorräte für den kommenden Winter anzulegen haben. Die Folgen des unzureichenden Ernährungszustandes für die Tiere liegen auf der Hand. Anfälligkeit für Krankheiten und Schmarotzer sowie allgemein geringe Widerstandsfähigkeit schmälern ihre Überlebensaussichten gewaltig. Die Bestände schwinden.

Vor diesem Hintergrund kann auch die Vermehrungsfähigkeit des Feldhasen nicht die Sicherung der Bestände verbürgen, soweit nicht diese Vermehrungsfähigkeit durch die aufgezeigten nachteiligen Einflüsse beeinträchtigt ist. Ansonsten beginnt die Fortpflanzungszeit des Feldhasen bereits im Winter, um die Zeit der kürzesten Tage. Die französische Forscherin L. Martinet hat in ihren Experimenten aufgezeigt, daß die Steuerung des Geschehens vom Licht ausgeht.

Oben: Das Hoppeln ist die gemächliche Fortbewegungsweise eines Hasen, wenn er sich ungestört fühlt. – Links: Dieser Hase setzt eine Duftmarke mit Urin. Als zusätzliches optisches Signal verwendet er dabei das »Blumeweisen«: Er klappt seinen kurzen Schwanz hoch, so daß die weiße Unterseite der »Blume« sichtbar wird.

Unter den Bedingungen des kurzen Wintertags vergrößern sich die Hoden der Männchen, wie auch die Eierstöcke der Weibchen an Masse zunehmen. Die allmählich aufkommende Fortpflanzungsstimmung läßt sich im Gelände am Verhalten der Tiere erkennen. Sie bevorzugen bestimmte gut übersichtliche Bezirke, in denen sich im Laufe der Winterwochen größere Hasenansammlungen bilden können. Aus der Vielzahl der dort zusammenkommenden Artgenossen vermag dann jeder den geeigneten Partner auszuwählen. Gleichzeitig gehen aber von der Ansammlung auch anregende Wirkungen auf die Einzeltiere aus,

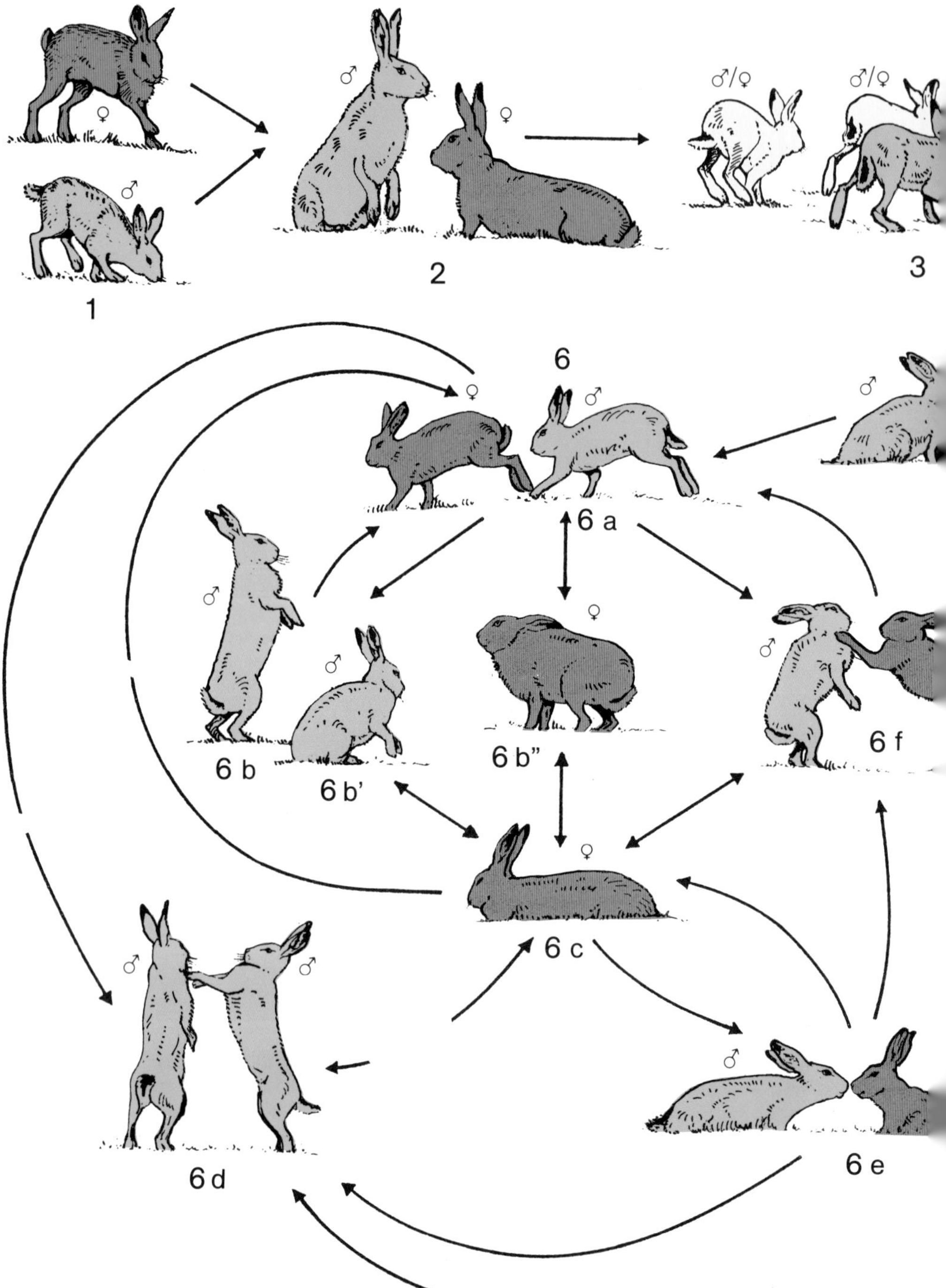

Feldhasenhochzeit als Regelkreis: ① Zu Beginn der Paarungszeit begeben sich die Hasen zu den »Rammelplätzen«. ② Dort knüpfen sie erste soziale Kontakte. ③ Zahlreiche Hasen und Häsinnen veranstalten eine »Gruppenbalz«, vorwiegend am späten Vormittag und frühen Nachmittag. Sie wird ausgelöst durch geruchliche und optische Reize und dient der Gleichschaltung der Brünstigkeit der Weibchen, der Partnerfindung und der Erhöhung der Sicherheit durch die große Zahl. ④ Manche Tiere verlassen wieder den Platz; die anderen bleiben und bilden kleinere gemischtgeschlechtliche Gruppen. ⑤ Die Verhaltensstrategie richtet sich auf die Bildung von Paaren mit Partnerbindung. »Satelliten« wirken stimulierend und können auch bei »Unstimmigkeiten« an die Stelle eines (meist männlichen) Partners treten. ⑥ Bei der eigentlichen Werbung sind vielfältige Verhaltensweisen zu beobachten: a) »Treiben« des Weibchens durch das Männchen; b) »Imponieren« des Männchens vor dem Weibchen (b″); b′) »Beschwichtigungstrommeln« des Männchens;

c) eingeschaltet sind Ruhe, Nahrungsaufnahme u.a.; d) »Rammlerkampf« mit einem Nebenbuhler; e) zunehmend Körperkontakte (hier Mundberührung) zwischen den Partnern; f) »Sprödigkeitsverhalten« des Weibchens, das nach dem Männchen schlägt; g) baut die Werbung die Sprödigkeit des Weibchens nicht ab, trennen sich die Paare; h) andernfalls wird das Treiben fortgesetzt.
⑦ Im Verlauf des Werbens und Treibens nehmen die Körperberührungen an Häufigkeit zu.
⑧ Nach einigen Tagen kommt es zum »Paarungslauf«.
⑨ Er geht in sehr intensive Körperberührungen über. Das Männchen versucht immer wieder die Bauchseite der Partnerin zu berühren, und sie unterstützt dies: Sie gleitet über den Rükken des Männchens. Diese Berührungen lösen den Eisprung aus.
⑩ Die Häsin bleibt vor dem Rammler stehen, der nun aufreitet. Sie hebt dabei den Hinterleib etwas an. Die Begattung dauert nur einige Sekunden.
⑪ Sie wird mit dem »Begattungssprung« beendet: Die Häsin streckt blitzschnell die Hinterbeine und wirft

[Fortsetzung Seite 280]

[Fortsetzung von Seite 279]

den Rammler ab. Danach kann das Treiben weitergehen. Manchmal trennen sich die Partner auch (wie 6g).
⑫ Ein Männchen und ein Weibchen kommen gelegentlich ohne erkennbares Werben zusammen und paaren sich. Auch ein männlicher »Satellit« kann die vorübergehende Abwesenheit des zugehörigen Rammlers ausnutzen.

wenn die großen Hochzeitsgesellschaften dann im Januar auf den schneebedeckten Feldern während der hellen Tagesstunden »rammeln«. Der Höhepunkt des Geschehens wird allgemein im Monat März erreicht. Vom »Märzenkoller« befallen, vergessen die Hasen oftmals alle sonst geübte Vorsicht. In seiner Liebestollheit kann dann sogar einer einem Hund nachrennen, den er aus der Ferne für einen Geschlechtspartner oder einen Nebenbuhler gehalten haben mag. Der biologische Vorteil des Gruppenverhaltens liegt darin, daß die weiblichen Tiere in möglichst größerer Zahl zur selben Zeit in Hitze geraten und begattet werden. Das bedeutet dann auch, daß sie alle etwa zur selben Zeit ihre Jungen gebären. Zwar kann unter ungünstigen Witterungsbedingungen zur Hauptwurfzeit dadurch auch für die Mehrzahl der Würfe der Totalverlust eintreten; wesentlich aber ist, daß sich das statistische Risiko für den einzelnen Wurf, einem Beutegreifer zum Opfer zu fallen, spürbar verringert. Es werden so viel mehr Jungtiere überleben als im Falle der Streuung der einzelnen Geburten verschiedener Mütter über einen langen Zeitraum.
Das Paarungsverhalten des Feldhasen ist gekennzeichnet durch eine Reihe auffälliger Verhaltensweisen. Grundsätzlich wird zunächst die Bildung großer Hochzeitsgesellschaften angestrebt – was einen entsprechenden Tierbestand voraussetzt. Aus diesen sondern sich dann kleine Gruppen ab, mit einer deutlichen Neigung zur Bildung partnertreuer Verbindungen, also Paaren; davon unberührt bleibt jedoch, daß auch nach einer Paarbildung weitere »Satelliten« das Paar begleiten können. Im Laufe meiner langjährigen Feldstudien konnte ich jedenfalls eine Reihe von Beobachtungen sammeln, die den Schluß auf eine Partnertreue zulassen. Auch Madame Martinet hat in ihren Feldhasenzuchten deutlich bessere Aufzuchtergebnisse, seit sie nach den Begattungen die Rammler bei den Häsinnen beläßt, damit später beide gemeinsam die Jungen großziehen. Sie fand auch heraus, daß die Mehrzahl der Begattungen erst nach längerem Zusammensein der Partner – etwa nach einem Monat – erfolgt.

Hochzeitsgesellschaft auf dem »Rammelplatz«: Rechts der Bräutigam, links die Braut; dazwischen zwei sogenannte Satelliten.

Stets hat ein Rammler ein langwieriges Werbezeremoniell zu veranstalten. Die Häsinnen zeigen sich zunächst scheu gegenüber Körperberührungen; sie sind in ihrem Verhalten spröde und wehren ihre Freier tatkräftig mit Schlägen ihrer Vorderpfoten ab, sofern sie nicht durch Flucht zu entkommen suchen. All dies scheint aber den Hasenmann wenig von seinen Absichten abzubringen. Ein Davonlaufen der Häsin ist für ihn vielmehr oftmals nur Anreiz, verstärkt einzusteigen; als »Lockflucht« wird das Benehmen des Weibchens verstanden. So treibt er denn die Häsin über die Felder, und bei diesen Laufspielen kommt es auch zunehmend zu Körperberührungen. Und darauf kommt es an: den Abbau der Berührungsscheu. Ist die Häsin ganz und gar unwillig, so wendet sie sich dem Rammler zu und legt drohend ihre Löffel auf den Rücken zurück. Sofern er diese Drohgeste nicht gebührend beachtet, springt sie auf ihn zu und schlägt mit den scharfbekrallten Pfoten nach ihm. Gegen diese Angriffe setzen sich die Rammler meist nicht zur Wehr, obwohl sich für sie schwerwiegende Folgen, letztlich sogar tödliche, ergeben können. Denn Verletzungen im Gesicht und schwere Augenbeschädigungen sind keine Seltenheit, das spätere Eindringen von gefährlichen Krankheitserregern durch die Wunden ist durchaus möglich. Daher erscheint dieses Verhalten zunächst als unsinnig. Doch führt die Häsin dabei ja selbst Körperberührungen herbei. Außerdem, wir erinnern uns an die Stempelkissenwirkung der mit Duftstoffen behafteten Pfoten, werden dabei wohl auch eigene Duftteilchen der Häsin auf den Körper des werbenden Hasen übertragen. Er dürfte ihr dann geruchlich mehr zusagen.
Das Werben zieht sich über einige Tage (Wochen?) hin. Die Tiere wechseln zwischen Treiben, Ruhen, Nahrungssuche, Körperpflege – oder trennen sich auch. Die schwarz-weiß abgesetzten Löffel und Blumen wirken als Signalgeber. Ihre jeweilige Stellung und Bewegung geben dem Partner Auskunft über die Stimmung und Absichten des Tieres. Der seitlich

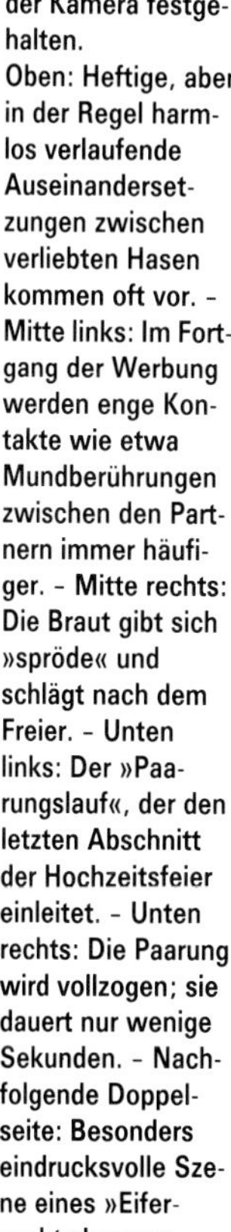

Wie es bei einer Hasenhochzeit zugeht, ist hier mit der Kamera festgehalten.
Oben: Heftige, aber in der Regel harmlos verlaufende Auseinandersetzungen zwischen verliebten Hasen kommen oft vor. - Mitte links: Im Fortgang der Werbung werden enge Kontakte wie etwa Mundberührungen zwischen den Partnern immer häufiger. - Mitte rechts: Die Braut gibt sich »spröde« und schlägt nach dem Freier. - Unten links: Der »Paarungslauf«, der den letzten Abschnitt der Hochzeitsfeier einleitet. - Unten rechts: Die Paarung wird vollzogen; sie dauert nur wenige Sekunden. - Nachfolgende Doppelseite: Besonders eindrucksvolle Szene eines »Eifersuchtsdramas«.

zuckende Schwanz der weglaufenden Häsin teilt dem Rammler mit, daß er folgen soll; die zurückgelegten Ohren halten ihn auf gehörigem Abstand. Er hingegen imponiert, wenn er durch Aufstellen der Löffel seine Körperumrisse vergrößert oder gleiches mit dem »Katzenbuckelstrecken« vor der Häsin vollführt. Schließlich werden aber die Körperberührungen immer häufiger, und erste Aufreiteversuche erfolgen vor allem während des Laufens, wobei das Aufschieben des Kopfes auf den Rücken der Häsin wohl auch Duftstoffe aus des Rammlers Kinndrüsen auf ihr Haarkleid überträgt. Irgendwann geht schließlich das Treiben im »Paarungslauf« in eine heftige Rauferei zwischen den beiden Tieren über, während der durchaus auch ganze Büschel von Wolle (Haaren) ausgerissen werden. Meine Filmbilder zeigen, daß es bei dieser Handlung zu innigen Körperberührungen kommt. Die Häsin versucht vor allem, eine starke Berührung auf ihre Bauchseite zu erfahren. Sie gleitet selbst immer wieder über den Rücken des Rammlers, sofern er sich nicht unter sie schiebt und sie sogar umherträgt. Diese Berührungsreize dürften den Eisprung bei der Häsin auslösen. Sie verhofft dann vor dem Männchen und hebt, wenn er aufreitet, ihren Hinterkörper an, so daß es zur Begattung kommen kann. Eine solche ist nämlich nicht möglich, wenn die Häsin normal sitzen bleibt. Die Begattung dauert, unter raschen Reibebewegungen, meist wenig länger als zehn Sekunden. Sie wird mit einem Begattungssprung von der Häsin beendet, die blitzschnell ihre Hinterbeine streckt und damit den Rammler abwirft. Heftiges Treiben kann sich anschließen, und mehrere Begattungen können folgen. Oder die Tiere gehen unvermittelt zur Nahrungsaufnahme oder Körperpflege über, sofern sie nicht sogar jedes seines Weges hoppeln.

Der Schneeschuhhase ist in Nordamerika weit verbreitet. Im Sommer trägt er ein bräunliches oder dunkelgraues Kleid, im Winter ein weißes. Seinen Namen verdankt er den breiten und mit steifen Haaren dicht besetzten großen Hinterfüßen, die wie Schneeschuhe wirken und das Einsinken im Schnee verhindern.

Viel wurde geschrieben über die Rammlerkämpfe im Wettstreit um die Häsinnen – vieles davon ist falsch. Zwar kommt es zu Auseinandersetzungen zwischen rivalisierenden Rammlern. Doch sind diese weniger darauf ausgerichtet, den Kampfpartner zu beschädigen, als vielmehr darauf, unnötiges Kampfgetümmel zu vermeiden. Die Streitenden stehen aufrecht auf den Zehenspitzen der Hinterfüße und tauschen mit trommelnden Schlägen ihrer gestreckten Vorderläufe Hiebe aus. Diese treffen vorwiegend die Arme des Gegenübers. Der Kopf mit dem verletzungsempfindlichen Gesicht ist dabei weit zurückgelegt und somit aus dem Gefahrenbereich der gegnerischen Krallen. Gelegentlich trifft auch ein Pfotenhieb den Rumpf des Gegners, so daß Wolle fliegt. Meist ist aber die Auseinandersetzung ein Turniergefecht, dessen Verlierer derjenige ist, der zuerst auf den Boden geht. Er wird dann vom Sieger noch ein Stück weit verjagt. In den meisten Fällen wird von den Hasen der kraftraubende und gegenüber anderen Gefahren anfällig machende Kampf vermieden. Sie ziehen es vor, mit aufgestellten Löffeln zu imponieren, sich dazu auch auf den Hinterläufen aufzurichten. Vielfach läßt sich auch der Schwächere durch das Heranpreschen des seine Stellung verteidigenden »Platzrammlers« einschüchtern und flüchtet.

So lebhaft und streitbar es oftmals auch zugeht, so zärtlich können die Feldhasen sein. Das Imponiergehabe des Männchens wird vorgeführt, wie er auch als »Verlegenheitsgeste« die Vorderpfoten hebt und trommelnd in die Luft schlägt. Dieses Verhalten leitet eigentlich den kleinen Putzritus ein, um Schmutzteilchen abzuschleudern. Hier taucht es als sogenannte Übersprunghandlung auf. Und auch die Häsinnen können ihre Zuneigung zeigen, indem sie mit dem Fortschreiten der Partnerbindung zunehmend Zärtlichkeiten austauschen, wenn die Tiere einander mit den Mündern oder Nasen berühren oder auch andere Körperbereiche einschließen. Oftmals wird aber die Zweisamkeit durch Artgenossen gestört, was jedoch nicht zum Nachteil gereichen muß, eher umgekehrt. Kleine »Balzgruppen« sind das übliche. Diesen Gruppen können, wie eigene Beobachtungen an markierten Tieren ergeben haben, nicht nur mehrere Rammler, sondern auch Häsinnen angehören. Über die Abstimmung der Hitze der Weibchen haben wir bereits erfahren. Darüber hinaus bedeutet aber das »Rammeln« in der Gruppe eine größere Sicherheit für das Einzeltier, besonders für die beiden, die mit der Werbung vollauf beschäftigt sind. Denn die »Satelliten« können eher ein Auge auf die Umgebung halten und werden Gefahren früher wahrnehmen. Letztlich bleibt auch festzustellen, daß trotz allem die Hasen es manchmal mit der Partnertreue nicht so genau nehmen, so daß durchaus jeder seine Gelegenheit erhalten kann.

In Mitteleuropa dauert die Fortpflanzungszeit durchschnittlich 236 Tage lang. Die Hauptwurfzeit liegt, als Folge des Märzenkollers, im Mai/Juni. Eine Häsin vermag jährlich bis zu vier Würfe zur Welt zu brin-

gen, insbesondere dann, wenn sie durch »Schachtelträchtigkeit« eine raschere Geburtenfolge erreichen kann. Die Jungenzahl kann bis zu 5 (6) je Geburt betragen; die frühen und späten »Sätze« sind kopfschwächer. Im Durchschnitt umfaßt der Wurf 3,2 Säuglinge. Zwischen 6,4 und 8,9 Junge wurden von verschiedenen Untersuchern je Häsin und Jahr ermittelt. Die Gewichte Neugeborener betragen etwa 130 (48–192) Gramm. Die Entwicklung der jungen Nestflüchter verläuft rasch. Mit einem Monat, etwa zum Ende der Säugezeit, erreichen sie bereits die Körpermasse von einem Kilogramm. Mit knapp drei Wochen haben sie schon Grünnahrung aufgenommen. Nach sieben bis neun Monaten ist ein Feldhase ausgewachsen; dann ist auch das »Jugendknötchen« verschwunden, eine durch den Balg ertastbare Verdickung des Unterarms (Elle) knapp oberhalb des Handwurzelgelenks, aus der das Längenwachstum des Knochens erfolgt. Wenngleich es in einzelnen Fällen vorkommt, daß eine Junghäsin im Jahr ihrer Geburt bereits trächtig wird, so bleiben derartige Ausnahmen für den Bestand bedeutungslos, da die Jungen angesichts des Geburtstermins keine Aussicht haben, den Winter zu überleben.

Vom ersten Tag seines Daseins lauern auf den Hasen Gefahren in sprichwörtlicher Zahl. Einer Reihe von Beutegreifern liefert diese Tierart einen Teil der notwendigen Nahrung, worin wohl auch eine der Aufgaben im natürlichen Gefüge ihrer Lebensgemeinschaft liegt. Bei genauer Betrachtung zeigt sich, daß kein Beutegreifer sich auf den Feldhasen spezialisiert hat. Sie nehmen ihn alle als Gelegenheitsbeute oder verstärkt dann, wenn sonstige Nahrungsquellen versiegen. Dies hat zum Beispiel der polnische Forscher J. Goszczyński am Beispiel des Rotfuchses gezeigt, der überwiegend Feldmäuse fängt und Feldhasen »nebenher« nimmt. Ist allerdings das Mäusevorkommen gering, so greift der Fuchs verstärkt auf das im Feldhasenbestand verfügbare Nahrungsangebot zurück, unterzieht sich der Mühe und des Aufwandes der Hasenjagd. Zahlreiche Jagdschriftsteller haben sich mit der Einwirkung der »Feinde« auf den Hasenbestand beschäftigt, und Meinungen sind aufeinandergeprallt. Glaubwürdige Schätzungen besagen, daß etwa 20 bis 40% der jährlichen »Produktion« eines Hasenbestandes von der Summe aller Beutegreifer genutzt wird. Was aber nicht so verstanden werden darf, daß alle diese Tiere erbeutet würden. Darin ist auch der Verzehr tot aufgefundener Hasen enthalten. Zur Gesamt-

In der äußeren Erscheinung weisen alle Hasenarten eine große Ähnlichkeit auf. Diesen beiden Tieren zum Beispiel sieht man ihre ferne Herkunft erst auf den zweiten Blick an. Es handelt sich um einen südostasiatischen Schwarznackenhasen (oben) und einen amerikanischen Weißschwanz-Jackrabbit oder Präriehasen (unten).

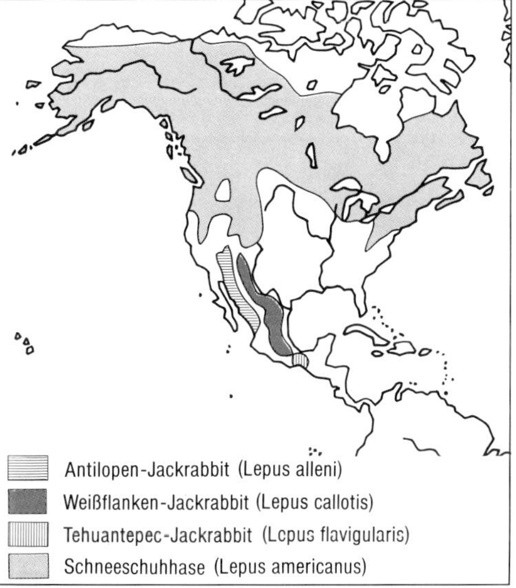

ernährung der Beutegreifer steuert demnach der Feldhase in einer Größenordnung von weniger als 5% bei.

In weitaus höherem Maße verursachen Krankheiten und Schmarotzer, vorwiegend in Verbindung mit Witterungseinflüssen oder Ernährungsmängeln, landwirtschaftliche Maschinen, Straßenverkehr usw. Verluste unter den Feldhasenbeständen. Es sind verschiedene Magen- und Darmwürmer, Lungenwürmer, vor allem aber auch oftmals Bakterien in deren Gefolge, als Verursacher von Verlusten bekannt. Vielfach kommt den einzelligen Kokzidien, Schmarotzern in den Darmwandzellen des Dünndarms, eine große Bedeutung zu. Sie schädigen den Darm und führen in zahlreichen Fällen zum Tode des Hasen, weil unverträgliche Stoffe aus dem Nahrungsbrei des Darminhalts in die Blutbahn gelangen. Im wesentlichen stellt diese Kokzidiose eine »Kinderkrankheit« des Feldhasen dar, der aber in manchen Jahren fast alle Jungtiere zum Opfer fallen können. Da die Erreger selbst einen Entwicklungsgang durchlaufen und mit ihren Oozysten in die Außenwelt gelangen, wo sie sich weiterentwickeln und dann zum Befall neuer Tiere befähigt sind, ist die Ausbreitung der Krankheit witterungsabhängig. So entwickelt sie sich bei Feuchtigkeit, also in nassen Sommern und im Herbst, so daß zu dieser Zeit die größten Verluste unter den Hasen eintreten. In weiten Teilen des Verbreitungsgebietes des Hasen scheint heute dieser »Faktorenkrankheit« in Verbindung mit den zuvor geschilderten Verschlechterungen der Lebensräume eine gesteigerte Bedeutung zuzukommen. In Gebieten mit größerer Trockenheit ist die Kokzidiose weniger bedeutsam; an ihrer Stelle sorgen dann andere Erreger für die natürliche Regulierung der Hasenbestände. Insgesamt bewirken die hohen Verluste eine starke Schwankung der Feldhasenbestände von einem Jahr zum andern, je nachdem wie günstig oder ungünstig sich jeweils die Verhältnisse darstellen. Demzufolge ist auch die Lebenserwartung eines Feldhasen nicht sehr hoch; sie beträgt allgemein kaum mehr als ein Jahr. Das schließt allerdings nicht aus, daß er auch älter werden kann. Aber fünf Jahre erreichen nur wenige Tiere, und das ermittelte Höchstalter von 12,5 Jahren ist eine Ausnahme. Andererseits bedeutet dies, daß in Jahren mit guten Zuwachswerten der Anteil der Jungtiere bei 70% des Gesamtbestandes liegt. Unter solchen Bedingungen mag dann auch eine Bejagung vertretbar sein; sinkt jedoch der Anteil der Jungtiere im Bestand auf weniger als 50%, so würde eine jagdliche Entnahme eine Verringerung

Oben: Der Iberische Hase, ein naher Verwandter, vielleicht sogar eine Unterart unseres Feldhasen. - Rechts oben: Auch der Kap- oder Wüstenhase steht dem Feldhasen sehr nahe. Von manchen Fachleuten werden beide sogar zur selben Art gerechnet. - Rechts unten: Der noch wenig erforschte Japanische Hase, der in den höheren Lagen der Gebirge ein weißes Winterkleid anlegt.

Kalifornischer Jackrabbit (Lepus californicus)
Schwarzer Jackrabbit (Lepus insularis)
Weißschwanz-Jackrabbit (Lepus townsendi)

des Grundbestandes bedeuten, nicht die Nutzung eines Überschusses. Deshalb ist in dieser Hinsicht größte Sorgfalt vom Weidmann zu fordern, insbesondere angesichts der Tatsache, daß der Feldhase weiträumig selten geworden ist und zunehmend besonderer Schutzmaßnahmen bedarf.

Andere Echte Hasen

Einen seiner nächsten Verwandten besitzt der Feldhase wohl in dem derzeit als *Lepus granatensis* geführten Hasen, der die beiden südlichen Drittel der Iberischen Halbinsel bewohnt. Äußerlich unterscheiden sich beide dadurch, daß der südländische Hase kleiner ist und schlanker wirkt. Das Weiß seines Bauches reicht seitlich viel weiter hinauf und verläuft auch in einem durchgehenden Band über das Schultergelenk hinweg nach vorne. Das Haarkleid ist heller, insbesondere die Läufe wirken fast weiß. Erste vergleichende genetische Untersuchungen lassen erkennen, daß diese beiden Hasenformen über unterschiedliche Ausstattungen ihres Erbguts verfügen, wonach sie als getrennte Arten einzustufen wären; wo aber die südländische ihren Ursprung hat, bleibt vorerst im dunkeln. Ohnehin ist die Biologie dieses Hasen noch nicht näher erforscht.

Kaum besser aufgeklärt sind die Beziehungen zum Wüsten- oder Kaphasen *(Lepus capensis)*. Auch er ist kleiner als der Feldhase und besitzt eine andere Färbung. Seine längeren Ohren sind nur spärlich behaart. Dies mögen aber auch nur Merkmale einer Anpassung an klimatische und andere Verhältnisse des jeweiligen Lebensraumes sein, wie sie innerhalb einer Art vorkommen kann. Ob aber beide Formen einer einzigen Art angehören, wie manche Wissenschaftler meinen, ist ungeklärt. In seiner Biologie scheint sich der weit verbreitete Wüstenhase nur wenig vom Feldhasen zu unterscheiden. Er ernährt sich ebenso »generalistisch« und nutzt die Pflanzennahrung des jeweiligen Wohngebietes, ohne daß dazu bisher irgendwelche Besonderheiten bekannt geworden wären. Er stellt ebenfalls einen Bewohner der offenen Landschaft dar, dessen Verbreitungsgrenzen wesentlich durch den Beginn der Waldzonen bestimmt werden. Als besondere Verhaltensweise des Tolaihasen, wie der Wüstenhase in der Mongolei heißt, ist das Aufsuchen von Murmeltier- oder Zieselbauen und Höhlungen zwischen Steinen als Unterschlupf bekannt geworden. Doch kann dies gleichfalls als eine Anpassung an das Klima gewertet werden, wie auch die aus verschiedenen Gegenden berichteten Unterschiede in der Fortpflanzungsbiologie.

Insgesamt werden hier die Schwierigkeiten deutlich, die der zoologischen Abgrenzung der Hasenarten entgegenstehen. Denn diese ähneln sich nicht nur im Äußeren vielfach sehr; sie weisen auch gleiche Verhaltensweisen auf und sind sich ökologisch oft ähnlich. Auch die Erbkunde vermochte hierzu bisher wenig Klärendes beizutragen. Denn die Chromosomen, die in den Zellkernen liegenden Träger der Erbinformation, sind bei den Hasen ebenfalls sehr ähnlich und in ihrer Gestalt, im Aufbau und der Anzahl ($2n = 48$) nahezu gleich.

Im weiten Verbreitungsraum der nördlichen Wälder Amerikas lebt der Schneeschuhhase *(Lepus americanus)*, der wegen seiner regelmäßigen Bestandsschwankungen eine lehrbuchmäßige Bekanntheit erlangt hat. Bereits aus den Pelzeingängen bei der Hudson Bay Company seit Mitte des vorigen Jahrhunderts läßt sich ablesen, daß die Bestände dieses Hasen in bemerkenswerter Gleichmäßigkeit schwanken. Alle acht bis elf Jahre kommt es zu Höchstbeständen, die dann rasch zusammenbrechen. Dies wurde bekannt als der

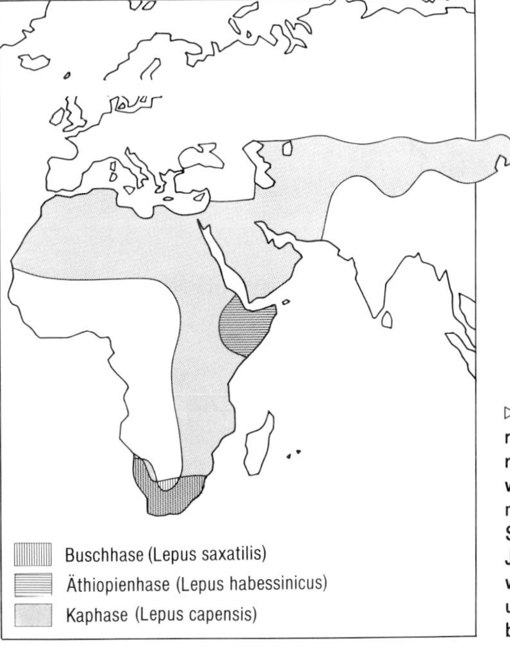

▷ Die großen Ohren, die als Wärmeregulatoren dienen, weisen den Kalifornischen oder Schwarzschwanz-Jackrabbit als Bewohner heißer und trockener Gebiete aus.

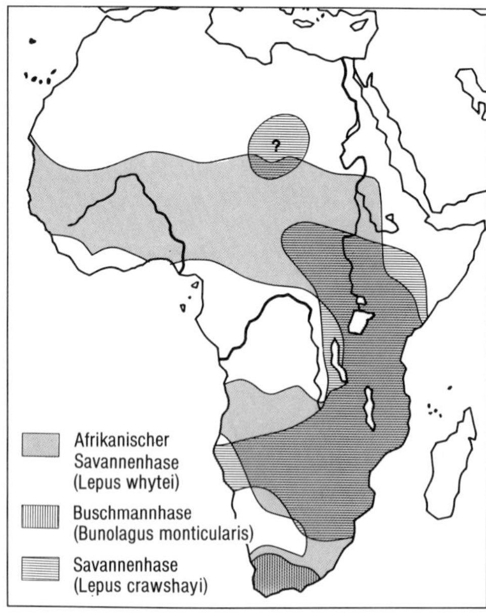

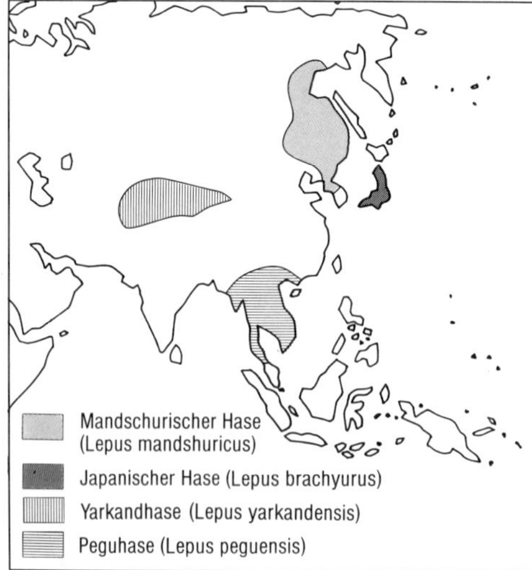

Zehn-Jahre-Zyklus des Schneeschuhhasen. Abgesehen von seiner Regelmäßigkeit erweist sich dieser Ablauf auch insofern als ungewöhnlich, als er in weiten Teilen des Kontinents, von Neufundland bis Alaska, in zeitlicher Übereinstimmung stattfindet. Erstaunlich ist ferner, daß die Steigerung von einem Tief zu einem Bestandshoch das Hundertfache und mehr betragen kann. Aus einem Bestand von nur einem Tier je Quadratkilometer sollen sich sogar Siedlungsdichten von bis zu 4000 Hasen/km^2 entwickeln; gesichert ist die Erhöhung von 400 auf 2400 Hasen/km^2. Zum dritten, und auch das ergab sich aus der Pelztierstatistik, zeigen einige Beutegreiferarten wie Luchs und Rotfuchs die gleichen Bestandsschwankungen. Diese ernähren sich überwiegend von den Hasen, so daß sie in einer unmittelbaren Abhängigkeit zu deren Beständen stehen. Ihre Höchst- oder Tiefstbestände folgen aber dem Hasenzyklus mit einer zeitlichen Verschiebung von einem Jahr.

L. B. Keith hat sich mit diesen Erscheinungen eingehend beschäftigt und kann einige Erklärungen geben: Die steigende Zahl von Hasen führt zu einer starken Nutzung ihrer Nahrungspflanzen. Es kommt zu einer fortschreitenden Verringerung und Verschlechterung des Nahrungsangebotes; bedeutsam ist dies vor allem im ohnehin nahrungsarmen Winter. Den Einzeltieren steht dann weniger nahrhaftes Futter zur Verfügung. Sie verlieren mehr an Gewicht als Tiere im Bestandstief. Dazu kommen Krankheiten, unter denen die geschwächten Tiere leiden. Andererseits sind die Hasen so zahlreich und auch mühelos zu finden, daß sie für zahlreiche Beutegreifer eine leichte Beute sind. Unter diesem Druck bricht der Hasenbestand zusammen. Insbesondere die Jungtiere des vorausgehenden Jahres haben geringe Aussichten, den Winter zu überstehen. Sie konnten sich zuvor bereits nur schlechter ent-

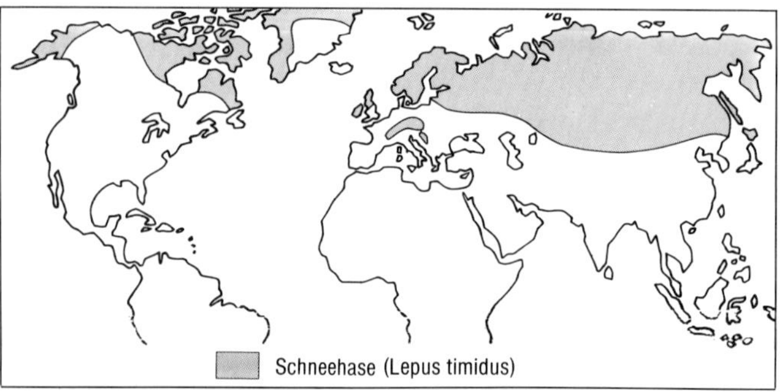

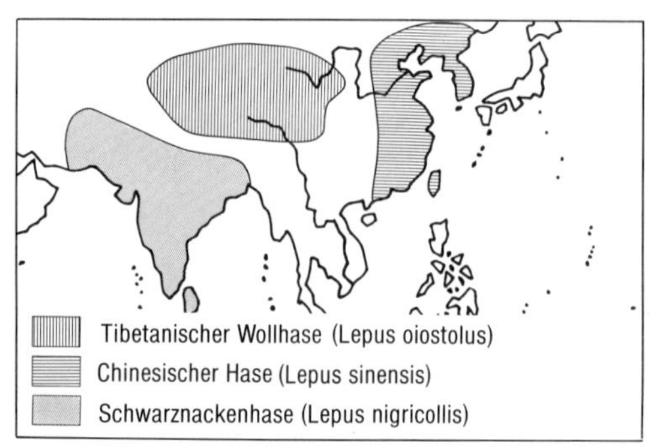

wickeln als ihre Artgenossen in Zeiten der Bestandszunahme. Ferner kommt es auch zu einer deutlichen Verringerung der Geburtenraten innerhalb des Hasenbestandes, so daß er so gut wie keinen zahlenmäßigen Zuwachs mehr erfährt. Und da diese Bedingungen drei bis vier Jahre andauern, hält die Bestandsschrumpfung an. Nur wenige Tiere überleben. Die zunehmende Knappheit an Beutetieren führt auch zum Zusammenbruch bei den Beutegreifern; insbesondere die geringen Möglichkeiten, ihre eigenen Jungtiere hinreichend zu versorgen, sowie die Schwächung der Alttiere durch Nahrungsmangel treiben dahin.

Soweit sind diese Vorgänge recht eindrucksvoll erläutert. Doch gilt es, noch eine Reihe von Fragen zu der allgemeinen Erscheinung der regelmäßigen Bestandsschwankungen zu klären, wie sie auch bei anderen Hasenarten vorkommen. So schwanken die Schneehasenbestände im Norden der Sowjetunion ebenfalls im Zehnjahresrhythmus, am Südrand ihres Verbreitungsareals jedoch nicht. Und der Europäische Feldhase zeigt auf der Breite von 45° einen fünfjährigen, nahe dem Polarkreis einen zehnjährigen Zyklus, ohne daß die Ursachen geklärt wären.

Kaninchen

Keine andere Art der Hasentiere ist in der Neuzeit so erfolgreich wie das Europäische oder Altweltliche Wildkaninchen *(Oryctolagus cuniculus)*, das gegenwärtig eine fast weltweite Verbreitung erlangt hat. Diesen Erfolg hat es allein der Förderung durch den Menschen zu verdanken. Denn während der letzten Eiszeit war die Art, wie viele andere auch, in den wärmeren südeuropäischen Raum abgedrängt worden, nämlich in das westliche Mittelmeergebiet. Nach dem Rückgang des Eises gelang es zunächst diesem wärmeliebenden Hasentier nicht, sich nach Norden auszubreiten. Seine Vorkommen blieben auf das westliche Nordafrika, die Iberische Halbinsel und einen Teil Südfrankreichs beschränkt.

Erste Hinweise auf das Wildkaninchen geben Berichte der Phönizier (um 1100 v. Chr.), die an Spaniens Küsten landeten. Diese Menschen kannten aus ihrer afrikanischen Heimat die Klippschliefer und hielten die Kaninchen für solche Tiere. Deshalb gaben sie dem Land den Namen »Insel der Klippschliefer«, was später dann ungewollt infolge eines Übersetzungsfehlers von Martin Luther berichtigt wurde, als er das phönizische Wort als »Kaninchen« deutete. Um 150 v. Chr. berichtet der Grieche Polybios erstmals von Kaninchen auf der Insel Korsika. Diese und andere Schriftquellen bezeugen, daß schon in sehr früher Zeit Kaninchen von Menschen in neue Gebiete verbracht wurden. Ebenso dürfte diese Art schon sehr früh in den Haustierstand aufgenommen worden sein. Die Römer hielten jedenfalls in vorchristlicher Zeit Kaninchen in ihren »Leporarien«, den Gehegen für Hasen, die dort als Fleischlieferanten gehalten worden sein sollen. Den Römern galt ein Mahl aus »Laurices«, den ungeborenen Kaninchen, als Delikatesse.

So wurde durch den Menschen die Art immer weiter verbreitet. Kaninchen lebten aber nicht nur als Haustiere in Gehegen oder Käfigen. Vielfach gelang ihnen auch das Entkommen, und sie begründeten freilebende Bestände, sofern sie nicht sogar bewußt ausgesetzt wurden. Stellenweise entwickelten sich Kaninchen schon in geschichtlicher Zeit zur Plage, der sich die Menschenbevölkerung zu erwehren hatte. Auf der Inselgruppe der Balearen etwa verzehrten die Tiere zu Zeiten des Kaisers Augustus (63 v.–14 n. Chr.) alle angebauten Feldfrüchte, so daß der um Hilfe gebetene Kaiser regelrechte Vernichtungsfeldzüge gegen die Kaninchen durchführen ließ.

Auch nach Norden hin breitete sich die Art aus. Die Kaninchen waren zunächst offenbar in den Klöstern recht beliebt. So erbat das Kloster Corvey/Weser im Jahre 1149 vom französischen Kloster Solignac zwei

Ein ausgesprochener Wüstenbewohner ist der amerikanische Antilopen-Jackrabbit oder Antilopenhase. Er hat sich seiner extremen Umwelt hervorragend angepaßt, nicht nur durch die übergroßen Ohren, sondern auch durch seine Ernährungsweise: Er verspeist mit Vorliebe wasserhaltige Kakteen und Yuccas, um sich die notwendige Feuchtigkeit zu verschaffen. Und wenn es ihm in der glühenden Mittagshitze allzu heiß wird, verbirgt er sich unter Sträuchern oder hinter Steinen.

Paare Kaninchen. Die englischen Scilly-Inseln wurden kurz danach (1176), Lundy bis gegen 1220 mit Kaninchen besetzt. Rechte an »Lapinarien«, also Kaninchengehegen, wurden im irischen Connaught bereits 1204 garantiert. Dort muß es also schon vorher Kaninchen gegeben haben. Die erste deutsche Aussetzung ist aus dem Jahre 1231 von der Insel Amrum bekannt. Auf der englischen Insel Wight gab es zu jener Zeit einen Kaninchenwärter; auf der britischen Hauptinsel, die zumindest seit 1235 Vorkommen beherbergt, wird in Somerset 1254 Klage geführt über die starken Kaninchenschäden. Auf dem mitteleuropäischen Festland waren die Vorkommen zunächst örtlich begrenzt auf Gebiete wie den »Kaninchenwerder« im Schweriner See, von dem erstmals im 14. Jahrhundert berichtet wird. Auf der Insel Helgoland kam es im Jahre 1597 zur Ansiedlung dieser Hasentiere. Deren Verbreitungsgebiet vergrößerte sich in den nachfolgenden Jahrhunderten auf dem Kontinent immer weiter. Zunehmend kam das Wildkaninchen auch in die Rolle eines beliebten Jagdtieres. Stellenweise wurden auch die Bestände wieder ausgelöscht, wie zum Beispiel auf Helgoland, wo dann trotz des jagdrechtlichen Verbotes der Kaninchenfreilassung im Jahre 1960 wieder eine Aussetzung erfolgte.

Insgesamt reicht die Verbreitung heute bis ins mittlere Polen, ich sah eines etwas östlich von Thorn. Weiter nach Osten ist die Art bisher nicht vorgedrungen, was möglicherweise in den klimatischen Verhältnissen begründet liegt. Denn die Verbreitungsgrenze deckt sich etwa mit einer Klimagrenze. Die am weitesten östlich gelegenen Vorkommen befinden sich aber, in isolierter Lage, in der sowjetischen Ukraine, nördlich des

Gesellig und vermehrungsfreudig ist das Europäische Wildkaninchen. Auf uns wirkt der Anblick einer Kaninchenschar, die vor der Einfahrt ihres Baues hockt, durchaus idyllisch und anheimelnd (oben). Im fernen Australien hingegen, wo man die anpassungsfähige europäische Art eingebürgert hat, haben sich die niedlichen Tiere durch ihre Vermehrungsfreude weniger beliebt gemacht. Dort wuchsen die Kaninchenbestände so stark an, daß sie zur Landplage wurden. Die Folgen reichen gebietsweise bis zur Vernichtung der Bodenbedeckung (unten).

Schwarzen Meeres. Dort wurden noch bis zum Jahre 1982 etwa 10000 Tiere in verschiedenen Gegenden ausgesetzt, so daß die Bestände mittlerweile bis hin zum nördlichen Kaukasus reichen.

Auch in überseeischen Gebieten, rund um den Erdball, verliefen Kaninchenfreilassungen erfolgreich. Den größten Bekanntheitsgrad haben jene in der australischen Region erlangt. Denn die »Akklimatisation« einer im Gebiet nicht heimischen Tierart hat dort schwerwiegende ökologische wie wirtschaftliche Folgen heraufbeschworen, wie an kaum einer anderen Stelle der Erde. Europäische Einwanderer hatten erstmals im Jahre 1788 fünf Hauskaninchen mit nach Sydney gebracht. Diesen folgte ein weiteres Dutzend Tiere, die am Weihnachtstag 1859 mit der Brig »Lightning« in Melbourne eintrafen. Bei ihnen handelte es sich um Kaninchen vom »Wildtyp«. Aus diesen und einigen anderen nachfolgenden Freilassungen entwickelten sich rasch wachsende Bestände. Nach Zerstörung eines Gehegezaunes entkamen 1863 auch in Südaustralien einige Tiere, so daß sich zwei kleine Verbreitungsmittelpunkte bildeten. Etwa 40 Jahre später hatten sich dann die äußeren Linien der Vorkommen um jeweils etwa 1600 Kilometer nach Westen und Norden vorgeschoben. Auf die Grenzen der Besiedlungsfähigkeit stießen die Kaninchen in diesem Erdteil nur dort, wo ihnen nicht ganzjährig genügend Trinkwasser zur Verfügung steht.

Nicht minder rasch entwickelten sich auch die eingeführten Kaninchenbestände Neuseelands. Erst im Jahre 1860 in das Land gebracht, hatten die Tiere bereits zur Jahrhundertwende alle geeigneten Lebensräume besetzt. Ähnlich verlief auch die Entwicklung in Südamerika. Erstmals wurden Mitte des letzten Jahrhunderts in Chile Kaninchen freigelassen, die sich geradezu stürmisch entwickelten. Ihre Nachkommen überquerten schließlich die Gebirgskette der Anden und gelangten nach Argentinien, wo sie insbesondere in der Provinz Nequén seit den fünfziger Jahren unseres Jahrhunderts leben und bis in Höhen von etwa 2000 Metern vorkommen.

Ihre Anpassungsfähigkeit beziehungsweise das Vermögen, auch unter außergewöhnlichen Bedingungen zu bestehen, haben die Kaninchen seit 1875 auf den Kerguelen gezeigt, einer Inselgruppe des südlichen Indischen Ozeans, nahe der Antarktis. Dort trotzen die Tiere nicht nur dem durch geringe Temperaturen (Sommermittel: +6,4 °C, Wintermittel: +2 °C) und ganzjährig verteilte Niederschläge gekennzeichneten Klima. Sie ernähren sich auch recht einseitig. Denn insgesamt kommen auf den Inseln nur 28 höhere Pflanzenarten vor. Die inseltypische Pflanzenart, den »Kerguelenkohl«, haben die Tiere fast ausgerottet. Er gedeiht jetzt nur noch an den für Kaninchen unzugänglichen Stellen.

Mit diesen und unzähligen weiteren Erfolgen dürfte das Wildkaninchen hinsichtlich der Häufigkeit gelungener Ansiedlungen kaum von einem anderen Wildsäuger übertroffen werden. Dabei ist einmal überraschend, daß oftmals nur sehr kleine Gruppen, welche in der Folge dann ohne Frage einen sehr hohen Inzuchtgrad erreicht haben müssen, zur Freilassung kamen. Ferner handelte es sich häufig auch um Hauskaninchen, die ja bereits der menschlichen Zuchtwahl unterlegen waren. Jedoch haben diese Tiere in freier Wildbahn überlebt und sich vermehrt. Erstaunlich ist dabei weiterhin, daß die Wildform sowohl hinsichtlich der Körpergröße als auch der Färbung des Haarkleides sich jeweils wieder sehr rasch herausbildete, so daß heutigen Beständen die Abstammung von Haustierrassen nicht anzusehen ist. Eine weitere Gemeinsamkeit der Mehrzahl aller Aussetzungen ist, daß die Kaninchen sich in den neuen Lebensräumen sehr rasch zur Plage für die Menschen wie für die Gebiete entwickelt haben, zur »pest«, wie es im englischen Sprachgebrauch heißt.

Davon besonders betroffen ist vor allem Australien; denn dort hatte sich ein Gesamtbestand entwickelt,

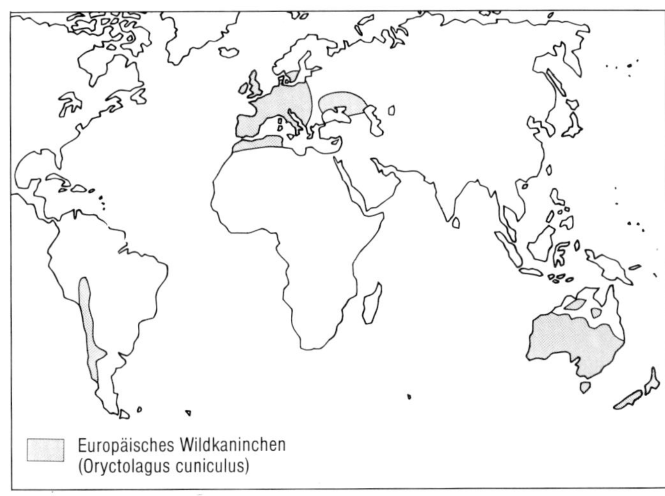

der zu Beginn dieses Jahrhunderts auf etwa 20 Millionen Tiere geschätzt wurde. Die Kaninchen standen, und stehen, in ihrer ungeheuren Zahl in einem ernsten Wettstreit mit den weidenden Schafen und Rindern, nicht zu reden natürlich auch von den einheimischen wildlebenden Pflanzenessern. So erfolgte über viele Jahre, bis zum heutigen Tage, eine ständige massive Verfolgung der Kaninchen durch den Menschen, der selbst zum Mittel der Vergiftung der Tiere griff. Alles war aber vielfach wenig wirkungsvoll, seien es die endlosen Kaninchenzäune, Totschlagkommandos und anderes mehr. Die auch heute noch für den staatlichen »pest-control«-Dienst aufzubringenden Mittel sind gewaltig, die wirtschaftlichen Einbußen aus der Anwesenheit der Kaninchen hoch. Weitaus bedeutsamer als Verluste der Landwirtschaft usw. sind die Folgen für die Landschaften und die darin angesiedelten Lebensgemeinschaften aus Pflanzen und Tieren, welche sich aus den Einführungen des »Faunenfremdlings« ergeben haben. Es unterliegen nicht nur die jeweiligen

Nur höchstens fünfzig Gramm bringt ein neugeborenes Wildkaninchen auf die Waage. Dieses Baby ist jedoch knapp zwei Wochen alt, wie man an den noch geschlossenen Augen und dem feinen Haarkleid erkennt.

pflanzenverzehrenden Tierarten im Wettstreit mit den unzähligen Kaninchen, auch wenn es sich bei diesen Arten oftmals um große Tiere handelt. Vielmehr wird die Pflanzendecke selbst in schwere Mitleidenschaft gezogen. Denn sie selbst ist nicht angepaßt an eine derart starke Beweidung, wie sie sich einmal aus der zusätzlichen Anwesenheit einer weiteren grasenden Tierart wie auch aus deren Häufigkeit ergibt. Die Folgen reichen gebietsweise bis zur Vernichtung der Bodenbedeckung. Die entstehenden Kahlstellen sind dann wiederum Ansatzstellen für Auswaschungen und Rutschungen des Erdbodens. Dasselbe gilt auch für jene Stellen, an denen die Kaninchen ihre Baue anlegen oder sonstwie grabend tätig sind.

In manchen Lebensräumen, zum Beispiel dort, wo eine Ortsteinschicht nahe der Erdoberfläche das tiefere Vordringen der Pflanzenwurzeln verhindert, kann aus der Grabetätigkeit der Kaninchen eine günstige Auswirkung auf Pflanzen erwachsen, weil der Boden über die Gänge besser durchlüftet und auch weil das Erdreich durch die Wühltätigkeit umgeschichtet wird. In Gebieten wie den australischen, zu denen nie derartige Tiere gehört haben, konnten aber die Kaninchen nicht in ein ausgewogenes Miteinander der Arten eingebaut werden.

In den zahllosen Bemühungen der Australier um eine Eindämmung der Kaninchenplage wurde ein großer Erfolg erzielt, als 1950 die Myxomatoseerkrankung eingeführt wurde, wenngleich die erhoffte Ausrottung der Art nicht eintraf (zur Myxomatose s. den nachfolgenden Beitrag von Bernhard Grzimek).

Wenn auch landläufig das Kaninchen aufgrund mancher Gemeinsamkeiten dem Hasen gleichgestellt wird, so wie man etwa vom »Stallhasen« spricht, unterscheiden sich beide doch in vielerlei Hinsicht. Die Gestalt des Wildkaninchens erscheint gedrungener als die eines Hasen; sie ist weniger auf den schnellen Lauf ausgerichtet. Das Kaninchen ist ein Kurzstreckenläufer und sucht auf der Flucht lieber den nächstgelegenen Unterschlupf auf. Sein helles, kurzfaseriges und mitochondrienarmes Fleisch und sein verhältnismäßig kleines Herz sind sichtbarer Ausdruck dessen. Ans Verstecken angepaßt ist auch die Färbung des Haarkleides. Mit seinen grauen bis graubräunlichen Farbtönen, die feine schwärzliche und gelblichbraune oder auch rostrote Beimischungen enthalten, bietet es eine gute Tarnung. Neben ihrer »Agutifärbung« unterhalb der Spitze zeigen die Grannenhaare zum Grunde hin eine blaugraue Färbung des Schaftes. Die Bauchseite des Kaninchens ist hellgrau oder graublau-weißlich gefärbt, ebenso die Innenseite der Beine und die Kehle. Der buschig behaarte Schwanz ist unterseits rein weiß, oberseits schwarz behaart. Im Gegensatz zum Hasen besitzt das Kaninchen nie schwarze Löffelspitzen. Allenfalls umsäumt ein feiner schwarzhaariger Besatz den Rand der Ohrmuschel. Das deutliche schwarze Feld fehlt aber. Die Ohren des Kaninchens sind auch, außer bei einigen Zuchtformen, stets deutlich kürzer als der Kopf. Die Gaumenöffnungen des Schädels erreichen bei ihm auch nur die Breite der Backenzahnreihen, und das Zwischen-

scheitelbein ist nicht mit den umgebenden Knochen verwachsen. Auch manche Teile des Skeletts sind anders ausgebildet als bei den Hasen. Im Hinblick auf die Grabetätigkeit sind die Elle und die Speiche des Unterarms als etwa gleichstarke Knochen ausgebildet, wie auch Ober- und Unterarm nahezu gleich lang sind.

Das »Hoppeln« stellt zwar auch die typische Fortbewegung des Kaninchens dar, wie es ebenso in Streckbewegungen und vielem anderen mehr sich hasengleich zeigt. Ganz anders bewegt es sich aber zum Beispiel beim Schwimmen. Mit der Unterwasserkamera konnte ich festhalten, daß der Feldhase mit allen vier Füßen im sogenannten Kreuzgang schwimmt, sofern er nicht sogar zu »hoppeln« versucht. Das Wildkaninchen hingegen legt, so wie es auch der Biber und andere Nager tun, die Vorderfüße nach vorne unter den Hals und treibt den Körper mit abwechselnden, kräftigen Hinterfußschlägen durchs Wasser voran.

Obwohl Europas Wildkaninchen und Feldhasen oftmals Lebensräume miteinander teilen, richten sie unterschiedliche Ansprüche an diese: Die beiden Arten sind unterschiedlich »eingenischt« und erfüllen unterschiedliche Aufgaben im Haushalt ihrer Lebensgemeinschaften. Das Kaninchen bevorzugt trocken-warme Gebiete mit nicht zu schweren Böden bis zu Höhenlagen von 600 Metern. Die besten Wohngebiete findet es in Gemengelagen aus Feldern, Wiesen, Gebüschen und kleinen Waldungen. Große Waldgebiete werden allenfalls besiedelt, wenn wegen hoher Siedlungsdichten in den besseren Bereichen von dort Tiere verdrängt werden. Andererseits bieten die heutigen Ackerbaugebiete keine besonders guten Bedingungen mehr. Das dürfte wesentlich auch an der stärkeren Mechanisierung liegen, wovon insbesondere die Bauanlagen der Kaninchen betroffen sind. Denn infolge des häufigeren und tieferen Umbruchs der Felder werden die Baue zu schwer beschädigt, als daß die

Oben: Vor dem Bau verhält sich das Kaninchen stets höchst wachsam. – Unten: Im schützenden Kessel ist jedoch ein Nickerchen möglich. – Mitte: Diese Kaninchenhochzeit kommt nicht zustande. Das Weibchen ist nicht paarungsbereit und unterläßt es, zur Begattung das Hinterteil anzuheben.

▷ Die Betreuung des Nachwuchses ist vor allem die Aufgabe der Kaninchenmutter.

Tiere ausdauernd dort leben könnten. Dafür ist aber den mitteleuropäischen Kaninchen gelungen, was von ihren britischen Verwandten in dem Maße nicht bekannt ist: Sie haben unsere Städte erobert. Stadtparks, Friedhöfe, Fabrikgelände, Hausgärten und was sonst noch weisen oftmals große Mengen dort ständig lebender Kaninchen auf. Aus eigenen Beobachtungen schließe ich, daß ein bedeutsamer Grund für diese »Verstädterung« in dem Lernvermögen der Tiere liegt. Sie sind offenbar in der Lage, alle außergewöhnlichen Dinge gut von alltäglichen und ihnen vertrauten zu trennen und dann ihre Reaktionen entsprechend auszurichten. Andererseits nutzen sie das, was der Mensch ihnen ungewollt bietet. So finden sie auf unseren gepflegten, kurzgeschorenen Zierrasen der Gärten und Parks eine vorzügliche Nahrung. Denn im Gegensatz zum Feldhasen bevorzugen sie eine mehr eiweißhaltige Kost, wie sie in den gut gedüngten und in dauerndem Wachstum befindlichen Rasen-

Dem rundlich wirkenden nordamerikanischen Sumpfkaninchen sieht man kaum an, daß es gern im Schlamm umherwatet und ein ausgezeichneter Schwimmer ist.

pflanzen reichlich zur Verfügung steht. Wie man oft feststellen kann, scharren Kaninchen auch die Wurzeln ihrer Nahrungspflanzen frei, um Teile davon zu verzehren. Für sie gilt also etwas ganz anderes als für den Feldhasen. Kaninchen erschließen sich auch während der sommertrockenen Zeit mit geringem pflanzlichem Wachstum noch reichlich stickstoffhaltige Nahrung. Aus nahrungsökologischer Sicht ist also das Kaninchen in der heutigen Zeit mit der völligen Überdüngung unserer Landschaften durchaus begünstigt, so daß es nicht verwunderlich ist, wenn es auch bis in die jüngste Vergangenheit zu Ausweitungen des Siedlungsraums gekommen ist. Vor allem das ständig frische Grün der Zierrasenflächen kommt den Bedürfnissen der Kaninchen entgegen. Daneben wirkt sich aber auch die geringe Höhe solchen Grasbewuchses günstig aus, denn Kaninchen meiden weitgehend hoch aufgewachsene Grasflächen. Diese mögen ihnen zu unübersichtlich sein, vielleicht auch bei einer Flucht die Tiere zu sehr behindern; jedenfalls bieten sie auch nicht die entsprechende Nahrungsqualität. In der Nähe ihrer Unterschlupfe befindliche Grasbestände halten die Kaninchen hingegen durch ihre Beweidung so kurz, daß diese ihren Ansprüchen bestmöglich genügen. – Wen aber als Gartenbesitzer die Kaninchen zu sehr plagen, der sollte weniger oft seine Rasenflächen mähen.

Über die Nahrungswahl der Kaninchen sind wir durch eine Reihe von Untersuchungen gut unterrichtet. Daraus geht hervor, daß die Tiere »generalistische« Pflanzenverzehrer sind. Überwiegend beweiden sie Kräuter und Süßgräser der verschiedensten Arten, je nach dem Standort, auf dem die Pflanzen gedeihen. Selbstverständlich nutzen sie auch die Bestände der Kulturpflanzen, vor allem die Getreidearten, aber auch Rüben, Kohlsorten und anderes mehr. Besonders im Winter bleiben auch Gehölze nicht verschont, von denen sehr gern die Knospen und Triebspitzen genommen werden. Zum anderen nagen aber die Tiere mit ihren scharfen Schneidezähnen die Rinde von den Stämmchen und erreichbaren Zweigen. In Obstanlagen oder auf Forstkulturen können so gelegentlich beträchtliche Schäden entstehen. Keineswegs beschränken sich die Kaninchen aber auf die Laubgehölze; auch von Nadelhölzern wie Kiefern und Fichten zehren sie.

Insgesamt sind Kaninchen »Nahrungsopportunisten«; sie handeln nach der Zweckmäßigkeit. Bei genügendem Angebot an Nahrungspflanzen und nur geringem Wettbewerb mit anderen größeren pflanzenverzehrenden Tieren bevorzugen sie die zweikeimblättrigen Kräuter; eine verstärkte Aufnahme von Gräsern, Kulturpflanzen und Gehölzen ergibt sich in Anpassung an die örtlichen Verhältnisse. Bedeutsam bleiben die in der Nahrung enthaltenen »sekundären« Pflanzeninhaltsstoffe. Solche werden entweder bevorzugt oder aber gemieden, sofern sie unverträglich wirken. Um Mangelerscheinungen oder die Anreicherung von schädlichen Stoffen zu vermeiden, sucht das Ka-

ninchen die vielseitige Ernährung. Es vermag jedoch auch bei einer gewissen Einseitigkeit der Nahrung zu bestehen.

Die Kaninchen sind gesellige Tiere. Sie leben paarweise, einzeln oder in Gruppen und größeren Kolonien. Die Tiere legen allgemein ein unterirdisches Bausystem aus verbindenden Röhren und Wohnkesseln an. Neben mehreren Ein- und Ausgängen verfügt ein Bau meist auch über eine senkrecht nach oben verlaufende »Sprungröhre«. Deren Ausgang bleibt zunächst von einer dünnen Erdschicht bedeckt. Befindet sich aber ein Kaninchen auf der Flucht, etwa vor einem Iltis, der den Bau nach seinen beliebtesten Nahrungstieren absucht, so entkommt es hier, indem es mit einem mächtigen Sprung die Erde durchstößt und oberirdisch davonrennt. Gelegentlich leben Kaninchen auch, ständig oder zeitweilig, rein oberirdisch in selbstgescharrten »Sassen« unter Gebüschen, zum Beispiel wenn im Gelände der Grundwasserstand so hoch ist, daß keine Baue gegraben werden können oder sehr lockeres Erdreich diese immer wieder zum Einsturz bringen würde. Manchmal bewohnen die Tiere sogar hohle Bäume oder ähnliche Unterschlupfe, und selbst im dichten Astwerk von Hecken wurden schon dort hineingenagte Gänge gefunden. Für die Aufzucht der Säuglinge werden von Muttertieren in Entfernungen von 10 bis 40 Metern zum Wohnbau der Gruppe besondere Setzröhren angelegt. Diese mehr als armlangen einfachen Tunnels sind an ihrem Ende mit Haaren des Weibchens und Pflanzenstoffen ausgepolstert. Der einzige Eingang wird, solange sich Junge darin befinden, nach dem jeweiligen Verlassen vom Muttertier sorgfältig mit Erde zugedeckt.

Die Kolonien bestehen aus sozial gegliederten Gruppen von meist sechs bis zwölf erwachsenen Tieren. Diese sind in eine gut ausgebildete Rangordnung eingefügt. Je größer ein Bau ist, desto größer ist die Zahl der dort lebenden weiblichen Tiere. Die ranghöchste Stellung hat ein Männchen, der »Platzrammler«, inne, neben dem ein ranghöchstes Weibchen steht. Die

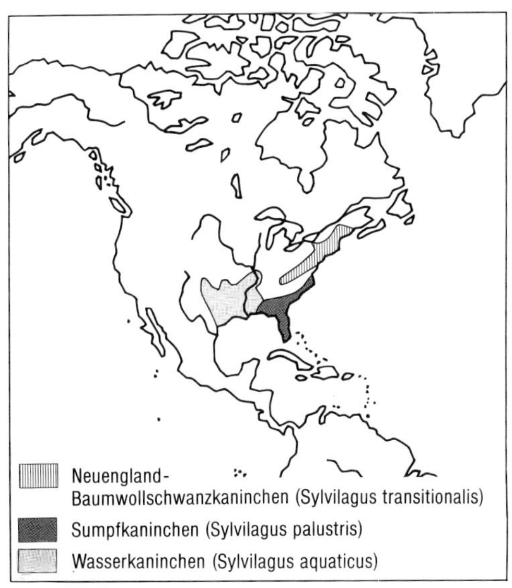

Florida-Baumwollschwanzkanin. (Sylvilagus floridanus)
Nuttalls Baumwollschwanzkanin. (Sylvilagus nuttalli)
Omilteme-Baumwollschwanzkanin. (Sylvilagus insonus)

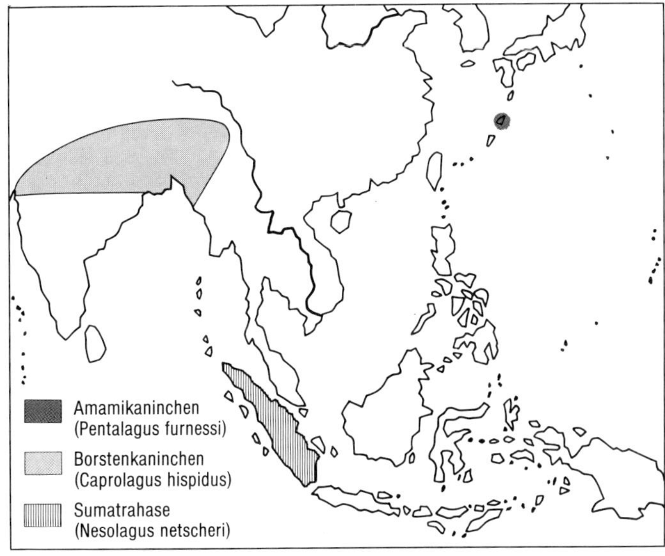

ranghohen Tiere genießen Vorteile vor den übrigen Gruppenmitgliedern. Obwohl auch in der Gruppe Paarbindungen bestehen oder mehrere Weibchen einem Männchen zugehören, beansprucht der Platzrammler etwa, sich mit jedem Weibchen paaren zu können. Die ranghohen Weibchen gebären im gemeinsamen Wohnbau und ziehen dort ihre Jungen auf. Diese haben weitaus bessere Überlebensaussichten als solche, die in den abseits gelegenen Setzröhren geboren werden. Die Ranghöhe der Mutter entscheidet also schon über die Zukunft eines neugeborenen Kaninchens, das dann selbst auch später bessere Aussichten auf eine hohe Rangstellung besitzt. Die »soziale Einheit« stellt meist die Zuchtgruppe aus einem bis fünf Weibchen mit einem bis drei Männchen dar, sofern nicht mehrere Paare dazugehören. Die jeweilige anteilige Verteilung der Geschlechter scheint in hohem Maße von der herrschenden Siedlungsdichte des Bestandes abzuhängen. Bei geringer Dichte finden sich überwiegend einzelne Paare. Für die Gruppenbildung sind vor allem die weiblichen Tiere verantwortlich, die insbesondere zur Fortpflanzungszeit die Gesellschaft der Artgenossinnen suchen. Bessere Aussichten auf eine erfolgreiche Jungenaufzucht oder die begrenzte Verfügbarkeit geeigneter Aufzuchtplätze dürften die Gründe für dieses Verhalten sein. Sofern aus abgewanderten Weibchen eine Gruppe entsteht, folgen dann Männchen nach. Obwohl allgemein die Weibchen eine engere Bindung an den Mutterbau zeigen als vor allem junge Männchen, die von dort vertrieben werden, sind also die Kaninchendamen die »Pioniere«. Im übrigen gehen sich die männlichen Tiere innerhalb der Gruppe möglichst aus dem Weg.

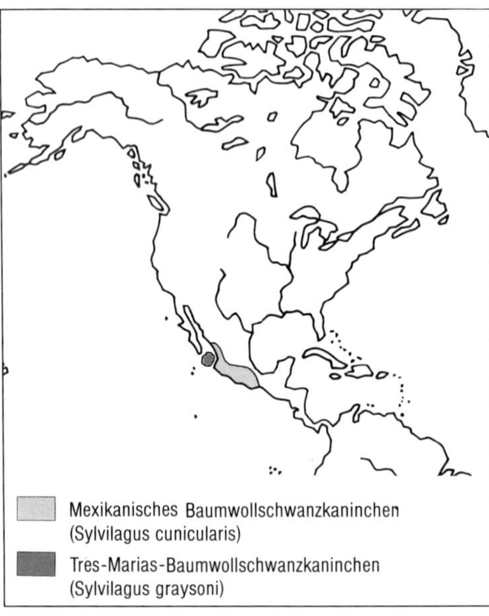

Die soziale Stellung eines Kaninchens ist in hohem Maße verbunden mit den Duftstoffen seiner Hautdrüsenorgane sowie denen des Harns und des Kotes. Über die vielfältige Wirkung der Drüsensekrete in der geruchlichen Verständigung der Kaninchen sind wir vor allem informiert durch die zahlreichen Arbeiten des in Australien wirkenden Kaninchenspezialisten R. Mykytowycz und seiner Mitarbeiter. Die Ausscheidungen der verschiedenen Drüsen, die allgemein stärker entwickelt sind als bei den Hasen, verleihen zum Beispiel den Tieren einen persönlichen oder einen gruppeneigenen Duft, anhand dessen Artgenossen das fremde oder zugehörige Tier erkennen und es dann dementsprechend freundschaftlich oder feindlich behandeln. Mit den Duftstoffen werden nicht nur Pfade oder wichtige Punkte des Geländes oder der Baue gekennzeichnet, um den einzelnen Tieren geruchliche Orientierungshilfen zu geben. Es werden damit auch die Reviere der einzelnen Paare oder Gruppen abgegrenzt. Auffällige Marken sind dabei die beträchtlichen Kotansammlungen, die an bestimmten Plätzen angebracht werden. Weitaus bedeutsamer als der an diesen »Latrinen« abgesetzte Kot dürfte aber der Urin sein, der dort noch viel häufiger angebracht wird, wie mein Mitarbeiter P. Lee beobachtete.

Mit diesen Reviermarkierungen bekräftigen die Kaninchen ihren Anspruch auf den jeweiligen besetzten Ausschnitt ihres Lebensraums, um damit Unterschlupf und Nahrung in ausreichendem Maße für sich selbst und den Nachwuchs zu sichern. Die Reviergröße wird vor allem durch die Beschaffenheit des Lebensraumes bestimmt. Meist entfernen sich Kaninchen kaum weiter als 200 Meter von ihrem Wohnbau, der den eigentlichen Mittelpunkt ihres Wohngebietes

darstellt. Die Männchen gehen etwas weiter als die Weibchen. Ihre Streifgebiete schließen meist die mehrerer weiblicher Tiere ein. Die letztgenannten laufen mit nur etwa 50 Metern tagsüber noch weniger weit vom Bau weg als die Männchen, die dann auch kaum weiter entfernt als 75 Meter anzutreffen sind. Die insgesamt abgedeckte Streifgebietsgröße steht aber auch in einem engen Zusammenhang mit der jeweiligen Siedlungsdichte. Bei hoher Kaninchenzahl wird vor allem im Tagesstreifgebiet eine geringere Fläche genutzt. In verschiedenen Untersuchungen wurden die Flächengrößen ermittelt, die von einzelnen Tieren abgedeckt wurden. Das sind Gebiete zwischen 0,12 und 1,34 Hektar je Tier, wobei aber zu beachten bleibt, daß die Überlappungen der Streifgebiete beträchtlich sind und die Tiere einer Gruppe gemeinsam die Flächen nutzen.

Die Fortpflanzungsstrategie des Kaninchens steht ebenfalls in engem Zusammenhang mit dem Leben in sozial gegliederten Gruppen und der Ausnutzung des Lebensraumes. Sie wird als »opportunistisch« bezeichnet. Wesentlichen Einfluß haben neben den Bedingungen des Lebensraumes vor allem auch Witterungsfaktoren. Hingegen verfügt offenbar das Kaninchen über keinen geeigneten innerartlichen Mechanismus, welcher das Fortpflanzungsgeschehen regelt.

Die Untersuchungen von Ken Myers in Australien lassen erkennen, daß dort die Kaninchenvermehrung wesentlich von der Verfügbarkeit frischgrüner Wiesenflächen abhängt. Auch für die spanischen Kaninchen beschreibt R. Soriguer den engen Zusammenhang zwischen den ersten herbstlichen Regenfällen nach der sommerlichen Trockenperiode, dem Ergrünen der Pflanzen und dem Beginn der Fortpflanzungszeit bei den Kaninchen. Diese dauert im Mittelmeergebiet über das Winterhalbjahr an, erreicht ihren Höhepunkt im späten Frühjahr und klingt mit Einsetzen der Trockenzeit rasch aus. Auch auf der Südhalbkugel, so bei den neuseeländischen Kaninchen, liegt die Hauptfortpflanzungszeit während des nördlichen Winters, vom November bis Februar, mit allmählichem Ausklingen bis zum August. In den mitteleuropäischen Vorkommensgebieten hätten aber die Neugeborenen, die ja unbehaart zur Welt kommen, kaum eine Aussicht zu überleben. So vermehren sich in den nördlichen Breiten die Kaninchen während der Zeit von März bis etwa September. In einer Abhängigkeit zur Fortpflanzungsdauer stehen auch die Zahlen der gezeitigten Würfe, die bis zu sieben je Weibchen betragen können; das heißt, es erfolgen ein bis zwei Würfe innerhalb von drei Monaten. So wurden durch K. Myers schon Jungenzahlen von 27 je Weibchen und Jahr in australischen Gebieten mit mittelmeer-

Den merkwürdigen Namen Vulkankaninchen verdankt diese stark gefährdete Art ihrem ungewöhnlichen Lebensraum: Sie bewohnt ausschließlich die Hochlagen der Vulkanberge in der Nähe von Mexico City.

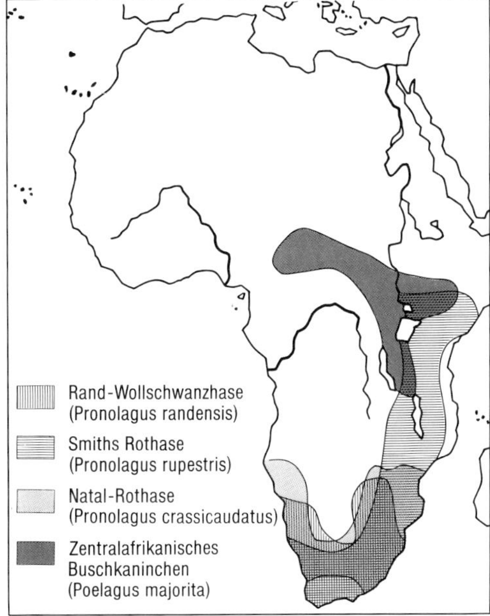

ähnlichem Klima festgestellt. In klimatisch noch günstigeren Gegenden fand er sogar bis zu 38 Nachkommen je Kaninchenweibchen. Nicht ganz so gewaltig, aber recht ansehnlich können auch in Europa die alljährlichen Nachwuchszahlen ausfallen. Für spanische Kaninchenbestände wurden immerhin 11 bis 16 Jungtiere ermittelt; wohingegen in Großbritannien in einem zehnjährigen Zeitraum nach Aufkommen der Myxomatose sogar 20 bis 25 Junge vom einzelnen Weibchen hervorgebracht wurden. Allerdings unterlagen infolge der Krankheit die Jungtiere einer hohen Jugendsterblichkeit, die bis zu 87 % ihres Bestandes hinweggenommen hat. Dies dürfte aber ein Beispiel sein für die »Unschlagbarkeit« des Wildkaninchens.

Da das Männchen keinen unmittelbaren Beitrag zur Brutfürsorge leistet, liegt der Fortpflanzungserfolg in der Zahl der erfolgreich begatteten Weibchen. Deshalb werden brünstige Weibchen in der Fortpflanzungszeit während etwa eines Viertels der Zeit, die sie außerhalb des Baues verbringen, von Männchen begleitet. Da angesichts der bestehenden Bekanntschaften und sozialen Beziehungen und der häufigen Körperkontakte der Tiere nicht eine Berührungsscheu beim Weibchen abzubauen ist, gestaltet sich das Werben des Männchens weniger aufwendig als etwa beim Feldhasen. Das Weibchen wird hier eher gegenüber Nebenbuhlern bewacht als umworben – trotzdem wurden in einer australischen Untersuchung 16 % der Jungtiere als nicht von dem Vater stammend nachgewiesen, der als der übliche Begleiter des Muttertieres bekannt war. Andererseits wurde auch festgestellt, daß manche Männchen bei bis zu drei verschiedenen Weibchen Besuche abstatteten, die auch mit Paarungen verbunden waren. Die Rammler warten also im wesentlichen darauf, ein Weibchen zum Zeitpunkt der Hitze mit der größten Aussicht auf eine Befruchtung der Eizellen begatten zu können. Trotz geringer Notwendigkeit zu aufwendigem Werben verfügen die Kaninchen über bestimmte Verhaltensabläufe mit sechs wesentlichen Einzelhandlungen. Beim werbenden Treiben folgt das Männchen mit wenigen Meter Abstand dem Weibchen, das unter gelegentlichem Hakenschlagen auf einer nicht sehr großen Fläche umherhoppelt. Bei zu starker Annäherung des Männchens entzieht sich ihm das Weibchen, sofern nicht ohnehin zwischendurch Nahrung aufgenommen wird.

Das Audubon-Baumwollschwanzkaninchen, benannt nach dem berühmten amerikanischen Naturforscher und Tiermaler J. J. Audubon, ist in wüstenartig trockenen und heißen Gegenden zu Hause. Die Amerikaner nennen es deshalb auch Desert cottontail (»Wüsten-Baumwollschwanz«).

Beim Wiederauftauchen hoppeln die Partner aufeinander zu, drücken ihre Köpfe zu Boden und schieben sie zu einem »Mundkontakt« zusammen. Dem folgt ein Belecken der Köpfe und »Mundstoßen«; das kann über Stunden andauern. Während dieser Phase können aber auch die Männchen zu einer anderen Partnerin wechseln.

Beim Treiben zeigt der Rammler das »Schwanzpräsentieren« oder »Blumeweisen«; er schreitet um das Weibchen herum und legt dabei den Schwanz so nach oben, daß dessen weiße Unterseite voll sichtbar wird. Beim »falschen Rückzug« geht er bis zu zwei Meter weit vom Weibchen weg, um sich dann blumeweisend

Das in Nordamerika weitverbreitete und als Jagdwild geschätzte Florida-Baumwollschwanzkaninchen. Es bevorzugt deckungsreiche Landschaften, dringt aber auch in den Umkreis menschlicher Siedlungen vor, so daß man es als Kulturfolger bezeichnen kann.

erneut zu nähern; bei der »Parade« hingegen umkreist der Bock langsam hoppelnd oder in steifbeinigem Galopp das Weibchen und kehrt ihm dabei unter ruckartigen Bewegungen ständig die Blume zu. Während des Schwanzpräsentierens spritzt das Männchen wiederholt Harn zum Weibchen hin. Damit soll wohl eine »Inbesitznahme« geruchlich zum Ausdruck gebracht werden, sofern dies nicht auch der weiteren Erregung des Weibchens dient. Die nachfolgenden Begattungen finden wohl überwiegend nachts oder im Bau statt; sie wurden bisher selten bei frei umherlaufenden Kaninchen beobachtet.

Nach dem Aufreiten, das vielfach auch von vorn erfolgt, bevor der Rammler den Fehler bemerkt, und das von scharrenden Bewegungen mit den Vorderpfoten eingeleitet werden kann, preßt der Bock seinen Kopf fest auf den Rücken des Weibchens. Gelegentlich beißt er sich auch mit den Schneidezähnen in ihrem Nackenfell fest. Die Begattung ist von heftigen Reibebewegungen begleitet und endet mit einer »Kopulationsstarre«: Noch während der Rammler seine »Brunftrute« in die Geschlechtsöffnung des Weibchens eingeführt hält, wird er völlig starr und rutscht seitlich vom Körper des Weibchens herab. Dieses ruckartige Herabfallen ist auch häufig von einem niesenden Laut begleitet. Erst einige Sekunden später richtet sich das Männchen auf, und die Tiere trennen sich. Vielfach können Begattungen auch ohne vorangehendes Werben erfolgen, und häufig gehen die Tiere anschließend zur Nahrungsaufnahme oder zum Reinigen des Haarkleides über. Sofern das Weibchen nicht paarungsbereit ist, bleiben Aufreiteversuche der Männchen erfolglos, denn das weibliche Tier muß zur Begattung den Hinterkörper anheben.

Auseinandersetzungen zwischen den Männchen um die Weibchen sind selten. Dies liegt wesentlich in der

Ein gesundes, wohlgenährtes Kaninchen mit gepflegtem weichem Fell und blanken Augen ist für den Tierfreund immer ein erfreulicher Anblick . . .

Rangordnung begründet, die von vornherein die jeweilige Stellung der einzelnen Männchen festlegt, so daß auf gefahrvolle, kräftezehrende Auseinandersetzungen weitgehend verzichtet werden kann. Sofern aber Verjagen nicht ausreicht, um einen Mitbewerber auszuschalten, können auch Tätlichkeiten erfolgen. Diese verlaufen meist so, daß die Gegner aufeinander zuspringen und mit den gestreckten Vorderpfoten schlagen. Die Widersacher sitzen sich, etwa einen Meter voneinander entfernt, gegenüber und springen sich an, um sich beim Zusammenprall Kratzer beizubringen. Im allgemeinen sind aber diese Auseinandersetzungen nicht darauf ausgerichtet, einander ernsthaft zu beschädigen. Das Bewachen der Weibchen ist für die Kaninchenmänner die erfolgreichere Strategie, möglichst zahlreiche Nachkommen hervorzubringen.

Die Myxomatose der Kaninchen

von Bernhard Grzimek

Die Myxomatosekrankheit wird durch ein Virus hervorgerufen, das sich in allen Organen des Kaninchens verbreitet und schwere gallertige Gewebsveränderungen (Ödeme) in der Unterhaut hervorruft. Betroffen von den krankhaften Veränderungen sind vor allem auch die Schleimhäute der Augen, der Nase oder der Geschlechts- wie der Afteröffnung. Innerhalb von zwei bis fünf Tagen nach einer Ansteckung des Tieres tritt zunächst eine schwere Bindehautentzündung der Augen auf, deren eitriger Ausfluß die geschwollenen Augenlider verklebt. Im weiteren, etwa 14 Tage währenden Krankheitsverlauf entstehen knötchenförmige Anschwellungen am Ansatz der Ohren und an anderen Kopfstellen; man spricht dann vom »Löwenkopf«. Die so gut wie blinden Tiere nehmen während der ganzen Zeit zwar noch Nahrung auf, ja sie paaren sich sogar noch; doch magern sie entsetzlich ab und sterben schließlich.

Die Ansteckung erfolgt von Tier zu Tier während der recht häufig ausgeführten Körperberührungen im geselligen Zusammensein; meist aber sind stechende, blutsaugende Insekten, vor allem der Kaninchenfloh und Stechmücken, die Überträger des Virus von einem erkrankten auf ein gesundes Kaninchen. Wegen des jeweiligen Fehlens eines solchen geeigneten Überträgers waren einige frühere Versuche der Ansteckung von Kaninchenbeständen in England und Australien zunächst auch erfolglos verlaufen.

Ursprünglich kam diese schwere Erkrankung beim Europäischen Kaninchen überhaupt nicht vor. Sie war zunächst nur verbreitet bei seinen südamerikanischen Vettern, den Baumwollschwanzkaninchen, bei denen die Myxomatose aber meist harmlos verläuft. Diese Tiere haben sich während ihrer stammesgeschichtlichen Entwicklung so weit an den Erreger angepaßt und ein entsprechendes körpereigenes Abwehrsystem entwickelt, daß eine Ansteckung allenfalls einer Schnupfenerkrankung gleichkommt. Im Jahre 1897 erkrankten aber im Krankenhaus von Montevideo die dort gehaltenen Hauskaninchen, was überhaupt zur Entdeckung der Empfindlichkeit der Europäischen Kaninchen gegenüber dem Virus geführt hat. Diese verfügten, weil sie in ihrer eigenen Entwicklung ja nie mit dem Erreger in Berührung gekommen waren, zunächst über keinerlei geeignete Abwehr. Sie wurden deshalb von der Krankheit dahingerafft.

Das widerfuhr dann schließlich auch den australischen Beständen, nachdem in Flußniederungsgebieten, wo ein geeigneter Moskito als Überträger des Virus vorhanden war, in die Kaninchenbevölkerung die Krankheit erfolgreich eingebracht worden war, die dann verheerend um sich griff. Aber gänzlich vernichtet wurden die Kaninchen dennoch nicht! Denn einige von ihnen vermochten eine einigermaßen wirksame körpereigene Abwehrreaktion hervorzubringen und eine Immunität zu entwickeln. Diese Immunität wird sogar im Mutterleib an die Ungeborenen weitergegeben; nach einigen Kaninchengenerationen sind die Tiere so weit geschützt, daß auch sie nicht mehr wesentlich erkranken. Das hat zur Folge, daß für den Gesamtbestand im Laufe einiger Jahre die Krankheit

... bedrückend wirkt dagegen auf uns das Bild eines kranken Kaninchens, das alle Symptome der meist tödlich verlaufenden Myxomatose zeigt.

Hasenartige (Leporidae)

Name deutscher Name wissenschaftlicher Name englischer Name (E) französischer Name (F)	**Körpermaße** Kopfrumpflänge (KRL) Schwanzlänge (SL) Gewicht (G)	**Auffällige Merkmale**	**Fortpflanzung** Tragzeit (Tz) Zahl der Jungen je Geburt (J) Geburtsgewicht (Gg)
Europäischer Feldhase *Lepus europaeus* mit 22 Unterarten E: European hare, Brown hare F: Lièvre d'Europe	KRL: 500–760 mm SL: 70–120 mm G: 2,5–6,5 (8) kg	Körperbehaarung in helleren oder dunkleren Brauntönen mit Beimischungen aus schwarzen, grauen oder rötlichbraunen Tönen; Bauch rein weiß, ebenso Schwanzunterseite; Schwanzoberseite schwarz; Ohren hell, Spitzen schwarz; Färbungen gebietsweise und individuell unterschiedlich; Hinterfußlänge 135–158 mm; Ohrlänge 110–150 mm	Tz: 42–43 Tage J: 1–5, im Schnitt 2,3 Gg: etwa 90–150 g
Kaphase *Lepus capensis* E: Cape hare F: Lièvre du Cap	KRL: 440–500 mm SL: 70–110 mm G: nicht bekannt	Etwas kleiner als Feldhase *(Lepus europaeus)*, der vielfach als *L. capensis* geführt wird; Grundfarbe mehr gelblichgrau, besonders an den Flanken; Nacken rötlichgrau; Ohrlänge 85–130 mm	Ähnlich wie Feldhase
Iberischer Hase *Lepus granatensis;* möglicherweise Unterart des Feldhasen *(L. europaeus)* E: – F: –	Ähnlich wie Feldhase	Schlanker als Feldhase; das Weiß der Bauchseite reicht seitlich höher hinauf; ein schmales weißes Band zieht sich vom Bauch über die Schultern nach vorn; Schenkel und Füße heller als beim Feldhasen	Vermutlich wie Feldhase
Buschhase *Lepus saxatilis* mit 6 Unterarten E: Scrub hare F: Lièvre des buissons	KRL: 450–580 mm SL: 80–150 mm G: 2–3 kg	Verhältnismäßig lange Ohren und Schwanz (Ohrlänge 100–160 mm); Grundfärbung grau, auch Körperseiten und Beine nicht rötlichbraun	Tz: Vermutlich wie Feldhase J: 1–3 Gg: nicht bekannt
Äthiopienhase *Lepus habessinicus* mit 4 Unterarten E: Ethiopian hare F: Lièvre éthiopien	KRL: 500–550 mm SL: 85–100 mm G: 2–3 kg	In Größe und Färbung sehr variabel (Hochlandtiere größer und mit längeren Ohren). Ohrspitzen nur mit kleinem schwarzem oder grauem (!) Fleck; Ohrlänge 110–120 mm	Vermutlich wie Feldhase
Schneehase, Polarhase *Lepus timidus* mit 12 Unterarten E: Arctic hare, Mountain hare, Blue hare F: Lièvre changeant	KRL: 480–690 mm SL: 34–104 mm G: etwa 2,5–3 kg	Im Sommer rotbraun bis bräunlichgrau, im Winter rein weiß bis auf die schwarzen Ohrenspitzen; die arktischen Formen behalten z. T. auch im Sommer weißes Haar, im südlichen Verbreitungsraum (Irland) auch im Winter braun; starke Behaarung der Füße (Oberflächenvergrößerung zum Laufen auf der Schneedecke), Hinterfußlänge 132–189 mm; Ohrlänge 70–106 mm	Tz: etwa 50 Tage J: 1–5, im Schnitt 3; bei 2 (–3) Geburten im Jahr Gg: 70–130 g
Afrikanischer Savannenhase *Lepus whytei* E: African savanna hare F: Lièvre de Whyte	KRL: 420–480 mm SL: 75–130 mm G: 1,5–2,5 kg	Hintere Rumpfbehaarung dunkler als die gelblichgraue bis braungraue vordere; Nacken grau; heller Ring um Augen; Ohrlänge 105–130 mm	Vermutlich wie Feldhase
Savannenhase *Lepus crawshayi;* vielfach synonym mit dem Afrikanischen Savannenhasen *(L. whytei)* geführt E: Savanna hare F: Lièvre de Whyte	Wie Afrikanischer Savannenhase	Wie Afrikanischer Savannenhase	Wie Afrikanischer Savannenhase
Mandschurischer Hase *Lepus mandshuricus* E: Manchurian hare F: Lièvre de Mandchourie	Nicht bekannt	Nicht beschrieben	Tz: nicht bekannt J: 1–2 Gg: nicht bekannt
Japanischer Hase *Lepus brachyurus* E: Japanese hare F: Lièvre du Japon	Nicht bekannt	In den höheren Lagen der Gebirge im Winter mit weißem Haarkleid	Tz: nicht bekannt J: 1–2 (2–3 Geburten im Jahr) Gg: nicht bekannt
Jarkandhase *Lepus yarkandensis* E: Yarkand hare F: Lièvre de Yarkand	Nicht bekannt	Blaßrötliches Haarkleid; recht lange Ohren; aber ähnlich anderen Wüstenhasen	Nicht bekannt
Tibetanischer Wollhase *Lepus oiostolus* mit vermutlich mehreren Unterarten E: Woolly hare F: Lièvre du Tibet	Nicht bekannt	Wolliges, langhaariges Fell, das vermutlich nur einmal jährlich gewechselt wird; einige Formen mit weißer Schwanzoberseite	Nicht bekannt
Peguhase *Lepus peguensis* E: Burmese hare F: Lièvre du Pégou	Nicht bekannt	Nicht bekannt; systematische Stellung noch ungeklärt	Nicht bekannt

Lebensablauf Entwöhnung (Ew) Geschlechtsreife (Gr) Lebensdauer (Ld)	Nahrung	Feinde	Lebensweise und Lebensraum	Häufigkeit
Ew: mit etwa 30 Tagen G: Weibchen ab 6. Monat, Männchen später Ld: Erwartung wenig mehr als 1 Jahr; höchstens bis 12 Jahre	Gräser, Kräuter, Kulturpflanzen, Rinden und Knospen sowie Zweige von Sträuchern und Bäumen, besonders Obstbäume	Vom Hermelin bis zum Rotfuchs, Wolf, Luchs oder großen Greifvogel	Bewohner der offenen, steppenähnlichen Landschaft, teilweise auch im Wald; von der Küste bis ins Gebirge (2800 m); bei größerer Siedlungsdichte Bildung von Gruppen mit Rangordnungsbeziehungen und Gruppenrevieren; dämmerungs- bis nachtaktiv, bei hoher Siedlungsdichte vermehrt tagsüber rege; scharrt Sassen; Streifgebiet meist weniger als 50 ha	In großem Verbreitungsgebiet allgemein, seit einiger Zeit stark rückläufig, gebietsweise sehr selten geworden
Ähnlich wie Feldhase	Schwer verdauliche Pflanzennahrung	Zahlreich	In offenen grasigen Ebenen mit verstreutem Buschwerk	Allgemein verbreitet
Vermutlich wie Feldhase	Ähnlich wie Feldhase	Zahlreiche Beutegreifer vom Hermelin bis Wolf, Greifvögel bis Adler	In Ebenen und Hügellandschaften der Iberischen Halbinsel, auch im Kulturland	Allgemein verbreitet
Ew: nicht bekannt Gr: mit 1,5 Jahren Ld: nicht bekannt	Nicht bekannt	Wie Kaphase	Vermutlich ähnlich wie Kaphase; in nördlichen Vorkommen 3 Geburten im Jahr, in südlichen 2; außerhalb der Wälder, besonders auf buschbedeckten steinigen Hügeln; auch im Kulturland; in Bergen bis 1500 m Höhe	Nicht bekannt
Vermutlich wie Feldhase	Vermutlich wie Kaphase	Zahlreich	Vermutlich wie Kaphase; im offenen Gelände der Wüsten und Halbwüsten, Buschland, Hügel und Berge bis 2500 m Höhe	Nicht bekannt
Ew: mit etwa 1 Monat Gr: mit etwa 1 Jahr Ld: bis 8–9 Jahre	Kräuter, Gräser, Beersträucher; im Winter Zweige, Knospen und Rinden, besonders von Weichhölzern; Heidekraut u.a.	Füchse, große Greifvögel	Sehr gesellig; in arktischen Gebieten Ansammlungen von mehreren hundert Tieren; dann wenig scheu gegenüber Menschen und natürlichen Feinden; sonst Bewohner der nördlichen Waldzone und Tundra, bis hin zur asiatischen Steppe; im Alpenraum in der Krummholzzone und darüber; Tageslager zwischen Steinen und Sträuchern, auch in selbstgegrabenen »Burgen« oder Schneetunnels	Allgemein verbreitet; im Alpenraum stark rückläufig, dort z.T. geschützt
Vermutlich wie Feldhase	Nicht geklärt, vermutlich ähnlich wie Kaphase	Zahlreich	Vermutlich ähnlich wie Kaphase; Savanne, trockenes Buschland, Halbwüsten und Wüsten; offenes, trockenes Land und sandige Gegenden bevorzugt; auf den Ebenen und in Hügeln	Gebietsweise zahlreich
Wie Afrikanischer Savannenhase	Wie Afrikanischer Savannenhase	Wie Afrikanischer Savannenhase	Wie Afrikanischer Savannenhase	Nicht bekannt
Nicht bekannt	Kräuter, Zweige, an den Küsten auch angespülte Tange	Nicht bekannt	Bewohner jüngerer Laubwälder mit dichtem Unterholz; nicht in Nadelwäldern oder offenen Landschaften; gelegentlich in Bauen anderer Tiere, zwischen Steinen o.ä. als Tagesversteck	Unbekannt; Vorkommensgebiet ausweitend
Nicht bekannt	Nicht bekannt	Nicht bekannt	Die Tiere suchen gerne ihre Schlafplätze unter umgestürzten Bäumen auf	Allgemein verbreitet
Nicht bekannt	Nicht bekannt	Nicht bekannt	Nichts Näheres bekannt; in Steppen des südwestlichen Sinkiang (chinesisches Turkestan), Tamrimbecken	Nicht bekannt; vermutlich stark zurückgegangen
Nicht bekannt	Nicht bekannt	Nicht bekannt	Bewohner der zentralasiatischen Gebirgssteppen und Wüsten; vorwiegend in Höhenlagen von 3000–5000 m; tagsüber in Bauen von Murmeltieren und Steppenfüchsen, flüchtet auch bei Gefahr dorthin; sonst unter Steinblöcken oder in Bodenvertiefungen	Nicht bekannt
Nicht bekannt	Nicht bekannt	Nicht bekannt	Lebensweise nicht bekannt; von Burma bis Indochina und Hainan (China)	Nicht bekannt

Name **deutscher Name** **wissenschaftlicher Name** **englischer Name (E)** **französischer Name (F)**	**Körpermaße** **Kopfrumpflänge (KRL)** **Schwanzlänge (SL)** **Gewicht (G)**	**Auffällige Merkmale**	**Fortpflanzung** **Tragzeit (Tz)** **Zahl der Jungen je Geburt (J)** **Geburtsgewicht (Gg)**
Schwarznackenhase, Indischer Hase *Lepus nigricollis;* (einschließlich *L. ruficaudatus*) E: Indian hare, Black-naped hare F: Lièvre à collier noir de l'Inde	Nicht bekannt	Weitgehend unbekannte Art	Nicht bekannt
Chinesischer Hase *Lepus sinensis* E: Chinese hare F: Lièvre de Chine	Nicht bekannt	Haarkleid lebhaft rotbraun gefärbt; Ohren recht kurz	Nicht bekannt
Schneeschuhhase *Lepus americanus* mit 16 Unterarten E: Snowshoe hare F: Lièvre américain	KRL: 363–520 mm SL: 25–55 mm G: 0,9–1,9 kg	Haarkleid im Sommer bräunlich oder dunkelgrau, im Winter weiß außer den schwarzen Ohrspitzen (in Küstennähe am Pazifik nicht weiß); Ohrlänge 62–70 mm; Hinterfußlänge 112–150 mm; Hinterfuß breit und im Winter mit steifen Haaren dicht besetzt (»Schneeschuh«)	Tz: 35–36 Tage J: 2–6 (bei 2–4 Geburten im Jahr) Gg: nicht bekannt
Antilopen-Jackrabbit, Antilopenhase *Lepus alleni* mit 3 Unterarten E: Antelope jackrabbit F: Lièvre-antilope	KRL: 553–670 mm SL: 48–76 mm G: im Schnitt 3,7 kg	Körperbehaarung hellbraun-cremefarben, im Nacken schwarz oder schwarzbraun; Schwanz weiß mit schmalem schwarzem Streif auf der Oberseite; Schultern, Flanken und Beinaußenseiten eisengrau; auffällig lange Ohren (138–173 mm) ohne schwarze Spitze; Hinterfußlänge 127–150 mm; Oberfläche der Ohren etwa ¼ der Körperoberfläche; so kann Körperwärme gut an die Umgebung abgegeben werden, wenn das Tier die Ohren aufstellt	Tz: etwa 6 Wochen J: 1–5, im Schnitt 1,9 Gg: nicht bekannt
Weißflanken-Jackrabbit, Mexikohase *Lepus callotis* E: White-sided jackrabbit F: Lièvre de Californie	KRL: 432–598 mm SL: 47–92 mm G: etwa 3,7 kg	Oberseite dunkel mit leicht rötlichbraunem Ton, braun mit schwarzer Untermischung; Rückseiten der Ohren überwiegend weißlich und ohne schwarze Spitze; Flanken weißlich; Rumpf eisengrau; Hinterfußlänge 118–141 mm; Ohrlänge 108–149 mm	Nicht bekannt
Kalifornischer Jackrabbit, Schwarzschwanz-Jackrabbit *Lepus californicus* mit 17 Unterarten E: Black-tailed jackrabbit F: Lièvre de Californie	KRL: 465–630 mm SL: 50–112 mm G: bis 2,8 kg	Körperoberseite grau bis schwärzlichgrau; Schwanz in der Mitte mit einem schwarzen Streifen, der bis zum Rücken verläuft; Hinterfußlänge 112–145 mm; Ohrlänge 99–131 mm	Tz: etwa 42 Tage J: 1–6, im Schnitt 2,2 (bei 3–4 Würfen im Jahr) Gg: nicht bekannt
Schwarzer Jackrabbit *Lepus insularis* E: Black jackrabbit F: –	KRL: 574 mm SL: 96 mm G: nicht bekannt	Sehr ähnlich dem Kalifornischen Jackrabbit; Haarkleid der Körperoberseite überwiegend schwärzlich glänzend; Seiten grau mit einem rötlichbraunen Anflug, bei manchen so auch der Kopf; Unterseite zimtfarben oder dunkelbraun; Ohren und Kopfseiten graubraun; Hinterfußlänge 121 mm; Ohrlänge 105 mm	Tz: etwa 42 Tage J: 1–6 Gg: nicht bekannt
Weißschwanz-Jackrabbit, Präriehase *Lepus townsendi* mit 2 Unterarten E: White-tailed jackrabbit F: Lièvre des prairies	KRL: 565–655 mm SL: 66–112 mm G: etwa 3,4 kg (höchstens 5,8 kg)	Körperoberseite graubraun; Schwanz auch oberseits weiß oder dort leicht grau; in nördlichen Teilen des Verbreitungsgebietes im Winter weiß, außer schwarzen Ohrenspitzen; Hinterfußlänge 145–172 mm; Ohrlänge 96–113 mm	Tz: etwa 6 Wochen J: 1–8 (im Schnitt 4); meist 2 Geburten im Jahr Gg: bis 170 g
Tehuantepec-Jackrabbit *Lepus flavigularis* E: Tehuantepec jackrabbit	KRL: 595 mm SL: 77 mm G: nicht bekannt	Oberseite hell ockerfarben mit schwarzem Anflug; Ohren vollständig bräunlich; Nacken mit einem schwarzen Streif, der zu den Ohransätzen verläuft und von einer hellbraunen Mittellinie durchzogen ist; Flanken und Bauchunterseite weiß; Rumpfseite grau; Hinterfußlänge 133 mm; Ohrlänge 112 mm	Nicht bekannt
Europäisches Wildkaninchen, Altweltliches Kaninchen *Oryctolagus cuniculus* mit 6 Unterarten E: European rabbit, Old world rabbit F: Lapin de garenne	KRL: 380–500 mm SL: 45–75 mm G: 900–2000 g (höchstens 3000 g)	Grau bis graubräunlich mit feinen schwärzlichen und gelblichbraunen oder rostroten Beimischungen; Bauchseite hellgrau bis graublauweißlich, ebenso die Innenseiten der Beine und die Kehle; Nacken rostbraun; Ohren nur mit wenigen schwarzen Haaren, keine schwarze Spitze; Hinterfußlänge 72–110 mm; Ohrlänge 65–80 mm. Junge werden unbehaart und mit geschlossenen Augen geboren	Tz: 28–31 Tage J: 1–9 (höchstens 14) Gg: 30–50 g
Strauchkaninchen *Sylvilagus bachmani* mit 13 Unterarten E: Brush rabbit F: Lapin de Bachman	KRL: 300–375 mm SL: 20–43 mm G: 450–965 g	Kleines Baumwollschwanzkaninchen mit schwärzlichbraunem Haarkleid; Bauchseite bläulichgrau behaart; Ohren kurz (50–64 mm), leicht rundlich; Schwanz klein und schmal; weiß; Junge bei Geburt behaart, öffnen die Augen nach wenigen Tagen	Tz: 28–30 Tage J: 1–7 (bis 5 Geburten im Jahr) Gg: nicht bekannt

Lebensablauf Entwöhnung (Ew) Geschlechtsreife (Gr) Lebensdauer (Ld)	Nahrung	Feinde	Lebensweise und Lebensraum	Häufigkeit
Nicht bekannt	Nicht bekannt	Nicht bekannt	Bewohner offenen Geländes in Trockengebieten; sucht gerne Zuflucht in Höhlen, hohlen Bäumen u.ä.; in Pakistan, Indien und Sri Lanka, angesiedelt auf Java und Mauritius	Nicht bekannt
Nicht bekannt	Nicht bekannt	Nicht bekannt	Weitgehend unerforschte Art; in Südostchina, Taiwan und Südkorea	Nicht bekannt
Ew: mit 25–28 Tagen Gr: nicht bekannt Ld: nicht bekannt	Gräser, Kräuter, Knospen und Rinden; insbesondere im Winter werden Stämmchen geschalt und Zweige verbissen	Als Nahrungsspezialist der Luchs; Wolf, Marder, Greifvögel	Bewohner der immergrünen Wälder und Sumpfwälder mit Lichtungen; sehr ortstreu; im Sommer suchen sie Nadelholz- und Weidendikkungen auf, wo sie ihre Sassen anlegen, im Winter suchen sie Schutz unter dichtem, schneebedecktem Gesträuch u.ä. oder in Schnee- und Erdhöhlen; starke Bestandsschwankungen im 10-Jahres-Zyklus; Reviergröße wenige Hektar	Weit verbreitet und vielfach häufig
Nicht bekannt	Kakteen und Yucca-Pflanzen (zur Feuchtegewinnung), Wüstensträucher	Nicht bekannt	Gut angepaßter Bewohner der Wüstengebiete; verbirgt sich vor der großen Tageshitze unter Sträuchern oder hinter Steinblöcken	Allgemein verbreitet
Nicht bekannt	Gräser	Nicht bekannt	Bewohner trockener Ebenen im Hochland; wenig bekannte Art in den Beständen des »Tabosa-Grases« in Südost-Arizona, Südwest-Neumexiko und Oaxaco (Mexiko)	Allgemein verbreitet, aber im Bestand abnehmend
Nicht bekannt	Gras und Kräuter, Kulturpflanzen; besonders im Winter Zweige von Beifuß und »Riesen-Kaninchenbusch«; in Trockenzeiten auch Kakteen	Von Klapperschlange bis Wolf und Schakal oder Greifvögel	Bewohner der Wüsten und trockenen Ebenen; trotz teilweise erheblicher Sterblichkeitsraten werden in etwa 9jährigen Zyklen Siedlungsdichten von mehr als 100 Tieren je km^2 erreicht	Allgemein häufig
Nicht bekannt	Gräser und Kräuter, Zweige von Sträuchern	Nicht bekannt	Bewohner der Espiritu-Santo-Insel im Golf von Kalifornien; weitgehend unerforschte Inselform	Nicht bekannt
Ew: mit 3–4 Wochen Gr: nicht bekannt Ld: nicht bekannt	Gräser, Kräuter und Sämereien; besonders im Winter werden Knospen, Zweige und Rinde von Sträuchern und kleinen Bäumen genommen	Nur sehr schnelle Tiere	Bewohner der Prärien und offenen Landschaften, aber auch im Gebirge selbst im Winter bis über 4000 m; sehr schneller Läufer, der sich den meisten Feinden durch Flucht entzieht; Bestände können stark anwachsen und schwanken in einem 5- bis 7jährigen Zyklus	Allgemein häufig
Nicht bekannt	Nicht bekannt	Nicht bekannt	Bewohner der Wälder der Sanddünen entlang den Salzwasserlagunen am Nordrand des Golfs von Tehuantepec (Mexiko)	Unbekannt; geschützt
Ew: mit etwa 4 Wochen Gr: mit 5–8 Monaten Ld: meist 1,5 Jahre, höchstens 10 Jahre	Gräser, Kräuter, Kulturpflanzen und Gehölze; Rinden, Knospen, Triebe und Wurzeln	Vom Hermelin über Iltis bis Rotfuchs oder größere Greifvögel	Bewohner der deckungsreichen Landschaft, weniger des Waldes, aber auch in Parks usw.; bewohnt selbstgegrabene Baue oder auch oberirdische Sassen u.a. Verstecke; gesellig, in Paaren (Familien) oder Kolonien mit Rangordnung und starkem Revierverhalten; Markierung mit Duftstoffen; bis 2 ha Nahrungsrevier vom Einzeltier beansprucht, aber Reviere überlappend	In den Vorkommensbereichen meist zahlreich
Ew: nicht bekannt Gr: mit 4–5 Monaten Ld: nicht bekannt	Kräuter, Gräser, Beeren und Teile vom Buschwerk; Klee ist Lieblingsnahrung	Luchs, Kojote, Greifvögel, Schildkrötenschlange u.a.	In dichtbewachsenem Buschgelände von der Küste bis in mittlere Gebirgslagen; die Tiere entfernen sich nur wenig weit von den deckungbietenden Gebüschen, wo sie bei Gefahr Zuflucht finden; Fortpflanzung ohne Partnerbindung	Allgemein häufig

Name deutscher Name wissenschaftlicher Name englischer Name (E) französischer Name (F)	Körpermaße Kopfrumpflänge (KRL) Schwanzlänge (SL) Gewicht (G)	Auffällige Merkmale	Fortpflanzung Tragzeit (Tz) Zahl der Jungen je Geburt (J) Geburtsgewicht (Gg)
Strauchkaninchen *Sylvilagus mansuetus* (gilt vielfach nur als Unterart von *S. bachmani*) E: Brush rabbit	Ähnlich wie *S. bachmani*	Nicht beschrieben	Nicht bekannt
Zwergkaninchen *Sylvilagus idahoensis* E: Pygmy rabbit F: Lapin nain	KRL: 250–290 mm SL: 20–30 mm G: 246–458 g	Kleinster Vertreter der Baumwollschwanzkaninchen; dichtes und weiches bräunlichgraues Haarkleid; Schwanzunterseite ebenfalls graubraun; Schädel mit kurzem Gesichtsteil und verhältnismäßig breiter gewölbter Hirnkapsel; Ohrlänge 36–48 mm; Hinterfußlänge 65–72 mm	Tz: nicht bekannt J: 2–8 (1–2 Geburten im Jahr) Gg: nicht bekannt
Brasilien-Waldkaninchen, Tapeti *Sylvilagus brasiliensis* mit 6 Unterarten E: Forest rabbit, Tapeti F: Lapin du Brésil	KRL: 380–420 mm SL: 20–21 mm G: nicht bekannt	Fell und sehr kleiner Schwanz dunkelhaarig; die Weibchen besitzen nur 6 Zitzen statt der gattungsüblichen 8; Ohrlänge 39–46 mm; Hinterfußlänge 77–80 mm; Haarwechsel zweimal jährlich	Tz: etwa 42 Tage J: durchschnittlich 2 Gg: nicht bekannt
Sumpfkaninchen *Sylvilagus palustris* mit 2 Unterarten E: Marsh rabbit F: Lapin palustre	KRL: 425–440 mm SL: 33–39 mm G: durchschnittlich 1,6 kg	Oberseits schwärzlichbraun oder rötlichbraun; Schwanzunterseite bräunlich oder schmutziggrau; Ohren, Schwanz und Hinterfüße vergleichsweise kurz (Ohrlänge 45–52 mm, Hinterfußlänge 88–91 mm); Haarkleid kurz und dünn; großer Trinkwasserbedarf	Tz: nicht bekannt J: 2–5 (mehrere Geburten im Jahr) Gg: nicht bekannt
Wasserkaninchen *Sylvilagus aquaticus* E: Swamp rabbit F: Lapin aquatique	KRL: 530–540 mm SL: 67–71 mm G: 1,6–2,7 kg	Junge bei der Geburt bereits voll behaart; dunkles Fell mit kurzem, dünnem Haarkleid; Schwanzunterseite weiß; Ohrlänge 63–67 mm	Tz: 39–40 Tage J: 1–6 (2 Geburten jährlich) Gg: nicht bekannt
Florida-Baumwollschwanzkaninchen, Östliches Baumwollschwanzkaninchen *Sylvilagus floridanus* mit 24 Unterarten E: Eastern cottontail F: Lapin de Florida	KRL: 375–463 mm SL: 39–65 mm G: 900–1800 g	Körperbehaarung oberseits bräunlich bis grau; Schwanzunterseite weiß; Füße weißlich; Ohrlänge 49–68 mm; Hinterfußlänge 87–104 mm; Junge bei Geburt unbehaart, nicht sehend	Tz: 26–28 Tage J: 3–9 (4–5 Geburten im Jahr) Gg: etwa 30 g
Neuengland-Baumwollschwanzkaninchen *Sylvilagus transitionalis* E: New England cottontail	KRL: 363–483 mm SL: 31–49 mm G: 750–1347 g	Ähnlich dem Florida-Baumwollschwanzkaninchen; Körperoberseite rötlichbraun bis ockerfarben; Rücken mit feinem Strichelmuster in schwarzem Farbton; äußerer Ohrrand mit schwarzem Streifen; schwarzer Fleck zwischen Ohren; Ohrlänge 52–71 mm; Hinterfußlänge 90–102 mm	Tz: nicht bekannt J: 3–8 (mehrere Geburten im Jahr) Gg: nicht bekannt
Nuttalls Baumwollschwanzkaninchen *Sylvilagus nuttalli* mit 3 Unterarten E: Nuttall's cottontail, Mountain cottontail F: Lapin de Nuttall	KRL: 350–390 mm SL: 44–50 mm G: 0,75–1,5 kg	Haarkleid oberseits graubraun, unten weiß; Schwanz weiß; Haare im Ohr recht lang; dunkle Oberspitze; Füße klein; Ohrlänge 55–56 mm; Hinterfußlänge 88–100 mm; Junge bei Geburt haarlos und nicht sehend	Tz: 28–30 Tage J: 3–8 (2–5 Geburten im Jahr) Gg: nicht bekannt
Omilteme-Baumwollschwanzkaninchen *Sylvilagus insonus* E: Omilteme rabbit	KRL: 435 mm SL: 42,5 mm G: nicht bekannt	Oberseite graubraun; Unterseite schmutzigweiß; Schwanzoberseite rostigbraun, -unterseite heller; Ohrlänge 61 mm; Hinterfußlänge 95 mm	Nicht bekannt
Mexikanisches Baumwollschwanzkaninchen *Sylvilagus cunicularis* mit 3 Unterarten E: Mexican cottontail F: Lapin de Mexico	KRL: 485–515 mm SL: 54–68 mm G: nicht bekannt	Haarkleid derb, oberseits braungrau; Ohrlänge 60–63 mm; Hinterfußlänge 108–111 mm	Nicht bekannt
Tres-Marias-Baumwollschwanzkaninchen *Sylvilagus graysoni* E: Tres Marias cottontail	KRL: 480 mm SL: 51 mm G: nicht bekannt	Ähnlich dem Mexikanischen Baumwollschwanzkaninchen, aber die Ohren kürzer (57 mm); Körperoberseite, Flanken und Beine mehr rötlich; Hinterfußlänge 99 mm	Nicht bekannt
Audubon-Baumwollschwanzkaninchen *Sylvilagus auduboni* mit 11 Unterarten E: Audubon's cottontail, Desert cottontail F: Lapin d'Audubon	KRL: 350–420 mm SL: 45–75 mm G: 835–1191 g	Recht großes Baumwollschwanzkaninchen mit ziemlich langen Ohren (55–70 mm); an der Spitze schwarz behaart; Haarkleid aus braunen und schwarzen Farbtönen; Schwanzunterseite rein weiß, ebenso Bauchseite; Ohren und Füße spärlich behaart; Hinterfuß recht lang (75–100 mm)	Tz: 30 Tage J: 2–6 (2 oder mehr Geburten im Jahr) Gg: nicht bekannt

Lebensablauf **Entwöhnung (Ew)** **Geschlechtsreife (Gr)** **Lebensdauer (Ld)**	**Nahrung**	**Feinde**	**Lebensweise und Lebensraum**	**Häufigkeit**
Nicht bekannt	Nicht bekannt	Nicht bekannt	Nicht näher beschriebene Form der San-José-Insel im Golf von Kalifornien	Nicht bekannt
Nicht bekannt	Ganzjährig überwiegend Sträucher des Beifuß	Zahlreiche kleinere Beutegreifer	Bewohner der mit Beifuß bewachsenen Steppen; entfernt sich nur wenig weit von den deckungbietenden Beifußsträuchern; darin auch die selbstgegrabenen Baue; scheu und fast rein nachtaktiv; Junge kommen in einem mit Haaren ausgepolsterten Nest zur Welt	Gebietsweise zahlreich; geschützt
Nicht bekannt	Nicht näher bekannt	Nicht näher bekannt	Am weitesten nach Süden vorgedrungene Art; in Wäldern, Savannen, Buschland und Wüsten im tropischen und gemäßigten Südamerika, in allen Höhenlagen bis 4000 m; gelegentlich werden Erdbaue anderer Tiere als Verstecke genutzt; Junge auch in hohlen Baumstubben und unter Baumwurzeln; zur Ruhe werden Verstecke im Wald oder unter dichter Pflanzendecke aufgesucht	Allgemein verbreitet
Nicht bekannt	Pflanzen der Sümpfe und Marschen (Rohr, Gräser, Knollen, Blätter und Zweige)	Zahlreiche Beutegreifer	In Marschgebieten, die an höhere Lagen grenzen; kaum über 150 m Höhe; sehr guter Schwimmer, auch tagsüber weit in die Flüsse hinausschwimmend; bewegt sich im Schlamm und bei der Nahrungssuche schreitend; Nester etwas oberhalb der Flutlinie	Gebietsweise zahlreich
Nicht bekannt	Pflanzen der Marschen und Sümpfe, bevorzugt Rohr; auch Kulturpflanzen	Zahlreich	Bewohner von Marschen und Sümpfen; finden im dichten Pflanzenwuchs ganzjährig Nahrung und Deckung, errichten dort ihre Sassen und legen Wechsel an; gute Schwimmer; um sich vor Feinden zu verbergen, liegen die Tiere regungslos im Wasser, aus dem dann nur die Nase herausragt	Allgemein verbreitet
Ew: mit 3–4 Wochen Gr: mit 5–6 Monaten Ld: Nicht bekannt	Gräser, Kräuter, Kulturpflanzen, junge Triebe von Gehölzen; im Winter auch Rinde, Knospen und Zweige	Zahlreich	In offenen, aber deckungbietenden Landschaften und Laubwäldern; Kulturfolger, nach Rodung der Nadelwälder erheblich ausgebreitet; heute auch zahlreich in Parks und Grünanlagen; gräbt keine Baue, scharrt nur flache Mulden; Rangordnungen; Reviergröße mehrere Hektar	Sehr verbreitet; häufiges Jagdtier
Nicht bekannt	Nicht bekannt	Nicht bekannt	Mehr ein Bewohner des Laubwaldes als das Florida-Baumwollschwanzkaninchen; Wohngebiet etwa 2000–3000 m²; vom südlichen Maine bis nördlichen Alabama	Örtlich häufig, insgesamt aber im Rückgang begriffen
Ew: mit etwa 1 Monat Gr: nicht bekannt Ld: nicht bekannt	Vorzugsweise Gräser; Beifuß, Wacholder und dessen Beeren	Zahlreich	Bewohner der Gebüsche entlang der Flußufer, der beifußbewachsenen Hügel und Blockhalden; vorwiegend rege vom späten Abend bis zum frühen Morgen; zur Fortpflanzung keine Partnerbindung; oberirdische Nestmulde wird mit Haaren ausgepolstert	Zahlreich
Nicht bekannt	Nicht bekannt	Nicht bekannt	Waldbewohner der Sierra Madre del Sur, Zentral-Guerrero (Mexiko); in Höhen von 2300–3400 m	Nur begrenztes Vorkommen; geschützt
Nicht bekannt	Nicht bekannt	Nicht bekannt	Wenig bekannte Art; in Süd-Sinaloa, Ost-Oaxaca und Veracruz (Mexiko)	Allgemein verbreitet
Nicht bekannt	Nicht bekannt	Nicht bekannt	Wenig bekannte Inselform; vom Meeresstrand bis in Höhen von etwa 300 m vorkommend	Nicht bekannt
Nicht bekannt	Zarte Kräuter, Gräser, Zweige und Blätter	Zahlreich	In tieferen Lagen mit trockenem Klima und offenem Buschland; überwiegend nachtaktiv; Tagesruhe in flachen Sassen unter dichtem Pflanzenbewuchs; Fortpflanzung ohne feste Partnerschaften; die Jungen werden in einem mit Haaren ausgepolsterten Nest geboren; recht ortstreu	Eines der häufigsten Baumwollschwanzkaninchen; vielfach auch im Umkreis menschlicher Siedlungen

Name **deutscher Name** **wissenschaftlicher Name** **englischer Name (E)** **französischer Name (F)**	**Körpermaße** **Kopfrumpflänge (KRL)** **Schwanzlänge (SL)** **Gewicht (G)**	**Auffällige Merkmale**	**Fortpflanzung** **Tragzeit (Tz)** **Zahl der Jungen je Geburt (J)** **Geburtsgewicht (Gg)**
Natal-Rothase *Pronolagus crassicaudatus* mit 5 Unterarten E: Greater red rockhare F: Lièvre roux de Natal	KRL: 420–500 mm SL: 60–140 mm G: 1,5–2,5 kg	Haarkleid dicht und wollig; Hinterfüße wenig länger als die vorderen, wollig behaart; rötlichbraune Behaarung; Ohrlänge 75–85 mm	Tz: vermutlich etwa 30 Tage J: 1–2 Gg: nicht bekannt
Rand-Wollschwanzhase *Pronolagus randensis* mit 10 Unterarten E: Jameson's red rockhare F: Lièvre roux d'Afrique du Sud	Ähnlich wie Natal-Rothase	Ähnlich wie Natal-Rothase	Wie Natal-Rothase
Smiths Rothase *Pronolagus rupestris* mit 10 Unterarten E: Smith's red rockhare F: Lièvre des Bochimans	KRL: 400–500 mm SL: 60–160 mm G: 1,5–2,5 kg	Ähnlich wie Natal-Rothase; Lippen weiß, Kinn und Kehle blaßrötlich; Ohrlänge 60–110 mm	Vermutlich ähnlich wie Natal-Rothase
Buschmannhase *Bunolagus monticularis* E: Bushman hare F: Lièvre des Bochimans	KRL: 350–460 mm SL: 75–90 mm G: 1–2,5 kg	Hinterfuß ziemlich kurz; Haarkleid wollig, fein und weich; Hals und Kehle rötlichbraun; Schwanz dick und buschig, gleichmäßig rotbraun gefärbt; Ohrlänge 110–130 mm	Nicht bekannt
Amamikaninchen (fälschlich **Ryukyu-Kaninchen)** *Pentalagus furnessi* E: Amami rabbit F: Lapin de Ryukyu	KRL: 430–510 mm SL: nicht bekannt G: nicht bekannt	Haarkleid dicht und wollig; die 10–20 mm langen Krallen sind für ein Kaninchen außergewöhnlich lang; Ohrlänge 45 mm; Junge unbehaart bei Geburt	Tz: nicht bekannt J: 1–3 (mehrere Geburten im Jahr) Gg: nicht bekannt
Borstenkaninchen *Caprolagus hispidus* E: Hispid hare F: Lapin de l'Assam	KRL: bis 476 mm SL: bis 53 mm G: bis 2,5 kg	Haarkleid derb-borstig im Deckhaar; Unterseite schmutzig weiß; Schwanz durchgehend braun, unten etwas heller; Krallen gerade und kräftig; Ohrlänge bis 70 mm	Tz: nicht bekannt J: 2–5 Gg: nicht bekannt
Zentralafrikanisches Buschkaninchen *Poelagus majorita* mit 3 Unterarten E: Bunyoro rabbit F: Lapin sauvage d'Afrique	KRL: 440–500 mm SL: 45–50 mm G: 2–3 kg	Fell steifhaariger als bei jedem anderen afrikanischen Hasentier; Nacken gelblichrot; bei beiden Geschlechtern schlitzförmige Drüsenöffnungen seitlich neben Geschlechtsorganen; Ohrlänge 60–70 mm	Tz: 35 Tage J: 1–2 Gg: nicht bekannt
Sumatrahase, Sumatrakaninchen *Nesolagus netscheri* E: Sumatran hare F: Lapin du Sumatra	KRL: 368–393 mm SL: 17 mm G: nicht bekannt	Haarkleid bräunlich bis grau, am Rumpf leuchtend rostbraun mit breiten dunklen Streifen (einziger Hasenartiger mit gestreiftem Fell); Ohrlänge 43–45 mm	Nicht bekannt
Vulkankaninchen *Romerolagus diazi* E: Volcano rabbit F: Lapin de Diaz	KRL: 270–357 mm SL: äußerlich nicht sichtbar G: 400–540 g	Sehr kleine Ohren; Ohrlänge 36–44 mm; äußerlich nicht sichtbarer Schwanz; kurze Beine und Füße (Hinterfußlänge 52 mm); vollständiges Schlüsselbein verbindet Schultergürtel und Brustbein	Tz: 38–40 Tage J: 1–3 Gg: nicht bekannt

weniger bedeutsam wird. Mit geringerem Auftreten des Virus läßt aber im Laufe der Zeit die Abwehr der einzelnen Tiere nach, bis die Unempfänglichkeit wieder so gering ist, daß die Seuche erneut aufflackert. So kommt es, daß heutzutage in den unterschiedlichen Kaninchengebieten, in denen das Virus die Bestände verseuchen konnte, es wechselweise zum Auftreten der Myxomatose oder ihrem völligen Fehlen kommt. Für viele australische Gebiete bedeutet das, wie einer der erfahrensten Kaninchenforscher, Ken Myers, feststellte, daß heute nur noch etwa 1% der vor 1950 bestehenden Kaninchenzahlen in Australien vorhanden ist. Die immer wieder aufflackernden Krankheitswellen dämmen so die Kaninchenplage ein, doch die Kaninchen behaupten sich weiterhin.

Auch Europas Kaninchen blieben nicht verschont. Da in seinem 250 Hektar großen Park ständig die zahlreichen »grauen Flitzer« zu Schaden gingen, besorgte sich Dr. Armand Delille im Jahre 1952 von Kollegen des Bakteriologischen Instituts in Lausanne die Myxomatose-Erreger. Er fing zwei Tiere ein und steckte sie an, um sie danach wieder freizulassen. Schon sechs Wochen später war sein Park nahezu kaninchenfrei. Durch die umgebende Mauer wurde auch verhindert, daß neue Tiere hineinkamen. Nicht verhindern konnte aber die Mauer, daß das Virus nach außen gelangte. Wohl durch blutsaugende Insekten nach dort getragen, erreichte das Virus noch im Herbst desselben Jahres außerhalb lebende Bestände; bis zu 50 Kilometer entfernt trat gleich das Kaninchensterben auf. An-

Lebensablauf Entwöhnung (Ew) Geschlechtsreife (Gr) Lebensdauer (Ld)	Nahrung	Feinde	Lebensweise und Lebensraum	Häufigkeit
Nicht bekannt	Gräser und Kräuter	Zahlreich; von Wieseln bis zum Wolf, Luchs, Gepard, größere Greifvögel	Einzelgängerisch; häufig Lautäußerungen mit schriller Stimme; Felsblöcke als Ruhe- und Ausluglätze, mit Kothaufen markiert; in felsigen Gebieten mit Buschbewuchs und verstreuten Bäumen, auf Ebenen, Hügeln, Gebirgen bis über 2500 m Höhe; ortstreu; Sassen unter Grasbüscheln, bei Gefahr in Höhlen u.ä.	Nicht bekannt
Nicht bekannt	Wie Natal-Rothase	Wie Natal-Rothase	Ähnlich wie Natal-Rothase	Ungeklärt
Nicht bekannt	Vermutlich ähnlich wie Natal-Rothase	Vermutlich ähnlich wie Natal-Rothase	Vermutlich ähnlich wie Natal-Rothase	Ungeklärt
Nicht bekannt	Pflanzen des Uferbewuchses der Flüsse	Zahlreich	Im dichten Buschgelände der Flußniederungen, nicht (wie oft fälschlich angeführt) in Erosionsrinnen der Gebirge; Sonstiges unbekannt	Äußerst selten; gefährdet
Nicht bekannt	Bambusschößlinge, Stengel und Blätter der Süßkartoffel	Nicht bekannt	In dichten Wäldern mit Bambus; nächtliche Lebensweise; selbstgegrabene Baue; Jungen werden in einer etwa meterlangen Erdröhre geboren	Gefährdet
Nicht bekannt	Hauptsächlich Wurzeln, das weiche Mark großer Grasstengel, Baumrinde	Nicht bekannt	Bewohnt Baue, auch solche anderer Tiere; nicht gesellig; in den Grasdickichten, die zur Monsunzeit bis 3,50 m aufwachsen, in den Wäldern am Fuße des Himalaja; gelegentlich im Kulturland	Gefährdet
Nicht bekannt	Gräser, Kräuter, junge Zweige von Gebüschen	Serval, Genet, Schakal, Falbkatze, Steppenpavian, große Greifvögel, Schlangen	Meist nachtaktiv; in Paaren oder Mutterfamilien; Verstecke unter Buschwerk, Grastunnels; auf steinigen bis felsigen Grasflächen der Savanne; in Nachbarschaft von Wäldern; besonders gern an grasigen Hügeln mit buschbewachsenen Rinnen; Reviergröße wenige Hektar; ortstreu	In geeigneten Gebieten allgemein vertreten, keine großen Ansammlungen
Nicht bekannt	Saftige Stengel und Blätter verschiedener Waldpflanzen	Nicht bekannt	Streng nächtliche Lebensweise; tagsüber in Höhlen oder Bauen, meist nicht selbst gefertigt; in den ursprünglichen Gebirgswäldern der Barisan-Kette in Sumatra (1°–4° S), in Höhen zwischen 600–1400 m	Äußerst selten
Nicht bekannt	Gräser	Verschiedene Beutegreifer, besonders Luchs, Kojote; Greifvögel	Überwiegend tagaktiv; Gruppen von 2–5 Tieren, die einen gemeinsamen Bau bewohnen; hohe Töne ähnlich denen der Pfeifhasen; einzigartiger Lebensraum mit »Zacaton«-Grasbewuchs in offenen Kiefern-, Eichen-, Tannenwäldern der Vulkane nahe Mexico City zwischen 2800–4000 m	Stark gefährdet

gesichts der großen Bedeutung des Kaninchens als Jagdwild für die französischen Jäger war die Ausbreitung der Myxomatose ein schwerer Schlag für diese. Den Landwirten hingegen war es nur recht; sie ehrten den Dr. Delille. Nur ein Jahr später zog die Krankheit über die britischen Vorkommen, ohne daß geklärt wäre, auf welchem Wege das Virus nach dort gelangte. Gleichermaßen »übersprang« der Erreger den Rhein und erfaßte die mitteleuropäischen Bestände und auch die jenseits der Pyrenäen; in ihrer Urheimat leiden die Kaninchen seit dem Jahre 1958 unter dem Virus.

Insgesamt haben europaweit aber die Seuchenzüge mittlerweile abgenommen. Teilweise begrenzen sie nun die sprichwörtliche Vermehrungsfreudigkeit der Kaninchen, was oftmals durchaus im Interesse der Landwirte, Hausgartenbesitzer und anderer ist, die sich durch die Grabe- und Weidetätigkeit geschädigt fühlen. Für die Kaninchenjäger, von denen es insbesondere in England eine große Anzahl gibt, bedeuten die zeitweilig und gerade bei hohen Siedlungsdichten auftretenden Myxomatoseverluste eine Einbuße an ihrer Jagdbeute. Und natürlich bleibt eine gewisse Gefahr für wertvolle Hauskaninchenbestände bestehen. So wurde vor kurzem in einem spanischen Institut ein Impfstoff gegen die Myxomatose entwickelt. Damit können sicherlich Hauskaninchen geschützt werden. Ob aber ein Sinn darin liegt, Wildkaninchen einzufangen und zu impfen, um sie dann kurze Zeit später bei der Jagd zu erlegen?

Pfeifhasen oder Pikas

von Eberhard Schneider

Die Pfeifhasen oder Pikas (Ochotonidae) ähneln in Gestalt und Größe eher einem Meerschweinchen als einem langohrigen Hasen oder Kaninchen. Sie sind kleine Hasentiere mit recht kurzen Beinen und rundlichen, aber noch ziemlich großen Ohren, die fast so lang wie breit sind. Der dünne Schwanz der Tiere ist kaum sichtbar.

Die Geschlechter sind äußerlich nicht unterscheidbar; die Männchen besitzen keinen Hodensack, den Weibchen fehlt die Vulva, und auch ihre Zitzen treten während der Säugezeit kaum hervor. Bei beiden Geschlechtern findet sich eine »sekundäre Kloake«, eine gemeinsame Körperöffnung für die Geschlechtsprodukte, den Harn und den Kot. Auch in der Körpergröße besteht kein wesentlicher Unterschied zwischen Männchen und Weibchen. Die Tiere bewegen sich in kleinen Sprüngen fort, sie sind aber nicht auf schnellen Lauf ausgerichtet.

Angesichts ihres begrenzten Verbreitungsgebietes in den asiatischen Gebirgen und Steppen und den Gebirgen Nordamerikas und ihres Vorkommens nur im Geröll der hohen Lagen oder unwirtlichen Halbwüsten sind diese Hasentiere allgemein wenig bekannt. Der Name »Pika« für diese stimmfreudigen Säuger entstammt dem Sprachgebrauch der mongolischen Völker, dem auch der Gattungsname *Ochotona* entnommen ist.

Auch bei diesen Hasentieren konnten die Zoologen bisher keine abschließende Einigung über die taxonomische (verwandtschaftliche) Zugehörigkeit der einzelnen Formen erzielen. Derzeit werden 14 Arten unterschieden, von denen zwei in Nordamerika leben; von den eurasischen Arten reicht heute nur eine in ihrer Verbreitung bis nach Südosteuropa. Ausgestorbene Formen sind aus Europa und Afrika bekannt. Als das Entstehungszentrum wird Zentralasien angesehen. Alle heutigen Arten werden zu einer Gattung zusammengefaßt.

Pfeifhasen erreichen ein Gewicht von 100 bis 400 Gramm und eine Kopfrumpflänge von 12 bis 25 Zentimetern. Die Hintergliedmaßen sind nur wenig länger als die vorderen. Im Gegensatz zu anderen Hasentieren besitzen die Pikas ein vollständiges Schlüsselbein. Am flachen Schädel finden sich unter anderem rückwärts verlängerte Jochbögen und zellige Gehörkapseln. Im Oberkiefer sitzen nur je fünf Bakkenzähne; Zahnformel: $\frac{2\cdot0\cdot3\cdot2}{1\cdot0\cdot2\cdot3}=26$. Die Schneideflächen der oberen Schneidezähne verlaufen V-förmig zueinander.

Die Fellfärbung besteht aus überwiegend rotbraunen und grauen Tönen, häufig als Untergrundangleichung ähnlich den Farben des Lebensraumes. Bei zweimal jährlichem Haarwechsel ist das Winterfell meist heller als das Sommerkleid.

Alle Arten zeigen bestimmte Anpassungen an besondere Lebensräume. Die meisten bewohnen geröllbedeckte Hänge oder Blockhalden der Gebirge. Von diesen Felsbewohnern, die ihr Dasein vorwiegend in Felsspalten oder zwischen losen Steinen verbringen, leben der Afghanische Pika und der Mongolische Pika auch in felsenarmen Gebieten, wo sie dann eigene Baue graben. Obwohl bei keiner Art die Füße und Krallen eine besondere Ausformung für eine Grabetätigkeit zeigen, legen der Steppenpika und der Daurische Pika als reine Steppenbewohner stets eigene Erdbaue an. So kann etwa in der Mongolei der Daurische

Ein Nordamerikanischer Pfeifhase in seinem angestammten Lebensraum, den Felsen und Geröllhalden des Hochgebirges.

Pika die Steppe und der Mongolische Pika die felsigen Gegenden besiedeln. Im selben Gebiet kommen kaum zwei Pikaarten nebeneinander vor; sie würden miteinander konkurrieren. So ist auch der ausschließlich im Hochgebirge vorkommende Großohrige Pika im Himalajagebiet Nepals stets in größeren Höhen anzutreffen als Royles Pika, wobei ihre Verbreitungsgebiete unmittelbar aneinandergrenzen. Auch im Tien-Shan-Gebirge findet sich der erstgenannte oberhalb des Bereiches des Roten Pika.

Alle Pfeifhasen sind gewöhnlich tagaktiv und recht lebhaft und behende zwischen dem Geröll. Gleichermaßen können sie aber auch lange Zeit still zusammengekauert auf einem Steinblock sitzen. Die meisten Formen zeigen ihre höchste Aktivität in den Morgenstunden; des Nachts ruhen sie meist. Aber wie bei der vertikalen Raumausnutzung zeigen sich auch hinsichtlich der Aktivitätsphasen bemerkenswerte Unterschiede. Royles Pika etwa ist in der Morgen- und Abenddämmerung munter; der Großohrige Pika, der in höheren Lagen lebt, ist nur um die Tagesmitte tätig. Als Ursache für diese Tätigkeitsmuster wird die Ausnutzung der jeweils günstigsten Außentemperaturen angesehen.

Denn in der Regelung ihrer Körperwärme stellen sich die Pikas recht außergewöhnlich unter den Säugern dar. Mit einer durchschnittlichen Körpertemperatur von 40,1 °C leben sie dicht unterhalb der tödlichen Grenze. In Anpassung daran verringern die Tiere bei höheren Temperaturen ihre eigene Aktivität, um so weniger körpereigene Wärme zu erzeugen. Deshalb sind sie insbesondere in den warmen Gebieten während der Tageshitze kaum in Bewegung.

Als reine Pflanzenesser beziehen Pikas ihre Nahrung aus den Pflanzenbeständen im Umkreis ihrer Wohnungen. Sie verzehren vielerlei pflanzliche Stoffe: Blätter, Stengel oder Blüten von Gräsern und Kräutern oder Gebüschen, Moose oder Flechten. Die Tiere können beim Nahrungserwerb die Pflanzen nicht mit ihren Händen greifen. Sie schneiden sie mit den Zähnen ab und verspeisen sie dann vom geschnittenen Ende her. Wie die übrigen Hasentiere bereiten auch die Pikas in ihrem Blinddarm den vorverdauten Nahrungsbrei weiter auf und nehmen ihn als weiche, dunkelgrüne Masse entweder vom After unmittelbar oder als abgesetztes Nahrungskügelchen zum zweiten Male auf.

Da die Pikas keinen Winterschlaf halten, obwohl man dies angesichts ihrer unwirtlichen Lebensräume meinen könnte, müssen sie Wintervorräte anlegen. Deshalb verbringen sie im kurzen Gebirgssommer und -herbst viel Zeit damit, Pflanzen als Winternahrung zu sammeln. Dazu schneiden sie mit den Zähnen die noch frischen, grünen Pflanzen ab. Die Felsenbewohner tragen diese dann in ihrem Munde zu traditionellen Plätzen unter Felsblöcken, um dort das Grünzeug zu trocknen. Die Baubewohner hingegen legen regelrechte Heustapel in der Nähe ihrer Baue oder unter einem Gebüsch an. Solche Heuhaufen fallen unterschiedlich groß aus; sie können aber ein Gewicht von sechs bis acht Kilogramm erreichen. Vom Mongolischen Pika wird berichtet, daß er zusätzlich in seinem Mund etwa drei bis fünf Zentimeter messende Steinchen heranträgt und das Heu abdeckt. Damit will er womöglich das Verwehen des Heus durch den Wind verhindern. Das Anlegen von Heustapeln ist von allen Arten bekannt, nur bei den im Himalaja lebenden Royles Pikas und den Großohrigen Pikas wurde diese Verhaltensweise nicht beobachtet.

Neben dem Heu – im russischen Volksmund heißen die Pikas auch »Heustapler« – verzehren die Tiere im Winter auch die erreichbaren frischen Pflanzenteile. Unter dem Schnee graben sie Tunnels, um an die Nahrungspflanzen zu gelangen. Sie benagen dann auch die Rinde von wilden Obstbäumen, Aspen oder jungen Nadelbäumen. Da dem Daurischen Pika die Antilopen wie auch die mongolischen Hirten die Heuvorräte stehlen, geht er selbst, wie auch Royles Pika, in die Häuser der Menschen und nimmt sich dort

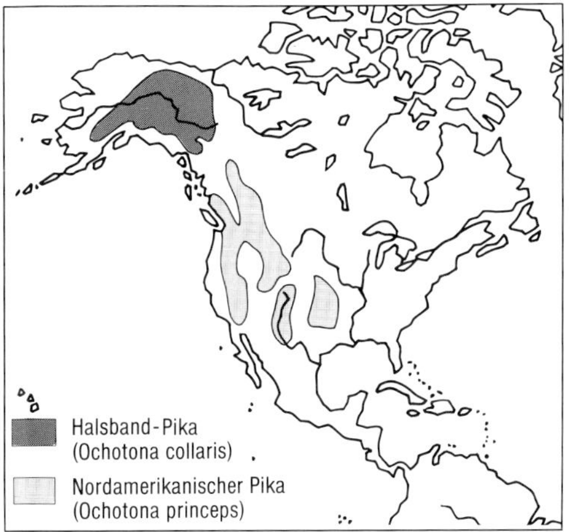

▷ Dieser Nordamerikanische Pika, der Kräuter zum Vorrat für den Winter einträgt, zeigt uns sehr schön die äußeren Merkmale der gesamten Pfeifhasensippschaft, die einerseits im gebirgigen Nordamerika und andererseits in den Gebirgen und Steppengebieten Mittelasiens verbreitet ist. Der Körper wirkt meerschweinchenartig klein und gedrungen. Die Beine, auch die Hinterbeine, sind ziemlich kurz und die Ohren breit, kurz und abgerundet, nicht lang und schmal wie die »Löffel« der uns viel vertrauteren Hasen und Kaninchen.

von den Vorräten an Getreidekörnern oder gebackenen Kornfladen.
Die Baue der Pfeifhasen bestehen meist nur aus einem halbmeterlangen Gang, in den ein oder zwei Öffnungen hineinführen. Verzweigte Gangsysteme sind selten. Auch solche Anlagen erstrecken sich kaum über eine Länge von drei Metern, und sie liegen auch nur knapp einen halben Meter unter der Erdoberfläche. Zum Erdbau zählt eine Nestkammer, die beim Steppenpika etwa 15 Zentimeter im Durchmesser mißt. Die Kammer ist mit Heu ausgepolstert. Futterreste finden sich überall im Bau, und in Seitenverzweigungen wird Kot abgesetzt. Manchmal sind mehrere Baue in Gruppen angeordnet, deren Eingänge oberirdisch durch Pfade miteinander verbunden sind. Ein bis fünf erwachsene Steppenpikas können einen einzelnen Bau bewohnen. Bei anderen Formen lebt jeweils nur ein ausgewachsenes Tier darin.
Der Mongolische Pika lebt sowohl unter Felsblöcken wie in selbstgegrabenen Bauen, die er in weichem Erdreich anlegt. Geschützt durch oberirdische Gesteinsbrocken oder Gesträuch, liegen diese Wohnbaue 20 bis 50 Zentimeter tief in der Erde, und das Gangsystem kann vier bis zehn Meter lang sein. Mehrere Nestkammern und Ausgänge vervollständigen diese Baue. Eine weitere Besonderheit wird von dieser Art berichtet: Die Tiere bedecken gelegentlich auch ihre Baueinfahrten mit herangetragenen Steinchen. Ferner errichten sie sogar bis einen Meter lange Steinhaufen im Bereich ihrer Baue und Pfade. Die Zwischenräume zwischen den Steinchen werden mit Ästchen, Pflanzenfasern oder dem Dung der im Gebiet lebenden Kamele und Pferde verstopft. Man deutet dieses Verhalten als Schutz gegenüber dem starken Wind der mongolischen Hochebenen.

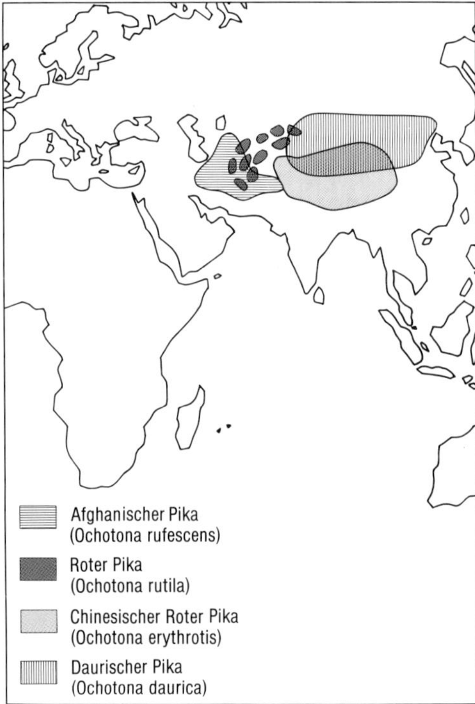

Die namengebenden Lautäußerungen der Pfeifhasen stellen eines ihrer auffälligsten Merkmale dar. Dadurch unterscheiden sie sich ja auch ganz wesentlich von den wenig stimmfreudigen übrigen Hasentieren. Bei den meisten Pikas sind Lautäußerungen mit durchaus individuellen Unterschieden zu vernehmen. Die »singenden« Tiere sitzen zumeist auf einem Steinblock; gelegentlich rufen sie auch beim Umherlaufen oder aus dem Bau heraus. Die baubewohnenden Formen, wie der Steppenpika, sitzen vor ihren Baueinfahrten und rufen; der Steppenpika singt am ausgiebigsten abends, ist jedoch fast zu jeder Tages- und Nachtzeit zu hören. Bei großer Beunruhigung und Gefahr rufen die Tiere eines Gebiets im Chor.
Der japanische Forscher T. Kawamichi, der sich mit der klangspektrographischen Analyse des Pikagesanges befaßt, konnte recht unterschiedliche Lautäußerungen ermitteln. Da sind die »langen Rufe«, vor allem von den Männchen erzeugt, und die »kurzen Rufe«, welche schließlich noch ergänzt werden durch Triller oder ganze Rufserien. Es ertönen besondere Schreie, wenn die Tiere gejagt werden, wenn sie einem Artgenossen antworten oder wenn eine Gefahr sich nähert. Ebenso haben die Jungtiere ihre eigenen Rufe, und das gesamte Verhalten der Lautäußerungen unterliegt auch einem jahreszeitlichen Wechsel.
Den weitaus größten Anteil unter allen Lautäußerungen nehmen die von der »Singwarte« aus abgegebenen ein; sie machen bis zu 60 % aller Rufe aus. Kurzrufe sind besonders zur Paarungszeit häufig, und sie scheinen eine besondere Aufgabe in diesem Verhaltensbereich zu haben. Kawamichi konnte bei einem Kongreß in Kanada nicht nur durch persönliche Tonwiedergabe eindrucksvoll nachweisen, daß aufgrund ihrer Rufe die Pfeifhasen korrekt als »Pikas« bezeichnet werden sollten. Er konnte auch die bestehenden oder fehlen-

den Verwandtschaften der Arten erläutern, indem er die jeweiligen Klangspektrogramme miteinander verglich. Die Unterschiede in den Rufen lassen sogar eine bessere Abgrenzung der Arten zu, als dies den Vererbungsforschern möglich ist, denen die Ungleichheit der Chromosomensätze erhebliche Schwierigkeiten bereitet. Während der Paarungszeit geben zum Beispiel bei beiden nordamerikanischen Arten *(Ochotona collaris* und *O. princeps)* sowie der nächstverwandten asiatischen *(O. hyperborea)* die Männchen zahlreiche Ruffolgen ab, um den Besitz eines Eigenbezirks oder Territoriums anzuzeigen. Vom Sommer bis zum Herbst lassen dann aber beide Geschlechter häufig kurze Rufe ertönen, welche das Eintragen des Heus begleiten. Aber die Unterschiede in den Lauten der amerikanischen Formen zu denen der asiatischen sind so erheblich, daß Kawamichi annimmt, es sei ehemals ein gemeinsamer Vorfahre der nordamerikanischen Arten isoliert worden. Es besteht auch ein entwicklungsgeschichtlicher Zusammenhang zwischen der Ruftätigkeit und dem Heueintragen. Die beiden asiatischen Pikas *(O. roylei* und *O. macrotis)* legen keine Vorräte an; bei ihnen sind auch die Lautäußerungen außerhalb der Fortpflanzungszeit erheblich spärlicher.

Auch hinsichtlich der Fortpflanzung haben die Pikas in enger Verknüpfung mit den jeweiligen Lebensbedingungen zwei unterschiedliche Wege beschritten. Die typischen Geröllbewohner bringen meist nur zwei Würfe im Jahr mit weniger als jeweils fünf Jungen hervor; vom zweiten Wurf überleben auch nur wenige Tiere. Schließlich gebären die Jungtiere erst im Jährlingsalter zum ersten Male. Die Baubewohner, der Afghanische und der Mongolische Pika, haben deutlich mehr Nachkommen, und die ersten im Jahr geborenen Jungtiere pflanzen sich bereits im selben Sommer fort. Beim Steppenpika werden die weiblichen Tiere schon im Alter von 25 bis 30 Tagen geschlechtsreif.

So ist die vergleichsweise geringe Vermehrungsrate der Felsbewohner in hohen Gebirgslagen oder auch in hoher geographischer Breite angepaßt an die nur kurze Sommerperiode, in der die Jungenaufzucht erfolgen kann. Eine weitere Anpassung ist auch darin zu sehen, daß jeweils nur ein begrenztes Wohnraum- und Nahrungsangebot besteht und zu zahlreiche Jungtiere kaum eine Chance besäßen, in einem überfüllten Gebiet zu überleben. Demgegenüber steht den steppenbewohnenden Formen ein reichhaltigerer Lebensraum zur Verfügung. Hier können die selbständig gewordenen Jungtiere sich verbreiten und im neu eroberten Bereich eigene Baue anlegen.

Bei diesen Arten mit großer Nachkommenschaft kommt es zwangsläufig auch zu erheblichen Bestandsschwankungen im Laufe einiger Jahre. So ist vom Daurischen Pika, bei dem das Weibchen durchschnittlich sechs (bis zwölf) Junge gebiert, ein Siedlungsdichtenwechsel bekannt, der eine Spanne von 2–3 bis zu 70–80 Tieren je Hektar umfaßt. Wenn bei dieser Art das Höchstalter auch nur schätzungsweise 15 bis 16 Monate beträgt, so ist die Nachkommenschaft eines Weibchens doch recht zahlreich.

Es versteht sich von selbst, daß bei solcher Häufigkeit die Pikas auch eine wichtige Rolle als Nahrung für eine Reihe von Beutegreifern spielen. So liefert der fruchtbarste aller Pfeifhasen, der Steppenpika, dessen Weibchen jeweils ab Ende März drei- bis viermal jährlich gebären und dabei je 7 bis 13, bei den späteren Geburten 3 bis 8 Junge zur Welt bringen, auch die Hauptbeute für Hermeline, Steppeniltisse, Rot- und Steppenfüchse und andere mehr. Der Eingriff dieser

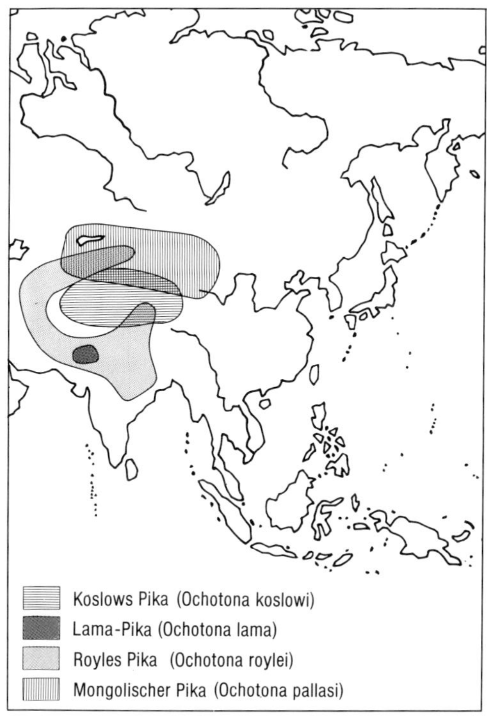

Beutegreifer bleibt aber angesichts der Vermehrungsfreudigkeit ihrer Beutetiere unerheblich. Eine bestandsregelnde Wirkung geht eher von Krankheiten und Schmarotzern aus.

So wie die Tragzeiten zwischen 20 bis 24 Tagen beim Steppenpika und 30,5 Tagen beim Nordamerikanischen Pika wechseln, so unterscheiden sich auch die Neugeborenen. Bei der erstgenannten Art sind sie noch unbehaart, und ihre Augenlider sind noch geschlossen; ihr Gewicht liegt bei nur sechs bis sieben Gramm. Beim Roten Pika hingegen sind die Säuglinge, die mit neun Tagen die Augen öffnen, bei der Geburt schon behaart. Etwa drei Wochen lang gesäugt, nehmen sie kurz danach ihre Selbständigkeit an.

In Verbindung mit dem Studium der auffälligen Verhaltensweisen des Rufens und Heusammelns haben sich die Forschungsarbeiten an Pikas auch mit dem Revierverhalten der Tiere befaßt. Dieses ist durch die beiden vorgenannten Verhaltensmuster wesentlich geprägt, ist aber auch in hohem Maße mit der sozialen Organisation verbunden. Für gewöhnlich bewegen sich Pikas, sofern sie nicht auch in Familien leben, allein, und die Reviere von Männchen und Weibchen liegen abwechselnd nebeneinander. Vom Altai-Pika ist bekannt, daß Paare je ein Revier gemeinsam besetzen.

Die Größe eines Territoriums richtet sich, wie bei anderen Tierarten auch, grundsätzlich vor allem nach der jeweiligen Ausstattung des Gebietes mit jenen Gütern, die der Pika für sein Leben benötigt. Bei gutem Angebot an Unterschlupfen und Nahrung, die insbesondere auch die erfolgreiche Jungenaufzucht gewährleistet, gibt sich ein Pika mit einer kleineren Fläche zufrieden. So kommen die unterschiedlichen Angaben für Flächengrößen zustande, die von verschiedenen Forschern angeführt werden. Diese belaufen sich auf Reviergrößen von etwa 400 bis 900 Quadratmetern; bei den hohen Siedlungsdichten der steppenbewohnenden Formen fällt die durchschnittliche Eigenbezirksfläche natürlich viel geringer aus.

Dringt ein gleichgeschlechtlicher Artgenosse in ein Territorium ein, wird er von dem Inhaber heftig angegriffen und verjagt. Die Weibchen beschränken sich meist auf den Bereich innerhalb der Reviergrenzen, die Männchen hingegen benutzen über das Revier hinausgehende Streifgebiete und deshalb häufiger auch angrenzende Territorien. Vor allem die Grenzpunkte des Reviers werden durch den »Gesang« akustisch markiert. Pikas benutzen aber auch geruchliche Marken. Sie besitzen Drüsen an den Wangen, mit denen sie öfters an Steinen reiben und so das Drüsensekret dort auftragen. Das tun sie besonders ausgiebig auch in jenen Bereichen, in denen Reviere aneinanderstoßen. Darüber hinaus suchen Pikas bestimmte Plätze des Territoriums immer wieder auf. Dort sammeln sich ihre Hinterlassenschaften in Form von Kotkügelchen und Urin an, was wiederum als ein Signal des Revierinhabers wirken kann. Schließlich kommt eine ähnliche Aufgabe auch den Heuhaufen zu. Pikas haben nämlich durchaus Kenntnisse über den Besitz dieser Haufen; und da das gegenseitige Bestehlen üblich ist, kommt es häufig zu Streitigkeiten. Insgesamt sind aber die akustische und die geruchliche Markierung als eine notwendige Form der innerartlichen Verständigung zu verstehen.

Von den angelegten Heuhaufen innerhalb des Revieres zehren im Laufe des Winters (bei den amerikanischen Formen) jeweils das Weibchen und das Männchen. Sonst können auch mehr Tiere diese Vorräte nutzen. Wie auch beim Altai-Pika teilen sich bei den

Zwei Altai-Pikas, die auch Nördliche Pikas genannt werden, weil sie von allen asiatischen Arten am weitesten nördlich leben. Im russischen Volksmund heißen sie »Heustapler«, denn wie die meisten ihrer Verwandten haben sie die Angewohnheit, große Pflanzenhaufen als Wintervorrat anzulegen. Alle Pikas haben noch eine weitere Eigenschaft, die sie von den Hasenartigen unterscheidet: Sie können lautstark »singen« - daher der Name Pfeifhase und die lautmalende Benennung Pika.

amerikanischen Arten jeweils Paare ein Revier; während der Zeit des Heueintragens teilen sie dieses aber in zwei getrennte Territorien. Jedes umfaßt im Mittel 709 Quadratmeter und wird gegen Eindringlinge beiderlei Geschlechts heftig verteidigt.

Da die übrigen asiatischen Formen im Herbst und Winter ein ähnliches Paarrevierverhalten zeigen wie der Altai-Pika, wird von beiden amerikanischen Formen angenommen, daß diese »Heu-Territorialität« der Einzeltiere der sozialen Organisation überlagert ist, um die Sicherung hinreichender Wintervorräte zu erreichen.

Die Untersuchungen zum Sozialverhalten der Pikas stehen noch in ihren Anfängen. Es zeichnet sich jedoch ab, daß trotz aller Territorialität (Revierverhalten) bei den Pikas ein enges soziales Gefüge besteht, das auch der Regelung der Siedlungsdichte dient, gleichermaßen aber auch Ausdruck einer hochentwickelten sozialen Organisation ist. Der amerikanische Pika-Forscher A.T. Smith berichtet zur Erläuterung folgendes: Ein Pika jagt einen anderen zwischen den Felsblöcken hindurch auf eine benachbarte Wiese und von dort in ein angrenzendes Gebüsch. Als sie wieder auftauchen, werden beide gejagt – von einem Wiesel, und nur knapp einen Meter vor dem sicheren Geröll wird einer der Pikas erfaßt. Der Tod tritt rasch ein. Im selben Augenblick stimmen alle Pikas der Nachbarschaft im Chor ihre kurzen Alarmrufe an. Der getötete Pika hatte die Jagd begonnen, aber der von ihm angegriffene Artgenosse ist dem Wiesel entkommen. Er sitzt nun ruhig zusammengekauert auf einem Felsblock und ruft als einziger nicht.

Was hat das mit sozialer Organisation zu tun? Smith gibt die Antwort: In der Regel sind benachbarte Reviere von Tieren unterschiedlichen Geschlechts besetzt, und die Streifgebiete benachbarter Männchen und Weibchen überlappen sich. Die Aktivitätszentren beider liegen näher zueinander als zu dem eines gleichgeschlechtlichen Artgenossen. Die Lage und der Besitz der Reviere bleiben auch über Jahre erhalten. Immerhin erreichen (nordamerikanische) Pikas ein Alter von bis zu sechs Jahren. Daraus ergibt sich aber, daß nicht vorhersagbar ist, wann und wo in einem Geröllfeld einmal ein geeignetes Gebiet für eine neue Besetzung frei wird. Für einen Pika auf der Suche nach einem eigenen Revier wird diese zu einem regelrechten Lotteriespiel, in dem schließlich auch noch das jeweilige Geschlecht des Tieres eine Rolle spielt. Denn freie Reviere werden allgemein nur von einem Tier desselben Geschlechts besetzt, dem der vorherige Inhaber angehörte.

Als Grundlage für dieses Verhaltensmuster der geschlechtsgebundenen Revierbesetzung sieht Smith einen Kompromiß zwischen aggressiven und bindenden Tendenzen. Obwohl alle Pikas bei der Revierverteidigung recht streitbar sind, erweisen sich die Weibchen als weniger kämpferisch gegenüber benachbarten Männchen als gegenüber Geschlechtsgenossinnen. Seßhafte Männchen zeigen kaum Angriffe gegeneinander; sie kommen ja auch selten in Berührung miteinander. Jedoch vermeiden sie dies auch durch lebhaften Gebrauch ihrer stimmlichen und geruchlichen Markierungen. Die Männchen greifen aber heftig jedes umherstreifende, ins eigene Revier eindringende fremde Männchen an.

So war der vom Wiesel erbeutete Pika ein Revierinhaber, der ein eingedrungenes Männchen vertrieb, vielleicht ein gerade erwachsenes Jungtier, das auf der Suche nach einem eigenen Territorium war.

Freundschaftliche Beziehungen finden hingegen häufig statt zwischen den benachbarten Weibchen und Männchen, welche nicht nur duldsam miteinander

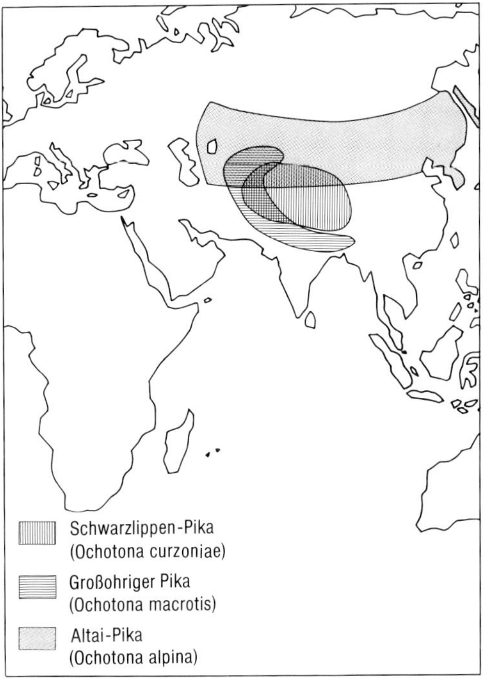

Pfeifhasen oder Pikas (Ochotonidae)

Name **deutscher Name** **wissenschaftlicher Name** **englischer Name (E)** **französischer Name (F)**	**Körpermaße** **Kopfrumpflänge (KRL)** **Schwanzlänge (SL)** **Gewicht (G)**	**Auffällige Merkmale**	**Fortpflanzung** **Tragzeit (Tz)** **Zahl der Jungen je Geburt (J)** **Geburtsgewicht (Gg)**
Steppenpfeifhase, Steppenpika *Ochotona pusilla* E: Small pika, Steppe pika F: Pika de steppe	KLR: 183 mm SL: 5 mm G: 75–210 g	Ohrlänge 12 mm; rasche körperliche Entwicklung; Verdoppelung des Geburtsgewichts in 5 Tagen; am 2. Tag behaart	Tz: 20–24 Tage J: 7–13 (spätere Geburten 3–8) Gg: 6–7 g
Altai-Pfeifhase, Altai-Pika, Nördlicher Pika *Ochotona alpina* (einschließlich *O. hyperborea*) E: Altai pika, Alpine pika, Northern pika F: Pika de l'Altaï	KRL: etwa 200 mm SL: etwa 10 mm G: 110–190 g	Nicht beschrieben	Tz: vermutlich 30 Tage J: nicht bekannt Gg: nicht bekannt
Roter Pfeifhase *Ochotona rutila* E: Red pika, Turkestan pika F: Pika roux	Nicht bekannt	Weniger stimmfreudig als andere Formen; Warnlaute fehlen ganz; Junge bei Geburt behaart, mit 13 Tagen sehend	Tz: nicht bekannt J: 4 (2–6) Gg: nicht bekannt
Mongolischer Pfeifhase *Ochotona pallasi* (einschließlich *O. pricei*) E: Pallas' pika, Mongolian pika F: Pika de Pallas	Nicht bekannt	Nicht beschrieben	Tz: 25 Tage J: 8 (bis 13), 2–3 Geburten im Jahr Gg: nicht bekannt
Afghanischer Pika, Rötlicher Pfeifhase, Persischer Pfeifhase *Ochotona rufescens* (einschließlich *O. shukurovi*) E: Afghan pika F: Pika de l'Afghanistan	KRL: 202 mm SL: 20 mm G: 190–290 g	Rötliches Haarkleid in Anpassung an den Gesteinsuntergrund; Ohrlänge 36 mm	Tz: 25 Tage J: ähnlich wie Mongolischer Pfeifhase Gg: nicht bekannt
Daurischer Pika, Daurischer Pfeifhase *Ochotona daurica* (einschließlich *O. mursaevi*) E: Daurian pika F: Pika de Daourie	Nicht bekannt	Nicht bekannt; Stimme: ein langer trillernder Ruf	Tz: nicht bekannt J: 6 (bis 12) Gg: nicht bekannt
Royles Pika *Ochotona roylei* (einschließlich *O. angdawai, mitchelli, nepalensis forresti, himalayana*) E: Royle's pika F: Pika de Royle	Nicht bekannt	Junge bei Geburt behaart; in Hochlagen werden Jungweibchen im Jahr der Geburt geschlechtsreif, tiefer lebende erst im nächsten Frühjahr	Tz: nicht bekannt J: 2–8 Gg: nicht bekannt
Schwarzlippen-Pika *Ochotona curzoniae* (einschließlich *O. melanostoma*) E: Black-lipped pika	Nicht bekannt	Nicht beschrieben	Nicht bekannt
Chinesischer Roter Pika *Ochotona erythrotis* (einschließlich *O. gloveri*) E: Chinese red pika	Nicht bekannt	Nicht beschrieben	Nicht bekannt
Großohriger Pika *Ochotona macrotis* E: Large-eared pika, Big-eared pika	Nicht bekannt	Nicht beschrieben	Nicht bekannt
Nordamerikanischer Pika *Ochotona princeps* E: North American pika	KRL: 162–216 mm SL: etwa 10 mm G: 110–200 g	Hinterfußlänge 25–35 mm	Tz: 30,5 Tage J: 2–6, durchschnittlich 3 Gg: nicht bekannt
Halsband-Pika *Ochotona collaris* E: Collared pika F: Pika de l'Alaska	KRL: 178–198 mm SL: etwa 10 mm G: 110–200 g	Hinterfußlänge 29–31 mm	Tz: etwa 30 Tage J: 2–6 Gg: nicht bekannt

Lebensablauf Entwöhnung (Ew) Geschlechtsreife (Gr) Lebensdauer (Ld)	Nahrung	Feinde	Lebensweise und Lebensraum	Häufigkeit
Ew: mit 3 Wochen Gr: mit 25–30 Tagen (Weibchen) Ld: bis 4 Jahre	Kräuter und Halbsträucher der Steppe	Zahlreich: Steppeniltis, Füchse, Hermeline, Greifvögel	In Steppen bis westlich des Urals zur Wolga; Täler der Vorgebirgsflüsse; meist einfache Baue mit ausgepolsterter Nestkammer, von bis zu 5 Tieren bewohnt; starker Massenwechsel mit Siedlungsdichten bis 40–50 Tiere je Hektar	Allgemein verbreitet
Ew: nicht bekannt Gr: nicht bekannt Ld: vermutlich bis 4 Jahre	Pflanzen der Geröllhalden	Zahlreiche Arten von Greifvögeln und behaarten Beutegreifern	In tieferen Lagen der Krautschicht der Lärchen- und Zirbenwälder und des Uferbewuchses	Verbreitet in einem großen Gebiet
Ew: mit etwa 20 Tagen Gr: mit 7–10 Monaten Ld: nicht bekannt	In der schneefreien Zeit ausschließlich grüne Teile von Kräutern und Gräsern, Blüten; sonst auch Rinde und Blätter; im Winter Heu	Nicht bekannt	Im Waldgürtel der Gebirge; an Blockhalden gebunden; kaum über 3000 m; je Hektar etwa 3 Familien mit 12–20 Tieren; paarweise oder in Familien, die gemeinsam Heustapel bis 8 kg anlegen und im Winter aufzehren; Baue und Vorratsplätze werden lebenslänglich beibehalten; Jungtiere bleiben nach Selbständigkeit zunächst in der Nähe der Familie	Allgemein verbreitet
Ew: mit 18 Tagen Gr: nicht bekannt Ld: nicht bekannt	Verschiedene Pflanzen	Zahlreiche Arten	In Fels- und Geröllspalten oder auch in selbstgegrabenen Bauen im weichen Untergrund; errichtet kleine Steinhaufen als Windschutz; Nahrungsgewinnung im Umkreis von 20–30 m um den Unterschlupf; Heuhaufen bis 20 kg von Gruppen angelegt und verzehrt; auch Winternester im hohen Schnee	Allgemein verbreitet
Nicht bekannt	Nicht bekannt	Nicht bekannt	Bewohner der geringeren Höhenlagen der Gebirge und der Vorgebirge; dort im weichen Boden selbstgegrabene Baue; geht auch in die Lehmbauten des Menschen	Allgemein verbreitet
Ew: nicht bekannt Gr: nicht bekannt Ld: geschätzt 15–16 Monate	Verschiedene Pflanzen; Wintervorräte in großen Stapeln neben Bauen, im Gobi-Altai auch in Bau eingetragen	Nicht bekannt	Steppenbewohner; in Wüstengebieten nur entlang den Flüssen; sonst auch in der Nähe von Wasser; in Höhen von 1800–3000 m; selbstgegrabene Baue mit zahlreichen Verzweigungen; starker Massenwechsel mit Dichteschwankungen zwischen 2–3 und 70–80 Tiere je Hektar	Allgemein verbreitet
Ew: nicht bekannt Gr: mit 7–10 Monaten Ld: nicht bekannt	Nicht bekannt	Nicht bekannt	Wenig lautfreudig; keine Paarbindungen; keine strengen Revierabgrenzungen; keine Anlage von Wintervorräten (in Anpassung an die zwar kalten, aber schneearmen Klimaverhältnisse?)	Allgemein verbreitet
Nicht bekannt	Nicht bekannt	Nicht bekannt	Bewohner der Hochgebirgsebenen und -steppen im tibetanischen Hochland, im angrenzenden Kansu, in Tsinghai (China), Sikkim und Ostnepal	Nicht bekannt
Nicht bekannt	Nicht bekannt	Nicht bekannt	Nichts bekannt; in Tibet, Ost-Tsinghai, Süd-Kansun und Nord-Szechwan (China)	Nicht bekannt
Nicht bekannt	Nicht bekannt	Nicht bekannt	Bewohner des Hochgebirges über 4000 m; Himalajagebiet von Bhutan, Karakorum-Kette, Kunlun Shan, Pamir, westliches Tien-Shan-Gebirge	Allgemein verbreitet
Ew: nicht bekannt Gr: nicht bekannt Ld: bis 6 Jahre	Zahlreiche Arten von Gräsern, Kräutern, Stauden und Gehölze	Kleine Beutegreifer: Wiesel, Füchse, Greifvögel	Auf Geröllhalden der Gebirge; Unterschlupf unter Felsblöcken; ausgeprägtes Revierverhalten; benachbarte Weibchen und Männchen bilden Paare mit weitgehender Überlappung der Reviere; enger Zusammenhalt einzelner Sippen; Reviergröße 400–900 m^2	Allgemein verbreitet
Ew: nicht bekannt Gr: nicht bekannt Ld: bis 6 Jahre	Wie Nordamerikanischer Pika	Wie Nordamerikanischer Pika	Ähnlich wie Nordamerikanischer Pika	Allgemein verbreitet

umgehen, sondern häufig auch ihre Kurzlaute im Duett singen. Schließlich haben die ökologischen Bedingungen auch zur Entwicklung der Einehe der Pikas geführt. Obwohl die Männchen bei der Jungenaufzucht nicht unmittelbar beteiligt sind, also nicht etwa deshalb monogam leben, weil sie dem Muttertier behilflich sein müssen, bleiben sie vorwiegend doch mit einem einzigen benachbarten Weibchen zusammen. Vielweiberei entwickelt sich lediglich in den Fällen, in denen ein Männchen ein so gutes Gebiet beherrscht, daß es anziehend für mehrere Weibchen wird. Dem steht aber meist das begrenzte Nahrungsangebot der Geröllhalden entgegen. Auch kann ein Männchen kaum eine Gruppe von Weibchen gegen Nebenbuhler verteidigen, da diese ja wegen ihrer gegenseitigen Feindschaften im Gelände verstreut leben.

Ihren Nachwuchs behandeln Pikas im allgemeinen so wie den andersgeschlechtlichen Nachbarn. Die Jungen erfahren Aggressionen, aber auch viel freundschaftliche Zuneigung. So können die meisten Jungtiere ihren ersten Sommer, in dem sie ja schon selbständig sind, im Gebiet ihrer Eltern verbringen. Diese treiben also eine ganz deutliche Brutfürsorge. Wenn aber die Jungpikas versuchen, andernorts ein Revier zu besetzen, beginnt für sie das Lotteriespiel; ihre Aussichten sind gering. Deshalb verbleiben vielfach die Jungtiere nahe dem elterlichen Wohngebiet. Diese geringe Zerstreuung der Familienmitglieder könnte übrigens ein Grund für die geringe genetische Variabilität (Abänderung der Erbanlagen) der Pikas sein, da es wohl häufig zu Verpaarungen verwandter Tiere kommen mag. Insgesamt dürften aber die enge Beziehung der Paarpartner sowie die enge Verwandtschaft aller Nachbarn eine Folge der Entwicklung zusammenwirkender Verhaltensmuster sein. So können einmal die Angriffe gegen Eindringlinge ein Bestandteil der elterlichen Fürsorge sein. Denn wenn Revierbesitzer erfolgreich die Neuankömmlinge vertreiben, sichern sie das Gelände für die Besiedlung durch den eigenen Nachwuchs. Zweitens, und damit kehren wir zu unserem Beispiel zurück, dienten die Alarmrufe aller Tiere beider Geschlechter der Warnung der eigenen Sippe. Einzig der sippenfremde Eindringling blieb stumm. Aber er hat dann unangefochten das Revier des geschlagenen Artgenossen besetzt, den halbfertigen Heuhaufen übernommen und den Zugang zum benachbarten Weibchen gefunden.

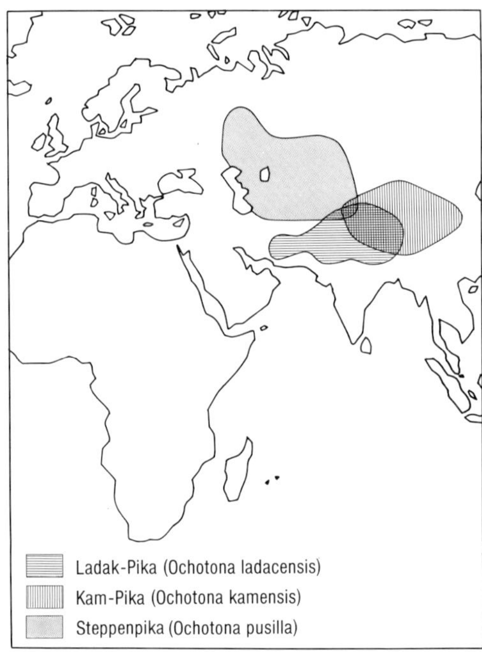

Rechts: Sieben Vertreter der Familie Ochotonidae. - Oben: Steppenpfeifhase. - Mittlere Reihe von links: Nördlicher Pika, Altai-Pfeifhase, Afghanischer Pika. - Untere Reihe von links: Royles Pika, Roter Pfeifhase, Daurischer Pika.

Gegenüberliegende Seite: Nur die Vertreter einer einzigen Säugetier-Ordnung - von den Seekühen abgesehen - sind wirkliche Wasserwesen: die Waltiere. Hier ein zur Familie der Gründelwale zählender Weißwal.

WALTIERE

Kategorie
ORDNUNG

Systematische Einteilung: Ordnung der Säugetiere mit 2 Unterordnungen, die je nach Autor in 8–11 Familien mit 38 Gattungen und insgesamt rund 90 Arten eingeteilt werden. Die Systematik der heute lebenden Waltiere ist umstritten. In einigen Einzelheiten weicht auch die Darstellung von Wolfgang Gewalt von der Einteilung ab, die Erich Thenius erarbeitet hat und die zur Verdeutlichung der Problematik hier in ihren Grundzügen wiedergegeben wird:

UNTERORDNUNG ZAHNWALE
(Odontoceti)

Überfamilie Flußdelphinartige (Platanistoidea)
Familie Gangesdelphine (Platanistidae)
Familie Inias (Iniidae)
Familie Flußdelphine (Pontoporiidae = »Stenodelphinidae«)

Überfamilie Pottwalartige (Physeteroidea)
Familie Pottwale (Physeteridae)
Familie Schnabelwale (Ziphiidae)

Überfamilie Delphinartige (Delphinoidea)
Familie Schweinswale (Phocoenidae)
Familie Delphine (Delphinidae)
Unterfamilie Langschnabeldelphine (Steninae)
Unterfamilie Glattdelphine (Lissodelphinae)

UNTERORDNUNG BARTENWALE
(Mystacoceti = Mysticeti)

Familie Glattwale (Balaenidae)
Familie Grauwale (Eschrichtidae)
Familie Furchenwale (Balaenopteridae)

ZAHNWALE
(32 Gattungen mit etwa 80 Arten)

Kopfrumpflänge: 1,30–20 m
Gewicht: 30 kg–40 t
Auffällige Merkmale: Meist schlanker, spindel- oder torpedoförmiger Körper (»Delphintyp«); Männchen größer als Weibchen; unsymmetrischer Schädel; Nasenöffnungen zu einheitlichem Blasloch verschmolzen; Nasengang durch Luftsäcke und -höhlen erweitert; bei langschnäbligen Delphinen über 200 gleichförmige Zähne mit einfacher Wurzel, bei weichtieressenden Schnabelwalen 2–4 messerartig flache »Hauer« im Unterkiefer, beim (männlichen) Narwal 1 spiralig gewundener langer Stoßzahn im Unterkiefer; großes, leistungsfähiges Gehirn zur Auswertung der hochentwickelten Ultraschallpeilung; schnabelförmige Verlängerung des Kehlkopfs als Schutz vor Verschlucken und Druckschwankungen.
Fortpflanzung: Tragzeit, soweit bekannt, etwa 10–16 Monate; 1 Junges je Geburt; Geburtsgewichte selten bekannt, bei kleinen Arten etwa 10–20 kg, beim Pottwal um 1000 kg.
Lebensablauf: Im einzelnen wenig erforscht; Entwöhnung mit 7–24 Monaten; Geschlechtsreife anscheinend frühestens mit etwa 3 Jahren; Lebensdauer im Schnitt wohl 20–25 Jahre, Pottwal 50 oder mehr Jahre.
Nahrung: Hauptsächlich Fische und Tintenfische.
Lebensweise und Lebensraum: Einzeln, paarweise, in kleinen Gruppen oder in großen Schulen; überwiegend Hochseebewohner, einige Arten in Küstengewässern, im Brackwasser oder sogar im Süßwasser von Flüssen.

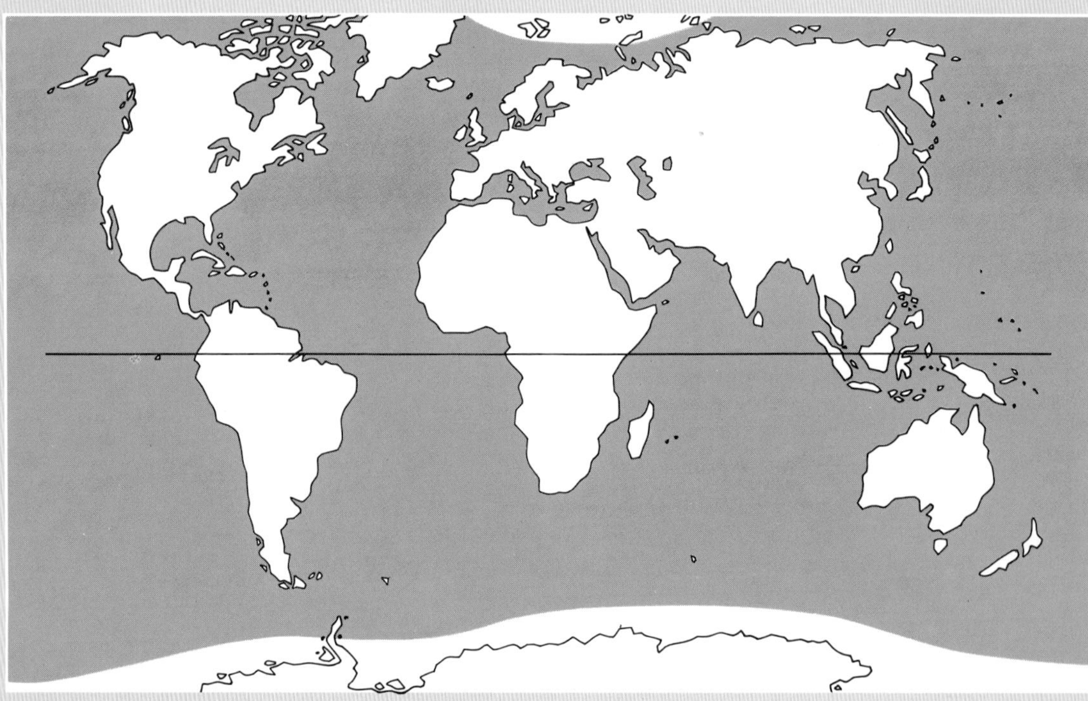

Cetacea WISSENSCHAFTLICH
Cetaceans, Whales and Dolphins ENGLISCH
Cétacés FRANZÖSISCH

BARTENWALE (6 Gattungen mit 10 Arten)

Kopfrumpflänge: 5–35 m
Gewicht: 4,5–135 t
Auffällige Merkmale: Große bis riesige Wale; mächtiger Kopf mit geräumiger Mundhöhle; im Oberkiefer zwei Reihen langer, dichtstehender Barten zum Ausseihen von Kleinlebewesen aus dem Meerwasser; symmetrischer Schädel mit verhältnismäßig kleinem Hirnraum und getrennten Blas- bzw. Nasenlöchern; Rückenfinne klein oder fehlend; schlanke Schnellschwimmer (Furchenwale bis 50 km/h) neben behäbigen Glattwalen (bis 11 km/h); Sonderfälle sind der spring- und lautfreudige Buckelwal und der am Boden »baggernde« Grauwal.
Fortpflanzung: Tragzeit 10–12 Monate; 1 Junges je Geburt; Geburtsgewicht, soweit bekannt, 450–6500 kg.
Lebensablauf: Entwöhnung mit 5–12 Monaten; Geschlechtsreife, soweit bekannt, mit 6–13 Jahren; Lebensdauer über 30, Finnwal möglicherweise bis 100 Jahre.
Nahrung: Hauptsächlich Krill, je nach Art auch Fische, Tintenfische, Quallen, Krebse usw.
Lebensweise und Lebensraum: Nicht sehr gesellig; je nach Art einzeln, paarweise, in Familiengruppen, mitunter auch in größeren Verbänden; vielfach regelmäßige Wanderungen zwischen nahrungsreichen kalten Meeresgebieten und warmen Paarungs- und Kalbegründen; Hochseebewohner, manche Arten jedoch zeitweise auch in Küstennähe.

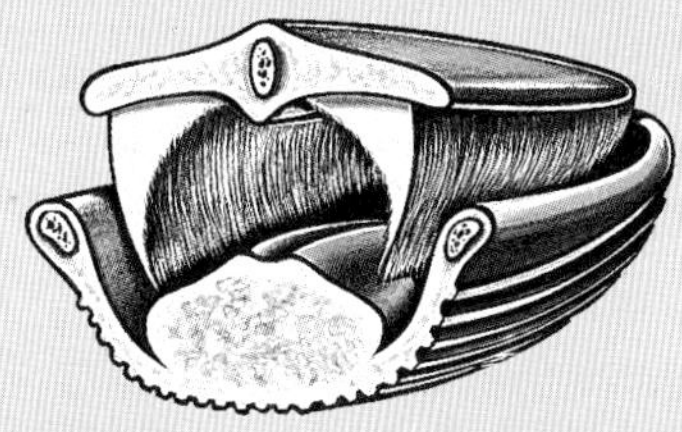

Kieferapparat eines Bartenwals
Räumliche Darstellung des Kieferapparates der Bartenwale am Querschnitt schräg von hinten gesehen. Embryonal sind bei den Bartenwalen noch Zahnanlagen vorhanden, die aber vollständig zurückgebildet werden. Statt dessen trägt der Oberkiefer Hunderte von sogenannten Barten. Es sind große, biegsame, an der Innenseite ausgefranste Hornplatten. Sie werden beim Schließen des Mundes in den Raum zwischen der wulstigen Zunge und den breiten Unterkiefern eingesenkt, und das Wasser aus der Mundhöhle wird durch die Bartenlücken nach außen ausgepreßt. Somit dienen die Barten als Siebeinrichtung zum Abfiltrieren der aus kleinem »Krill« bestehenden Planktonnahrung.

Umkonstruktionen des Walkopfes
Die wichtigsten Umkonstruktionen des ursprünglichen Landsäugerkopfes zum Walkopf betreffen die Trennung der Luft- und Speisewege. Die Nasenöffnung verschiebt sich von der Schnauzenspitze zum Scheitelpol des Kopfes. Der Kehlkopf wird nach oben in den Nasengang durchgedrückt. Somit führt der Speiseweg an dem Luftweg vorbei, was eine ungehinderte Aufnahme der Nahrung im Wasser ermöglicht. Der schwache Punkt der anatomischen Konstruktion der Landsäuger, die Kreuzung der Luft- und Speisewege im Rachen, wird damit beseitigt. Durch die Verlagerung der Nase ändert sich auch die Lage des Hirnschädels. Das Gehirn verformt sich, wird kürzer und höher, seine Längsachse dreht von der Waagerechten in die Senkrechte.

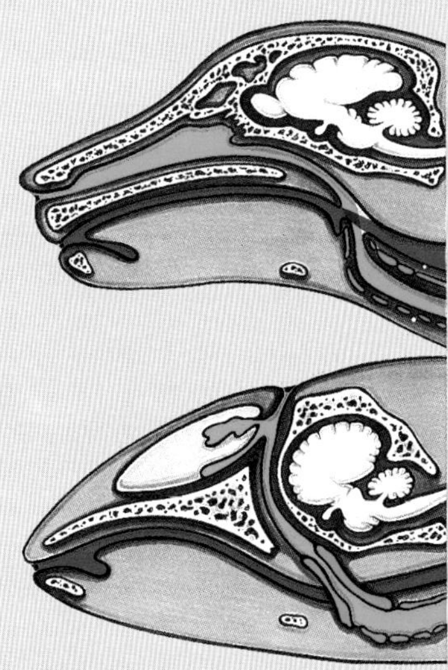

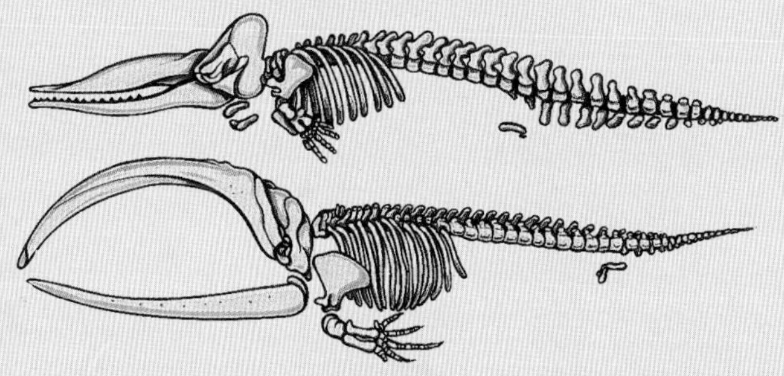

Skelett
Im Skelettbild der Wale überrascht zunächst der überproportional große Schädel, der bis zu einem Drittel der Gesamtlänge betragen kann. Den größten Teil davon nimmt das Kieferskelett ein, bei den Zahnwalen gerade, bei einigen Bartenwalen stark gebogen mit ausgedehntem Raum für die hohen Barten. Die Halswirbelsäule ist stark verkürzt, die Halswirbel sind bei vielen Arten miteinander verschmolzen. Die Vordergliedmaßen sind zu Flossen umgewandelt, die Hintergliedmaßen bis auf kleine bedeutungslose Skelettstücke vollständig zurückgebildet. Die waagerecht liegende Schwanzflosse ist eine bindegewebige Neubildung und besitzt keine Skelettgrundlage. Im Bild oben der Pottwal (Zahnwale) und unten der Grönlandwal (Bartenwale).

WALTIERE

Einleitung
von Wolfgang Gewalt

Vollendete Anpassung ans Wasserleben

Nachdem einst der Urbeginn allen Lebens dem Wasser entsproß, treten uns die heutigen Säugetiere – luftatmende, behaarte, bodengebundene Vierfüßer – als typische Festlandbewohner entgegen. Sofern sie ein zweites Mal (»sekundär«) zum oder ins Wasser zurückkehrten, blieb dies auf Einzelformen oder -gruppen beschränkt, für welche das feuchte Element zudem nicht mehr Daueraufenthalt, sondern nur noch Bereich der Nahrungssuche oder Ruheversteck ist. Ihre Anpassungen an eine schwimmende, tauchende Lebensweise – Schwimmhäute zwischen den Zehen, Verschließbarkeit der Nüstern, Abflachung des Schwanzes usw. – sind daher nicht so tiefgreifend, daß Biber und Wasserspitzmaus, Fischotter und sogar Robben nicht weiterhin als vierfüßige Landsäuger erkennbar wären. Von den eigenartigen Seekühen abgesehen, sind nur die Vertreter einer einzigen Säugerordnung wirkliche Wasserwesen geworden, die Waltiere; diese allerdings derart vollkommen, daß die irrige Bezeichnung »Walfisch« noch immer gebräuchlich und es für viele Menschen schwer vorstellbar ist, daß der durch die Wogen schnellende Delphin, der aus düsterer Meerestiefe auftauchende Wal einstmals – vor über 200 Millionen Jahren zwar – landbewohnende Vierbeiner zu Vorfahren hatten.
Verständlich also, daß der griechische Philosoph und Naturforscher Aristoteles die Wale um 350 v.Chr. bei den Fischen einordnete, obwohl ihm keineswegs verborgen geblieben war, daß sie statt Kiemen Lungen besitzen und ihre Jungen mit Milch säugen, ja daß sie sogar Reste einer Behaarung erkennen lassen. Erst 1693 hat John Ray die Wale endlich den Säugetieren zugegliedert, bei Linné (1758) findet ihre Unterteilung in Zahnwale und Bartenwale statt. Beide Gruppen zusammen bilden die Ordnung Waltiere (Cetacea). Da die stammesgeschichtliche Verwandtschaft zwischen zahn- und bartentragenden Walen weniger eng zu sein scheint als bisher angenommen, wird man sie künftig möglicherweise in zwei getrennte Ordnungen stellen.
Wie bei unserem größten heimischen Süßwasserfisch, dem Wels oder Waller, hängt der Name Wal mit »wälzen« zusammen, mit der rollend-gleitenden Bewegung von Schwergewichtigem aus der Wassertiefe. Alles, was einen Wal ausmacht, wird durch den Lebensraum Wasser bestimmt, alle Besonderheiten seines äußeren und inneren Baus sind Anpassungen an das nasse Element, an Bewegung, Ernährung und Fortpflanzung im Meer (oder Fluß).
Spindel- oder torpedoartige Stromlinienform ist für zügiges Durchgleiten des Wassers am geeignetsten. Außer bei den Fischen entwickelte sie sich daher auch bei Mitgliedern anderer Wirbeltierklassen, wenn diese länger das Festland verließen, unter den Kriechtieren zum Beispiel beim ausgestorbenen *Ichthyosaurus*, unter den Vögeln bei den Pinguinen, unter den Säugetieren höchstvollkommen bei den Walen. »Fugenlos« oder mit nur angedeutetem Halsabschnitt geht ihr keil- oder rundkegelförmiger Kopf in den Rumpf über. Während Fische in ihrer Figur oft abgeplattet (Flunder) oder seitlich zusammengedrückt (Brassen) erscheinen, ist der Körperquerschnitt der Wale mehr oder weniger rund. Störende Vorsprünge wie etwa Ohrmuscheln fehlen, die Haut – von Sonderfällen wie zum Beispiel den »Knubbeln« des Buckelwals oder dem nachträglichen Bewuchs durch verschiedene Meereslebewesen abgesehen – ist glatt und haarlos. Nur im Bereich des Kopfes, zumal der Kiefer, können einzelne Haare oder Haarreste stehen, die wohl als Tastorgane dienen, also den Schnurrhaaren von Hund oder Katze entsprechen. Wichtiger ist der nur unter dem Mikroskop erkennbare Feinaufbau der Oberhaut, welcher den Reibungswiderstand entscheidend herabsetzt und Schwimmleistung und -geschwindigkeit vieler Arten erst erklärlich macht.
Die Antriebskraft für die Fortbewegung wird ausschließlich vom Schwanz erzeugt, das heißt von den längs des Hinterkörpers oder »Schwanzstieles« verlaufenden Muskelzügen, welche die waagerecht ange-

setzte Schwanzflosse oder »Fluke« auf- und abbewegen. Obwohl diese Fluke bei Pott- und Bartenwalen fast bis zur Spannweite eines Kleinflugzeugs auslädt, handelt es sich um eine reine Bindegewebsbildung, die mit einfachen Messerschnitten von der Mittelachse getrennt werden könnte. Die lediglich Stabilisierungs- und Steuerungsaufgaben erfüllenden »Flipper« oder Brustflossen werden dagegen durch das ihrer Paddelform angepaßte Arm-Hand-Skelett gestützt – sie stellen ja die »ehemaligen« Vorderbeine dar. Beim Walkeimling werden Vorder- und Hintergliedmaßen zunächst noch als normale Säugetierbeine angelegt, die vorderen beginnen sich jedoch alsbald zu Flossen abzuplatten, während die hinteren frühzeitig und vollständig verschwinden. Anders als die allen Walen eigene Zweizipfel-Fischschwanzform der Fluke (Fischschwänze stehen allerdings nicht waagerecht, sondern senkrecht und werden durch knöcherne Flossenstrahlen ausgesteift) kann der Flipperumriß recht vielgestaltig sein: schmal sichelförmig bei schnellen Hochseesprintern, paddelartig rund bei Bodengründlern, zu fünf Meter langen Bändern ausgezogen beim Buckelwal, der sich damit womöglich seine Nahrung »herbeiwedelt«. Für die Vorwärtsbewegung des Schwimmens spielen die Flipper grundsätzlich keine Rolle.

Während die Durchschnittsgeschwindigkeit von Glatt- und Grauwalen nur etwa 3,5 bis 5,5 Stundenkilometer, für kurze Spitzenzeiten höchstens 11 Stundenkilometer beträgt, erreichen Furchenwale und zumal Delphine erstaunliche Werte. Der größte Zahnwal, der Pottwal, schwimmt Langstrecken mit 18 km/h, Kurzstrecken mit 37 km/h. Die riesigen Furchenwale beschleunigen ihre mehr als 100 Tonnen auf 25 km/h Reisedurchschnitt und 50 km/h Spitze, ähnliche und noch höhere Leistungen vollbringen viele Delphine. Das ist vor allem deshalb erstaunlich, weil bei gleicher Bauart größere Tiere (und größere Fahrzeuge) allgemein schneller sind als kleine. Da aber gerade für Delphine besonders zahlreiche und genaue Messungen vorliegen, weil diese Tiere im Spiel gern mit schnellen Fahrgastschiffen Schritt halten, stehen die Stoppuhrwerte außer Zweifel und bedürfen also einer anderen Erklärung: der schon erwähnten Herabsetzung des Reibungswiderstandes zwischen Delphinhaut und Wasser.

Jedem Schiffsbauingenieur ist geläufig, daß Bewegungen eines Körpers in Flüssigkeit Wirbel erzeugen, die Bremswirkung haben und trotz elegantester Stromlinienform nie ganz ausbleiben. Daher war aufgefallen, daß Wale fast ohne »Kielwasser« (= Wirbel) dahin-

Der Wal mit den längsten »Armen« ist der Buckelwal. Bis zu fünf Meter lang können seine bandförmigen Vorderflossen oder Flipper werden. Sie dienen jedoch nicht zum »Vorwärtsrudern«, sondern nur zum Steuern und Stabilisieren der Schwimmbewegungen, vielleicht überdies zum Herbeiwedeln der Nahrung.

Bartenwal oder Zahnwal? Die Unterscheidung dieser beiden großen Waltiergruppen ist einfach, wenn man den Tieren »ins Maul schaut«. Beim Südkaper (oben) hängen lange, elastische schmale Hornplatten - eben die Barten - wie Fransenvorhänge auf beiden Seiten des Riesenmundes vom Gaumendach herab. Ein Bartenwal braucht nur einen kräftigen Schluck »Krillsuppe« zu nehmen, den Mund zuzumachen, das überflüssige Wasser durch die Hornkämme und Lippen hindurch herauszupressen und den zurückbleibenden Nahrungsbrei abzuschlucken. Die Zahnwale - z. B. der Schwertwal (unten) - besitzen dagegen wie die meisten Säugetiere aus Knochensubstanz bestehende Zähne zum Fang größerer Beutetiere.

ziehen und zudem schneller sind, als Größe der Antriebsfläche (=Fluke) und -leistung (Schwanzmuskulatur) errechnen ließ. Die für Biologie und Technik gleichermaßen fesselnde Entdeckung, daß hier Körper samt der von ihnen durchteilten oder mitgeschleppten Wasserschichten in offenbar störungsfreier »Laminarströmung« aneinander vorbeigleiten, hat eine Fülle von Untersuchungen (und Theorien) auf den Plan gerufen; sie alle ergaben, daß das Äußere eines Wals nicht einfach nur »glatt« ist.
An manchen Delphinen läßt sich zum Beispiel schon mit bloßem Auge ein feines Rillenmuster der Oberhaut erkennen, dessen Form und Richtung nach strömungstechnischen Erfordernissen veränderbar zu sein scheint. Mikroskopische Schnitte der – meist mehr oder weniger quer zur Schwimmrichtung verlaufenden – Rillenpartien zeigen eine Fülle von bis dicht unter die Oberfläche reichenden, kuppelförmigen Blutgefäßen, die blitzschnell zusammengezogen oder erweitert werden können; dies könnte dazu dienen, rasch und örtlich begrenzt Wärme sowie Volumenveränderungen zu erzeugen, was zwar nur Bruchteile von Zehntelmillimetern und -graden ausmachen, aber unter Umständen genügen würde, mögliche Wirbelbildungen schon im Ansatz auszuschalten. Wohl nicht zufällig finden sich die winzigen Gebilde gehäuft an jenen Körperstellen, an welchen geschwindigkeitshemmende Wirbelbildungen am ehesten aufzutreten drohen, nämlich am Hinterkörper, auf der Innenseite der Flipper und an der Fluke. Ergebnisse anderer Untersuchungen entsprachen dagegen eher dem Patent von Max O. Kramer, störende Wirbelbildungen dadurch abzustellen, daß man die betreffende Grenzfläche mit einem »Stoppelfeld« kurzer Drahtenden überzieht. Unter dem Mikroskop entdeckte man an Delphinhautquerschnitten zwar keine Drahtenden, aber ein Gewirr winziger wassergefüllter Röhrchen, das eine federnde Schwammschicht auf der eigentlichen Haut bildet, zu vier Fünfteln aus Wasser besteht und durch Ein- oder Auswärtswölben auf geringste äußere Druckschwankungen (=beginnende Turbulenzen) reagieren kann. Kramer hat aus Kautschukmembranen und -netzen eine Art »künstliche Walhaut« gebastelt, sie einem Holzmodell übergezogen und im Strömungskanal festgestellt, daß die sonst durch Wirbelbildungen entstehenden Bremsverluste nun um über 50% (!) verringert waren.

Die einfachste Erklärung der Reibungsminderung am »Außen-Wal« stammt von J. Harrison und besagt, daß an der Hautoberfläche ständig lebhafte Zellbildung stattfindet; die laufend nachwachsende und in Abrieb befindliche Oberschicht bildet eine Art »Schmiermittel« zwischen Wal und Wasser und erklärt auch, weshalb schwarze Arten ein wenig »abfärben«, wenn man kräftig an ihnen reibt. Unter der Oberhaut liegt eine meist wenig entwickelte Lederhaut, der sich die bei Großwalen bis zu 70 Zentimeter starke Speckschicht anschließt.
Schwierigkeiten anderer Art gilt es hinsichtlich der Atmung zu überwinden, wenn ein Landsäugetier Wasserbewohner wird. Während die »von vornherein« für das nasse Element bestimmten Fische diesem den lebensnotwendigen Sauerstoff unmittelbar mit ihren Kiemen entnehmen, sind Wale Lungenatmer wie wir, welche Luft schnappen, also für jeden Atemzug an die Meeresoberfläche kommen müssen. Um trotzdem auch auf diesem Gebiet mit den Fischen mitzuhalten, wurde eine Fülle interessanter Anpassungen entwickelt: die beim Walkeimling noch nach üblicher Säugerart an der Schnauzenspitze gelegenen Nasenöffnungen verlagern sich rückwärts zur Scheitelmitte, zu jenem Punkt also, der beim Auftauchen als erster über Wasser erscheint und der als einziger über Wasser bleibt, wenn sich der ruhende Wal reglos treiben läßt. Sie werden durch ein beweglich-muskulöses Verschlußpolster abgedichtet und sind bei den Zahnwalen zu einem einheitlichen Blasloch verschmolzen. Die manchmal benutzte Bezeichnung »Spritzloch« ist falsch und irreführend, trotz zahlloser Gemälde und Zeichnungen, auf denen dort eine Art Springbrunnen hervorsprüht. Wale verspritzen keine Wasserstrahlen,

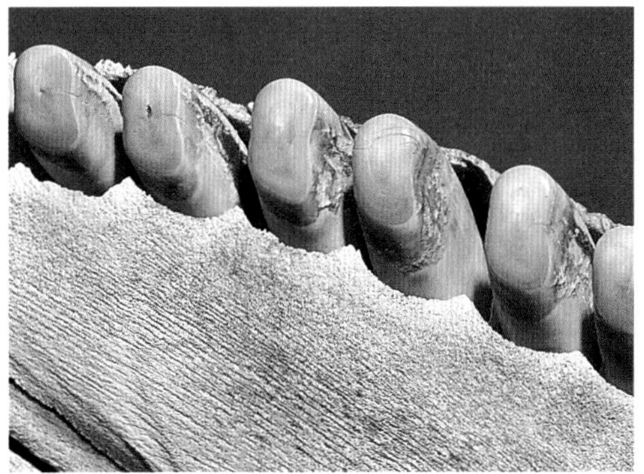

Mit ihren kräftigen Zähnen vermögen die Zahnwale vor allem Fische und Tintenfische zu packen.

▷ Besonders elegant wirkt der Bartenkamm im spitzen, schnittigen Kopf des Zwergwals, der trotz seines deutschen Namens eine Länge von zehn Metern erreichen kann.

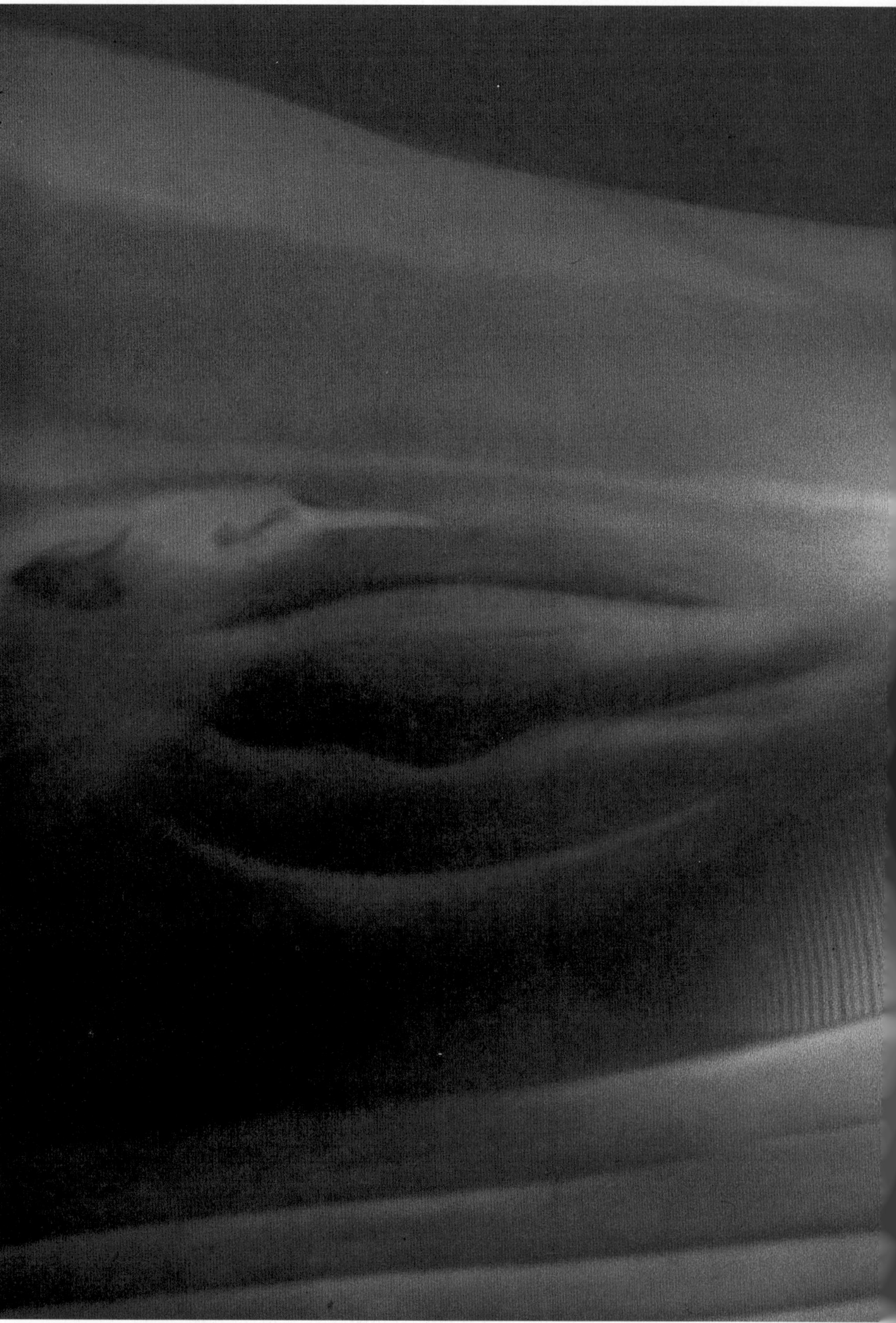

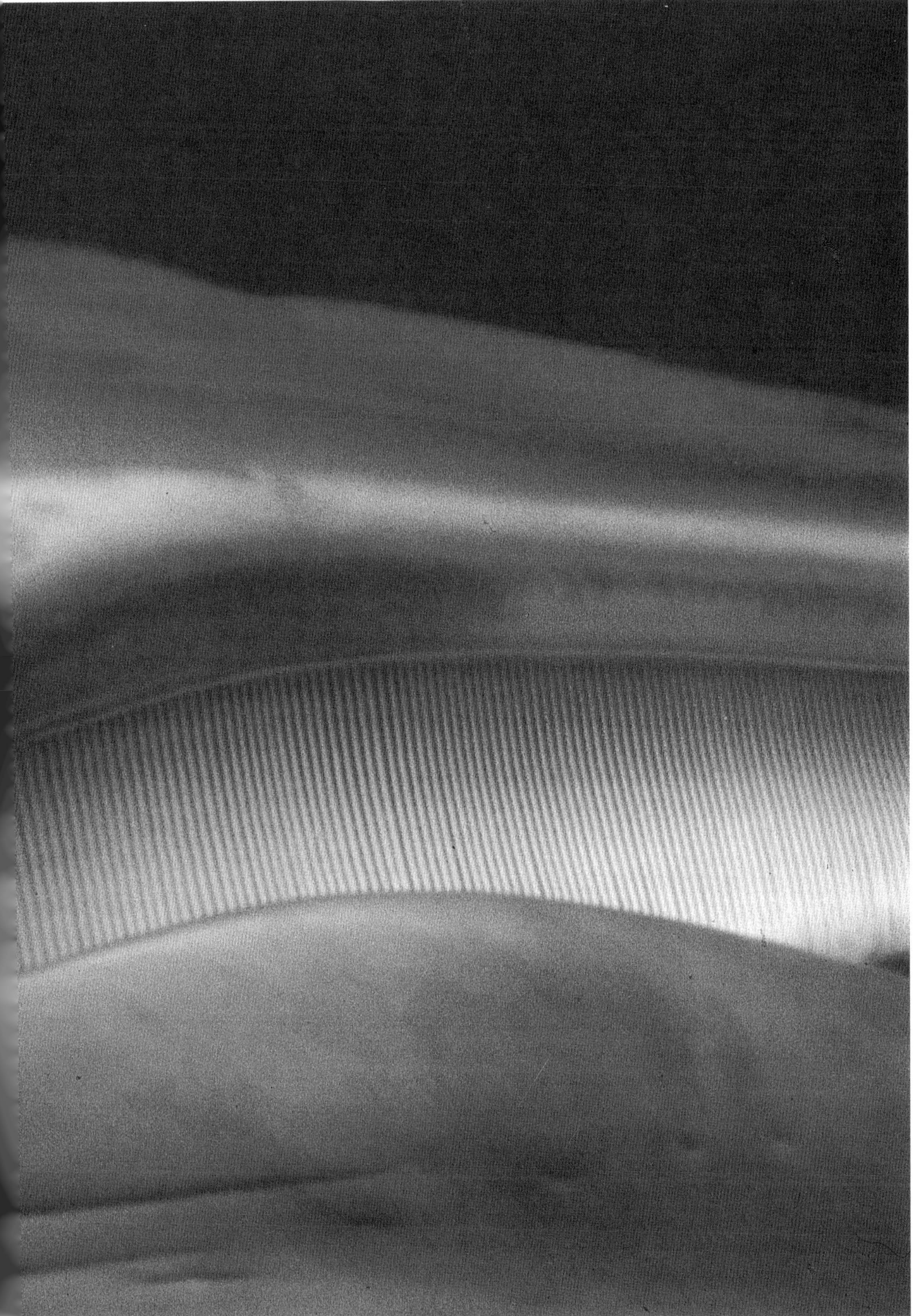

sondern blasen verbrauchte Luft aus, um danach wieder Frischluft einzuatmen. Freilich gilt es bei Großwalen, innerhalb kurzer Auftauchsekunden mehrere Kubikmeter Gas zu wechseln, die alte Lungenfüllung muß daher unter hohem Druck durch die vergleichsweise engen Blaslöcher hinausgestoßen werden. Im Freien dehnt sie sich – nun druckentlastet und abgekühlt – rasch wieder aus, wobei die im Atem enthaltene Feuchtigkeit zu einem sprayartigen Tröpfchennebel kondensiert, dem »Blåst« oder »Blas«. Statt plätschernder Fontänen wird also eine weiße Dampfwolke sichtbar, gleichgültig, ob der Wal aus dem Eismeer oder vor der Küste Brasiliens emportaucht. Das Blasgeräusch entspricht dem Ventilzischen einer Oldtimer-Lok, während die Form des Blåst dem Kenner schon aus der Ferne verrät, welche Art er vor sich hat: Die Doppelwolke der Glattwale schießt bis zu acht Meter in die Höhe, Furchenwale erzeugen einheitlich birnenförmigen Blas von vier bis sechs Metern. Der Dampfstrahl des Pottwales ist schräg nach vorn gerichtet und kann noch über den Wellen schweben, während das 40-Tonnen-Tier schon wieder auf Tiefenkurs geht – natürlich nicht, ohne zuvor die gleiche Menge Frischluft eingeatmet zu haben, durch die gleichen Blasloch-engen und mit gleicher Rasanz. Bei einem »eiligen« Wal dauert der Gesamtvorgang solchen Atemwechsels nur ein bis zwei Sekunden, was sowohl wegen der bewegten Gasmengen als auch wegen der Vollständigkeit des Vorgangs beachtlich ist. Während Landsäugetiere und wir Menschen je Atemzug nur 10 bis 15% der in der Lunge vorhandenen Luftmenge austauschen, sind es bei Walen bis zu 90%; auch vermögen wir der eingeatmeten Luft höchstens 5 bis 6% ihres Sauerstoffgehaltes zu entziehen, Wale dagegen 10%. Menschen müssen daher je Minute etwa fünfzehnmal Atem holen, ein gleich großer Delphin nur zweimal. Am bedeutsamsten bestimmen Atemtechnik, Lungenleistung und Sauerstoffhaushalt den Vorgang des Tauchens, dem von jeher das besondere Interesse der Walforschung galt. Wenn schon die Leistungen beim normalen Geradeausschwimmen Bewunderung verdienen, erscheinen die Tauchrekorde in senkrechter Richtung als geradezu märchenhaft; manche Einzelheiten der sich dabei abspielenden Körpervorgänge sind bis heute nicht restlos geklärt.

Oft hängt es vom Nahrungsvorkommen ab, welche Wassertiefe ein Wal oder Delphin ansteuert. Für das Erbeuten vieler Fischarten und oft auch des Krills genügen in der Regel die obersten 10 bis 50 Meter, so daß man jagende oder seihende Wale in kurzen, regelmäßigen Abständen Luft holen sieht. Wo bestimmte Tiefseetiere nur nachts in höhere Schichten aufsteigen, passen manche Delphine ihre Nahrungsaufnahme diesem Rhythmus an, statt etwa unter unnötigem Energieverbrauch selber hinabzuschwimmen. Tauchtiefen von 350 Metern und mehr bedeuten jedoch für Tümmler und Furchenwale keine Schwierigkeit, und als wahre »Rekordhalter« sind vor allem Entenwal und Pottwal berühmt geworden. Schon bei Furchenwalen wurden mitunter Tauchzeiten von 40 Minuten gemessen, während sie beim normalen Schwimmen etwa alle ein bis zwei Minuten aus- und einatmen; Pottwale aber bleiben gelegentlich anderthalb Stunden unter Wasser, ein – allerdings har-

Die stromlinienförmige Fischgestalt der Delphine verleitet viele Menschen dazu, diese Meeressäuger für Fische zu halten, womöglich gar für Haifische. Der Unterschied ist jedoch an einem auffälligen Merkmal sofort zu erkennen: Fische haben eine senkrechte, Delphine und alle anderen Waltiere dagegen eine waagerechte Schwanzflosse.

punierter – Entenwal in einem Einzelfall sogar volle zwei Stunden! Welche gewaltigen Tiefen dabei erreicht werden, wurde auf eine jeden Zweifel ausschließende Weise bekannt, nämlich dadurch, daß sich Pottwale in am Meeresgrund liegenden Telegrafen- oder Fernsprechkabeln verwickeln und ertrinken. Offenbar bilden die auf dem ansonsten »kahlen« Sandboden ruhenden Kabel durch den Bewuchs mit allerlei Seelebewesen einen Anziehungspunkt für Kraken und andere größere Tiere, welche wiederum den Pottwal anlocken. Mehrmals fanden sich solche Unfallstellen in etwa 1000 Meter Tiefe, das heißt in absolut schwarzer, kalter Finsternis, in der ein Druck von über 100 Atmosphären (= 101 Kilogramm auf 1 Quadratzentimeter Waloberfläche) auf den Tieren lastet! Mittels moderner Meßverfahren konnte ein Pottwal bis zur Tiefe von 2250 Metern geortet werden, der

Fund von Resten bestimmter Grundhaie im Pottwalmagen läßt vermuten, daß die Riesen sogar 3000 Meter weit hinuntergehen. Fast noch erstaunlicher als die Tiefe selbst ist die Geschwindigkeit, mit welcher sie erreicht wird. Beim Abtauchen beträgt sie 7 bis 8, beim Auftauchen 9 Kilometer je Stunde, so daß bei 1000 Meter Wasserstand für eine »Runde« kaum 15 Minuten benötigt werden. Da die Luft- bzw. Sauerstoffvorräte des Pottwals für das Vier- bis Sechsfache dieser Zeit ausreichen, kann er drunten der Nahrungssuche ohne Hast nachgehen; vermutlich lauert er seiner Beute – Riesenkraken der Gattung *Architeutis* – in Bodennähe mehr oder weniger regungslos auf, denn in den meisten Beobachtungsfällen taucht er in nur geringer Entfernung von jener Stelle wieder auf, wo er eine oder anderthalb Stunden zuvor verschwunden ist. Daß der Atemausstoß des Blåst nach langem Tieftauchen besonders heftig, ja geradezu »explosionsartig« erfolgt, ist verständlich und schon den alten Walfängern aufgefallen.

Was nun befähigt das Säugetier Wal zu derartigen Leistungen? Diese Frage stellt sich zumal beim Vergleich mit dem Menschen, der selbst nach langem Training nur einen kümmerlichen Bruchteil walüblicher Unterwasserzeiten und -tiefen erreicht und dazu ständig von der sogenannten Taucherkrankheit und anderen Schwierigkeiten bedroht wird. Die Taucherkrankheit entsteht dadurch, daß unter dem in größerer Wassertiefe herrschenden Druck immer mehr von der in der Lunge mitgeführten Luft ins Blut übertritt. Steigt der Mensch zu rasch wieder zur Oberfläche empor, das heißt läßt der Wasserdruck zu rasch nach, bleibt der im Blut aufgelösten Luft – vor allem ihrem Stickstoffanteil – nicht genügend Zeit, wieder schrittweise in gasförmigen Zustand und in die Lungen zurückzukehren; wie beim plötzlichen Öffnen einer Sektflasche bildet sie vielmehr eine Fülle von Bläschen, welche die Gefäße verstopfen und tödliche Embolien hervorrufen können. Die Wale sind hiergegen unter anderem dadurch geschützt, daß sie insgesamt verhältnismäßig wenig Luft mit nach unten nehmen; gerade die tieftauchenden Arten besitzen nur überraschend kleine Lungen von geringem Fassungsvermögen. Da die kompakte, wasserreiche Körpermasse

Die Nase ist bei den Walen zu einem Blasloch oder Blaslochpaar umgewandelt, durch welche die mächtigen Lungenatmer beim Auftauchen verbrauchte Luft ausstoßen und frische einsaugen. Man beachte die Reste ursprünglicher Behaarung (ein Säugetiermerkmal) und die Bewuchskrusten auf dem Kopf dieses Südkapers.

▷ Ein Grauwal hebt seine kraftvolle Schwanzflosse waagerecht aus dem Wasser. Sie ist das »Antriebsorgan« der Wale und wird auch Fluke genannt.

selbst durch ungeheuren Tiefendruck kaum zusammenzupressen ist, bilden allein die luftgefüllten Lungen eine Gefahr; diese ist um so kleiner, je kleiner deren Inhalt ist. An sich würde man bei Säugetieren, welche anderthalb Stunden unter Wasser bleiben, gerade das Gegenteil – nämlich besonders große Lungen – erwarten, doch die Natur hat andere Wege gefunden: Lungen sind in Wirklichkeit nicht der einzige Sauerstoffspeicher.

Bei uns Menschen enthalten die Lungen 34 % des Sauerstoffvorrates, 41 % befinden sich – an den Farbstoff Hämoglobin gebunden – im Blut, der Rest in Muskeln und Gewebe. Bei den Walen dagegen entfallen nur 9 % auf die Lungen, ebensoviel auf Gewebe, 41 % wie bei uns auf das Blut und weitere 41 % auf die Muskeln oder den Muskelfarbstoff Myoglobin; er verleiht dem Walfleisch seine typische dunkelbraunrote Farbe und trägt entscheidend dazu bei, daß ein Großteil des lebenswichtigen Sauerstoffvorrates »drucksicher« oder tiefenunabhängig untergebracht ist. Darüber hinaus sind zusätzliche Sparverfahren vielfältigster Art entwickelt: Wie bei anderen tauchenden Säugern und Vögeln verlangsamt sich der Herzschlag unter Wasser erheblich; nicht lebenswichtige Körperteile können vorübergehend vom Blutkreislauf »abgeklemmt« werden; Blutdrucküberschuß- oder -ausgleichsmengen werden im Adergeflecht sogenannter »Wundernetze« aufbewahrt; Luft aus druckgefährdeten Lungen wird in die knorpelverstärkten Bronchien rückgestaut; der Atemholreflex erfolgt erst unter viel höherer Kohlendioxyd-Konzentration als beim Landtier; zahlreiche Vorgänge des Muskelstoffwechsels laufen ohne Sauerstoffverbrauch ab usw. Alle diese Anpassungen zusammen bewirken, daß Riesensäuger stundenlang kilometertief am Meeresgrund weilen, aber auch raketengleich über die Wellen schießen können, während »wassergeborene« Fische mitunter schon in Lebensgefahr geraten, wenn sie unser Netz nur um 100 Schichtenmeter versetzt.

Der »Blas« oder »Blåst« eines Grauwals. Die verbrauchte Atemluft der Meeresriesen kondensiert an der kalten Außenluft zu einer mächtigen, mehrere Meter hohen Wolke.

Für jeden Meeresaufenthalt eines Warmblüters wichtig ist schließlich noch geeigneter Kälteschutz, denn das Wasser leitet Körperwärme sehr viel rascher ab als Luft. Während Pinguine, Enten oder andere Schwimmvögel hierfür ein wasserabstoßendes, mit Luftzwischenräumen versehenes Federkleid besitzen, wurde bei den Walen eine wärmedämmende Speckschicht entwickelt; ihre Dicke ist bei den einzelnen Arten und an den einzelnen Körperbezirken sehr unterschiedlich, wechselt aber auch nach Jahreszeit und Futterangebot. Walarten, welche regelmäßige Wanderungen ausführen, zum Beispiel die Kälber- und Paarungszeit in warmen Flachwasserbuchten der Äquatorzone zubringen, kehren mit nur noch dünner Speckschicht zu den Futtergründen der Antarktis zurück. Bis zur Fortpflanzungszeit des nächsten Jahres mästen sie sich dort wieder auf – nicht unbegrenzt allerdings, da Tiere mit zu dicker Speckschicht den bei schnellem Schwimmen entstehenden Wärmeüberschuß nicht mehr loswerden und womöglich inmitten des Polareises an Hitzestauung zugrunde gehen würden. Die Speckschicht der Glattwale ist im Durchschnitt einen halben Meter, stellenweise bis 70 Zentimeter stark. Beim Pottwal und beim Buckelwal mißt das Fettpolster ungefähr 12 bis 18 Zentimeter, bei Blau- und Finnwal 8 bis 14, beim Seiwal 5 bis 8 Zentimeter. Trächtige Weibchen besitzen besonders viel, säugende Muttertiere besonders wenig Speck.

Gehirn- und Sinnesleistungen

Das Gehirn der Wale, über dessen Leistungsfähigkeit, Intelligenz, Sprachverständnis usw. erstaunliche Vorstellungen im Umlauf sind, entspricht hinsichtlich Dichte der Nervenzellen und dem Feinaufbau etwa den Verhältnissen beim Elefanten. Bei der Bewertung eines Gehirns ist der Mengenbezug zur übrigen Körpermasse wichtig – das etwa neun Kilo schwere Pottwalgehirn muß zum Beispiel 40 Tonnen durch die Meerestiefe steuern. Ein Großteil der Hirnkapazität wird vermutlich zur Auswertung der Ultraschallortung benötigt, das bei den Walen wohlentwickelte Kleinhirn dürfte – wie bei anderen Tieren – Koordinationszentrum vieler Bewegungen sein und hoher körperlicher Gewandtheit entsprechen. Die Frage, ob Delphine oder Schimpansen »klüger« sind, verbietet sich aus der Unterschiedlichkeit von Ausgangslage, Lebensraum und Lebensweise: Einseitig spezialisierte Meeresbewohner mit Echopeilung und unspezialisierte, allesessende Land-Luft-Baumbewohner mit Greifhand lassen sich nicht miteinander vergleichen. Ansonsten gilt die unlängst von D. E. Gaskin erneuerte Feststellung, wonach es keinen Beweis und keinen Grund für die Annahme gibt, daß sich Wale hinsicht-

lich Sozialstruktur, Intelligenz usw. von anderen Säugern wesentlich unterscheiden und womöglich die Ebene Menschenaffe/Mensch erreichen oder gar übertreffen sollten.

Riechnerv und -zentrum fehlen dem Walgehirn, statt des Geruchssinnes scheint aber ein gewisses Geschmacksempfinden, also das Wahrnehmungsvermögen für im Wasser gelöste Stoffe vorhanden zu sein, denn im Naval Ocean Systems Center, Hawaii, gelang es Paul Nachtigall, Delphine auf die Unterscheidung der vier Hauptgeschmacksrichtungen sauer, salzig, bitter und süß abzurichten. Gut entwickelt ist in der Regel der Sehnerv; von Sonderformen wie dem »blinden« Gangesdelphin *Platanista* abgesehen, spielt der Gesichtssinn der Wale eine beachtliche Rolle. Obwohl sich die Tiere in trüben, verschlammten Gewässern, in der Finsternis großer Tauchtiefen, tropischer Nächte oder arktischer Winterszeit auch ohne optische Orientierung zurechtfinden (müssen), bedienen sie sich doch ihrer Augen, sobald es die Umstände erlauben. Da »Gucken« zweifellos eine besonders unmittelbare, »bequeme« Form der Wahrnehmung ist, spielt es im glasklar gefilterten Wasser von Delphinarien eine bevorzugte Rolle; Süßwasserdelphine, die im gelbbraunen Orinoko wohl niemals Sichtweiten über 30 Zentimeter erlebt hatten, »schalteten« im Duisburger »Toninapool« sofort und dauerhaft auf Optik um. Mit seiner Linsenkrümmung ist das Walauge dafür eingerichtet, scharfe Unterwasserbilder zu liefern. Über Wasser sind die Tiere kurzsichtig; dieser Mangel scheint aber in Kauf genommen oder ausgeglichen zu werden, denn »neugieriges« Aus-dem-Wasser-Herauslugen spielt bei vielen Walen eine große Rolle.

Die kräftige Ausbildung des Trigeminusnervs spricht für eine erhebliche Bedeutung des Tastsinns; die bei einigen Walen am Kopf erhaltenen Reste von Tasthaaren sind schon erwähnt worden. Er dürfte vor allem bei der Nahrungsaufnahme eine Rolle spielen, vermutlich aber auch beim Sozialverhalten.

Wichtigster Sinn – mit entsprechend stark entwickeltem Gehirnnervenpaar – ist für alle Waltiere das Gehör. Die Außenöffnung des Ohres ist zwar so winzig klein, daß man sie kaum findet, dazu wird der enge Gehörgang bei den Bartenwalen durch einen manchmal meterlangen Wachspfropfen ausgefüllt; Leistungsfähigkeit und Aufgabenvielfalt sind jedoch einzigartig. Sie entsprechen sowohl der abwechslungsreichen Lauterzeugung der Tiere wie ihrer Fähigkeit, verschiedenartigste Töne vom Infra- bis zum Ultraschallbereich wahrzunehmen, betreffen somit nicht nur die umstrittene Delphin-»Sprache«, sondern das Präzisionsortungsverfahren nach Echolotprinzip, das »Sehen mit den Ohren«.

Lautwahrnehmung und -erzeugung stehen in engem Zusammenhang. Obwohl man gerade diesem Bereich besonders viele Untersuchungen widmete, sind sich die Delphinforscher nicht darüber einig, ob die Hochfrequenztöne im stimmbandlosen Kehlkopf oder in den unterhalb des Blasloches gelegenen Nasenluftsäcken erzeugt werden und ob ihre Echos und andere Schall- oder Erschütterungsreize nicht allein durch das Ohr, sondern durch besondere ölgefüllte »Empfangskanäle« des Unterkiefers aufgenommen und dem akustischen Auswertungszentrum des Großhirns zugeleitet werden.

Während das menschliche Hörvermögen bei Tonhöhen von etwa 20 000 Hz (1000 Schwingungen/sec = 1 KHz) endet, reicht das der Delphine bis 280 000 Hz, also über zehnmal weiter. Ihre für uns nur mittels besonderer Geräte als »Klicks« oder hochfrequentes »Rattern« wahrnehmbaren Ultraschalltöne benutzen Zahnwale für ein Ortungsverfahren, das in der Seefahrt als »Echolot« bekannt ist: Zum Ausloten der Tiefe sendet es Schallwellen ins Wasser und fängt das vom Meeresboden zurückgeworfene Echo wieder auf. In verfeinerter, als »Sonar« bezeichneter Form (*So*und *Na*vigation and *R*anging; entsprechend dem statt im Wasser mit Schallwellen in der Luft mit Radiowellen

»Sehen mit den Ohren«: Die Waltiere orten ihre Beute (und andere Gegenstände) nach dem Prinzip des Echolots. Der Delphin sendet Ultraschallwellen aus, also sehr hohe und für das menschliche Ohr unhörbare Töne, die vom angepeilten Fisch als Echo zu ihm zurückkehren. So kann der Delphin die Entfernung und die Größe der Beute mit verblüffender Genauigkeit bestimmen.

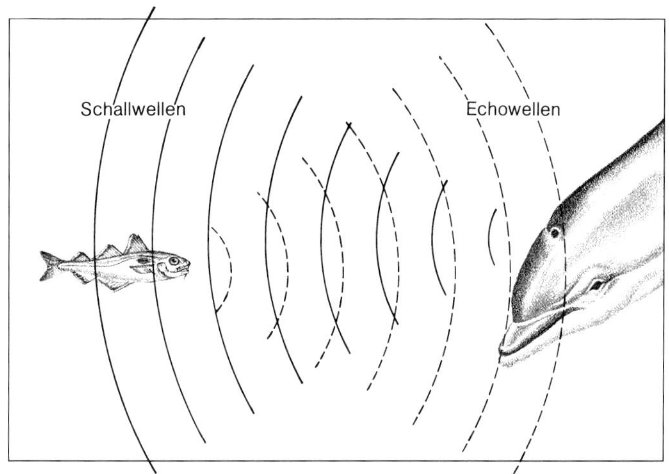

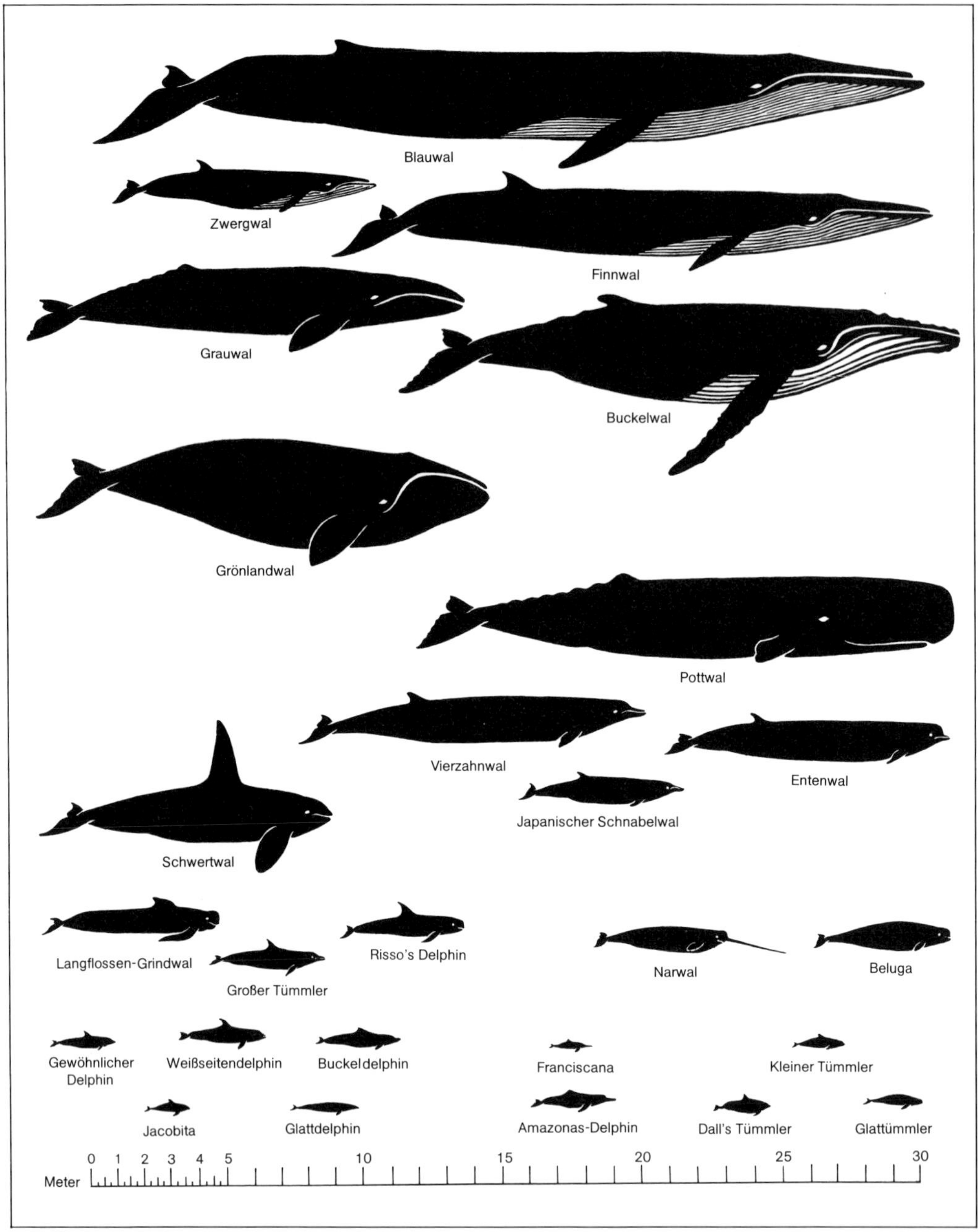

Blauwal
Zwergwal
Finnwal
Grauwal
Buckelwal
Grönlandwal
Pottwal
Vierzahnwal
Entenwal
Japanischer Schnabelwal
Schwertwal
Langflossen-Grindwal
Risso's Delphin
Großer Tümmler
Narwal
Beluga
Gewöhnlicher Delphin
Weißseitendelphin
Buckeldelphin
Franciscana
Kleiner Tümmler
Jacobita
Glattdelphin
Amazonas-Delphin
Dall's Tümmler
Glattümmler
Meter 0 1 2 3 4 5 10 15 20 25 30

Waltiere gibt es in allen Größen. Während der Blauwal mit einer Länge von bis zu 35 Metern das größte jemals bekannt gewordene Tier ist, bleiben manche Delphinarten kleiner als ein Schulkind.

arbeitenden *Ra*dio *D*etection and *R*anging = Radar) vermag das Echolot auch Wracks, Heringsschwärme oder U-Boote aufzuspüren, gegenüber dem delphinischen Verfahren bleibt es jedoch plumpe Stümperei. Während das mit einer Frequenz arbeitende Sonar nur eine Art Echos zurückbekommt, kann der Wal dutzenderlei Ortungstöne aussenden; Klangbündel von 100 bis 200 000 Hz, die das fragliche Objekt – einen Fisch, einen Felsen, einen Fjord – auf mehrere Klangwellenlängen abtasten, deren vielfältige Echos im Gehirn ein entsprechend detailliertes »Bild« ergeben. Da die Innenohren des Wales durch eine Art Iso-

liermasse voneinander und vom übrigen Schädel getrennt sind, ist ein genaues Richtungshören gewährleistet, wobei sich Schallwellen unter Wasser bekanntlich fünfmal schneller fortpflanzen als an der Luft. Insgesamt arbeitet die Ultraschallpeilung zumal bei Zahnwalen derart vollkommen, daß die Tiere in Delphinariumsexperimenten Größenabweichungen von wenigen Millimetern erkennen, frische und weniger frische Fische unterscheiden, mit verbundenen Augen Ringe einsammeln, durchs Bassin gespannten Fäden ausweichen usw. Fällt die akustische Ortung aus, zum Beispiel an flachen Schlammufern, welche keine Echos liefern, oder aber infolge Zerstörung des Innenohres durch schmarotzende Würmer, kommt es rasch zur Katastrophe: Der orientierungslos gewordene Wal strandet, und in der Regel folgt ihm der übrige Herdenverband (s. S. 366 f).

Niederfrequente, nicht der Ortung dienende Laute sind für uns als Zwitschern, Quietschen, Pfeifen, Brummen usw. vernehmbar. Werden sie über Wasser ausgestoßen, wirkt das lippenartige Verschlußpolster als Modulator, der Delphin spricht dann »durch die Nase«. Andere Töne werden im Kopfinneren erzeugt, zum Beispiel die in der Meerestiefe geradezu unheimlich klingenden »Gesänge« des Buckelwales, deren halbstundenlange, von schrillem Pfeifen bis zu dumpfem Röhren reichende Strophen wohl die ausdauerndste und vielseitigste Lauterzeugung dieser Art innerhalb des gesamten Tierreichs sind. Wenn man in der Nähe einer Delphinschule, neben den »Sea Canary« genannten Belugas, dem mächtigen Südkaper oder irgendeiner anderen Walart im Wasser schwimmt, hört man fast ständig diese oder jene Töne, die wahrscheinlich als Erkennungssignal, gegenseitiger Stimmfühlung oder auch als Stimmungsbarometer dienen. Laute, welche eine bestimmte Bedeutung haben und auf welche die Artgenossen entsprechend reagieren – Lockrufe, Warnrufe, Balzrufe, Drohrufe, Bettelrufe usw. –, gibt es bei vielen Tieren und vermutlich auch bei Walen; deswegen besteht oder bestand aber kein Anlaß, ihnen Wörterbücher und Sprachunterricht zuteilen zu wollen.

Der Magen der Wale, welcher die mit Zähnen ergriffene oder mittels Barten ausgesiebte Nahrung aufnimmt, erinnert mit seiner Aufteilung in einen geräumigen Vormagen, einen drüsenreichen Hauptmagen und einen nochmals gekammerten Pförtnermagen überraschend an Wiederkäuerverhältnisse. Der Fisch- und Krebsnahrung entsprechend ist er jedoch verhältnismäßig klein, bei den über 100 Tonnen schweren Furchenwalen faßt er zum Beispiel »nur« etwa 1000 Kilo Krill. Als Erhaltungsfutter benötigen Bartenwale in 24 Stunden je Kilogramm Körpergewicht 30 bis 40 Gramm Krill, pro Tag und Tier also ungefähr zwei bis zweieinhalb Tonnen. Da Krill (hauptsächlich das gut streichholzlange Krebschen *Euphausia*) zu 80 % aus Wasser besteht, sind dies keine verschwenderischen Werte. Die Bedarfsmenge fischessender Wale hängt unter anderem vom Fettgehalt der Beute ab, der beispielsweise bei Heringen zwischen 2,5 % im Winter und 16 % im Sommer schwanken kann. Bei den in Bodennähe jagenden Gründelwalen, beim Grauwal und anderen enthalten Mageninhalt und Kot oft Sand- und Geröllbeimischungen; auch Grünfärbung durch Algen kommt vor.

Da Säugetiere (und Vögel) »eigentlich« nicht für das Leben im Meer geschaffen sind, ist der Salzgehalt ihrer Körperflüssigkeiten geringer als der des Seewassers; mit der Nahrung oder beim Trinken aufgenommenes überschüssiges Salz muß also wieder aus dem Körper entfernt werden. Während für diese Aufgabe bei den Fischen besondere Salzabsonderungszellen an den Kiemen, bei manchen Seevögeln eigene Salzdrüsen (Nasendrüsen) am Schnabel und bei den meisten Landsäugern gegebenenfalls Schweißdrüsen zur Verfügung stehen, sind die Wale ausschließlich auf ihre Nieren angewiesen. Im Vergleich zu denen der Landsäugetiere sind Walnieren außerordentlich groß

Wie intelligent sind die Waltiere tatsächlich? Einen gewissen Aufschluß gibt der Vergleich mit anderen Lebewesen. Bei einer Gegenüberstellung der absoluten Hirngewichte einiger Tierarten und des Menschen steht der Pottwal ganz oben, vor dem Elefanten und dem Menschen (linke Kolonne). Bezieht man jedoch das Hirngewicht auf das jeweilige Körpergewicht, übernimmt der Mensch die Spitze, und der Pottwal rutscht nach unten (mittlere Kolonne). Fragt man schließlich, wie weit sich das »moderne«, zum Denken wichtige Gehirn über das »primitive« Stammhirn hinaus entwikkelt hat, so steht der Pottwal wieder oben, gefolgt von Delphin, Mensch und Elefant. Das Pferd liegt mit weitem Abstand zurück (rechte Kolonne).

und dazu in zahlreiche Nierenläppchen (Renculi) unterteilt, was die für die Ausscheidung wichtige Rindenmasse solcher »Traubennieren« erheblich vermehrt. Vermutlich können die Wale mittels dieser Nieren sehr bedeutende Harnmengen ausscheiden, welche - wie bei Tümmlern bekannt - einen hohen Salzgehalt aufweisen. Die Frage, ob und wie Wale trinken (müssen), ist in diesem Zusammenhang erst unzureichend geklärt. In Delphinarien bedienen sich manche Tiere gern des Süßwasserstrahls der bei der Beckenreinigung benutzten Schlauchleitungen, in der Polarzone käme unter Umständen die Aufnahme von Schnee oder Gletschereis in Betracht. Für gewöhnlich dürfte jedoch die Körperflüssigkeit der aufgenommenen Nahrungstiere ausreichen.

Fortpflanzung

Wie die beiden Milchzitzen des Weibchens sind auch die Fortpflanzungsorgane in einer Hautfalte der Bauchgegend verborgen; der - bei Großwalen über zwei Meter lange - Penis wird nur bei der Paarung sichtbar. In der Regel geht der Paarung ein ausgedehntes Liebesspiel voraus, bei dem die Partner in enger Körperberührung neben- oder übereinander schwimmen. Manchmal folgen mehrere Männchen dem Weibchen, welches sich, wie Payne am Südkaper Argentiniens beobachtete, vor zuviel Zudringlichkeit notfalls im Flachwasser in Sicherheit bringt. Beim kalifornischen Grauwal gelten Liebestrios als die Regel. Bei den Großwalen dauert die Vereinigung nur einige Sekunden, zumal wenn sich die Tiere - wie für Bukkel-, Finn- und Pottwal festgestellt - Bauch an Bauch und mit den Flippern »umfaßt« über die Meeresoberfläche emporstemmen; in den meisten Fällen schwimmen Walmännchen und -weibchen jedoch in Seitenlage mit einander zugekehrter Unterseite am Wasserspiegel dahin.

Bei Delphinen und Tümmlern, also der Mehrheit kleinerer Zahnwale, dauert die Trächtigkeit 10 bis 12 Monate; nicht länger währt sie merkwürdigerweise bei den riesigen Bartenwalen, obwohl innerhalb des Säugerreiches sonst die Großformen fast immer länger tragen als kleine Artverwandte. Die Zahnwale für sich entsprechen dieser Faustregel mit einer Tragzeit von 16 Monaten bei ihrem gewaltigsten Vertreter, dem Pottwal, 14 bis 15 Monaten beim mittelgroßen Beluga und Schwarzen Schwertwal, 10 Monaten bei den schon erwähnten Tümmlern. Walkälber kommen voll entwickelt und in erstaunlicher Größe zur Welt: ein neugeborener Blauwal ist bereits sieben Meter lang und einige Tonnen schwer, Jungdelphine sind im Verhältnis zur Mutter sogar noch größer, nämlich bei einem Sechstel ihres Gewichts fast halb so lang wie diese.

Fast immer wird nur ein Jungtier geboren, Zwillinge sind so selten wie beim Menschen und wachsen wohl niemals beide heran. Im Gegensatz zu anderen Säugern kommen Zahnwale meistens schwanzvoran, also »in Steißlage« zur Welt; manchmal ist die kleine Fluke bereits geraume Zeit sichtbar, ehe plötzlich - dank der glatten Fischgestalt überaus zügig - der »Rest« folgt. Der seit Errichtung der Delphinarien mögliche Einblick in die Wochenstube der Wale hat unsere Kenntnisse über ihre Fortpflanzungsbiologie außerordentlich erweitert. So zeigten Weißwale im Aquarium Vancouver und Atlantik-Tümmler im Zoo Duisburg, daß auch Kopf-zuerst-Geburten möglich sind. Der Atemreflex, der das Junge bei der unter Wasser erfolgenden Geburt in Ertrinkensgefahr brin-

Links: Der schräg aufgerichtete Penis eines bauchoben schwimmenden Südkapers. - Rechts: Die aus zwei Hautfalten des Bauchs hervortretenden Milchzitzen eines weiblichen Weißwals.

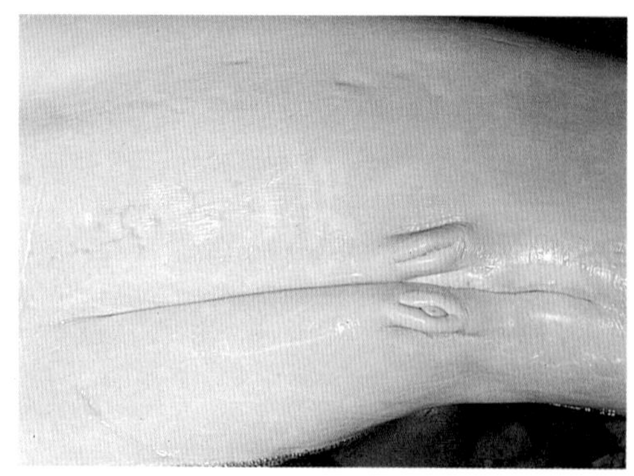

gen könnte, setzt ja erst mit Zerreißen der Nabelschnur ein; diese ist bei Walen jedoch so lang, daß das Neugeborene vorher in ganzer Länge austreten kann. Zum Zwecke des ersten Atemzuges vermag ein Jungdelphin sehr wohl mit eigener Kraft zur Oberfläche emporzutauchen, mitunter wird er dabei jedoch durch ein paar sanfte Schnauzenstöße der Mutter oder auch anderer Weibchen unterstützt, die ihn als »Tanten« oder »Hebammen« begleiten. Die Mutter-Kind-Beziehung ist bei den meisten Walen überaus eng: Während der ersten Wochen »klebt« das Junge – seitlich, unter dem Bauch oder nahe der Rückenflosse mitschwimmend – wie ein Schatten am mütterlichen Körper; bei Bartenwalen wohl mehr im Spiel, bei Belugas und anderen Zahnwalen kann es sogar »huckepack« getragen werden.

Nach der raschen Entwicklung im Mutterleib verläuft das Jungenwachstum auch nach der Geburt stürmisch. Ein junger Blauwal wächst in sieben Monaten etwa neun Meter, im Tag also 4,5 Zentimeter; in der gleichen Zeit verzehnfacht er sein Gewicht auf über 25 Tonnen, er nimmt also innerhalb von 24 Stunden mehr als zwei Zentner zu. Die außergewöhnlich nahrhafte Walmilch besteht fast zur Hälfte aus Fett, auch ihr Eiweißgehalt ist doppelt so hoch wie bei Landsäugern, während der Zuckeranteil verhältnismäßig gering bleibt. Säugende Bartenwalweibchen erzeugen täglich etwa 600 Liter der gehaltvollen Kost, welche – dickflüssig wie Kaffeesahne, aber fünf- bis zehnmal fettreicher – dem Kalb unter Muskeldruck in den Mund gespritzt wird. Getrunken wird unter Wasser, und das Junge muß zwischen den einzelnen Schluckfolgen immer wieder zum Luftholen auftauchen; zur Erleichterung des Verfahrens legen sich viele Walmütter daher nahe der Oberfläche auf die Seite. Die gewöhnlich in zwei bauchseitigen Hauttaschen verborgenen Zitzen treten mit Beginn der Säugezeit deutlich hervor und können schon vor und bei der Geburt etwas Milch absondern; mit fortschreitender Zeit ziehen sie sich allmählich wieder zurück, so daß man Junge langschnäbliger Arten dann suchend in den mütterlichen Taschen »herumstochern« sieht. Um diesen Belästigungen zu entgehen, legte sich eine Flußdelphinmutter im Zoo Duisburg schließlich flach auf den Bassinboden.

Der so gedrängt-rasche Ablauf der Jugendentwicklung, ja der gesamten Fortpflanzungsbiologie läßt sich wohl nur im Zusammenhang mit Besonderheiten der Krillnahrung sehen: Im Lebenszyklus bzw. in der Verfügbarkeit der Krillmasse gibt es im Jahreskreislauf einen Höhepunkt üppigsten Überschusses, eine »Blütezeit«, wenn man so will, auf welche die besonders kräftezehrenden Perioden des Bartenwaldaseins offenbar abgestimmt sind. Paarung, Geburt, Milcherzeugung – alles geschieht genau dann, wenn die Tiere nach dem »großen Fressen« im Polarmeer wohlgenährt an den wärmeren Fortpflanzungsgründen angelangt sind. Bei einigen Arten – darunter verschiedene Zahnwale – folgen Begattung und erneute Trächtigkeit unmittelbar auf die Geburt der Jungen, meistens aber erst nach Beendigung der Säugezeit oder im darauffolgenden Jahr. Viele Wale bringen daher nur jedes zweite oder dritte Jahr ein Junges zur Welt, der Pottwal vermutlich nur alle vier Jahre. Da die Tiere mit Ausnahme des schon mit 14 Monaten geschlechtsreifen Kleintümmlers erst im Alter von fünf bis zehn Jahren fortpflanzungsfähig werden, dürfte ein Weibchen im Laufe seines Lebens höchstens zehn bis zwölf Kälber austragen. Gegenüber den wenigen natürlichen Feinden war diese geringe Geburtenrate si-

Walmütter bringen in der Regel jeweils nur ein Kind zur Welt, das fürsorglich betreut wird. In der ersten Zeit »klebt« es förmlich an seiner Mutter, so wie dieses Schwertwal-Baby.

cherlich ausreichend, mit dem industrialisierten Walfang jedoch vermochte sie nicht Schritt zu halten.
Die Lebenserwartung kleinerer Delphinarten dürfte bei 15 bis 25 Jahren, bei Weiß- und Entenwal zwischen 25 und 35 Jahren liegen. Die Altersgrenze der Bartenwale wird mit etwa 30 Jahren (Buckelwal) oder 25 bis 40 Jahren (Finnwal) angenommen, auch 100 Jahre (?) sind aber für letzteren im Gespräch. Hilfsmittel einer nur mit dem Mikroskop möglichen Altersbestimmung sind die Zahnschichten der Zahnwale und die »Jahresringe« der Ohrenwachspfropfen der Bartenwale; dazu kommt die Auswertung von Markierungsrückfunden, zu welchen den Tieren – freilich nicht gerade an ihrem ersten Lebenstag – numerierte Spezialpfeile in die Rückenmuskulatur geschossen wurden. Bei den Angaben aus Delphinarien ist zu berücksichtigen, daß Zootiere meistens erheblich älter werden als ihre Artgenossen draußen.

Der Walfang

Von jeher haben die Riesenwale den Menschen fasziniert. Oben: Im Alten Testament wird Jonas von einem »Walfisch« verschlungen (aus einem »Heilsspiegel« um 1360). – Unten rechts: Alexander der Große soll in einer Art Taucherglocke ins Meer hinabgestiegen sein und dabei ein riesiges Ungeheuer beobachtet haben, das drei Tage brauchte, um an seinem Glasbehälter vorbeizuschwimmen (aus einer französischen Handschrift des 13. Jahrhunderts).

Wal und Delphin tauchen bereits in Felszeichnungen der Steinzeit auf – von Alaska bis zum Weißen Meer, vom Nordkap bis zur Ägäis; selbst bei den Buschleuten Botswanas fand ich ihr Abbild, und im »Bullen der See« ägyptischer Hieroglyphen vermutet H. Jürgens den Pottwal. Daß der Frühmensch, der sich an Mammut und Höhlenbär wagte, Wale nicht unbeachtet ließ, versteht sich von selbst; wer beim Stichwort »Walfang« nur die Vernichtungsindustrie unseres Jahrhunderts vor Augen hat, vergißt, daß die Jagd auf den Meeresriesen so alt ist wie die Geschichte der Menschheit. Sie war eine Lebensnotwendigkeit für die Eskimos vor 5000 Jahren, sie gehörte zum Alltag der Südsee, begegnete Wikingern und Samurai, beschäftigte Basken und Indianer. Sie lieferte Fleisch, Öl und Knochen fürs tägliche Dasein, bildete Anlaß für Mythen und Sagen. In den Uranfängen sind Wale wahrscheinlich nur Zufallsbeute des Menschen gewesen, gestrandete oder bei Ebbe in flachen Buchten zurückgebliebene Tiere. Noch 1933 fütterten Eingeborene der sibirischen Yalmal-Halbinsel ihre Hunde mit dem gefrorenen Speck von Walkadavern, welche unbeschädigt und wohlkonserviert weit oberhalb des heutigen Meeresspiegels lagen – seit Jahrhunderten oder Jahrtausenden. Wo Land und Meer sich mit Fjorden und Klippen verzahnten, wo sich die Tiere dicht unter der Küste zu Wanderzügen, Futtersuche und Fortpflanzung zusammendrängten, entstand »Walfang« beinahe von selbst. Zum Aufspüren der im Eis offen gehaltenen Wal-Atemlöcher wurden, wie bei der Robbenjagd, Hunde abgerichtet; die Bedrängnis bestimmter Eisdriften mag manchmal sogar Nordkaper und Grönlandwal in Menschengewalt gegeben haben. Als Langsamschwimmer wären sie zwar auch rudernd oder paddelnd einzuholen gewesen, und mit der mächtigen Speckschicht der deswegen später so getauften »Right Whales« – der zum Schlachten »richtigen Wale« – wären sie nach ihrer Erlegung auch nicht auf den Meeresgrund gesunken. Mit einzelnen Knochenharpunen ließen sich die Riesentiere aber nur schwer töten, und wenn sie unter das Eis oder in die offene See entkamen, waren sie für den Jäger in der Regel verloren. Ein Erfolg war jedoch jede Anstrengung wert, ein einziger erlegter und geborgener Wal garantierte monatelange Versorgungssicherheit für die ganze Sippe. Dieser frühe, obwohl küstennahe Walfang verlangte zweifellos Einsatz, Mut und Geschicklichkeit.
Im europäischen Walfang traten mit dem 9. Jahrhundert die Basken hervor; der ebenso harmlose wie langsame Nordkaper machte es ihnen leicht. Während sich die Eskimos in baumloser Arktis mittels ausgespannter Robbenhäute emporschnellen lassen mußten, spähten die Biskaya-Fischer ihre Beute von den

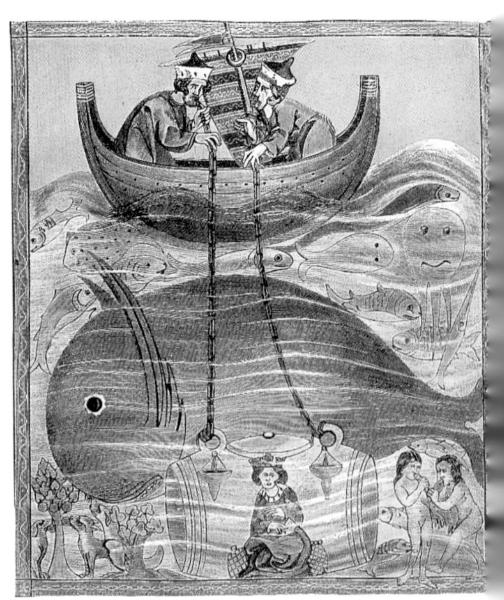

»Vigias« aus, am Ufer errichteten hohen Beobachtungstürmen. War ein Wal gesichtet, gaben Trommeln und Feuerzeichen Alarm, alles stürzte zum Strand, schon waren die stets startklar gehaltenen Boote unterwegs. Noch nahe der Küste wurde das Tier gestellt und erlegt, gemeinschaftlich eingeschleppt und danach – hastig zerstückelt – unter die beteiligten Jäger und ihre Familien verteilt. An des einstigen Biskaya-Walfangs führende Rolle erinnert noch heute der Begriff »Harpune«, der sich nach Jürgens vom baskischen »arpoi« (= lebendig fangen) herleiten läßt. Seine große Zeit hatte er zwischen 1100 und 1400, und nach diesen 300 Jahren war die »Baleine des Sardes« entweder ausgerottet oder so weit aufs offene Meer ausgewichen, daß ihr mit offenen Ruderbooten nicht mehr beizukommen war.

Sobald nautischer Fortschritt, vor allem die Erfindung der Tangentenbussole (Kompaß), es zuließ, waren die Wale jedoch auch auf hoher See nicht mehr sicher. Schon reichten die Jagdgründe der baskischen Fahrensmänner bis zum Ärmelkanal und nach Irland, Bretonen und Normannen gesellten sich dazu. Auf der Jagd nach dem Wal haben Basken das große Wasser 200 Jahre vor Kolumbus bezwungen, von Grönland bis zu den Antillen, von Labrador bis Florida. Der von Jürgens erwähnte Matias de Echeveste hat den stürmischen Atlantik zwischen 1545 und 1599 nicht weniger als 28mal überquert, sein Landsmann Sopite soll den Tran erstmals an Bord ausgelassen, also das »Kochereischiff« erfunden haben.

Wo und wann immer auf der Welt Walnutzung stattfand, verlief sie in diesen drei Stufen: Verwertung verunglückter Tiere auf dem Strand, Flachwasserjagd vor dem Strand, strandunabhängige Fernunternehmen über alle Meere. Während es die meisten Naturvölker bei Stufe 1 oder 2 beließen, wurden die Nordeuropäer erstmals auf Stufe 3 tätig; dann allerdings ausgiebig und mit nachhaltigen Folgen.

Für den Frühmenschen war ein erlegter Wal ein Stück Schlaraffenland, Überlebens- oder wenigstens Überwinterungsgarantie für die ganze Sippe; für die seefahrenden Nachfolger wurde Walfang zum »zoologischen Goldrausch«. Eskimos wußten vom Wal buchstäblich alles zu verwerten: Knochen, Barten,

Schon früh begann der Mensch den Walen nachzustellen, weil sie Fleisch, Tran, »Fischbein« (Barten) und andere brauchbare Dinge in großen Mengen lieferten. – Ganz links: Dieser deutsche Kupferstich aus dem 17. Jahrhundert belegt die Anfänge des modernen, systematisch betriebenen Walfangs. – Links: Die um 1870, also in der »großen« Zeit der Walnutzung, entstandene Lithographie zeigt eine Jagdszene vor der amerikanischen Küste.

Sehnen und Fasern für den Haus-, Schlitten-, Boots- und Werkzeugbau, Haut und Eingeweide – sofern nicht frisch verzehrt – als Deck- und Verpackungsmaterial, Fleisch und Speck oder Tran als Lebensgrundlage und wichtigster Energielieferant. Die walfettgespeiste Lampe diente im Iglu nicht nur als Lichtquelle, sondern auch als Heizung, die kalorienberstende Kost »Blubber« war der Lebensmotor der Arktis; auch für die »zivilisierte Welt« stellten Walöl und »Fischbein« (= Barten) mehr als Luxusartikel dar, bevor Petroleum, Elektrizität, Gas, Stahl und Kunststoff ihren Siegeszug antraten. Wichtigstes Produkt war stets das Walöl, der durch Kochen oder Heiß-

dampfbehandlung des zerstückelten Speckes gewonnene Tran; bis zur Erschließung der ersten Petroleumquelle in Pennsylvania (1859) vor allem als Lampenöl genutzt, wurde es nach Entwickeln des Fetthärtungsverfahrens durch Wilhelm Normann (Umwandlung ungesättigter in gesättigte Fettsäuren) im Jahre 1905 wichtiger Grundstoff der Margarineherstellung. Auch in der Seifen- und Lederindustrie fand es Verwendung, während das hochmolekulare, wachsartige Material des Pottwals eine bis in unsere Zeit hinein geschätzte Sonderrolle in Pharmazie und Feinmechanik spielte. Die Verarbeitung der Barten in Korsetts und Regenschirmen nehmen wir heute amüsiert zur Kenntnis - welchen Wert das elastisch federnde, bei großen Glattwalen bis zu vier Meter lange »Fischbein« in einer Welt ohne Gummi, Stahl und Kunststoffe gehabt haben muß, wird jedoch aus seinem Preis deutlich, der noch Anfang unseres Jahrhunderts

Eine Harpunenkanone auf dem Bug eines modernen Walfangschiffs. Diese weitreichende und treffsichere Jagdwaffe löste gegen Ende des vorigen Jahrhunderts die bis dahin überall verwendete Handharpune ab.

gegen 3000 Mark je Zentner betrug. Aus den Knochen wurden Gelatine und Leim sowie - zermahlen - Dünger gewonnen, verschiedene innere Organe liefern Hormone und Vitamine in eindrucksvollen Mengen; der sogenannte Gelbkörper eines einzigen großen Wales erbrachte mehr Wirkstoff als 1000 Schweine. Im Großwalfang des Industriezeitalters ist dem Fleisch der Riesengeschöpfe oft eine untergeordnete Rolle als Tierfutter zugefallen, auf der japanischen Speisekarte gewann es jedoch einige Bedeutung. Bei den kleineren Zahnwalarten stand die Fleischnutzung sogar im Vordergrund, zum Beispiel bei den je Saison über 100 000 Delphinen, die noch bis Ausbruch des Zweiten Weltkrieges regelmäßig auf die Märkte der Schwarzmeerküste kamen, bei der Jagdbeute der Karibik-Insulaner und bei den rings um den Nordpol verbreiteten Weiß- und Narwalen. Das tief dunkelrote Walfleisch ist weder »wabbelig« noch von tranigem Geschmack.

Wie im Baskenland dürfte der Walfang auch in Nordeuropa an und vor der Küste begonnen haben, vielleicht sogar früher als in der Biskaya. Ein gewisser Ottar aus der Gegend des Nordkaps wußte dem englischen König Alfred schon im Jahre 890 zu übermitteln, daß bei Tromsö Wale - vermutlich Nordkaper - gefangen wurden; seitdem haben Wal- und Fischfang gerade für Norwegen stets besondere Bedeutung behalten. Als englische und holländische Seefahrer Ende des 16. Jahrhunderts eine Eismeerdurchfahrt nach Osten suchten, entdeckten sie statt dessen riesige Walbestände - eine Nachricht, die alsbald auch Walfänger aus Hamburg, Bremen und Lübeck, aus Dänemark und anderen Ländern anlockte. Während der Nordkaper in Küstennähe schon recht selten geworden war, gab es dort oben einen weiteren, noch langsameren, noch speck- und bartenreicheren Glattwal, den mächtigen Grönlandwal, der nun zum begehrtesten Jagdziel wurde. Anfänglich wurden die erbeuteten Wale auf Spitzbergen, Jan Mayen und anderswo auf dem Lande verarbeitet; als die Bestände abnahmen und die »Grönlandfahrt« sich immer weiter ausdehnte, begann man mit dem Abspecken der längsseits vertäuten schwimmenden Kadaver auf See. Im Jahre 1697 wurden von 182 Segelschiffen verschiedener Nationalität allein bei Spitzbergen 1888 Wale gefangen, wenig später begannen auch die Nordamerikaner die Verfolgung der Riesentiere.

Bis zur Mitte des 19. Jahrhunderts verbreitete sich der Walfang über alle Meere, wobei nun auch Südkaper, Buckelwal und vor allem Pottwale das Ziel waren. Fangreisen auf den rund um den Globus verbreiteten Pottwal konnten sich über mehrere Jahre hinziehen. Es war die Zeit der durch Herman Melville literarisch gestalteten »Walfängerromantik«. Wenn es - der Geschichte Kapitän Ahabs in Melvilles »Moby Dick« und unzähligen Bilddarstellungen zum Trotz - auch sicher nur ausnahmsweise vorkam, daß die verfolgten Meeresriesen zum Gegenangriff übergingen und das Boot ihrer Peiniger zu zerschmettern suchten, wurden den Besatzungen damals doch beachtliche Leistungen und Entbehrungen abverlangt. Die Handharpune, ein über zwei Meter langer Holzstiel mit aufgesteckter Eisenspitze, mußte aus nächster Entfernung geworfen und das offene, zerbrechliche Fangboot dazu nicht

Dieser Wal hat keine Chance mehr. Die langen Widerhaken der schweren Harpune haben sich verankert, und die Sprengladung ist im Walkörper explodiert.

Das Meer ist gerötet von Blut, wenn japanische Fischer ganze Delphinherden in eine Bucht der Iki-Insel treiben, um dort mit ihren vermeintlichen Konkurrenten abzurechnen.

selten in Reichweite der mächtigen Schwanzfluke gerudert werden; saß die Harpune im Rückenspeck fest, lief das sorgfältig aufgerollte Hanfseil aus, und eine mehr oder weniger lange Schnellfahrt im Schlepp des flüchtenden Tieres folgte. Da Richtung und Straffheit des Seils verrieten, wann und wo der Wal das nächste Mal auftauchen würde, versuchte man, zur rechten Zeit an der rechten Stelle zu sein, um einen tödlichen Lanzenstich oder aber weitere Harpunen anzubringen.

Mit Abflauen des Pottwalöl-Interesses trat nun erst einmal eine gewisse Ruhe ein. Die zweite Hälfte des 19. Jahrhunderts wurde sogar die friedlichste Zeit, die den Walen seit dem Jahre 1600 je beschieden war; allerdings nur als »Stille vor dem Sturm«, wie sich bald zeigen sollte. Angesichts einer rasch wachsenden Weltbevölkerung nahm die Nachfrage nach Walöl und Seife bald wieder zu, ebenso nach Margarine, sobald Normanns Fetthärtungsverfahren ihre Herstellung auf Trangrundlage zuließ. Eine weit einschneidendere technische Entwicklung freilich war die Erfindung der Harpunenkanone, welche – zusammen mit der Ablösung der alten Segelschiffe durch moderne Dampfer – den Walfang sowohl revolutionierte wie ruinierte. Die dem Bremerhavener Büchsenmacher Cordes oder dem Norweger Svend Foyn zugeschriebene Jagdwaffe verfeuerte pulvergetriebene Geschosse und war so gut durchdacht, daß das Grundprinzip bis heute unverändert beibehalten wurde. Die langen Widerhaken der schweren eisernen Harpune öffneten sich im getroffenen Wal auf Zug und hielten das Tier wie mit einem Anker. Beim Aufprall zerplatzte ein gläserner Säurebehälter und aktivierte den Zünder einer Sprengladung, die im getroffenen Wal explodierte. Letzteres verkürzte den Todeskampf gegenüber dem Gebrauch der sogenannten kalten Harpune zwar erheblich, mit der Reichweite von 30 bis 40, ausnahmsweise sogar 60 bis 80 Metern war nun jedoch so gut wie kein Wal mehr vor Verfolgung sicher, die schnellen Furchenwale inbegriffen.

Schon mit den herkömmlichen Mitteln – Segelschiff, Ruderboot und Handharpune – hatte es jeweils nur weniger Jahrzehnte bedurft, um ganze Meeresteile zu entvölkern und zumindest die Glattwale so weit auszurotten, daß weitere Fangreisen sich nicht mehr lohnten. Allein in den 38 Jahren zwischen 1835 und 1872 waren nach Charles Melville Scammon fast 20 000 Walfangfahrzeuge im Einsatz und brachten über 10 Millionen Fässer Tran und Walrat ein; das entsprach einer jährlichen Entnahme von 3865 Pott- und 2875 Bartenwalen, denen noch ein Fünftel an verwundet verlorengegangenen Tieren hinzugerechnet werden muß, insgesamt also rund 300 000 tote Wale innerhalb des angegebenen Zeitraumes! »Daß bei solcher ebenso unbeschränkten wie unvernünftigen Verfolgung auch die früher reichsten Jagdgründe verarmen mußten, ist selbstverständlich«, klagte schon Alfred Brehm, doch die Dinge nahmen ihren Lauf. Heute wissen wir, daß richtig betriebene Jagd keineswegs naturschutzwidrig sein muß, sondern – im Gegenteil – eine durchaus arterhaltend wirkende Bewirtschaftungsform von Wildbeständen darstellen kann. Das setzt jedoch die genaue Kenntnis ökologischer Zusammenhänge und ein erfahrenes »Management«

Greenpeace-Leute setzen sich für die Wale ein. Ihr Schlauchboot passiert den Bug eines Fangschiffs, vor dem ein harpunierter Wal treibt. Die bei ihren abenteuerlichen Aktionen entstandenen Fotos haben über die Medien eine breite Öffentlichkeit beeinflußt.

▷ Angesichts eines toten Riesenwals appellieren Naturschützer an das Gewissen der sowjetischen Waljäger: Laßt die letzten Wale leben! Die weltweiten Proteste haben endlich Erfolg gehabt, denn 1987 beschloß die Regierung der UdSSR, den Walfang einzustellen.

voraus, woran unter den Nachfolgern Kapitän Ahabs nicht zu denken war. Der seit den Zeiten der »Grönlandfahrt« gezehntete Norden war bald so leergeschossen wie zuvor die Biskaya, doch durch die Forschungsreisen von James Cook, J. Ross, J. Weddell hatte man von den ungeheuren Bartenwalbeständen der Antarktis und mit Staunen vernommen, daß sich im Südlichen Eismeer mehr (und größere) Wale tum-

ПК-2035

melten als einst vor Spitzbergen. Bald nach der Jahrhundertwende begann die große Operation Richtung Südpol; zunächst auf Landstationen wie das von den Norwegern auf Südgeorgien gegründete »Grytviken« gestützt, ab 1923/25 landunabhängig von »Walfangmutterschiffen« (WMS) aus. Die oft riesigen WMS oder »Kochereischiffe«, zu denen jeweils eine Gruppe kleiner, schneller Fangdampfer gehörte, stellten schwimmende Fabriken dar. Hunderte von Menschen verarbeiteten die über eine Heckaufschleppbahn (Slipway) an Deck gezogenen Walleichen innerhalb kürzester Zeit bis zum letzten Knochen- und Bindegewebsrest. Hinsichtlich wirtschaftlicher Verwertung war das zwar günstiger als die »romantische« Walfängerzeit, wo ein Großteil der Beute gar nicht genutzt oder ranzig wurde, insgesamt aber begann damit die »Götterdämmerung der Antarktis«. In der Saison 1930/31 wurden 40 201, 1937/38 sogar 46 039 Wale erlegt, zusammen mit den außerhalb des Südmeers gefangenen Tieren waren das 54 900 Stück innerhalb von jeweils drei Monaten! Ein einziger Harpunierer, der Norweger A. Aksselsen, schoß in der Saison 1934/35 nicht weniger als 456 Wale. Mit solchen Zahlen konnte die Vermehrungsquote natürlich nicht Schritt halten, vor allem nicht die des Blauwals, dem das Hauptinteresse der in der Antarktis arbeitenden WMS galt. Manchmal waren über 40 WMS gleichzeitig – einige von bis zu 30 Fangbooten begleitet – im Einsatz. »Auf jeden Finnwal kommen drei Fangdampfer und auf jeden Blauwal ein Fabrikschiff; jeder Blauwal, der noch lebt, ist mindestens viermal seinen Jägern entkommen«, schildert ein Augenzeuge die beinahe groteske Lage, die sich nur während des Zweiten Weltkrieges vorübergehend änderte. Während in den zwanziger Jahren noch von einem Welt-Blauwalbestand von etwa 210 000 Tieren auszugehen war, mußte die Art 1966 unter völligen Schutz gestellt werden; sie dürfte heute zwischen 7000 und 13 000 Stück, das heißt noch 6 % seiner ursprünglichen Menge, zählen. Beizeiten war man zur Berechnung der Fangquoten auf die sogenannte »Blauwaleinheit« (1 Blauwal = 2 Finnwale = 2½ Buckelwale = 6 Seiwale), mit der Jagd immer stärker auf die nächstgrößte Art – den Finnwal – umgestiegen, deren Ausgangsbestand etwa 450 000 betrug (derzeit noch ungefähr 80 000 Tiere). Der Buckelwal ging von rund 100 000 auf kaum 5 %, nämlich etwa 5000 zurück, von den (einst) wirtschaftlich bedeutungsvollen Arten scheinen nur Zwergwal (300 000–600 000) und Pottwal (etwa 500 000) einigermaßen sichere Bestandsstärken erhalten zu haben.

Warnende Stimmen gegen die Folgen einer zu starken Bejagung hat es seit langem gegeben. Schon 1910 wurde in Frankreich eine Pressekampagne »gegen

Der Walfang war in den letzten Jahrzehnten zu einer regelrechten Industrie geworden. Auf Island wird in einer Landstation ein Finnwal von einer riesigen Säge maschinell zerlegt (oben). Häufiger erfolgt die Verarbeitung der Jagdbeute jedoch an Bord eines Mutter- oder Fabrikschiffs, wo der Walkörper zunächst mit dem althergebrachten Flensmesser abgespeckt wird (rechts).

den barbarischen Walfang« gestartet, 1936 kam das erste internationale Abkommen zwischen den am Walfang beteiligten Staaten zustande, mit dem Jahre 1946 trat die »International Whaling Commission« (IWC) auf den Plan. Ihre seitdem regelmäßig abgehaltenen Konferenzen hatten zunächst vor allem die Festsetzung und Begrenzung von Fangquoten, -zeiten und -gebieten zum Inhalt, wobei immer mehr Walarten völlig oder aber wenigstens in ihren Weibchen und Jungtieren unter Schutz gestellt wurden. Da man – mit Ausnahme des Pottwals – meist erst am erlegten Tier feststellen kann, ob es sich um ein Männchen oder Weibchen handelt, wurden Mindestgrößen verfügt, die nicht unterschritten werden durften. Ob und in welchem Umfang solche Beschränkungen eingehalten werden, war und ist natürlich, trotz Entsendung sachverständiger Beobachter, kaum zu überwachen, zudem verfügt die IWC über keinerlei Polizeigewalt oder ähnliche Machtmittel. Ob Schutzbestimmungen ausreichen, hängt jedoch nicht nur von ihrer Befolgung ab; ebenso wichtig ist, daß wir genau über die Lebens- und Fortpflanzungsweise, Bestandsstärke, natürliche Sterbe- und Zuwachsrate Bescheid wissen, doch davon sind wir bei vielen Walarten – angesichts ihrer Verbreitung in allen sieben Meeren kein Wunder! – noch weit entfernt; freilich spielen bei den IWC-Erörterungen nicht nur biologische, sondern politische, wirtschaftliche und historische Beweggründe eine Rolle, wobei das vielfältige Gerangel von Lobbyisten und Meinungsmachern für Außenstehende oft kaum noch durchschaubar ist. Nirgendwo auf der Welt – von ein paar Splittergruppen insel- oder küstenbewohnender Naturvölker abgesehen – ist man zur Stillung lebenswichtiger Bedürfnisse heute noch auf Walerzeugnisse angewiesen; selbst für das begehrte Pottwalöl scheint sich mit der mexikanischen Jojobapflanze geeigneter Ersatz schaffen zu lassen.

Wenn inzwischen trotzdem fast alle Nationen den Walfang eingestellt oder seine baldige Einstellung zugesagt haben, dann in der Regel weniger aus Rücksicht auf Naturschutz und öffentliche Meinung, sondern weil es sich nicht mehr lohnt. Ein Dreimaster des 17. Jahrhunderts konnte 20 Monate unterwegs und nur mit dem »Fischbein« von drei oder vier Nordkapern beladen sein, um trotzdem auf seine Kosten zu kommen – der Unterhalt einer durchtechnisierten, aber unbeschäftigten Walfangflotte heutzutage ist viel zu teuer. Was sich innerhalb der von immer mehr Ländern beanspruchten 200-Meilen-Zone abspielt, ist kaum zu beeinflussen, doch vollführen die letzten »großen« Walfangnationen Japan und Sowjetunion derzeit (hoffentlich) nur noch Rückzugsmanöver. Die Sowjetunion, die in den fünfziger Jahren mit den größten WMS der Welt angetreten war, ließ sich 1971 dafür feiern, daß sie die Delphine »wegen ihrer Menschenähnlichkeit« unter Schutz stellte; statt dessen erlegten ihre Fangschiffe 1979/80 906 bisher nie bejagte Riesendelphine namens Schwertwal. In der Fangsaison 1984/85 töteten ihre Harpuniere statt genehmigter 1941 Zwergwale deren 3037; als darauf die USA sowjetische Fischereirechte vor Alaska einschränkten, versprach IWC-Vertreter I. V. Nikonoroff endgültigen Walfangstop für 1987. Die IWC-Taktik der Japaner hat ähnliche Zickzackwege verfolgt, ein Ende dieser unwürdigen Vorgänge scheint jedoch endlich in Sicht.

Ob und wieweit sich die Großwalbestände nach weltweitem Inkrafttreten eines allgemeinen Fangstops

Das bleibt übrig von einem stolzen Meeresriesen: Die nicht verwertbaren Knochenreste verrotten an einem abgelegenen Strand.

noch einmal erholen werden, ist übrigens keineswegs sicher; die Zwangspause des Zweiten Weltkrieges hat diesbezüglich enttäuschend dürftige Ergebnisse erbracht. Statt der gezehnteten Blauwale nahm vor allem der Seiwal zu, andere Verschiebungen würden sich ergeben, wenn statt der »geschützten« Wale womöglich ihr Futter – der Krill – gefangen würde. Es hat wenig Sinn, Wale zu »retten«, wenn wir gleichzeitig immer weitere Strände verölen, immer neue Gewässer vergif-

ten. Der heute für jeden Kleingarten benutzte Begriff »Ökosystem« hat eine eigene Dimension, wo es um Wale und Weltmeere geht – wir müssen lernen, damit als Gesamtheit umzugehen. Daß solches Bemühen nicht hoffnungslos bleiben muß, zeigt das Beispiel des Grauwals: Er galt gegen Ende des vorigen Jahrhunderts bereits als ausgestorben, nach dem 1937 verfügten strengen Schutz hat sich sein Bestand jetzt aber wieder auf rund 12000 Tiere vermehrt und bildet mit seinen alljährlichen Wanderzügen eine Touristenattraktion der kalifornischen Küste.

Stammesgeschichte

von Erich Thenius

Die Wale stehen durch ihre mit dem ständigen Leben im Wasser zusammenhängenden Anpassungserscheinungen im System der Säugetiere völlig isoliert. Daher bewertete sie der amerikanische Paläontologe G.G.Simpson auch als Angehörige einer eigenen Kohorte (Mutica). Seit der Zuordnung der Wale zu den Säugetieren durch den englischen Zoologen J.Ray im Jahre 1693 ist ihre stammesgeschichtliche Herkunft wiederholt diskutiert worden. Über ihre Abstammung von Landsäugetieren besteht wegen verschiedener rudimentärer, also mehr oder weniger stark rückgebildeter Organe (z.B. Sinneshaare, Hautdrüsen, Ohrmuskeln, Beckenknochen und Reste von Hintergliedmaßen) kein Zweifel, obwohl sie einst sogar von Fischechsen (Ichthyosauria), d. h. meeresbewohnenden Reptilien des Erdmittelalters, abgeleitet wurden – eine Auffassung, der nur mehr geschichtliche Bedeutung zukommt. Das gleiche gilt heute für die Ansicht des verstorbenen holländischen Walforschers E.J. Slijper, der die Wale von mesozoischen (Proto-)Insektenessern ableitete, beziehungsweise die Auffassung, Wale und Seekühe als näher verwandte Säugetiere anzusehen. Lange Zeit wurde von den Paläontologen auf Grund von Fossilfunden fast allgemein eine Herkunft von alttertiären Urraubtieren (Creodonta) angenommen. Demgegenüber hielt der englische Anatom H.Flower im Jahr 1883 die Wale für eine Seitenlinie der Huftiere, eine Ansicht, die später durch den bekannten deutschen Säugetierforscher M.Weber bestätigt wurde. Sind die Stammformen der Wale nun unter ursprünglichen Raubtieren oder unter ebensolchen Huftieren zu suchen? Wie morphologisch-anatomische (z.B. Harn- und Geschlechtsorgane, Magen, Samen), entwicklungsphysiologische (z.B. Mutterkuchen, Keimhüllen), karyologische (den Zellkern betreffende) und biochemische Befunde in ihrer Gesamtheit erkennen lassen, sind die nächsten Beziehungen zu primitiven Huftieren, und zwar Schweineartigen, anzunehmen. Somit schienen diese Befunde den aus den Fossilfunden gewonnenen Ergebnissen zu widersprechen. Eine Lösung dieses Problems erbrachten neue vollständigere Funde, die zeigten, daß etliche bisher als Urraubtiere eingeordnete, ausgestorbene Säugetiere (z.B. Arctocyonidae, Mesonychidae) keine Angehörigen der Urraubtiere (Creodonta), sondern solche der Stammhuftiere (Condylarthra) darstellen. Dazu ist zu sagen, daß zur ältesten Tertiärzeit die Unterschiede zwischen altertümlichen Raub- und Huftieren vor allem im Gebiß nicht so groß waren wie bei den erdgeschichtlich jüngeren und in verschiedene Richtung entwickelten Formen.

Als Stammgruppe unter den Stammhuftieren gelten nach F.S.Szalay die Triisodontinen (Arctocyonidae) des ältesten Tertiärs (Paleozän), aus denen einerseits die Mesonychiden, andrerseits die Waltiere hervorgegangen sind. Diese Triisodontinen zeigen die Neigung zur Verlängerung des Schädels und zur Vereinfachung des Backenzahngebisses. Die ältesten Wale sind durch *Pakicetus* (Protocetidae) aus dem Alteozän Südasiens nachgewiesen. Es sind Angehörige der Urwale (Archaeoceti) mit zahlreichen Merkmalen von Landsäugetieren. *Pakicetus* war nach Ph.D.Gingerich und Mitarbeitern ein amphibisch, also im Wasser und auf dem Land lebender Süßwasserbewohner in einem See. Von *Pakicetus* und anderen Protocetiden (z.B. *Protocetus atavus* aus dem Mitteleozän von Ägypten, *Ichthyolestes* aus dem Mitteleozän von Pakistan) sind zwar keine vollständigen Skelettreste bekannt, doch zeigen Schädel- und Gebißreste sowie die Fundschichten, daß es sich um altertümliche see- bzw. meeresbewohnende Urwale handelt.

Mit den Urwalen sind nicht nur die erdgeschichtlich ältesten Wale genannt, sondern auch jene Gruppe, unter der die Ahnen der modernen Wale zu suchen sind. Diese werden seit altersher in zwei Gruppen gegliedert, über deren stammesgeschichtliche Einheit gleichfalls diskutiert wird: die Zahnwale (Odontoceti) und die Bartenwale (Mysticeti).

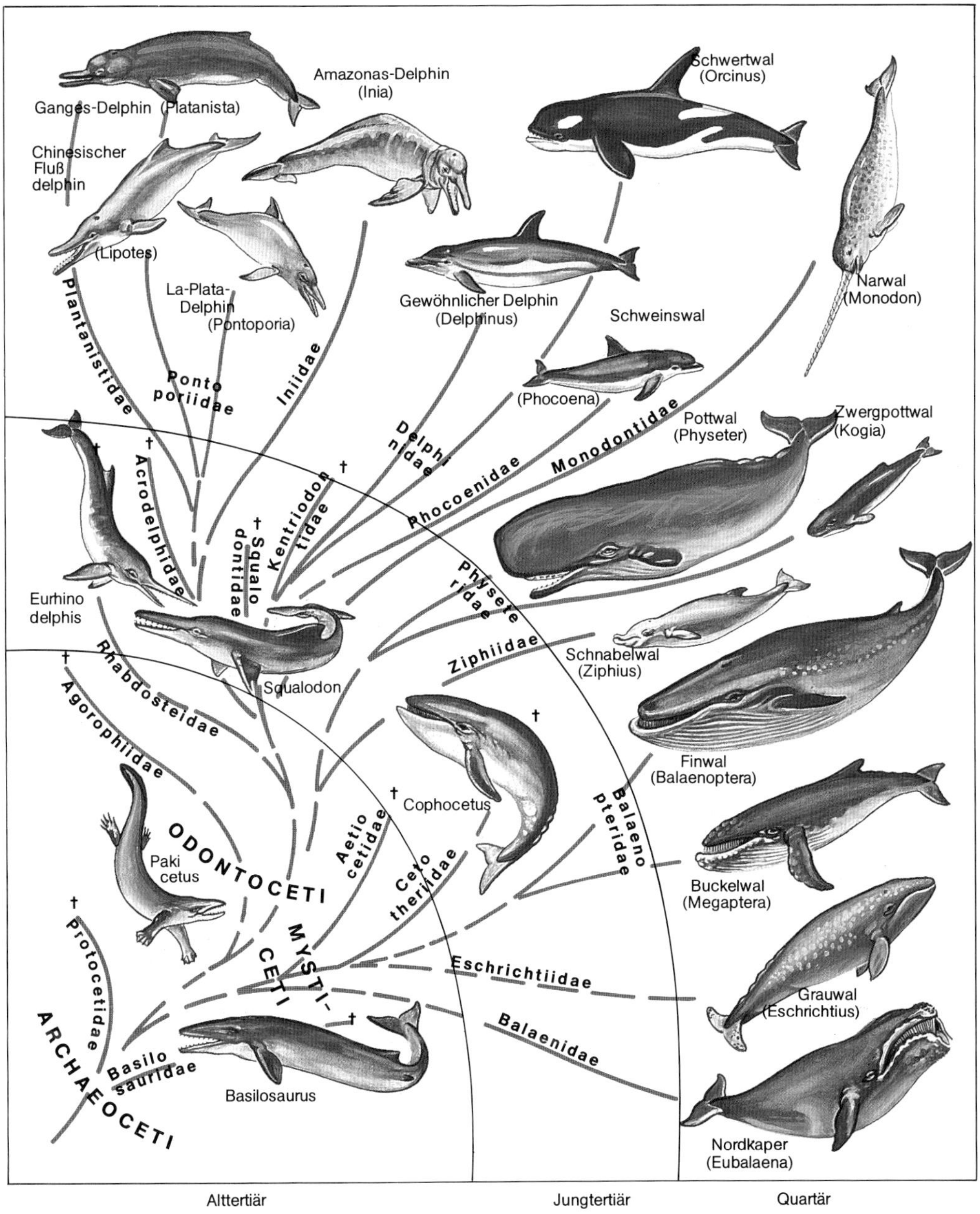

Ganges-Delphin (Platanista)
Amazonas-Delphin (Inia)
Schwertwal (Orcinus)
Chinesischer Flußdelphin (Lipotes)
La-Plata-Delphin (Pontoporia)
Gewöhnlicher Delphin (Delphinus)
Schweinswal (Phocoena)
Narwal (Monodon)
Pottwal (Physeter)
Zwergpottwal (Kogia)
Eurhinodelphis
Squalodon
Schnabelwal (Ziphius)
Finwal (Balaenoptera)
Cophocetus
Pakicetus
Buckelwal (Megaptera)
Grauwal (Eschrichtius)
Basilosaurus
Nordkaper (Eubalaena)
Plantanistidae
Pontoporiidae
Iniidae
Delphinidae
Phocoenidae
Monodontidae
Acrodelphidae
Squalodontidae
Kentriodontidae
Physeteridae
Ziphiidae
Rhabdosteidae
Agorophiidae
ODONTOCETI
Aetiocetidae
Cetotheriidae
Balaenopteridae
MYSTICETI
Protocetidae
Eschrichtiidae
Balaenidae
Basilosauridae
ARCHAEOCETI
Alttertiär
Jungtertiär
Quartär

Stammbaum der Waltiere (Cetacea).

Etliche tiefgreifende morphologisch-anatomische Unterschiede (z.B. Zähne bzw. Barten, Zahl der Nasenöffnungen, Ausbildung von Riechorgan, Ohrmuskeln und Luftsacksystem) haben verschiedentlich zur Annahme eines unabhängigen Ursprunges der Zahn- und Bartenwale geführt. Es sind jedoch nur Belege für die frühzeitige Trennung dieser beiden in der Ernährungsweise grundverschiedenen Walgruppen. Der einheitliche Karyotyp (Gesamtheit der in den Zellen enthaltenen Chromosomen) spricht gleichfalls dafür, daß die Wale eine natürliche Einheit bilden. Die serologischen und sonstigen Ähnlichkeiten mit altertümlichen Huftieren gehen auf die gemeinsame Wurzelgruppe, die – wie erwähnt – unter den Stammhuftie-

ren zu suchen ist, zurück. Die tiefgreifenden Unterschiede zwischen Walen und Huftieren lassen sich durch die unterschiedlichen Anpassungstypen erklären.

Besonders bemerkenswert ist die Entwicklung des Großhirns unter den Walen, die sogar jene von Menschenaffen unter den Primaten (Herrentieren) übertreffen kann (z.B. Delphine).

Es ist daher verständlich, daß man vom »Primaten«-Charakter des Gehirns mancher Wale gesprochen hat. Dieser hohe Entwicklungsgrad läßt sich nicht einfach als Anpassungserscheinung an das Wasserleben erklären, selbst wenn man berücksichtigt, daß unter nahverwandten Säugetieren die wasserbewohnenden das vergleichsweise größere Gehirn besitzen. Es dürfte vielmehr mit dem differenzierten, mit der Ultraschallortung und -verständigung eng verknüpften Sozialverhalten in Zusammenhang stehen. Die Evolution der Wale wird nur in Verbindung mit der Ernährung und mit dem Klima verständlich, indem bestimmte Meeresströmungen zu reichem Nahrungsangebot (z.B. Plankton für die Bartenwale) führen und eine weltweite Klimaverschlechterung im Lauf des Miozäns eine Abnahme der Artenfülle (unter den Zahnwalen) zur Folge hatte.

Als Urwale (Archaeoceti) werden die erdgeschichtlich ältesten und meist auch altertümlichsten Wale zusammengefaßt. Es sind – wenn man von den vermutlich amphibisch lebenden ältesten Urwalen *(Pakicetus)* absieht – völlig an das dauernde Wasserleben angepaßte, mittelgroße bis große Säugetiere, von denen die ursprünglichsten noch ein vollständiges und heterodontes, also aus unterschiedlich gestalteten Zähnen bestehendes Gebiß (Zahnformel $\frac{3\cdot1\cdot4\cdot3}{3\cdot1\cdot4\cdot3}$), der Schädel ein kleines Gehirn und eine im vorderen Abschnitt der Schnauze liegende Nasenöffnung sowie freie Halswirbel besitzen. Die Backenzähne sind mehrwurzelig und mehrspitzig, also noch nicht vereinfacht wie bei den modernen Zahnwalen. Die Gehörregion entspricht jener von Landsäugetieren, eine Echo-Ortung war nach J.F. Pompecki noch nicht entwickelt. Bekanntlich »sehen« die Wale mit den Ohren im Wasser besser als mit den Augen, da Wasser den Schall viel besser leitet.

Bei den eozänen Dorudontidae (z.B. *Dorudon, Zygorhiza*) und Basilosauridae (z.B. *Basilosaurus= »Zeuglodon«, Prozeuglodon*) sind die Hintergliedmaßen weitgehend rückgebildet, die Vordergliedmaßen zu Flossen umgestaltet und eine Schwanzflosse ausgebildet. Bei *Basilosaurus* ist der Rumpf stark verlängert. Die Urwale scheinen im jüngeren Alttertiär (Oligozän) ausgestorben zu sein. Ein Überleben im Altmiozän (*Phococetus* in Westeuropa) erscheint nicht gesichert.

Die Ahnenformen der modernen Wale sind wohl unter frühen Archaeoceten (Protocetidae) zu suchen, auch wenn bessere Fossilbelege noch abzuwarten sind.

Zu den erdgeschichtlich ältesten Zahnwalen (Odontoceti) zählen die Squalodontiden des Oligomiozäns (z.B. *Squalodon, Eosqualodon, Prosqualodon, Phoberodon*), die in den einstigen Warmwasserbereichen der Meere weit verbreitet waren. Die Schnauze ist meist stark verlängert, das Gebiß heterodont. Die Backenzähne sind zwar mehrspitzig, doch einfacher gestaltet als bei altertümlichen Ur-walen. Ihre Zahl ist sekundär (nachträglich) vermehrt, so daß insgesamt 56 bis 62 Zähne vorhanden sind (gegenüber höchstens 44 bei den Urwalen). Das Gehirn ist höher entwickelt als bei diesen, doch wesentlich altertümlicher als bei den modernen Zahnwalen. So sind noch deutliche Riechkolben vorhanden. Die Nasenöffnung ist nach oben und hinten verlagert. Sie liegt über den Augenhöhlen, wodurch auch die Schädelknochen bereits ineinander verschachtelt sind – ein Vorgang, der bei den modernen Walen noch weiter fortgeschritten ist. Die Halswirbel sind nicht miteinander verwachsen. Als Ahnenformen der modernen Zahnwale kommen nicht die miozänen, sondern nur die altertümlichen Squalodontiden aus dem Oligozän in Betracht.

Bei den modernen Zahnwalen ist das Gebiß durchwegs homodont, das heißt, die einzelnen Zähne sind gleichförmig ausgebildet, ihre Krone ist meist einspitzig und einwurzelig. Die Zahl der Zähne ist vielfach vermehrt. Sie dienen praktisch nur mehr zum Festhalten der Beute. Zu den in vieler Hinsicht ursprünglichsten Zahnwalen gehören die Flußdelphine (Platanistidae sowie »Pontoporiidae« und »Iniidae«), die zahlreiche altertümliche Merkmale (z.B. Großhirn mit einfacher Furchung, große Riechkolben, freie Halswirbel, einfaches Luftsacksystem) neben hochspezialisierten Eigenheiten (z.B. stark rückgebildete Augen, Maxillarkämme, übergroßer Sonarapparat) besitzen, von denen letztere teilweise mit der Lebensweise im trüben Flußwasser im Zusammenhang stehen. Die

Flußdelphine waren im Jungtertiär als Meeresbewohner nicht nur in Südamerika (z.B. *Saurodelphis*) und Asien verbreitet, sondern auch in Nordamerika (z.B. *Zarhachis, Hesperocetus)* und Europa *(Pachyacanthus)*. Dies und ihre gegenwärtige Restverbreitung spricht für die Annahme, daß es zumeist sekundäre Süßwasserbewohner sind, also solche, die erst später ins Süßwasser übergewechselt sind.

Von den Physeteroidea sind die Schnabelwale (Ziphiidae) in mancher Hinsicht (z.B. Bau des Luftsacksystems) ursprünglicher als die Pottwale (Physeteridae). Sie entstanden spätestens im jüngeren Alttertiär, wie das Vorkommen altertümlicher Ziphiiden (z.B. *Notocetus* und *Squalodelphis*) und Physeteriden (z.B. *Apenophyseter*) im Altmiozän beweist. Unter den heutigen Schnabelwalen ist *Tasmacetus* die ursprünglichste, *Hyperoodon* die spezialisierteste Gattung. Bei den Pottwalen sind es *Kogia* und *Physeter*. Der Pottwal *(Physeter macrocephalus)* ist mit einer Länge von über 20 Metern die größte lebende Zahnwalart.

Die Gründelwale (Monodontidae), zu denen Weißwal *(Delphinapterus)* und Narwal *(Monodon)* gehören, sind bisher erstmalig durch Delphinapterinen aus dem jüngsten Miozän nachgewiesen.

Zu den höchstentwickelten Zahnwalen gehören die Delphinoidea, die gegenwärtig mit den Langschnabeldelphinen (Stenidae), den Schweinswalen (Phocoenidae) und den Delphinen (Delphinidae) weltweit verbreitet sind. Dazu kommen die völlig ausgestorbenen Eurhinodelphidae (z.B. *Eurhinodelphis, Ziphiodelphis*), Acrodelphidae (z.B. *Schizodelphis*) und Kentriodontidae (z.B. *Kentriodon*), die im Jungtertiär weit verbreitet waren.

Innerhalb der Delphine sind mehrere Stammlinien zu unterscheiden, unter denen die Delphininae mit *Stenella* und *Delphinus* die fortschrittlichsten Gattungen sind. Bei den Delphinen ist das Kleinhirn völlig vom reich gefurchten Großhirn überlagert, die Riechkolben sind völlig rückgebildet. Delphine sind seit dem Altmiozän (z.B. *Protodelphinus, Megalodelphis*) nachgewiesen. *Delphinus* erscheint im jüngsten Miozän. Die Schweinswale (Phocoenidae mit *Phocoena*) zählen heute neben den Echten Delphinen zu den höchstentwickelten Walen. Sie erscheinen mit *Loxolithax* erstmalig im Mittelmiozän.

Bei den Bartenwalen (Mysticeti) sind die Zähne durch Barten ersetzt. Zähne finden sich nur bei Embryonen und belegen damit die Herkunft von bezahnten Vorfahren. Gegenwärtig sind die Bartenwale durch Angehörige von drei Familien (Grauwale, Glattwale und Furchenwale) in allen Weltmeeren vertreten, von denen die Grauwale (Eschrichtiidae) die ursprünglichsten sind. Die erdgeschichtlich ältesten Bartenwale sind mit den Cetotheriiden aus dem Mittel- bzw. Jungoligozän Neuseelands *(Mauicetus)* nachgewiesen, als sich bereits ein starker Rückgang der Urwale bemerkbar machte. Nach R.E. Fordyce steht die Entstehung der Bartenwale mit der Bildung der die Antarktis umfließenden Meeresströmung in Zusammenhang, die sich nach der Trennung von Australien und der Antarktis und der Entstehung der Drake-Passage im jüngeren Alttertiär bemerkbar machte. Die kühle Meeresströmung führte zu einer großen Planktonbildung. Cetotherien waren im Jungtertiär weit verbreitet (z.B. *Cetotherium, Mesocetus, Mixocetus, Aglaocetus*). Sie starben nach einem Rückgang im jüngsten Miozän im späten Jungtertiär wieder aus.

Glattwale (Balaenidae) und Furchenwale (Balaenopteridae) erscheinen erstmals im Mittelmiozän. Rezente (heutige) Gattungen, wie *Megaptera*, tauchen als Balaenopteride im Mittelmiozän, *Balaena* als Balaenide im Jungmiozän auf. Der gegenwärtig auf den nördlichen Pazifik beschränkte Grauwal *(Eschrichtius robustus)* war noch in geschichtlicher Zeit im Atlantik sowie in der Nord- und Ostsee heimisch.

Im gebleichten Schädel eines Schwertwals hat sich das typische Zahnwal-Gebiß dieses vielfach gefürchteten »Seeräubers« vollständig erhalten.

Zahnwale

von Wolfgang Gewalt

Alle fossilen Waltiere besaßen Zähne; auch von den zwei heute lebenden Unterordnungen seien daher die Zahnwale (Odontoceti) an den Anfang, also vor die entwicklungsgeschichtlich jüngeren Bartenwale gestellt. Die grundsätzlichen Anpassungen an das Wasserleben entsprechen der schon geschilderten »Fischform«, ansonsten sind die Zahnwale eine sehr vielgestaltige Gruppe mit etwa 80 Arten.

Flußdelphine (Familien Platanistidae, Iniidae, Pontoporiidae)

Die nur vier oder fünf Arten der FLUSSDELPHINE schauen so urwalähnlich aus, daß man ihnen den Rang einer Überfamilie an der Wurzel des Zahnwalstammbaums einräumen kann. Ihr ungewöhnlich langer »Schnabel« mit vielen kleinen, gleichförmigen Zähnen erinnert an den *Ichthyosaurus*, die Halswirbel sind – anders als bei den »lebenden Torpedos« im Meer – nicht miteinander verwachsen, wodurch ein Flußdelphin seinen Kopf schlangenartig in alle Richtungen wenden kann. Die Oberhaut braucht keinen Schnellschwimmerbelag, sondern verhornt, so daß sich auch einmal in einem Urwaldtümpel überdauern läßt; dazu verdeutlichen zentimeterlange Schnurrhaare entlang der Schnauze den nahen Bezug zum vierfüßigen Landsäuger, die breiten Flipper lassen auch äußerlich die einzelnen Finger erkennen. Trotzdem sind die Flußdelphine keine »Noch-nicht-ganz-Wale«, sondern sie scheinen erst nachträglich – vielleicht vor dem Konkurrenzdruck so zahlreicher Meerestümmler – ins Süßwasser ausgewichen zu sein. Im Zusammenhang mit dem Aufenthalt in meist trüben, schlammigen Gewässern sind die Augen klein und zurückgebildet, beim Gangesdelphin *Platanista* fehlt sogar eine Linse. Die vier Gattungen leben in weit voneinander getrennten Verbreitungsgebieten bzw. Flußsystemen, nämlich Indus-Ganges (Indien, Pakistan), Yangtse (China), Amazonas-Orinoko (Brasilien, Peru, Venezuela) und Rio de la Plata (Argentinien, Uruguay).

Noch die 1969er Ausgabe von »Grzimeks Tierleben« bedauert, daß »über das Leben der Flußdelphine ... noch nicht viel bekannt« sei und »die Haltung gerade dieser interessanten Tiere rund ein Vierteljahrhundert hintennach« hinke. Dies war daher Anlaß für mich, den merkwürdigen Geschöpfen in die freie Wildbahn Indiens, Chinas und Südamerikas zu folgen.

Der GANGESDELPHIN *(Platanista gangetica)*, in Indien SUSU genannt, ist ein kleines, gedrungen gebautes Tier von etwa 1,50, selten über 2 Meter Körperlänge. Seine Augen sind zu winzigen »Punkten« geschrumpft, die Flipper zu dreieckigen Lappen verbreitert. Vom »pummeligen«, weichhäutigen, erstaunlich biegsamen Körper abgesetzt ist ein pinzettenschlanker, mit nadelspitzen Zähnen besetzter Schnabel, der etwa ein Fünftel der Gesamtlänge ausmacht; er erinnert auffällig an die »Greifzange« des Gangesgavials, eines fischverzehrenden Krokodils, das man – zum Beispiel im Chitwan-Nationalpark in den Vorbergen des Himalaja – bisweilen in friedlicher Nachbarschaft mit dem Susu beobachten kann. Der Schnabel dient zum Ergreifen von Welsen, Barben und anderen Fischen mäßiger Größe, kann aber auch Krebse und sonstige Wassertiere vom Bodenschlamm aufnehmen. Die Nahrungssuche findet vornehmlich abends oder nachts statt, und schon die Trübheit des Flußwassers und die Verkümmerung des Auges – es mag allenfalls die Unterscheidung von Hell und Dunkel erlauben, gilt im übrigen aber als nahezu »blind« – deuten darauf hin, daß der Gesichtssinn hierbei keine Rolle spielt. Um so besser scheint die Fähigkeit zur Ultraschallortung entwickelt: Bei futtersuchenden oder -packenden Susus wurden Peiltöne bis 380 000 Hz verzeichnet, eine nur bei der Gattung *Platanista* vorhandene kuppelförmige Schädelvorwölbung im Stirnbereich dient offenbar als Hochleistungszentrum für Ortungston-Aussendung und -Empfang. Ein weiteres Hilfsmittel gegenüber der Undurchsichtigkeit des Wassers und der Schwäche des Auges mag in dem eigenartigen Schwimmstil des Susus gegeben

Flußdelphine sind keine so rasanten Schwimmer wie ihre hochseebewohnenden Verwandten und haben daher einen »weicheren«, biegsamen Leib; hier ein La-Plata-Delphin.

sein: als einziger unter sämtlichen Walarten schwimmt er auf der Seite, so daß die Spitze des einen Flippers sozusagen den Boden »abtastet«, während die des anderen – bei flachem Wasserstand – über der Oberfläche erscheint; nur zum Atemholen wird die normale Rücken-oben-Bauch-unten-Lage eingenommen, danach legt sich das Tier mit einer Rolle vorwärts und 180°-Änderung der bisherigen Schwimmrichtung wieder auf die Seite.

Im Gegensatz zu den anderen Flußdelphinarten führen die Susus – trotz im allgemeinen ruhiger Schwimmweise – gelegentlich Sprünge und geräuschvolle Schwanzschläge aufs Wasser aus. Auch vor und bei der Paarung zeigen sich die zu zweit oder in kleinen Gruppen lebenden Tiere an der Oberfläche. Wenn spätsommerliche Monsunregen die Gewässer anschwellen lassen, dringt der Gangesdelphin bis in kleine Nebenflüsse und sonst unzugängliche Tümpel vor, zur Trockenzeit beschränkt sich das Vorkommen auf die Hauptströme des Ganges, Karnaphuli und Brahmaputra. Zu meiner Verblüffung sah ich Susus inmitten des dichtesten Gewimmels badender Pilger vor der Stadt Varanasi (Benares), wo der

Fluß als besonders heilig gilt, aber auch überaus verschmutzt ist; die Tiere hatten hier eine lehmbraune Farbe angenommen, während sie sich sonst durch ein helles, milchiges Grau auszeichnen. Gefährdet ist der Susu heute vor allem durch Deich- und Staudammbauten, die seinen Bestand in Splittergruppen und seinen Lebensraum in getrennte Einzelregionen zerlegen; dazu wird er in den Hungergebieten Bangladeshs als Fleisch- und Öllieferant gejagt.

Äußerlich sind Indusdelphin und Ganges-Susu kaum unterschieden, aufgrund geringfügiger Abweichungen im Schädelbau hat man den Pakistaner jedoch 1853 als *Platanista minor* eingeordnet. Unlängst hat eine Expedition der Universität Bern außer zahlreichen Schädeln zwei lebende Indusdelphine mitgebracht, die einige Zeit in einem Tank des Hirnanatomischen Institutes gehalten wurden. Neben vielfältigen Untersuchungen über Bau und Leistung verschiedener Organe wurde ermittelt, daß der gesamte Wildbestand nur noch 450 bis 1000 Tiere umfaßt, durchgreifende Schutzmaßnahmen daher unaufschiebbar sind.

Noch bedrohlicher ist die Lage beim Chinesischen Flussdelphin *(Lipotes vexillifer)*. Der westlichen Wissenschaft wurde der etwa zwei Meter lange, hellgraue Beiji erst im Jahre 1918 durch den Schädel eines Einzeltiers bekannt, welches der Amerikaner Ch. Hoy anläßlich einer Entenjagd im Tung-Ting-See erlegt hatte. Die Zahl der Weißen, welche das Tier lebend zu Gesicht bekamen, läßt sich seitdem noch immer an den Fingern ablesen, während der See heute so weit verlandet ist, daß dem Beiji nur mehr der angrenzende Yangtse bleibt. Bei tagelangen, ausgedehnten Erkundungsfahrten, die ich 1985 mit Delphinfachleuten der Chinesischen Akademie unternahm, konnten auf mehreren hundert Flußkilometern gerade noch fünf Beijis beobachtet werden; der Gesamtbestand wird auf 60 bis 260 Tiere veranschlagt. Neben zunehmendem Schiffsverkehr und Uferregulierungen sind dem seit 1975 geschützten Beiji vor allem die zum Störfang ausgelegten Angelhaken verderblich, die geplanten Schongebiete – bestimmte Yangtse-Buchten und -Nebenflüsse – sollen daher nicht befischt werden dürfen. Besondere Bedeutung wird den Forschungs- und Hegemöglichkeiten moderner Delphinarien zukommen, für die ein Gemeinschaftsprogramm der Partnerstädte Duisburg und Wuhan aufgenommen wurde.

Im Bestand bislang ungefährdet und – wahrscheinlich in mehreren Unterarten – durch die Stromsysteme von Amazonas und Orinoko weit verbreitet ist der zur Familie der Iniidae zählende Amazonasdelphin *(Inia geoffrensis)*, auch Butu, Bufeo oder einfach Tonina (hispano-amerikanisches Wort für Tümmler) genannt. Südamerikas größten Fluß besiedelt er von den Anden bis nahe an den Atlantik. Humboldt hatte ihn in den Llanos von Venezuela beobachtet, heute kreuzt er den Kurs von Touristendampfern von Manaus bis Iquitos. Bei Hochwasser dringt er ins Stamm- und Lianengewirr der Urwälder vor, zur Trockenzeit muß

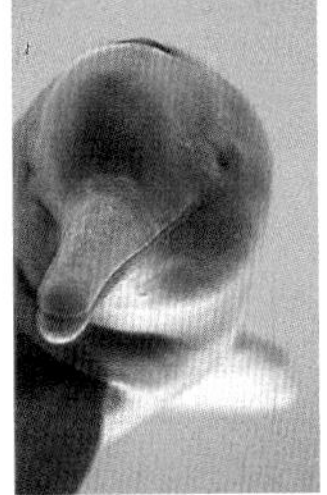

Kennzeichnend für alle Flußdelphine – oben ein Amazonasdelphin, links ein Gangesdelphin – ist der krokodilähnlich lang ausgezogene schmale »Schnabel«, der mit spitzen Zähnen besetzt ist. Damit ergreifen diese Delphine sowohl freischwimmende Fische als auch im Schlamm lebende Krebse und anderes Bodengetier.

Chinesischer Fluß-delphin. Er gilt gegenwärtig als die seltenste Waltierart der Welt.

womöglich ein Resttümpel der Rinderweide genügen. Außer seiner Anpassungsfähigkeit kam dem Butu früher der Aberglaube der Eingeborenen zugute, daß sich das Tier nachts in ein schönes, aber unglückbringendes Mädchen verwandele, daß der Blick in eine mit Butu-Öl gespeiste Lampe blind mache usw. Spätere Ansiedler, die solchen Tabu-Vorstellungen nicht folgten, haben den Amazonasdelphin zum Teil nachhaltig bejagt, doppelt sinnlos deswegen, weil geschossene Tiere untergehen und damit als »Beute« in der Regel verloren sind. Trotzdem kann man mit Lyall Watson noch immer erfreut feststellen, daß es schwierig ist, »irgendwo einen Tag im Amazonas-Becken zuzubringen, ohne diese Art zu sehen«. Am venezolanischen Rio Apure, wo wir einige Butus für den Duisburger Tonina-Pool fingen, waren sie als Feind und Verzehrer der gefürchteten Piranhas hochgeschätzt; Farmer baten uns, überzählige Delphine in ihre Rindertränken zu setzen, damit sie das Vieh vor den bissigen Fischen schützen.

Mit bis 2,70 Meter Länge und 100 Kilogramm Gewicht ist der Butu die stattlichste Art, im übrigen entspricht sein Körperumriß – von der etwas weniger

stark vorgewölbten »Melone« abgesehen – weitgehend dem des Beiji und anderer Flußdelphine. Die kammartige Rückenfinne ist flach-dreieckig, die breiten, lappenartigen Flipper lassen eine fingerartige Aufgliederung erkennen und können – was bei Hochseeformen kaum vorkommt – in gewissem Umfang als »Paddel« benutzt werden. Die Beweglichkeit des Kopfes wird durch einen deutlichen Halseinschnitt betont.

Der mäßig lange Schnabel ist mit durchsichtig-hornfarbenen, zentimeterlangen Tasthaaren besetzt. Das Gebiß – eine Ausnahme zur für Zahnwale sonst typischen Homodontie (Gleichförmigkeit der Zähne) – zeigt im hinteren Bereich Ansätze zur Entwicklung verbreiterter Backenzähne oder Molaren, vielleicht eine Anpassung an die Ernährung mit harten Panzerwelsen. Während die Zähne der meisten Delphine nur zum Ergreifen schlüpfriger, aber dann unzerkaut verschluckter Beute dienen, kann der Butu auf dieser, wenn nötig, herumbeißen; jedenfalls haben wir bei den Tieren des Duisburger Tonina-Pools oft beobachtet, daß lebend verfütterte Karpfen von ihnen in mundgerechte Bissen »zerknautscht« werden.

Die auffälligste Besonderheit der Butus ist ihre Färbung. Im Gegensatz zum schlichten Grau der anderen Flußdelphine zeigen sie leuchtend hellblaue und/oder »bonbonrosa« Tönungen, auch milchweiße Tiere, Teil- und Voll-Albinos, kommen vor. Butus haben keine natürlichen Feinde, vor welchen sie ein Schutzkleid tarnen müßte, in der Undurchsichtigkeit von schlammigen Urwaldgewässern können sie sich »Schockfarben« leisten. Wie erwähnt, schalten Butus bei geeigneten Sichtbedingungen für den Beutefang auf optische Orientierung um, wobei sich das äußerlich kleine Auge als bemerkenswert leistungsfähig erweist. In der Natur müssen die Nahrungsfische durch Ultraschall aufgespürt und verfolgt werden, ein nicht minder perfektes Verfahren, über dessen Reichweite und Frequenzen zahlreiche Versuche bei uns stattfanden. Während der Ganges- oder der Indusdelphin die Seitenlage bevorzugen, schwimmen fischjagende Butus auf dem Rücken, in der Regel dicht über dem Boden, so daß nicht einer der beiden Flipper, sondern die Rückenfinne den Sandgrund berührt. Dabei fährt der Kopf – wie der Radarschirm eines Schiffes – in regelmäßig waagerechten Pendelbewegungen hin und her, bis die Beute sicher eingepeilt und in Zuschnappweite gekommen ist. Zum Schluß dürften dann noch die Tasthaare Aufgaben der Nahorientierung erfüllen.

Durch ihre weit hinten sitzenden Äuglein und die »einfältig lächelnden« Mundwinkel schauen Flußdelphine etwas komisch aus; vielfach hält man sie deshalb für »dümmer« als die Meerestümmler, denen – ebenso unbegründet – menschenähnliche Intelligenz, Sprachbegabung, ja sogar philosophische Neigungen angedichtet wurden. Erst heute gelingt es in einigen

Delphine fürs Duisburger Delphinarium: Amazonasdelphine werden in ihrem Heimatstrom mit Netzen gefangen (links) und in einem wassergefüllten Kanu weiterbefördert (oben). Als lungenatmende Säugetiere können Delphine zwar längere Zeit außerhalb des Wassers leben, aber ihre empfindliche Haut muß dann ständig feucht gehalten werden.

▷ Durch seine kleinen, weit hinten sitzenden Äuglein und die »einfältig lächelnden« Mundwinkel schaut der Amazonasdelphin wie auch die anderen Flußdelphine »dümmer« aus als die Meerestümmler. Aber Forscher haben festgestellt, daß er über eine hervorragende Anpassungsfähigkeit und außergewöhnliche Lernfähigkeit verfügt.

Delphinarien, dieses Falschbild zurechtzurücken, wobei für den Butu in unserem Tonina-Pool Einblicke möglich geworden sind, die in der »Erbsensuppe« des Orinoko nie denkbar wären. Sie zeigten überraschenderweise, daß der Erfindungsreichtum des Amazonasdelphins für selbstgestellte Jonglier-, Knüpf- und andere Geschicklichkeitsaufgaben, Werk- und Spielzeuggebrauch einen innerhalb der Waltiere, ja vielleicht innerhalb der Säuger, einsamen Spitzenrang erreicht hat. Das sich laufend ändernde und erweiternde Repertoire, das die – undressierten – Duisburger Toninas im Kombinationsspiel mit Bällen, Schläuchen, Bürsten, Ringen, Besenstielen und anderen ins Bassin gegebenen Gerätschaften betreiben, ist Gegenstand zahlreicher Untersuchungen und ständigen Erstaunens. Ein Butu kann zum Beispiel gleichzeitig unter jedem Flipper einen Ball tragen, auf Ober- und Unterkiefer mehrere Ringe fädeln, den Bauch von einer umgestülpten, luftgefüllten Plastikschüssel emportreiben lassen und mit einer zwischen die Zähne geklemmten Stielbürste seinen Partner kitzeln, dem er zuvor eine Hindernisbahn aus Schlauchschlingen geknüpft hat; homosexuelle Betätigung ist in diesem

Bis zehn Meter lang wird der Entenwal oder Dögling, der wegen seiner »hohen Stirn« auch Butzkopf heißt. Einst war diese Art im Nordatlantik sehr häufig, heute ist sie nach jahrzehntelanger Bejagung sehr selten geworden.

Zusammenhang nicht selten, selbst wenn paarungswillige Partner des anderen Geschlechtes gegenwärtig sind. Da dem Thema Werkzeuggebrauch und -herstellung hohe Bedeutung für die Tier-Mensch-Abgrenzung zugemessen wird, sei erwähnt, daß sich die Duisburger Toninas sogar »Spielgerät« aus anorganischem Material verschaffen: Beim Auftauchen nicht durch das Blasloch, sondern in die Mundhöhle (!) aufgenommene Luft wird unter Wasser so mit einer kreisförmig-schlenkernden Kopfbewegung ausgestoßen, daß ein Luftblasenring von etwa einem Meter Durchmesser entsteht; während dieser langsam zur Oberfläche emporsteigt, dient er dem in einer raschen Wendung zurückkehrenden Delphin als »Reifen« für spielerisches Hindurchschwimmen.

Der nur etwa 1,40 Meter lange, selten über 40 Kilo schwere La-Plata-Delphin oder Franciscana (*Pontoporia blainvillei*; Familie Pontoporiidae) ist mehr Küsten- und Brackwasser- denn Süßwasserbewohner, der lange dünne Schnabel, die »gefingerten« Flipper und andere Merkmale ordnen ihn jedoch zweifelsfrei den Flußdelphinen zu. In den eigentlichen Flüssen, dem Rio Paraná und dem Rio Uruguay, wurde er noch kaum nachgewiesen, in ihrer gemeinsamen Mündung, dem Rio de la Plata (»Silberfluß«, in Wirklichkeit eine kaffeebraune, 80 Kilometer breite Bucht zwischen Montevideo und Buenos Aires), bekommt man eher verschiedene Meeresdelphine als Franciscanas zu Gesicht. Die meisten Funde – über 1000 im Jahr – stammen aus für den Haifischfang bestimmten Stellnetzen vor der Küste Uruguays und Südbrasiliens, einige Fischer stellen dem Franciscana auch gezielt zwecks Fleisch- und Ölgewinnung nach. Über Bestandsstärke und etwaige Gefährdung des La-Plata-Delphins ist wenig bekannt. Als Mageninhalt wurden außer Fischen auch Garnelen festgestellt, die vermutlich mittels des langen Schnabels aus dem Bodengrund aufgenommen werden.

Während der Franciscana kaum eigentlich im Süßwasser auftritt, gibt es mehrere Arten, die nicht zu den Flußdelphinen gehören, aber binnenwärts weit die Ströme hinaufschwimmen. Neben dem Weißwal, der nur zeitweilig in Binnengewässer vordringt, gehört dazu etwa der auf S. 385 besprochene Indoasiatische Glattümmler *(Neophocoena phocoenoides)*, den wir viele hundert Kilometer stromaufwärts im Yangtse – weit häufiger als den eigentlichen Chinesischen Flußdelphin – antrafen.

Einen anderen Brack- und Süßwasserbewohner Südostasiens haben wir mit dem Irrawaddydelphin *(Orcaella brevirostris)* vor uns, der außer im Irrawaddy-Fluß von Burma auch im thailändischen Mekong, im Mahakam auf Borneo, im Ganges und Brahmaputra vorkommt (s. S. 408).

Regelmäßige Begleiter des südamerikanischen Butu sind Delphine der Gattung *Sotalia*, die Tucuxis (s. S. 383). *Sotalia fluviatilis* besiedelt den Amazonas ähnlich weit stromaufwärts wie der eigentliche Amazonas-Flußdelphin.

Schnabelwale (Familie Ziphiidae)

Die Regeln der zoologischen Systematik verlangen, mit den urtümlichsten, wenn auch wenig bekannten Familien zu beginnen, das heißt nach den Flußdelphinen mit den Schnabelwalen, die 18 Arten von 4 bis 12 Meter Länge umfassen, von denen hier nur die wichtigsten vorgestellt werden sollen. Wie der Name andeutet, sind die Kiefer zu einem langen »Schnabel« (Rostrum) ausgezogen, was bei Fluß- und Stenelladelphinen allerdings kaum weniger der Fall ist. Wie bei Weichtieressern üblich – die Schnabelwale scheinen sich vorwiegend von Kopffüßern (»Tintenfischen«) zu ernähren –, ist das Gebiß stark zurückgebildet und enthält nur noch ein bis zwei Zahnpaare an der Spitze oder den Seiten des Unterkiefers. Bei den Weibchen bleiben sie weitgehend im Zahnfleisch verborgen, bei alten Männchen können sie wie die »Hauer« eines Wildschweins hervorstehen und dreieckigkeil- oder bandförmige Gestalt aufweisen; bei dem erst 1957/58 entdeckten Japanischen Schnabelwal *(Mesoplodon ginkgodens)* hat man sie mit dem zweilappigen Blatt des Ginkgobaumes verglichen. Eine Ausnahme macht der Tasmanische Schnabelwal *(Tasmacetus shepherdi),* der außer zwei »Hauern« an der Unterkieferspitze noch eine normale Delphinbezahnung aufweist und als dessen Mageninhalt unter anderem Plattfische festgestellt wurden. Die zahlreichen Risse und Narben, welche geradezu ein Artmerkmal bestimmter Schnabelwale bilden, rühren möglicherweise von einem Gebrauch der »Hauer« als Turnierwaffen her.

Ob die Schnabelwale ihre schlüpfrige Beute nach dem »Staubsaugerprinzip« aufnehmen, ist – wie viele sonstige Einzelheiten ihrer Lebensweise und Artzugehörigkeit – nur unvollkommen geklärt; vor allem den Männchen des Layard-Schnabelwals dürfte kaum eine andere Möglichkeit bleiben, da sich ihre Hauer im Alter über den Oberkiefer einwärts krümmen und dazu führen, daß sich der »Schnabel« nur noch ein bis zwei Zentimeter weit öffnen läßt. Als Tieftaucher bevorzugen Schnabelwale die offene See, wo Beobachtungen selten und schwierig sind. Nur über die früher walfängerisch genutzten Arten – den sieben bis neun Meter langen rundköpfigen Entenwal oder Dögling *(Hyperoodon ampullatus),* von dem um die Jahrhundertwende bis zu 3000 Stück je Saison im Nordatlantik erbeutet wurden, sowie den stattlichen Vierzahnwal *(Berardius bairdi),* dem japanische Fischer nachstellten – sind wir notdürftig unterrichtet, die meisten anderen sind nur in Form gestrandeter Einzeltiere, im Falle des Indopazifischen Schnabelwales *(Indopacetus pacificus)* sogar nur durch zwei angespülte Schädel »bekannt«. Während der Entenwal zwischen Jan Mayen, Island und Färöern früher in Herden bis zu 1000 Stück

Sechs von achtzehn Arten der wenig bekannten Familie der Schnabelwale. Von oben nach unten: Entenwal, Layard-Wal, True-Wal, Zweizahnwal, Bairds Schnabelwal, Cuvier-Schnabelwal.

auftrat, leben die übrigen Schnabelwale in kleinen Verbänden oder einzelgängerisch. Im Gegensatz zum gemütlich-rundstirnigen »Butzkopf« sind sie sehr schnittig gebaut und entsprechend schnell. Als typische Hochseebewohner verunglücken sie, einmal in Küstennähe geraten, viel leichter durch Strandung als solche Walarten, welche den Aufenthalt in Flachwasser gewöhnt sind. Auch für Delphinarien scheinen sie – so holländische Erfahrungen mit einem gestrandeten Zweizahnwal *(Mesoplodon bidens)* – wenig geeignet, doch sind dazu – bislang scheint noch kein einziger Schnabelwal unverletzt in Menschenhand gelangt zu sein – weitere Untersuchungen nötig.

Warum stranden Wale?

Da das Phänomen des Strandens auch bei vielen anderen Zahnwalen regelmäßig vorkommt und Zeitungen und Fernsehen zumal über »Massenstrandungen« immer wieder in großer Aufmachung berichten, sei hier etwas näher darauf eingegangen:

»Selbstmord« aus Lebensüberdruß oder Liebeskummer und ähnliche Vermenschlichungen scheiden selbstverständlich aus, es dürfte sich vielmehr um Störungen der Ultraschallortung handeln. Dahin deutet unter anderem die Tatsache, daß die nicht ultraschallortenden Bartenwale vergleichsweise selten stranden und daß unter den Zahnwalen vor allem jene Hochseeformen verunglücken, die das Navigieren im Schelf nicht gewöhnt sind.

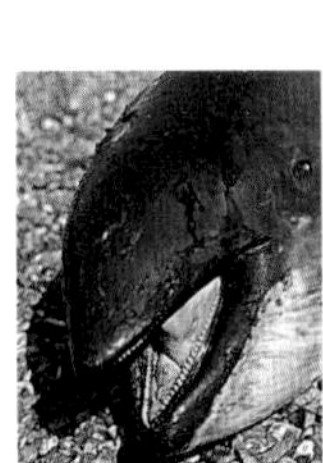

Immer wieder kommt es vor, daß Wale an flachen Meeresküsten stranden und elend umkommen. Die Ursache dieser Unfälle liegt meistens in einer Störung der Ultraschallortung, und sobald ein Wal SOS meldet, folgen viele weitere. Der Kleintümmler (oben) ist bereits verendet, und den Grindwalen (rechts) droht dasselbe Schicksal.

Grauwale, die sich »behaglich« im warmen Tang mexikanischer Strände wälzen; Südkaper, die sich ihre Seepocken an den Hafenmauern Puerto Madryns vom Rücken kratzen; Schwertwale, die ihrer Leibspeise Seelöwe bis auf die Sandbank hinterherkriechen; Weißwale, die mit jeder Tide zwischen Sturmtaucher- und Rentierregion wechseln – sie alle, von den eigentlichen Flußdelphinen gar nicht zu reden, geraten keineswegs in Panik, falls das Wasser »unter dem Kiel« einmal knapp werden sollte. Für Grind-, Pott- und Schnabelwale, den Schwarzen Schwertwal und andere Offenmeerformen sieht eine solche Lage hingegen anders aus, so daß neben den vielfältigen körperlichen Problemen einer Strandung nicht zuletzt ihre hitze- und herzschlagerzeugende »Aufregung« verhängnisvoll wird. Was aber letztlich Ursache der Walstrandungen ist und sie womöglich zu einem Massensterben werden läßt – diese Frage ist so alt wie das Phänomen selbst und wird mit unterschiedlichen Theorien beantwortet. Da Wale in der Regel an seichten Ufern stranden, nimmt man zum Beispiel an, daß flache Schlick- oder Sandstrände die Ortungstöne der Tiere »verschlucken« oder nur als unklare Echos zurückgeben; die von der Brandung erzeugten Geräusche und Sandaufwirbelungen könnten das akustische Bild zusätzlich verwischen.

Bei den Tausenden von Walstrandungen – allein an der britischen Küste sind es laut einer sorgfältig geführten Kartei seit 1913 schon über 1600 Fälle – gibt es offenbar gewisse Schwerpunkte; sie können sowohl mit den Wanderwegen oder »Fernwechseln« einzelner Arten wie mit Zentren besonderer Unfallträchtigkeit zusammenhängen, wie sie uns auch aus Verkehrsstatistiken bekannt sind. M. Klinowska hält Einwirkungen des Erdmagnetismus für möglich, denn wie bei ganz anderen Wandertieren – den Tauben – sind im Großhirn der Wale magnetische Eisenoxydkristalle (Magnetit) festgestellt worden, welche auf die überflogene beziehungsweise überschwommene »magnetische Landschaft«, das heißt ihre unterschiedlichen Feldstärken, reagieren; Unfallorte würden sich dann dort ergeben, wo eine magnetische Leitlinie

durch geologische Veränderungen verdeckt oder »verbogen« worden ist.
Die bei weitem häufigste Ursache von Walstrandungen ist jedoch in Erkrankungen der Tiere, vor allem in Parasitenbefall zu suchen. »Gesund wie ein Fisch im Wasser« trifft weder für Fische noch für »Walfische« zu. Wer das Meer gewohnheitsmäßig als Gesundbrunnen betrachtet, wäre von J.R.Geracis Untersuchungen einer Massenstrandung an der Küste von Maine vermutlich enttäuscht: Bei 57 aufgelaufenen Delphinen fand er 17 Arten von Krankheiten, 11 Arten Bakterien, 10 Arten Parasiten, dazu Nierensteine, Warzen und Magengeschwüre; 12 % hatten Tumoren, 25 % verschiedene Stadien von Arteriosklerose, 88 % der Weibchen litten an Mastitis (Euterentzündung, hervorgerufen durch den im Milchdrüsengewebe schmarotzenden Fadenwurm *Crassicauda*). Die unmittelbarste Schadwirkung dürfte jedoch von jenen Parasiten ausgehen, welche die zur Ultraschallortung nötigen Organe selbst befallen, nämlich in Gehörgang

Dieser Narwal ist mit unbeschädigtem »Einhorn« an den Strand geworfen worden.

und Mittelohr auftreten. Die etwa 27 Millimeter langen Würmer *(Stenurus globicephalae)* werden schon bei Delphinkälbern gefunden und können später in ganzen Knäueln – bis zu 3300 bei einem Tier! – Hohlräume des Kopfes ausfüllen. Kleintümmler russischer Gewässer waren zu 100 % von *Stenurus* befallen, bei Grindwalen und Weißseitendelphinen der amerikanischen Ostküste war der Befund ähnlich. Nicht minder häufig sind Lungenwurmschäden, wobei eine nicht unromantische Mutmaßung G.Woods Strandungen damit zu erklären versucht, daß ein in (Atem-)Not geratener Wal sich womöglich wieder an seine Vierfüßer-Vorzeit erinnere und – als »Flucht in die Vergangenheit« sozusagen – den letzten Ausweg im Aufs-Land-Kriechen suche.

Parasitenbefall muß keineswegs immer zur Katastrophe führen, sonst gäbe es keine Wale mehr; seit Jahrmillionen ist er in Grenzen geradezu normal, denn kein Schmarotzer hat letztlich »Interesse« daran, seinen Wirt (und einzigen Nährboden) zu vernichten. Trotzdem kann es weitreichende Folgen haben, wenn an einer einzigen heiklen Uferstelle ein einziger Wal für einen einzigen Augenblick durch einen einzigen Parasiten ins ortungsmäßige Stolpern gerät! Der küstenkundige Beluga wartet gelassen auf die nächste Flut, falls er auf Schlick gerät, Hochseesprinter oder Tiefseetaucher aber drehen in der gleichen Lage einfach »durch«. Die im kühlen Wasser so nötige Isolierhülle des Speckes wird an der weniger wärmezehrenden Luft zu einem lebensgefährlichen »Schwitzkasten«, in dessen Innerem die durch Panik zusätzlich angeheizte Körpertemperatur rasch bis zum Wärmeschock ansteigt. Der Feinaufbau der Haut trocknet – sandverkrustet – ein, zur tödlichen Last aber wird den Tieren schließlich ihr eigenes Gewicht. Wale besitzen trotz ihrer Größe ein verhältnismäßig schwaches Knochengerüst, da der Körper ständig vom Wasser gestützt wird (Gesetz des Archimedes: »Jeder in eine Flüssigkeit getauchte Körper verliert so viel von seinem Gewicht, wie die von ihm verdrängte Flüssigkeitsmenge wiegt«). Außerhalb des Wassers, also beim gestrandeten Wal, reicht die Skelettfestigkeit nicht mehr, das Tier genügend auszusteifen: Es flacht sich zumal im Brustkorbbereich ab und erstickt oder erdrückt sich um so rascher und unausweichlicher, je größer und schwerer es ist. Zoodelphine werden beim Transport daher nicht nur gekühlt und gewässert, sondern durch »maßgeschneiderten« Schaumgummi in Form gehalten. Gestrandete Wale, die ins Meer zurückgewälzt werden, haben in der Regel Druckschäden an Lungen und Eingeweiden, Rippenbrüche und Hautablösungen, sind aber vor allem durch jene Besonderheit todgeweiht, die solche Unfälle erst zu Massenkatastrophen werden läßt: das Zusammenhalts- und Beistandsverhalten der Wale.
Alle Wale sind gesellige Tiere, welche über die Beziehungen zwischen Männchen und Weibchen, Müttern und Jungen hinaus regelmäßige Herdenverbände, sogenannte Schulen, bilden. Je nach Art können Walschulen aus einer Handvoll oder einigen hundert, ja tausend Mitgliedern bestehen; manche Schulen formieren sich zu gemeinsamer Futtersuche, manche zu

gemeinsamer Wanderung, manche zu gemeinsamer Jungenaufzucht; einige umfassen gemischte Gruppen, andere nur Männchen oder Weibchen oder Halbwüchsige – der Zusammenhalt pflegt jedoch stets eng zu sein. Widerfährt einem Mitglied solcher Schulen nun das Unglück, auf Strand zu laufen, bleibt dies jedenfalls keine »Privatangelegenheit«; wie viele andere Tiere verfügt ein verängstigter, verfolgter oder verletzter Wal über bestimmte Notrufe, welche von einem Artgenossen als SOS-Signal verstanden werden. Wie gelegentlich bei Menschenaffen und Elefanten können sie bis zum Versuch unmittelbarer Hilfeleistung – etwa dem Stützen oder »In-die-Mitte-Nehmen« des angeschlagenen Verbandsmitgliedes – führen, fast immer haben sie zumindest das Ergebnis, daß sich die »Schulgenossen« zahlreich am Unfallort versammeln.

Auf die Ausdeutung, wie viele Verhaltensanteile hierbei auf »Neugier«, wie viele auf »Mitleid« oder »Helfenwollen« entfallen, soll verzichtet werden: Bei einer Vielzahl höherer Wirbeltiere ist es für uns selbstverständlich, daß auf Ertönen eines Not-, Klage- oder Hilferufes des/der Jungen die Mutter unter Inkaufnahme erheblicher Eigengefährdung herbeieilt; bei den Walen würde es sich demnach »nur« um die Erweiterung eines solchen Prinzips über die Mutter-Kind-Ebene hinaus handeln. Ganz fraglos hängen aber Massenstrandungen und Beistandsverhalten aufs engste zusammen. Sobald und solange ein Wal – in seiner Weise selbstverständlich, also für uns unhörbar – SOS sendet, drängen die übrigen Herdenmitglieder in seine Nähe; laufen sie dabei ihrerseits auf Strand, geben sie ebenfalls Notrufe ab – eine Kettenreaktion, die rasch die gesamte Gruppe ins Unglück zieht und die erklärt, weshalb menschliche Rettungsversuche in der Regel erfolglos bleiben: Falls nicht das praktisch Unmögliche gelingt, alle Opfer einer Massenstrandung gleichzeitig wieder ins Meer zu schleppen, falls nur ein einziger Wal übrigbleibt, um nach Hilfe zu rufen, so lange ist der Teufelskreis kaum zu durchbrechen.

Deutlich sind diese Zusammenhänge auf Expeditionen geworden, bei denen verschiedene Walarten lebend für den Zoo Duisburg eingefangen wurden. Sobald hier einzelne Belugas, Flußdelphine oder Jacobitas zwar nicht gestrandet, aber in unsere Netze oder Lassoschlingen geraten waren, übernahmen sie unfreiwillig die Rolle von Lockvögeln, deren Signale Artgenossen zum Teil aus Kilometerferne zum »Unfallort« zogen. Wir müssen biologische Tatsachen und angeborenes Verhalten beurteilen lernen, nicht aber beleidigt sein, weil »dumme« Wale sich nicht retten lassen und »kluge« ihr Wörterbuch nicht herausrücken.

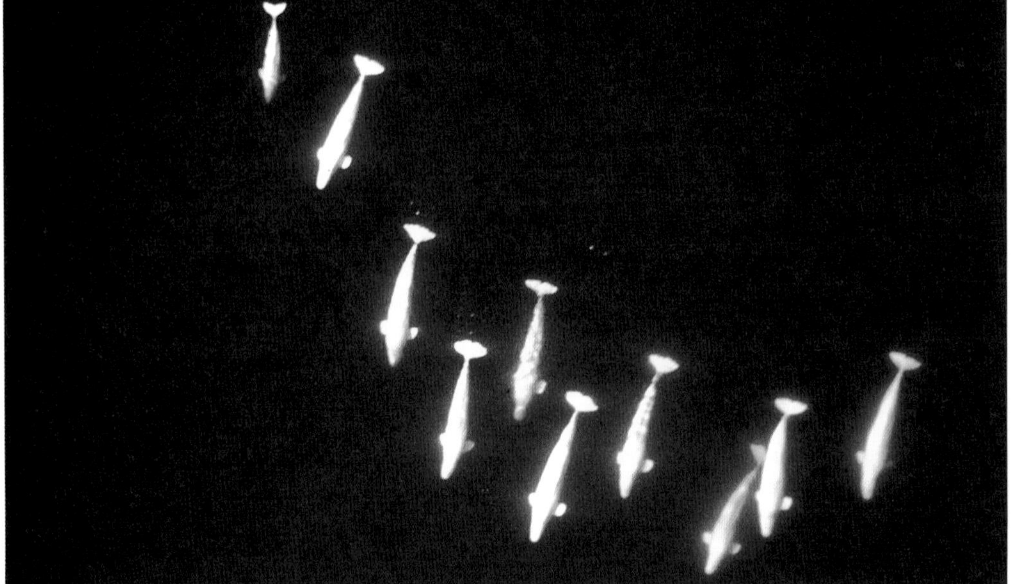

Alle Wale sind gesellige Tiere, welche über die Beziehungen zwischen Männchen und Weibchen, Müttern und Jungen hinaus regelmäßige Herdenverbände, sogenannte Schulen, bilden. Hier eine Bullengruppe der Weißwale.

Pottwale (Familie Physeteridae)

Noch in neueren Fachbüchern finden wir für die Familie der Pottwale nur zwei Arten angegeben, denn die Beobachtung und Einordnung ihrer kleineren Mitglieder sind schwierig; daß es sich beim etwa drei Meter langen, kurzköpfigen ZWERGPOTTWAL *(Kogia breviceps)* und dem geringfügig schwächeren KLEINPOTTWAL *(Kogia simus)* um verschiedene Formen handelt, gilt erst heute als erwiesen, doch Kenntnisse über ihre Verbreitung und Lebensweise sind nach wie vor spärlich. Um so besser bekannt und gänzlich unverwechselbar ist der große, der eigentliche POTTWAL *(Physeter catodon)* – für viele Menschen sozusagen der Wal schlechthin seit Jahrhunderten! Der 40-Tonnen-Riese mit dem ungefügen Kastenkopf erschien tatsächlich als »Urvieh« und Ungetüm, als der geheimnisvoll-schreckliche Leviathan, als Fabelwesen der Tiefe, er hat aber auch der modernen Zoologie – inzwischen zu den besterforschten Arten zählend – noch immer Rätsel zu bieten.

Die vom Pottwal gehaltenen Rekorde, Superlative und Einzigartigkeiten sind kaum aufzuzählen: mit einer Länge von 20 Metern ist er der bei weitem größte Zahnwal; da Pottwalweibchen »nur« etwa 11 Meter lang werden, zeigt er aber auch den bedeutendsten Längenunterschied zwischen den beiden Geschlechtern einer Walart. Allerdings sind dies fast nur noch »historische« Maße, denn da der Pottwal die am meisten bejagte Art darstellt – allein im Jahr 1963 wurden über 35 000 Stück getötet, die jüngste Jahresquote lag noch immer bei mehreren Tausend –, werden solche durch ein hohes Lebensalter bedingten Werte kaum noch erreicht. Trotzdem ist der Pottwal noch immer der häufigste Großwal, dessen Gesamtbestand auf ungefähr 500 000 Tiere geschätzt wird; daneben gehört er zu den weitestverbreiteten, nämlich in sämtlichen Weltmeeren heimischen Arten, wobei allerdings nur die Bullen häufiger in den Polargegenden erscheinen, während die Weibchen das Gebiet zwischen und an den Wendekreisen bevorzugen. In seinem gewaltigen, über ein Drittel des Gesamtbildes ausmachenden Kopf trägt der Pottwal die massivsten Zähne und die umfangreichste Nase des gesamten Tierreichs; er taucht in die tiefsten von einem Warmblüter erreichten Meeresgründe, um dort dem mächtigsten Beutetier, dem bis 45 Meter langen Riesenkraken, nachzustellen. Mit Ambra und Walrat liefert er einige der lange Zeit teuersten tierischen Rohstoffe, und er ist – nicht erst seit Melvilles »Moby Dick« – Mittelpunkt der abenteuerlichsten Geschichten. Er gehört zu den am zahlreichsten strandenden Walarten, aber von ihm konnte auch – 1981 unweit New York – erstmals ein vollerwachsenes Exemplar gerettet, nämlich durch ein Tankboot freigeschleppt, aufgepäppelt und ins Wasser zurückgesetzt werden. Die Liste solcher Pottwal-Besonderheiten ließe sich noch lange fortsetzen.

Schon im Augenblick des Auftauchens ist der Pottwal sogleich eindeutig zu erkennen: Sein bis fünf Meter langer Blasstrahl wird nicht nach oben, sondern schräg nach vorn »geschossen«, und zwar mit explosionsartiger, kilometerweit hörbarer Heftigkeit, falls ein ausgedehnter Tiefseeabstieg vorausging. Im Gegensatz zu anderen Walen und Delphinen, deren Blasloch sich auf der Wölbung der Scheitelmitte öffnet, sitzt es beim Pottwal an der äußersten Ecke des Oberkieferpolsters; genauer gesagt an der linken Ecke, denn die für die Unterordnung der Zahnwale bezeichnende Asymmetrie des Schädels ist beim Pottwal besonders ausgeprägt. Mit der Lunge und Luftröhre wird das Blasloch durch den linken Nasengang verbunden, der die Länge des Polsters diagonal durchqueren und daher mindestens vier bis fünf Meter messen muß; der

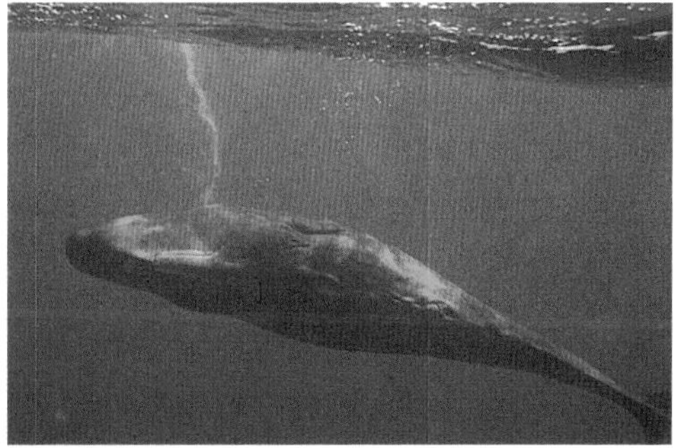

Ein Pottwal taucht ab. Dieser Gigant unter den Zahnwalen kann Tauchtiefen von mehr als einem Kilometer erreichen.

womöglich noch längere rechte Nasengang – Durchmesser 1 Meter! – führt durch die darunter liegenden Polsterschichten und hat keine unmittelbare Verbindung zur Außenluft.

Wer – ohne das Tier zu kennen – nur den knöchernen Schädel eines Pottwals fände, käme gar nicht auf den Gedanken, daß diesem langschnäbelig-schlanken, im Oberkiefer zahnlosen Gerüst zu Lebzeiten ein Pkw-großer »Kasten« aus Fett und Bindegewebe auf-

▷ Eine andere Weißwalherde, vom Flugzeug aus aufgenommen. Einige halbwüchsige Jungtiere »reiten« auf dem Rücken ihrer Mütter.

sitzt. Bei alten Pottwalbullen kann der »Kasten«, den man sich als riesige rechteckige Vergrößerung der delphinbekannten »Melone« vorstellen darf, noch anderthalb Meter über die knöcherne Schnabelspitze hinausragen; fast verschwindet darunter die schmale Pinzettenhälfte des Unterkiefers, obwohl ihre 40 bis 50 klobigen Kegelzähne Kuhhorn- bis Bananenformat haben. Scheinbar vollends verloren sitzt weit hinten das winzige Auge; Zoo-Erfahrungen mit kleinäugigen Flußdelphinen und der Umstand, daß viele Tiefseebewohner (mögliche Beutetiere des Pottwals) Leuchtorgane tragen, sollten jedoch davor warnen, das Sehvermögen von vornherein als bedeutungslos einzuschätzen.

Wie die »Melone« besteht der merkwürdige Riesenkopf im wesentlichen aus Bindegewebe und Fett, das hier jedoch in besonderer Form, nämlich als feinflüssiges Öl, auftritt; erst bei Abkühlung oder an der Luft erstarrt es zu einer weißlichen, wachsartigen Masse, dem sogenannten Walrat. Ehemals betrachtete man es als die Samenflüssigkeit des Tieres und nannte es »Spermaceti« (griech. *sperma* = Samen; lat. *cetus* = Wal). Von daher heißt der Pottwal im Englischen »Sperm Whale« (Samenwal). Wichtiger wurde dann die wirtschaftliche Nutzung: Während sich der aus dem Körperspeck gewinnbare Tran nicht zu Margarine oder Seife verarbeiten, aber in Lampen, Haut- und Lederpflegemitteln verwenden ließ, erwies sich das Kopföl, also das Walrat oder Spermaceti, als überaus wertvoll und vielseitig brauchbar; es dient als Rohstoff für Salben und kosmetische Präparate, Gleitmittel für feinmechanische Präzisionsgeräte und Zusatz bei der Getriebeschmierung der Automobilindustrie. Sicherlich überrascht, daß hierfür noch keine künstlichen Schmierstoffe entwickelt worden sind, denn allein die Bundesrepublik Deutschland mußte Anfang der achtziger Jahre noch rund 100 Tonnen Walrat jährlich einführen, während der Weltjahresbedarf sogar auf 100 Millionen Tonnen veranschlagt wird. Gleichwertiger, also gleich hitze- und druckbeständiger Ersatz scheint sich vorläufig nur aus den Nüssen der Jojoba *(Simmondsia california)* – einer seltenen Strauchpflanze der kalifornischen Sonora-Wüste – gewinnen zu lassen, deren wirtschaftlicher Anbau jedoch noch in den Anfängen steckt. In den Verhandlungen und Statistiken der IWC nimmt der Pottwal so nach wie vor den wichtigsten Platz ein, obwohl die Fangquote – 1977 noch 12 000 Tiere – inzwischen entscheidend gesenkt oder sogar ausgesetzt werden konnte; ohnehin wurde zumindest theoretisch nur der Abschuß von Männchen, die eine bestimmte Mindestgröße aufweisen, erlaubt.

Welchen Nutzen der Pottwal selber von seinem ungefügen Ölkopf hat, diese Frage ist oft gestellt und durch oft wechselnde Theorien beantwortet worden. Eine einfache Erklärung besagt, daß der Auftrieb des Kopfpolsters das Gewicht des schlanken, aber schwer bezahnten Unterkiefers ausgleicht, und tatsächlich treiben Pottwale nach dem Tode, im Gegensatz zu den übrigen Zahnwalen und den Furchenwalen, an der Oberfläche; freilich würde dies andererseits bedeuten, daß beim Tieftauchen um so größere Anstrengungen aufzubringen wären. Eine andere Überlegung geht von der Tatsache aus, daß Öl sehr viel mehr des als Verursacher der Taucherkrankheit (s. S. 335) gefährlichen Stickstoffs binden und somit unschädlich machen kann als das Blut. Gerade für den Rekordtaucher Pottwal hätte unschätzbaren Vorteil, wenn sein Spermaceti-Öl Stickstoff aus dem Atmungs- und/oder Kreislaufsystem »herausfiltern« und vielleicht sogar abstoßen könnte. Schon aus der Frühzeit des Pottwalfanges wird jedenfalls überliefert, daß vom Blasstrahl getroffene Seeleute schleimige Beläge, Verätzungen der Haut oder sogar vorübergehende Blindheit davongetragen hätten, was kaum einfach mit verbrauchter Atemluft, wohl aber bei Annah-

Pottwal (Physeter catodon)
Zwergpottwal und Kleinpottwal (Kogia breviceps und K. simus)

me stickstoffbeladener Ölbeimengungen erklärbar würde.

Weitgehend hypothetisch sind Vorstellungen des amerikanischen Delphinspezialisten K. S. Norris, der im Kopf des Pottwals ein Organ zur Erzeugung »akustischer Todesstrahlen« vermutet, das heißt von Tönen solcher Stärke, daß Fische und Tintenfische durch sie gelähmt würden. Am Oberkiefer eines Pottwalweibchens entdeckten zwei Taucher eine kreisrunde »Lautsprecherstelle« von solcher Tonstärke, daß ihre daraufgelegten Hände weggedrückt wurden.

Die vierte, überzeugendste Theorie trägt der eigentlichen Besonderheit des Pottwals Rechnung, dem Fang von Riesenkraken in 1000, 2000 oder gar 3000 Meter Tiefe. Wie oben schon erläutert, taucht der Pottwal meist an derselben Stelle wieder auf, an der er den fast senkrechten Abstieg in die Finsternis begonnen hat, er muß also die Zwischenzeit weitgehend bewegungslos am Meeresboden zubringen. In höchst energiesparender Weise könnte er dort den vorüberziehenden Tintenfischscharen auflauern – nur, wie vermag sich ein Wal still in beliebiger Tiefe auf Grund zu legen, wenn ihn der Auftrieb seiner Ölvorräte andererseits zur Meeresoberfläche emporträgt? Nun, dies würde – so die Theorie – dadurch möglich, daß das Tier seine sehr geräumigen Nasengänge mit Wasser füllt. Außer der damit verbundenen, dem »Fluten« eines U-Bootes vergleichbaren Gewichtszunahme um einige 100 oder 1000 Kilogramm würde das Wasser das umgebende Spermaceti-Öl so weit herunterkühlen und verdichten, daß sich damit das für die jeweilige Tiefe nötige Gleichgewicht genau einpendeln ließe.

Riesenkraken (Kalmare) der Gattung *Architheutis* sind zweifellos die berühmteste Beute des Pottwals; zahlreiche Darstellungen schildern den Kampf Leviathans mit den achtarmigen Weichtieren, wobei die an Kopf und Körper wohl aller Pottwale auffindbaren, oft tellergroßen Saugnapfabdrücke zeigen, daß es sich nicht um Phantastereien handelt. Schon Saugnapfspuren von »nur« 15 Zentimeter Durchmesser deuten auf eine Kraken-Armlänge von wenigstens sieben Metern hin, man hat jedoch auch solche von 25 Zentimetern gefunden, zu denen ein mehrere Tonnen schwerer Krake von 25 Meter Gesamtlänge gehört! Selbst drei Meter lange Grundhaie, Rochen, Felsbrocken und Plastikbojen sind aus Pottwalmägen gefördert worden, das »tägliche Brot« besteht jedoch in mittelgroßen oder sogar nur wenige Zentimeter kleinen Kraken und Fischen. Die Hauptfutterzeit des Wals liegt in der Nacht; wahrscheinlich macht er sich zunutze, daß Laternenfische (Myctophidae) und andere Tiefseebewohner bei Dunkelheit zur Oberfläche hinaufsteigen und hier bequemer als durch aufwendige Tauchgänge erbeutet werden können. Einstündiges Tieftauchen stellt auch für einen Pottwal eine Anstrengung dar, nach der sein Organismus eines gewissen »Erholungsstoffwechsels« bedarf; er bleibt dann unter ständigem Blasen und Einatmen 30 Minuten und länger an der Oberfläche. Schlafend auf dem Meeresspiegel treibende Pottwale sind gelegentlich von Schiffen gerammt und ernsthafter Angriffsabsichten verdächtigt worden.

Als Überbleibsel der verzehrten Kalmare finden sich neben deren Rückenschulp (Sepia) vor allem die papageienartigen Hornschnäbel im Pottwalmagen – ein weiteres Hilfsmittel, Aufschluß über Menge und Größe der erbeuteten Nahrungstiere zu gewinnen. Daneben könnte ihre manchmal massenhafte Anhäufung eine Rolle bei der Entstehung des Ambras spielen, einer einst überaus kostbaren und noch immer ein wenig geheimnisvollen Substanz, deren Bedeutung früher noch weit über der des Walrats lag. Ambra oder Amber findet sich in Form grauschwarzer, kopfgroßer oder sogar mehrere 100 Kilogramm schwerer Klumpen und gilt als krankhafte Absonderung des Darmes, der beim Pottwal übrigens die für einen Fleischverzehrer erstaunliche Länge von 160 Metern erreicht. Mit dem Kot ausgeschiedenes Ambra wird – es ist

Eine Pottwalmutter führt ihr »Kleinkind« aus. Es ist erst einen oder zwei Tage alt, hat aber bereits ein Gewicht von ungefähr einer Tonne!

▷ Unverkennbar ein Pottwal: Nur er besitzt einen solchen kastenförmigen Riesenkopf. Der abgespreizte Unterkiefer wirkt dagegen fast zierlich, doch trägt er die gewaltigste Bezahnung des gesamten Tierreichs.

▷▷ Der Kopf eines Weißwals.

leichter als Wasser – gelegentlich an der Küste angespült; die Haupternte findet beim Ausschlachten erlegter Tiere statt, die allerdings nur zu 3 bis 4% Ambraträger sind. Bis zur Entwicklung entsprechender Synthetika war das – selber weitgehend geruchlose – Ambra ein wichtiger Duftstoffträger der Parfümindustrie mit Kilopreisen bis zu 1000 Mark; außerdem genoß es als Produkt des »Samenwals« den – natürlich unbegründeten – Ruf eines Liebesmittels.

In der Geschichte des Walfanges nahm die Jagd auf den Pottwal stets eine Sonderrolle ein. Ihren literarischen Ausdruck hat sie in Melvilles »Moby Dick« gefunden, der Verfolgung eines einzelnen weißen Bullen. Die bildende Kunst hat sich des Themas mit einer Fülle von Stichen und Gemälden bis hin zu den sogenannten Scrimshaws (Ritzzeichnungen auf Pottwalzähnen) angenommen, auf denen man kastenköpfige Riesenwale Boote zertrümmern und Seeleute in die Luft schleudern sieht. Großenteils dürfte es sich um »gemaltes Seemannslatein« handeln, doch andererseits gibt es verbürgte Fälle, daß Schiffe ernsthaft angegriffen, Kleinfahrzeuge umgestürzt, Metallboote eingebeult wurden – meist im Zusammenhang mit dem »Beistandsverhalten«, das beim Pottwal besonders ausgeprägt zu sein scheint. Abgesehen von säugenden Weibchen, die ihr Junges zu schützen (vielleicht gar im Mund wegzutragen?) versuchen, können auch erwachsene Artgenossen Gegenstand gemeinschaftlicher Hilfs- und Verteidigungsmaßnahmen werden. So bildet sich um einen verwundeten Pottwal manchmal ein sternförmiger Ring ihn stützender und »tröstender« Herdenmitglieder (»Margeritenformation«), Alarm- oder Notrufe eines Einzeltieres können soziale Erregung und Aggressivität des gesamten Verbandes auslösen.

Über die Zusammensetzung der Pottwalschulen ist man recht genau im Bilde, weil sich die Geschlechter dank ihres Größenunterschiedes auseinanderhalten lassen. So gibt es jahrelang zusammenhaltende Weibchenverbände von 20 bis 40 Tieren, denen sich nur zur Paarungszeit ein alter Einzelbulle beigesellt, Junggesellenherden aus bis zu 50 jüngeren Männchen usw. Mit einer Dauer von 22 Monaten ist die Säugezeit sehr lang. Die Trächtigkeit währt zwischen 14 und 16 Monaten, nur jedes vierte Jahr wird ein Junges geboren, so daß der Pottwal offenbar die niedrigste Vermehrungsrate sämtlicher Waltiere hat.

Gründelwale (Familie Monodontidae)

Nur zwei Gattungen bzw. Arten enthält die Familie der Gründelwale, den Narwal und den Weißwal oder Beluga. Beides sind hochnordische, rings um den Polarkreis verbreitete Bewohner der Treibeisregion, dabei der Narwal ein noch ausgesprocheneres Arktisgeschöpf als der gelegentlich süd- oder flußeinwärts wandernde Beluga. Der runde Kopf sitzt auf einem beweglichen Hals, statt einer Rückenfinne sind nur ein niedriger Kamm oder einzelne Höcker vorhanden, die rundlichen Flipper rollen sich mit zunehmendem Alter aufwärts-einwärts.

Die eigentümliche Erscheinung des Narwals *(Monodon monoceros)* hat – natürlich vor allem durch den spiralig gedrehten Stoßzahn des Männchens, dem als »Horn« des sagenhaften Einhorns Zauber- und Heilkräfte zugeschrieben wurden – seit jeher Phantasie und Begehrlichkeit der Menschen angeregt. Im Mittelalter wurden Narwalzähne buchstäblich mit Gold aufgewogen; ein sächsischer Kurfürst zahlte für ein einziges Stück einmal 100 000 Taler, Karl V. löste eine sein Kaiserhaus bedrohende Geldschuld mit zwei Narwalzähnen ab. Heute sind sie vor allem als »Souvenir« oder Material für Elfenbeinschnitzereien gesucht, und das ist der Hauptgrund dafür, daß das Tier noch immer verfolgt wird.

Zwei Narwale im Nordpolarmeer. Das männliche Tier trägt einen langen, spiralig gedrehten Stoßzahn – das sagenhafte »Einhorn«. Dieser Zahn ist nicht so sehr Waffe oder Grabwerkzeug, sondern »sekundäres Geschlechtsmerkmal«, vergleichbar dem Geweih der Hirsche.

Monodon bedeutet »Einzahn«, *monoceros* »Einhorn« – an sich enthält der Oberkiefer jedoch Anlagen für ein – waagerecht stehendes – Zahnpaar. Bei den Weibchen bleibt es lebenslang im Kieferknochen verborgen, während sich der linke Zahn der Männchen zu einer bis 2,70 Meter langen, 10 Kilo schweren Stoßlanze entwickelt. Ansonsten sind die Tiere völlig zahnlos; daß die Männchen einmal zwei Stoßzähne

und die Weibchen zumindest kurze Stummel davon hervorbringen, gehört zu den Abnormitäten. Daß der Stoßzahn zum Aufbrechen der Eisdecke oder als »Grabstock« für den Meeresboden benötigt wird – Flundern und andere Plattfische zählen zur Vorzugsnahrung des Narwals –, ist schon deswegen unhaltbar, weil die in völlig gleicher Weise lebenden Weibchen ebenso gut ohne diesen Stoßzahn auskommen. Bullen mit abgebrochenem Zahn, ein bei der Sprödigkeit des Narwalelfenbeins nicht seltenes Vorkommnis, magern keineswegs ab. Man könnte sich doch eher vorstellen, daß die dicht über der kleinen Mundöffnung herausragende Zweimeterstange bei der Nahrungsaufnahme sogar stört. Viel wahrscheinlicher stellt der Stoßzahn einen gewissen »Luxus« oder ein sogenanntes sekundäres Geschlechtsmerkmal dar, das ähnlich wie das Geweih der Hirsche, die Mähne des Löwen oder die Schleppfedern des Pfauhahns eine Rolle beim Gruppen- und Paarungsverhalten spielt. Es ist keineswegs ausgeschlossen, daß der Narwalzahn als Turnierwaffe gebraucht wird, was nicht nur im »Kreuzen der Klingen« bestehen muß; an in einem Forschungslabor gehaltenen Narwalbullen hat P. Beamish beobachtet, daß ihre Stoßzähne in deutliches Zittern gerieten, wenn die – sehr stimmfreudigen – Tiere hochfrequente Töne ausbrachten. Vielleicht dienen die Stoßzähne dazu, solche Schallwellen gezielt zu »bündeln«, wodurch das langzähnigste Männchen bei einem »akustischen Duell« seinem Gegner beziehungsweise dessen hochempfindlichem Ohr die größten Unannehmlichkeiten zufügen könnte – bedingt vergleichbar der Wirkung, die das Aufsetzen einer angeschlagenen Stimmgabel auf unseren Schneidezähnen hervorruft. Sicher gibt es aber auch weniger komplizierte Gebrauchsmöglichkeiten für das »Einhorn«, dessen Spitze sich fast immer abgeschliffen-abgestumpft zeigt: Watson berichtet von Tauchern einer Ölgesellschaft bei Baffin Island, die angesichts herumstochernder Narwale für ihre Pipelines fürchteten; als Ausnahme wurde unlängst die Tötung eines trächtigen Narwalweibchens durch einen Zahnstich beobachtet. Besondere »Kraftakte« sind nur selten möglich, weil der Zahn in ganzer Länge von der Pulpahöhle durchzogen, also recht bruchanfällig ist.

Neben dem Weißwal, von dessen glatter Hellfärbung das »Einhorn des Meeres« durch ein seehund- bis leopardenartiges Fleckenmuster unterschieden ist, war der Narwal eines der wichtigsten Jagdtiere des hohen Nordens. Seinen nach Hunderten, ja Tausenden zählenden Schulen stellten die Eskimos sowohl an den »savssats«, den vom Eis umschlossenen Atemlöchern, wie während der Wanderzüge nach, die im August und September bis in Buchten und Fjorde hineinführten. Die Tiere wurden mit dem Kajak angepirscht,

Zwei erst halbwüchsige, noch grau gefärbte Weißwale.

harpuniert und – vom Öl für die Lampe bis zum Futterfleisch für die Schlittenhunde – restlos verwertet. Vor Island, Spitzbergen und Grönlands Ostküste ist der Narwal seit langem weitgehend verschwunden, Angaben aus der sibirischen Region sind spärlich. Als wichtigstes Narwalgebiet wäre demnach der kanadische Nordwesten mit Zentrum Baffin-Insel anzusehen, wo man glücklicherweise über erfahrene Walbiologen, Ökologen und naturschutzbewußte Regierungsbehörden verfügt. Der Gesamtbestand des Narwals wird gegenwärtig auf etwa 20 000, innerhalb Kanadas auf »mindestens 10 000« geschätzt.

Der Weisswal *(Delphinapterus leucas)* ist – wie der Narwal – ein Tier mittlerer Größe: Körperlänge zwischen vier und sechs Metern, Gewicht um 1000 Kilogramm. Der wissenschaftliche Name deutet an, daß es sich eigentlich um einen Delphin *a pterus* (= ohne Flügel oder ohne Segel, gemeint ist ohne Rückenfinne) handelt. Die an der sibirischen Küste übliche Bezeichnung Beluga leitet sich vom russischen Wort für »weiß« her. Gelegentlich entsteht Verwirrung dadurch, daß die Russen auch einen bestimmten Fisch, den zur Störfamilie zählenden Hausen »Beluga« nennen; dieser liefert den berühmten Belugakaviar, lebt im Kaspischen Meer und hat mit unserem rund um den Nordpol verbreiteten Säugetier nicht das mindeste zu tun. Die Eskimos benutzen den gleichen Namen wie für den Narwal – »Killaluga« oder »Killelulak« –, obwohl die wirtschaftlichen Werte des Weißwals für sie ungleich höher und die körperlichen Unterschiede beider Arten deutlich sind. So fehlt dem Weißwal das berühmte »Einhorn« der ansonsten zahnlosen Narwalbullen, dafür besitzen beide Geschlechter ein mehr oder weniger vollständiges Gebiß aus rund 38 löffelförmigen Zähnen. Der Vorsprung eines Schnabels ist zumindest angedeutet; ohnehin darf die Rundköpfigkeit von Weiß-, Nar-, Grindwalen usw. nicht vergessen lassen, daß sie allein durch das Polster der dem Oberkiefer-Stirn-Bereich aufgelagerten »Melone« zustande kommt; freipräpariert zeigen sich die Schädel sämtlicher Zahnwale krokodilähnlich langschnäbelig. Die nur äußerlich verschobenen Proportionen führen übrigens dazu, daß das Auge der betreffenden Walarten für unsere Begriffe zu weit hinten-unten sitzt und dem Tier einen fremdartigen, fast etwas »blöden« Gesichtsausdruck verleiht. Welchem Zweck die aus Fett und Bindegewebe bestehende Melone dient, scheint derzeit noch strittig zu sein. Oft wird ihr die Aufgabe einer »akustischen Linse« zugeschrieben, welche die in der Kopfmitte erzeugten Ultraschall-Ortungstöne zielgerichtet bündelt, dazu soll sie beim Weißwal als Schutzkissen gegenüber scharfkantigen Eisschollen dienen; eigene Beobachtungen haben sie lediglich als Fettspeicher und Stim-

Bei einer Fangexpedition für den Duisburger Zoo wurden Weißwale mit Motorbooten in Ufernähe getrieben und dann auf Schlick geritten. Für den »Reiter« – hier der Autor des Beitrags – war das eine turbulente und kalte Angelegenheit.

mungsbarometer bestätigt: Hungrige, abgemagerte Belugas besitzen flache und weiche Melonen, satte, ausgefutterte Tiere solche von Fußballgröße und -prallheit. Angriffslustige Belugas klappen ihre Melone nach vorn, friedliche Absichten kommen in niedriger Rückwärtswölbung zum Ausdruck.

Kennzeichnendstes Merkmal ist natürlich die weiße Färbung der ausgewachsenen Belugas. Neugeborene, etwa anderthalb Meter lange Kälber sehen zunächst dunkel sepiabraun oder schieferschwarz aus, werden mit dem Heranwachsen jedoch rasch heller. Zwischen dem ersten und zweiten Lebensjahr erreichen sie das sogenannte »Blue«-Stadium, ein mittleres Blaugrau; es folgt ein lichteres Gelb- oder Silbergrau, und erst mit Eintritt der Geschlechtsreife – also im fünften oder sechsten Jahr – ist schließlich das arttypische, makellose Elfenbeinweiß erreicht. Dies wäre jedenfalls der normale Umfärbungsverlauf, obwohl wir in der Hudsonbay auch weißgraue Neugeborene sahen und ein Jungtier im Vancouver Public Aquarium ebenfalls hellfarbig zur Welt kam. Wieweit sich Eisbär oder

Schwertwal davon täuschen lassen, mag offenbleiben – für unser Auge genießt der Weißwal eine hervorragende Tarnung, wenn er zwischen beschneiten Riffen, blitzenden Schaumkronen und dümpelnden Treibeisschollen emportaucht, und er wird zu einer der eindrucksvollsten Erscheinungen des Tierreichs, wenn sich seine hundertköpfigen Scharen vor dem satten Grün eines Tundraflusses versammeln.

Die Wissenschaft hat Weiß- und Narwal deswegen als »Gründelwale« zusammengefaßt, weil man in ihrem Magen Bewohner des Meeresbodens, außer Flundern und anderen Plattfischen auch Sandgarnelen, Seespinnen, ja sogar Borstenwürmer, die aus dem Sand »herausgebissen« worden sein müssen, gefunden hat. Belugazähne können regelrecht abgekaut ausschauen; die im Zoo Duisburg gehaltenen Weißwale haben sich über anderthalb Jahrzehnte lang damit beschäftigt, das Material von Bassinauskleidungen, Dehnungsfugen usw. anzuknabbern, wo immer möglich. Der Weißwal – sein Speisezettel ist der vielfältigste überhaupt, der bei einem Wal bekannt wurde – jagt jedoch ebensogut Freiwasserfische wie Lodden oder Dorsch; Lachse vor Alaska sogar in solchem Umfang, daß versucht wurde, ihn mittels von Unterwasser-Lautsprechern abgespielten Schwertwaltönen von den Netzen fernzuhalten. Was des Belugas eigene Töne angeht, wird von »Schreien«, »Brüllen«, »Pfeifen« und »Trillern« berichtet, und alle einschlägigen Bücher wiederholen, daß das Tier darob »Sea Canary« (Meereskanarienvogel) genannt worden sei. In der Wirklichkeit zeigt sich der Weißwal jedoch keineswegs stimmfreudig: Wir haben zwischen Hunderten von Weißwalen der Hudsonbay und Alaskas Wochen zugebracht, ohne einen einzigen »Piepser« zu vernehmen; auch im Duisburger »Walarium«, das die Art seit 1969 beherbergt, erfolgt Lautgeben fast nur auf Kommando.

Bis über 1000 Köpfe starke Belugaherden versammeln sich allsommerlich vor den Flußmündungen Sibiriens und Nordkanadas, also vor Amur und Ob, Mackenzie und Seal River. Mit einsetzender Flut be-

Dieser Weißwal zeigt eine besonders ausgeprägte »Melone«.

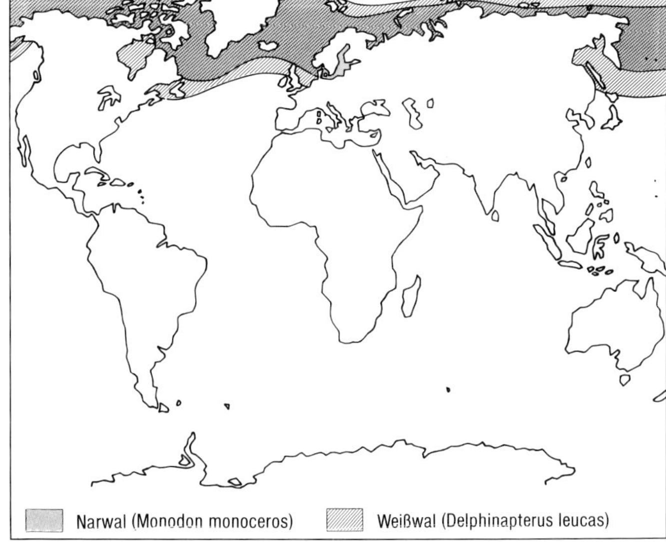

ginnen die Tiere flußaufwärts zu wandern; je nach Wasserstands- und Untergrundverhältnissen kilometerweit, so daß man denselben Wal vormittags in 0° kaltem Salzwasser zwischen Eisbergen, nachmittags in 15° warmem Süßwasser zwischen mückenumschwirrten Binsenbüscheln antreffen kann. Die Anpassungsfähigkeit des Belugas gegenüber unterschiedlichen Umweltbedingungen ist um so bemerkenswerter, als viele Hochsee-Waltiere schon auf geringfügige Änderungen von Wassertemperatur und -zusammensetzung reagieren. Im Gegensatz zur Mehrzahl der Fische besitzen Wale keine Schwimmblase, deren wechselnder Gasgehalt Auftrieb oder Eigengewicht regeln könnte, sondern sind ein für allemal für eine bestimmte Wasserbeschaffenheit »ausbalanciert«; und zwar in der Regel so, daß sie in der ozeanüblichen Salzkonzentration von 2,7 bis 3,5 % ungefähr schweben und in salzärmerem Wasser verstärkt paddeln oder mehr Muskelarbeit leisten müßten, um zum Atmen an die Oberfläche zu kommen.

Während Delphine früher eigentlich nur bei Strandungen und ähnlichen Gelegenheiten in Menschenhand gerieten, widmete man dem Beluga erstmals zielgerichtet Lebendfang-Expeditionen. Als ihr Ergebnis gelangten 1861/62 die ersten Tiere nach New York, von denen ein 10 Fuß langes und 700 Pfund schweres Männchen über zwei Jahre lang gut gedieh und in einem Wassertank sogar kleine Dressurkunststücke vorführte. Den nordamerikanischen Versuchen folgten 1877/78 weniger erfolgreiche, gleichwohl aufschlußreiche Bemühungen englischer Aquarien, doch erst einige Zeit nach dem Zweiten Weltkrieg – für Europa 1969 in Duisburg, dazu in Kalifornien, Kanada und später auch Japan – wurde so etwas wie der endgültige Durchbruch erzielt. Wir haben die Duisburger Belugas aus einer rund 800 Köpfe starken Sommerherde vor der Mündung des Seal River/Hudsonbay ausgewählt, mit Motorbooten in Ufernähe getrieben und dann auf den Schlick geritten; für die »Reiter« ist das eine etwas turbulente und kalte Angelegenheit, für die Tiere ähnelt der Vorgang dem Stranden bei Ortungsausfall oder Ebbe, und vor allem werden weder Netze noch sonstige Hilfsmittel benötigt. Im Gegensatz zu aufs Land geratenen Fischen zappeln Wale in solcher Lage schon aus statischen Gründen nicht herum, sondern können – weich gebettet, gut gekühlt und befeuchtet – in Ruhe zum vorbereiteten Pool befördert werden, den es hier allerdings sorgsam vor den zahlreichen Eisbären zu bewachen gilt. Wie Delphine zeigen Belugas wenig Scheu vor dem Menschen, beginnen sich schon nach Stunden oder Tagen seiner streichelnden oder fütternden Hand zuzuwenden, so daß die Eingewöhnung unter Zoobedingungen wenig Schwierigkeiten zu machen pflegt.

Als Anlaß für die auffälligen Weißwalversammlungen in Flußmündungen wird meist die Ausnützung der dortigen Fischvorkommen angegeben; es ist aber schwer einzusehen, weshalb denn Flußfischfang gegenüber Meeresverhältnisssen für Weißwale ergiebiger sein sollte. Tatsächlich findet man die Mägen der

Zwei Weißwale im Duisburger Walarium, mit ihrem Trainer schon seit Jahren wohlvertraut.

Sommerwale denn auch oft völlig leer und die Tiere selbst derartig abgemagert, daß ihre Haut nur noch aus Runzeln besteht. Juli/August ist die Jahreszeit, in der die Jungen zur Welt kommen, und wahrscheinlich werden die Flüsse wegen ihrer höheren Wasserwärme aufgesucht. Ein neugeborener Wal hat eine im Vergleich zur Körpermasse viel größere Oberfläche als ein ausgewachsener, ist also kälteempfindlicher als dieser; auch für das Muttertier, zumal die kräftezehrenden Vorgänge des Gebärens und Säugens, könnten wärmere Umgebungstemperaturen von Nutzen sein.

Den Jäger- und Fischervölkern des Nordens freilich bot das alljährliche Flußaufwärtswandern der Belugas die willkommene Gelegenheit anderwärts kaum mög-

licher Massenfänge; an seit Jahrhunderten überlieferten Vorzugsplätzen entstanden stationäre, nach dem Reusenprinzip arbeitende Fallen, die bis zu 500, ja 700 Tiere im Tag lieferten.
Im Zusammenhang mit den sommerlichen Massenversammlungen sind Einzeltiere gelegentlich weit stromaufwärts gewandert, andere traten als Irrgäste plötzlich weit südlich des eigentlichen Verbreitungsgebietes auf. Weltweites Aufsehen erregte ein Weißwal, der 1966 im Duisburger Rheinhafen auftauchte und bis zum Bonner Rolandseck vordrang, um vier Wochen später - zahlreichen Fangversuchen zum Trotz - wieder wohlbehalten ins Meer zurückzukehren. Eines Vorgängers, den man im Jahre 1711 in der Binnenschelde erlegte, wird noch heute in festlichen Umzügen gedacht. Den Yukon ist ein Weißwal 1863 rund 700 Kilometer hinaufgeschwommen, im Ob sind 1953 Fänge sogar 1500 Kilometer mündungseinwärts verzeichnet worden. Möglicherweise erleben wir beim Weißwal gegenwärtig den Beginn einer Ausweitung bisheriger Lebensräume, die Polargeschöpfe werden häufiger als früher in Nord- und Ostsee, ja sogar vor der Loiremündung beobachtet.

Langschnabeldelphine (Familie Stenidae)

Erst 1960 wurden die Langschnabeldelphine zu einer eigenen Familie zusammengefaßt, obwohl sich ihre Mitglieder - nur ein halbes Dutzend Arten - äußerlich kaum vom üblichen Delphintypus unterscheiden lassen: Es sind kleine bis mittelgroße Zahnwale mit deutlichem Schnabel und grauer, gelblicher oder fleckiger Färbung, unter denen die schon erwähnten Tucuxis *(Sotalia fluviatilis, S. guianensis)* nicht zufällig mit »gewöhnlichen« Flippern verwechselt werden konnten. Lediglich im inneren Körperbau finden sich Merkmale - ungegliederte Nasensäcke, zum Teil unverwachsene Halswirbel usw. -, welche die Einordnung in eine getrennte, verhältnismäßig ursprüngliche Gruppe rechtfertigen. Der englische Sammelbegriff »Coastal dolphins« (Küstendelphine) erscheint insofern wenig glücklich gewählt, als gerade der bis zu 2,70 Meter lange, auf dunklem Grund hellgefleckte Rauhzahndelphin *(Steno bredanensis)* ein ausgesprochener Hochseebewohner ist. Darauf deutet schon die schlank-stromlinienförmige Gestalt hin, deren weit vorgezogener Schnabel ohne Stirnabsatz in die flache Melone übergeht. Rauhzahndelphine treten in allen wärmeren Meeren in Herden bis zu 50 oder sogar mehreren 100 Mitgliedern auf, oft mit anderen Delphinarten sowie Thunfischen vergesellschaftet. Außer dem schnittigen Kopfprofil ist die hohe, haifischartige Rückenfinne ein gutes Erkennungsmerkmal; der Name »Rauhzahndelphin« bezieht sich auf die unregelmäßige Furchung der Kronenoberfläche der insgesamt rund 60 Zähne.
Von ganz anderem Schlage, nämlich wirkliche Küstenbewohner mit verhältnismäßig gemächlicher Fortbewegungsweise, sind die Buckeldelphine der Gattung *Sousa.* So gut wie nie im offenen Meer anzutreffen, überwinden sie selbst Schlick- und Sandbänke, um sich unmittelbar vor dem Strand, in Buchten oder Flußmündungen aufzuhalten. Der Atlantische oder Kamerun-Buckeldelphin *(Sousa teuszi)* bewohnt Afrikas Westküste von Marokko bis Angola und hat in der älteren Fachliteratur dadurch für Verwirrung gesorgt, daß er nach Verwechslung mit dem Mageninhalt einer Seekuh (!) als erster »pflanzenfressender Delphin« beschrieben wurde. In Wirklichkeit lebt der Kamerun-Buckeldelphin wie alle Zahnwale von Fischen, Weich- und Krebstieren; vor Kap Timiris wirkt er neben dem Großen Tümmler sogar beim Meeräschenfang der mauretanischen Fischer mit, jener berühmten Mensch-Delphin-Zusammenarbeit, von der noch die Rede sein wird.

Oben: Atlantischer oder Kamerun-Buckeldelphin. - Unten: Rotmeer-Delphin, eine im Roten Meer und im anschließenden Indopazifik heimische Unterart des bekannten Großen Tümmlers.

Eine ähnliche Lebensweise, aber einen viel ausgedehnteren Lebensraum besitzt der vom Chinesischen Meer durch Insulinde und längs der Küsten Indiens, Arabiens sowie Madagaskars bis zum Kap der Guten Hoffnung verbreitete Indopazifische Buckeldelphin *(Sousa chinensis).* Sein grau, lehmgelb, rosa oder fast weiß gefärbter Körper hat den unverwechselbaren Umriß der Buckeldelphine: Die Rückenfinne sitzt auf einem »Buckel«, einem zumal bei alten, wohlgenährten Tieren deutlich vom Körper abgesetzten Polster aus Fettgewebe.
Auch die Schwimm- und Atemholbewegungen erlauben eine sichere Bestimmung: Beim Auftauchen erscheint zunächst der lange, schlanke Schnabel, dann der Kopf über dem Wasser, danach fährt er einige Sekunden lang »wie eine seihende Ente« waagerecht an der Oberfläche dahin.

Kleintümmler oder Schweinswale (Familie Phocoenidae)

Noch eine weitere Familie, die der Kleintümmler oder Schweinswale, ist vor den »eigentlichen« Delphinen (Delphinidae) zu behandeln, obwohl die sprachliche (nomenklatorische) und zuordnungsmäßige (systematische) Unübersichtlichkeit damit weiter zunimmt. Die Begriffe »Wal«, »Delphin« und »Tümmler« überschneiden sich in so verwirrender Weise oder werden so inkonsequent gebraucht, daß ein Zurechtfinden tatsächlich schwerfällt.

Die gesamte Ordnung heißt, wie erinnerlich, »Wale« oder »Waltiere« und wird in zwei Unterordnungen, die Zahnwale und die Bartenwale, aufgeteilt; im Augenblick sind wir bei den Zahnwalen.

Während alle großen Waltierarten – sämtliche Bartenträger (Blauwal, Finnwal, Buckelwal usw.), doch auch stattlichere Zahnträger (Pottwal, Entenwal, Narwal) – als »Wale« angesprochen werden, ist für kleinere Zahnwale die Bezeichnung »Delphin« oder »Tümmler« üblich.

Name und Bild des Delphins – kleine, geschnäbelte Wale mit dreieckiger Rückenflosse – sind uns seit dem Altertum geläufig, begegneten uns bereits in den Abschnitten »Flußdelphine« und »Langschnabeldelphine« und werden uns noch ausgiebig beschäftigen; davon den Begriff des »Tümmlers« abzugrenzen – er kommt von »sich tummeln« und bezeichnet gleichfalls kleine, behende Zahnwale –, ist jedoch nicht einfach. Namen wie »Meerschwein«, »puffing pig« oder »zeevark« für die bekannteste Form, den Kleintümmler *Phocoena,* deuten zwar an, daß es sich um einen gegenüber den eigentlichen Delphinen rundlicheren, kurzköpfigen Typ handelt – das nomenklatorische Durcheinander bleibt jedoch bestehen: Ausgerechnet dieser wenig über meterlange Kleintümmler wird nämlich auch »Schweinswal« genannt, während der eindeutig zu den Delphinen zählende populäre »Flipper« *(Tursiops)* unter »Großer Tümmler« läuft.

Von einer einzigen Art, dem robusten Dalls Tümmler, abgesehen, handelt es sich um kleine, selten über 1,50 Meter lange Buchten- und Schelfbewohner. Da das gemeinsame Merkmal der spatelförmigen zwei- oder dreigipfligen Zähne nur bei anatomischer Untersuchung zutage tritt, soll es bei der Beschreibung als rundlich-pummelige Kleinwale mit allenfalls angedeutetem Schnabelansatz bleiben. Beim patagonischen Brillentümmler *(Phocoena dioptrica)* entspricht die Kurzköpfigkeit geradezu dem Lorenzschen »Kindchenschema«, zumal sie noch durch ein schwarzweißes Micky-Maus-Muster unterstützt wird. Wie bei rundköpfig-schnabellosen Walen allgemein, kommt eine solche Form allein durch Aufpolsterung einer »Melone« zustande; der Schädel selbst hat die üblichen krokodilartig vorgezogenen Kiefer.

Ein ebenso typischer wie niedlicher Vertreter der Familie ist unser einheimischer Kleintümmler *(Phocoena phocoena),* der außer Nord- und Ostsee auch Nordatlantik und -pazifik sowie – in einer eigenen Unterart – das Schwarze Meer bewohnt beziehungsweise bewohnte, denn zumindest an der deutschen Küste geht sein Bestand in besorgniserregender Weise zurück. Daß man dem wegen seiner Färbung auch »Braunfisch« genannten Kleinwal, wie Brehm schreibt, »auf jeder Reise in der Nordsee begegnet«, daß er »die Mündungen unserer Flüsse umschwärmt«, diese Zeiten sind lange vorbei. Während die alten Römer »die Kunst verstanden, wohlschmeckende Würste daraus zu bereiten«, hat der Kleintümmler im 19. Jahrhundert

Rechts: Dalls Tümmler in seinem unverwechselbaren »Harlekingewand«. – Ganz rechts: Kleintümmler oder Schweinswal mit hellem Bauch und kurzem Kopf ohne Schnabelansatz. – Unten: Indoasiatischer Glattümmler, schlank wie ein Aal und ganz ohne Rükkenfinne.

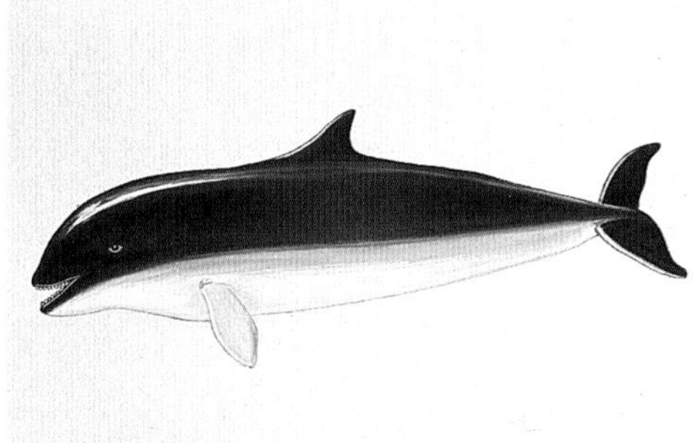

als anatomisches Studienobjekt gedient. An Tieren einer Berliner Wild- & Geflügelhandlung (!) wurde zum Beispiel entdeckt, daß säugende Walweibchen ihre Milch mittels besonderer Muskelzüge entleeren können, daß Embryonen Anlagen von Hinterbeinen aufweisen, daß der später zu einer Fluke verbreiterte Schwanz anfänglich drehrund ist usw. Weniger erfolgreich waren Versuche, den handlichen Schweinswal zum lebenden Forschungsobjekt oder »Zootier« zu machen. Aus zufälligen Fischzügen oder Strandungen stammende Tiere verendeten stets sehr bald. Selbst für heutige Meeres-Zoos bleibt unser »Schweinsfisch« übrigens ein empfindlicherer Pflegling als seine Überseeverwandten. Sicherlich spielt eine Rolle, daß man im deutschen Küstengebiet – falls überhaupt – fast nur noch vom Lungenwurm verseuchte oder sonstwie geschädigte Tümmler in die Hand bekommt, auch Tiere aus dänischen Gewässern erwiesen sich als heikel: Von 20 Exemplaren, die es im Rahmen eines Forschungsvorhabens 1958 lediglich bis zur Zuidersee zu schaffen galt, überlebten trotz erprobter Transportverfahren und Betreuung nur eines oder zwei. Da dies möglicherweise Ausdruck besonderer »Streßanfälligkeit« sein konnte, haben wir uns die holländischen Erfahrungen zunutze gemacht und vorsichtshalber jedesmal ein Sportflugzeug gechartert, als »Lykke«, »Karl« und »Gordon« von Odense nach Duisburg reisten.

Der Schwarze Tümmler *(Phocoena spinipinnis)* wird zu Ehren des Kölner Zoologen Hermann Karl Konrad Burmeister auch Burmeisters Tümmler genannt, da dieser Forscher bemerkt hat, daß die Rückenfinne eines am Rio de la Plata gestrandeten Kleinwals in eine auffällig scharfe Spitze (lat. *spina* = Dorn, Stachel; *pinna* = Flosse) auslief und an der Vorderkante kleine kammartige »Zähne« trug. Neben einer durchweg düsteren Färbung unterscheidet ihn vom Brillentümmler lediglich die Tatsache, daß er außer in der argentinisch-falkländischen Region auch vor der chilenisch-peruanischen Küste auftritt.

Als eine nur den Spezialisten interessierende (und nur Spezialisten erkennbare!) weitere Kleintümmlerform hat der amerikanische Delphinkenner K. Norris im Jahre 1950 den Golftümmler *(Phocoena sinus)* beschrieben. Ausgerechnet im inzwischen von »Waltouristik« überquellenden Kalifornien entdeckte man einen neuen Kleinwal, der vom Kleintümmler kaum zu unterscheiden, aber durch rund 12 000 Kilometer getrennt ist.

Der Indoasiatische Glattümmler *(Neophocoena phocoenoides)* ist uns schon als Flußbewohner vorgestellt worden. Mit einer Länge von selten über 1,60 Meter ist er ein besonders zierliches Mitglied der Familie, von der ihn Fehlen einer Rückenfinne und schnabellos-rundlicher Kopf unterscheiden. Ein sattelartiges Feld auf dem Hinterrücken trägt hornige Papillen (warzenartige Erhebungen), welche – das bereits beschriebene Huckepack-Tragen ist bei dieser Art sehr ausgeprägt – vielleicht ein Abrutschen des auf der Mutter reitenden Jungtieres verhindern. Da Untersuchungen von L. Harrison und R. Liu die Papillen gehäuft mit Nervenendigungen versorgt fanden, könnte es sich statt einer Babytrage aber auch um ein zusätzliches Ortungshilfsmittel handeln. In den trüben Fluten des Yangtse wäre solches sicherlich zu brauchen, während die Glattümmler der klareren Japan-See nur einen ganz schmalen Papillenkamm tragen. Der chinesisch »Sui Chu« (Flußschwein) genannte Kleinwal erweist sich nicht nur gegenüber Salz- und Süßwasser anpassungsfähig: so besiedelt er den verlandenden Tung-Ting-See, der dem Beiji längst zu flach wurde, auch sahen wir ihn oft in den umweltverschmutzenden, aber nährstoffreichen und damit fischanlockenden Abwässern schilf- oder reisstrohverarbeitender Zellulosefabriken.

Weitgehend auf offener See daheim und ein wahres »Kraftpaket« ist der schwarzweiß gezeichnete Dalls Tümmler *(Phocoenoides dalli)*. Der bullige 2-Meter-Wal schaut fast ein bißchen »verbaut« aus, weil Kopf und Fluke gegenüber der mächtigen Antriebsmuskulatur zu klein geraten scheinen; dafür glänzt er als Schnellschwimmer und zeigt rasch Zeichen von Ungeduld, wenn von ihm begleitete Schiffe einmal weniger als 10 Knoten laufen. Wie ein Zeichen von Ungeduld mutet auch an, daß er das »Blasen« (Ausatmen) schon beginnt, ehe er ganz die Oberfläche erreicht hat. Derlei Einzelheiten sind jedoch schwer zu erkennen, da er meist in eine Gischtwolke gehüllt ist, wenn er am Meeresspiegel dahinstürmt. Watson hat die Artbezeichnung »Spray-Tümmler« vorgeschlagen, denn das aufgewirbelte Wasser ist ein weithin erkennbares, untrügliches Kennzeichen. In die Luft schnellt sich das schwarz-weiße Energiebündel selten, dafür zick-

Zwei Tümmler, die sich äußerlich ähneln, aber in verschiedenen Weltteilen leben: Der Brillentümmler (oben) aus den Küstengewässern des südlichen Südamerikas und unser heimischer Kleintümmler (unten), der u. a. in der Ostsee vorkommt.

zackt es beim »Reiten« auf der Bugwelle so ungestüm vor dem Schiff hin und her, daß es für japanische Harpunenschützen schwer zu treffen ist. Nur eine begrenzte Anzahl wird so allwinterlich erlegt, um die Lebensmittelmärkte Hokkaidos zu füllen; etwa 10 000 Dalls Tümmler aber verenden pro Jahr in den Lachs-Stellnetzen vor den Küsten Kamtschatkas, ohne daß sich bisher geeignete Abhilfe finden ließ.
Der energieverzehrenden Bewegungsweise der Tümmler entspricht ihr hoher Nahrungsbedarf von etwa 15 Kilogramm täglich. Außer kleinen Fischen werden - hauptsächlich nachts - Kopffüßer verzehrt, was in der Winzigkeit der weitgehend unbrauchbaren Zähne zum Ausdruck kommt; oft sind diese Zähne zwischen besonderen Hautleisten versteckt, aus denen sich möglicherweise die Barten der Bartenwale entwickelt haben könnten.

Schwert- und Grindwale (Familie Globicephalidae)

In der Familie der Schwert- und Grindwale haben wir es wieder mit recht stattlichen Zahnwalen zu tun. Die durchschnittliche Länge ihrer wichtigsten Vertreter liegt bei 6 bis 8 Metern, sie kann beim Schwertwal bis nahe 10 Meter gehen. Grundfarbe aller Arten ist schwarz, wozu mehr oder weniger ausgedehnte weiße Abzeichen kommen können. Der Kopf ist kegelförmig bis rund ohne Vorsprung eines »Schnabels«. Im Grunde sind die Schwertwale »groß geratene« Delphine, weshalb sie auch Erich Thenius in seiner Systematik zu den Eigentlichen Delphinen rechnet.

Ein Langflossen-Grindwal zeigt seine Zähne und seine pralle »Melone«.

Die zwei Arten der Grind- oder Pilotwale - der Langflossige (Atlantische) Grindwal *(Globicephala melaena)* und der Kurzflossige (Pazifische) Grindwal *(G. macrorhynchus)* sind sich in Aussehen und Lebensweise so ähnlich, daß sie hier gemeinsam behandelt werden können. Beide von glänzend lackschwarzer Färbung, bis auf einen weißen Kehlfleck beim Kurzflossen-Grindwal, der beim langflossigen Vetter zu einem schmalen Bauchstreifen ausgezogen sein kann. Wie der wissenschaftliche Name *Globicephalus* (lat. *globus* = Kugel; griech. *kephale* = Kopf) andeutet, sind es auffällig rund-, ja kugelköpfige Tiere, deren pralle »Melone« sich zumal beim Kurzflossen-Grindwal deutlich über die Mundspalte hinauswölbt. Die Vordergliedmaßen oder Flipper haben eine sehr schnittige, messer- bis bumerangartige Form und sind noch bei der »kurzflossigen« Art lang genug (fast 1/5 seiner Körperlänge), um daran selbst auf unscharfen Zeitungsfotos der bei dieser Art häufigen »Massenstrandungen« den Grindwal zu erkennen. Die Rückenfinne erscheint hakenförmig, die Gesamtgestalt ist trotz der Größe der Tiere anmutig und schlank.
Den Langflossen-Grindwal »atlantisch« zu nennen, widerspricht seiner wahren Verbreitung, die außer Nord- und Süd(aber nicht Mittel)atlantik auch den Südteil des Pazifiks und des Indischen Ozeans umfaßt; umgekehrt bewohnt der »Pazifische« Kurzflossen-Grindwal neben dem mittleren Pazifik noch Mittelatlantik und Nordteil des Indischen Ozeans. In allen Gewässern treten die Tiere in Schulen von mehreren Dutzend, manchmal Hunderten oder sogar über 1000 Mitgliedern auf. Zwischen den Jagden auf Kopffüßer und Fische (Tagesbedarf je Tier rund 45 kg) gibt es Ruhepausen, während derer man den gesamten Verband halbstundenlang gemächlich an der Oberfläche treiben sieht. Grindwale sind wanderlustig und unternehmen weiträumige Reisen, manchmal in langer Reihe, die im »Gänsemarsch« einem Leittier folgt; möglicherweise ist diese Besonderheit Ursprung des Namens Pilot- oder Lotsenwal, während das französische »Déducteur« zum Ausdruck bringt, daß jemand zum Blindlings-Nachfolgen oder gar zum vermeintlichen »Massenselbstmord« geführt wird.
Eine schlimme Folge des Wander- und Herdentriebs der Grindwale ist das alljährliche Kesseltreiben von Thorshavn/Färöer. Sobald die schwarzen Wale Anfang Juli vor dem Hafen der dänischen Inselgruppe

erscheinen und die Einwohner durch den Ruf »Grindabud! Grindabud!« alarmiert sind, gingen (und gehen) Dutzende Ruderboote in See, die Tiere an Land zu treiben, wo dann das Gemetzel beginnt. In den ersten 300 Jahren der seit 1584 (!) geführten Färöer-Statistik sind insgesamt 117 456 Grindwale erlegt worden, deren Fleisch und Speck damals sicher eine willkommene Abwechslung zwischen Stockfisch und Hammelrippen gebildet haben. Daß auch heute noch etwa 1500 Tiere jährlich gestrandet werden, ist »Brauchtumspflege« auf Kosten unserer Natur. Vor Neufundland, wo man allein im Jahre 1956 rund 10 000 Grindwale nach Färöer-Manier erlegte, gilt der Bestand bereits als erloschen.

In Delphinarien haben sich beide Grindwalarten als ebenso angenehme wie lernfähige Pfleglinge erwiesen. Für die US-Navy konnte ein Grindwal darauf dressiert werden, fehlgegangene Versuchstorpedos zu suchen und mit einer Bergevorrichtung zu versehen.

Eine der auffälligsten und bekanntesten Arten haben wir mit dem SCHWERTWAL *(Orcinus orca)* vor uns – als

»Mörderwal«, »Killer« oder »Größtes Raubtier der Welt« Gegenstand zahlloser Horrorgeschichten, als »Namu«, »Shamu« oder »Lady« verspielter Liebling moderner Ozeanarien. Der Name »Schwertwal« betrifft die schlank-dreieckige Rückenfinne, welche sich beim Männchen bis zu einer Höhe von 1,80 Metern erhebt; wie bei anderen Walen hat sie Stabilisierungsaufgaben, entspricht also dem »Schwert« einer Segeljacht, das jedoch nicht unter, sondern auf dem Schwimmkörper sitzt. Da auch das längste Wal-»Schwert« lediglich aus Bindegewebe besteht, findet man mitunter verkrümmte oder verdrehte Formen; normalerweise aber ragt es senkrecht empor, und immer wieder ist es ein begeisterndes Bild, ein »Geschwader« dieser schwarzen Wimpel vorbeiziehen zu sehen. Meist treten Schwertwale in Familiengruppen von fünf bis acht Tieren oder Jagdrudeln mit allenfalls 20 Mitgliedern auf, darunter sind die Weibchen schon von ferne an der niedrigeren, leicht hakenförmigen Finne zu erkennen. Bei den delphinartigen Luft- und Hochsprüngen wird die auffällige Körperfärbung sichtbar, das von der lackschwarzen Oberseite scharf abgegrenzte Weiß der Kehle und des Bauches mit weißem Augenfleck und weißer Flankenzeichnung.

Natürlich sind Schwertwale ebensowenig »Mörder« oder »Killer« wie der fliegenschnappende Laubfrosch oder die Amsel, die Regenwürmer aus dem Rasen zieht. Die gewaltigen Größenordnungen, die Vielfalt der – anders als bei anderen Walen – zum Teil warmblütigen Beutetiere und sehr viel Seemannslatein haben das Schreckensbild gleichwohl nachhaltig geprägt. Als »Tyrann oder Peiniger der Walfische und Robben« wird er schon von Linné vorgestellt, Brehm läßt keinen Superlativ des Grauens aus, um den »raubsüchtigsten und gefräßigsten aller Delphine« zu schildern. Der Anschauungswandel, der hier mit den heutigen Delphinarien eintrat, ist kaum hoch genug einzuschätzen.

Zu bestimmten Zeiten und in bestimmten Gegenden können Schwertwale als »harmlose« Fisch- und Weichtierverzehrer auftreten und – zum Beispiel vor

▷ Der aufrechtstehenden, schlank-dreieckigen Rükkenfinne verdankt der Schwertwal seinen Namen. Bei den Weibchen ist die Finne etwas kürzer und leicht hakenförmig.

▷▷ Ein Schwertwal schnellt sich aus dem Wasser.

▷▷▷ Zwei Schwertwale (Mutter und Kind) patrouillieren vor einer Seelöwenkolonie: Vielleicht steigt eine leichtsinnige Robbe ins Wasser?

Schwertwal mit seinem auffälligen Schwarz-Weiß-Muster.

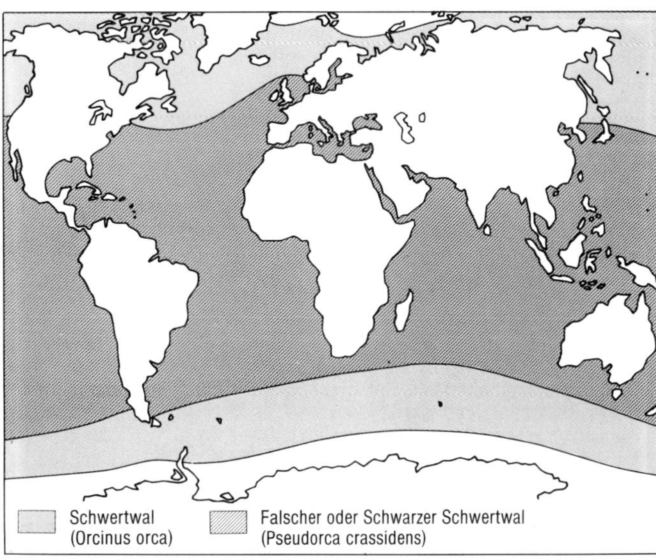

Island – Kabeljaufänger und Heringsdampfer begleiten. Aufregender ist freilich die Erbeutung von Robben. Watson konnte beobachten, wie zwei Schwertwale eine Treibeisscholle so weit anlupften, daß eine darauf schlafende Weddell-Robbe herunter- und einem dritten Wal zwischen die Zähne rutschte. Üblicher ist, die Eisscholle durch einen gezielten Schnauzenstoß zu zertrümmern. Vor Seelöwenkolonien wärmerer Gebiete pflegen die Schwertwale – keineswegs »rastlose Wölfe der See« – geduldig Standquartier zu beziehen oder eine Art Belagerungsring zu bilden. An der argentinischen Küste sahen wir Tag um Tag dieselbe Schwertwalgruppe vor demselben Seelöwen-Liegeplatz »herumlungern« und warten, daß eine der Robben – meist ein Jungtier – den Fehler machte, ins Wasser zu gehen. Die Wale können dabei den Kopf, ja den halben Körper auf den Strand hinaufschieben, ohne daß sich die Robben – den noch verbleibenden Abstand offenbar genau einschätzend – beeindruckt zeigen. Gelingt es, eine Robbe zu packen, wird sie vor dem Verschlucken hoch in die Luft geschleudert, das gleiche geschieht Pinguinen.

Unauffälliger geht die Jagd auf Tümmler vor sich, unter welchen im Pazifik Dalls Tümmler den Hauptanteil stellt; bei größeren Arten, zum Beispiel dem viel heimgesuchten Weißwal, kann es dagegen zu »fürchterlichen Blutbädern« kommen. Wahrhaftig dramatische Szenen ergeben sich jedoch, wenn ein Rudel Schwertwale über einen der riesigen Bartenwale herfällt! Wie die norwegische Bezeichnung »Speckhugger« andeutet, werden dem ausgewählten Opfer Brokken um Brocken der Außenhülle weggerissen, eine oft stundenlang dauernde, fast immer tödlich endende Quälerei. Falls sich die pralle Körperfläche eines Großwals nicht recht packen läßt – der Mund des Schwertwals ist mit 44 spitz-hakenförmigen Zähnen besetzt, aber nur mäßig weit zu öffnen –, bilden Lippen und Zunge den bevorzugten Angriffspunkt und mitunter die einzigen »Bissen«, die von einer 50-Tonnen-Beute verwertet werden.

Daß der Schwertwal der Ozeanarien heute mit den verschiedensten Delphinen friedlich, ja freundschaftlich zusammengehalten wird, mit seinen Trainern fast nach Katzenart »schmust«, sich reiten und anschirren läßt, das Einführen einer Magensonde erlaubt und sogar seine Schwanzfluke hinhält, um das Entnehmen einer Blutprobe zu ermöglichen – all das ist hiernach um so erstaunlicher. Auch die Zucht des Schwertwals

Dieses eindrucksvolle Gebiß, das auch großen Beutetieren gefährlich werden kann, hat dem Schwertwal den Namen Killer- oder Mörderwal eingetragen.

– seine Fortpflanzungsbiologie galt bis dahin als weitgehend unbekannt – ist inzwischen gelungen und besonders im »Seaworld«-Ozeanarium von Orlando/Florida eingehend studiert worden. Ein nach 16- bis 17monatiger Tragezeit geborenes Jungtier wog 160 Kilo und kam mit dem Kopf voran zur Welt.
Obwohl der Schwertwal als weltweit verbreitet gilt, gibt es doch Schwerpunkte, wo er fast sicher zu beobachten ist; außer den erwähnten Robbenkolonien Patagoniens gehören dazu die Küsten Britisch-Kolumbiens mit Vancouver Island.
Von für den Menschen geringerer Anziehungskraft ist der FALSCHE oder UNECHTE SCHWERTWAL *(Pseudorca crassidens)*, obwohl es sich um eine in allen wärmeren und gemäßigten Meeren verbreitete, in Schulen von über 100 Tieren umherziehende Art von 5 bis 6 Meter Länge handelt; man sollte sie besser SCHWARZER oder MITTLERER SCHWERTWAL nennen, da es »falsche« Wale nicht gibt.
Das wenig über fußhohe, gurkenförmige »Schwert« der Rückenfinne verdient kaum diesen Namen, während die klobige Bezahnung jene des »echten« Schwertwales fast noch übertrifft. Mit seiner außer einem grauen Kinnfleck reinschwarzen Färbung, schlanken Flippern und schlanker Gestalt ist er mit dem Grindwal zu verwechseln, dem er auch in der Lebensweise, etwa in Bewegungsfreude, Schwimmtempo und häufigen Massenstrandungen, ähnelt. Ein unverkennbares Merkmal ist die wulstige »Ramsnase«, die fast wie die Muffel eines Elches über die Unterlippe herabhängt. Auffällig, sogar durch Schiffsböden hindurch vernehmbar sind die zahlreichen Lautäußerungen, welche die Tiere im Herdenverband fast beständig von sich geben. In Delphinarien des pazifischen Raumes ist der Schwarze Schwertwal durch erstaunliches Sprung- und Lernvermögen hervorgetreten und hat sich in Einzelfällen nur insofern »falsch« gezeigt, als er gelegentlich nach der ihn fütternden Hand schnappt. Auch ich erlebte dies, als ich mich mit den Schwarzen Schwertwalen des japanischen Enoshima-Ozeanariums befaßte. Die normale Ernährung besteht selbstverständlich aus Kopffüßern und Fischen, darunter so rasant-kräftige Hochseeformen wie Thun, Bonito und Dorado. Eine bei den Walen wohl einzigartige Form von »Futterzubereitung« besteht darin, daß die Köpfe und Eingeweide der ergriffenen, zwischen den Zähnen gehaltenen Fische durch Schütteln entfernt werden, bevor es an das Verschlucken der – vorher womöglich noch enthäuteten – Filetstücke geht.
Verhältnismäßig spät und zunächst nur in Einzelexemplaren wurde der ZWERGSCHWERTWAL *(Feresa attenuata)* als eigene Art erkannt. Bis auf einen weißen Kehl- und Bauchfleck schwarz gefärbt und selten über 2,50 Meter messend, erscheint er als verkleinerte Ausgabe des vorigen, dessen wulstige »Ramsnase« ihm jedoch fehlt. Neuerdings nehmen Beobachtungen des Zwergschwertwals zu, der in Schulen bis zu 50 Tieren durch alle wärmeren Meere verbreitet ist. Sogar in pazifische Ozeanarien ist er bereits eingezogen und hier durch bemerkenswert »rabiates«, anderen Bassinbewohnern gegenüber aggressives Verhalten aufgefallen; seine sonstige Biologie ist noch kaum erforscht.
Angeschlossen sei hier schließlich der MELONENKOPF *(Peponocephala electra)*, der in Gestalt, Größe, Farbe und Verbreitung dem Zwergschwertwal zugesellt werden könnte. Die Frage seiner richtigen Einordnung ist noch umstritten, die Lebensweise erst unzureichend bekannt; wie beim Zwergschwertwal nehmen die Beobachtungen inzwischen zu, bei Japan wurden neuerdings mehrmals einige hundert Melonenköpfe auf einmal gefangen. Die Bestimmung gestrandeter Tiere ist einfach, das vollständige Gebiß umfaßt genau 100 Zähne.

In den vielen Delphinarien oder Ozeanarien, die es inzwischen gibt, zeigen die spielfreudigen Delphine, vor allem die als »Flipper« bekanntgewordenen Großen Tümmler, bereitwillig ihre artistischen Kunststücke.

Eigentliche Delphine (Familie Delphinidae)

Erst mit der letzten Familie der Zahnwale, den Eigentlichen Delphinen, sind wir endlich bei jenen Tieren, an die man beim Stichwort »Delphin« zuerst zu denken pflegt: beim fernsehbekannten »Flipper«, beim Gefährten Poseidons im klassischen Altertum. Die insgesamt 20 Arten – durchweg bewegliche Kleinwale um zwei bis drei Meter Länge mit vorgezogenem Schnabel – sind einander so ähnlich, daß sie im einzelnen nur kurz vorgestellt werden sollen; handelt es sich doch auch um die umfangreichste sämtlicher Walfamilien, deren Mitglieder selbst der Fachmann nicht immer auseinanderzuhalten vermag.
Wenden wir uns daher zunächst Themen allgemeinerer Art zu, den immer wieder gestellten Fragen nach »Intelligenz«, »Sprache« und Menschenfreundlichkeit. Sie gelten der Gesamtheit »der« Delphine schlechthin, sind aber vorrangig mit den Namen Großer Tümmler

(Tursiops truncatus) und Gewöhnlicher Delphin *(Delphinus delphis)* verbunden; ersterer als erprobter Delphinarien-Bewohner und bevorzugtes Studienobjekt vieler Forschungslabors, der zweite als »klassischer« Delphin des griechisch-römischen Altertums. Vom *Delphinus* berichten Aristoteles, Plinius, Aelianus und andere antike Schriftsteller; *Tursiops* ist der »Flipper« des Fernsehens, der Illustrierten und der Marine-Studios.

Daß die Delphine schon seit Jahrtausenden so besondere Anziehungskraft auf uns ausüben, hat mehrere Gründe. Dazu gehören Schönheit und Eleganz der Gestalt sowie Anmut der Bewegungen. Schwimmenden, springenden, sich »tummelnden« Tümmlern zuzuschauen, macht einfach Freude, etwas anderes kommt hinzu: Auch die Delphine selber haben offenbar Spaß daran.

Aber nicht nur die Spiellust, auch »Aufgeschlossenheit« ist wichtig. Da der Mensch kein Bestandteil des Lebensraumes »Hochsee« ist, scheint dem Delphin ihm gegenüber keinerlei Angst- oder Abwehrverhalten angeboren. Im Gegenteil: er kann sogar Verhaltensweisen der Jungenfürsorge, etwa das Huckepacktragen oder das Beistandleisten, auf diesen Menschen übertragen. Die aus dem Altertum überlieferten Berichte über Delphine, die Kinder auf ihrem Rücken reiten ließen oder Menschen aus Seenot retteten, wurden jahrhundertelang für Märchen gehalten, aber neuerdings als wahrheitsgetreu bestätigt.

Als die Duisburger Delphine noch neu waren, konnte man sich von ihnen »experimentell« retten lassen: Wenn man sich – mit Tauchgerät natürlich – regungslos auf den Bassinboden legte, versuchten sie manchmal, einen zur Oberfläche zu bugsieren. Daß abgeschossene US-Piloten und japanische Schiffbrüchige, verunglückte Badegäste und über Bord gefallene Touristen von Delphinen an Land gebracht worden sind, steht ebenfalls außer Frage. Delphine »retten« auch tote Haifische (ihre Erzfeinde) und vollgesogene Matratzen, denn sie handeln nicht aus Barmherzigkeit, sondern im Rahmen angeborener, in diesem Fall fehlgeleiteter Verhaltensweisen. Daß Delphinmütter oder -tanten Neugeborene über Wasser halten, daß verletzte Artgenossen von anderen Herdenmitgliedern gestützt und in die Mitte genommen werden, wurde schon erläutert; wassergetragene Spiel- und Jonglierfreude kommt wahrscheinlich hinzu: Manche Wale laden sich Eisschollen oder Tangbüschel auf den Rücken, andere balancieren Treibholzstücke oder Seeschildkröten vor sich – Ansätze genug, um sich die Entwicklung vieler »Rettungstaten« zu erklären.

Trotz des unbewußten, instinktiven Charakters dieser Verhaltensweisen ist der Ablauf freilich nicht so starr, daß nicht auch Ausnahmen vorkämen: Delphine, die den noch ein wenig steif aus der Transportmatte rutschenden Neuankömmling hilfreich bei den Flippern nahmen, können ein andermal ungerührt zuschauen, wie ein Artgenosse mit zu hastig verschluckter Stachelmakrele hilflos zu Boden bzw. in den Erstickungstod sackt. Auch dem Schiffsreisenden ist nach wie vor zum Freischwimmerzeugnis zu raten, statt auf Del-

Der Große Tümmler ist in allen Meeren zu Hause und durch seine Auftritte als Fernsehstar für viele Menschen zum Inbegriff des »Delphins« geworden. Vom klassischen Gewöhnlichen Delphin unterscheidet er sich vor allem durch seine Größe und seinen plumperen »Schnabel«. Hier eine Tümmlermutter mit Kind.

phinhilfe zu warten. Allein die Möglichkeit, daß der Mensch in delphinische Verhaltensprogramme einbezogen werden kann, ist jedoch bemerkenswert genug, und über das Fehlen von Angst- und Abwehrreaktionen hinaus mag sich hier hin und wieder tatsächlich eine gewisse »Sympathie« entwickeln.

Das öfter beobachtete Vorkommnis, daß sich ein einzelner Delphin in Strandnähe zwischen Badegästen oder deren Beinen herumdrängelt, hat in der Regel sexuelle Hintergründe. Größere Aufmerksamkeit verdient das Miteinander von Mensch und Delphin beim Fischfang.

Seit dem Altertum ist überliefert, daß Delphine Fischern »helfen«, indem sie ihnen ihre schuppige Beute ins Netz treiben. Solche Berichte sind nicht auf den griechisch-römischen Kulturkreis oder den Mittelmeerraum beschränkt, sondern zum Beispiel auch aus der Südsee bekannt. Den vor der Atlantikküste Mauretaniens unter Delphinmitwirkung ausgeübten Meeräschenfang der Imragen hat Cousteau inzwischen im Fernsehfilm festgehalten, in Venezuela begegneten uns Eingeborene, welche Orinoko-Toninas an der Schildkrötenjagd zu beteiligen suchten.

Das Thema ist kaum weniger faszinierend als das »Menschenretten«, doch auch hier hat der Biologe zu prüfen, ob und wieweit es sich seitens der Delphine wirklich um bewußtes Helfenwollen oder gar Ausdruck besonderer »Intelligenz« handelt. Nach jenen Jahrhunderten, in denen Wale als »dumme Trantiere« oder gar »Fische« galten, neigen wir heute zur Überbewertung von Vorgängen, die sonst kaum Beachtung fänden. Daß sich – im weitesten Sinne – menschliche und tierische Tätigkeiten im Bereich des Nahrungserwerbes überschneiden, ist eigentlich nichts Ausgefallenes: Möwen flattern hinter dem pflügenden Traktor, Störche stolzieren neben dem Heuwender her, weil dort Regenwürmer oder Grashüpfer für sie abfallen, Füchse übernehmen die Nachsuche bei der Fasanenjagd usw. Der Mensch – umgekehrt – liest die Fliegenden Fische vom Deck, welche vor Thunas oder Bonitos flüchteten, läßt sich vom Honiganzeiger zu gefüllten Waben führen und – so jedenfalls könnte es scheinen – von Delphinen Meeräschen zutreiben. In Wirklichkeit treiben die Delphine ihre Fische gar nicht dem Menschen, sondern dem Ufer zu, wie sie dies an menschenleeren Stränden tagtäglich und allerorten tun (müssen). Zu lernen, hieraus Vorteil zu ziehen, also ein sich rasch füllendes Netz hinzuzufügen, lag weitgehend beim Menschen; im Laufe der Zeit mag sich dann aber eine ausgewogenere Partnerschaft entwickelt haben. Vor Patagonien jagten Jacobitas Sardinenschwärme bis fast zur eigenen Strandung aufs Ufer, worauf die Dorfbevölkerung mit Körben und Eimern herbeieilte, um den im Sand zappelnden Segen einzusammeln. Wir unsererseits warfen ins Wasser zurück, was wir konnten, und sahen verblüfft, daß die Jacobitas diese halb oder ganz toten Fischchen allen übrigen vorzogen, ja sich durch deren gezieltes Zuwerfen buchstäblich auf Armesreichweite heranfüttern ließen! Zweifellos ist der Meisterschwimmer Delphin in der Lage, nahezu jeden gesunden Fisch seiner Beuteliste zur Strecke zu bringen; daß er es sich, wenn möglich, »bequemer« macht, entspricht der Grundhaltung höherer Wirbeltiere, Menschen inbegriffen. Vermeidbare oder »sinnlose« Anstrengungen kommen beim Wildtier nicht vor – eine außer für Delphinarien oder zoologische Gärten für unser biologisches Verständnis wichtige Feststellung. Daß Delphine beim Fischfang sogar »Treiberketten« bilden, sollte gleichfalls nicht falsch bewertet werden; Kabeljaus beim Verfolgen eines Heringsschwarms bringen die gleiche »Intelligenz« auf.

Statt »Helfer« können Delphine auch Beute von Fischern werden: An der nordamerikanischen Ostküste ist nur Ende des vorigen Jahrhunderts ein wenig

▷ Wellenreitende Delphine im Abendsonnenschein. Das sind die »echten« Gewöhnlichen Delphine, die seit dem Altertum in der europäischen Kunst und Literatur einen legendären Ruf genießen. Das Synchronschwimmen und -springen liegt den geselligen Tieren im Blut.

▷▷ Eine »Schule« der ungemein spiel- und springfreudigen Dunklen Delphine tummelt sich vor der argentinischen Küste.

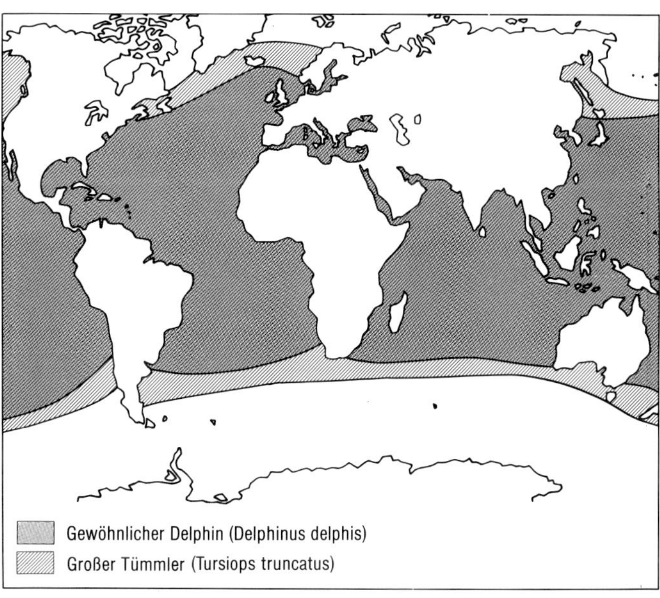

Großtümmlerfischerei betrieben worden, dagegen gibt es Marktszenen aus Japan, wo Hunderte von Streifendelphinen gleichzeitig feilgeboten werden. Nutzlose Verluste entstehen beim unbeabsichtigten Fang, welcher Delphine als »Betriebsunfall« in Netze geraten und ertrinken läßt. Daß pro Jahr rund 10 000 Dalls Tümmler in den Stellnetzen der Lachsfischerei verunglücken, wurde bereits erwähnt, beim pazifischen Thunfischfang blieben jährlich sogar über 250 000 Delphine auf der Strecke. Schnabel- oder Fleckendelphine jagen oft gemeinsam mit Thunfischen und geraten dann fast unvermeidlich in das für diese bestimmte, ein Kilometer lange Nylonnetz – ein unerwünschter, ja lästiger »Beifang«, dessen Entfernung aus den Maschen Schwerarbeit erfordert. Fischereibiologen, Naturschutzbeamte und Techniker waren eifrig bemüht, dieser sinnlosen Vernichtung Einhalt zu gebieten, doch erst Anfang der achtziger Jahre wurde das Verfahren – ein fernbedienter »Notausgang« in der Netzwand, welcher es mit Glück und Geschick erlaubt, den Großteil der Delphine (und nicht der Thunfische) wieder freizulassen – endlich so weit entwickelt, daß die Verlustzahl auf 17 000 zurückging.

Leidenschaftliche Kritik wird heute vor allem dort laut, wo Delphine als Konkurrenten oder gar »Feinde« von Fischern betrachtet und womöglich bekämpft werden; bekanntestes Beispiel sind die Delphintötungen vor der japanischen Insel Iki. Auch ich habe mehrmals an Kaiser Hirohito sowie Ministerpräsident Fukuda appelliert, sich doch eher auf Abwehrversuche mit den in Japan entwickelten Schwertwal-Attrappen zu konzentrieren. Selbst bedrückend blutige Szenen sollten jedoch nicht vergessen lassen, daß das »nur aus Küste bestehende« Inselreich auf seine Fischereierträge angewiesen ist und daß, wo einige hundert Delphine »ermordet« werden, einige zehntausend Delphine versammelt sein müssen. – Würden unsere Bauern oder Gärtner tatenlos zuschauen, wenn ihr Weizenfeld tausend Wildschweine, ihr Tulpenbeet tausend Kaninchen zu Gast hätte? Wo Weinbergbesitzern Schaden droht, setzen Behörden sogar den Singvogelschutz außer Kraft, für den allseits beliebten Starmatz zum Beispiel. Naturschutzfreunde fordern, unsere Wälder rotwildfrei zu machen und doppelt so viel Rehe zu schießen wie bisher.

Eine nicht nur im eben behandelten Zusammenhang entscheidende Rolle spielen sicherlich jene überzogenen Vorstellungen, welche hinsichtlich Gehirnkapazität oder »Intelligenz«, »Sprache« und Seelenverwandtschaft der Delphine in Umlauf gerieten. »Brüder im Meer« und »Menschen mit Flossen«, »Delphin-Wörterbücher« und »Delphin-Liebesstunden« – ausgerechnet im Zeitalter der Delphinarien steuerte man schnurstracks zur Antike zurück, wo Delphine ver-

Rechts: Der Nordatlantik bis hinauf zum Eismeer ist die Heimat des Weißschnauzendelphins. – Unten: Schwarz, silbergrau und weiß ist der Pazifische Weißseitendelphin gemustert, der nicht selten in tausendköpfigen Schulen den Nordpazifik bewohnt.

zauberte Seefahrer und Götterboten gewesen waren!

Einem Tiergärtner, welcher jeden Tag mit Gorillas und Kolkraben, Seelöwen und Wölfen zu tun hat, käme überhaupt nicht der Gedanke an »übermenschliche Intelligenz«, wenn Delphine Quietschlaute ausstoßen oder Bälle apportieren; Nicht-Biologen aber gerieten schier aus dem Häuschen, als sie dies miterlebten. Daß mehrere Delphine gleichzeitig über eine Schnur springen, erschien ihnen als »kaum glaubliche Raum-Zeit-Beherrschung«. Regungen und Bewegungen, über die man bei Foxterrier oder Starenschwarm kein Wort verlöre, werden im Delphinarium begeistert beklatscht.

Das große, wohlausgebildete Gehirn wird natürlich ebenfalls bestaunt und mit hohen Erwartungen verknüpft; schon auf S. 338f ist aber erläutert worden, daß dieses Organ im Zusammenhang mit Körpergröße und Lebensweise betrachtet werden muß. Darwin hat nicht aus Rücksicht auf die Damenwelt (Frauengehirne sind im Durchschnitt 12% kleiner als Männergehirne) betont, daß sich Intelligenz nicht nach Kubikzentimetern messen läßt – sie ist auch zwischen Pottwal und Kakadu nicht auszuwiegen. So wichtig Untersuchungen von Feinaufbau und – knapp Elefantenwerte erreichender – Nervenzellendichte der Rindenschicht bleiben, die sorgfältigste Hirnanatomie wird niemals Anhalt für die Vorstellungen des Neurologen John C. Lilly ergeben, der die »Gedankenwelt« der Wale mit Religion, Philosophie und der Lehre vom Goldenen Schnitt in Zusammenhang brachte. Kehren wir daher zur Biologie und auf den Boden der Tatsachen zurück:

Wir haben gesehen, daß viele Delphine nicht anders als Thunfische, ja daß sie mit Thunfischen leben (und zusammen mit ihnen ins Netz geraten); daß sie massenhaft auf Strand laufen oder sich Jahr für Jahr in derselben Bucht umbringen lassen; daß sie sogar Haifische »retten« und noch mancherlei anderes tun, was unseren Maßstäben von »Nachdenken« oder »Intelligenz« nicht entspricht. Doch wir dürfen Tiere eben nicht mit unseren Maßstäben messen! Wir dürfen nicht nach Meeresbrüdern und Halbgöttern suchen, sondern müssen Delphine als Delphine sehen: vorzüglich angepaßte Wassersäuger, deren hohe Spezialisation zugleich eine sehr enge Spezialisation ist; lebende Torpedos, deren ideale Stromliniengestalt mit dem Fehlen von Beinen, Greifhänden, Mimik und anderen Ausdrucks- und Umsetzungsmitteln erkauft wurde; Tiefen-Rekordhalter, deren Sauerstoff- und Druckausgleichshaushalt in keinerlei Lehrschema passen; Bewohner einer uns fremden, weitgehend unzugänglichen Welt, in welcher Geräusche, Gerüche und Farben uns fremde Stellenwerte haben; Geschöpfe, die »mit den Ohren sehen« und »durch die Nase singen«, ohne Lauscher oder Stimmbänder zu besitzen. Außergewöhnliche Tiere also, aber gewiß keine Beinahe-Menschen. Die Natur investiert in ihre Geschöpfe nur selten Überflüssiges; was nicht gebraucht wird, schrumpft dahin wie unser Blinddarm. Ein Wal, der Krill und Quallen aus der Meerestiefe filtert, ein Delphin, der mit Thunfisch und Kabeljau Makrelen jagt, hat nichts zu »erzählen« oder zu »philosophieren«: Er braucht sein Gehirn, um als Landtier Wassertier sein zu können.

Bei den Mutmaßungen über menschenähnliche oder

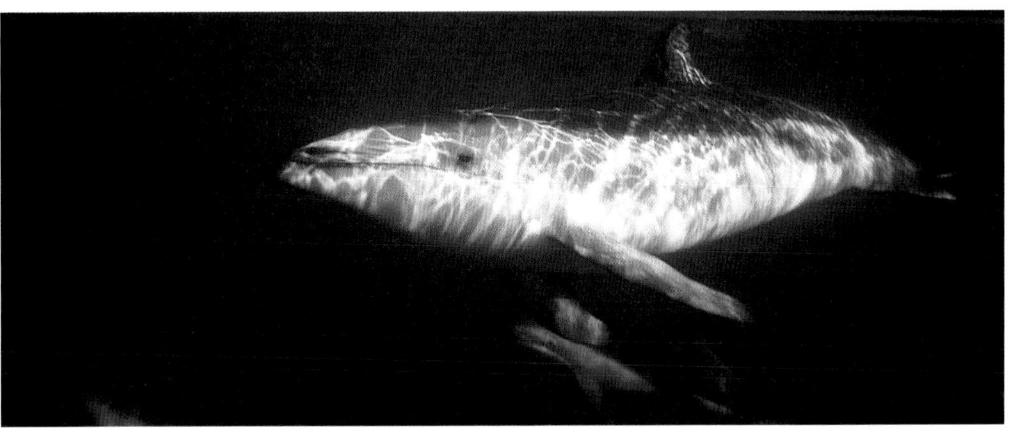

Der Dunkle Delphin unterscheidet sich kaum von den Weißseitendelphinen, denn er ist kaum »dunkler« als seine Gattungsgenossen, sondern wie diese mit grauen und weißen Mustern geziert. Er bewohnt die antarktischen Südmeere.

gar übermenschliche Intelligenz stellten sich die Versuche zum »Gespräch« mit Delphinen als besonders abwegig dar.

Obwohl mehr als (bestenfalls) papageienmäßiges Nachplappern sowieso nicht herauskommen konnte, fragte Lilly zum Beispiel, ob man überhaupt schlichtes Englisch wählen dürfe, statt sich dem klassischen Delphin auf altgriechisch zuzuwenden. Der Erfolg blieb so und so aus, außer Lilly selber fand sich niemand, der die auf Tonband gequiekten Blaslochgeräusche als »stop it!« oder »hundred thirty three« zu werten bereit war – ohnehin ein recht dürftiges Ergebnis zehnjähriger Versuche. Als es auch sonst nicht weiterging, entschied Lilly, daß man Geschöpfe »von vielleicht wirklich gottähnlichen Fähigkeiten« gar nicht in Bassins halten dürfe, und beendete seine »Forschungen« gerade noch rechtzeitig; der angerichtete Schaden aber war groß:

Die Öffentlichkeit setzte noch Jahr und Tag auf »Bruder« Flipper, mit dem es so viel zu »erzählen« gäbe;

Das Verhältnis Mensch-Wal ist oft gar zu romantisch dargestellt worden, und manche phantasievollen Gemüter haben die großen Meeressäuger zu Wundertieren und fast gottähnlichen Geschöpfen erhöht. Hier ist Nüchternheit am Platze. Es läßt sich indes nicht bestreiten, daß wir Menschen eine besondere Beziehung zu den Walen haben – im guten wie im bösen. Wer sich den Walen ohne böse Absicht nähert – so wie diese Forscher einem Südkaper, einer einst stark bejagten Walart –, der kann mit ihrer natürlichen »Menschenfreundlichkeit« rechnen.

Tierschutz-Romantik widmete sich Phantomen, Bewohner von US-Delphinarien wurden ins Meer »befreit«, wo sie wieder zu ihren Pflegern zurückstrebten oder umkamen. Daß ich auch nach 20 Praxisjahren dabei blieb, Tümmler nicht als Märchenfiguren, sondern als Tiere zu behandeln, galt beinahe als herzlos und fand erst spät und nur zögernd Bestätigung. So ist wertvolle Zeit vertan worden, ehe man sich den eigentlichen Grundlagen zuwenden konnte, nämlich der Frage, was ein Delphin sehen, hören, fühlen, schmecken und orten kann, in welcher sozialen Ordnung er lebt und welche angeborenen Auslösemechanismen, Instinkte, Aggressionen und Hemmungen dabei eine Rolle spielen. Ihre Untersuchung bildet heute den Mittelpunkt aller cetologischen (walkundlichen) Forschertätigkeit in den Ozeanen und Ozeanarien.

Selbstverständlich verfügt der Delphin – wie unzählige andere Tiere – über eine Auswahl an Lauten und Gesten, welche eine bestimmte Bedeutung haben und auf welche die Artgenossen in bestimmter Weise reagieren. Vom besonders gründlich untersuchten Großen Tümmler *(Tursiops truncatus)* sind inzwischen mehrere Dutzend verschiedener Quietsch-, Knarr- und Pfeiftöne nachgewiesen und aufgezeichnet worden; dabei konnte bisher aber nur in geringem Umfang bestimmt werden, ob und welche Bedeutung ihnen im einzelnen zukommt. Wenn ein Tümmler mit

den Kiefern klappert, ein Beluga die Melone nach vorn stülpt, heißt das: »Bleib mir vom Leibe!«; wenn ein Südkaper seinen 18-Tonnen-Rumpf krachend aufs Wasser platschen läßt, verkündet er: »Hallo, hier bin ich!«; wenn der Buckelwal seinen Tiefengesang anstimmt, mag das für andere Buckelwale noch in vielfacher Kilometerferne – Wasser leitet den Schall vorzüglich – ein Zeichen der Kontaktaufnahme, der Werbung, der Orientierungssuche oder der Revierabgrenzung sein; wenn ein Pilotwal auf Strand läuft, den Dögling die Harpune trifft, wird »SOS!« gesendet, aber diese Wirkung hat auch der Notruf der vom Schrotkorn gestreiften Elster und ist keine »Sprache«.

Sprache – mit ein wenig Satzbau und Grammatik womöglich – ist die Fähigkeit zum Ausdrücken nichtsituationsbezogener Bewußtseinsinhalte, geht über augenblicksbedingtes »Auweh!« oder »Hierher!« also weit hinaus (vom Nachahmen unverstandener Lautfolgen ganz zu schweigen). Der Begriff Sprache wäre erst in dem Augenblick erfüllt, wo ein Pottwal nach einem 1000-Meter-Abstieg einen Bericht liefern und

den lauschenden Herdengenossen »morgen schwimmen wir lieber Richtung Madeira!« vorschlagen könnte – an dergleichen ist aber nicht zu denken. Ernstzunehmende Versuche, die sich mit den Ausdrucks- und Verständigungsmöglichkeiten von Delphinen befassen, blieben bislang erstaunlich spärlich. Das oft zitierte Experiment des Psychologen J. Bastian, bei dem zwei durch eine Sichtschutzwand getrennte Großtümmler einander mitgeteilt haben sollen, welcher Hebel zwecks Erhalt eines Futterfisches zu betätigen war, schließt Täuschungen nicht aus, beweist aber keineswegs »sprachlichen« Austausch und sollte unter verläßlichen Bedingungen wiederholt werden. Geeignete Möglichkeiten hierzu bieten die Delphinarien, die seit den 1938 in Florida eingerichteten »Marineland-Marinestudios« weltweite Verbreitung fanden. Während die in Florida und anderen Küstengegenden gelegenen Institute natürliches Meerwasser verwenden, also eigentlich nur ein Stückchen Ozean einzuzäunen oder landeinwärts zu verlagern brauchen, ist im Binnenland – zum Beispiel den 1965/1969 im Zoo Duisburg eingerichteten Delphinarium und Walarium – seine künstliche Aufbereitung, Filterung und Temperierung erforderlich.

Der Begeisterung über die Erlebnis- und Forschungsmöglichkeiten der Delphinarien hat sich später mitunter Kritik beigesellt, die an die schwärmerische Verehrung unserer »Brüder im Meer« anknüpfte. Wie aber bereits erläutert, beherbergen unsere Delphinarien weder Meeresriesen noch Hochseesprinter, sondern Hafen-, Fjord- und Küstenbewohner; ihr Format bleibt weit hinter Nashorn und Zebra, ja selbst hinter Rothirsch und Wildschwein zurück. Es ist im Grunde völlig gleich, ob ich einen Fisch im Aquarium, einen Vogel im Bauer oder einen Delphin im Bassin halte, nur daß die Lebenserwartung in den meisten Delphinarien höher liegt als in verölten, überfischten Meeren. 20jährige Delphinariumsveteranen sind heute keine Seltenheit, die Zahl der Nachzuchtgeburten geht in die Hunderte. In der kurzen Zeitspanne, in welcher die Wale »Zootiere« wurden, haben wir über ihre Biologie mehr gelernt als in 300 Jahren Hochseefang; es wurde eine neue Dimension erschlossen in bezug auf Geschöpfe, von denen wir draußen nur einen Dampfstrahl oder die Spitze der Rückenflosse zu sehen bekommen. Der »Bedarf« der Delphinarien beträgt nur einen Bruchteil der jährlichen Netz- und Strandungsverluste, ihr Nutzen für Naturschutz, Forschung und »Sympathiewerbung« ist dagegen nicht abzuschätzen.

Die Gattung *Lagenorhynchus* (»Flaschenschnabel«) stellt mit sechs verschiedenen Formen die artenreichste Untergruppe der Delphinidae dar. Bei einer Länge um zwei Meter, selten über drei Meter, fallen die verhältnismäßig kurzschnäbeligen Tiere durch ein Muster schwarzer, weißer und grauer Farbflächen und -streifen auf. Da überschneiden und durchdringen einander bald bänder-, bald spindelförmige Partien, werden Silberblau und Weiß durch lackschwarze Linien getrennt. Die Vielfalt ist derart verwirrend, daß

Spielende Jacobitas oder Commerson-Delphine, aufgenommen in freier Wildbahn.

selbst der Fachmann gut bebilderter Bestimmungsbücher bedarf und daß immer wieder neue Arten und Unterarten beschrieben werden, die wahrscheinlich nur individuelle »Variationen zum Thema« bedeuten. Alle sind temperamentvolle, springfreudige Fisch- und Tintenfischjäger.

Leicht zu bestimmen ist der Weissschnauzendelphin *(Lagenorhynchus albirostris)*: Er hat als einziger Gattungsvertreter einen weißen »Flaschenschnabel«, dazu reicht sein – nordatlantisches – Verbreitungsgebiet am weitesten polwärts, nämlich bis nach Spitzbergen. Der kraftvolle Schwimmer, der eine gischtsprühende Spur hinter sich her zieht, ist wanderlustig. Seit den achtziger Jahren erscheint er vermehrt im Ärmelkanal und kam unter anderem in das Delphinarium von Zandvoort/Holland; ein 1975 in der Ostsee gestrandetes Tier befindet sich im Meeresmuseum von Stralsund.

Ähnlich unverwechselbar ist der Kreuz- oder Sanduhrdelphin *(L. cruciger)*, dessen Name einem eieruhrförmig eingeschnürten Flankenband Rechnung trägt; es reicht vom Auge bis zur Schwanzfluke und sticht

durch sein strahlendes Weiß wirkungsvoll vom sonst fast schwarzen Körper ab. Die Art ist im subantarktischen Kaltwassergürtel rund um den Südpol verbreitet.

In oft riesigen Schulen tritt der Pazifische Weisseitendelphin *(L. obliquidens)* auf, dessen Anmut auch in den Delphinarien von Hongkong und Vancouver, Japan und USA begeistert. Zu seiner an moderne Porzellanmalerei erinnernden Zeichnung gehört eine dunkel eingefaßte, weiße Kinnpartie, wie wir sie ähnlich beim Atlantischen Weisseitendelphin *(L. acutus)* und beim Dunklen Delphin *(L. obscurus)* finden. Bestimmungsirrtümer wären im offenen Meer kaum zu vermeiden, wenn die Verbreitungsgebiete der drei Arten nicht so weit auseinander lägen: Die pazifische Art bewohnt den nördlichen Stillen Ozean zwischen Japan und US-Küste, die atlantische Art den Nordatlantik, der Dunkle Delphin (keineswegs »dunkler« als seine Gattungsgenossen, sondern wie diese mit grauen und weißen Mustern geziert) die antarktisnahen Südmeere.

Schwarze Kinnfärbung kennzeichnet den nur längs der Küsten Chiles und Patagoniens vertretenen Süddelphin *(L. australis)*, der auch als Peales Delphin oder Schwarzkinndelphin bekannt ist. Bei unseren Feuerland-Expeditionen hatten wir fast täglich sowohl Süd- wie Dunkel-Delphine vor dem Bug, müssen jedoch wiederholen: Einfach ist zuverlässiges Ansprechen dieser »Flaschenschnäbel« nicht!

Eine eigene Gattung hat man für den bis auf einen hellen Vorderbauch düsterschwarzen Kurzschnabeldelphin *(Lagenodelphis hosei)* aufgestellt. Obwohl zwischen den Wendekreisen und zumal im tropischen Pazifik offenbar weit verbreitet, wurde er erst 1955 bei der Durchmusterung von Schädelmaterial des Britischen Museums als »neue« Art erkannt und als Frasers Delphin beschrieben.

Rechts: Ein Fleckendelphin über den Wogen des Pazifischen Ozeans. Seine besonderen Kennzeichen sind die über den ganzen Körper verstreuten hellen Tupfen und der vom Schnabel ausgehende dunkle »Zügel«. – Unten: Der in Küstengewässern, Flußmündungen und Flüssen Südostasiens heimische Irrawaddydelphin ist ein behäbiger, langsamer Schwimmer.

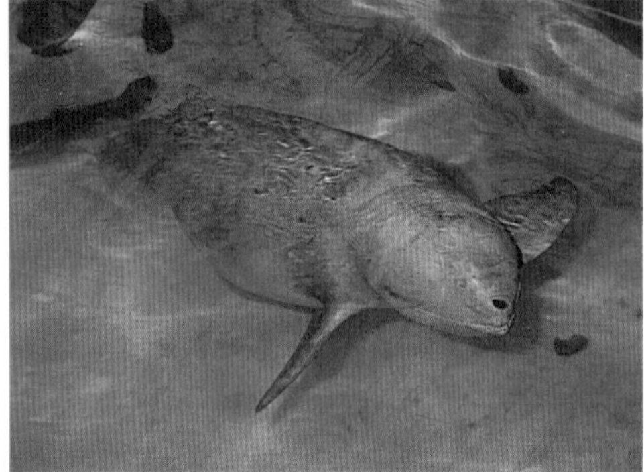

Einen nicht nur von den übrigen Delphinidae abweichenden, sondern innerhalb sämtlicher Waltiere einzigartigen Typus haben wir mit den gertenschlanken Glattdelphinen *(Lissodelphis)* vor uns: Sie sind zu einer einzigen »lebenden Stromlinie« geworden, deren langgestreckter Eleganz man die pfeilschnelle Leichtigkeit ansieht, mit der diese typischen Hochseebewohner durch die Wogen zu schießen vermögen. Mit dem gemütlichen Fesselballonformat von Grönland-, Nord- und Südkaperwal haben diese »Rightwhale Dolphins« also wenig zu tun; ihr englischer Name be-

zieht sich lediglich darauf, daß ihrem glatten Rücken – wie bei jenen – jede Spur einer Rückenfinne fehlt. Ein Ausgleich für die gerade bei Schnellschwimmern wichtige Stabilisierungshilfe besteht offenbar darin, daß der Körper der Glattdelphine – auch dies eine Einmaligkeit innerhalb sämtlicher Waltiere – leicht rochenartig abgeplattet ist.

Die Verbreitung des bis auf einen weißen Unterkieferring und weißen Bauchstreifen schwarz gefärbten Nördlichen Glattdelphins *(L. borealis)* ist auf den Nordpazifik mit Beringmeer und Ochotskischer See beschränkt, der Südliche Glattdelphin *(L. peronii)* bewohnt alle Kaltwasserzonen unterhalb des Steinbock-Wendekreises. Im Gegensatz zum nördlichen Gattungsgenossen herrscht bei seiner Farbverteilung das Weiß vor; es zieht sich, Vorderkopf und Flipper einschließend, an den Flanken so weit nach oben, daß die gegen den schwarzen Rücken geschwungene Grenzlinie eine Art Jin-Jang-Figur entstehen läßt.

Einem gewohnteren Bild der Delphinidae – freilich in zierlicher Form – entsprechen die Schwarzweiss-Delphine der Gattung *Cephalorhynchus.* Trotz

des wissenschaftlichen Namens (griech. *rhynchos* = Schnabel, Rüssel) ist ihre Kieferpartie wenig abgesetzt, der Kopf erscheint daher fast kegelförmig wie etwa beim Kleinen Tümmler. Das auffälligste Merkmal besteht in der scharf unterteilten Schwarzweiß-Färbung, die zumal den JACOBITA oder COMMERSON-DELPHIN *(C. commersoni)* zu einer der bezauberndsten Erscheinungen der gesamten Ordnung macht. Schon der Erstbeschreiber Lacépède schwärmte, daß sich der Jacobita mit seinem »wohlabgesetzten Schwarz und dem wie poliertes Silber glänzenden Weiß sogar noch unter den allerschönsten Meeresgeschöpfen hervorhebt«; die Lebensweise des Tieres blieb bis zu den 1978, 1980 und 1984 durchgeführten Patagonien-Expeditionen des Duisburger Zoos jedoch weitgehend unbekannt. Mehrere der mit 70 Stundenkilometern überaus schnellen Jacobitas konnten in das dortige Delphinarium gebracht und trotz verschiedener Schwierigkeiten erfolgreich eingewöhnt werden.

Den insgesamt vier Arten von Schwarzweiß-Delphinen – neben dem Jacobita gibt es noch den CHILE-DELPHIN *(C. eutropia)*, den HEAVISIDE-DELPHIN *(C. heavisidii)* und den HECTOR-DELPHIN *(C. hectori)* – ist außer der Schwarzweiß-Musterung die Besonderheit gemeinsam, daß ihre durchweg kleinen Verbreitungsgebiete nur die äußersten Südspitzen zweier Erdteile sowie zwei abgelegene, antarktisnahe Inselgruppen umfassen. So findet sich der Jacobita außerhalb der Kap-Hoorn-Region nur noch bei den Falkland-Inseln und den – über 20 000 Kilometer entfernt im Indischen Ozean liegenden – Kerguelen; der Chile-Delphin kommt erst westlich von Kap Hoorn, also auf der pazifischen Seite vor, der Heaviside-Delphin lebt am afrikanischen Kap der Guten Hoffnung, der Hector-Delphin bei Neuseeland.

Nach den zierlichen Jacobitas haben wir mit dem drei

Links: Die Atlantischen Fleckendelphine sind ausgesprochene Hochseebewohner, die nur selten in Küstennähe anzutreffen sind. – Unten: Spinnerdelphine können sich beim Luftsprung bis zu siebenmal um ihre eigene Längsachse drehen, was im Englischen mit »spin« bezeichnet wird und den Tieren ihren Namen gegeben hat.

bis vier Meter langen, vereinzelt über 600 Kilo erreichenden RUNDKOPF- oder RISSO-DELPHIN *(Grampus griseus)* das Schwergewicht der Familie vor uns. Seine Größe und der schnabellos-rundliche Kopf könnten weniger an einen »Delphin« als an den Pilotwal erinnern, die lichtgraue, mit zunehmendem Alter noch aufhellende Färbung (lat. *griseus* = grau), die von einer wachsenden Anzahl kreuz- und querverlaufender »Schmisse« verziert zu sein pflegt, macht ihn jedoch unverwechselbar; es handelt sich um die Spuren oder Narben von zwei bis sechs kräftigen Zähnen der Unterkieferspitze, mit denen sich die hauptsächlich weichtierverzehrenden Tiere während des Paarungsspiels oder bei Rivalenkämpfen zu bearbeiten scheinen. Je älter ein »Risso«, desto zerkratzter sein Rükken; weitere Merkmale sind eine weiße Kinn- und Vorderbauchpartie sowie die schlank-sichelförmige, bis zu Halbmeterhöhe aufragende Rückenfinne. In den Meeren gemäßigter und warmer Zonen ist der Rundkopfdelphin weltweit verbreitet, oft in Gesellschaft anderer Delphin- und Walarten, mit denen es in Delphinarien (z. B. *Risso* × *Tursiops*) sogar zu Kreuzungen gekommen ist.

Eine weitere rundköpfige Sonderform stellt der tropische IRRAWADDYDELPHIN *(Orcaella brevirostris)* dar. Irrawaddy ist der Name eines großen, schlammigen Flusses im hinterindischen Burma, das einfarbig/hellgraue, um 100 Kilo schwere Zwei-Meter-Tier tritt aber auch im Mekong und Brahmaputra sowie in Süß-, Brack- und Küstengewässern der südostasiatischen Inselwelt auf. Während der Risso-Delphin an einen (ausgeblichenen) Pilotwal erinnert, ähnelt der Irrawaddydelphin – vom hakenförmigen Reststummel einer Rückenfinne abgesehen – einem kleinen Beluga. Mit seinem verhältnismäßig langzähnigen Gebiß stellt er bodenbewohnendem Getier trüber Urwaldströme nach, der gelegentlichen »Zusammenarbeit« mit eingeborenen Fischern wurde schon auf S. 397 gedacht. Im Delphinarium von Djakarta sind Irrawaddydelphine mehrmals gezüchtet worden; Neugeborene wogen nur 3,8 bis 5 Kilogramm.

Einen weniger ausgefallenen, aber ausgesprochen schnittigen Delphintyp verkörpern hiernach die SCHMALSCHNABELDELPHINE der Gattung *Stenella*. Ihr schlanker Rumpf zeigt deutlich, daß es sich um Hochleistungsschwimmer offener Meere handelt; dazu paßt der noch weit schlankere Schnabel (griech. *stenos* = schmal, eng), der bis zu 260 (!) spitze Zähne tragen kann. Die zum Teil weltweite Verbreitung hat – nebst entsprechenden Färbungsunterschieden – erhebliche Schwierigkeiten der Systematik mit sich gebracht; im Laufe der Zeit sind wohl über 20 verschiedene *Stenella*-»Arten« beschrieben worden, doch wollen wir uns auf die gesicherten fünf (drei gestreifte

Zwei Große Tümmler – Mutter mit Kind –, deren Art fast weltweit verbreitet ist.

und zwei gefleckte) beschränken. Das Bestimmen der gestreiften Schmalschnäbel im freien Meer wäre ähnlich schwierig wie im Fall der Flaschenschnäbel, wenn nicht Verhaltens- und Verbreitungsunterschiede helfen würden. Während sich das zur Zeichnung der Flaschenschnäbel gehörige Band von den Flippern Richtung Mundwinkel zog, zielt es bei den (gestreiften) Schmalschnäbeln ins Auge.

Die wohl charakteristischste *Stenella*-Art heißt im Amerikanischen »Spinner«, weil sie sich beim Aus-dem-Wasser-Schnellen um die Längsachse dreht, nur so aus Spaß an der Freud'. Bis zu sieben Umdrehungen sind vor dem Wiedereintauchen gezählt worden, womit es sich beim Spinnerdelphin *(St. longirostris)* tatsächlich um eine jener seltenen Tierarten handeln dürfte, welche durch gymnastische Übungen auffallen. Auf-der-Bugwelle-Reiten oder Eskortieren schneller Schiffe betreiben sie mit wahrer Begeisterung, in ähnlicher Weise begleiten sie Thunfischschwärme, deren Standort sie oft unfreiwillig »verraten«. So geraten Schmalschnabeldelphine leicht als »Beifang« in die riesigen Schleppnetze, wobei der Spinner mit einer halben Million Toten je Saison bis in die sechziger Jahre den Hauptanteil stellte. »Gezielte« Jagd auf das um 70 Kilo schwere, etwa 1,80 Meter lange Tier wird heute nur noch vor einigen Südseeinseln und bei Japan ausgeübt, seine Verbreitung umfaßt jedoch alle wärmeren Meere.

Gegenüber dem Spinner, dessen Artname *longirostris* (langschnäblig) das fast Florettartige seiner Schnauze noch einmal unterstreicht, wäre *Stenella clymene* als »Short-snouted Spinner« oder – noch paradoxer – als Kurzschnabel-Schmalschnabeldelphin zu bezeichnen. Watson schlägt den Namen »Helmdelphin« vor, weil sich in Scheitelansicht eine ritter- bis raupenhelmartige Zeichnung erkennen läßt; die sonstige Verteilung grauer, weißer und bläulicher Farbtöne entspricht jener der übrigen Streifen-Stenellas. Die wenig bekannte, kürzer aber deutlich beschnäbelte Art ist auf die wärmeren Breiten des Atlantiks beschränkt.

Eine um so wichtigere, in sämtlichen Meeren vertretene, innerhalb der Schmalschnabeldelphine recht robuste Art ist der Blauweisse Delphin *(St. coeruleoalba)*, der wegen des zum Auge führenden, zum Teil gegabelten Bänderpaares auch Streifendelphin genannt wird; es bildet eine saubere Trennlinie zum weißen Bauch der bis zu 3 Meter langen, über 100 Kilo schweren Tiere. Gegenüber Schiffen erweisen sich die bis 3000 Köpfe starken Herden als scheu und flüchten unter Hakenschlagen, rund ein Drittel der sprungstarken Fisch- und Krabbenjäger befindet sich dann jeweils in der Luft. In Thunfischnetzen verunglücken verhältnismäßig wenig Streifendelphine, rund 20 000 der leicht in Panik und zur Strandung zu bringenden Blauweißen werden aber jährlich vor Iki und Izu zur Strecke gebracht.

Das Tupfenmuster der gefleckten Schmalschnabelarten ähnelt der Fellzeichnung unseres Seehunds und spart nur Finne, Fluke und Flipper aus. Der Körperumriß des stämmiger gebauten Atlantischen Fleckendelphins *(St. plagiodon)* entspricht dem des Großen Tümmlers, die Länge übersteigt jedoch selten 2,30 Meter. Heringe, Anchovis und andere Fische werden nahe der Meeresoberfläche gejagt, der Küste nähert sich der Hochseebewohner selten unter 20 Kilometern.

Von etwas zierlicherer Gestalt ist der in allen wärmeren Meeren verbreitete eigentliche Fleckendelphin *(St. attenuata)*, der wegen eines Flipper und Mundwinkel verbindenden dunklen Streifens auch »Zügeldelphin« genannt werden könnte; ein schon aus der Ferne erkennbares Merkmal sind dazu helle Kopf- und Körperseiten. Er ist Oberflächenjäger wie sein stämmiger Atlantikvetter, tritt aber zumal im Pazifik in weit stärkeren, bis zu 4000 Tieren umfassenden Schulen auf, die einen hohen Anteil an den erwähnten Thunfisch-Netzfangverlusten haben. Obwohl diese Verluste dank verbesserter Technik heute nicht mehr nach Hunderttausenden, sondern »nur« nach Zehntausenden zählen und obwohl allein der pazifische Bestand

Dieser Pazifische Weißseitendelphin zeigt im Sprung seine weiße Körperseite.

Ein besonderes Erlebnis für jeden Mittelmeer-Kreuzfahrer sind die Delphine, die plötzlich aus dem Meer auftauchen und mit dem Schiff um die Wette schwimmen.

des Fleckendelphins auf 2 bis 4 Millionen geschätzt wird, sind weitere Untersuchungen dieser Zusammenhänge nötig. Vom Netz umschlossene Fleckendelphine pflegten früher in steigender Erregung immer rascher in diesem zu kreisen, bis sie plötzlich in einen schockartigen Starrezustand fielen und schwanzabwärts nach unten sanken. Inzwischen sind manche *Stenella*-Herden des Ostpazifiks schon so oft in Thunfischnetze geraten, daß ihre zu »Routiniers« gewordenen Mitglieder geduldig abwarten, bis ihnen der Notausgang geöffnet wird.

Nur geringfügige Abweichungen in Zahn- und Schädelbau unterscheiden den Gewöhnlichen Delphin *(Delphinus delphis)* von den gestreiften *Stenella*-Schmalschnäbeln, sie reichen jedoch aus, die eigene Gattung *Delphinus* für ihn aufzustellen. Der Name läßt keinen Zweifel, daß wir es mit »dem« Delphin schlechthin, dem klassischen Delphin des Altertums und Musterbild der gesamten Familie zu tun haben. Obwohl durch alle warmen und gemäßigten Ozeane, im Atlantik sogar bis Island verbreitet und wanderlustig dazu, wurde er uns vor allem als Mittelmeerdelphin geläufig: Er ist der Delphin der alten Römer und der alten Griechen; sein Abbild schmückte etruskische Vasen und phönizische Mosaike, mit betont spitz dargestelltem Schnabel deutlich machend, daß es sich wirklich um »den« Delphin (und nicht etwa den gleichfalls im Mittelmeer und anderen Gewässern verbreiteten *Tursiops*-Tümmler) handelte. Mit durchschnittlich 80 Kilo und einer Länge um 2 Meter gehört der Gewöhnliche Delphin zu den verhältnismäßig kleinen, zierlichen Arten, für die das »Retten« schon gewichtsmäßig schwierig sein dürfte; möglicherweise lösen die Tiere einander ab, zumal sie in Schulen von mehreren 100 oder 1000, im Schwarzen Meer (angeblich) sogar von über 200 000 Mitgliedern auftreten beziehungsweise aufgetreten sind. Der dort seitens Russen, Türken und Bulgaren übliche, inzwischen eingestellte Fang von rund 130 000 Delphinen im Jahr wurde schon erwähnt. Obwohl der Gewöhnliche Delphin ein ebenso anmutiger wie geschickter Schwimmkünstler ist – Fliegende Fische werden bis in die Luft verfolgt –, fand er in Delphinarien bislang wenig Eingang; selbst in den Delphinarien Italiens oder Spaniens findet man eher Schwertwale von Island oder Großtümmler der Karibik als den »vor der Haustür herumschwimmenden« Mittelmeerdelphin.

Ein interessantes *Delphinus*-Programm hat inzwischen das nach Duisburger Plänen entstandene Delphinarium Constanza entwickelt, welches Schönheit und Eleganz der Tiere eindrucksvoll zur Geltung kommen läßt. Die Verteilung der sich auf den Flanken überschneidenden Farbflächen und -bänder erinnert an das Muster des Stundenglasdelphins und anderer Flaschenschnäbel, wobei außer der fast schwarzen Sattelpartie eine innerhalb der Ordnung sonst unbekannte Tönung, nämlich cremiges Gelb, auftritt.

Nach dem »klassischen« Delphin der Antike begegnet uns als letzte Art und Gattung nun »der« Delphin der Neuzeit, der Grosse Tümmler oder Flaschennasendelphin *(Tursiops truncatus)*. Dieser mit 3 bis 4 Meter Körperlänge vergleichsweise robuste, mehr oder weniger einfarbig-graue Allerweltsdelphin – sein auf rund 5 Millionen geschätzter Gesamtbestand ist durch sämtliche Meere außerhalb der Polargürtel verbreitet – steht im Mittelpunkt der heutigen Delphinforschung, -haltung, -verehrung und -verkennung. Er ist gefeierter Star der Delphinarien und unentbehrlicher Partner der Laboratorien, ohne ihn gäbe es keine »Flipper«-Filme, aber auch nicht den jetzigen Wissensstand hinsichtlich Ultraschallortung oder Bio-Strömungsmechanik, keine Unterwasserfilme von Delphingeburten, aber auch kein Überwassergeschwätz um Delphin-Wörterbücher.

Kopf eines Großen Tümmlers. Mit den Zähnen, die seine langen Kiefer säumen, erbeutet er, wie seine meisten Verwandten, hauptsächlich Fische und Tintenfische.

Selbstverständlich liegen der Sonderrolle »Flippers« keine übernatürlichen Fähigkeiten, sondern biologische Tatsachen zugrunde. So wird zwar von gelegentlichem Tieftauchen bis zu 600 Metern berichtet, be-

Zahnwale (Odontoceti)

Name **deutscher Name** **wissenschaftlicher Name** **englischer Name (E)** **französischer Name (F)**	**Körpermaße** **Kopfrumpflänge (KRL)** **Gewicht (G)**	**Auffällige Merkmale**	**Fortpflanzung** **Tragzeit (Tz)** **Zahl der Jungen je Geburt (J)** **Geburtsgewicht (Gg)**
Gangesdelphin, Susu *Platanista gangetica* E: Ganges river dolphin F: Dauphin du Gange	KRL: ♂♂ 1,50 m, ♀♀ 1,80 m G: 35–70 kg	Sehr langer, dünner »Schnabel«, Augen winzig-verkümmert, breite lappenartige Flipper; fast oder gänzlich blind, als Ausgleich hochentwickelte Schallortung bis 380 000 Hz	Tz: etwa 1 Jahr J: 1 Gg: etwa 12 kg
Indusdelphin *Platanista minor* E: Indus river dolphin F: Dauphin de l'Indus	Wie Gangesdelphin	Sehr ähnlich wie Gangesdelphin	Wie Gangesdelphin
Chinesischer Flußdelphin, Yangtsedelphin, Beiji *Lipotes vexillifer* E: Chinese river dolphin, Yangtze dolphin F: Souffleur de la rivière Jangtsé	KRL: 2 m G: nicht bekannt	Leicht aufwärts gebogener »Schnabel«; hochsitzendes Auge	Tz: nicht bekannt J: 1 Gg: nicht bekannt
Amazonasdelphin, Butu, Bufeo *Inia geoffrensis* mit 3 Unterarten E: Amazon river dolphin F: Inia de Geoffroy, Dauphin de l'Amazone	KRL: 1,80–2,70 m G: 85–120 kg	Färbung teils hellbläulich, teils rosa, häufig Weißlinge; auf dem »Schnabel« kurze Tasthaare	Tz: etwa 1 Jahr J: 1 Gg: etwa 12 kg
La-Plata-Delphin, Franciscana *Pontoporia blainvillei* E: La Plata river dolphin F: Dauphin de La Plata	KRL: 1,40 m G: G: 30–50 kg	Sehr langer, schlanker »Schnabel«	Tz: nicht bekannt J: 1 Gg: nicht bekannt
Japanischer Schnabelwal, Ginkgozahn-Schnabelwal *Mesoplodon ginkgodens* E: Ginkgo-toothed beaked whale F: Souffleur à dent de Ginkgo	KRL: etwa 5 m G: etwa 1500 kg	Großer, hauerartiger, gingkoblattförmiger Einzelzahn auf beiden Seiten des Unteriefers; dunkel blauschwarze Grundfärbung des schlanken Körpers, oft mit weißlichen Flecken und Kratzspuren	Tz: nicht bekannt J: vermutlich 1 Gg: nicht bekannt (Länge etwa 2 m)
Indopazifischer Schnabelwal *Mesoplodon (Indopacetus) pacificus* E: Indopacific beaked whale, Longman's beaked whale F: Souffleur à bec de l'Indopacifique	KRL: etwa 7 m G: etwa 2200 kg	An der Unterkieferspitze 1 Paar schräg nach vorn stehender, spitzer Zähne; bisher liegen nur 2 Schädelfunde vor, ein vollständiges Tier wurde noch nicht gefunden oder gesichtet	Tz: nicht bekannt J: vermutlich 1 Gg: nicht bekannt
Zweizahnwal *Mesoplodon bidens* E: Sowerby's beaked whale F: Souffleur de Sowerby	KRL: etwa 5 m G: bis etwa 1300 kg	In der Mitte jeder Unterkieferhälfte ein seitlich herausstehender »Hauer«; auf der grauen Grundfarbe des Körpers rundlich weiße Flecken und Kratzspuren	Tz: etwa 12 Monate J: 1 Gg: nicht bekannt (Länge etwa 2 m)
Tasmanischer Schnabelwal *Tasmacetus shepherdi* E: Tasman beaked whale, Shepherd's beaked whale F: Souffleur à bec de Tasmanie	KRL: 6–7 m G: etwa 2500 kg	Bei den Männchen ein Paar spitzer, größerer Zähne an der Unterkieferspitze, dazu bei beiden Geschlechtern normale delphinähnliche Bezahnung der übrigen Kieferanteile	Tz: nicht bekannt J: vermutlich 1 Gg: nicht bekannt
Entenwal, Dögling *Hyperoodon ampullatus* E: Northern bottlenose whale F: Grand souffleur à bec d'oie	KRL: ♂♂ 10 m, ♀♀ 7 m G: 3500–5000 kg	Hohe, runde Stirn (»Butzkopf«); nur beim Männchen 2 Zähne an der Unterkieferspitze; Weibchen zahnlos; kleine, hakige Rückenfinne	Tz: etwa 1 Jahr J: 1 Gg: nicht bekannt
Vierzahnwal, Bairds Schnabelwal *Berardius bairdi* E: Baird's beaked whale, Four tooth whale F: Bérard grand souffleur à bec d'oie	KRL: 10–12 m G: 9000 kg (höchstens 11 500 kg)	Größte Schnabelwalart; Unterkiefer mit auffälligem Zahnpaar ragt über den Oberkiefer hinaus; dunkle Oberfläche meist mit hellen, strichförmigen Narben gemustert; 2 Kehlfurchen	Tz: 10 (17?) Monate J: 1 Gg: etwa 700 kg
Pottwal *Physeter catodon = macrocephalus* E: Sperm whale F: Cachalot	KRL: ♂♂ 15–20 m, ♀♀ 10–15 m G: 35 000–40 000 kg	Riesiger kastenförmiger Kopf mit schmalem, zahnbesetztem Unterkiefer; Anpassungen an Tauchtiefen von mehr als 1000 m; Ölreservoir des Oberkopfes kann u.U. das spezifische Gewicht des Tieres regeln	Tz: 14–16 Monate J: 1, selten 2 Gg: etwa 1000 kg
Zwergpottwal *Kogia breviceps* E: Pigmy sperm whale F: Cachalot pigmé	KRL: 3,40 m G: etwa 500 kg	Kurzer Kastenkopf; nur Unterkiefer bezahnt	Tz: etwa 11 Monate J: 1 Gg: nicht bekannt
Kleinpottwal *Kogia simus* E: Dwarf sperm whale F: Cachalot nain	KRL: 2,70 m G: 350 kg	Ähnlich dem Zwergpottwal; Rückenfinne etwas größer	Tz: etwa 10 Monate (?) J: 1 Gg: nicht bekannt

Lebensablauf **Entwöhnung (Ew)** **Geschlechtsreife (Gr)** **Lebensdauer (Ld)**	**Nahrung**	**Feinde**	**Lebensweise und Lebensraum**	**Häufigkeit**
Ew: nicht bekannt Gr: mit etwa 3 Jahren Ld: etwa 20 Jahre	Fische	Mensch; möglicherweise auch Krokodile	In Flüssen und Überschwemmungsgebieten; paarweise oder in kleinen Gruppen; bei ruhiger Schwimmweise mittels Ultraschallortung abtastend	Durch Bejagung und Lebensraumzerstörung gefährdet
Wie Gangesdelphin	Fische	Mensch; möglicherweise auch Krokodile	Wie Gangesdelphin	Höchst gefährdet; Bestand schätzungsweise nur noch weniger als 1000 Tiere
Ew: nicht bekannt Gr: mit 3–4 Jahren Ld: etwa 25 Jahre	Fische	Mensch	Paar- oder familiengruppenweise im Süßwasser des Yangtse; Schwimmstil gemächlich; im Unterlauf des Yangtse (2 km breit) soll auf 4 km 1 Delphin kommen (vermutlich weniger)	Höchst gefährdet; Gesamtbestand auf nur 60–250 Tiere geschätzt, seltenste Walart der Welt
Ew: mit etwa 8 Monaten Gr: mit etwa 3 Jahren Ld: etwa 20 Jahre	Fische	Mensch; möglicherweise Krokodile (Kaimane)	In kleinen Gruppen in langsam fließenden Flußabschnitten und Überschwemmungsgebieten des Amazonas-Orinoko-Gebietes	Noch ziemlich häufig; bis jetzt keine Gefährdung
Nicht bekannt	Fische, Tintenfische	Möglicherweise Schwertwal, Haie	In kleinen Gruppen bis 4 Tiere in schlammigem, brackigem Wasser, im La Plata selbst nur ausnahmsweise, dagegen vor der Mündung und entlang den benachbarten Küsten	Bestandsgröße unbekannt
Nicht bekannt	Vermutlich Tintenfische	Nicht bekannt	Unbekannt; vermutlich in nur kleinen Gruppen in der Hochsee; Strandungen an den Küsten von Japan, Taiwan, Sri Lanka und Kalifornien	Seltenere Art
Nicht bekannt	Vermutlich Tintenfische	Nicht bekannt	Vermutlich einzeln oder in kleinen Gruppen; hochseebewohnend: je 1 Fund an der Küste von Nordost-Australien und von Somaliland	Nicht häufig, keine gezielte Verfolgung
Ew: mit etwa 12 Monaten Gr: nicht bekannt Ld: nicht bekannt	Tintenfische, Fische	Nicht bekannt	Einzeln, paarweise oder zu dritt im gesamten Nordatlantik; nördlichste und anscheinend häufigste Art der Gattung *Mesoplodon;* wie wohl alle Gattungsverwandten schneller, schnittiger Hochseeschwimmer; in Küstennähe strandungsgefährdet	Nirgends in Massen, aber nicht selten und nicht gefährdet
Nicht bekannt	Tintenfische, auch Plattfische	Nicht bekannt	Vermutlich einzeln oder in kleinen Gruppen; hochseebewohnend: Strandungsfunde an den Küsten von Neuseeland, Chile und Südargentinien	Nicht häufig; keine gezielte Verfolgung
Ew: mit 1 Jahr Gr: mit etwa 8 Jahren Ld: 25 Jahre (?)	Tintenfische, vereinzelt auch Hering u.a.	Mensch, Schwertwal, Schmarotzer	In kleineren Schulen von bis zu 10 Tieren; enger Zusammenhalt; in der offenen See (Nordatlantik)	Nach früher starker Bejagung heute außerordentlich selten, stark gefährdet
Ew: nicht bekannt Gr: mit 8–10 Jahren Ld: 25 (70?) Jahre	Tintenfische, Krabben, Fische, sogar Seesterne	Mensch, Schwertwal, Schmarotzer	Tieftaucher des offenen Meeres (nördlicher Pazifik); kleine bis mittelgroße, oft nach Geschlechtern getrennte Schulen	In den 50er Jahren über 300 Abschüsse pro Saison durch japan. Küsten-Walfangstationen, seitdem rückläufig
Ew: mit 2 Jahren Gr: mit 8–10 Jahren Ld: 50 (70?) Jahre	Tintenfische, auch Riesenkraken der Tiefsee; Tiefseefische	Mensch	Tiefwassergebiete sämtlicher Weltmeere werden in Schulen bis zu 50 Tieren durchstreift; Zusammensetzung der Schulen wechselnd: Weibchenverbände, »Junggesellenverbände« u.a.m.; am Meeresboden in 1000 oder sogar 3000 m Tiefe Jagd auf Kraken	Weltbestand auf 570 000 Tiere geschätzt; derzeit noch Gefährdung durch Walfang
Ew: nicht bekannt Gr: nicht bekannt Ld: etwa 20 Jahre	Tintenfische, vor allem Tiefwasserformen	Schwertwal	Einzeln oder in Gruppen von 3–5 Tieren weltweit verbreitet, aber wenig bekannt	Wohl nirgends häufig, aber auch nirgends stark verfolgt
Nicht bekannt	Tintenfische, auch Krebstiere und Fische	Schwertwal, Haie	Tieftaucher der gemäßigten und südlichen Meere; nur in kleinen Schulen auftretend, kaum bekannt	Nirgends häufig, daher auch für den Walfang ohne Bedeutung

Name **deutscher Name** **wissenschaftlicher Name** **englischer Name (E)** **französischer Name (F)**	**Körpermaße** **Kopfrumpflänge (KRL)** **Gewicht (G)**	**Auffällige Merkmale**	**Fortpflanzung** **Tragzeit (Tz)** **Zahl der Jungen je Geburt (J)** **Geburtsgewicht (Gg)**
Narwal *Monodon monoceros* E: Narwhal F: Narval	KRL: 4,50–6,60 m G: 800–1800 kg	Männchen mit langem, spiralig gedrehtem »Stoßzahn«; seehundähnliches Fleckenmuster auf dem Rücken	Tz: etwa 1 Jahr J: 1 Gg: etwa 80 kg
Weißwal, Beluga *Delphinapterus leucas* E: White whale F: Marsouin blanc	KRL: 4–6,50 m G: 500–1400 kg	Färbung der erwachsenen Tiere reinweiß	Tz: etwa 1 Jahr J: 1 Gg: etwa 70 kg
Tucuxi, Sotalia, Karibischer Küstendelphin *Sotalia fluviatilis, S. guianensis* E: Tucuxi dolphin, Estuarine dolphin F: Sotalie	KRL: etwa 1,50 m G: 60 kg	Sieht aus wie eine »verkleinerte Ausgabe« des Großen Tümmlers	Tz: etwa 1 Jahr J: 1 Gg: nicht bekannt
Rauhzahndelphin *Steno bredanensis* E: Rough-toothed dolphin F: Dauphin à long bec	KRL: 2,30–2,70 m G: etwa 140 kg	Helle Fleckung; langgezogener »Schnabel«; ohne Stirnabsatz	Tz: etwa 1 Jahr J: 1 Gg: nicht bekannt
Indopazifischer Buckeldelphin *Sousa chinensis* E: Indopazific humpback dolphin F: Dauphin de Chine	KRL: 2–3 m G: 90–150 kg	Färbung kann bis zu Weiß, Rosa oder Lehmgelb variieren; hakenförmige Rückenfinne auf polsterartigem »Buckel«	Tz: nicht bekannt J: 1 Gg: nicht bekannt
Atlantischer Buckeldelphin, Kamerun-Buckeldelphin *Sousa teuszi* E: Atlantic humpback dolphin F: Dauphin de Teusz	KRL: 2–2,50 m G: etwa 100 kg	Sehr ähnlich wie Indopazifischer Buckeldelphin	Tz: nicht bekannt J: 1 Gg: nicht bekannt
Brillentümmler *Phocoena dioptrica* E: Spectacled propoise F: Marsouin à lunettes	KRL: 1,60–2 m G: 50–80 kg	Dunkle Ober- und weiße Bauchseite scharf voneinander abgesetzt; Augen mit dunkler Brillenzeichnung	Tz: nicht bekannt J: 1 Gg: nicht bekannt
Kleintümmler, Schweinswal, »Braunfisch« *Phocoena phocoena* mit 2 Unterarten E: Harbor porpoise, Common porpoise F: Marsouin	KRL: 1,40–1,80 m G: 40–90 kg	Düster braungraue Ober-, helle Unterseite; kurzköpfig ohne Schnabelabsatz	Tz: etwa 9 Monate J: 1 Gg: 6–10 kg
Schwarzer Tümmler, Burmeisters Tümmler *Phocoena spinipinnis* E: Burmeister's porpoise F: Marsouin de Burmeister	KRL: 1,50–1,80 m G: 50–70 kg	Dunkle Gesamtfärbung; Rückenfinne weist nach hinten	Tz: nicht bekannt J: 1 Gg: nicht bekannt
Golftümmler *Phocoena sinus* E: Gulf porpoise, Cochito F: Marsouin du Golfe de la Californie	KRL: 1,40 m G: 30–55 kg	Unserem Kleintümmler ähnlich, aber kleiner; Lebendbeobachtungen oder Fotos liegen nicht vor	Tz: vermutlich 8–9 Monate J: 1 Gg: nicht bekannt
Indoasiatischer Glattümmler *Neophocoena phocoenoides* mit 1 Unterart E: Finless porpoise F: Marsouin de l'Inde	KRL: 1,40–1,80 m G: 30–45 kg	Keine Rückenfinne; aalartig schlank; Färbung im Meer- und Brackwasser milchig hell, in Flüssen dunkler bis schwarz	Tz: nicht bekannt J: 1 Gg: 7–9 kg
Dalls Tümmler *Phocoenoides dalli* E: Dall's porpoise F: Marsouin de Dall	KRL: 1,80–2,30 m G: 120–150 kg	Kompakte Form; Oberrand der Rückenfinne weiß; Außenrand der Fluke und Bauchpartie weiß; sonst schwarz gefärbt (»Harlekin-Muster«); kraftvoll-schnelle Schwimmweise mit Erzeugung charakteristischer Gischtwolke am Wasserspiegel	Tz: 1 Jahr J: 1 Gg: 25 kg
Langflossen-Grindwal *Globicephala melaena* mit 1 Unterart E: Long-finned pilot whale F: Chaudron, Déducteur	KRL: ♂♂ 5–8 m, ♀♀ 4–6 m G: 1800–3500 kg	Schmal zugespitzte, bumerangförmige Flipper; das Weiß der Kehle setzt sich als Streifen über den Bauch fort	Tz: 16 Monate J: 1 Gg: 100 kg
Kurzflossen-Grindwal *Globicephala macrorhynchus* E: Short-finned pilot whale F: Déducteur	KRL: 4,20–6,50 m G: 1200–3000 kg	Rundköpfigkeit noch ausgeprägter als beim Langflossen-Grindwal; Flipper etwas kürzer; kleiner weißer Kehlfleck	Tz: 11–13 Monate J: 1 Gg: 60 kg

Lebensablauf Entwöhnung (Ew) Geschlechtsreife (Gr) Lebensdauer (Ld)	Nahrung	Feinde	Lebensweise und Lebensraum	Häufigkeit
Ew: mit etwa 2 Jahren Gr: mit etwa 5–6 Jahren Ld: etwa 25 Jahre	Tintenfische, Platt- und andere Bodenfische	Schwertwal, Eisbär, Haie, Mensch	In kleinen Gruppen in Fjorden, Pack- und Treibeisregion des hohen Nordens	Weltbestand 15 000–20 000 Tiere; gebietsweise gefährdet durch Souvenirhandel (»Einhorn«)
Ew: mit 16–24 Monaten Gr: mit 5–6 Jahren Ld: etwa 25 Jahre	Fische, Krebstiere, Weichtiere, Borstenwürmer	Mensch, Schwertwal, Eisbär, Haie	Fjorde, Küsten und Flußmündungen der Arktis und Subarktis; Nahrungssuche in Bodennähe (»Gründelwal«); zur Paarungs- und Kalbezeit Zusammenrottungen von über 1000 Tieren	Gesamtbestand etwa 15–20 000; getrennte Population in St.-Lorenz-Mündung durch Verkehr und Tourismus gefährdet und rückläufig
Ew: nicht bekannt Gr: nicht bekannt Ld: etwa 20 Jahre	Fische (Welse), Krebstiere	Mensch; möglicherweise Haie, Krokodile	Tritt zum Teil gemeinsam mit den Flußdelphinen (Inia) in Amazonas und Orinoko auf; dazu im Brackwasser und vor der Küste	Nicht selten und nicht gefährdet
Nicht bekannt	Fische, Tintenfische	Nicht bekannt	In Schulen bis zu über 100 Mitgliedern, oft mit anderen Delphinarten oder Thunfischen vergesellschaftet; im offenen Meer der gemäßigten und warmen Breiten	Weit verbreitet; geringe, rückläufige Verluste durch Thunfischfang und – in der Karibik – Küstenfang der Eingeborenen
Nicht bekannt	Fische	Mensch; möglicherweise Haie	In kleinen Gruppen in warmen Küstengewässern Südostasiens einschließlich Häfen, Flußmündungen, Mangrovensümpfen; springfreudig; auffälliges Balzverhalten	Geringfügiger Fang im Roten Meer und an der Küste einiger arabischer Länder; keine Bestandsabnahme bekannt
Nicht bekannt	Fische, Weich- und Krebstiere	Mensch; möglicherweise Haie	In Küstengewässern und Flüssen Westafrikas; sonst wie Indopazifischer Buckeldelphin	Nicht unmittelbar bedroht
Nicht bekannt	Nicht bekannt	Vermutlich Schwertwal und Haie	Vor der Küste von Patagonien; bisher erst in 10 Exemplaren bekannt; über die Lebensweise gibt es keine Angaben	Vermutlich nicht häufig
Ew: mit etwa 7 Monaten Gr: Männchen mit 3, Weibchen mit 1,5 Jahren Ld: nicht bekannt	Hering, Plattfische, Tintenfische	Mensch; Schmarotzer	In Schulen von 3–10, bei Wanderzügen selten bis zu 100 Tieren in küstennahen, kühleren Gewässern; Sommer- und Winteraufenthalt unterschiedlich; im Nordatlantik, Ost- und Nordseeraum	Bestand in der Ostsee – dort etwa 15 000 Tiere – rückläufig, im Gesamtverbreitungsgebiet aber nicht gefährdet
Nicht bekannt	Tintenfische, Fische	Mensch	Kaum bekannt; an der Küste von Patagonien sowie von Chile und Peru womöglich nicht selten und nach Art anderer Tümmler lebend; bisher aber nur in wenigen Exemplaren sicher festgestellt	Gilt als selten
Ew: mit etwa 10 Monaten Gr: nicht bekannt Ld: nicht bekannt	Kleinfische, möglicherweise Tintenfische und Krabben	Mensch, Haie, Schwertwal, Schmarotzer	In Schulen bis zu 40 Tieren in flachen Wattgebieten, Küstengewässern und Flußmündungen; extrem kleines Verbreitungsgebiet: innerer Golf von Kalifornien (Mexiko)	Bestand nicht groß und rückläufig
Nicht bekannt	Krabben, Garnelen, Kleinfische	Mensch; Haie	Flache Küsten- und Brackwässer Südostasiens, dazu auch Süßwasser der chinesischen Flüsse mit oft starker Strömung; Gruppen von 2–3, selten bis über 20 Tieren; Weibchen tragen das Junge auf einer Art Rückensattel	Nicht selten, anpassungsfähig
Ew: mit etwa 20 Monaten Gr: mit 7–8 Jahren Ld: nicht bekannt	Fische und Tintenfische größerer Meerestiefen	Schwertwal, Mensch	Offene Seegebiete des nördlichen und gemäßigten Pazifik; Schulen von 10–20, auf Wanderungen von Hunderten oder Tausenden, mitunter in »Kiellinie«	Noch häufig
Ew: mit 15–20 Monaten Gr: mit etwa 6 Jahren Ld: nicht bekannt	Tintenfische, Fische	Mensch	Schulen von u. U. mehreren hundert Mitgliedern, schwimmen in langer Reihe mit Leittier (»Pilotwal«); zur Nahrungssuche gelegentlich Tieftauchen bis gegen 1000 m; ausgeprägtes Sozialverhalten	Die südliche Unterart *G. m. edwardi* noch zahlreich und ungestört; im Nordatlantik; früher erhebliche Abgänge durch Walfang
Ew: mit etwa 1,5 Jahren Gr: mit 5–6 Jahren Ld: nicht bekannt	Hauptsächlich Tintenfische; gelegentlich Kleinfische	Nicht bekannt	In Schulen von mehreren Dutzend oder mehreren Hundert in fast allen gemäßigten und warmen Meeren; enger Zusammenhalt; viele Beispiele gegenseitigen Beistandleistens; Tauchtiefe 600 m und mehr	Häufig; Bestand nicht gefährdet

Name deutscher Name wissenschaftlicher Name englischer Name (E) französischer Name (F)	**Körpermaße** Kopfrumpflänge (KRL) Gewicht (G)	**Auffällige Merkmale**	**Fortpflanzung** Tragzeit (Tz) Zahl der Jungen je Geburt (J) Geburtsgewicht (Gg)
Schwertwal *Orcinus orca* E: Killer whale F: Orque, Epaulard	KRL: ♂♂ 6,50–8 m, ♀♀ 5–6,50 m G: 2500–7000 kg	Hochragende, schlank-dreieckige Rückenfinne (»Schwert«); Schwarzweißmusterung; ovaler weißer Längsfleck über und hinter dem Auge	Tz:16–17 Monate J: 1 Gg:160 kg
Falscher, Unechter, Schwarzer oder Mittlerer Schwertwal *Pseudorca crassidens* E: False killer whale F: Pseudorque, Fausse orque	KRL: 5–6 m G: 1000–2000 kg	Oberkiefer bildet wulstige, überhängende »Ramsnase«; Gesamtfärbung schwarz	Tz: nicht bekannt J: 1 Gg: 70 kg
Zwergschwertwal *Feresa attenuata* E: Pigmy killer whale F: Pseudorque naine	KRL: 2–2,50 m G: 170 kg	»Ramsnase« weniger deutlich als beim Falschen Schwertwal; weiße Bauchzeichnung, sonst schwarz	Tz: nicht bekannt J: 1 Gg: nicht bekannt
Melonenkopf *Peponocephala electra* E: Melon-headed whale F: Péponocéphale	KRL: etwa 2,50 m G: etwa 170 kg	Große, haifischartige Rückenfinne; schwarz mit weißem Kehlfleck	Tz: nicht bekannt J: 1 Gg: nicht bekannt
Großer Tümmler *Tursiops truncatus* E: Bottlenose dolphin F: Grand dauphin, Souffleur, Dauphin à gros nez	KRL: 3–4 m G: 150–350 kg	Einfarbig grau mit hellerer, leicht rötlicher Unterseite; kräftiger, mittellanger »Schnabel«; bekannter »Flipper«-Typus	Tz: 1 Jahr J: 1 Gg: etwa 30 kg
Weißschnauzendelphin *Lagenorhynchus albirostris* E: White-beaked dolphin F: Dauphin à nez blanc	KRL: 2,50–3 m G: 200–260 kg	Weiße Schnauzenpartie	Tz: etwa 10 Monate J: 1 Gg: 40 kg
Kreuzdelphin, Sanduhrdelphin *Lagenorhynchus cruciger* E: Hourglass dolphin F: Dauphin à museau court	KRL: etwa 170 cm G: etwa 110 kg	Kurze, schwarze Schnauzenpartie; längs der Körperseiten auffälliges weißes Band, das durch eine sanduhrartige Einschnürung in zwei Ovale geteilt wird	Tz: nicht bekannt J: 1 Gg: nicht bekannt
Pazifischer Weißseitendelphin *Lagenorhynchus obliquidens* E: Pacific white-sided dolphin F: Lagénorhynque de Gill	KRL: etwa 2 m G: 100–140 kg	Komplizierte Schwarz-Silbergrau-Zeichnung mit abgesetztem weißem Bauchteil	Tz: 9–12 Monate J: 1 Gg: 15 kg
Atlantischer Weißseitendelphin *Lagenorhynchus acutus* E: Atlantic white-sided dolphin F: Dauphin à flancs blancs, Lagénorhynque de l'Atlantique	KRL: 2,5–3 m G: 180–250 kg	Ähnlich dem Pazifischen Weißseitendelphin, aber größer; insgesamt etwas dunkler, Farben weniger scharf voneinander abgesetzt	Tz: 10 Monate J: 1 Gg: 25 kg
Dunkler Delphin *Lagenorhynchus obscurus* E: Dusky dolphin F: Lagénorhynque de Gray	KRL: 1,50–2 m G: 115–140 kg	Rückenflosse etwas höher als bei den anderen *Lagenorhynchus*-Arten	Tz: etwa 10 Monate J: 1 Gg: 5 kg
Süddelphin, Schwarzkinndelphin, Peales Delphin *Lagenorhynchus australis* E: Peale's dolphin, Blackchin dolphin F: Lagénorhynque de Peale	KRL: etwa 2 m G: etwa 120 kg	Schwarze Kinnpartie; spitze Rückenfinne	Tz: nicht bekannt J: 1 Gg: nicht bekannt
Kurzschnabeldelphin, Frasers Delphin *Lagenodelphis hosei* E: Fraser's dolphin F: Dauphin d'Hose	KRL: etwa 2,40 m G: etwa 100 kg	Dunkel gefärbt bis auf helle Bauchseite; kurzer, fast absatzloser »Schnabel«; Flipper und Fluke im Vergleich zum Körper scheinbar zu klein bzw. zu kurz	Tz: nicht bekannt J: 1 Gg: nicht bekannt
Nördlicher Glattdelphin *Lissodelphis borealis* E: Northern right whale dolphin F: Lissodelphiné du Nord	KRL: 2–3 m G: 60–90 kg	Keine Rückenflosse; Körper außergewöhnlich schlank; Unterseite und Unterseite der Fluke weiß, sonst schwarz; weißes Band um die Spitze des Unterkiefers	Tz: nicht bekannt J: 1 Gg: nicht bekannt
Südlicher Glattdelphin *Lissodelphis peroni* E: Southern right whale dolphin F: Lissodelphiné de Péron	KRL: 1,80–2,40 m G: 60–80 kg	Rücken ohne Finne; sehr schnittige, schlanke Stromliniengestalt; das Weiß der Bauchseite reicht weit an den Flanken, manchmal fast bis zum Rücken hinauf; auch Vorderkopf und Flipper weiß; sonst scharf abgesetzt schwarz.	Tz: nicht bekannt J: 1 Gg: nicht bekannt

Lebensablauf Entwöhnung (Ew) Geschlechtsreife (Gr) Lebensdauer (Ld)	Nahrung	Feinde	Lebensweise und Lebensraum	Häufigkeit
Ew: nicht bekannt Gr: mit etwa 7 Jahren Ld: etwa 25 Jahre	Fische, Tintenfische, Robben, Delphine; gelegentlich Pinguine, Seeschildkröten, große Bartenwale	Mensch	Familiengruppen von 5–20 Tieren in allen Meeren; an bevorzugten Plätzen oft über längere Zeit recht ortstreu; Robben, Eisbären u.ä. werden zuweilen bis auf den Strand oder unter Zertrümmern von Eisschollen verfolgt	Nicht gefährdet
Nicht bekannt	Tintenfische, große Knochenfische bis 60 cm	Nicht bekannt	In oft großen Schulen in allen wärmeren Meeren; springlustig; ständig Stimmkontakt haltend	Weltweit verbreitet und nicht selten
Nicht bekannt	Tintenfische, Fische	Nicht bekannt	In wärmeren Meeren in kleinen Verbänden; mitunter – wie Grind- und Schwarzer Schwertwal – tagsüber an der Oberfläche treibend, um bevorzugt nachts nach Nahrung zu tauchen	Wohl nirgends sehr häufig, aber auch nicht gefährdet
Nicht bekannt	Tintenfische, Fische	Nicht bekannt	Kaum bekannt, da erst spät als Art identifiziert und oft mit Tümmlern oder jungen Schwarzen Schwertwalen oder Zwergschwertwalen verwechselt; Schulen bis zu 500 Tieren in subtropischen und tropischen Meeren	Unbekannt, aber womöglich weniger selten als früher angenommen
Ew: mit 12–18 Monaten Gr: Männchen mit 10–12, Weibchen mit 6–10 Jahren Ld: 25 Jahre (in Menschenobhut über 30 Jahre)	Fische, Tintenfische	Haie, Mensch	Wärmere, küstennahe Gewässer bevorzugt; das fast weltweite Verbreitungsgebiet umfaßt aber auch Teile des Nordatlantik und nähert sich im Süden der Subarktis; kleinere Schulen von etwa 1 Dutzend Tieren, ausnahmsweise bis zu 1000.	Auf über 5 Millionen Tiere geschätzt
Nicht bekannt	Tintenfische, Fische, Krebstiere	Mensch	Im Nordatlantik bis Eismeer; in größeren Schulen; bei Wanderungen bis zu 1500 Tiere zusammen	Weit verbreitet und ziemlich häufig
Nicht bekannt	Fische, Tintenfische	Nicht bekannt	Nur wenig bekannt, obwohl in allen südlichen Meeren der Subantarktis offenbar nicht selten; kleine Gruppen von 3–4, ausnahmsweise 40 Mitgliedern	Offenbar recht verbreitet und nicht gefährdet
Nicht bekannt	Fische, Tintenfische	Mensch, Schwertwal, Haie	In der Tiefwasserzone des nördlichen Pazifik in z.T. riesigen, über 1000 Tiere zählenden Schulen; oft mit anderen Delphinarten vergesellschaftet; temperamentvolle, schnelle, springfreudige Schwimmer; Bootsbegleiten ausdauernd und häufig	Geschätzter Gesamtbestand etwa 60000 Tiere
Ew: mit 18 Monaten Gr: nicht bekannt Ld: nicht bekannt	Fische, Tintenfische, Garnelen	Mensch, Schwertwal, Haie	Springfreudige, bewegliche Schnellschwimmer in großen bis sehr großen Schulen; in kühlen Gewässern (Nordatlantik)	Ziemlich häufig
Ew: mit 18 Monaten Gr: nicht bekannt Ld: nicht bekannt	Tintenfische, Fische	Schwertwal, Haie	Äußerst spiel- und springfreudig; schnellschwimmende, ausdauernde Schiffsbegleiter; Schulen von 20–300 Tieren in allen Meeren unterhalb des Südlichen Wendekreises bis zur Subarktis	Gesamtzahlen unbekannt; stellenweise sehr häufig
Nicht bekannt	Tintenfische, Fische	Nicht bekannt	Wenig bekannt; meist nur in kleinen Familiengruppen in den Gewässern um die Südspitze Südamerikas	Offenbar nicht selten
Nicht bekannt	Tintenfische, Fische der tieferen Zonen	Nicht bekannt	Wenig erforscht, da erst spät als eigene Art erkannt; in tropischen Meeren; Tieftaucher; Schulen bis zu 500 Tieren; vor Schiffen wird meist Flucht ergriffen	Keine Zahlenangaben bekannt; anscheinend nicht selten
Nicht bekannt	Tintenfische, Tiefseefische	Mensch	Hochseeform; dichtgedrängte Schulen von manchmal über 1000 Tieren; springfreudige Schnellschwimmer; exakte Gruppenmanöver (beim Hochschnellen alle Herdenmitglieder gleichzeitig in die Luft); nächtliches Tieftauchen nach Leuchtfischen	Stellenweise recht häufig
Nicht bekannt	Fische, Tintenfische	Nicht bekannt	Schulen von u.U. über 1000 Tieren; schnellschwimmende, elegant springende Hochseebewohner aller südlichen Meere; exakte, gleichzeitig ausgeführte Bewegungen innerhalb selbst großer Gruppen; mit kühlen Meeresströmungen dringen sie gelegentlich über den Südlichen Wendekreis nordwärts	Offenbar nicht selten

Name deutscher Name wissenschaftlicher Name englischer Name (E) französischer Name (F)	**Körpermaße** Kopfrumpflänge (KRL) Gewicht (G)	**Auffällige Merkmale**	**Fortpflanzung** Tragzeit (Tz) Zahl der Jungen je Geburt (J) Geburtsgewicht (Gg)
Jacobita, Commerson-Delphin *Cephalorhynchus commersoni* E: Commerson's dolphin F: Jacobite, Dauphin de Commerson	KRL: etwa 1,40 m G: etwa 40 kg	Harlekinartige Schwarzweißfärbung; dreieckiger weißer Kehlfleck	Tz: etwa 1 Jahr J: 1 Gg: etwa 10 kg
Chile-Delphin *Cephalorhynchus eutropia* E: Chilean dolphin F: Dauphin à ventre blanc	KRL: etwa 1,40 m G: etwa 45 kg	Oberseite schwarz; weiße Bauchseite zwischen den Flippern durch schwarzes rautenförmiges Band verbunden; Rückenfinne breit angesetzt, niedrig	Tz: nicht bekannt J: 1 Gg: etwa 8 kg
Heaviside-Delphin, Kapdelphin *Cephalorhynchus heavisidii* E: Heaviside's dolphin F: Dauphin de Heaviside	KRL: 1,30 m G: etwa 45 kg	Weißfärbung der Unterseite zieht sich beiderseits der Flipper und vor dem Schwanzstiel in rundlichen Ausbuchtungen an den schwarzen Flanken empor; flache, dreieckige Rückenfinne	Tz: nicht bekannt J: 1 Gg: nicht bekannt
Hector-Delphin, Neuseeland-Delphin *Cephalorhynchus hectori* E: Hector's dolphin F: Dauphin de Hector, Dauphin du Cap	KRL: 1,40 m G: 45 kg	Melonenpartie silbergrau, manchmal milchigweiß; übrige Körperoberseite dunkelgrau; Flipper, Finne und Kopfseiten schwarz; von der weißen Unterseite zieht ein Band rückwärts zum Schwanzstiel	Tz: nicht bekannt J: 1 Gg: nicht bekannt
Rundkopfdelphin, Rissodelphin *Grampus griseus* E: Risso's dolphin F: Dauphin de Risso, Dauphin de Cuvier	KRL: 3–4 m G: 300–600 kg	Plumper Kopf ohne »Schnabel«; hellgrau bis weißlich mit weißer Kehle; Rücken und Flanken mit hellen Kratzspuren übersät; hohe, spitze, haifischartige Rückenfinne	Tz: nicht bekannt J: 1 Gg: nicht bekannt
Irrawaddydelphin *Orcaella brevirostris* E: Irrawaddy dolphin F: Orcaelle d'Irrawaddy	KRL: etwa 2 m G: etwa 100 kg	Kleine Rückenfinne; runder Kopf mit deutlicher Melone ohne abgesetzten »Schnabel«; einheitlich milchig graublaue Färbung	Tz: nicht bekannt J: 1 Gg: 4–6 kg
Spinnerdelphin *Stenella longirostris* E: Spinner dolphin F: Dauphin à long bec	KRL: 1,80–2 m G: etwa 75 kg	Langer, dünner »Schnabel«; steil emporstehende, hohe Rükkenfinne; bei Luftsprüngen bis zu 7 Umdrehungen um die Längsachse (»spin«)	Tz: 10,5 Monate J: 1 Gg: etwa 8 kg
Fleckendelphin *Stenella attenuata* E: Spotted dolphin, Bridled dolphin F: Gamin dauphin bridé	KRL: 2,10–2,70 m G: 100–140 kg	Helles, über den ganzen Körper verstreutes Tupfenmuster; schlanke Gestalt mit langem »Schnabel«; Auge und Maulspalte dunkel eingefaßt; dunkles Band zieht als »Zügel« zu den Flippern (»Zügeldelphin«)	Tz: 11,5 Monate J: 1 Gg: nicht bekannt (Länge 80 cm)
Blauweißer Delphin, Streifendelphin *Stenella coeruleoalba* E: Striped dolphin F: Dauphin bleu-et-blanc	KRL: etwa 2,40 m G: etwa 100 kg	Ein hinter dem Auge gegabelter schwarzer Streifen trennt die blaugraue Ober- von der weißen Unterseite	Tz: 12 Monate J: 1 Gg: nicht bekannt (Länge 1 m)
Atlantischer Fleckendelphin *Stenella plagiodon* E: Atlantic spotted dolphin F: Dauphin tacheté de l'Atlantique	KRL: etwa 2,30 m G: etwa 110 kg	Tüpfelmuster auf dem gesamten Körper, Gestalt und »Schnabel« etwas weniger schlank als beim Fleckendelphin; am Kopf keinerlei Streifenmuster	Tz: etwa 11 Monate J: 1 Gg: nicht bekannt (Länge etwa 90 cm)
Gewöhnlicher Delphin *Delphinus delphis* E: Common dolphin F: Dauphin commun	KRL: etwa 2 m G: 80–120 kg	Sanduhrförmige Flankenzeichnung, die in der vorderen Körperhälfte ein cremefarbenes Feld bildet; schlanker »Schnabel«; »klassische« Delphingestalt	Tz: 10–11 Monate J: 1 Gg: nicht bekannt (Länge 75–85 cm)

vorzugter Aufenthalt des Flaschennasendelphins sind jedoch flache Strände, deren Brandungswellen er unter Umständen als Gymnastikhilfe benutzt. Schiffsbegleiten ist häufig, gegenüber der stürmischen Beweglichkeit des Gewöhnlichen Delphins und anderer Schmalschnabelarten erweist er sich jedoch als recht »ruhiger Vertreter«, in dessen Programm vor allem die Luftakrobatik – das Aus-dem-Wasser-Herausschnellen – nur einen bescheidenen Platz einnimmt. In den Delphinarien werden Großtümmler inzwischen in der dritten Generation gezüchtet, wobei der Erfolg als Zoo- und Labortier nicht zuletzt im guten Appetit beziehungsweise der »Verfressenheit« dieser Art begründet ist: Die um 200 Kilo, ausnahmsweise über 600 Kilo schweren Flipper verzehren im Tag bis zu 15 Kilo Fisch. Der schon draußen im Meer dem Menschen ohne Scheu begegnende Großtümmler zeigt sich unter Zoobedingungen erst recht kontaktfreu-

Lebensablauf **Entwöhnung (Ew)** **Geschlechtsreife (Gr)** **Lebensdauer (Ld)**	**Nahrung**	**Feinde**	**Lebensweise und Lebensraum**	**Häufigkeit**
Ew: mit etwa 16 Monaten Gr: mit 4-5 Jahren Ld: etwa 20 Jahre	Fische, Tintenfische	Mensch, Schwertwal, Haie	Fjorde und Küsten der Südspitze Südamerikas und der Kerguelen, bei der Futtersuche bis in unmittelbarer Strandnähe; Gruppen von 3-20 bilden Schulen bis etwa 100 Tiere; keine Furcht vor Schiffen, Hafenanlagen usw.	Geschätzter Bestand etwa 20000 Tiere
Nicht bekannt	Tintenfische, Fische, Garnelen	Nicht bekannt	In flachen Küstengewässern, Buchten und Fjorden der chilenischen Westküste; Schwimmweise verhältnismäßig langsam	Verhältnismäßig selten
Nicht bekannt	Bodenfische, Tintenfische	Nicht bekannt	Wenig bekannt; wahrscheinlich nur in kleinen Gruppen in der kalten Benguelaströmung vor der südwestafrikanischen Küste	Auf ein kleines Verbreitungsgebiet beschränkt und selten
Nicht bekannt	Fische, Tintenfische, Krebstiere	Nicht bekannt	In Schulen von 3-10 bis zu über 100 Mitgliedern mit engem Gruppenzusammenhalt; vertraut gegenüber Schiffen und Badenden	Nicht selten und nicht bedroht
Nicht bekannt	Tintenfische, Fische	Nicht bekannt	In Schulen von 3-50 Tieren; in wärmeren Meeren nicht selten; oft mit anderen Arten vergesellschaftet	Nicht gefährdet, doch erhebliche Bestandseingriffe durch japanischen Küstenwalfang
Ew: mit etwa 14 Monaten Gr: nicht bekannt Ld: nicht bekannt	Fische, vor allem bodenbewohnende Arten; Krebstiere	Nicht bekannt	Langsam schwimmender Bewohner von Küstengewässern, Brackwasserlagunen, Flußmündungen und Flüssen Südostasiens; kleine Familiengruppen; im Süßwasser oft »Zusammenarbeit« mit Fischern	Ziemlich häufig; in den Flüssen streng geschützt
Ew: mit etwa 15 Monaten Gr: nicht bekannt Ld: nicht bekannt	Fische tieferer Wasserschichten, Tintenfische	Mensch, Haie	In oft riesigen Schulen von weit über 1000 Mitgliedern in vielen Lokalformen (früher als Unterarten betrachtet) in allen wärmeren Meeren; überaus bewegungs- und springfreudige Schiffsbegleiter; zum Fischfang bis in 200 m Tiefe tauchend	Allein im östlichen Pazifik Bestand auf 1,3 Millionen geschätzt
Ew: mit 11 Monaten Gr: nicht bekannt Ld: nicht bekannt	Fische höhere Wasserschichten, Tintenfische	Mensch	In Schulen von mehreren hundert, ausnahmsweise über 4000 Tieren in allen wärmeren Meeren; jagen nahe der Oberfläche nach Makrelen und Fliegenden Fischen, vor allem im Pazifik in Gemeinschaft mit Thunfischschwärmen	Bestand allein im Ostpazifik auf 3,6 Millionen geschätzt
Ew: mit 8 Monaten Gr: nicht bekannt Ld: nicht bekannt	Fische, Tintenfische, Garnelen	Mensch	In riesigen, über 3000 Köpfe zählenden Schulen vor allem in wärmeren Meeren, aber nordwärts auch über gemäßigte Breiten hinaufsteigend; gegenüber Schiffen flüchtig; Vergesellschaftung mit Thunfischen nicht so häufig wie bei Spinner und Fleckendelphin; sehr beweglich und springlustig	Weit verbreitet und häufig
Nicht bekannt	Fische aus den oberen Wasserschichten, Tintenfische	Nicht bekannt	In der Bucht von Mexiko mitunter in Küstennähe, im Atlantik Hochseebewohner; Heringe, Anchovis u.a. Fische werden nahe der Oberfläche gejagt, kontaktfreudig gegenüber Schiffen und Badenden	Zahlenangaben liegen nicht vor; auf der »amerikanischen Seite« des Atlantiks nicht selten
Ew: mit etwa 1 Jahr Gr: mit etwa 4 Jahren Ld: etwa 20 Jahre	Fische, Tintenfische, Garnelen	Mensch	In allen gemäßigten und wärmeren Meeren mit bestimmten Schwerpunkten; z.T. riesige Schulen bildend; schneller Schwimmer (über 60 km/h); guter Springer, ausdauernder Schiffsbegleiter	Allein im östlichen Pazifik Bestand auf 1,4 Millionen geschätzt; weltweit keine Gefährdung

dig: Er ist aufgeschlossen für Berührungen, Neckereien, Spiele und Dressuraufgaben aller Art. Frischfänge bemühen sich in der Regel schon nach kurzer Zeit, aus eigenem Antrieb am Schauprogramm einer Delphinariumsvorstellung teilzunehmen, das heißt die »Tricks« schon eingewöhnter Artgenossen nachzuahmen.

Während sich der Großtümmler also – wie fast alle Waltiere – gegenüber dem Menschen friedlich bis freundlich zeigt, vermag er anderweitig durchaus kämpferisch aufzutreten: Haifische greift er mit in deren Flanke gerichteten Rammstößen an, der Knochenpanzer einer Seeschildkröte des Duisburger Delphinariums wurde »wie mit dem Preßlufthammer« durchstanzt. Zweifellos ist der Flaschennasendelphin heute die am besten und gründlichsten untersuchte Walart überhaupt, hinsichtlich vieler Forschungsaufgaben stehen wir jedoch erst am Anfang.

Bartenwale

von Wolfgang Gewalt

In den meisten Zoologiebüchern werden die Bartenwale (Mysticeti) am Anfang der Waltiere eingeordnet, die stammesgeschichtliche Entwicklung ihrer komplizierten Filterausrüstung mag jedoch jüngeren Datums sein als die Bezahnung der Zahnwale (Odontoceti), die sich schon bei versteinerten Urwalen findet. Wir lassen die Bartenträger daher an zweiter Stelle folgen, obwohl sie einige außerordentlich wichtige und eindrucksvolle Arten – insgesamt freilich nur zehn – umfassen und obwohl keineswegs geklärt ist, ob Zahn- und Bartenwale überhaupt näher miteinander zu tun, nämlich gemeinsame Urahnen haben. Wie beim Dalls Tümmler angedeutet, wäre zwar denkbar, daß sich die Barten aus Hautleisten am Gebiß von Zahnwalen entwickelt haben; Übergangsformen, aus welchen sich erkennen ließe, daß die (moderneren?) Bartenwale aus (urtümlicheren?) Zahnwalen hervorgegangen wären, sind jedoch nicht bekannt; beide »Baumuster« kamen schon früh nebeneinander vor, ihre Vertreter könnten daher statt als Unterordnungen auch als selbständige Ordnungen aufgefaßt werden.

Der größte Bartenwal, der Blauwal, entspricht mit Höchstgewichten von rund 135 000 Kilogramm nicht weniger als 30 Elefanten oder 200 Rindern oder 1600 Menschen. Lebewesen solcher Größenordnung konnten nur im Wasser entstehen, wo der Auftrieb einen Großteil der Körperlast übernimmt; ähnlich gewaltige Landtiere wären schon rein »konstruktiv« nicht möglich, da ihr Umfang bzw. ihr Gewicht mit der dritten Potenz, das Tragvermögen von Knochen und Muskeln aber nur mit der zweiten Potenz zunimmt.

Außer der Statik hat natürlich auch die Ernährung von Riesengeschöpfen ihre eigenen Probleme, zu deren Bewältigung wir bei den Bartenwalen ein ebenso eindrucks- wie wirkungsvolles Verfahren entwickelt finden: das »Abernten« der Planktonmassen nord- und vor allem südpolarer Meereszonen durch Herausseihen oder -filtern dieser im Wasser schwebenden Kleinlebewesen – eine der eigenartigsten Anpassungsformen innerhalb der Ordnung der Säugetiere. Das Herbeistrudeln und Heraussieben im Wasser schwebender Algen, Urtierchen oder kleiner Krebse ist uns vor allem von Niederen Tieren bekannt, also von Schwämmen und Polypen, Würmern und Stachelhäutern; daß uns dieses Filterverfahren auch bei den Walen begegnet, daß sich ausgerechnet die größten Geschöpfe unseres Erdballs von solchem »Klein-

Alle Bartenwale sind groß bis sehr groß, ernähren sich aber – im Unterschied zu den Zahnwalen – von winzig kleinen Tieren, vor allem dem sogenannten Krill. Trotz ihrer gewaltigen Größe zeigen sich diese Wale oft recht »verspielt«: Buckelwale, leicht zu erkennen an ihren überlangen Flippern, springen zum Beispiel häufig aus dem Meer und lassen sich mit weithin hörbarem Klatschen auf die Wasserfläche fallen.

zeug« ernähren, ist ein bemerkenswerter, aber durchaus erklärbarer Umstand: Auch unter den Landtieren stellen nicht etwa Wolf oder Löwe, sondern Büffel, Nashorn und Elefant die obersten Gewichtsklassen, das heißt Tiere, die sich an so kleine, aber massenhaft vorhandene Dinge wie Grashalme und Blätter halten. Nun verzehren Bartenwale zwar kein Seegras, der von ihnen aufgenommene »Krill« geht jedoch – als nächstfolgendes Glied der Nahrungskette – unmittelbar auf pflanzliche Grundlage, nämlich die im Wasser treibenden winzigen Algen zurück. Wenn die kalten Fluten der Treibeisregion in die Tiefe sinken, steigt wärmeres, schlick- und nährstoffreiches Wasser zur Oberfläche. In der Lichtfülle des antarktischen Sommers entwickelt sich damit ein üppiges, dem »Blühen« unserer Teiche vergleichbares Algenwachstum; dieses Phytoplankton (Pflanzenplankton) wiederum liefert die Grundlage des nun womöglich noch stürmischer wuchernden Zooplanktons (Tierplankton), das dann die Scharen des Endverbrauchers Bartenwal anlockt und ernährt. Die wichtigsten Planktontiere, daumenlange Krebschen der Gattung *Euphausia,* werden als »Krill« bezeichnet und treten zur Futtersaison in solchen Massen auf, daß sie eine dicke, wabernde »Suppe« bilden. Mitunter entstehen fußballplatzgroße schwimmende Krillteppiche, die sich handbreit über den Meeresspiegel hinausschieben und von den Walen durchpflügt werden wie der Hirsebrei im Märchen; der für einen 130-Tonnen-Körper eigentlich nicht unmäßige Tagesbedarf von ungefähr 2,5 Tonnen läßt sich daraus gewiß wirtschaftlicher decken, als wenn unser Wal noch so großen Tiefseekraken, Fischen, Robben oder Delphinen einzeln hinterherjagen müßte. Voraussetzung und Hilfsmittel für die Krillaufnahme sind die mehrfach erwähnten Barten.

Die zwei Reihen der früher »Fischbein« genannten Barten hängen als dreieck- bis schwertförmige, am Innenrand ausgefaserte Platten dicht an dicht in der Mundhöhle. Ihre Spitzen weisen beidseits der mächtigen Muskelzunge unterkieferabwärts, die Basis sitzt oben am Gaumendach ungefähr dort, wo sich bei Hunden, Hirschen und anderen Säugetieren das bekannte Waschbrettmuster häutiger Querriefen befindet. Daß sich die Barten aus diesen Gaumenfalten entwickelt haben könnten, ist ein erwägenswerter Gedanke. Elastisch-federndes Baumaterial der Barten ist jedenfalls Horn, also der gleiche Stoff, aus dem Haut und Haar, Hufe und Nägel gemacht sind; Barten sind demnach eine eindeutige Oberflächenbildung, während Zähne und andere Knochen entwicklungsgeschichtlich zum Innenbereich gehören. Wirkungsweise und -grad der Barten hängen vornehmlich von der zur Mundhöhlenmitte weisenden Faserkante ab, welche je nach Walart eine haarbesenfeine bis wurzelbürstengrobe Struktur aufweist. Hundertfach hintereinandergereiht, bilden die hornig-borstigen Fransensäume jenen »Kamm« oder jenes Filtersieb, an dem entweder *Euphausia*-Krill oder winzige *Calanus*-Krebse, ja »Wasserflöhe« hängenbleiben. Das Grundprinzip solcher Nahrungsaufnahme ist einfach: Der Wal nimmt einen – manchmal über 1000 Liter umfassenden – Schluck planktonreiches Meerwasser in den Mund, seine mächtige Zunge preßt das Wasser an den Barten-Borstenkämmen vorbei und zwischen den Lippen wieder hinaus, die vom Reusensieb der Barten zurückgehaltene Eiweißmasse wird hinuntergeschluckt; anschließend kann es zum Mund- bzw. Bartenspülen kommen, wobei die Wale – wie schon beim Auspressen der Krillsuppe – den Kopf aus dem Wasser herausstrecken. Daß Bartenwale beim Krillfischen Ultraschallortung einsetzen, ist unwahrscheinlich und nicht bekannt; vielleicht erklärt sich von daher ihre – gegenüber Zahnwalverhältnissen – geringe Strandungsquote.

Der Grauwal weicht in seinen Eßgewohnheiten ein wenig von seinen näheren Verwandten ab: Er benutzt seinen mit kurzen, derben Barten ausgerüsteten Riesenmund am liebsten als Bagger, mit dem er in flachen Küstengewässern Kleingetier aus dem Boden holt.

Insgesamt lassen sich drei Grundmuster unterscheiden: Bei den behäbigen Glattwalen hängen die Barten als bis zu vier Meter lange, schwertförmig-schmale Bänder in eine entsprechend riesige Mundhöhle herab, deren Geräumigkeit noch dadurch erhöht wird, daß Gaumendach bzw. Oberkiefer kuppelartig emporgewölbt sind. Daß der Kopf (und damit der Mundraum) bei diesen Tieren über ein Drittel der Gesamt-

länge einnehmen kann, wurde bereits erwähnt, er könnte also mehrere Kubikmeter Wasser aufnehmen. Grönland-, Kaper- und Zwergglattwal arbeiten in der Regel nach dem »Schaumlöffelprinzip«: Sie paddeln gemächlich an der Meeresoberfläche dahin und schließen das mäßig weit aufgesperrte Maul erst dann, wenn sich auf den Barten eine genügende, das Verschlucken lohnende Futtermenge angesammelt hat. Innerhalb der Bartenwale ist diese Filterausrüstung zweifellos die höchstentwickelte, und das Filigran der zumal beim Grönlandwal haarfeinen Fransensäume erlaubt die Ausnutzung selbst des sogenannten Mikroplanktons. Der die Hauptmasse darstellende, nur ungefähr drei Millimeter lange Ruderfußkrebs *Calanus* entspricht etwa den »Wasserflöhen« unserer Zierfischfütterung, ein Wal benötigt davon 2000 und mehr Kilogramm im Tag.

Gegenüber den Glattwalen deutlich klein- und spitzköpfiger zeigen sich die schnittigen, schnellschwimmenden Furchenwale; in ihrer verhältnismäßig flachen Mundhöhle erreichen die Barten allenfalls Meterlänge. Um trotzdem große Wassermassen aufnehmen und verarbeiten zu können, finden wir jene Furchen entwickelt, die der Familie den Namen gaben: bis zu 90 vorn am Kinn beginnende, bei manchen Arten bis zum Nabel reichende Längsfalten, die beim Krillschlucken wie eine Ziehharmonika auseinandergehen. Im Gegensatz zu den die Meeresoberfläche abschöpfenden Glattwalen stoßen Furchenwale mit gezielter Heftigkeit in Krill- oder Kleinfischschwärme, um daraus einen ordentlichen Schluck zu nehmen. Das plötzliche Auseinanderfalten oder Spreizen der Furchen ergibt eine Saugwirkung, so daß solche Schlucke oft mehrere Kubikmeter umfassen. Auch die optische Wirkung ist höchst eindrucksvoll: Krillschluckende Furchenwale dehnen nicht nur ihre Kehlhaut, sondern das gesamte Vorderende, ja mehr als ein Drittel der Körperlänge wird unter Volumenverdoppelung oder -verdreifachung zu einem »Ballon«, an dem der 10 oder 20 Meter lange »Restkörper« nur noch als Anhängsel erscheint.

Bewuchskrusten, wie hier am Kopf eines Grauwals, sind typische Kennzeichen vieler großer Wale. Sie werden von Seepocken und anderen kleinen Meeresorganismen gebildet.

Die hinsichtlich Bau und Gebrauch der Barten dritte Spielart wird durch eine einzige Art, den Grauwal, verkörpert. Er scheint bevorzugt am Boden flacher, schlammiger Buchten zu »baggern«, wobei sein spitzer Kopf als Pflugschar dienen mag. Die kurzen, grobborstigen Barten können den hierbei aufgewirbelten Schlick durchkämmen, vielleicht werden sie aber auch – bei seitlicher Schwimm- und Kopflage – als eine Art Besen benutzt, um Krebse und anderes Bodengetier unmittelbar vom Meeresgrund abzubürsten. Wo Grauwale auf Futtersuche sind, sieht man fast ständig Schlammwolken und Gasblasen emporsteigen, auftauchende Tiere tragen am Kopf Sand- und Schlickreste.

Fast alle Bartenwale nehmen dann und wann Fische auf, und zwar mehr oder weniger unabsichtlich, wenn etwa Makrelen und Heringe in den gleichen Krill- oder Planktonwolken schwelgen wie sie; oder aber gezielt, wenn es sich um kleine Schwarmarten (Sardinen, Anchovis) handelt. Die groben, weitlückigen Barten des Bryde-Wals deuten darauf hin, daß sich dieser tropische Furchenwal sogar in erheblichem Umfang von größeren Fischen ernährt; auch der 40 Stundenkilometer schnelle Finnwal ist zu aktiver Großfischjagd befähigt. Der flinke Zwerg- oder Minkwal zeigt sich in beiden Lagern zu Haus: Auf der Nordhälfte seines (weltweiten) Verbreitungsgebietes verfolgt er Hering, Dorsch und Makrele, auf der Südhalbkugel siebt er noch Krill.

Glattwale (Familie Balaenidae)

Die Familie der Glattwale besteht aus zwei selten gewordenen Arten und vielleicht noch einer dritten, über die wenig bekannt und deren Einordnung strittig ist; an sich waren und sind aber gerade die großen Glattwale das Urbild des klassischen »ungeschlachten Meeresriesen mit dem gewaltigen, runden Kopf«, hinter dessen Mundwinkeln winzige Äuglein blinzeln und aus dessen hochgewölbtem Scheitel der unver-

meidliche Springbrunnen spritzt. Ihrer einst tragenden (und tragischen) Rolle als »Right Whales« – als zum Harpunieren den dicksten Speck und das längste Fischbein liefernde »richtige Wale« – wurde schon gedacht. Die Bezeichnung »Glattwal« deutet an, daß der breite, runde Rücken ohne Finne, die Unterseite ohne Furchung ist; der nur mit Fragezeichen als dritte Art eingeordnete Zwergglattwal widerspricht diesem Namen in beiderlei Hinsicht. Die – säugetierüblichen – sieben Halswirbel sind, vielleicht um den mächtigen Kopf besser tragen zu können, fest miteinander verwachsen. An den Stränden Patagoniens und der Arktis habe ich mehrmals Glattwalschädel gefunden, und man braucht kein Anatom zu sein, um sich gerade von solchen »Knochen« noch einmal die ganze Einzigartigkeit dieser Filterriesen verdeutlichen zu lassen. Der Hirnraum ist – im Verhältnis zur Gesamtgröße – begrenzt. Das Durchsieben von Wasser – beim Grönlandwal 15 Kubikmeter je Minute – erfordert keine besonderen »Geistesblitze«; Echolotgebrauch ist bei Bartenwalen bislang nicht nachgewiesen und wäre gegenüber dem verschwommenen Umriß von Planktonwolken wohl auch nicht anwendbar. Um so eindrucksvoller dagegen die riesige Mundhöhle, die mehr Sitzraum als mancher Mittelklassewagen bietet! Von Zähnen gibt es natürlich keine Spur, und da nach gewisser Verwitterungszeit auch die Barten verschwinden, hat man meist nur ein merkwürdig leeres, sperriges Dreiecksgerüst vor sich: den zumal beim Grönlandwal halbkreisrunden Oberkiefer und -schädel (an dem einst zwei Reihen Bartenplatten hingen), weit darunter zwei dünne Unterkieferäste, zwischen denen einmal die schwere Zunge ihren Platz und ihre Aufgabe als Pump- und Preßpolster hatte. Bei Tieren, die zubeißen, müssen die Kiefer zwei fest aufeinanderpassende Scherenhälften bilden, bei den Bartenwalen sollen sie – umgekehrt – einen möglichst großen Hohlraum umfassen. Um diesen Hohlraum rechts und links abzuschließen, sind Glattwalunterlippen höher als die Seitenbracken eines Lkw emporgezogen.

Haben wir die Glattwale als die typischsten, höchstspezialisierten Bartenwale kennengelernt, so ist der GRÖNLANDWAL *(Balaena mysticetus)* zweifellos der typischste, höchstspezialisierte Glattwal. Mit einer Länge bis zu 20 Metern und 80 Tonnen Gewicht ist er die größte, mit 50 Zentimeter dickem »Blubber« und 4 Meter messendem Fischbein war er die wirtschaftlich wertvollste Art der Familie. Sein durch deutlichen Nackeneinschnitt abgesetzter Kopf ist der relativ wie absolut größte Kopf sämtlicher Waltiere, Feinheit

Der Südkaper oder Südliche Glattwal, eine Unterart des Nordkapers, ist ein besonders harmloszutraulicher Riese, obwohl er den Menschen mit einem Schlag seiner mächtigen Schwanzflosse zerschmettern könnte.

und Fülle der Bartenausstattung nehmen ebenfalls den Spitzenplatz ein. Sein auf die Schwerpunkte Beringmeer, kanadisch-grönländische Arktis und Barentssee verteilter Gesamtbestand von etwa 3000 Tieren zählt zu den meistgefährdeten überhaupt.

Während die Walfänger der Segelschiffzeit diesen Wal vor Spitzbergen und anderswo noch zu Hunderten trafen, begegnet man – mitunter mit dem gleichfalls hochnordischen Narwal vergesellschaftet – heute nur noch kleinen Familiengruppen oder Einzeltieren. Die V-förmig zweigeteilte, bis zu sieben Meter emporschießende Blaswolke macht das Auffinden der zutraulichen Tiere leicht. Die einheitlich samtschwarze Oberfläche des Körpers kann durch eine mehr oder weniger ausgedehnte Weißpartie der Kinngegend unterbrochen sein. Die gemäß dem Schöpflöffelprinzip oft über Wasser gezeigten Barten, an jeder Oberkieferseite rund 350, sind hellgrau. Ihre schon erörterte Feinfaserigkeit erlaubt die Herausfilterung des Kleinplanktons von Wasserflohgröße; vom *Euphausia*-Krillkrebs nutzt der Bogenkopf mitunter nur die – weniger als halb so großen – Larven. Natürlich hat diese »Kleinigkeitskrämerei« ihre Grenzen: je enger das Bartensieb, desto mehr Kraftaufwand beim Hindurchpressen!

Grönlandwale sind echte Geschöpfe der Arktis. Schon die Kälber kommen – nach etwa einjähriger Tragzeit – am Rande des Packeises zur Welt, zum Luftholen vermag der auftauchende Wal Schollen von Meterstärke aufzubrechen. Seine trotzdem verwundbare Art ist seit 1946 geschützt, die Nordamerikas Eskimobevölkerung gestattete »traditionelle« Jagd auf den »kairalik« fordert nur noch anderthalb Dutzend – gleichwohl verzichtbare – Opfer pro Jahr. Anders als die ganz »richtigen« Right Whales *(Eubalaena)* pflegen harpunierte Grönlandwale oft zu versinken und damit nicht nur biologisch, sondern auch wirtschaftlich verlorenzugehen.

Eine gegenüber dem Grönlandwal etwas weniger »ungeschlachte«, ernährungs- wie verbreitungsmäßig flexiblere Ausgabe der Glattwale haben wir mit Nordund/oder Südkaper *(Eubalaena glacialis)*, dem Great Right Whale, vor uns. Sein Kopf nimmt »nur« etwa ein Viertel der Gesamtlänge ein, seine Barten werden höchstens zwei Meter lang, außer Mikroplankton vermag er daumenlangen *Euphausia*-Krill zu verwerten, seinen Wohnsitz verlegt der »Eiswal« (*eu balaena* = guter, richtiger Wal; *glacialis* = Eis-) zumindest zur Paarungs- und Kälberzeit ins Warme. Schwierigkeiten ergeben sich allenfalls hinsichtlich Namensgebung und Systematik: als atlantikweit verbreiteter »Nordkaper« war er das klassische Wild der Basken, Normannen und Nordkapbewohner in der Frühzeit

Rechts: Bei Paarungsvorspiel und Paarung zeigen sich Wale oft an oder über der Wasseroberfläche, manchmal wird ein Weibchen dabei von mehreren Partnern umringt. Hier Südkaper vor der Küste Argentiniens. – Unten: Ein Südkaper in voller Länge. Sie beträgt 15 bis 18 Meter!

des Walfangs, im Nordpazifik übernahm er als *Eubalaena glacialis japonica* eine ähnliche Rolle. Tausende Kilometer weiter südwärts wurde dann – zwischen Kap Hoorn, Gute-Hoffnungs-Kap und Antarktis – eine weitere Glattwalpopulation entdeckt, die statt »Nordkaper« eigentlich »Südkaper« heißen müßte, als *Eubalaena glacialis australis* aber wohl nur eine weitere Unterart darstellt.

Auffällige Besonderheit der (argentinischen) Südkaper sind die »Mützen«, »bonnets« oder »callosities« – teller- bis kissengroße Polster, die sich nahe den Blaslöchern, am Kinn und am Unterkiefer aus Seepocken (*Balanus* = eine festsitzende Krebsart), »Walläusen«, Weichtieren, Algen und anderen Meereslebewesen ähnlich jenem Bewuchs ansiedeln, den wir an Schiffs- und Hafenbauten kennen. Größe und Form der weißgrauen, tuffsteinartigen Krusten sind von Wal zu Wal so verschieden, daß sie der Beobachter als Erkennungszeichen nutzen kann. Den Tieren selbst scheint der Bewuchs weniger willkommen zu sein; in Argentinien sahen wir einen großen Südkaper bis in einen Fischerhafen hineinschwimmen, um sich dort am Anlegesteg ausgiebig zu »schubbern«.

Die Zutraulichkeit der harmlos-neugierigen Riesentiere ist immer wieder eindrucksvoll: Man kann mit dem Schlauchboot auf Streichelentfernung an oder über sie fahren, ja auf den breiten Rücken aussteigen. Aus solcher Nähe erkennt man neben dem Krustenbewuchs noch zahlreiche Wimpern, Tastborsten und andere Reste früherer Behaarung, die uns an die Abkunft der Wale von Landsäugetieren erinnert.

Trotz ihrer Schwergewichtigkeit sind Südkaper keineswegs temperamentlos; in den flachen, warmen Buchten der patagonischen Ostküste erscheinen sie zur Kälber- und Paarungszeit (Juli–Oktober), das Klatschen mächtiger Flossenschläge hallt dann oft weit über das Wasser. Die Tiere benutzen ihre fast rechteckigen, stubentürgroßen Flipper, um krachend auf die Wasseroberfläche zu schlagen – vielleicht ein Signal, das Revierbesitz ausdrücken, Partner anlocken oder Nebenbuhler abschrecken soll. Noch wirkungsvoller sind die als »Hier-bin-ich!«-Zeichen gewerteten Luftsprünge, bei denen solch ein 50-Tonnen-Wal in voller Länge aus den Wellen schießt, um mit entsprechendem Platschen wieder zurückzufallen.

Neben dem fauchenden Zischen des Ausblasens bringen die Südkaper röhrende, orgelartig dröhnende Töne hervor, die weithin hörbar sind. Auch die Nahrungsaufnahme verläuft nicht geräuschlos, das Schmatzen der riesigen Lippen und ein klapperschlangenähnliches »Rattern«, wenn der Krill zum Abschlucken von den Barten geschüttelt wird, lassen sich oft deutlich vernehmen. Fast gespenstisch still geht es dagegen beim »Segeln« zu: Der Wal streckt seine vier Meter breite Schwanzfluke in den Wind und läßt sich unter diesem »Segel« dahintreiben.

Der auf nur noch etwa 2000 Stück zusammengeschmolzene Weltbestand der großen Kaper schien bereits endgültiger Ausrottung verfallen, strenge Schutzbestimmungen zumal für die Südmeerpopulation mögen dieses Schicksal jetzt aber noch einmal aufhalten.

Der Zwergglattwal *(Caperea marginata)* wird an dieser Stelle und unter diesem Namen nur mit Vorbehalt genannt: Bis auf seinen gekrümmten Oberkiefer erinnert er weder an Grönlandwal noch an Nordkaper, zudem ist er keineswegs »glatt«, sondern mit Rückenfinne und Kehlfurchen ausgestattet. Von letzteren besitzt er allerdings nur spärliche zwei, die erst 1967 beim Unterwasserfilmen entdeckt wurden. Das Verbreitungsgebiet des mit fünf Metern kleinsten aller Bartenwale ist auf einen schmalen Streifen südpolnaher Meere begrenzt. Gelegentliche Verwechslungen mit dem wenig größeren Zwerg- oder Minkwal sind nicht auszuschließen, die Lebensweise ist weitgehend unbekannt.

▷ Ein Südkaper schießt aus dem Wasser, um sich dann laut platschend zurückfallen zu lassen.

▷▷ In der Paarungszeit hallen in einer flachen, warmen Meeresbucht Patagoniens die mächtigen Rückenklatscher der Südkaper weit über das Wasser.

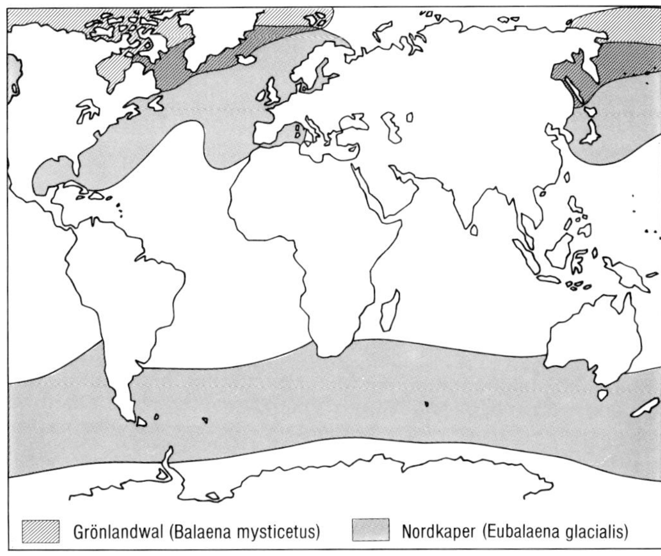

Schwanzfluke eines Grauwals vor der kalifornischen Küste. Dort treffen die aus der Beringsee kommenden Meeresriesen um die Weihnachtszeit ein, um sich fortzupflanzen.

Grauwale (Familie Eschrichtidae)

Dem einzigen Mitglied der Familie, dem GRAUWAL *(Eschrichtius robustus)*, sind wir schon mehrmals begegnet. Daß man unserem rund 12 Meter lang werdenden »Urvieh« nicht nur eine besondere Gattung, sondern eine eigene Familie eingeräumt hat, geschah bei seinen vielen Eigenheiten kaum ohne Grund. Grauwale sind von hellen Tupfen, Knoten und Krusten überzogen, zum Teil als zerstückelte Form jenes Bewuchses aus Seepocken usw., der die mächtigen »Mützen« des Südkapers bildet. Vornehmlich an Vorderkörper und Kopf finden sich taler- bis untertassengroße Gruben, in welchen – vielleicht mit Tasthaarfunktion? – gelbgraue Borstenbüschel sprießen, dazu kommen zahlreiche hellfarbige Schürfstellen. Der Hinterrücken trägt statt einer Finne eine Reihe niedriger, unregelmäßiger »Krokodilshöcker«; wo ein Grauwal auftaucht, fühlt man sich eher einem verwitterten Felsriff als dem Verwandten seidenglatter Delphine gegenüber. Geschwindigkeitsrekorde sind mit solchem Äußeren nicht aufzustellen, die Tagesstrecken von 185 Kilometern bei Nord-Süd-, von etwa 80 Kilometern bei Süd-Nord-Kurs kommen durch Stetigkeit, der Leistungsunterschied durch biologische Umstände zustande: auf der Strecke Alaska–Mexiko eilen die vier arktische Sommermonate lang »ausgefutterten« Tiere schnurstracks ihren angestammten Liebesgründen zu, auf der Rückreise gilt es, das Tempo den inzwischen geborenen, säugenden Kälbern anzupassen.

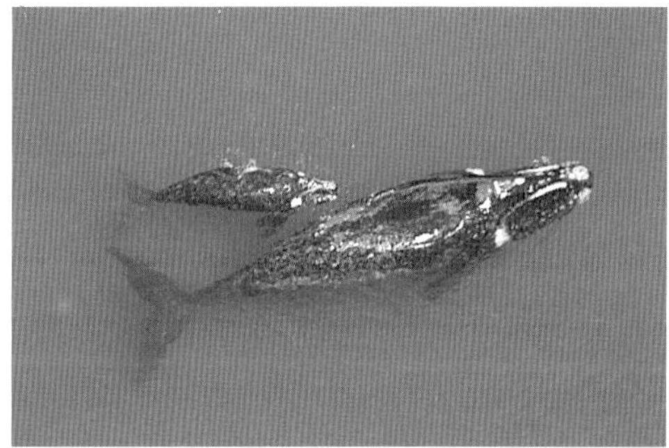

Solchen regelmäßigen Wechsel zwischen Futterperioden in Pol-, Fortpflanzungsperioden in Äquatornähe findet man bei vielen Walarten, wobei die Krillgründe der Furchenwale bevorzugt in der Antarktis liegen. Beim Grauwal ist der Ablauf besonders übersichtlich, weil seine Tragzeit genau zwölf Monate beträgt und der gesamte Reiseweg dicht an der nordamerikanischen Küste entlangführt. Die Tiere sind sozusagen von Anchorage bis San Diego stets unter Kontrolle: Südwärtsstart ab Alaska September/Oktober, Ankunft in Kalifornien zur Weihnachtszeit, Rückreisebeginn im Februar.
Grauwale gibt es auch auf der »gegenüberliegenden« Seite des Nordpazifiks, an den Küsten Kamtschatkas und des Ochotskischen Meeres; im Gegensatz zur amerikanischen Population ist über sie aber wenig bekannt.

Furchenwale (Familie Balaenopteridae)

Hatten wir in den rundlich-gemächlichen Glattwalen die klassischen Wale der Segelschiffszeit vor uns, begegnen uns mit der letzten Familie, den Furchenwalen, nun die modernsten, entwicklungsgeschichtlich jüngsten Bartenträger. An sich waren und sind sie zweifellos das »Erfolgsmodell« der Serie. »Größte Lebewesen der Erde«, »50 km/h Spitze«, »nordpol-, südpol- und äquatortauglich« – derlei Titel fallen nur

Links: Eine Südkapermutter mit ihrem Kind. – Unten links: Der Finnwal bläht seine dehnbaren Kehlfurchen, die ihm und den übrigen Furchenwalen den Namen gegeben haben, mächtig auf, um seine riesige Mundhöhle zur Aufnahme einer möglichst großen Krillmasse noch zu vergrößern.

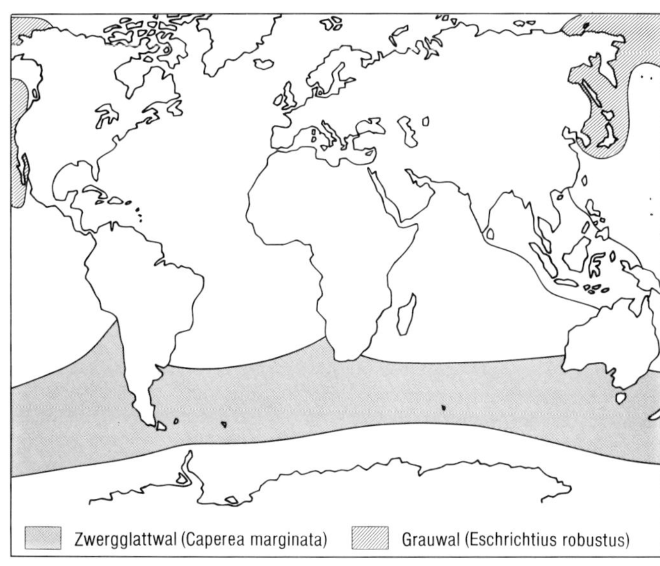

den (biologisch) bestdurchkonstruierten Ausnahmeschöpfungen zu. Gegenüber den Kochereischiffen, Sprengharpunen und Suchhubschraubern hatte jedoch auch ein solcher Meisterwurf der Natur keine Chance: Die Riesenheere der Riesentiere schwanden rascher dahin als einst die »Right Whales« vor dem Ruderkahn, die größten und jüngsten Wale wurden das größte und jüngste Schandbeispiel unbewältigter Ökologie.

Vom ein wenig aus der Rolle fallenden Buckelwal *(Megaptera)* abgesehen, sind es sämtlich schlank-elegante, spitzköpfige Stromliner mit kleiner, sichelförmiger Finne im hinteren Rückendrittel und schmalen, zugespitzten Flippern.

Die enormen Maße und Massen des BLAUWALES *(Balaenoptera musculus)* – 30 oder 33 Meter lang, 130 oder einst sogar 160 Tonnen schwer – sind schon so oft zitiert worden, daß ein gewisser »Abstumpfungseffekt« droht; vielleicht werden sie durch ein paar Einzelangaben deutlicher: Spannweite der Fluke 4,50 Meter, Länge der schmalen Flipper 3 Meter. Die Mundhöhle wird gegen 6 Meter lang, der Magen faßt etwa 2 Tonnen Krill. Das volkswagengroße Herz pumpt 10 000 Liter Blut durch die Gefäße, die Aorta hat Kanalrohrdurchmesser, so daß ein Mensch hindurchkriechen könnte. Vergleichsweise bescheidene 7 Kilogramm wiegt das Gehirn, der Blasstrahl indessen schießt stattliche 9 Meter empor. Das atemberaubende Kälberwachstum von 2 Zentnern je Tag ist schon erwähnt worden, der mit 2,0 bis 2,5 Tonnen Krill angegebene Tagesbedarf entwöhnter Blauwale von Watson auf 4, von Leatherwood sogar auf 8 Tonnen veranschlagt worden.

Der Name Blauwal trägt der blaugrauen Grundfarbe Rechnung, welche von zahlreichen hellen Längstüpfeln übersät ist; manche Tiere, deren Unterseite mit bestimmten, gelbgrünen Kieselalgen bewachsen ist, rechtfertigen die englische Bezeichnung »sulphur bottom« (Schwefelbauch). Allein schon die Gestalt, die beim Auftauchen schier nicht enden wollende Länge des schlanken Körpers, die weit schwanzwärts gerückte winzige Finne und der in der Draufsicht einem gotischen Bogen ähnelnde Kopf sind jedoch Zeichen genug, daß wir den einstmals *Balaena maximus* genannten »größten Wal« vor uns haben. Er tritt immer nur einzeln oder in kleinen Gruppen auf. Über seine früheren und heutigen Bestände ist schon im Zusammenhang mit dem modernen Walfang berichtet worden. Im Nordatlantik mag es noch einige hundert, im Nordpazifik etwa 1500 Tiere geben; auf der Südhalbkugel, wo man im 19. Jahrhundert mit über 200 000 Blauwalen rechnen konnte, dürften heute allenfalls 10 000 leben. Bei der geringen Vermehrungsrate – je erwachsenes Weibchen nur alle zwei bis drei Jahre ein Kalb – kann eine Bestandserholung nur langsam erfolgen; auch wird es mancher Jahre bedürfen, bis sich darunter wieder wirkliche Riesen befinden, da die Jagd einst vorrangig nur den größten Tieren galt.

Ob es womöglich eine eigene Unterart »Zwergblauwal« *(B. m. brevicauda)* gibt, ist derzeit noch umstritten; auch wird noch kaum überblickt, welche Umschichtungen sich im Ökosystem der Südhalbkugel mit dem Schicksal dieser und anderer Bartenwale vollziehen oder bereits vollzogen haben. Aus der auf 600 bis 1000 Millionen Tonnen geschätzten Jahreskrillmenge wurden in den zwanziger Jahren rund 200 Millionen Tonnen je Saison durch Wale entnommen, heute mögen es 40 Millionen Tonnen sein. Ob hier ein Ausgleich durch entsprechende Zunahme bestimmter Fisch-, Seevogel- oder Robbenarten eintreten wird, ob und in welcher Weise sich einmal unsere Versuche einer Krillnutzung durch den Menschen auswirken – solche Fragen betreffen keineswegs nur Blauwalforscher und sollten sehr aufmerksam verfolgt werden.

Mit »nur« durchschnittlich 40 Tonnen und 20 bis

Blauwal (Balaenoptera musculus), Finnwal (B. physalus), Zwergwal (B. acutorostrata) und Buckelwal (Megaptera novaeangliae)

25 Metern bleibt der FINNWAL *(Balaenoptera physalus)* etwas hinter seinem »blauen« Vetter zurück. Trotz typischer Furchenwal- und Stromliniengestalt muten seine Proportionen ein wenig ausgeglichener, also nicht gar so überlang-überschlank an wie bei jenem. Seine Finne – daher der Name – ist mit 60 Zentimetern doppelt so hoch wie die des Blauwales; auf dem schnittigen Kopf weist nur eine feine Rinne zum Blaslochpaar, während sich beim Blauwal dort zwei wulstige Längsgruben befinden. Das Merkwürdigste ist aber zweifellos – einzig unter allen Walen – seine asymmetrische Färbung: Die bei vielen, zumal Wassertieren übliche Farbverteilung – dunkle Rückenseite, helle Bauchseite, wie sie auch der oben graue, unten weiße Finnwal zeigt – scheint im Kopfbereich um 90° verdreht. Die rechte Hälfte von Unterkiefer, Barten und sogar Zunge sind farblos, die entsprechenden Gegenseiten schieferschwarz. Möglicherweise spielt der einseitige »Lichtfleck« irgendeine (anlockende?) Rolle beim Beuteerwerb, da der mit fast 50 Stundenkilometern sehr schnelle Finnwal nicht nur Krill filtert, sondern auch Fische jagt und hierbei mitunter Seitenlage einnimmt; vielleicht täuscht die helle Wangen- und Bartenpartie vor dem dunklen Hintergrund dann eine Art Fluchtöffnung vor, durch welche Beutetiere zu entkommen versuchen.

Die Verbreitung ist weltweit wie beim Blauwal, doch scheint der in Schulen bis zu 100 Mitgliedern auftretende Finnwal wanderlustiger und kommt neben dem üblichen Wechsel zwischen kalten Krill- und warmen Kälbergründen zum Beispiel des öfteren ins Mittelmeer. Obwohl er nach dem Blauwal zum Hauptziel des modernen Walfanges wurde, darf der gegenwärtige Gesamtbestand auf rund 70 000 Tiere geschätzt werden. Die Angabe, daß der Finnwal 75 bis 100 Jahre alt werden könne, bedarf der Überprüfung.

Neben den Riesenformen Blau- und Finnwal gehören zur Familie der Furchenwale noch ein paar kleinere Arten; obwohl weit verbreitet und zeitweilig wirtschaftlich genutzt, sind sie kaum allgemeiner bekannt oder gar »populär« geworden. SEIWAL und BRYDE-WAL *(Balaenoptera borealis* und *B. edeni)* sind einander so ähnlich, daß sie bis 1912/13 selbst von den Berufswalfängern nicht als zwei Arten auseinandergehalten wurden. Beide schauen wie die verkleinerte Ausgabe des Blauwales aus, zeigen also die typische, spitzköpfige Schnittigkeit der Furchenwale mit kleiner, weit hinten sitzender Rückenfinne und hoher Schwimmgeschwindigkeit. Beide sind – beim Seiwal mit einem gewissen »Metallic-Effekt« – von graublauer Farbe, die in der von etwa 40 bis 55 Falten durchzogenen Kehl-Bauch-Gegend etwas aufgehellt sein kann. Der Name »Seiwal« hat nichts mit »seihen« zu tun, sondern bezieht sich auf »seje«, den norwegischen Namen für den Köhler *(Pollachius)* und andere Schellfischverwandte, mit denen die Wale gleichzeitig vor der Küste Finnmarkens einzutreffen pflegen. Die Nahrungsaufnahme geschieht vornehmlich in der Dämmerung und nachts, betrifft entsprechend der sehr feinen Bartenfa-

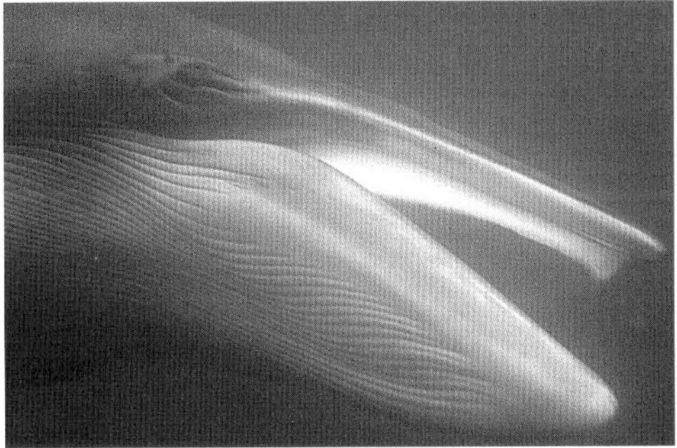

Links: Der schnittig elegante Kopf eines Zwergwals. – Ganz links: So verfertigen Buckelwale ihr »Fangnetz« aus Luftperlen. Die so eingeschlossenen Fische oder Krebse getrauen sich nicht, den Perlenvorhang zu durchschwimmen, und können deshalb leicht erbeutet werden.

▷ Buckelwale bei der Krillmahlzeit. Zahlreiche Seevögel warten auf die »Krumen«, die dabei anfallen.

Bartenwale (Mysticeti)

Name **deutscher Name** **wissenschaftlicher Name** **englischer Name (E)** **französischer Name (F)**	**Körpermaße** **Kopfrumpflänge (KRL)** **Gewicht (G)**	**Auffällige Merkmale**	**Fortpflanzung** **Tragzeit (Tz)** **Zahl der Jungen je Geburt (J)** **Geburtsgewicht (Gg)**
Grönlandwal *Balaena mysticetus* E: Bowhead whale F: Baleine boréale	KRL: 15–20 m G: 60 000–90 000 kg	Schwerer, mächtiger Körper; Kopf, der bis 40% der Gesamtlänge ausmacht, durch deutlichen Halsabschnitt abgesetzt; Oberkiefer stark gewölbt (»Bogenkopf«); Spitze des Kinns weiß, alles übrige schwarz; keine Rückenfinne	Tz: 10–12 Monate J: 1 Gg: nicht bekannt (Länge 3,50–4,50 m)
Nordkaper, Glattwal *Eubalaena glacialis* mit 1 Unterart (»Südkaper«) E: Right whale F: Baleine de Basque, Baleine franche	KRL: 15–18 m G: 50 000–95 000 kg	Kopf etwa ¼ der Gesamtlänge; keine Rückenfinne; Färbung schwarz, auf Bauchseite unregelmäßige weiße Flächen und Flecken; auf Ober- und Unterkiefer fast stets sog. »Mützen« (weißgraue, feste Bewuchspolster aus verschiedenen Meeresorganismen	Tz: etwa 1 Jahr J: 1 Gg: nicht bekannt (Länge etwa 5 m)
Zwergglattwal *Caperea marginata* E: Pigmy right whale F: Baleine franche-naine	KRL: 5–6 m G: 4500 kg	Kleine, weit hinten sitzende Rückenfinne; 2 Kehlgruben	Tz: nicht bekannt J: 1 Gg: nicht bekannt
Grauwal *Eschrichtius robustus* E: Gray whale F: Baleine grise	KRL: 12–15 m (♂♂ etwas kleiner als ♀♀) G: 25 000–34 000 kg	Zugespitzter, abwärtsgebogener Kopf; graue, buckel- und grübchenreiche Körperoberfläche mit hellen Flecken und Bewuchskrusten; in den Vertiefungen Borstenbüschel; benutzt seine derben, kurzen Barten offenbar zum Durchsieben und -wühlen von Bodenschlick	Tz: 12 Monate J: 1 Gg: 700–1200 kg
Blauwal *Balaenoptera musculus* E: Blue whale F: Baleine bleue	KRL: 25–35 m G: 80 000–130 000 kg	Trotz riesiger Größe schlanke Gestalt; kleine, weit hinten sitzende Rückenfinne; blaugrauer Körper oft mit gelbgrauer Tüpfelung; 2 Blaslöcher in wulstiger Aufwölbung; Kehlfurchen bis ins vordere Körperdrittel weiten sich beim Schlukken ballonartig aus	Tz: 11–12 Monate J: 1 Gg: 6500 kg
Finnwal *Balaenoptera physalus* E: Fin whale F: Vraie baleine, Rorqual commun	KRL: 20–25 m G: 30 000–70 000 kg	Spitze Rückenfinne doppelt so hoch wie beim Blauwal (wenn auch im Vergleich zur Gesamtgröße immer noch klein); Unterseite weißlich, unsymmetrische Weißverteilung auf Ober- und Unterkiefer beider Kopfseiten; schmaler »Grat« vom Blaslochpaar zur Oberkieferspitze; Kehlfalten	Tz: etwa 11,5 Monate J: 1 Gg: 3600 kg
Seiwal *Balaenoptera borealis* E: Sei whale F: Baleine noire	KRL: ♂♂ 15–18 m, ♀♀ 16–19 m G: 12 000–25 000 kg	Stahlartig graublau; Bauchregion nur wenig heller; 40–55 Kehlfalten; Rückenfinne hakenförmig und verhältnismäßig groß; niedriger Längskiel auf dem Oberkiefer	Tz: 11 Monate J: 1 Gg: 900 kg
Bryde-Wal *Balaenoptera edeni* E: Bryde's whale F: Balaenoptère de Bryde	KRL: etwa 12 m G: 12 000–20 000 kg	Oberkiefer/Oberkopf mit 3 Längskielen; Rückenfinne sehr klein; ansonsten typische, schlanke Furchenwalgestalt; schwer von Seiwal u. a. zu unterscheiden und erst spät als eigene Art erkannt	Tz: 11,5 Monate J: 1 Gg: etwa 800 kg
Zwergwal *Balaenoptera acutorostrata* E: Minke whale, Piked whale F: Baleine à bec, Petit rorqual	KRL: 8–10 m G: 6000–9000 kg	Spitzer, schnittiger Kopf; auf der Oberseite der Flipper breites weißes Band; Schwanzfluke in zwei spitze Zipfel ausgezogen	Tz: 10–11 Monate J: 1 Gg: 450 kg
Buckelwal *Megaptera novaeangliae* E: Humpback whale F: Baleine à bosse, Mégaptère	KRL: ♂♂ 14–17 m, ♀♀ 15–19 m G: 30 000–45 000 kg	Bis 5 m lange, bandförmige Flipper mit heller Unterseite; Oberkopf, Kiefer und Flipperkante mit zahlreichen warzenartigen »Knubbeln« besetzt, die Borsten tragen; Rückenfinne auf einem wulstigen »Sockel«	Tz: 11,5 Monate J: 1 Gg: 1300 kg

serung vor allem Plankton und wird oft als Abschöpfen der Meeresoberfläche ausgeführt; dabei bevorzugt der Seiwal die Seitenlage.

Die Tiere treten in kleinen Trupps in allen Meeren auf, vermeiden aber unmittelbare Polareisnähe und sind nach Ausschöpfung der Blau- und Finnwalbestände so stark bejagt worden, daß ihre Gesamtzahl auf heute etwa 70 000 abgesunken sein dürfte.

Der nach dem Gründer einer Walfangstation in Durban, Konsul Bryde, benannte und erst spät als selbständige Art erkannte Bryde-Wal bleibt mit seiner Länge von selten über 12 Metern geringfügig hinter dem Seiwal zurück. Nur aus der Nähe ist er durch das keinem anderen Wal zukommende Merkmal dreier Längsrinnen auf dem Rostrum (»Schnabel«) erkennbar. Die verhältnismäßig grobe Bartenausstattung

Lebensablauf **Entwöhnung (Ew)** **Geschlechtsreife (Gr)** **Lebensdauer (Ld)**	**Nahrung**	**Feinde**	**Lebensweise und Lebensraum**	**Häufigkeit**
Ew: mit 6–10 Monaten Gr: wenn etwa 12 m lang Ld: über 30 Jahre	Krill einschließlich kleinster Arten und Larvenstadien	Mensch, Schwertwal	Stets nahe der Eisgrenze der Arktis, auch zur Geburt der Jungen; einzeln oder in kleinen Familiengruppen, mitunter mit Weiß- oder Narwalen vergesellschaftet	Gesamtbestand höchstens 3000; durch Verfolgung bis an den Rand der Ausrottung gelangt
Ew: mit 1 Jahr Gr: wenn etwa 15 m lang Ld: wahrscheinlich über 30 Jahre	Krill	Mensch, Schwertwal	In kleinen Familiengruppen, zur Paarungszeit auch Versammlungen bis etwa 50 Tiere, in flachen, wärmeren Meeresbuchten; dann auch Sprünge und hallende Flossenschläge der Männchen, sonst überaus ruhige, langsam schwimmende Planktonfilterer	Bestände bis nahe der Ausrottung zusammengeschmolzen; Nordpopulation noch immer sehr bedroht, beim Südkaper leichter Bestandsanstieg; Gesamtzahl etwa 2000–3000
Nicht bekannt	Krill (Kopffüßer)	Nicht bekannt	Lebensweise so gut wie unbekannt; auch systematische Einordnung dieser Art unsicher; einmal wurden 8 Tiere gemeinsam gesichtet; in kühlen Meeresteilen der Südhalbkugel	Unbekannt; möglicherweise weniger selten als früher angenommen
Ew: mit 8 Monaten Gr: mit 7–11 Jahren Ld: nicht bekannt	Bodenbewohnende Krebstiere, Borstenwürmer und Kleinorganismen	(früher) Mensch; Schwertwal, Haie	Bei den Wanderungen zwischen Futter- (Beringmeer) und Kalbegründen (Baja California) in kopfstarken Schulen, sonst nicht besonders sozial; vor allem in flachen, küstennahen Gewässern nach Bodenorganismen »baggernd«	Galt bereits als ausgestorben; seit 1937 unter strengem Schutz; Bestandsstärke etwa 12 000 Tiere
Ew: mit 7 Monaten Gr: wenn etwa 22 m lang Ld: 30–50 Jahre	Krill	Mensch, Schwertwal	Jahreszeitlicher Wechsel zwischen kalten, polnahen Gewässern (Futtergründe) und äquatornahen flachen Meeresbuchten, wo die Kälber geboren werden; kleine Gruppen von 3–4 Tieren versammeln sich gelegentlich zu größeren Verbänden; schneller, kraftvoller Schwimmer	Fast ausgerottet; heutiger Bestand wieder etwa 10 000 Tiere
Ew: mit 6–7 Monaten Gr: mit 10–13 Jahren Ld: bis 100 Jahre (?)	Krill, gelegentlich Fische	Mensch, Schwertwal	In Gruppen von 5–10, ausnahmsweise bis zu 100 Tieren jahreszeitlich wechselnd zwischen kalten, krillreichen Futter- und warmen Paarungs- und Kalbegründen; daher regelmäßige Wanderungen zwischen Polar- und Äquatorialzone; schnittiger, schneller Schwimmer	Weltbestand auf etwa 80 000 Tiere geschätzt
Ew: mit 6 Monaten Gr: mit 8 Jahren Ld: 50–70 Jahre	Außer Krill auch Fische	Mensch, Schwertwal	Etwa 40 km/h schnelle Schwimmer, die einzeln oder zu 2–3 nahe der Oberfläche Krill »abschöpfen« oder Schwarmfische jagen; trotz weltweiter Verbreitung wärmere Meere bevorzugt; in den Polarzonen Eisrandgebiete meist gemieden	Heutiger Weltbestand etwa 70 000 Tiere
Ew: mit etwa 6 Monaten Gr: mit 8–13 Jahren Ld: nicht bekannt	Fische, auch Tintenfische und Krill	Mensch	Meist einzeln, auch innerhalb kleiner Herden voneinander Abstand haltend; tropische Meere bevorzugt; sonstige Verhaltensbesonderheiten bisher kaum bekannt	Weltbestand auf etwa 20 000 Tiere geschätzt
Ew: mit 5 Monaten Gr: mit 6 Jahren Ld: 50 Jahre	Fische, Krill	Mensch	Einzeln oder paarweise, in krillreichen Futtergründen auch in größeren Zahlen; flink und lebhaft, delphinartiges Aus-dem-Wasser-Schnellen; weltweit verbreitet, doch kühle Gewässer bevorzugt; auf der Südhalbkugel Ernährung hauptsächlich Krill, sonst Fische bis Dorschgröße	Bei einem geschätzten Weltbestand von etwa 300 000 Tieren keine Ausrottungsgefahr
Ew: mit 11–12 Monaten Gr: mit 9–10 Jahren Ld: nicht bekannt	Krill, Tintenfische, Rippenquallen, Fische	Mensch, Schwertwal	Gruppenzusammenhalt und -finden vermutlich ein Zweck der »Unterwassergesänge«; kleine Futtertiere werden vor dem Verschlucken mittels eines aus ausgestoßenen Luftblasen hergestellten »Netzes« umzingelt; springlustig; regelmäßige Wanderungen zwischen äquator- und polnahen Meeresgebieten	Durch Verfolgungen bedrohlicher Rückgang; Weltbestand etwa 5000 Tiere

zeigt, daß neben Krill auch Fische verfolgt werden. Das Verbreitungsgebiet geht wenig über die Wendekreise hinaus, umfaßt also nur wärmere Meere. Der – mehr geratene als geschätzte – Weltbestand mag bei kaum 20 000 Stück liegen, denn das Nahrungsangebot tropischer Gewässer bleibt hinter dem der Polargebiete zurück. Im Gegensatz zu anderen Furchenwalen nähert sich diese Art gelegentlich Schiffen.

Mit dem flinken, lebhaften ZWERGWAL *(Balaenoptera acutorostrata)* haben wir – nicht mit dem Zwergglattwal zu verwechseln! – den kleinsten Vertreter der Furchenwale vor uns. Der geschoßartig zugespitzte Kopf, die schmalen, durch einen auffälligen Fleck geschmückten Flipper, die in zwei geschwungene Zipfel ausgezogene Fluke unterstreichen das unverkennbare Aussehen des »Spitzwals«, dessen Artbestimmung

keine Schwierigkeiten macht. Anders als die meisten anderen Bartenwale kommt der Zwergwal oft »neugierig« in die Nähe von Schiffen und Hafenbauten, wagt sich in kleine Buchten und Fjorde und schwimmt dicht unter dem Ufer entlang. Sogar del-

Einem Riesenkrokodil mit Flossen gleicht der Buckelwal, wenn er mit weit abgespreizten Flippern einherschwimmt.

phinartiges Auf-der-Bugwelle-Reiten wurde beobachtet, Luftsprünge, bei denen der ganze Körper über dem Wasserspiegel erscheint, sind häufig. Sein weltweites Verbreitungsgebiet reicht von Pol zu Pol, wobei kühlere Meeresgebiete den Tropen vorgezogen werden. Im Norden beherrschen Fische bis Herings- und Dorschgröße seinen Speisezettel, anderswo werden Weichtiere bevorzugt. In den südlichen Meeren dienen ihm die weißlich-hornfarbenen Barten zum Krillfang, wobei er rasch jene ökologische Lücke überbrückt hat, die mit der Fast-Ausrottung des

Gegenüberliegende Seite: Die Pferde – im Bild »Dülmener Wildpferde« – gehören zu den sogenannten »Huftieren«. Innerhalb dieser vielgestaltigen Tiergruppe bilden sie, zoologisch gesehen, eine Familie in der Ordnung Unpaarhufer, weil sie einteilige, unpaarige Hufe besitzen.

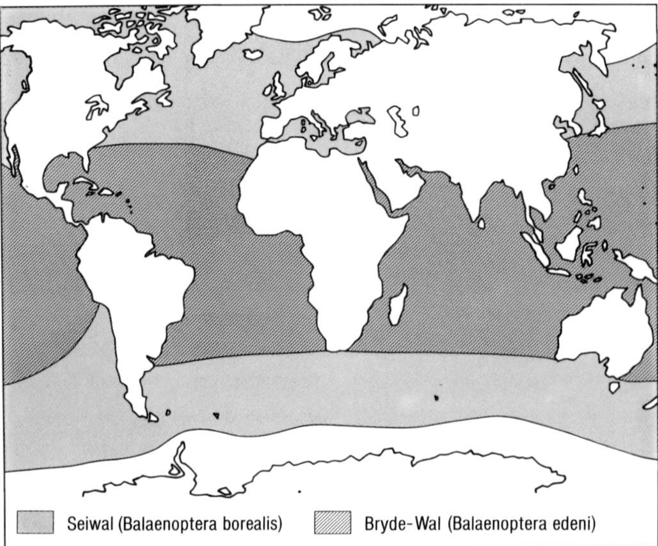

Blauwales zu entstehen drohte. Freilich hat er den Blauwal auch in anderer Weise »ersetzen« müssen, denn nachdem die Walfangindustrie zunächst auf Seiwale ausgewichen war, wandte sie sich nach deren Bestandsausschöpfung schließlich dem Zwergwal zu. An der Küste Koreas hat der Zwergwalfang eine alte Tradition. Dort werden mehrere hundert Zwergwale jährlich verarbeitet – eine angesichts des auf 300 000 Tiere veranschlagten Weltbestandes sicherlich vertretbare Entnahme.

Wenn ihn nicht zwei Dutzend breiter Kehl-Bauch-Falten als Furchenwal auswiesen, würde man für den Buckelwal *(Megaptera novaeangliae)* wohl nicht nur eine eigene Gattung, sondern eine eigene Familie aufgestellt haben: Gar zu wenig an diesem knubbelübersäten, merkwürdig flach-breiten Gesellen erinnert ansonsten an die schnittige Raketengestalt von Blau- oder Seiwal. Der Kopf scheint, von der Seite betrachtet, eher zu einem Krokodil als zu einem Säugetier zu gehören, am Rand der nicht nur überlangen, sondern höchst biegsamen, ja rollbaren Flipper zeichnen sich Teile des Handskeletts wie »Froschfinger« ab.

Zwei Besonderheiten zeichnen die Buckelwale aus: Sie können »singen«, und sie verfertigen Fangnetze aus Luftperlen. Die Gesänge der Wale sind die lautesten, längsten und abwechslungsreichsten im ganzen Tierreich, und sie tragen unter Wasser sehr weit, zum Teil über 100 Seemeilen. Ob sie nur Ausdruck der Lebensfreude sind oder eine bestimmte Funktion haben, ist noch nicht endgültig geklärt. Am wahrscheinlichsten ist jedoch, daß sie der innerartlichen Verständigung und insbesondere der Partnerfindung dienen. Ebenso ungewöhnlich ist ein besonderes Beutefangverfahren der Buckelwale, das übrigens in ähnlicher Form auch im modernen Fischereiwesen angewandt wird: Wenn die Wale einen großen Schwarm kleiner Fische oder Krillkrebse entdecken, umschwimmen sie ihn im Kreis und lassen dabei Atemluft hochperlen. Die Fische und Krebse trauen sich nicht, diesen Rundvorhang aus Luftbläschen zu durchschwimmen, und können so von den Walen in Massen erbeutet werden.

Trotz weltweiter, Polarzonen wie Tropenmeere einschließender Verbreitung kann man dem selten gewordenen Buckelwal heute nur noch an wenigen Stellen mit einiger Sicherheit begegnen; eine dieser Stellen liegt in Neufundland.

HUFTIERE

Kategorie
ORDNUNGSGRUPPE

Systematische Einteilung: Der allbekannte Begriff »Huftiere« (Ungulata) bezeichnet nach neueren Erkenntnissen keine verwandtschaftlich geschlossene, systematische Einheit des Tierreichs mehr und wird hier nur aus praktischen Erwägungen beibehalten. Die Gruppe der Huftiere umfaßt 6 rezente (heute lebende) Ordnungen mit sehr unterschiedlicher Artenzahl und sehr unterschiedlichem Erscheinungsbild: Erdferkel, Schliefer, Elefanten, Seekühe, Pferde, Tapire, Nashörner, Schweine, Hirsche, Giraffen, Antilopen, Rinder und viele andere, insgesamt über 200 Arten. Die Gemeinsamkeit der heutigen Huftiere besteht vor allem darin, daß sie sich allesamt von den ausgestorbenen Stammhuftieren (Condylarthra) herleiten lassen. Die gängige Definition »pflanzenessende Säugetiere mit Hufen an den Füßen« trifft nur mit Einschränkungen zu. Allenfalls kann man sagen, daß die Huftiere eine hornige Umkleidung der letzten Zehenglieder besitzen und daß sie sich fast ausnahmslos an die Aufnahme von pflanzlicher Kost angepaßt haben.

ORDNUNG RÖHRCHENZÄHNER (Tubulidentata)
Familie Erdferkel (Orycteropodidae)

ORDNUNG SCHLIEFER (Hyracoidea)
Familie Schliefer (Procaviidae)

ORDNUNG RÜSSELTIERE (Proboscidea)
Familie Elefanten (Elephantidae)

ORDNUNG SEEKÜHE (Sirenia)
Familie Manatis oder Rundschwanz-Seekühe (Trichechidae)
Familie Dugongs oder Gabelschwanz-Seekühe (Dugongidae)

ORDNUNG UNPAARHUFER (Perissodactyla)
Familie Pferde (Equidae)
Familie Tapire (Tapiridae)
Familie Nashörner (Rhinocerotidae)

ORDNUNG PAARHUFER (Artiodactyla)
Familie Schweine (Suidae)
Familie Pekaris (Tayassuidae)
Familie Flußpferde (Hippopotamidae)
Familie Kamele (Camelidae)
Familie Hirschferkel (Tragulidae)
Familie Hirsche (Cervidae)
Familie Giraffen (Giraffidae)
Familie Gabelhorntiere (Antilocapridae)
Familie Hornträger (Bovidae)

Kopfrumpflänge: etwa 40 cm (Schliefer) bis über 7 m (Afrikanischer Elefant)
Schwanzlänge: 0–etwa 2 m
Standhöhe: etwa 20 cm–4 m
Gewicht: etwa 1,5 kg–über 7 t
Auffällige Merkmale: Nagelhufe bei Röhrchenzähnern, Schliefern, Rüsseltieren und Seekühen; »echte« Hufe bei Unpaarhufern und Paarhufern; im übrigen kaum gemeinsame äußere Merkmale; vielfach »Sonderbildungen« wie Stoßzähne, Hauer, Rüssel, Geweihe und Gehörne.
Fortpflanzung: Tragzeit etwa 6–22 Monate; meist 1 Junges je Geburt; Geburtsgewicht etwa 200 g (Schliefer) bis über 100 kg (Elefanten).
Lebensablauf: Entwöhnung mit 3 Monaten bis etwa 2 Jahren; Geschlechtsreife bei kleineren Ar-

Ungulata WISSENSCHAFTLICH
Ungulates ENGLISCH
Ongulés FRANZÖSISCH

ten bereits mit etwa 1 Jahr oder früher, bei großen erst nach mehreren Jahren; Lebensdauer einige Jahre bis 70 Jahre (Afrikanischer Elefant).
Nahrung: In der Regel verschiedenerlei Pflanzenstoffe; bei einigen Arten (Erdferkel, Schweine) vorwiegend oder zusätzlich tierliche Nahrung.
Lebensweise und Lebensraum: Soziale Organisation je nach Art sehr unterschiedlich (Einzelgänger, Familiengruppen, Herden usw.); fast ausnahmslos tagaktiv; in den verschiedensten Lebensräumen, vom Meeresküstengewässer (Seekühe) und Süßwasser (Flußpferde) über Sumpfgebiete, Grasfluren und Wälder bis hinauf zum Hochgebirge.

Zahnkronenmuster
Die Mahlzähne der ursprünglichen insekten- oder fleischessenden Säugetiere besitzen eine Krone mit scharfen Höckern. Bei überwiegend omnivoren (allesessenden) Formen runden sich die Höcker zu stumpfen Hügeln ab (bunodonter Zahn, Schwein – A). Mit dem Übergang zur pflanzlichen Nahrung, die gründlich zerrieben werden muß, werden die Hügel zu kantigen Leisten umgeformt, die entweder einfach (lophodonter Zahn, Nashorn – B) oder in einer kompliziert gefalteten Form angeordnet sind (hypsodonter Zahn, Pferd – C). Bei Wiederkäuern bilden die Leisten halbmondförmige Muster (selenodonter Zahn, Rind – D).

A

B

C

D

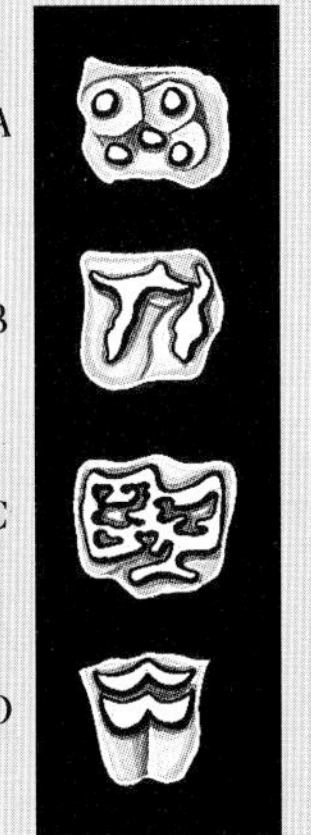

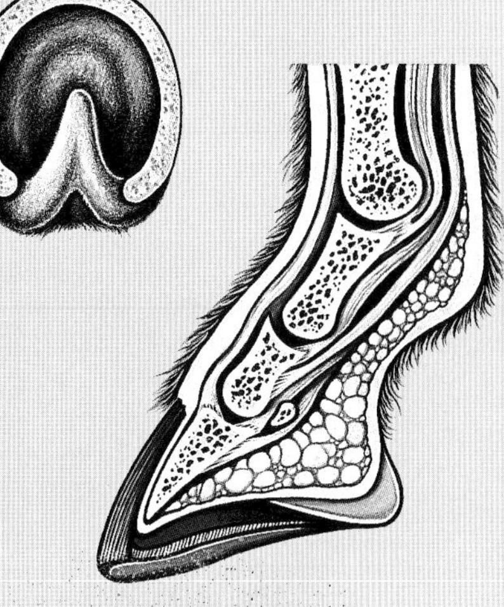

Huf
Hufe bilden eine stark verhornte feste Umhüllung der letzten Finger- bzw. Zehenglieder. Vorne und seitlich liegt die dickste Schicht, die gebogene Hufplatte, die nach unten in einen Tragrand ausläuft, von dem die Körperlast abgefangen wird. Unten befindet sich eine etwas dünnere Hufsohle. Am hinteren Sohlenrand liegt ein elastischer Hufballen. Seine Form wie auch sein Verhornungsgrad sind von Art zu Art unterschiedlich. Beim Pferd (Abbildung) bildet er einen schmalen mittleren Strahl. Die Zehenknochen mit den Sehnen sind nach unten in einem Ballenpolster aus Fett- und Bindegewebe eingebettet.

Körpergröße
Die mit Hufen versehenen langen Gliedmaßen stellen eine hervorragende funktionelle Anpassung zum schnellen Laufen und zum Tragen von großem Körpergewicht dar. Tatsächlich ist auch in der Entwicklungsgeschichte der pflanzenessenden Huftiere eine allgemeine Tendenz zur schnelleren Fortbewegung und zu ständiger Körpervergrößerung nachzuweisen. Unter den Huftieren finden wir auch die größten Landsäugetiere überhaupt. Die Abbildung zeigt die Größenverhältnisse einiger ausgewählter Huftiere. Von links nach rechts: Pudu, Steinbock, Bison, Kamel, Nashorn, Elefant, Giraffe.

HUFTIERE

Einleitung

von Manfred Röhrs

Die »Huftiere« (Ungulata) werden heute nicht mehr als systematische Einheit – als eine Gruppe natürlicher Verwandtschaft – angesehen. Früher wurden zu den »Huftieren« mindestens 16 Ordnungen gestellt, als Gemeinsamkeit ist eine hornige Umkleidung der letzten Zehenglieder zu nennen. Mehrfach und unabhängig voneinander haben sich bei den Säugetieren große Gruppen von Pflanzenessern herausgebildet, die zeigen oft übereinstimmende Anpassungserscheinungen.

»Huftiere« lassen sich wahrscheinlich auf verschiedene Säugetierformen der Kreidezeit zurückführen. Die Mehrzahl der Huftierordnungen ist ausgestorben, sechs haben bis heute überlebt.

Es ist hervorzuheben, daß sich etwa die Hälfte der ausgestorbenen Ordnungen in Südamerika entfaltete und daß dort manche Vertreter bis zum Pleistozän überlebten. Dies hängt sicher mit der langen Isolation Südamerikas zusammen. Die genannten Huftiere hatten durchweg sehr primitive Säugetiergehirne, nur bei späten Vertretern Südamerikas läßt sich eine Höherentwicklung nachweisen.

Bei allen Ordnungen ist eine zunehmende Anpassung an die Aufnahme von Pflanzen zu beobachten, vom ursprünglichen Gebiß kam es zu einer Rückbildung von Schneide-, Eck- und auch Vorbackenzähnen. Werden ausgestorbene Huftiere mit den heutigen Vertretern verglichen, so ist eine Reihe gleichgerichteter Entwicklungen festzustellen: Umbildung von Schneidezähnen zu Stoßzähnen, von Eckzähnen zu Hauern; Bildung von Waffen auf dem Kopf; Umgestaltung der Gliedmaßen bis zur Einstrahligkeit oder Zweistrahligkeit; Vorkommen von Säulenbeinen; Rüsselbildungen sind wahrscheinlich bei den ausgestorbenen Litopterna und Pyrotheria.

Heute leben, wie gesagt, noch sechs Ordnungen der »Huftiere«. Die Röhrchenzähner (Tubulidentata) sind Überrest eines alten Huftierstammes. Die Ordnung ist nur durch eine Art, das Erdferkel, in Afrika südlich der Sahara vertreten. Erdferkel sind spezialisiert, die Gliedmaßen sind als Grabwerkzeuge ausgebildet und tragen Nagelhufe. Die Tiere ernähren sich von Termiten, gelegentlich von Früchten, und zeigen entsprechende Anpassungen.

Die übrigen fünf Ordnungen der heute lebenden »Huftiere« sind drei großen Einheiten zuzuordnen. Die drei Ordnungen Hyracoidea, Proboscidea und Sirenia werden trotz großer äußerer Verschiedenheiten als »Subungulata« zusammengefaßt. Die Schliefer (Hyracoidea) erinnern im Erscheinungsbild an große Nagetiere, sie besitzen Plattnägel an Fingern und Zehen sowie spezialisierte Sohlenpolster, die ein Klettern auf Felsen ermöglichen. Von den Rüsseltieren (Proboscidea) leben heute noch zwei Arten, der Asiatische und der Afrikanische Elefant. Merkmale sind die Ausbildung des Rüssels, die säulenartigen Beine mit

Ihre durchwegs langen, schlanken Beine brauchen die Huftiere, die wie diese Gnus in offenen Landschaften leben, vor allem zum schnellen Laufen, das meist gleichbedeutend ist mit Flucht.

Sohlenkissen, der sehr hohe Entfaltungsgrad des Gehirns und natürlich die Körpergröße. Seekühe (Sirenia) sind pflanzenverzehrende, ans Wasserleben angepaßte Huftiere; sie sind an Küstengewässer und Süßwasser gebunden. Die Vordergliedmaßen sind flossenförmig, am Hinterende ist eine quergestellte Schwanzflosse ausgebildet. Übereinstimmungen zwischen den drei Ordnungen gibt es bei der Gebißausbildung, bei den Nagelhufen, den Hoden und auch im Blutserum. Neuere vergleichend anatomische Untersuchungen legen die Möglichkeit einer Zugehörigkeit der Schliefer zu den Unpaarhufern nahe.

Die Unpaarhufer (Perissodactyla) und die Paarhufer

(Artiodactyla) haben sich parallel auf unterschiedliche Weise entfaltet. Auf verschiedene Weise haben sie ähnliche Lebensräume besetzt. Wichtig ist für beide Ordnungen die Herausbildung von Beinen, die ein schnelles Laufen gestatten; das ermöglicht die Flucht vor Raubtieren und die Überwindung großer Strecken.

Die Herausbildung des Laufbeines beruht auf Verkürzung der oberen und Verlängerung der unteren Gliedmaßenknochen, der untere Abschnitt ist so aufgerichtet, daß nur noch die Endglieder der Fingerstrahlen den Boden berühren. Die Umformung von Hand und Fuß aber ist in den beiden Ordnungen verschieden, bei den Unpaarhufern ist der mittlere Strahl verstärkt, schließlich bis zur Einzehigkeit der Pferde. Bei den Paarhufern sind der 3. und 4. Strahl besonders kräftig ausgebildet.

Bei Huftieren spielt die Celluloseverdauung eine besondere Rolle. Säugetiere haben keine Fähigkeit, die β-Bindung der Glukosemoleküle in der Cellulose zu spalten, es fehlt ihnen das entsprechende Enzym. Celluloseverdauung ist abhängig von der Symbiose mit

Huftierbeine können auch als Waffen eingesetzt werden. Das beweist diese Giraffenmutter, die ihr Kind gegen eine Löwin verteidigt - und wahrscheinlich mit Erfolg.

bestimmten Bakterien, die ein solches Enzym besitzen. Als Räume für die Symbionten wurde bei Subungulaten und Pferden der Blinddarm, bei den Paarhufern der gekammerte Magen in sehr komplizierter Weise umgeändert. In Verbindung mit der Celluloseverwertung werden die Zähne wurzellos und zeigen Dauerwachstum. Die Ausnutzung pflanzlicher Nahrung bis zu Gras ermöglicht auch den Übergang zur Savanne. Dieser neue Lebensraum erforderte hohe Geschwindigkeiten. Den größten Erfolg unter den modernen Huftieren hatten die eigentlichen Wiederkäuer, und da besonders die Hornträger (Bovidae: Schafe, Ziegen, Rinder, Antilopen usw.).

Stammesgeschichte

von Erich Thenius

Wenn hier ein Abriß der Stammesgeschichte der Huftiere gegeben wird, so erscheinen einige Vorbemerkungen notwendig. Auch noch in jüngster Zeit werden die Huftiere unter dem wissenschaftlichen Namen Ungulata als eine systematische Einheit behandelt, die Pflanzenesser umfaßt, deren hornige Umkleidung der letzten Zehenglieder als Hufe ausgebildet ist, die zum Schutz beim Laufen dienen. Schon frühzeitig unterschied man nach dem Bau der Füße die Paarhufer (Artiodactyla) und die Unpaarhufer (Perissodactyla), denen später die Rüsseltiere (Proboscidea), Seekühe (Sirenia) und Schliefer (Hyracoidea) als »Subungulaten« zugezählt beziehungsweise gegenübergestellt wurden. Bei diesen »Subungulaten« sind keine echten Hufe ausgebildet, sondern bestenfalls Plattnägel an Fingern und Zehen vorhanden.

Die fortschreitende wissenschaftliche Erkenntnis, die einerseits durch neue Fossilfunde, andrerseits durch neue Untersuchungsmethoden gewonnen werden konnte, hat gezeigt, daß auch andere Säugetierordnungen zur Huftiergruppe gezählt werden müssen. So sind nach neuesten Erkenntnissen nicht nur die Erdferkel (Tubulidentata), sondern auch die Wale (Cetacea) Abkömmlinge von frühen Stammhuftieren (Condylarthra). Dies bedeutet, daß der Begriff Huftiere (im weiteren Sinne) weder mit große Pflanzenesser noch mit Säugetiere mit Hufen umschrieben werden kann. Im System des nordamerikanischen Säugetierpaläontologen M.C. McKenna aus dem Jahr 1975 findet sich der Begriff Ungulata als systematische Kategorie, welche neben zahlreichen ausgestorbenen Gruppen die heutigen Erdferkel (Tubulidentata), Paarhufer (Artiodactyla), Wale (Cetacea), Unpaarhufer (Perissodactyla), Schliefer (Hyracoidea), Rüsseltiere (Proboscidea) und Seekühe (Sirenia) umfaßt.

Was ist nun kennzeichnend für Huftiere? Eine Antwort auf diese Frage vermag wohl nur der Paläontologe zu geben, der – gestützt auf Fossilfunde – nicht nur Aussagen über das zeitliche Vorkommen und die Gestalt einstiger Lebewesen machen, sondern auch Hinweise auf mögliche Stammformen geben kann, wie dies bereits in anderen Kapiteln der Fall war. Auf die Huftiere bezogen bedeutet dies: Alle von Stammhuftieren (Condylarthra) abstammenden Säugetiere sind

ungeachtet ihres Aussehens als Ungulaten zu bezeichnen. Daß die Wale als besonderer Lebensformtypus hier ausgeklammert wurden, erscheint aus praktischen Gründen verständlich. Andrerseits sind Säugetiere zu den Huftieren zu stellen, die selbst von Zoologen nur schwer als Huftiere angesprochen werden, wie etwa Erdferkel und Seekühe. Sie sind lediglich Beispiele für weitere Lebensformtypen, die durch unterschiedlichen Lebensraum und verschiedene Ernährungsweise völlig vom »normalen« Huftiertyp abweichen. Zu den bereits oben genannten sieben rezenten (heute lebenden) Säugetierordnungen kommen noch insgesamt elf bis zwölf fossile dazu, die im folgenden aufgezählt sind: Condylarthra (Stammhuftiere), Litopterna (Glattferser), Notoungulata (Südhuftiere), Astrapotheria (Sternfußtiere), Pyrotheria (Pyrotherien), Trigonostylopoidea (Trigonostylopoiden), Xenungulata (Xenungulaten), Dinocerata (Dinoceraten), Pantodonta (Pantodonten), Tillodontia (Tillodontier), Embrithopoda (Embrithopoden) und Desmostylia (Desmostylier). Allerdings ist die Zuordnung der Pantodonta zu den Ungulaten (im weiteren Sinne) nicht gesichert.

Diese auch für den Fachmann verwirrende Fülle von Namen ist zwangsläufig notwendig, da die einzelnen Gruppen als Ordnungen im systematischen Sinn jeweils mehr oder weniger gut abgrenzbare Einheiten mit kennzeichnenden Eigenmerkmalen bilden, deren Erwähnung nicht nur der Vollständigkeit halber notwendig erscheint. Aus stammesgeschichtlicher Sicht erscheinen zwei Fragen wichtig:

1. Bilden die Ungulaten tatsächlich eine stammesgeschichtliche Einheit?
2. Welche untereinander vermutlich näher verwandten Untergruppen sind innerhalb der Huftiere zu unterscheiden?

Die erste Frage dürfte mit dem Hinweis auf die Condylarthra als Stammgruppe der übrigen Huftiere hinreichend beantwortet sein. Allerdings ist zu berücksichtigen, daß innerhalb der Condylarthren verschiedene, in unterschiedlicher Richtung spezialisierte Formen bekannt sind, die jeweils als Ausgangsformen für einzelne oder mehrere Ordnungen in Betracht kommen. Diese werden deswegen auch verschiedentlich als eigene Ordnungen (z.B. Arctocyonia für Arctocyonidae und Acreodi für Mesonychidae) abgetrennt.

Die zweite Frage ist nicht so einfach zu beantworten, da unter den Wissenschaftlern verschiedene Auffassungen und Interpretationen vertreten werden. Dies ist nicht zuletzt vom jeweiligen Kenntnisstand, der sich besonders bei fossilen Formen ständig erweitert, abhängig. Zunächst scheinen die südamerikanischen Huftiere mit den Litopternen, Notoungulaten, Pyrotherien, Astrapotherien, Trigonostylopoiden und Xenarthren eine Gruppe zu bilden, die vermutlich von den Didolodontiden unter den Condylarthren abstammt (= Meridiungulata McKenna). Allerdings ist hier – außer der verschiedentlich gehandhabten, aber an sich eher nebensächlichen Zuordnung der Pyrotherien zu den Notoungulaten – zu bemerken, daß Ph. D. Gingerich von der Michigan University die südamerikanischen Xenungulaten als Angehörige nordamerikanischer Dinocerata ansieht. Eine weitere Gruppe untereinander näher verwandter Huftiere bilden die seinerzeit wegen ihrer eher als mehr oder weniger halbmondförmigen Nägel denn als Hufe ausgebildeten Zehennägel als »Subungulata«, später von G.G. Simpson zusammen mit anderen ausgestorbenen Säugetieren als Paenungulaten (= Fast-Huftiere) bezeichneten Pflanzenesser, nämlich die Rüsseltiere und Seekühe sowie vermutlich die Schliefer und die Desmostylier (= Tethytheria McKenna, ohne Hyracoidea). Die nahen verwandtschaftlichen Beziehungen der in Aussehen und Lebensweise so verschiedenen Elefanten und Seekühe werden – abgesehen von ihrem Ursprungsgebiet im Tethysbereich (Tethys = das bis zum Alttertiär bestehende »Mittelmeer«) – durch verschiedene anatomische Gemeinsamkeiten bestätigt. Nicht ganz so sicher ist dies für die Schliefer (Hyracoidea), die einst und in jüngster Zeit mit den Unpaarhufern, aber auch mit den Erdferkeln in Verbindung gebracht werden. Allerdings scheinen die Ähnlichkeiten der Schliefer mit Unpaarhufern eher auf Parallelerscheinungen in der Entwicklung zurückzuführen zu sein. Aus biochemischer Sicht stehen die Schliefer jedenfalls den Unpaarhufern nicht näher. Die Desmostylier sind eine ausgestorbene Gruppe meeresbewohnender Säugetiere, die – solange keine Skelettreste des Rumpfs und der Gliedmaßen bekannt waren – den Seekühen zugeordnet wurden. Vollständig erhaltene Skelette zeigten jedoch, daß Vorder- und Hintergliedmaßen vollständig und fünfzehig entwickelt sind und kein Ruderschwanz ausgebildet war.

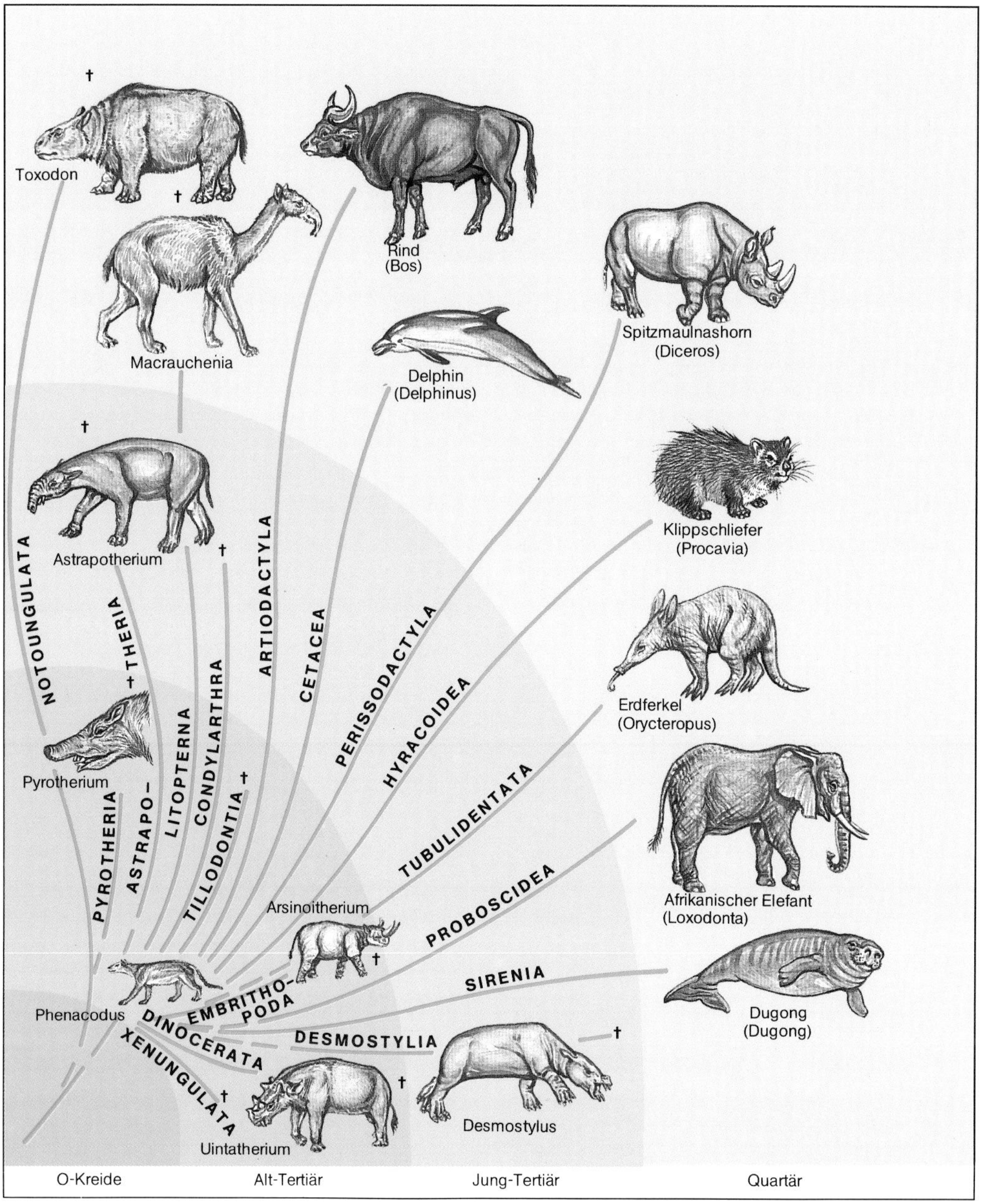

Toxodon
Macrauchenia
Rind (Bos)
Spitzmaulnashorn (Diceros)
Delphin (Delphinus)
Astrapotherium
Klippschliefer (Procavia)
Erdferkel (Orycteropus)
Pyrotherium
Afrikanischer Elefant (Loxodonta)
Arsinoitherium
Phenacodus
Dugong (Dugong)
Desmostylus
Uintatherium
NOTOUNGULATA
ASTRAPO-THERIA
PYROTHERIA
LITOPTERNA
CONDYLARTHRA
TILLODONTIA
ARTIODACTYLA
CETACEA
PERISSODACTYLA
HYRACOIDEA
TUBULIDENTATA
PROBOSCIDEA
EMBRITHO-PODA
SIRENIA
DESMOSTYLIA
DINOCERATA
XENUNGULATA
O-Kreide
Alt-Tertiär
Jung-Tertiär
Quartär

Schematische Darstellung der Evolution der Huftiere, einer systematisch umstrittenen, weil sehr uneinheitlichen Gruppe des Tierreichs.

Die Tiere dürften ähnlich den heutigen Walrossen amphibisch, also im Wasser und auf dem Land, an den Küsten des Pazifik gelebt haben. Ein Vordergebiß aus Stoßzähnen und die aus Zahnsäulen bestehenden Backenzähne als Quetschgebiß verstärken diesen Eindruck.

Wieweit die Erdferkel (Tubulidentata) den Fast-Huftieren näher stehen als sonstigen Huftieren, wird derzeit erörtert. Jedenfalls besteht kein Zweifel darüber, daß diese vorwiegend von Termiten, aber auch von Kürbissen lebenden und mit Grabklauen bewehrten Säugetiere von Condylarthren abstammen und ihre Anpassungen an Lebens- und Ernährungsweise erst im Laufe der älteren Tertiärzeit erworben haben. Ähnliches gilt für die Embrithopoden mit *Arsinoitherium* aus dem Alttertiär Afrikas. Auch in diesem Fall

stehen die näheren verwandtschaftlichen Beziehungen zur Diskussion. Sind es Angehörige der Paenungulaten, die den Dinoceraten nahestehen?

Somit bleiben eigentlich nur die »klassischen« Huftiere, wie Paar- und Unpaarhufer sowie die Pantodonta und Tillodontia zu erwähnen übrig. Paarhufer und Unpaarhufer haben sich sehr frühzeitig getrennt und lassen sich auf zwei verschiedene Gruppen unter den Condylarthren, nämlich auf die Phenacodontoidea einerseits und vermutlich auf die Arctocyonoidea andererseits zurückführen. Letztere dürften auch die Stammgruppe der artenarmen Gruppe der Tillodontier des Alttertiärs der nördlichen Halbkugel bilden, sofern man sie nicht überhaupt als Untergruppe der Condylarthra einordnet. Krallenförmige Endzehenglieder und ein Schlüsselbein sind zweifellos altertümliche Merkmale, ein Paar nagezahnähnlich vergrößerte Schneidezähne im Ober- und Unterkiefer sind Spezialisationserscheinungen dieser Pflanzenfresser. Während für die Paarhufer unmittelbare Ahnenformen unter den Arctocyonoidea noch nicht bekannt sind, stößt die Abgrenzung früher Perissodactylen von Phenacodontiden auf Schwierigkeiten. Für die Pantodonten (Pantodonta) des Alttertiärs ist, wie bereits erwähnt, die Zugehörigkeit zu den Ungulaten fraglich, manche Merkmale weisen eher auf Beziehungen zu Raubtieren hin.

Nach diesen einleitenden Bemerkungen erscheinen einige Angaben über die wiederholt als Wurzelgruppe aller Ungulaten erwähnten Stammhuftiere (Condylarthra) angebracht. Als der berühmte amerikanische Paläontologe Edward Drinker Cope (1840–1897) im vorigen Jahrhundert die Wirbeltiere des nordamerikanischen Tertiärs untersuchte, beschrieb er im Jahr 1873 aus Schichten des ältesten Tertiärs (Alteozän) auch Skelettreste eines altertümlichen fünfzehigen, ungefähr wolfsgroßen Huftieres als *Phenacodus primaevus.* Zahlreiche sonstige altertümliche Merkmale, wie vollständiges Gebiß (Zahnformel $\frac{3\cdot1\cdot4\cdot3}{3\cdot1\cdot4\cdot3}$) mit kräftigen Eckzähnen und niedrigkronigen Backenzähnen mit höckerförmigem Kronenmuster, wie es für Allesesser üblich ist, ungefurchtes Großhirn mit gut entwickelten Riechkolben, kurzer Gesichtsschädel, Augenhöhlen in Schädelmitte sowie getrennte Unterarm- und Unterschenkelknochen, kennzeichnen dieses Huftier, dessen Endzehenglieder noch keine richtigen Hufe besaßen. Von Cope ursprünglich als altertümliche Unpaarhufer angesehen, trennte er 1881 *Phenacodus* und andere alttertiäre Huftiere als Condylarthra ab, ein Begriff, der verschiedentlich durch den Namen Protungulata ersetzt wurde.

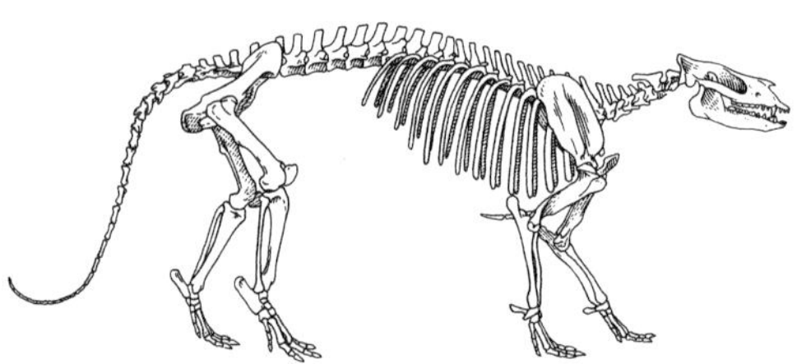

Skelett des aus dem Alteozän stammenden wolfsgroßen, fünfzehigen *Phenacodus,* der zu den Stammhuftieren und somit zu den Ahnen der heutigen Huftiere gehört.

Als Angehörige der Condylarthren werden nunmehr auch jene vorzeitlichen Säugetiere eingestuft, die ursprünglich als Urraubtiere (Creodonta) angesehen wurden. Es sind dies einerseits die Arctocyonoidea (=Procreodi Matthew), andrerseits die Mesonychoidea (=Acreodi Matthew), die bereits oben als vermutliche Stammformen der Paarhufer beziehungsweise der Wale erwähnt wurden. Es fehlt ihnen die für (Ur-)Raubtiere kennzeichnende Brechschere im Gebiß, das heißt, es ist kein Backenzahnpaar schneidend vergrößert. Das Gebiß von *Arctocyon primaevus* (Arctocyonidae) aus dem ältesten Tertiär (Paleozän) Europas wirkt durch die stark entwickelten Eckzähne zwar raubtierhaft, doch sind die Backenzähne verbreitert, ähnlich wie bei den heutigen Bären, die bekanntlich Allesesser sind. Massige Jochbögen und ein mächtiger Scheitelkamm sprechen für eine kräftige Kaumuskulatur. Die Endzehenglieder sind nicht abgeflacht und zudem gespalten, was auf gut verankerte Hornkrallen schließen läßt.

Bei *Mesonyx obtusidens* (Mesonychidae) aus dem Mitteleozän Nordamerikas ist auch ein raubtierhaftes Vordergebiß mit kräftiger Kaumuskulatur gekoppelt, doch zeigen die meist dreihöckrigen Oberkiefer-Backenzähne die Neigung zur Vereinfachung, die Schnauze jene zur Verlängerung. Die vierzehigen Gliedmaßen weisen die Tendenz zur Paraxonie, das heißt zur Verstärkung der 3. und 4. Zehe ähnlich den Paarhufern auf, eine Entwicklungsrichtung, wie sie auch für die Fußwurzel zu beobachten ist.

Als weitere Angehörige der Condylarthra seien hier noch die Periptychoidea mit *Periptychus* sowie die Didolodontiden und Meniscotheriden (als Phenacodontoidea) erwähnt. Bei *Periptychus* aus dem Paleozän

Nordamerikas kommt es zur Vergrößerung einzelner Backenzähne ($P\frac{3}{3}$ und $P\frac{4}{4}$). *Didolodus* und verwandte Gattungen aus dem ältesten Tertiär Südamerikas sind nur wenig von den nordamerikanischen Phenacodonten verschieden. Sie gelten als Ahnenformen der gleichfalls südamerikanischen Huftiergruppe der Litopterna und wurden ursprünglich auch als solche aufgefaßt. Die Meniscotheriiden sind hier nur deswegen aufgeführt, weil verwandtschaftliche Beziehungen mit den Schliefern beziehungsweise den Tubulidentaten angenommen wurden oder werden.

Die gegenwärtig durch das Erdferkel *(Orycteropus afer)* vertretenen Röhrenzähner (Tubulidentata) zählen zweifellos zu den eigenartigsten Gestalten, welche die Säugetiere hervorgebracht haben. Die Erdferkel sind, wie bereits erwähnt, Überlebende der Stammhuftiere, die sich jedoch dank ihrer eigentümlichen Lebens- und Ernährungsweise völlig von diesen unterscheiden. *Orycteropus afer* wurde früher zu den Zahnarmen (Edentata bzw. Xenarthra = Nebengelenktiere) gestellt oder mit den Schuppentieren in Verbindung gebracht, weist jedoch keine verwandtschaftlichen Beziehungen zu ihnen auf. Ähnlichkeiten wie der stark verlängerte röhrenförmige Schädel, kräftige Zunge, das stark rückgebildete Gebiß und die starken Grabklauen beruhen auf gleichsinnigen Anpassungen, die mit der Ernährung (hauptsächlich Termiten) zusammenhängen. Der englische Anatom G. Elliot Smith erkannte bereits 1898 Beziehungen zu altertümlichen Huftieren. Diese Erkenntnisse wurden seither durch die Kenntnis alttertiärer Condylarthra (vor allem Meniscotheriidae) gestützt, doch werden die Erdferkel neuerdings durch de Jong & Goodman auch mit den Paenungulaten in Verbindung gebracht. Wie dem auch sei, es ist für die Tubulidentaten, die durch den Zahnbau innerhalb der Säugetiere völlig isoliert stehen, ein langer stammesgeschichtlicher Eigenweg anzunehmen. Die Mischung altertümlicher Merkmale (z.B. Bau des Gehirns mit riesigen Riechkolben, kleinem Großhirn und völlig abgesetztem Kleinhirn) mit hochspezialisierten (z.B. Schädelform, stark rückgebildetes Gebiß, Zungenapparat, Grabgliedmaßen) ist einmalig unter den Säugetieren und bestätigt diese Annahme. Fossilfunde aus dem Tertiär Afrikas bezeugen, daß es einst zumindest zwei Stämme gab. Erdferkel waren im Jungtertiär auch in Europa und Westasien heimisch. Angebliche Tubulidentaten aus dem Alttertiär Europas und Nordamerikas gehören anderen Säugetiergruppen an. Auch das Vorkommen von *Plesiorycteropus* im Pleistozän Madagaskars reicht zum sicheren Nachweis von Tubulidentaten auf Madagaskar nicht aus.

Die für die Erdneuzeit (Känozoikum) Südamerikas so kennzeichnenden Huftiere lassen sich vermutlich alle auf Condylarthren zurückführen. Allerdings ist die Trennung von diesen zum Teil bereits sehr früh, nämlich im jüngsten Erdmittelalter, erfolgt, wie der Nachweis von *Perutherium* aus der späten Kreidezeit Perus belegt. *Perutherium* ist nach L. G. Marshall und Mitarbeiter kein Condylarthra, wie ursprünglich angenommen, sondern ein Notoungulate. Dies spricht sehr für die Entstehung der Südhuftiere (Notoungulata) in Südamerika. Spärliche Reste aus dem Alttertiär von Nordamerika und Asien wurden jedoch immer wieder als Beweis für den Ursprung dieser Huftiere auf der nördlichen Halbkugel angesehen.

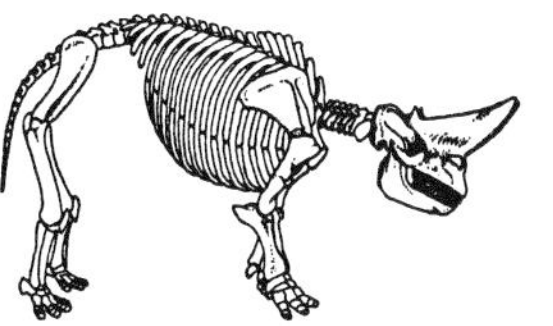

Das nashorngroße *Arsinoitherium* gilt als »Außenseiter« in der verwickelten Stammesgeschichte der Huftiere.

Die mindestens vier verschiedenen Ordnungen angehörigen Huftiere aus dem Tertiär Südamerikas sind deshalb so interessant, weil sie besonders beeindrukkende Beispiele für gleichsinnige Anpassungen (Konvergenzen) bieten. Südamerika war fast die ganze Tertiärzeit hindurch von der übrigen Welt abgesondert. Dadurch fehlten damals in Südamerika nicht nur »echte« Huftiere (in Form von Paar- und Unpaarhufern), sondern auch Raubtiere, Hasen- und Rüsseltiere sowie Schliefer. Erst zur jüngsten Tertiärzeit, im Pliozän, entstand der Panama-Isthmus als Landbrükke, so daß nunmehr auch große Landsäugetiere von Nordamerika über Mittelamerika nach Südamerika gelangen konnten. Es waren dies im Quartär die Paar- und Unpaarhufer, Raub-, Nage-, Hasen- und Rüsseltiere, von denen die Rüsseltiere, aber auch etliche Huftiere (z. B. Einhufer) seither in Südamerika wieder ausgestorben sind.

Die Glattferser (Litopterna) sind die Gegenstücke zu den Pferdeartigen. Wegen ihres »mesaxonen« Gliedmaßenbaues (3. Zehe als Hauptstrahl) hielt man sie

ursprünglich auch für Unpaarhufer. Sie stehen jedoch den Stammhuftieren näher und haben, ähnlich wie die Unpaarhufer, dreizehige und einhufige Formen, allerdings bereits im Miozän, hervorgebracht. *Diadiaphorus* als Dreizeher läßt sich im Gliedmaßenbau mit *Merychippus*, *Thoatherium* als Einhufer mit *Equus* unter den Pferden vergleichen. So verblüffend die Ähnlichkeiten und Übereinstimmungen im Gliedmaßenskelett auch sind, so zeigen Schädel und Gebiß, daß es sich nicht um Unpaarhufer, sondern um Angehörige der Litopterna handelt. Mit *Macrauchenia patagonica*, einer dreizehigen kamelgroßen Art aus dem Pleistozän Argentiniens, haben die Glattferser einen einmaligen Huftiertyp hervorgebracht, dem ein Gegenstück unter den übrigen Huftieren fehlt. Tiefe Muskelgruben im Bereich der auf die Stirnoberseite verschobenen Nasenlöcher lassen auf einen langen, muskulösen

Jungeiszeitliche Kaltsteppenlandschaft mit Wollnashorn, Mammuten und Rentierherde.

Rüssel schließen, der als Anpassung an sandsturmgepeitschte Trockengebiete gedeutet wird. Die Glattferser starben mit der jüngeren Eiszeit aus.

Die viel arten- und formenreicheren Südhuftiere (Notoungulata) haben hasen- bis nashorngroße Arten hervorgebracht, die ursprünglich als Schliefer, Halbaffen, Hasen, Pferde und – sofern man die Pyrotherien (Pyrotheria) nur als Untergruppe der Notoungulaten betrachtet – als Rüsseltiere angesehen wurden. Die mannigfaltigen Lebensräume und das Fehlen von Konkurrenz durch andere bodenbewohnende Pflanzenesser außer den Gürtel- und Riesenfaultieren, haben zu dieser Formenmannigfaltigkeit geführt, die erst mit der jüngeren Eiszeit gänzlich verschwunden ist. Die stammesgeschichtliche Einheit der Südhuftiere wird durch den kennzeichnenden Bau der Gehörregion belegt. Als bekannteste Typen sind die hasentierähnlichen Hegetotherien (z.B. *Hegetotherium, Pachyrukhos, Paedotherium*), die schlieferartigen Typotherien (z.B. *Protypotherium*), die den Chalicotherien unter den Unpaarhufern vergleichbaren Homalodotherien (z.B. *Homalodotherium*), die pferdeähnlichen Notohippiden (z.B. *Rhynchippus, Morphippus, Notohippus*) und die mit Nashörnern vergleichbaren Toxodonten (z.B. *Nesodon, Toxodon*) zu erwähnen. Andere Notoungulaten, wie etwa *Miocochilius*, entsprechen im Gliedmaßenbau den Paarhufern. Mit *Pyrotherium* aus dem Alttertiär, als Vertreter der Pyrotheria, die vermutlich die Schwestergruppe der Notoungulaten bilden, ist ein großer elefantenähnlicher Pflanzenesser genannt, der ursprünglich, wegen des Backenzahngebisses, mit den altweltlichen Dinotherien unter den Rüsseltieren in Verbindung gebracht wurde. Zwei Paar Ober- und ein Paar Unterkieferschneidezähne sind zu wurzellosen und schwach gekrümmten Stoßzähnen vergrößert.

Gegenüberliegende Seite: Einzige Art aus der Ordnung der Röhrchenzähner – das Erdferkel.

Die übrigen tertiärzeitlichen Huftiere Südamerikas lassen sich entweder mit Flußpferden, wie die nashorngroßen Astrapotherien (z.B. *Astrapotherium*, mit zu Hauern umgeformten Eckzähnen) als Astrapotheria, oder mit den Dinoceraten der Nordhalbkugel vergleichen, wie *Carodnia* als Angehörige der Xenungulaten (Xenungulata).

Die Dinoceraten (Dinocerata) sind bisher nur aus dem Alttertiär Nordamerikas und Asiens bekannt geworden. Es waren meist großwüchsige, fünfzehige Pflanzenesser. Zur bekanntesten Gattung zählt *Uintatherium* aus dem Jungeozän mit knöchernen Schädelfortsätzen und dolchförmig verlängerten Oberkiefer-Eckzähnen.

Wie lückenhaft die Fossilüberlieferung ist, zeigt die Entdeckung des bereits oben kurz erwähnten nashorngroßen Huftieres *Arsinoitherium zitteli* im Alttertiär Ägyptens, das innerhalb der Huftiere weitgehend allein steht. Die Merkmalsmischung: vollständiges Gebiß mit hochkronigen, zweijochigen Backenzähnen, riesige knöcherne Nasen- und kleine Stirnzapfen und plumpe, fünfzehige Gliedmaßen hat die Abtrennung als eigene Ordnung (Embrithopoda) notwendig gemacht. Erst in jüngster Zeit sind weitere Reste von Embrithopoden aus dem Alttertiär Südeuropas und Kleinasiens beschrieben worden. Unmittelbare Ahnenformen sind noch unbekannt.

RÖHRCHENZÄHNER

Kategorie
ORDNUNG

Systematische Einteilung: Ordnung der Säugetiere mit 1 Familie (Orycteropodidae), die heute nur noch durch 1 Gattung *(Orycteropus)* und eine einzige Art mit zahlreichen Unterarten vertreten ist: das Erdferkel *(Orycteropus afer)*.
Über die systematische Stellung der Erdferkel bestand lange Zeit Unklarheit. Sie wurden zunächst den Zahnarmen (Edentata bzw. Xenarthra) oder Schuppentieren (Pholidota) zugerechnet, bis man in ihnen Abkömmlinge der Stammhuftiere (Condylarthra) erkannte.
Sie gehören demnach zur Gruppe der Huftiere (Ungulata), in der sie freilich aufgrund ihrer körperlichen Merkmale und ihrer eigentümlichen Lebens- und Ernährungsweise eine Sonderstellung innehaben.

Kopfrumpflänge: etwa 110 cm
Schwanzlänge: 60–70 cm
Standhöhe: etwa 60 cm
Gewicht: 60–80 kg
Auffällige Merkmale: Plumper Körper mit stark gewölbtem Rücken; verhältnismäßig langer, muskulöser känguruhartiger Schwanz; stämmige, vergleichsweise kurze Gliedmaßen, hinten länger als vorne; hintere Füße fünfzehig, Vorderfüße vierzehig und zu sehr leistungsfähigen Grabklauen umgestaltet; Zehen mit langen, kräftigen Nagelhufen; graue bis rosafarbige Haut nur spärlich behaart; Behaarung je nach Unterart verschieden; lang ausgezogener Kopf mit schweineähnlicher Schnauze; lange, tütenförmige Ohren; stark rückgebildetes Gebiß, bestehend nur aus Backenzähnen, die aus zahlreichen sechseckigen Prismen (»Röhrchen«) aufgebaut sind; ausstreckbare lange, wurmförmige, aber abgeplattete Zunge; sehr stark entwickelte Speicheldrüsen, die den Hals hufeisenförmig umgeben; ziemlich großer sackförmiger Magen; großer Blinddarm; sehr gutes Riechvermögen; Afterdrüsen mit stark duftendem Sekret bei beiden Geschlechtern; Weibchen mit 2 leistenständigen Zitzenpaaren.

Tubulidentata WISSENSCHAFTLICH

Aardvarks, Antbears ENGLISCH

Tubulidentés FRANZÖSISCH

Fortpflanzung: Tragzeit etwa 7 Monate; 1 Junges je Geburt; Geburtsgewicht 1700–1900 g.
Lebensablauf: Entwöhnung nach etwa 3 Monaten; Geschlechtsreife nach 2 Jahren; Lebensdauer in Menschenobhut bis 23 Jahre.

Nahrung: Überwiegend Termiten, auch andere Insekten; gelegentlich saftige Kürbisse.
Lebensweise und Lebensraum: Nachtaktiv, tagsüber in selbstgegrabenen unterirdischen Bauen mit zickzackförmig verlaufenden langen Tunnels; tüchtige Gräber, die sehr schnell im Boden verschwinden können; vorwiegend Einzelgänger; in unterschiedlichen Lebensräumen (Steppe, Savanne, Regenwald) mit ausreichendem Termitenangebot.

Schädel und Gebiß
Wie alle ameisen- bzw. termitenessenden Säugetiere zeigen auch die Röhrchenzähner eine ganze Reihe von Sonderanpassungen. Dazu gehört ein stark verlängerter Schädel mit schmalen Kiefern und ein vereinfachtes Gebiß. Nur vier bis fünf Mahlzähne sind

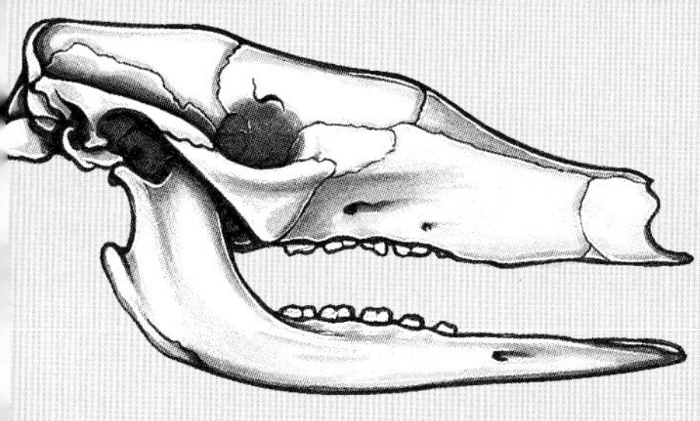

erhalten geblieben. Sie sind stark abgeflacht und wurzellos. Die Schneide- und Eckzähne sind völlig zurückgebildet.

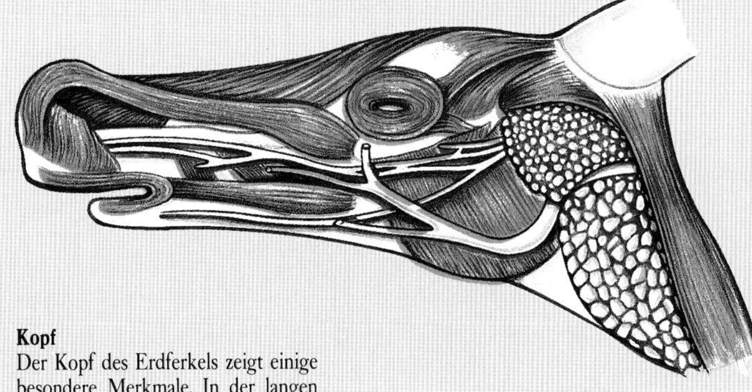

Kopf
Der Kopf des Erdferkels zeigt einige besondere Merkmale. In der langen röhrenförmigen Schnauze verbergen sich zehn Nasenmuscheln, die höchste Zahl unter allen plazentalen Säugetieren. Die Schnauze endet mit einem kurzen verbreiterten Rüssel, für dessen Beweglichkeit stark umgewandelte mimische Muskeln sorgen. In der Mundhöhle liegt eine ausstreckbare wurmförmige Zunge. Der Hals wird von riesigen Speicheldrüsen hufeisenförmig umgeben.

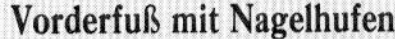

Vorderfuß mit Nagelhufen
Die Füße sind zu kräftigen Grabwerkzeugen umgewandelt. Die Hinterfüße besitzen fünf, die Vorderfüße (Abbildung) nur noch vier Zehen. Die Zehen tragen lange massive Nagelhufe, die eine Zwischenform zwischen Nägeln und Hufen darstellen.

Zahnschnitt mit Dentinröhrchen
Die Feinstruktur der Zähne zeigt Besonderheiten, die man bei keinem anderen Säugetier findet. Jeder Mahlzahn besteht aus etwa einem Tausend senkrecht stehender Dentinröhrchen (Zahnbein), die von außen her von einer durchgehenden Zementschicht zusammengehalten werden. Nach diesem einzigartigen Zahnaufbau ist auch die ganze Ordnung benannt worden (lat. *tubuli* = Röhrchen; dens, dentis = Zahn).

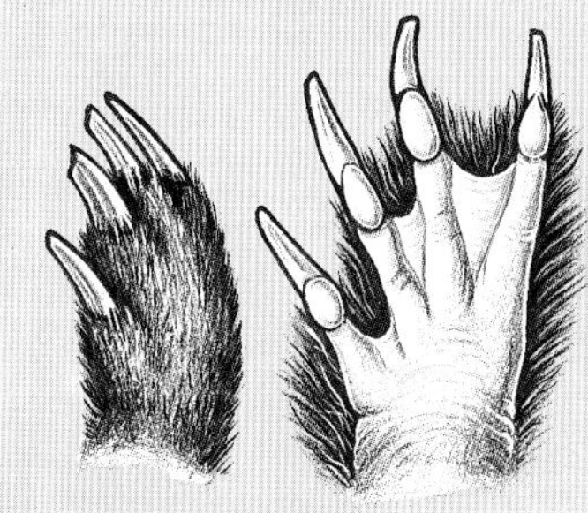

RÖHRCHENZÄHNER

Erdferkel

von Urs Rahm

Das afrikanische ERDFERKEL *(Orycteropus afer)*, der einzige heutige Vertreter der gesamten Röhrchenzähner-Ordnung, kann man, von seiner äußeren Gestalt her, kaum mit einem anderen Säugetier verwechseln. Der etwa einen Meter lange Körper mit seinem stark gewölbten Rücken ist schweineähnlich. Der kräftige, muskulöse Schwanz mißt 60 bis 70 Zentimeter und gleicht demjenigen eines Känguruhs. Das Gewicht wird mit 60 bis 80 Kilogramm angegeben, die Schulterhöhe beträgt 60 Zentimeter, der Körperumfang rund einen Meter. Die stämmigen, eher kurzen Gliedmaßen ruhen auf fünfzehigen Hinterläufen und vierzehigen Vorderfüßen. Die Hinterbeine sind länger als die Vorderbeine. Die Zehen der Vorderfüße sind zu vortrefflichen Grabklauen umgestaltet, die Klauen der Hintergliedmaßen sind kürzer und schwächer. Obwohl das Erdferkel als Sohlengänger beschrieben wird, geht es auf den Zehen. Die Sohlenschwielen setzen auf dem Boden auf, wenn das Tier die kennzeichnende Hockstellung einnimmt. Der Kopf ist langgezogen und endet in einer schweineähnlichen Schnauze. Die Nüstern sind seitlich mit langen Haaren besetzt. Die Augen sind nur so groß wie die eines Hasen. Ihr Bau verrät, daß Erdferkel nachtaktiv sind; die Netzhaut besitzt nur Stäbchen. Die tütenförmigen Ohren sind 20 bis 25 Zentimeter lang. Die graue bis rosafarbige Haut ist nur spärlich mit Haaren besetzt, die in Gruppen von drei bis vier angeordnet sind. Einige geographische Rassen sind dichter behaart als andere. Oft ist jedoch der Körper mit einer Erdkruste bedeckt, die dem Tier eine entsprechend andere Färbung verleiht. Der längliche Schädel hat einen dünnen, aber vollständigen Jochbogen. Die lange, wurmförmige, aber abgeplattete Zunge ist etwa 30 Zentimeter lang. Sie dient zur Aufnahme der Nahrung, die vorwiegend aus Insekten besteht. In diesem Zusammenhang sind die Speicheldrüsen sehr stark entwikkelt; sie versorgen die Zunge mit Speichel, an dem die Insekten haften bleiben. Der ziemlich große, sackförmige Magen ist einfach gebaut, allerdings ist dessen Pförtnerteil mit starken Muskeln versehen. Der Mitteldarm hat eine Länge von 14 Metern, der Enddarm mißt 2,50 Meter. Für einen Insektenesser hat das Erdferkel einen großen Blinddarm. Beide Geschlechter besitzen Drüsen um den After, die eine stark riechende gelbe Flüssigkeit ausscheiden. Obwohl jeweils nur ein Jungtier zur Welt kommt, hat das Weibchen zwei Paar leistenständige Zitzen.

Das Erdferkel hat einen erstklassigen Geruchssinn; es besitzt mit neun inneren Riechwülsten deren höchste Anzahl unter den Säugetieren. Am ursprünglich gebauten Gehirn fallen die großen Riechlappen auf. Die Zähne des Erdferkels sind so außergewöhnlich, daß ihnen die Tubulidentata (Röhrchenzähner) ihren Namen verdanken. Das endgültige Gebiß weist nur Backenzähne auf, die alle sehr ähnlich aussehen, wurzellos sind und zeitlebens wachsen. Sie besitzen keinen Schmelz, sind aber außen mit einer Zementschicht bedeckt. Jeder Zahn ist aus sechseckigen Prismen von Dentin (Zahnbein) aufgebaut. Die Anzahl der Pris-

Im Zoo kann das Erdferkel es sich leisten, auch außerhalb des Baus zu schlafen.

men schwankt je nach Zahngröße. Der größte Bakkenzahn setzt sich aus rund 1500 solcher Prismen zusammen! Jedes Prisma enthält in seiner Mittelachse eine Zahnhöhle (Pulpa), die mit Zellen, Nerven und Blutgefäßen gefüllt ist (deshalb Röhrchenzähner). Für gewöhnlich sind je Kieferhälfte fünf funktionstüchtige Backenzähne vorhanden, es können aber auch nur vier oder bis sechs sein. Im Gegensatz zu den endgültigen Zähnen haben die kleinen Milchzähne eine geschlossene Wurzel und eine Krone; sie sind nicht funktionstüchtig und brechen sogar selten durch.

Das Erdferkel besitzt keinerlei verwandtschaftliche Beziehungen zu den Ameisenbären und Schuppentieren, es handelt sich um reine Konvergenzerscheinungen (ähnliches Aussehen, gleiche Nahrung). Die Erdferkel sind spezialisierte Nachkommen altertümlicher Huftiere (Condylarthra). Vergleichende Untersuchungen an Gehirn, Gebiß und Skelett weisen auf eine solche Verwandtschaft hin. Aus den bis heute bekannten Fossilfunden schließt Bryan Patterson, daß die ersten Erdferkelverwandten Ende des Paleozäns in Afrika entstanden sind. Die Gattung *Plesiorycteropus* von Madagaskar wurde sehr früh (Eozän) von den übrigen Arten getrennt. Der älteste bekannte Vertreter der Röhrchenzähner, *Myorycteropus africanus*, wurde in Kenia in Ablagerungen des Miozäns gefunden. Eine weitere Art, *Leptorycteropus guilielmi*, stammt ebenfalls aus Kenia, gehört aber dem Pliozän an. Der älteste Vertreter der Gattung *Orycteropus*, *O. mauritanicus*, ist im mittleren Miozän in Algerien ausgegraben worden. Ebenso alt sind auch Reste eines fossilen Erdferkels aus Kenia. Vor Jahrmillionen haben Erdferkelarten nicht nur Afrika, sondern auch Südeuropa und Vorderasien bewohnt. *Orycteropus gaudryi* lebte im Mittelmeergebiet und in Iran, *O. pottieri* ist aus der Türkei bekannt, und *O. depereti* wurde in Südfrankreich gefunden (alle drei im Pliozän). Aus Pleistozänschichten in Kenia stammt *O. crassidens*.

Das heutige Verbreitungsgebiet des Erdferkels um-

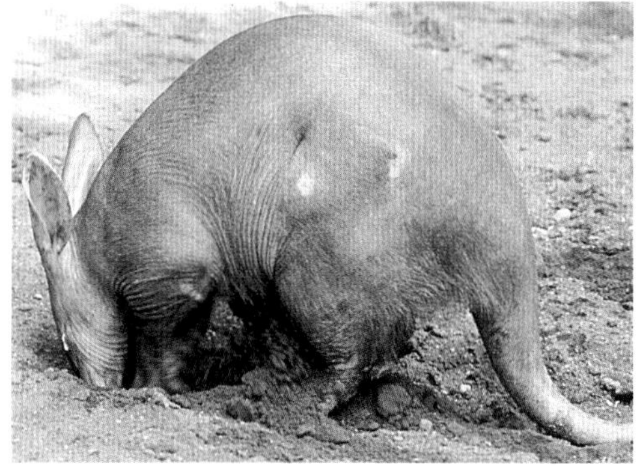

Links: Ein Erdferkel gräbt sich ein. Dazu benutzt es die großen Krallen der Vorderfüße, während die Hinterfüße die lockere Erde nach hinten befördern. – Unten: An diesem Ganzporträt kann man die Hauptmerkmale des Erdferkels ablesen: lange, schweineähnliche Schnauze; große Tütenohren; plumper Körper mit kräftigen, verhältnismäßig kurzen Beinen, die hinten länger sind als vorne; langer, muskulöser Schwanz.

Im Schutze eines mächtigen Termitenhügels legt dieses Tier eine Ruhepause ein, nachdem es bereits eine Bresche in die steinharte Wand seiner »Speisekammer« gegraben hat.

faßt Afrika südlich der Sahara. Lange Zeit galt es als eigentlicher Savannenbewohner, bis zu Anfang dieses Jahrhunderts auch Tiere aus den Regenwaldgebieten von Kamerun, Gabun und Zaire bekannt wurden. Das Erdferkel meidet harten Boden und felsige Gegenden, die das Graben unmöglich machen, und siedelt sich wegen des Grundwasserspiegels auch nicht in sumpfigen Gegenden an. Es fehlt auch in den Bergwäldern und in Höhenlagen, da hier Termiten seltener sind. Sein Vorkommen in den Savannen und Waldgebieten ist mosaikartig. Das Vorhandensein von Termiten in genügender Zahl ist für das Erdferkel lebenswichtig. Deshalb entspricht seine Verbreitung recht gut derjenigen der Riesentermiten *(Macrotermes)* und anderer

Termitengattungen. Das Erdferkel teilt sein Aufenthaltsgebiet im Regenwald mit dem Riesenschuppentier und in den Savannen mit dem Steppenschuppentier, die auch vor allem Termiten verzehren.
Erdferkel sind nirgends häufig. Sie leben einzeln oder paarweise und brauchen ein ziemlich großes Gebiet, um ihren Nahrungsbedarf decken zu können. Infolge ihrer nächtlichen Lebensweise hat man selten Gelegenheit, einem dieser Tiere in der freien Wildbahn zu begegnen. Den Tag verbringen sie schlafend in selbstgegrabenen Erdbauen. Die Erdferkel graben mit einer unglaublichen Schnelligkeit, so daß ein Mensch ihnen kaum nachgraben kann. In einem bereits bestehenden Tunnel bewältigt das Tier einen Meter in fünf Minuten. Bei dieser Arbeit bedient es sich der großen Grabkrallen seiner Vorderfüße. Die Hinterbeine befördern die lockere Erde nach hinten, wobei auch der kräftige Schwanz mithilft, die Erde aus dem Eingang zu schleudern. Das ausgeworfene Material liegt dann halbmondförmig um den Eingang.
Mein Kollege Heini Hediger hat seinerzeit im Garambapark im heutigen Zaire Erdferkelbaue untersucht. Entgegen der damals herrschenden Meinung hat Hediger gezeigt, daß man Erdferkel ausgraben kann. Allerdings waren zwei Dutzend Eingeborene nötig, die während zehn Stunden die Tunnels teilweise aufgraben mußten. Hediger zählte auf einer Fläche von 400 Quadratmetern 27 Eingänge. Allerdings konnte nicht ermittelt werden, ob alle diese Eingänge unterirdisch durch Tunnels verbunden waren, was wohl auch kaum der Fall war. Der amerikanische Forscher Herbert Lang fand im Iturigebiet (Zaire) Baue mit ein, zwei und drei Einstiegen. Der höchste Abstand zweier miteinander verbundener Eingänge betrug 14 Meter. Derek A. Melton untersuchte in Uganda 18 Erdferkelbaue: 13 hatten einen Eingang, zwei hatten zwei, zwei hatten drei und einer fünf Eingänge. Ein Bau mit drei Eingängen wies ein 13 Meter langes Tunnelsystem mit zwei Kammern auf. Die Einstiegröhren haben einen Durchmesser von rund 40 Zentimetern. Die Röhre führt gewöhnlich in einem Winkel von 45 Grad in die Tiefe. Nach ein bis zwei Metern ist der Tunnel oft gegabelt, und die Gänge setzen sich in verschiedenen Ebenen fort. Die Tunnels verlaufen zickzackförmig, und an jeder Biegung befindet sich ein kurzer Blindgang, dessen Bedeutung noch unklar ist. Vielleicht lagert dort das Erdferkel Erde aus anderen Gängen, oder es holt sich dort Material, um die Tunnels zu verstopfen, wenn es sich im Bau befindet. Die Wohnhöhle enthält außer lockerer Erde kein Nistmaterial und mißt einen Meter auf zwei Meter, so daß sich das Tier darin drehen kann. Wahrscheinlich wird derselbe Bau von einem Tier nur während einiger Zeit benützt, oder es bewohnt mehrere Baue gleichzeitig als Folge seiner unsteten Lebensweise. Noch nicht geklärt ist die Frage, wie das Erdferkel während der anstrengenden Grabarbeit unter der Erde atmet. Erdferkel besitzen keine dicke Fettschicht, die zur Wärmeregelung dienen könnte. Die Temperatur im Bau liegt stets um 24 °C, was der Außentemperatur während der Nacht entspricht.
Die Tiere verlassen ihre Höhlen erst bei vollkommener Dunkelheit. Die Art und Weise, wie sie an der Erdoberfläche erscheinen, ist sehr eigenartig. Nachdem das Tier mehrere Minuten unbeweglich in der Eingangsröhre verharrt hat, um zu wittern und zu sichern, schießt es plötzlich in großen Sätzen heraus und befindet sich innerhalb weniger Sekunden gut zehn Meter von seinem Bau entfernt. Es hält dann für kurze Zeit inne, richtet sich hoch auf, spitzt die Ohren und dreht den Kopf nach allen Seiten. Nach ein paar weiteren Sprüngen entfernt es sich in leichtem Galopp und geht auf Nahrungssuche. Auf seinen Streifzügen läßt es ein gedämpftes Grunzen hören, und bevor es in seinem Bau verschwindet, grunzt es heftig. Erschrickt ein Tier, so stößt es blökende Schreie aus wie ein Kalb. Während der Regenzeit sind die Pfade der Erdferkel gut auszumachen, und oft ist eine Schleifspur des Schwanzes zu erkennen. Aufgebrochene Termitenhügel, vor allem die Bauten der Riesentermiten, sind ein sicheres Zeichen, daß die Gegend von Erdferkeln bewohnt ist. Je nach Nahrungsangebot legen die Tiere in einer Nacht zehn bis fünfzehn Kilometer zurück. Gegen Morgen kehren sie in ihre Wohnhöhle zurück oder graben einen neuen Bau. Bei Gefahr graben die Erdferkel in aller Eile wenig tiefe Fluchtröhren. Aus solchen Löchern kommt dann das Tier rückwärts an die Erdoberfläche, da es im Innern nicht wenden kann. Anscheinend ist ihre Grabtätigkeit außergewöhnlich groß, sonst würde man nicht so viele von Erdferkeln unbewohnte Höhlen finden. Verlassene Baue sind aber ökologisch enorm wichtig, da sie verschiedenen anderen Tieren als Wohnung dienen. Der Termitenschmätzer (eine

Röhrchenzähner (Tubulidentata)

Name **deutscher Name** **wissenschaftlicher Name** **englischer Name (E)** **französischer Name (F)**	**Körpermaße** **Kopfrumpflänge (KRL)** **Schwanzlänge (SL)** **Standhöhe (SH)** **Gewicht (G)**	**Auffällige Merkmale**	**Fortpflanzung** **Tragzeit (Tz)** **Zahl der Jungen je Geburt (J)** **Geburtsgewicht (Gg)**
Erdferkel *Orycteropus afer* mit 15 (?) Unterarten E: Aardvark, Antbear F: Oryctérope	KRL: 110 cm SL: 60–70 cm SH: 60 cm G: 60–80 kg	Plumper Körper; schweineähnliche Schnauze; lange Ohren; verhältnismäßig kurze, stämmige Gliedmaßen; känguruhartiger Schwanz	Tz: etwa 7 Monate J: 1 Gg: 1700–1900 g

Drosselart) und die Fledermaus *Nycteris thebaica* finden hier Unterkunft. Die Baue werden auch von Hasen, Mangusten, Hyänen, Erdhörnchen, Eulen, Pythonschlangen und Echsen bewohnt. Viele Tiere würden während der Buschfeuer zugrunde gehen, wenn sie sich nicht in Erdferkelhöhlen retten könnten. Auch als Zufluchtsort vor Feinden sind diese Höhlen höchst willkommen. Vor allem aber nehmen Warzenschweine von Erdferkelbauen Besitz und wohnen mit ihrer ganzen Sippschaft darin.

Der belgische Zoologe R. Verheyen berichtet, daß die Erdferkel gut schwimmen. Ein Tier schwamm auf eine Insel in einem Fluß, dessen Strömung ziemlich stark war.

Das Erdferkel ernährt sich ausschließlich von Kerbtieren. Neben Termiten, welche die Hauptnahrung darstellen, werden auch Ameisen verschlungen. Es verschmäht jedoch die roten Ameisen und die bissigen Treiberameisen. Sein Speisezettel umfaßt aber

Um seine Lieblingsnahrung, die Termiten, aufzuschlekken, braucht das Erdferkel eine lange Zunge, die vor Gebrauch von den großen Speicheldrüsen mit »Klebstoff« versorgt wird.

auch Käfer, Schaben, Heuschrecken und Kerbtierlarven. In einem Erdferkelmagen fand man über 40 Puppen des afrikanischen Pillendrehers. Auf seinen nächtlichen Streifzügen sucht das Erdferkel die Bauten verschiedener Termitenarten auf und kann auch die harten Hügel der Riesentermiten aufbrechen. Oft unternimmt es Rundgänge, besucht einen Termitenhügel nach dem anderen, gräbt aber auch nach unterirdischen Termiten und Ameisen. Jede Nacht schlägt es einen anderen Weg ein und wählt denselben Rundgang erst wieder nach fünf bis acht Tagen. In der Zwischenzeit erholt sich der Termitenstaat, und die Arbeiter vermauern die entstandenen Schäden am Bau. Beim nächsten Besuch ist an solchen Stellen die Erde noch weich, und das Erdferkel hat weniger Mühe beim Aufgraben. Gelegentlich zerstört aber ein Erdferkel den Termitenhügel vollständig und dringt bis zur Königinnenzelle vor, worauf die Kolonie zugrunde geht. Die Haare um die Nüstern verschließen die Nasenöffnungen während des Grabens. Sobald Termiten an der Oberfläche erscheinen, wird die lange Zunge betätigt. In und an den aufgebrochenen Hügeln bleiben nach dem Besuch des Erdferkels stets noch Termiten zurück. Diese sind dann am folgenden Tage eine willkommene Nahrungsquelle für viele andere Tiere (Ameisen, Echsen, Vögel, Insektenesser, Erdmännchen, Paviane und andere). Die Termitenhügel allein können auf längere Zeit den Futterbedarf der Erdferkel nicht decken. Eine ergiebige Art, Termiten zu erhaschen, besteht darin, nachts Termitenkolonnen aufzustöbern, die auf der Erdoberfläche Sammelzüge ausführen. In Savannengegenden sind es Arten von *Trinervitermes,* die nachts zu Tausenden in breiten Kolonnen von zehn bis vierzig Meter Länge ausschwärmen. Das Erdferkel braucht sich dann nur hinzustellen, um sich zu bedienen. In Gegenden mit vielen wilden Huftieren oder großen Viehherden ist die Termitenmenge besonders groß. Das zertretene Gras und der trockene Kot locken Termiten der Gattungen *Odontotermes, Microtermes* und *Pseudacanthotermes* an,

Lebensablauf **Entwöhnung (Ew)** **Geschlechtsreife (Gr)** **Lebensdauer (Ld)**	**Nahrung**	**Feinde**	**Lebensweise und Lebensraum**	**Häufigkeit**
Ew: nach etwa 3 Monaten Gr: nach 2 Jahren Ld: in Menschenobhut bis 23 Jahre	Hauptsächlich Termiten, auch andere Kerbtiere	Löwe, Leopard, Hyänen	Bodenbewohner; nachtaktiv; gräbt unterirdische Baue; Einzelgänger; in Afrika südlich der Sahara: Savannen, Steppen, Regenwald	Nicht häufig; wird von den Eingeborenen verfolgt

die sich knapp unter der Erdoberfläche aufhalten. Auf der Suche nach solchen Termiten hält das Erdferkel seine Schnauze dicht über dem Erdboden, macht einige tiefe Atemzüge und preßt dann die Nasenöffnungen auf den Boden, um zu wittern. Ob hierbei die »Tastfühler« auf der Nasenscheidewand Gerüche oder Erschütterungen wahrnehmen, ist noch unbekannt. Das Erdferkel unterbricht von Zeit zu Zeit die Nahrungsaufnahme, lauscht mit den Ohren und nimmt Witterung auf.

Beobachtungen von mehreren Forschern haben gezeigt, daß das Erdferkel die Früchte einer Kürbisart *(Cucumis humifructus)* verzehrt, die in Südafrika »aardvark-cucumber« genannt wird. Diese Pflanze kommt nur im Verbreitungsgebiet des Erdferkels vor und wächst meist in der Nähe ehemaliger Eingänge zu Erdferkelbauen. Erdferkel vergraben ihren Kot im weichen Aushubmaterial vor ihren Höhlen, und mit dem Kot gelangen auch die verschluckten Kürbissamen in die Erde. Die fünf bis neun Zentimeter großen Kürbisfrüchte entwickeln sich unterirdisch, ähnlich wie Erdnüßchen. Was ist nun der gegenseitige Nutzen? Der Aufenthalt der Samen im Darm erhöht ihre Keimfähigkeit, und dank dem Erdferkel ist die Verbreitung der Samen gesichert. Das Erdferkel seinerseits deckt mit dem saftigen Inhalt der Frucht seinen Flüssigkeitsbedarf in wasserarmen Gegenden. In anderen Gebieten trinken die Tiere regelmäßig Wasser. Die Kotballen haben die Form einer Olive und messen 1,5 mal 2,5 Zentimeter.

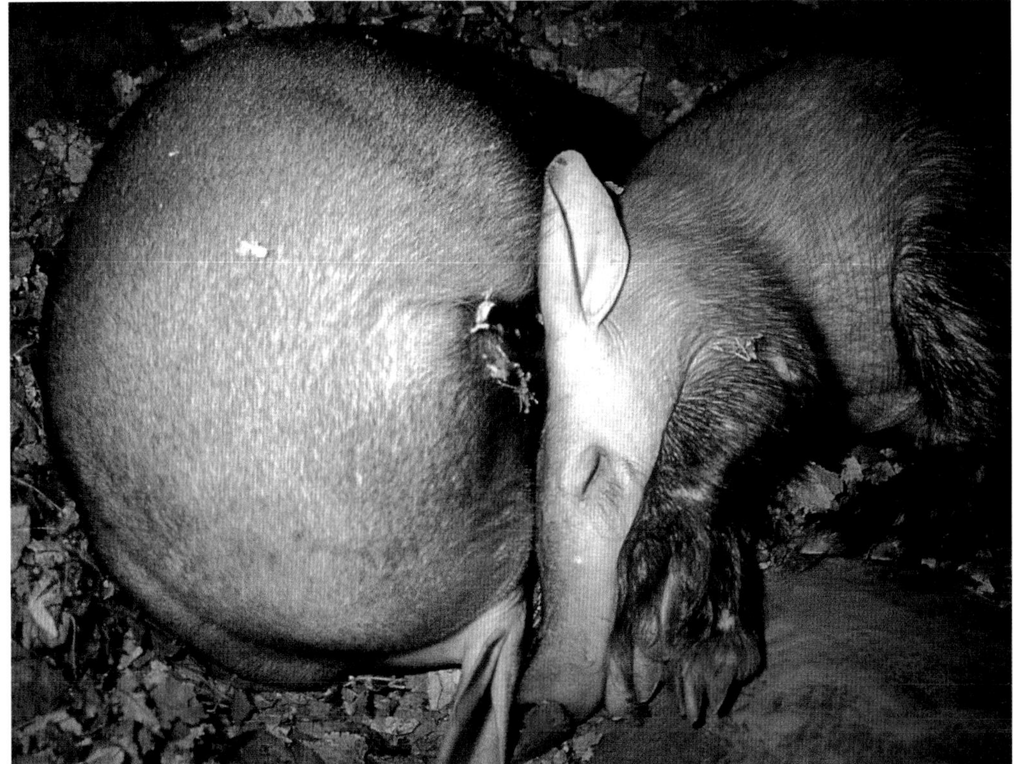

Während des Tages schlafen die nachtaktiven Erdferkel zusammengekugelt und in Seitenlage in ihrem Bau.

Als Feinde der Erdferkel kommen Löwen, Leoparden und Hyänen in Betracht. Pythonschlangen sollen gelegentlich in die Baue eindringen und junge Erdferkel verspeisen. Die Klauen der Vorderfüße können es ohne weiteres mit den Krallen der Raubtiere aufnehmen. Befindet sich ein Erdferkel in Gefahr, so flüchtet es zuerst mit einigen Sprüngen, um Vorsprung zu gewinnen, und versucht dann trabend zu entkommen. Unter günstigen Umständen gräbt es mit unglaublicher Geschwindigkeit ein Fluchtloch. Wird das Tier aus kurzem Abstand bedrängt, legt es sich regungslos auf den Rücken und hält die Beine über dem Bauch bereit, um sich zu verteidigen.

Für Angaben über die Geburt des Jungtieres und dessen Jugendentwicklung sind wir vorwiegend auf die Erfahrungen aus zoologischen Gärten angewiesen. Aus der freien Wildbahn besitzen wir nur wenige Angaben, die zum großen Teil von Eingeborenen stammen. Die Erdferkelmutter bringt das einzige Junge in ihrem Bau zur Welt, ohne ein besonderes Lager herzurichten. Die Tragzeit beträgt etwa sieben Monate. Das Geburtsgewicht wird mit 1700–1900 Gramm angegeben. Bei der Geburt hat das Junge viele Hautfalten und hängende Ohren. Das Erdferkelkind versucht bereits am ersten Lebenstag zu gehen und sucht selbständig die Zitzen der Mutter. Während des Säugens legt sich die Mutter seitlich oder auf den Rükken. Das Junge saugt bei jeder Mahlzeit etwa 15 Minuten lang und bedient sich abwechselnd an allen vier Zitzen. Nach zwei Wochen verschwinden die Falten, und nach drei Wochen richten sich die Ohren auf. Die ersten Körperhaare erscheinen fünf bis sechs Wochen nach der Geburt. Nach zwei Wochen folgt das Jungtier seiner Mutter, und nach neun Wochen beginnt es aus dem Futtertrog selbständig Nahrung aufzunehmen. Nach Feldbeobachtungen begleitet das Junge von der dritten Woche an seine Mutter auf kürzere Streifzüge, verzehrt aber erst im Alter von drei Monaten Termiten. Es bleibt bis zum Alter von sechs Monaten bei der Mutter und beginnt dann eine eigene Höhle zu graben, die fünf bis fünfzig Meter von derjenigen der Mutter entfernt ist. In der Regel begleitet es aber weiterhin seine Mutter auf der Nahrungssuche. Wird die Mutter erneut brünstig, so wird sie von Männchen aufgesucht. Nun entscheidet sich das Schicksal des Jungtieres. Ist es männlichen Geschlechts, so verläßt es endgültig die Mutter und macht sich selbständig, ist es hingegen ein Weibchen, so bleibt es in der Nähe der Mutter. Man trifft deshalb nicht selten eine Mutter mit zwei Jungen verschiedenen Alters. Die Geschlechtsreife tritt wahrscheinlich erst nach dem zweiten Lebensjahr ein. Nach einem Jahr ist das Jungtier aber fast so groß wie ein erwachsenes Tier.

Erdferkel wurden schon öfters in zoologischen Gärten gehalten. Das erste lebende Erdferkel kam 1869 aus Südafrika nach Europa, und zwar in den Zoo von London. Obwohl das Erdferkel vorwiegend bei Nacht aktiv wird, ist es in Menschenobhut gelegentlich auch tagsüber munter und nimmt sogar Sonnenbäder. Hält man in einem Gehege mehrere Tiere, so ruhen sie eng aneinandergeschmiegt. Wenn ein Außengehege es ermöglicht, so entfalten die Tiere oft eine rege Grabtätigkeit. Schon mehrere Tiere sind auf diese Weise aus Gehegen entwichen. Obwohl vorwiegend Insektenvertilger, läßt sich ein erwachsenes Erdferkel ziemlich leicht auf Ersatznahrung umgewöhnen. Je nach Zoo ist die Zusammensetzung dieser Nahrung unterschiedlich. Die wichtigsten Bestandteile sind jedoch dieselben: gehacktes Fleisch oder zerriebener Hundekuchen, Eier, Milch, Reisschleim oder Haferbrei und als Zusatz Vitamine und Mineralsalze. Manche Zoos ergänzen diese Nahrung mit Ameisenpuppen, Grillen, zerriebenen Krabben und dergleichen. Die Nahrung wird weitgehend schlürfend mit der Zunge aufgenommen. Obwohl in den letzten Jahren große Fortschritte zu verzeichnen waren, ist die Aufzucht junger Erdferkel in Menschenobhut immer noch schwierig. Erdferkel können in Zoos bis 23 Jahre alt werden.

Das Erdferkelfleisch wird von einigen Eingeborenen-Stämmen sehr geschätzt. Verschiedene Körperteile werden als Zauber- und Heilmittel verwendet. Die Zähne werden an Armbändern aus Elefantenhaar getragen und sollen Krankheiten und Unglück fernhalten. Wenn die Eingeborenen Termiten sammeln (diese werden gegessen), so legen sie Grabklauen des Erdferkels in den Korb; die Ernte soll dann ergiebiger ausfallen. Um jemanden ins Jenseits zu befördern, werden Stückchen von den steifen Erdferkelhaaren dem Essen beigemischt, was angeblich eine Bauchfellentzündung zur Folge hat (dasselbe bewirken Schnauzhaare vom Leopard). Es wird vermutet, daß der Kopf des ägyptischen Gottes Set einen Erdferkelkopf darstellt.

Gegenüberliegende Seite: Von der Ordnung der Rüsseltiere leben heute nur noch zwei Arten, eine in Afrika und eine in Asien. Die Nahaufnahme zeigt einen afrikanischen Elefantenbullen.

RÜSSELTIERE

Kategorie
ORDNUNG

Systematische Einteilung: Ordnung der Säugetiere mit nur 1 rezenten (heute lebenden) Familie, die 2 Gattungen mit je 1 Art umfaßt.

FAMILIE ELEFANTEN (Elephantidae)
Gattung Asiatische Elefanten (*(Elephas)* mit
1 Art: Asiatischer Elefant *(Elephas maximus)*
Gattung Afrikanische Elefanten *(Loxodonta)* mit
1 Art: Afrikanischer Elefant *(Loxodonta africana)*.

Kopfrumpflänge: 5,50–7,50 m
Schwanzlänge: 1–2,10 m
Standhöhe: etwa 2,50–4 m
Gewicht: etwa 4–7,5 t
Auffällige Merkmale: Massiger, spärlich behaarter Körper mit dicker, rauher, aber empfindlicher Haut; mächtiger Schädel; dicke Schädelwand mit großen lufthaltigen Räumen zur Gewichtsverringerung; gestreckte Säulenbeine; breite Füße mit Nagelhufen; an den Vorderfüßen jeweils 5 Nägel, an den Hinterfüßen meist nur 3 oder 4; Fußsohlen durch eine dicke, stark verhornte Hautschicht geschützt; riesige, sehr bewegliche Ohrmuscheln, beim Afrikanischen Elefanten größer als beim Asiatischen; aus Oberlippe und Nase gebildeter langer, muskulöser, sehr beweglicher und feinfühliger Rüssel, als Tastorgan, Greifwerkzeug, Sauggerät und »Schlagwaffe« vielseitig verwendbar; an der Rüsselspitze die beiden Nasenöffnungen und ein »Greiffinger« an der Oberseite (Asiatischer Elefant) bzw. zwei gegenständige »Finger« (Afrikanischer Elefant); in jedem Kieferast jeweils nur 2 Backenzähne (Mahlzähne), von denen nur 1 sichtbar und funktionsfähig ist; die beiden zweiten oberen Schneidezähne zu langen, gebogenen Stoßzähnen umgebildet, bei alten afrikanischen Bullen bis 3,50 m lang; beim Afrikanischen Elefanten Stoßzähne in beiden Geschlechtern, bei der asiatischen Art nur bei den Bullen, auch hier oft fehlend; Kühe mit 2 brustständigen Zitzen.

Fortpflanzung: Tragzeit im Schnitt 22 Monate; in der Regel nur 1 Junges je Geburt; Geburtsgewicht 60–135 kg.
Lebensablauf: Entwöhnung mit etwa 2 Jahren; Geschlechtsreife mit 7–12 Jahren; Lebensdauer bis 70 Jahre.
Nahrung: Ausschließlich pflanzlich; vor allem Gras, aber auch Zweige, Blätter, Früchte, Palmen, Rinde, Wurzeln usw.; Nahrung wird mit dem Rüssel erfaßt, abgerissen, manchmal »mundgerecht« gebündelt und zum Mund geführt; Trinken ebenfalls mit Hilfe des Rüssels, der Wasser einsaugt und in den Mund spritzt.
Lebensweise und Lebensraum: In Afrika Mutterfamilie (Kühe und Jungtiere) als Grundeinheit, geschlechtsreife männliche Tiere in eigenen Gruppen, alte Bullen manchmal Einzelgänger, oft Zusammenschluß vieler bis sehr vieler Tiere in lockeren Herden; in Asien Gruppen von mehreren Mutterfamilien, Bullen meist Einzelgänger, gelegentlich in kleinen Gruppen; regelmäßige

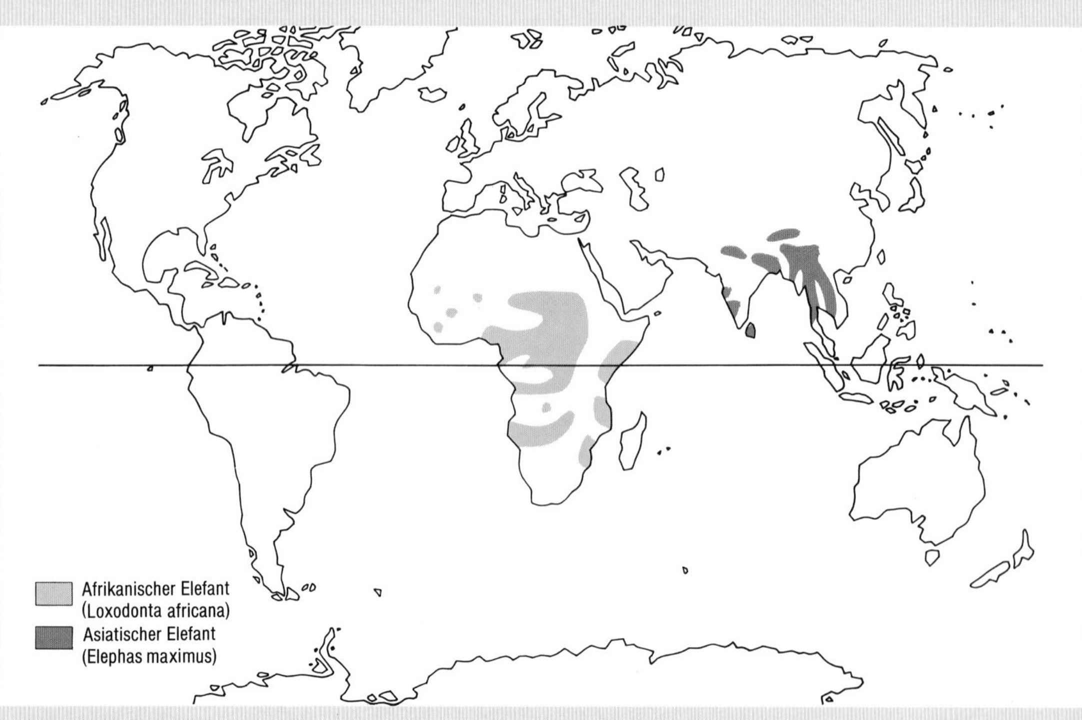

Proboscidea WISSENSCHAFTLICH
Proboscideans ENGLISCH
Proboscidiens FRANZÖSISCH

Hautpflege durch Baden, Suhlen, Besprühen mit Wasser, Sand oder Staub; bei älteren Bullen beider Arten sogenannte »Musth«, ein in regelmäßigen Abständen wiederkehrender Zustand erhöhter Aggressivität, vor allem während der Brunstzeit, begleitet von einem verstärkten Ausfluß aus den beiden Schläfendrüsen (»Musthdrüsen«); bevorzugter Lebensraum in Afrika Wälder, Savannen, Steppen, Halbwüsten und Berge (bis in Höhen von 5000 m); in Asien Savannen, Lichtungen und Wälder mit Zweitwuchs.

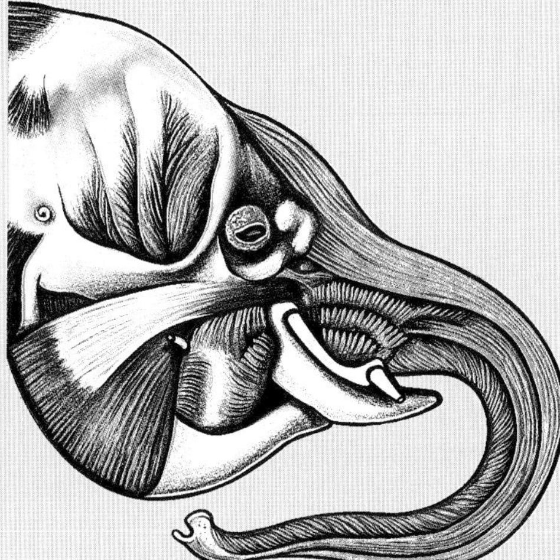

Rüssel
Den Elefantenrüssel kann man funktionell als eine fünfte Gliedmaße betrachten, die sich zu einem kräftigen und zugleich äußerst feinfühligen Arbeitsarm entwikkelt hat. Anatomisch gesehen, handelt es sich um eine verlängerte Nase. Die knöchernen Nasenöffnungen befinden sich weit oben am Schädel, wo die Muskulatur des Rüssels ihre Verankerung findet. Die äußeren Nasenöffnungen münden auf der Rüsselspitze. Die kräftige Rüsselmuskulatur entsteht durch Verschiebung der mimischen Gesichtsmuskulatur. Es sind hauptsächlich die umgewandelten Stirnmuskeln, Nasenmuskeln, Oberlippenmuskeln und Wangenmuskeln. Sie liegen in mehreren Schichten angeordnet, und ihre Fasern verlaufen in unterschiedlichen Richtungen. Somit wird eine vielseitige Beweglichkeit gewährleistet.

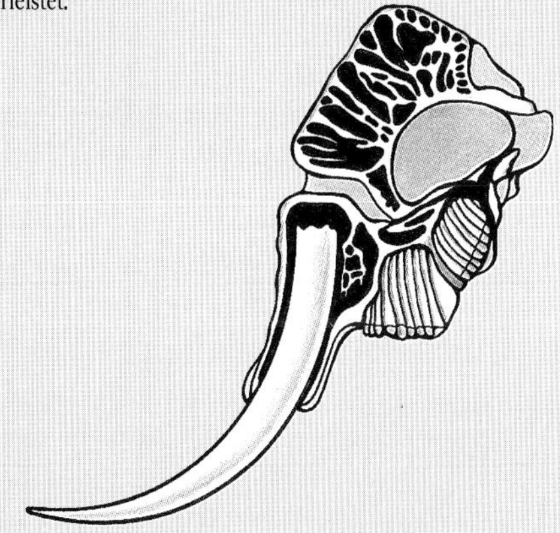

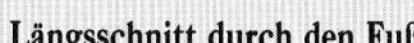

Längsschnitt durch den Fuß
Der schwere Körper der Elefanten wird getragen von gestreckten Säulenbeinen mit breiten Füßen. Die Zehenspitzen besitzen kleine Hufe. Die Fußsohle wird geschützt durch eine dicke, stark verhornte Hautschicht. Das schräg gestellte Fußskelett lastet auf einem keilförmigen Polster aus fetthaltigem Bindegewebe. Diese Konstruktion bewirkt eine gleichmäßige Verteilung des Gewichts auf eine breite Fläche und ermöglicht ein elastisches Schreiten.

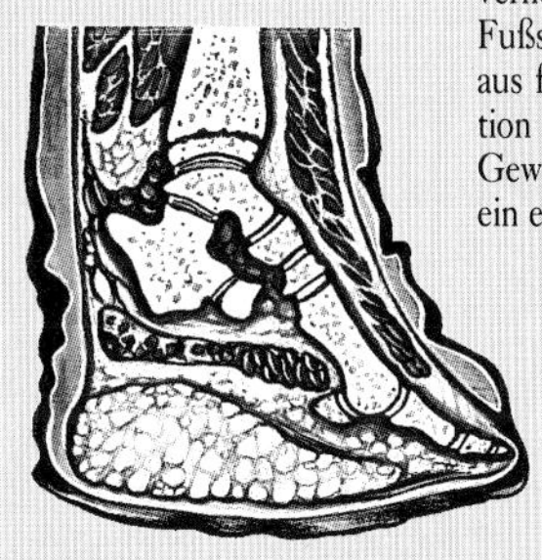

Pneumatisierung des Schädels
Die Verankerung der schweren Stoßzähne wie auch die Anheftung der mächtigen Muskulatur des Rüssels erfordern einen riesigen äußeren Schädel. Das Gehirn dagegen nimmt viel weniger Platz in Anspruch. Um diesen unterschiedlichen funktionellen Anforderungen gerecht zu werden, entsteht zwischen dem Schädelinneren und der Außenfläche eine dikke Schädelwand mit großen lufthaltigen Räumen. Diese Pneumatisierung des Knochens stellt ein Leichtbauprinzip dar, das alle funktionellen Ansprüche erfüllt.

RÜSSELTIERE

Einleitung

von Rudolf Altevogt

Die Ordnung der Rüsseltiere (Proboscidea) wurde von C. Illiger im Jahre 1811 beschrieben und nach dem auffälligsten Merkmal, dem Rüssel (lat. *proboscis*), benannt. Außer durch dieses beeindruckende Organ mit seinen vielfältigen Fähigkeiten unterscheiden sich die Rüsseltiere noch durch ihre seltsame Bezahnung und die gewaltige Körpergröße von allen anderen Landsäugern. Dabei sind diese Eigentümlichkeiten doch nur die hochspezialisierte Sonderausprägung und stammesgeschichtliche Fortentwicklung der Standardausrüstung »des« Säugetieres. Dieses Säugetier war mit einem Haarkleid versehen und von nur mäßiger Körpergröße (etwa 110 cm), ging auf den Sohlen seiner fünfzehigen Füße, und seine Bezahnung wies die übliche Gliederung in Schneide-, Eck- und Mahlzähne auf. Wie auf den Seiten 484 ff. näher ausgeführt, lag das stammesgeschichtliche Entstehungszentrum der Rüsseltiere wohl in Nordafrika.

Eine in der Tertiär- und Eiszeit fast weltweite Verbreitung der Rüsseltiere in zahlreichen Arten ist also nur durch die Annahme ausgedehnter Wanderungen von dem genannten Entstehungszentrum aus zu verstehen. Solche Ausbreitungswanderungen sind der heutigen Biologie bei Tier und Pflanze inzwischen in ihren Ursachen und Folgen gut bekannt und erklärbar. Eine steigende Zahl von Nachkommen innerhalb eines bestimmten Gebiets bedingt die Ausbildung von Verhaltensweisen besonderer Art, die handfeste physiologische und morphologische (gestaltliche) Veränderungen im Gefolge haben: Die unter dem Bevölkerungsdruck in die Randgebiete des Ursprungsgebiets gedrängten Tiere mußten sich mit den dort meist recht andersartigen Umweltbedingungen auseinandersetzen, was nur den von der natürlichen Variation hervorgebrachten Tieren mit entsprechenden passenden Eigenschaften möglich war.

Zu den bei solchen Ausbreitungswanderungen erfolgreichen oder sie erst ermöglichenden Eigenschaften zählt in erster Linie eine starke Zunahme der Körpergröße oder bestimmter, für die Anpassung im neuen Lebensraum günstiger Körperteile und Organe. Diese Tatsache der günstigen stammesgeschichtlichen Größenzunahme ist in vielen tierlichen Entwicklungslinien abzulesen und der Wissenschaft als »Copesche Regel« bekannt (nach dem amerikanischen Paläontologen Edward Drinker Cope, 1840–1897).

Körperliche Besonderheiten

Mit der Körpergrößenzunahme erlangen eben nicht alle, sondern nur einige wichtige oder typische Organe eine Größenveränderung, und mathematisch faßbare Gesetzmäßigkeiten erlauben Voraussagen über die Schädel- und Hirngröße eines bestimmten Säugetieres, wenn dessen Körpergröße um einen zahlenmäßig angebbaren Betrag zunimmt. Diese Regeln der Allometrie, des relativen Wachstums von Körperteilen (rascher, gleich schnell oder langsamer als der Gesamtkörper), erklären auch die Entstehung des namengebenden Organs der Rüsseltiere.

Der Rüssel entstand aus Oberlippe und Nase, und es war mit Zunahme der Körpergröße und damit zunehmender »Höherstellung« der Mundöffnung über der Bodenoberfläche gewiß günstig zur Erlangung von Wasser und Nahrung, eine über das Normalmaß »des« Säugetiers hinausgehende verlängerte Lippennase zu besitzen. Die Nasenherkunft des Rüssels zeigt sich bei den heutigen Rüsseltieren noch in seiner Riech- und Atemfunktion: erstere besonders auffällig, wenn der Elefant im Freiland »Witterung« einsaugt, also aus verschiedenen Richtungen die Luft prüft, letztere etwa beim Durchqueren einer Furt oder beim Baden oder Schwimmen, wenn der Rüssel als Schnorchel dient.

Das Tastvermögen des Oberlippenanteils kann man unschwer an der überaus geschickten Art erkennen, mit der etwa ein asiatischer Arbeitselefant eine Münze vom glatten Boden aufheben kann, wie er ein Buschmesser, eine starke Eisenkette je nach dem Tasteindruck in sehr verschiedener Weise dem in gut drei Meter Höhe auf seinem Rücken sitzenden Mahout

(Elefantenwärter) hochreicht. Die zu solchen Leistungen nötige Versorgung mit Sinnesorganen und den zugehörigen Nervenbahnen ist gut untersucht worden und offenbart für die Nervenleitung einen unseren großen motorischen Nervenbahnen (Pyramidenbahn) entsprechenden Fasertyp mit hoher Leitungsgeschwindigkeit.

Auch als hochwirksame Kraftwaffe zum Schlagen des Gegners, zum Ausreißen von Bäumen oder Zusammenraffen von grasartigen Pflanzen und schließlich zum Aufsaugen von Wasser läßt sich der Rüssel sehr gut benutzen. Natürlich kann ein Elefant mit der Nase nicht trinken, mindestens eine Luftröhren- oder Lungenentzündung wäre die Folge der Aufnahme der etwa zehn Liter Wasser in die Atemwege, die er je Saugvorgang etwa 40 Zentimeter hoch in den Rüssel hineinsaugt und dann in den Mund spritzt, so daß die Wasseraufnahme in gewohnter Säugermanier über Speiseröhre, Schluckreflex und Magen erfolgt.

Wie aber trinkt ein Elefantenkind aus den beiden bruständigen, zwischen den mütterlichen Vorderbeinen angebrachten Milchdrüsen? Nicht mit dem Rüssel, sondern wie alle Säuger mit dem Mund, also unter Benutzung von Unterlippe und Rüsselbasis, die ja sozusagen die Oberlippe enthält.

Daß der Rüssel das Ergebnis wichtiger stammesgeschichtlicher Vorgänge ist, zeigt auch die weitere Verfeinerung dieses Organs. Beim eiszeitlichen Mammut und dem Asiatischen Elefanten findet sich an der Oberseite der Rüsselspitze ein sehr beweglicher »Finger«, beim Afrikaner aber sind Ober- und Unterseite mit je einer solchen Sonderlippe versehen. Allerdings hat sich die naheliegende Frage, ob der Elefant dieses

Allzweckorgan auch zum Flöten oder Pfeifen benutzen kann, erst in jüngster Zeit bejahen lassen. Amerikanische und indische Zoologen haben 1985 aus Nepal berichtet, daß sich zwei weibliche Arbeitselefanten von etwa zwanzig Jahren eine besondere Art von Rüsselbenutzung angewöhnt haben, um »lange, durchdringende und unheimlich klingende Pfeiftöne hervorzubringen« beziehungsweise in derselben hohen und durchdringenden Tonlage stoßartige, kurze Stakkatolaute zu erzeugen. Im ersten Falle preßte der Elefant die Spitze des stark gekrümmten Rüssels gegen die Unterlippe und blies die etwas näselnd klingenden Töne heraus. Dabei ergab die Nachfrage bei den Elefantenführern, daß die genannten Tiere den betreffenden Laut offenbar durch Lernen von einer älteren Kollegin abgeguckt oder -gehört hatten, der Erfinderin dieser Flötenmethode.

Im zweiten Fall erzeugt ein Tier derselben Herde den genannten unterbrochenen Stakkatopfiff auf ähnliche, aber nicht ganz gleiche Weise: Es krümmt den Rüssel noch stärker, so daß dessen Spitze an die Rüsselunterseite gepreßt werden kann und den Ton hervorbringt.

Diese Beispiele eines Lernens durch Nachahmung sind wichtige Beweise einer hohen »geistigen« Leistungsfähigkeit des Elefanten, die uns noch näher beschäftigen muß. Hier sei nur schon auf die dazu nötige hirnmäßige Ausrüstung hingewiesen, die sich etwa in dem in Indien bekannten Sprichwort äußert, daß »ein Elefant nie vergißt«.

Die Fähigkeit des langfristigen Behaltens von guten und schlechten Erfahrungen beruht nicht zuletzt auf dem größten und schwersten Hirn aller heutigen Landtiere: dem etwa 5,5 Kilogramm schweren Hirn des Elefanten mit starker Betonung des für höhere Hirnvorgänge wichtigen Schläfenlappens (zum Vergleich: Hirngewicht des Menschen etwa 1,4 Kilo).

Ein durch Körpergrößenzunahme nach den oben erläuterten Gesetzmäßigkeiten sozusagen zwangsläufig mitgerissenes Wachstum von Hirn und Schädel würde den gewaltigen Kopf zu einem allzu ungefügen und unbeweglichen Gebilde werden lassen, wenn nicht die beteiligten Knochen schwammartig durchlöcherte Teile aufwiesen, durch die das Gewicht vermindert wird. An nicht wenigen Stellen finden sich solche »Poren« von etwa einem Viertelliter Inhalt. Sie sind mit Schleimhäuten der ehemaligen Nasenregion ausge-

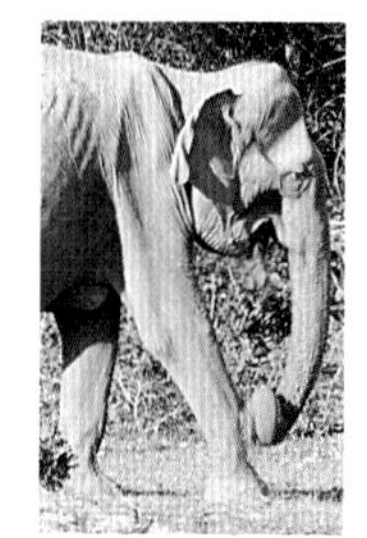

Der lange Rüssel, entstanden aus Oberlippe und Nase, ist das Wahrzeichen der Elefanten. Wenn er bei gesenktem Haupt herabhängt, wie bei dieser anstürmenden Afrikanischen Elefantenmutter (unten), reicht er bis zum Erdboden. Der Asiatische Elefant (oben), leicht zu erkennen an den kleineren Ohren, kann sich mit seinem Rüssel bequem an den Vorderfüßen kratzen.

kleidet und entsprechen also den Nebenhöhlen des Menschen. Mit fortschreitendem Alter allerdings bilden sich durch Knochenschranken Unterteilungen dieser Höhlen heraus, die somit vom Nasenraum abgeschlossen sind und dann mit drüsenartigen Häuten des unteren Hirnanhangs ausgekleidet werden.

Die sogenannte Gewichtsverringerung ist noch aus einem weiteren Grunde überlebenswichtig. Die Stoßzähne des Elefanten wachsen im Laufe seines Lebens immer stärker, werden in bezug auf seinen Körper immer länger – und schwerer. So ist es gut, daß diese zunehmende Belastung durch den schwammartigen Bau der Schädelknochen offenbar ausreichend in tragbaren Grenzen gehalten werden kann. Die Stoßzähne sind, anders als bei Wildschwein und Walroß (dort Eckzähne), die beiden zweiten oberen Schneidezähne, allerdings unter starker Abänderung des uns sonst geläufigen Aussehens und Funktionierens. Sie wachsen ständig nach, während die Eckzähne (Reißzähne) ganz verlorengegangen sind.

Schon bei der Geburt finden sich beim Elefantenbaby etwa fünf Zentimeter lange Milchstoßzähne (das erste Schneidezahnpaar), die sich im Alter von etwa einem Jahr ablösen und den Dauerstoßzähnen (dem zweiten Schneidezahnpaar) Platz machen. Sie sind zu etwa einem Drittel ihrer Länge in den Oberkieferknochen eingebettet und besitzen, als ehemalige Schneidezähne, einen harten Schmelzüberzug, der sich zu einer festen Spitze auswächst. Dabei schließt sich durch dieses Schmelzwachstum die Zahnhöhle (Pulpa) im Spitzenbereich völlig und liefert das – leider allzu begehrte – Elfenbein (eigentlich »Elefantenbein« = Elefantenknochen, was wiederum ein irreführender Name ist). Elfenbein ist eine Mischung aus Dentin (Zahnbein), Knorpelstoffen und eingelagerten Kalziumsalzen, wodurch sich ein hartes und höchst elastisches Material ergibt, dessen Elastizität es für Billardkugeln, Klaviertasten usw. so geeignet macht. Je nach der vorwiegenden Pflanzennahrung kann das Elfenbein zart gefärbt sein: bräunlich im Kongo-Urwald; rosa im Bambuswald und weiß-cremig in der Savanne. Gegenstände aus Elfenbein nehmen mit der Zeit eine cremefarben gelbliche Tönung an. Echtes Elfenbein läßt sich sicher an seinem Querschnitt erkennen: sich kreuzende gebogene Linien bilden mit den so entstehenden diamantschliffartig wirkenden Flächen ein typisches Muster. Gegenwärtig bringt ein Kilogramm Elfenbein dem Wilderer 2000 Rupien (etwa

Alle Elefanten baden gern. Auch dabei leistet der sehr bewegliche Rüssel gute Dienste, nämlich als »Kopfbrause« zum Abduschen des Körpers.

450 Mark) – und in Südindien jährlich über 100 Elefanten den Tod!
Auch sonst ist die Bezahnung der Elefanten recht eigenartig vom Grundbauplan der Säuger abgewandelt. Jeder der vier Kieferäste bildet im Laufe des Elefantenlebens sechs Backenzähne aus, von denen aber niemals alle gleichzeitig vorhanden oder in Funktion sind. Vielmehr findet man nur jeweils zwei Backenzähne pro Kieferast, den einen sichtbar und funktionsfähig aus dem Zahnfleisch herausragend, den anderen dahinter und im Zahnfleisch noch ganz oder teilweise verborgen. Bei der Geburt ist der erste Backenzahn etwa so groß wie eine Streichholzschachtel, der zweite wie ein Zigarettenpäckchen. Durch das Kauen werden die Backenzähne abgewetzt, und an ihrem Vorderende lösen sich scheibchenartige Lamellen ab. Der ganze Zahn, so immer kleiner werdend, wird von dem von hinten nachrückenden Folgemahlzahn nach vorn geschoben, der ihn zum gegebenen Zeitpunkt ganz ersetzt. Holländische Forscher haben aber 1980 festgestellt, daß diese Zahnwanderung im Grunde nichts anderes ist als das bei vielen Säugetieren, auch beim Menschen, bekannte Lückenausfüllen in der Zahnreihe, so daß hier keine Besonderheit des Elefanten vorliegt.
Die ersten (Milch-) Mahlzähne verschwinden mit etwa zwei Jahren, die zweiten (noch immer Milchzähne) mit rund sechs, die dritten (ebenfalls noch Milchzähne) mit etwa neun Jahren, und die vierten, die ersten Erwachsenen-Mahlzähne, erscheinen zwischen dem 20. und 25. (nach einigen Autoren zwischen dem 6. und 24.) Lebensjahr. Solche Ungefähr-Angaben erklären sich durch die je nach Nahrungsart verschieden starke Abnutzung, von der wir schon berichteten. Dann tritt mit 16 bis 23 (oder nach dem indischen Elefantenkenner S.H.Prater erst mit 60) Jahren die fünfte Backenzahngarnitur auf und ihren Dienst an. Schließlich stellt das dann erscheinende sechste Mahlzahnpaar in fast Ziegelsteingröße das Ende des Zahnreichtums dar. Betagte Elefanten können also keine neuen Mahlzähne mehr ausbilden und sind – wenn nicht schon gänzlich zahnlos – meist stark kaubehindert, was im Freiland gewiß zu ihrem Alterstod beiträgt.
Mit jedem neuen Zahn wird die zur Verfügung stehende Kaufläche größer und leistungsfähiger. Sie beträgt je Zahn bei einem neun Monate alten Kalb etwa 10 cm^2 und bei einem vierzigjährigen Bullen bis zu 320 cm^2, bei einem entsprechend alten Weibchen aber nur rund 260 cm^2. Die Zahnoberfläche weist eine Reihe von harten Emaillequerleisten und Höckern auf, deren Zahl sich von Zahn zu Zahn steigert. Die ersten Mahlzähne besitzen nur 4 solcher Querleisten, die folgenden 8, 12, 16 und (beim Asiatischen Elefanten) 24. Ein Asiatischer Elefant verfügt im besten Falle über 27 solcher Kauleisten, während beim Afrikanischen höchstens 14 erreicht werden.
Die gewaltige Körpergrößenzunahme erforderte beim Elefanten im Knochengerüst starke Veränderungen; schließlich war das Wirbeltierskelett ursprünglich für das Liegen oder Sich-Bewegen in der Waagerechten bestimmt. Das Freiwerden der Bauchpartie aus der liegenden Stellung am Boden mit Hilfe von vier Beinen und einem dann brückenbogenartig angeordneten Wirbelsäulen-Mittelteil war bei noch geringer Körpergröße (etwa hasen- bis rehgroßer Tierform) gerade ausreichend, um das Leibesgewicht in dieser vom Boden abgehobenen Stellung zu tragen und zu stützen. Dazu dienten ziemlich schlanke, zur Fortbewegung günstige Beine. Je mehr aber das Gewicht mit zunehmender Körpergröße anwuchs, um so größere statische Probleme taten sich auf. Die beim erwachsenen Elefanten üblichen vier bis sechs Tonnen Leibesgewicht lassen sich, ingenieurmäßig betrachtet, nur mit Säulenbeinen emporwuchten, wobei auch die Gelenkwinkel sich stark in Richtung Senkrechte verändern mußten, sollte ein Einknicken vermieden werden. Unter diesem Gesichtspunkt ist auch die am Fuß nötige Veränderung zu sehen, die vom urtümlichen Sohlengänger zum Zehenspitzen- oder Sohlenspitzengänger führt. Dabei bedecken die Füße zusammen eine Fläche von mehr als einem Quadratmeter, so daß

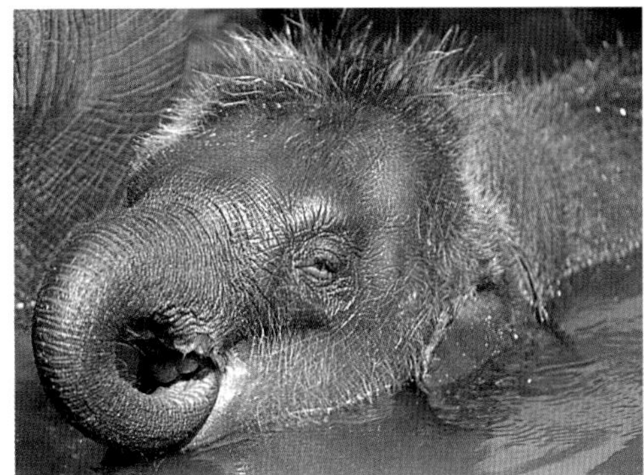

Dieser jugendliche Asiatische Elefant zeigt, wie der Rüssel zum Trinken verwendet wird. Er hat den langen »Nasenschlauch« mit Wasser vollgesogen und entleert ihn dann in den Mund.

▷ Mit dem Rüssel sucht das Elefantenbaby nach den mütterlichen Milchdrüsen. Wenn es sie gefunden hat, trinkt es jedoch wie andere kleine Säugetiere mit seinem Mund.

sich der Druck auf den Boden günstig verteilt und sich eine Elefantenfußspur selbst im weichen Dschungelboden nur wenig eindrückt. Unter den Mittelfuß- und Zehenknochen ist ein dickes Polster aus zäh-elastischem, gallertigem Bindegewebe angebracht, das als idealer Stoßdämpfer für das unserem Handgelenk entsprechende Fußwurzelgelenk dient (s. dazu auch die Ausführungen in den folgenden Beiträgen von F. Kurt und B. Grzimek). Die Fußsohle selbst ist so sehr stark verformbar, andererseits durch Einlagerung von etwa fünf Zentimeter großen Hornstücken außerordentlich widerstandsfähig. In die zylindrische Form des großen Fußes eingebettet finden sich noch Vor- bzw. Hilfs-»Daumen« oder Hilfs-Großzehen an Vorder- und Hinterfüßen, die wohl auch der besseren Druckverteilung des Körpergewichts dienen dürften.

Die flachen, breiten, hufartigen Nägel entsprechen nicht unbedingt der Anzahl der knöchernen Zehen: Beim Asiatischen Elefanten finden sich am Hinterfuß meist nur noch vier Nägel, beim Afrikanischen gar nur noch drei. Beide besitzen an den Vorderfüßen aber jeweils fünf Hufnägel. Es gibt aber auch Abweichungen von diesen Zahlen. So gelten zum Beispiel in Indien Elefanten mit fünf Nägeln an Vorder- und Hinterfüßen als besonders verehrungswürdiges Symbol des elefantenköpfigen Gottes Ganesha, des Gottes der Weisheit und des Glückes.

Stoßzähne sind das Kennzeichen des männlichen Asiatischen Elefanten; die weiblichen Tiere sind grundsätzlich »zahnlos«. Bei den afrikanischen Vettern tragen beide Geschlechter Stoßzähne, die der Bullen sind jedoch meist größer und schwerer als die der Kühe.

Trotz all dieser und weiterer anatomischer Anpassungen zur besseren Nutzbarkeit der mit dem größeren Körpergewicht verbundenen Vorteile sind von den Elefanten manche, aus ebendieser Körpergröße erwachsende Schwierigkeiten nicht überwindbar. So können sich Elefanten aus bewegungsmechanischen Gründen nur im Paßgang fortbewegen (wie Kamele), was dem Unerfahrenen bei seinem ersten Elefantenritt meist ungewohntes Unbehagen bereitet. Elefanten erreichen in vollem Lauf allenfalls kurzfristig Geschwindigkeiten von 40 Kilometern in der Stunde, legen aber bei ihren meist nächtlichen Wanderungen bis zu 15 Kilometer zurück. Wanderungen und andere körperliche Leistungen im warmen Sonnenlicht sind ihnen aus wärmetechnischen Gründen meist verwehrt, was sich auch im üblichen Tagesablauf der Arbeitselefanten ausdrückt: Die lange Mittagspause von etwa 10.30 bis 15.30 Uhr im Schatten oder möglichst in der Kühle der Badestelle gehört zu den wichtigsten Grundsätzen des um sein wertvolles Tier besorgten Mahouts.

Da der Elefantenhaut Schweißdrüsen fehlen, wird die Wärmeabstrahlung von den gut durchbluteten und riesigen Ohrmuscheln übernommen, wobei Außentemperatur, Körpertemperatur und Durchblutungsstärke der Ohrmuschelgefäße in einem festen Verhältnis zueinander stehen: je heißer, um so rascher. Dieses »Rascher« wird noch durch rhythmisches Wedeln der Ohrmuscheln und damit erhöhte Wärmeabfuhr unterstrichen. Dabei ist jedoch zu beachten, daß auch der persönliche Erregungszustand des Elefanten sich im Ohrmuschelspiel ausdrückt. Er ist allerdings meist nur von kurzer Dauer und also sehr wohl vom wärmeregulierenden Wedeln zu unterscheiden.

Die ungefüge Körpergröße ist auch verantwortlich für eine weitere, für die Zoohaltung, aber auch die Freilandhege wichtige Elefanteneigenschaft: die Wirkung des sogenannten Elefantengrabens. Da der Elefant aus statischen und bewegungsdynamischen Gründen nicht springen kann, genügt ein zwei Meter breiter und zwei Meter tiefer Graben als ausbruchs- und überschreitsicherer Kralwall.

Antike Berichte und heutige Wissenschaft

In dieser Übersicht sollten auch Hinweise auf die Rolle des Elefanten in der klassischen Literatur nicht fehlen, wobei hier vorwiegend die Berichte griechischer und römischer Schriftsteller gemeint sind, während Bemerkungen zur Rolle des Elefanten im hinduistisch-buddhistischen Kulturkreis sich im Beitrag von F. Kurt finden.

Wichtige Autoren des Altertums sind vor allem Aristoteles (384–322 v. Chr.), Strabon (63 v. Chr.–21 n. Chr.) und Plinius der Ältere (23–79). Dabei ist nicht in allen Fällen klar zu erkennen, ob jeweils der Asiatische Elefant oder der Afrikaner gemeint ist.

Immerhin ist die Äußerung des Aristoteles, die Elefanten von Ceylon (Sri Lanka) seien sehr zahlreich und größer als die vom indischen Festland, eindeutig

zuzuordnen – und ebenso eindeutig als falsch zu bezeichnen. Richtig sind dagegen die Bemerkungen dieses Gelehrten über den Saugvorgang des Elefantenjungen, über Art und Zahl der Fußnägel, die Schwangerschaftsdauer sowie die sorgsame Beobachtung, daß ein Elefant zum Hinlegen sich nicht gleichzeitig auf alle vier Beine niederlassen kann, sondern nur nacheinander. Auch die Angaben über den täglichen Wasser- und Nahrungsbedarf sind annehmbar, und sogar Tierpsychologisches findet sich hier schon: Elefanten hätten eine panische Scheu vor Mäusen, und von Mäusen auch nur berührtes Futter nehme ein Elefant nicht mehr an. Sie fürchteten sich auch vor Böcken und dem Quietschen von Schweinen, würden aber von schönen Frauen und angenehmem Parfümduft angelockt. Von der manchmal duftenden Schläfen- oder Wangendrüse schrieb Strabon, daß sie zeitweilig einen fettigen Stoff absondere. Auch stünden Elefanten dem Menschen hinsichtlich ihrer Intelligenz am nächsten, verstünden seine Sprache und gehorchten seinen Befehlen. Diese und andere von den Klassikern erwähnten Elefanteneigenschaften werden im folgenden mit den heute als wahr erkannten Tatsachen aus der Elefantenforschung zu vergleichen sein.

Es ist gewiß überraschend zu erfahren, daß das schwerste Landtier zu den »Tierkonstruktionen« zählt, die ihre Nahrung am schlechtesten ausnutzen. Mit bis zu 136 000 Kilogramm übertrifft der Blauwal, das größte lebende Säugetier der Jetztzeit, den Asiatischen Elefanten (mit allenfalls 4700 Kilo) und den Afrikanischen (mit höchstens 6000 Kilo) deutlich, doch läßt er sich ja vom Wasser tragen. Da erstaunt es doppelt, daß sich der Elefant zu seinem eigenen, von ihm selbst zu tragenden Körpergewicht noch die beachtliche Menge an Futter auf- und einlädt, die er seiner schlechten Verdauungsleistung wegen tragen muß: Fast die Hälfte seiner ausschließlich pflanzlichen Nahrung verläßt den Körper nach dem Durchgang durch den 25 Meter langen Dünndarm, den 6,50 Meter langen Dick- und den 4 Meter langen Enddarm unverdaut und liefert so noch nahrungsreiche Kotballen. Diese je zwei Kilogramm schweren Ballen dienen einer reichen Käferfauna (Pillendreher, Dung-, Mistkäfer) als Nahrung und Lebensraum. Außerdem tragen sie noch zur Ausbreitung bestimmter Baumarten bei, so daß sich beispielsweise drei wichtige, sich gegenseitig regulierende Komponenten eines gut ausgebauten Ökosystems ergeben: Bestimmte Akazienarten verdanken ihre Verbreitung und Häufigkeit ihrer Rolle als Elefantennahrung, ihre Samenkörner werden von Kornkäfern *(Bruchidius)* angebohrt, so daß die Verdauungssäfte des Elefanten rascher eindringen

Elefanten bewegen sich meist gemächlich im Paßgang (ganz links). Sie können zwar gut klettern, aber das Springen ist den Schwergewichten aus statischen und bewegungsdynamischen Gründen versagt. Schon ein zwei Meter breiter und ebenso tiefer Graben ist für sie ein unüberwindliches Hindernis. Unser Foto (links) zeigt einen solchen »Elefantengraben« in Asien.

können, was den Samenkörnern ein rascheres Keimen nach dem Absetzen des Kotballens ermöglicht – wichtig in trockenen Klimabereichen.

Bei der Nahrungssuche bevorzugen Elefanten, obwohl sie bis an sechs Meter hohe Blätter und Früchte heranreichen können und sich dabei sogar auf die Hinterbeine aufrichten, meist die in zwei Meter Höhe mühelos erreichbare Vegetation. Dabei verzehren weibliche Elefanten etwa 150 Kilo, männliche rund 170 Kilo Frischgewicht an Pflanzen in 24 Stunden, wobei für die Aufnahme dieser Nahrungsmenge 17 bis 19 Stunden benötigt werden. In diesem Zeitraum verlassen den gewaltigen Körper etwa 80 bis 110 Kilo Kot, der in rund 16 »Sitzungen« abgesetzt wird. Aus dem Umfang der Kotballen lassen sich Rückschlüsse auf das Alter der Tiere ziehen, nicht aber auf die Geschlechtszugehörigkeit. Bei der Nahrungssuche wandert der Elefant gemächlich voran, wobei vor allem junge Männchen oft Bäume umknicken oder entwurzeln.

Aus solchem Nahrungsverlangen erklärt sich ein Teil der in jüngerer Zeit in manchen Elefantengebieten auftretenden Schwierigkeiten: Wenn Rinderherden in Nahrungswettbewerb mit Elefanten treten, so weiden diese genau die Pflanzen in genau der Höhe ab, die vom Elefanten bevorzugt werden. Aber auch weitere menschliche Einflüsse (Abbrennen von Grasland, Straßenbau und damit Durchschneidung von Wanderwegen, Abforstung) setzen dem Elefanten schwer zu.

Besonders beliebte Nahrung des Elefanten sind also neben Laub und Gras, wie zarter Bambus, auch verschiedene Früchte, von denen die des Marulabaumes offenbar an erster Stelle stehen: Sie geraten nämlich im Magen leicht in alkoholische Gärung und verschaffen dem Genießer einen offensichtlich angenehmen Rauschzustand. Solche Alkoholvorlieben zeigten sieben Afrikanische Elefanten auch 1984 in einem Wahlversuch in einem amerikanischen Zoo, wo sie ansonsten stets geschmacklose Alkohollösungen von 7% bevorzugt aufnahmen und prompt Trunkenheitssymptome zeigten. Die damit verbundene Abnahme der Nahrungs- und Wasseraufnahme und schwächere Neugier mündeten schließlich in Teilnahmslosigkeit und Streben nach Einsamkeit. Diese Verhaltensweisen sind natürlich im Freiland dem Leben in der wohlgeordneten sozialen Gruppe nicht eben förderlich.

Neuere Untersuchungen zur Ernährung des Elefanten lieferten die Erklärung für die obengenannte schlechtere Ausnutzung der pflanzlichen Nahrung. Anders als etwa bei Wiederkäuern und Nagetieren, wo die Aufschließung der aus Zellulose bestehenden pflanzlichen Zellwände von symbiontischen Verdauungsbakterien durch deren Enzym Zellulase bewirkt wird, ist diese Fähigkeit beim Elefanten überraschend gering ausgeprägt (obwohl dessen Blinddarm – mit der Hauptmenge der Verdauungssymbionten – eineinhalb Meter lang ist). Gut verdaut werden aber Stärke, Zucker und Protein (Eiweiß), wobei Blind- und Dickdarm die Hauptarbeit leisten. Auch leichte Fette werden gut ausgenutzt. Die Verweildauer der Nahrung im Körper beträgt 21 bis 46 Stunden, wurde aber früher für bedeutend länger gehalten.

Die Verdauungsvorgänge sind in den sehr großbemessenen Verdauungsräumen von meist deutlich hörbaren kollernden und grollenden Geräuschen begleitet, und auch die dabei auftretenden Biogase machen sich oft mit lauten Entweichgeräuschen bemerkbar.

Elefanten trinken täglich etwa 70 bis 100 Liter, wobei sie bei der Trinkwassersorte sehr wählerisch sind.

Wenn es die Umstände erfordern, können Elefanten ein beachtliches Tempo vorlegen. In vollem Lauf erreichen die Kolosse kurzfristig »Spitzengeschwindigkeiten« von 40 Kilometern pro Stunde.

Ein Elefant ißt mit dem Rüssel. Die ausschließlich pflanzliche Kost - Gras, Blätter, Zweige, Früchte usw. - wird mit diesem Allzweckorgan abgerupft, gebündelt und in den Mund geschoben.

Nicht selten sieht man bei indischen Arbeitselefanten, daß sie das oberhalb ihrer Badestelle zufließende Wasser oder gar das aus einem Zuleitungsrohr strömende Frischwasser bevorzugen. Zum »Duschen« mit dem Rüssel ist dann das andere Wasser gut genug, ja oft wird sogar für das Ganzbad mit Eintauchen und Sichwälzen schlammiges Wasser bevorzugt. Die Blasenentleerung erfolgt etwa 14mal pro Tag, wobei jeweils etwa fünf Liter abgegeben werden.

Die Haut der »Dickhäuter«

Häufiges Baden ist offenbar zur Pflege der gar nicht dickfelligen Haut nötig, und was den Zeitaufwand für die Hautpflege betrifft, hält der Elefant einen der vorderen Plätze inne. Dabei wird gebadet, gesuhlt, geduscht, massiert und mit Staub eingepudert. So werden auch die sich in den Hautfalten verbergenden Außenschmarotzer (z.B. Elefantenläuse der Gattung *Haematomyzus*) genügend erfolgreich beherrscht. Gute Mahouts helfen ihrem Elefanten bei diesem Bemühen, und manche kennen besondere Rezepte für ein Fett und Ruß enthaltendes Hautpflegemittel. Die Talgdrüsen reichen offenbar gegenüber dem täglich nötigen Bad nicht zur Dauerfettung der Haut aus.

Elefanten wissen sich das Lebensnotwendige zu beschaffen. Sie graben nach Salz (oben) und nach Wasser (rechts). Die Wasserlöcher, die sie mit Stoßzähnen und Rüssel meist in ausgetrockneten Flußbetten ausheben, sind oft metertief und kommen in Dürrezeiten auch vielen anderen Steppentieren zugute.

Bei jungen Elefanten ist die Haut grau-schwärzlich gefärbt und wird mit fortschreitendem Alter an bestimmten Stellen blaß und dann vom durchschimmernden Blut rosa. Die ersten Stellen dieser Entfärbung durch Verschwinden des Pigments finden sich an Rüsselansatz und -spitze sowie an den Ohrrändern, bis schließlich auch Schläfen und Hals davon erfaßt werden.

Die Dermis, die eigentliche Haut dieser »Dickhäuter«, ist meist zwei Zentimeter dick und mit einer dünnen Epidermisdecke (Oberhaut) von 0,5 bis 2 Millimeter Dicke versehen. In der Dermis finden sich papillenartige Vorwölbungen, die sich auch an der Oberfläche, also der Oberhaut, ausprägen und der Elefantenhaut ein typisches rauhes Aussehen verleihen, das sich so bei anderen Säugern nicht findet. Dieses Papillenmuster ist im Bereich von Rüsselvorderteil, Beinen und Schwanzende besonders ausgeprägt, wo sich sogar fünf bis sechs Zentimeter lange und ein Zentimeter dicke Papillen abzeichnen. Einige Fachleute glauben, daß diese Hautbesonderheit der besseren Wärmeabstrahlung und also der Temperaturregulierung dienen könnte, zumal eine gute Versorgung mit kleinen Blutgefäßen diese Funktion möglich machen dürfte und dem Elefanten Schweißdrüsen fehlen. Die Wärmeabgabe erfolgt auch durch die gut durchbluteten und riesigen Ohrmuscheln (s.o.).

Die Körpertemperatur des Elefanten beträgt 32–37,5 °C. Dieser für einen Warmblüter scheinbar weite Bereich ist kein Zeichen von primitiver Stoffwechselregelung, sondern erspart in ähnlicher Weise wie bei Kamelen Wasser- und Energieverluste. Zur Schweißerzeugung besitzen Säuger in aller Regel schlauchförmige Drüsen. Solche finden sich bei Elefanten aber nur in Form der Wangendrüsen (Schläfen- oder Temporaldrüsen), auf jeder Seite eine zwischen Auge und Ohr. Sie ist schon seit etwa 60 Jahren durch sorgfältige mikroskopische Untersuchungen sicher als umgewandelte Schweißdrüse bekannt und dient der Erzeugung eines vor allem zur Brunst- und Fortpflanzungszeit auf den Wangen erscheinenden, ölig wirkenden Sekrets. Es enthält unter anderem Cholesterin, Phenol und Kresol, also zum Teil leichtflüchtige Stoffe, die im Zusammenhang mit zahlreichen anderen Bestandteilen diesem Sekret eine sehr persönliche Duftnote verleihen. In der Tat haben Freilandbeobachtungen in Afrika 1977 gezeigt, daß sich Elefanten persönlich am Duft erkennen. Darüber hinaus schreibt man dem Sekret der hochaktiven Wangendrüse die Wirkung von Pheromonen zu, Stoffen also, die in kleinsten Mengen bei Artgenossen bestimmte Reaktionen auslösen. Im vorliegenden Fall denkt man an eine Rolle als Geschlechtspheromon.

Im Sprachgebrauch der indischen Mahouts wird für den Brunstzustand der Elefantenbullen das Wort »musth« verwendet, weshalb die Wissenschaft diese Drüse als »Musthdrüse« bezeichnet. Auch durch Streß läßt sich die Sekretbildung der Musthdrüse anregen, was man bei dieser ehemaligen Schweißdrüse wohl ungestraft mit der menschlichen Schweiß- und damit Dufterzeugung in gewissen Streßsituationen vergleichen darf. Die Musthdrüse ist bei beiden Geschlechtern vorhanden und mindestens beim Afrikaner das ganze Jahr hindurch mäßig aktiv, wird aber in der Fortpflanzungszeit besonders beim Bullen wirksam. Aus der Hautforschung ist bekannt, daß sich Schweißdrüsen oft in der Nähe von Haaren finden, wodurch die Duftwirkung gesteigert wird. Zum Mangel an Schweißdrüsen paßt beim Elefanten die starke Rückbildung des Haarkleides. Es ist beim Neugeborenen noch vorhanden, verschwindet aber bald. Erhalten bleiben und sogar stark wachstumsbetont sind aber sehr lange Augenwimpern und noch längere und sehr dicke Haare am Schwanzende, diese sind bis zu

Die dicke und nur scheinbar derbe und unempfindliche Haut der Elefanten bedarf regelmäßiger Pflege. Dazu gehören vor allem das ausgiebige Suhlen im Schlamm (links) und das tägliche Bad (ganz links). Die indischen Mahouts führen ihre Arbeitselefanten jeden Tag zum Wasser und helfen ihnen bei der Körperreinigung.

20 Zentimeter lang und etwa 2,5 Millimeter dick, besitzen einen elliptischen Querschnitt und erfreuen sich, zu Armreifen gebunden, als glückbringende Amulette großer Beliebtheit. Ansonsten ist der Körper bis auf wenige auf Nacken und Rücken verstreute kurze und dünne Borsten in der Regel fast haarfrei. Allerdings gibt es zum Beispiel beim als Unterart aufgefaßten Malaien-Elefanten *(Elephas maximus hirsutus)* und beim Afrikanischen Waldelefanten *(Loxodonta africana cyclotis)* durchaus stärkere Behaarung einiger Körperpartien (lat. *hirsutus* = struppig). Die ausgestorbenen Verwandten, die Mammuts, besaßen ebenfalls gut ausgeprägte Haarkleider, und das Wollhaarmammut machte sogar seinem Namen alle Ehre. Mit Haut und Haaren im sibirischen Eis wohlerhalten aufgefundene Mammuts bestätigen das eindrucksvoll.

Zu den Hautdrüsen zählen auch die beiden brustständigen Milchdrüsen, die eine Milch liefern, die mit etwa 20% Fettgehalt ungefähr fünfmal so fettreich ist wie Kuhmilch und mit durchschnittlich 7% Milchzukker diese um das Eineinhalbfache übertrifft. Ihr Eiweißgehalt gleicht mit etwa 3–4% dem der Kuhmilch.

Geschlechtsorgane

Die Geschlechtsorgane des Elefanten entsprechen in ihrer Größe den Körpermaßen durchaus und haben daher schon seit langem das Interesse der Anatomen und in neuerer Zeit der Hormonforscher gefunden. Die Hoden eines zwanzigjährigen Asiatischen Elefanten wurden 1937 von T. Schulte mit 2,2 Kilogramm (links) und mit 1,8 Kilogramm (rechts) gewogen; nach J. S. Perry (1953) verhält es sich beim Afrikaner ähnlich. Es ist erstaunlich, daß sich die Hoden, anders als bei den meisten Säugetieren und dem Menschen, nicht in einem äußerlich sichtbaren und zur Samenreifung nötigen kühlen Aufbewahrungsort, dem Scrotum (Hodensack), befinden. Sie liegen noch an ihrem ihnen von der Stammesgeschichte der Wirbeltiere zugewiesenen Platz in der Bauchhöhle schwanzwärts von den Nieren. Offenbar kann bei der obengenannten recht niedrigen Körpertemperatur des Elefanten die Samenreifung im Körper erfolgen.

Das männliche Begattungsglied ist auch im nicht erregten Zustand S-förmig gebogen und dann unter der Bauchhaut verborgen. Es wird beim Kampf zweier Bullen und natürlich zur Begattung versteift und ist

dann als beeindruckendes Organ sichtbar, mit dem sogar willkürliche Aufundab- sowie Hinundherbewegungen ausgeführt werden können. Das dem Penis entsprechende Organ der weiblichen Elefanten, die Klitoris (Kitzler), ist ebenfalls von ansehnlicher Länge und betrug bei einer zwanzigjährigen Asiatischen Elefantenkuh 37 Zentimeter. Ähnlich wie bei den Hyänen hat auch hier die starke Ausprägung der Klitoris zu manchen Fehlbestimmungen des Geschlechts geführt, zumal sie wie ein Penis versteift werden kann und die Hoden, wie erwähnt, nicht sichtbar sind. Es gibt auch keinen jahreszeitlich, etwa zur Fortpflanzungszeit, erfolgenden Hodenabstieg, wie er bei manchen Säugetieren vorkommt. Der Uterus (Gebärmutter) des Elefanten gehört zum Typ bicornis (zweihörnig) und stellt damit einen mittleren Entwicklungszustand zwischen dem Doppeluterus (Uterus duplex) der niedersten und dem Uterus simplex der höchsten stammesgeschichtlichen Stufe wie etwa bei Fledertieren, Affen und Menschen dar.

Auch das »Einpudern« der Haut mit Staub oder Sand gehört zur richtigen Körperpflege der Dickhäuter. Als Sprühgerät wird der Rüssel benutzt.

Sinnesleistungen und Lautäußerungen

Die großen Ohrmuscheln und ihr lebhaftes Spiel deuten schon auf einen gut ausgeprägten Gehörssinn hin. Dieser ist denn auch Jägern und Elefantenführern seit langem bekannt und wird von letzteren schon jahrhundertelang zur Dressur und bei der Arbeit benutzt. Dabei werden einzelne Wörter entsprechend einer von Bernhard Rensch und mir in den fünfziger Jahren in Indien durchgeführten Untersuchung sicherlich nur nach ihrem Wortklang verstanden und befolgt, also ohne die sonst meist übliche Begleitung der Kommandos durch Berührungshilfen von seiten des Mahouts. Solche Kommandos lauten zum Beispiel: »Hinlegen!«, »Aufstehen!«, »Links umdrehen!«, »Rechts umdrehen!«, »Gib die Kette hoch!« (wobei aus verschiedenen, am Boden liegenden Gegenständen die Kette richtig ausgewählt und sanft hochgereicht wird), »Zerbrich den Ast!«, »Reiß den Baum aus!« und so fort. Auch bei der Arbeit etwa im Teakholzwald zeigt sich die Nützlichkeit solcher Gehör- und Verständnisleistung, obwohl gut eingearbeitete Elefanten die Arbeit beim Heranschleppen von Baumstämmen allein oder auch zu zweit in beeindruckender Zielstrebigkeit geradezu einsichtig und fast ohne lautliche Leistung durch den Mahout verrichten. Wir fanden heraus, daß die riesigen Mitarbeiter 21 bis 27 Kommandowörter richtig befolgen konnten. Dabei schien uns der Befehl »Gib Wasser herauf!« am amüsantesten, zumal bei diesem schönen Zusammenspiel mit dem im Wasser stehenden Elefanten natürlich gemeinsam aus dem Rüssel getrunken wurde.

Eine genaue Überprüfung unserer auch filmisch belegten Befunde ist anschließend von unserem Mitarbeiter Jürgen Reinert an einem weiblichen Elefanten im Zoo Münster vorgenommen worden. Dabei wurde das etwa achtjährige Tier in belohnter, straffreier Dressur angelernt, beim Erklingen bestimmter, elektronisch erzeugter, also reiner Töne oder Tonfolgen mit dem Rüssel einen Futterautomaten auszulösen, tonliche Gegensignale aber unbeachtet zu lassen. Nach siebeneinhalb Monaten solchen Lernens konnte der Elefant zwölf reine Töne zwischen 140 und 4000 Hertz unterscheiden, wobei zwischen zweien dieser Töne nur ein einziges Ganztonintervall lag. Es zeigte sich, daß das sehr kooperationsfreudige Tier damit noch keineswegs seine Lern- und Behaltensfähigkeit ausgeschöpft hatte. Bemerkenswert ist auch, daß die Unterscheidung mit Sicherheit nur nach der Tonhöhe erfolgte, was bedeutet, daß der Elefant ein absolutes Tongedächtnis besitzt: eines jeden Musikers Traum. Auch Melodien von drei aufeinanderfolgenden reinen Tönen konnte der Elefant leicht erlernen und erkannte sie auch nach Transposition um eine Oktave nach oben oder unten und nach Einkleidung in Akkorde sicher wieder. So überraschte es nicht mehr, daß er diese Melodien auch trotz der sehr verschiedenen Klangfarben (= Nebentonreichtum) von Violine über Klavier und Cembalo bis Blockflöte, Trompete und sogar Xylophon richtig erkennen konnte. In vielen Fällen genügte dabei schon das Er-

klingen des zweiten Tones, um den Elefanten zum Betätigen des Futterautomaten zu veranlassen – er hatte also bereits in diesem Augenblick die Melodie erkannt. Schon Abu Fazil, der Biograph Akbar des Großen (1542–1605), schrieb, daß »der Elefant lernt, sich an Melodien zu erinnern, wie es sonst nur Menschen vermögen, die sich in der Musik auskennen«.

Auch das akustische Gedächtnis bestätigte die Redensart, daß »ein Elefant nie vergißt«. Nach 19 Wochen beherrschte der Elefant von den 12 Dressurtönen noch 11, nach einer weiteren Dressurpause von eineinhalb Jahren noch 9 Töne. Aus technischen Gründen konnten diese recht aufschlußreichen Versuche nicht fortgeführt werden, möglicherweise hätten sie weitere Überraschungen zutage gebracht, etwa von der Art, wie sie der Wissenschaft bekannt zu werden beginnen.

Elefantenfachleute wußten, daß sich ungestörte Elefanten im Freiland mit dumpf grollenden Lauten verständigen. Judith K. Berg hat 1983 bei Afrikanischen Elefanten zehn typische Lautäußerungen erkannt und analysiert, die für die Kommunikation (Verständigung) wichtig sind. Wenn sich befreundete Tiere nach der Arbeit wiedertreffen, »grollen« und »schnurren« sie leise zur Begrüßung. Ganz anders sind die schrillen Trompetenlaute, die angegriffene, erschreckte oder angreifende Elefanten ausstoßen. Diese Laute werden, wie auch weitere, brüllende Geräusche, im Kehlkopf erzeugt und durch die mitschwingende Luftsäule im Rüssel verändert und verstärkt. Ein solches Drohbrüllen und -trompeten kann oft durch Rüsselschläge auf den Boden unterstrichen werden, was etwa so klingt, als würfe man pralle Autoreifen auf eine harte Unterlage. Ein weiteres, eher stimmloses Signal ist das Klatschen mit den Ohren gegen den Kopf, womit Elefanten ihre Kinder herbeirufen. Von den Darmgeräuschen war schon oben die Rede. Allerdings müssen diese Nebenwirkungen der gewaltigen Verdauungsvorgänge von dem obengenannten kollernden Schnurren, das manchmal an das Geräusch von Dieselmotoren erinnert und im Kehlkopf erzeugt wird, genau unterschieden werden. Schließlich wurden Geräusche dieser und ähnlicher Art durch amerikanische Forscher (Katharine B. Payne und Mitarbeiter von der Cornell-Universität) als Infraschallsignale erkannt, also als für den Menschen unhörbare, sehr tiefe Töne. Dabei verspürte Frau Payne vor Zooelefanten in Portland/Oregon ein 10 bis 15 Sekunden währendes Luftdruckgefühl, das sie an »die tiefste Tonlage einer riesigen Orgelpfeife oder die leichte Druckwelle eines entfernten Gewitters« erinnerte. Frau Payne hatte schon früher über die Lautsignale von Meeressäugern gearbeitet, bei denen sich zum Beispiel Wale mit Infraschall verständigen. So dachte sie bei diesen Elefantenlauten sofort an die für den Menschen nicht hörbaren, sehr niedrigen Infraschallfrequenzen. Entsprechende höchstempfindliche Analysegeräte bestätigten, daß die Infraschallsignale im Frequenzbereich von nur 14 bis 24 Hertz lagen. Manchmal reichten sie durch begleitende harmonische Obertöne soeben in den unteren Hörbereich des Menschen. Sie werden offenbar vom Rüsselansatz oder der Stirngegend abgestrahlt, wo man manchmal eine vibrierende Hautbewegung sogar sehen kann, wenn diese Tiefsttöne erzeugt werden. Sie dienen ganz offenbar der Verständigung innerhalb der Herde, womit sich viele Befunde aus der Elefantenbiologie erklären: das Wiederfinden eines verlorenen Kindes, das Zusammenrufen der beim nächtlichen Nahrungsgang zerstreuten Einzeltiere zum gemeinsamen Weiterwandern und so fort. Daß Tiere in sehtechnisch schwierigen Lebensräumen (Dschungel, hohe Grassteppe, im Meer, bei Nebel und Dunkelheit) sich mit Infraschallsignalen verständigen oder zurechtfinden, ist ja der Bioakustik wohl bekannt. Man darf sicher sein, daß die weitere Untersuchung dieser wahrhaft aufregenden Signalwelt noch manche Überraschung liefern wird.

Angesichts solch moderner Befunde ist es nützlich und notwendig, sich schon klassisch gewordener Erkenntnisse aus der beschreibenden Wissenschaftsära zu erinnern, die jetzt in neuer Bedeutung erscheinen.

Ein Familienverband Afrikanischer Elefanten in der Baumsavanne.

▷ Ein unvergeßliches Erlebnis für jeden Safari-Touristen: Eine stattliche Elefantenherde zieht durch die afrikanische Baumsteppe.

▷▷ In Afrika sieht man nicht selten Kuhreiher auf dem Rücken eines Elefanten. Die Vögel haben es auf die Insekten abgesehen, die der Dickhäuter aufscheucht.

Die Anatomen R. Anthony und F. Coupin wollen schon 1925 beim Asiatischen Elefanten einen ihnen seltsam und »in seiner Bedeutung unerklärbar« gebliebenen schmalen Verbindungsgang zwischen dem linken und rechten Nasengang gefunden haben. Er sei etwa 13 Zentimeter von der Rüsselspitze entfernt, verliefe vom linken Nasengang schräg nach hinten geneigt zum rechten, und je ein faserig-bindegewebiges Polster könne es dem sehr feinfühlig beweglichen Rüssel ermöglichen, die mit dem Lippenfinger in den Nasengängen einschließbare Luft an diesem »Stimmritzengang« zum »Flöten« oder tieftonigen Brummen zu bringen. Tatsächlich hat F. Frade 1931 schon eine solche Vermutung geäußert. Beim Afrikaner findet sich eine solche Vorrichtung nicht, aber dieser könnte seine zwei Lippenfinger in geeigneter Weise gegeneinander pressen und so im Wortsinn »auf den Fingern pfeifen«.

Obwohl es in den meisten Lehrbüchern jahrhundertelang hieß, der Elefant verfüge nur über einen mäßig ausgeprägten Gesichtssinn, hat uns die sorgfältige wissenschaftliche Nachprüfung anderes gelehrt. Tatsächlich wirkt ja das Auge (Durchmesser 40 mm) in dem gewaltigen Kopf ziemlich klein und wird bei gesenktem Kopf noch durch die massigen Stirnwülste und Überaugenknochen in seinem Blickfeld beeinträchtigt. Meine Versuche im Stile einer Sehschärfeprüfung ergaben aber, daß die Unterscheidung von waagerechten Schwarz-Weiß-Streifen verschiedener Breite aus 163 Zentimeter Abstand ausgezeichnete Ergebnisse erbrachte. Dabei wurden noch Streifen von nur fünf Millimeter Breite von einem gleichhellen flächengleichen Grau unterschieden. Bei diesen Versuchen hob der Elefant die von ihm gewählte Streifenplatte mit dem Rüssel von einem darunter befindlichen Kasten ab, dem er eine Brotbelohnung entnehmen konnte. Die Arbeitswilligkeit des Tieres war so groß, daß er bis zu 700 Wahlversuche dieser Art pro Sitzung ohne Unterbrechung durchführen konnte. Die in Winkelgraden anzugebende Sehschärfe der Elefanten gleicht mit 10 Minuten 20 Sekunden etwa der des Pferdes und der Zauneidechse, und ihr bester Helligkeitsbereich entspricht dem des Menschen. Das bedeutet, daß der Elefant hinsichtlich seiner Augenausrüstung nicht für das nächtliche Tun eingerichtet ist, dazu bedarf es des Gehörs sowie des Geruchs- und Tastsinns. Bei den genannten Versuchen bleibt noch zu erwähnen, daß Einzeldinge vom Elefanten aus der genannten Entfernung von gut eineinhalb Metern nur dann gesehen wurden, wenn sie einen Durchmesser von zwei Zentimetern überschritten, allerdings wurden Brotkügelchen von einem Zentimeter Größe noch gesehen. Dabei war dafür Sorge getragen, daß die geruchliche Wahrnehmung des Brotes nicht wirksam werden konnte. Auch konnte der Elefant für ihn unsichtbar, aber erreichbar (Klappe öffnen) dargebotenes frischduftendes Brot in der Versuchsentfernung nicht wahrnehmen. Dieser Befund bestätigte Ergebnisse einer ähnlich angesetzten Versuchsreihe von Bernhard Grzimek, über die später berichtet wird.

Das »Elefantengedächtnis«

Ein ausgezeichnetes Gedächtnis für gesehene und in ihrer Bedeutung erlernte Dinge offenbarte sich in Versuchen, die Bernhard Rensch und ich in den fünfziger Jahren durchgeführt haben. Dabei lernte der Elefant straffrei und futterbelohnt die Unterscheidung eines jeweils richtigen (belohnten) von einem falschen »Bild« von der Art, wie sie in der nebenstehenden Zeichnung vorgestellt werden. War eine solche Aufgabe erlernt, schritten wir zur zweiten und so fort. Später boten wir die bis zu 13 Figurenpaare in buntem, aber statistisch vorher bestimmtem Wechsel, wobei auch der Seitenwechsel des jeweils richtigen Bildes vorher festgelegt sein mußte. Menschenkinder und einigermaßen intelligente Tiere verfolgen bei solchen Aufgaben nämlich die arbeitssparende Strategie der Seitenstetigkeit: Sie wählen stets ein und dieselbe Seite, wobei sie sozusagen unterstellen, daß sich dann schon irgendwie ein genügender Erfolg abzeichnen wird. Unter Beachtung aller psychologischen Testvorsichtsmaßnahmen ermittelten wir, daß unser Elefant nicht nur alle 13 Signalpaare sicher beherrschte, sondern von den erlernten 26 Bildern auch noch nach zwölf Monaten 24 sicher wiedererkannte.

Wegen dieser erstaunlichen Lern- und Behaltensleistungen brachten wir unseren Elefanten danach noch weitere 14 Bildunterscheidungen bei (Merkmalspaare 14–20 auf nebenstehender Abbildung), die er in überzeugender Weise (600 Wahlversuche an einem Vormittag) beherrschte. Bei der Unterscheidung von somit 20 Musterpaaren, von denen jedes Bildpaar 30mal in buntem Wechsel geboten wurde, erzielte die geleh-

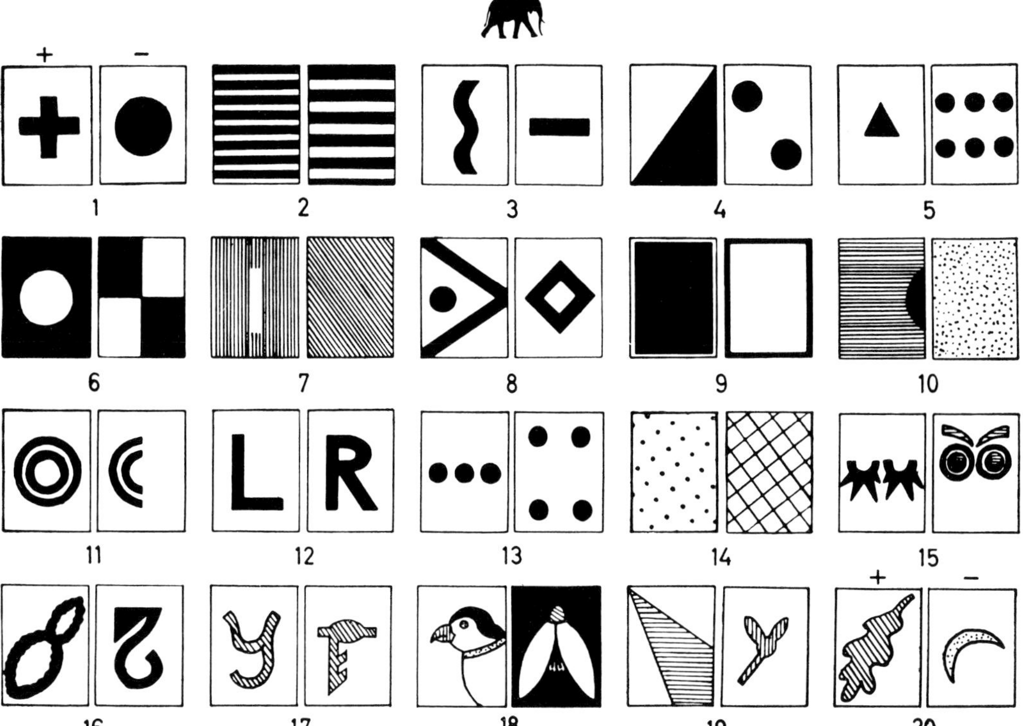

Mit solchen Bildtafeln testete der Autor das sprichwörtliche »Elefantengedächtnis« (vgl. dazu seine Ausführungen auf dieser Doppelseite).

rige Elefantendame im damaligen Alter von etwa acht bis neun Jahren 80–100% Richtigwahlen, was jedem Testanspruch standhält und als gut bis sehr gut gelten darf. Das erwies sich auch bei der Prüfung der Frage, ob unsere Schülerin jedes Bildpaar als solches (also in seiner möglicherweise leichter zu erlernenden Zuordnung von größer–kleiner, heller–dunkler usw.) oder jedes Muster einzeln erlernt hatte. Das Ergebnis ausgedehnter Versuchsreihen bewies, daß der Elefant alle 40 Bilder einzeln als positiv beziehungsweise negativ erkannt hatte.

Nach über 32 dressurfreien Jahren haben wir unseren Elefanten vor die damals erlernten 40 Bilder gestellt, um zu prüfen, ob und welche Merkmale unsere inzwischen etwa 40 Jahre alt gewordene Schülerin noch wie gut im Gedächtnis behalten hatte. In diesen drei Jahrzehnten hatte es keinen Kontakt zwischen ihr und uns gegeben. Wenngleich das erste Wiedersehen seit 1954 überaus gefühlsbeladen mit Umarmen bzw. -rüsseln verlief und für jeden Beobachter einen Beweis des Erinnerns darstellte, konnte sich der Elefant zwar noch an die Versuchssituation und den Versuchsablauf erinnern, ein sicheres Wiedererkennen der 20 richtigen unter den insgesamt 40 Kennzeichen war ihm aber nicht möglich.

Die Frage, ob Elefanten nie vergessen, stellten sich auch amerikanische Zoologen 1975 unter H. Markowitz im schon genannten Oregon-Zoo in Portland. Sie dressierten drei weibliche Indische Elefanten auf die Unterscheidung einer Hell-Dunkel-Aufgabe. Nach acht Jahren erinnerte sich eines dieser Versuchstiere noch sicher des damals Erlernten, während die beiden anderen inzwischen durch ein Augenleiden behindert waren.

In Versuchen mit Asiatischen Elefanten konnte Bernhard Grzimek 1949 feststellen, daß es ihnen nicht möglich war, sich in einer Reihe von fünf gleichartigen Kästen längere Zeit den zu merken, in dem vor ihren Augen und mit belohnter Dressur begehrtes Futter untergebracht war. Während Wolf und Hund den richtigen Kasten noch nach Tagen herausfanden, behielten Elefanten das nur 15 Sekunden lang. Im Futtererleben des Elefanten spielt eben das Wissen um verstecktes Futter keine Rolle: Pflanzennahrung ist im Freileben nie verborgen wie etwa ein kleines Beutetier für Wolf und Hund, sondern hat sozusagen öffentlich am Wegesrand zu stehen.

Geschichten über das sagenhafte Elefantengedächtnis sind weit verbreitet, aber in den seltensten Fällen sind sie sicher verbürgt.

▷ Elefantenkühe und Jungtiere stillen gemeinsam ihren Durst an einem See in Namibia.

Daher mag abschließend und stellvertretend eine von mir 1985 aus erster Hand in den Arbeitscamps der Karnataka-Teakwälder erfahrene Geschichte erzählt werden. Dort ist es üblich, daß Mahouts ihre Elefanten nach besonders gelungener Arbeit mit einem Brocken »jaggery« belohnen, einer Art von stark eingedampftem Zuckerrohrsirup. Dieser sieht manchmal Kieselsteinen nicht unähnlich. Nun gab einmal ein

Asiatische Elefanten sind ausgezeichnete Schwimmer. Sie tummeln sich oft stundenlang im Wasser und können selbst breite Flüsse mühelos schwimmend durchqueren.

Mahout, ob aus Absicht oder Spielerei, dem Elefanten eines Kollegen zwischen den echten »jaggery«-Brokken auch einen Kieselstein, den der arglose Elefant offenbar erst beim Zubeißen als Fremdkörper bemerkte. Über den Verbleib des Kieselsteins wurde zunächst nichts bekannt, und der Elefant ging wie gewohnt seiner täglichen Arbeit nach. Nach vier bis sechs Wochen trafen dieser Elefant und der Übeltäter wieder zusammen, und sein wahrer Mahout sah mit Staunen, wie sein Tier mit dem Rüssel in die Backentaschen fühlte und dem Mahout-Kollegen einen harten Gegenstand an den Körper schleuderte: jenen Kieselstein, den er offenbar so lange hinter den Zähnen aufbewahrt hatte.

Zu solchen eindrucksvollen Leistungen paßt auch die Äußerung des südindischen Elefantenkenners Sukumar (1985): Elefantengräben der obenerwähnten Art werden manchmal von mehreren Elefanten in Gemeinschaftsarbeit mit Erde ausgefüllt und können so überquert werden. Schon Plinius berichtete über die Afrikanischen Elefanten, daß sie Fallgruben mit Erde und Ästen zuschaufelten, um dem Artgenossen so aus der Klemme zu helfen. Südindische Elefanten durchbrachen auch unsere Elektroweidezäunen ähnelnden Absperrungen, die bei Berührung kurzfristige Hochspannungsstöße von 4000 Volt verabreichten, indem sie mit den nichtleitenden Stoßzähnen die Drähte zerrissen und gemächlich in das verbotene Gebiet marschierten. Dabei wurde zum Beispiel 1985 ein Studienkolleg in einem Vorort der Stadt Bangalore von solchen marodierenden Elefantenherden zerstört, und alljährlich werden nach Sukumars Angaben in Südindien auf diese Weise über 30 Menschen getötet.

Angesichts solcher Tatsachen liegt es nahe, noch einmal das gewaltige Elefantenhirn – viermal so schwer wie das des Menschen – aus der vergleichenden Sicht der Hirntheoretiker zu betrachten. Man kann aus dem Gewicht des »Neuhirns« (Neopallium) der Säuger und dem Gewicht der »älteren« Hirnteile (Stammhirn) einen sogenannten Cerebralisationsindex bilden.

Diese Zahl ist ein Maß für die Rolle des »Denkhirns«: je größer diese Zahl, um so überlegener dieses Neu- oder Denkhirn. Hier sind einige so gewonnene Zahlen für verschiedene Säugetiere: Wildschwein 14,1; Fuchs 16,8; Zebra 25,5; Pavian 47,9; Menschenaffen 49; Indischer Elefant 104; Weißseitendelphin 121; Mensch 170.

Auch die Beiträge über den Asiatischen und Afrikanischen Elefanten werden mit Befunden aufwarten, die dieses hohe Leistungsvermögen des Elefantengehirns veranschaulichen.

Stammesgeschichte

von Erich Thenius

Die Rüsseltiere sind gegenwärtig nur durch die Elefanten in Afrika *(Loxodonta africana)* und Südasien *(Elephas maximus)* vertreten. Es sind Endformen einer einst fast weltweit verbreiteten Säugetierordnung, deren Stammesgeschichte durch überaus zahlreiche Fossilfunde recht gut belegt ist. Lediglich in den Anfängen ist die Fossilüberlieferung spärlich und lückenhaft, so daß die Aussagen über stammesgeschichtliche Herkunft und Zusammenhänge weitgehend auf Annahmen beruhen. Wie bereits oben ausgeführt, sind nähere verwandtschaftliche Beziehungen zu den Seekühen und möglicherweise zu den Schliefern anzunehmen. Die Zugehörigkeit der ausgestorbenen Desmostylier zu dieser von M. C. McKenna als Tethytheria bezeichneten Gruppe erscheint fraglich.

Nun zur Gliederung der Rüsseltiere selbst. Anhand der Fossilfunde läßt sich eine Großgliederung der Proboscidea in die Moeritherioidea, Elephantoidea (einschließlich »Mastodontoidea«) und Dinotherioidea (einschließlich »Barytherioidea«) vornehmen.

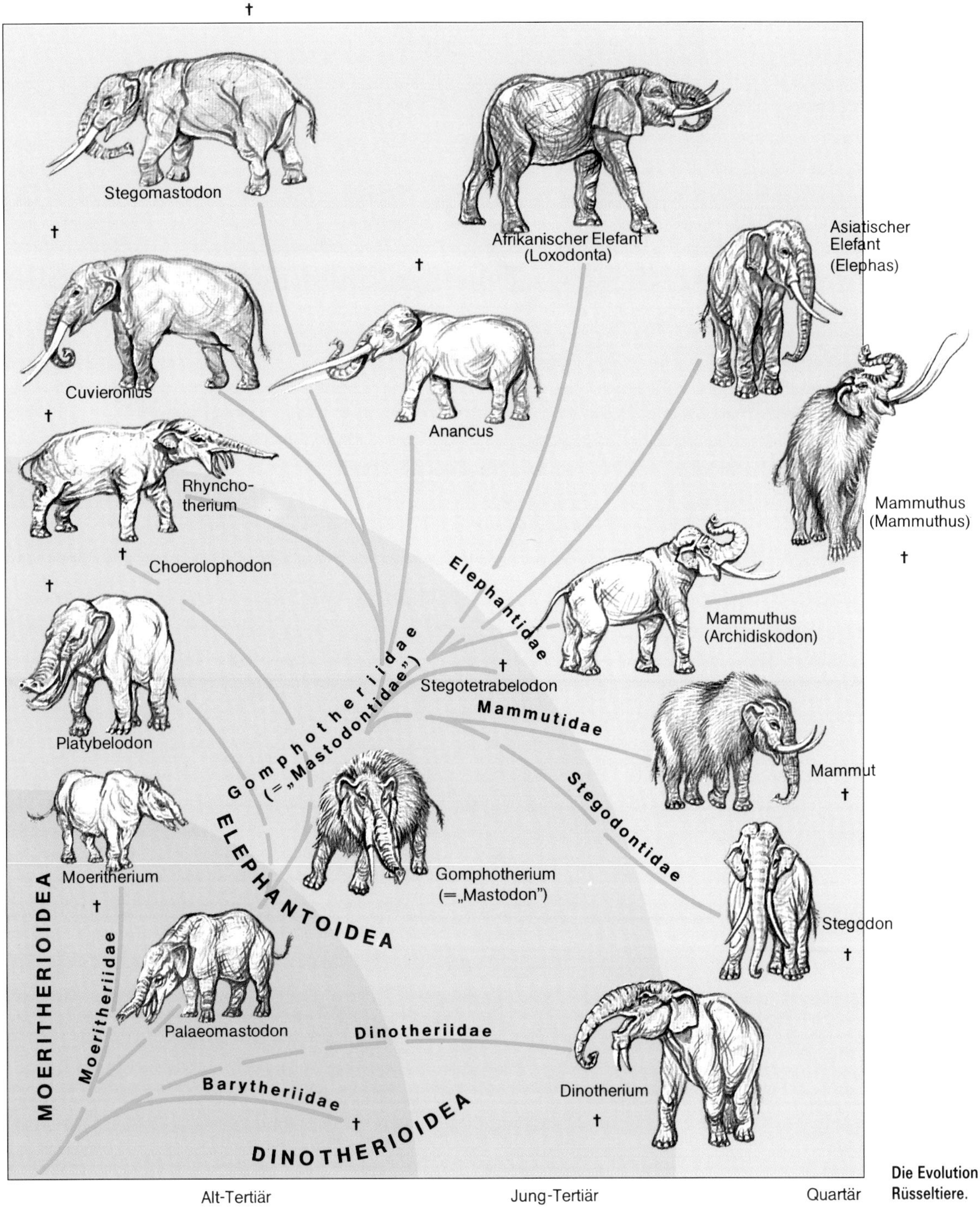

Stegomastodon

Afrikanischer Elefant
(Loxodonta)

Asiatischer
Elefant
(Elephas)

Cuvieronius

Anancus

Rhynchotherium

Choerolophodon

Mammuthus
(Mammuthus)

Elephantidae

Mammuthus
(Archidiskodon)

Gomphotheriidae
(= „Mastodontidae")

Stegotetrabelodon

Mammutidae

Platybelodon

Mammut

Stegodontidae

ELEPHANTOIDEA

Gomphotherium
(= „Mastodon")

Moeritherium

MOERITHERIOIDEA

Moeritheriidae

Stegodon

Palaeomastodon

Dinotheriidae

Barytheriidae

Dinotherium

DINOTHERIOIDEA

Alt-Tertiär

Jung-Tertiär

Quartär

Die Evolution der Rüsseltiere.

Bis vor kurzem stammten die ältesten Fossilfunde aus dem mittleren und jüngeren Eozän Nordafrikas. Diese und die erst kürzlich erfolgten Funde aus dem Alteozän Algeriens sprechen für eine Entstehung der Proboscidea auf dem afrikanischen Kontinent. Daran ändert auch das angebliche – nur durch einzelne Zäh-

ne belegte – Vorkommen von angeblichen Moeritherien im Eozän Südasiens nichts. Mit den nach dem Moeris-See im Fayum benannten Moeritherien aus dem Eozän und Altoligozän Ägyptens ist die am besten belegte Gruppe von Säugetieren (Moeritherioidea) bezeichnet, die meist als älteste und altertümlichste Proboscidea angesehen werden. *Moeritherium lyonsi* und *M. trigodon* sind mittelgroße Säugetiere mit einem niedrigen Schädel, einem etwas rückgebildeten, aber sehr eigentümlich gestalteten Gebiß, das als Ausgangsstufe der Bezahnung der modernen Rüsseltiere angesehen werden kann. Ein langgestreckter, kurzschwanziger Rumpf und kurze, fünfzehige Gliedmaßen vervollständigen das Bild. Der lange Rumpf und die vermutlich amphibische Lebensweise schließen *Moeritherium* aus der direkten Ahnenlinie aus und waren zugleich Anlaß, sie mit den Seekühen beziehungsweise mit den Desmostyliern in Verbindung zu bringen. Auch wenn – wie bereits oben dargelegt wurde – die Seekühe als nahe Verwandte der Rüsseltiere gelten und beide auf gemeinsame Ahnenformen zurückgehen, so sind die Moeritherien doch zweifellos als Proboscidea anzusehen, selbst wenn sie nicht als unmittelbare Ahnen der modernen Rüsseltiere in Betracht kommen. Sie bilden vermutlich die Schwestergruppe der erstmals im Altoligozän durch *Palaeomastodon* nachgewiesenen übrigen Proboscidea. Wie der Schädel mit der endständigen Nasenöffnung erkennen läßt, war kein Rüssel ausgebildet. Das Gebiß zeigt jedoch Tendenzen, die bei den späteren Proboscidea in verstärkter Ausbildung bekannt sind. Die Zahnformel lautet $\frac{3 \cdot 1 \cdot 3 \cdot 3}{2 \cdot 0 \cdot 3 \cdot 3}$; Zahnlücken trennen Vorder- und Backenzahngebiß. Im Ober- und Unterkiefer ist jeweils das zweite Schneidezahnpaar vergrößert, das bei den Mastodonten (= Gomphotherien) zu richtigen Stoßzähnen umgeformt wird. Die Kronen der Bakkenzähne bestehen aus Höckern, mit leichter Neigung zur Jochzahnigkeit. Das Gehirn und der Gliedmaßenbau sind rüsseltierartig entwickelt, eine Rückbildung der Hintergliedmaßen, wie etwa bei den Seekühen, ist nicht feststellbar.

In jüngster Zeit wurden Schädel- und Skelettreste von weiteren Rüsseltieren aus dem Alteozän Algeriens von einem algerisch-französischen Forscherteam (M. Mahboubi, R. Ameur, J. Y. Crochet und J.-J. Jaeger) entdeckt, deren ausführliche Beschreibung allerdings noch aussteht. Die Zahnformel entspricht zwar jener von *Moeritherium*, doch ist das Kronenmuster der Backenzähne jochförmig, ähnlich dem eozänen *Barytherium* und der jungtertiären Dinotherien, der Schädel ist hochgewölbt und mit Luftzellen, wie bei den modernen Rüsseltieren, versehen. Die Nasenöffnung ist klein, ein Rüssel war nicht ausgebildet. Es erscheint durchaus möglich, daß diese alteozäne Form den Ahnenformen der plötzlich im Altmiozän erscheinenden Dinotherien (Dinotherioidea) nahesteht. Unter den Dinotherien ist *Dinotherium giganteum* aus dem Jungmiozän Eurasiens (Europa und Asien) wohl die bekannteste. Sie erreichten mit *Dinotherium gigantissimum* im Pliozän Europas Größen, die jene der heutigen Elefanten weit übertrafen. Für *Dinotherium* ist das Fehlen von Oberkieferstoßzähnen sowie das jochförmige Backenzahnmuster kennzeichnend. Die Zahnformel lautet $\frac{0 \cdot 0 \cdot 2 \cdot 3}{1 \cdot 0 \cdot 2 \cdot 3}$. Der bei den älteren Arten eher niedrige Schädel besaß einen Rüssel. Der kurze Rumpf wurde von langen, elefantenähnlichen vierzehigen Gliedmaßen getragen. Die Dinotherien dürften Blatt- und Zweigesser gewesen sein, die ihre Nahrung mit dem Rüssel und den Stoßzähnen von Bäumen herabgezogen haben, wie Nutzspuren an letzteren vermuten lassen. Die Dinotherien haben die Neue Welt vermutlich aus klimatischen Gründen nie erreicht. In Eurasien starben sie spätestens am Ende der Tertiärzeit aus, in Afrika überlebten sie mit *Dinotherium bozasi* bis in die ältere Eiszeit. Bei der eozänen Gattung *Barytherium* ist das Gebiß

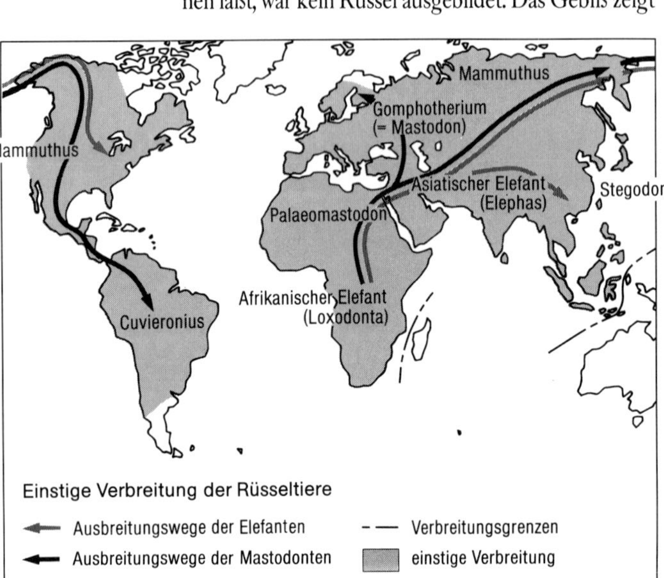

Einstige Verbreitung der Rüsseltiere

gemäß der Zahnformel $\frac{2\cdot0\cdot3\cdot3}{2\cdot0\cdot3\cdot3}$ stärker rückgebildet als bei *Moeritherium.*

Wesentlich arten- und formenreicher waren einst die Elephantoidea verbreitet. Sie haben mit den »Mastodonten« (= Gomphotherien) und den Elefanten (Elephantiden) zur Tertiärzeit beziehungsweise während der Eiszeit von Afrika aus über Asien und die vorübergehend landfeste Beringbrücke auch die Neue Welt erreicht. Dank der großen und widerstandsfähigen Backenzähne zählen derartige Überreste von Elephantoidea zu den häufigsten Fossilfunden. Eine weitere, auf Südasien und Afrika beschränkte Gruppe der Rüsseltiere bilden die Stegotherien. Die stammesgeschichtliche Entwicklung der Elephantoidea ist gekennzeichnet durch die Größenzunahme, die Entwicklung von Ober- und Unterkieferstoßzähnen (die später wieder rückgebildet werden) und eines Rüssels, der bei den Elefanten zu einem echten, vielseitig verwendbaren Werkzeug werden sollte. Im Backenzahngebiß werden die Vorbackenzähne, die Prämolaren, schrittweise rückgebildet, die eigentlichen Backenzähne vergrößert und durch Vermehrung der Zahnjoche schließlich von niedrigkronigen Gebilden zu den komplizierten hochkronigen Lamellenzähnen umgeformt. Diese hochkronigen Backenzähne, die ihrer Größe wegen nacheinander in den Kiefer einrükken, ermöglichen es den Elefanten, auch härtere Nahrung aufzuschließen. Die Hochkronigkeit der Bakkenzähne entwickelt sich erst zur jüngsten Tertiärzeit oder zur Eiszeit und damit wesentlich später als bei den Pferdeartigen.

Die erdgeschichtlich ältesten Elephantoidea sind als *Palaeomastodon* und *Phiomia* aus dem Altoligozän Ägyptens beschrieben worden. Es sind annähernd tapirgroße Säugetiere mit einem kurzen, hohen Hirnschädel und einem mäßig langen Gesichtsschädel mit einer fast bis zur Augenhöhle hin vergrößerten Nasenöffnung, die auf eine vergrößerte, bewegliche Oberlipppe schließen läßt. Das Gebiß ist stärker rückgebildet als bei *Moeritherium.* Die Zahnformel lautet $\frac{1\cdot0\cdot3\cdot3}{1\cdot0\cdot2\cdot3}$. Die Schneidezähne sind im Ober- und Unterkiefer zu Stoßzähnen vergrößert, die mehrhöckrigen, niedrigkronigen Backenzähne zeigen manchmal eine leichte Neigung zur Jochzähnigkeit. Auch wenn *Palaeomastodon* nicht die unmittelbare Ah-

Stammesgeschichte der Rüsseltiere, dargestellt an ausgewählten Beispielen (von unten nach oben): Das mittelgroße *Moeritherium* aus dem nordafrikanischen Eozän und Altoligozän gilt als Vertreter der ältesten und urtümlichsten Rüsseltiere. Das etwas jüngere tapirgroße *Palaeomastodon* zeigt bereits Ansätze des Rüssels und der Stoßzähne. Beim *Gomphotherium (= Mastodon)* ist beides schon sehr deutlich ausgebildet. *Stegomastodon* vertritt eine nordamerikanische Seitenlinie. *Loxodonta* (Afrikanische Elefanten) stellt zusammen mit *Elephas* (Asiatische Elefanten) die beiden einzigen heutigen Gattungen dar, die jeweils nur eine Art enthalten.

nenform der späteren »Mastodonten« sein sollte, bietet sie ein Modell, wie es zur Entstehung des »Mastodon«-Typs (= *Gomphotherium*) gekommen ist. Bei *Gomphotherium angustidens* aus dem Miozän sind die Stoßzähne, besonders im Oberkiefer, noch kräftiger, die Prämolaren weiter rückgebildet. Oberlippe und Nase bilden einen kurzen Rüssel. Mit der Verlängerung des Rüssels werden die Unterkieferstoßzähne schrittweise abgebaut, so daß aus den langkiefrigen (longirostrinen) »Mastodonten« wie *Tetralophodon longirostris* des Jungmiozäns nur mehr kurzkiefrige (brevirostrine) Formen *(Anancus arvernensis)* im Pliozän entstehen. Damit waren zwar Rüssel und Kiefer elefantenähnlich gestaltet, nicht jedoch das Backenzahngebiß elefantenartig. Erst zur Eiszeit entstehen die für die Elefanten kennzeichnenden Lamellenzähne. Aus den tertiärzeitlichen Gomphotherien *(Stegotetrabelodon)* lassen sich im wesentlichen drei Linien ableiten: die Mammut-Gruppe (mit dem jungeiszeitlichen *Mammuthus primigenius* als bekanntester Art), die *Loxodonta*-Gruppe mit dem Afrikanischen Elefanten *(Loxodonta africana)* als Endform und die *Elephas*-Gruppe mit dem eiszeitlichen Waldelefanten *(Elephas [Palaeoloxodon] »antiquus« = namadicus)* Eurasiens, von dem die verschiedenen Zwergformen der Mittelmeerinseln abstammen und dem heutigen Asiatischen Elefanten *(Elephas maximus)* als Endform. Nur die Mammut-Gruppe gelangte mit Kaltsteppenformen über die Beringbrücke auch nach Nordamerika. Die Mammute starben mit *Mammuthus primigenius* und *M. jeffersoni* am Ende der jüngeren Eiszeit vor etwa 11 000 Jahren wieder aus.

Entwicklung der Rüsseltiere, dargestellt an der Umwandlung des Backenzahns vom niedrigkronigen Höckerzahn zu einem hochkronigen Lamellenzahn.

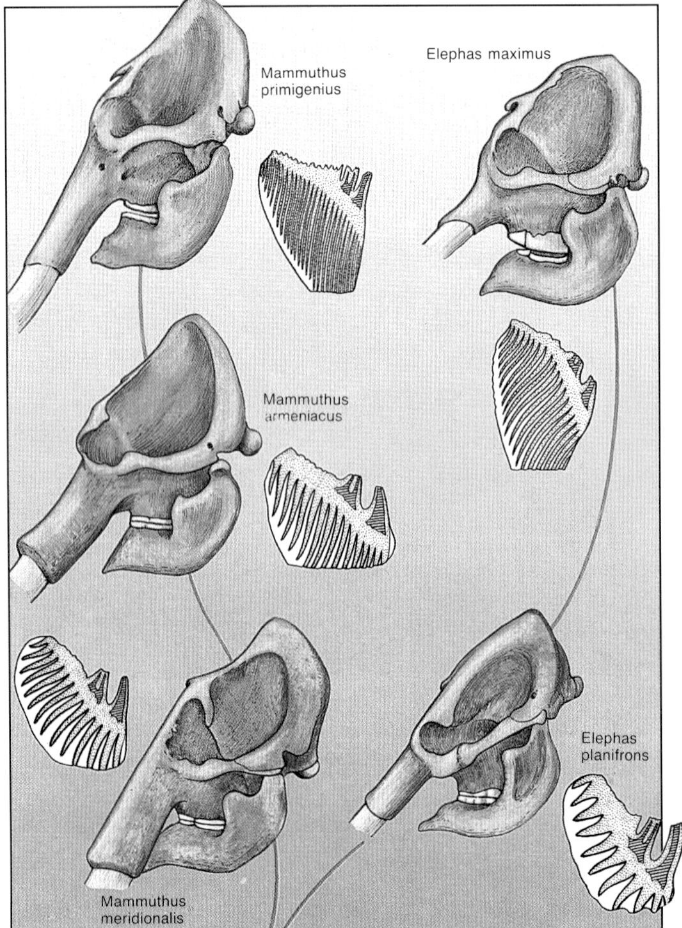

Die lange Zeit als Ahnen der Elefanten angesehenen Stegodonten (Stegodontidae mit *Stegodon*) sind eine zur Eiszeit gleichfalls ausgestorbene Gruppe von Rüsseltieren, deren Backenzähne nie hochkronig waren und daher auch nicht zum typischen elefantenartigen Lamellenzahn umgestaltet sind. Die Stegodonten sind Abkömmlinge jochzähniger (zygodonter) Mastodonten. Sie waren als Bewohner der Tropen und Subtropen während der Eiszeit in Nord- und Ostafrika, Vorder- und Südasien bis nach Südchina, Formosa und Japan und bis nach Celebes und den Philippinen meist in Zwergformen verbreitet.

Von den »Mastodonten« (Gomphotherien) sind noch die *Platybelodon*-Gruppe und die Rhynchotherien zu erwähnen. Bei den jungtertiären Platybelodonten oder Schaufelzähnern *(Platybelodon, Amebelodon)* waren die Unterkieferstoßzähne schaufelartig verbreitert. Diese Schaufelzähner gelangten auch nach Nordamerika. Die Rhynchotherien des nordamerikanischen Jungtertiärs hingegen haben sich zur Eiszeit bis nach Südamerika ausgebreitet (z.B. *Cuvieronius*), wo sie zur jüngsten Eiszeit Jagdwild der dortigen Indianer waren.

In ihrer Gesamtheit bilden die Rüsseltiere das Beispiel einer Säugetierordnung, bei der mehrfache Radiationen (strahlenförmige Ausbreitung) zu einer fast weltweiten Verbreitung führten und die mit ihren heutigen Arten auf ein völlig getrenntes (disjunktes) Schrumpfgebiet beschränkt sind.

Asiatischer Elefant

von Fred Kurt

Zahme Elefanten rodeten schon vor fünfeinhalb Jahrtausenden in Mohendscho Daro und Harappa am Indus Wälder für den Menschen, und die Kunst des Elefantenführens gelangte spätestens im Mittelalter von Indien aus nach Ceylon (Sri Lanka), Birma und Südostasien. Trotzdem wurde der Asiatische Elefant *(Elephas maximus)* nie zum echten Haustier, das der Mensch über unzählige Generationen durch Zuchtwahl seinen Bedürfnissen und seiner Umwelt angepaßt hätte. Bis in jüngste Zeit war es ganz einfach billiger, Elefanten mit Schlingen, Fallgruben oder in riesigen Stockaden einzufangen, einzubrechen und während einer kurzen Zeit von höchstens drei Monaten abzurichten, als trächtige Kühe im zweiten Schwangerschaftsjahr von der Arbeit freizustellen und den unrentablen Nachwuchs bis ins Alter von etwa sieben Jahren zu betreuen, wenn die jungen Elefanten erstmals für leichte Arbeiten eingesetzt werden können.

Die Fangzahlen waren erstaunlich hoch: So wurden beispielsweise auf Ceylon im Hochland während eines einzigen Fangunternehmens bis zu 400 Elefanten in die Stockaden, die sogenannten Krals, getrieben. Und im südindischen Mysore-Staat, dem heutigen Karnataka, wurden zwischen 1873 und 1961 allein im Kral von Kakanakote 1701 Elefanten gefangen. Es spielte deshalb auch keine Rolle, daß bis zu Beginn des 20. Jahrhunderts rund zwei Drittel der Gefangenen das Einbrechen, das heißt das brutale Gefügigmachen, nicht überlebten und nur jeder achte der Überlebenden länger als zehn Jahre im Dienste des Menschen Lasten schleppte oder ihn als schußfester Jagd- oder Shikarelefant zur Tigerjagd trug.

Neugeborene und Jungtiere, die den Fang überlebten, gelangten seit Mitte des letzten Jahrhunderts in zoologische Gärten und Zirkusse des Westens. Bis zu siebzigköpfige Elefantenherden wurden damals zum Statussymbol der Großzirkusse. Bis in die Mitte des Jahrhunderts wollten sie den Glanz und die Macht der südasiatischen Königreiche widerspiegeln – unter anderem durch die Größe ihrer Elefantengruppen. Doch diese nehmen sich eher bescheiden aus, verglichen mit den Arbeitselefanten-Beständen in Südasien. Bekannt wurden sie durch Schilderungen von europäischen Reisenden, die in vergangenen Jahrhunderten Südasien bereisten. Im 11. Jahrhundert hielten sich etwa die Gasnavidenfürsten von Delhi 1500 Elefanten. Kubilai Khan (1215–1294), so berichtete Marco Polo, nannte 5000 sein eigen und der König von Ava in Birma 2000. Zwischen 1463 und 1482 standen in den Elefantenställen des Sultans von Delhi 3000 Elefanten. 1588 stellten die Singhalesenfürsten in Colombo den eingedrungenen Portugiesen ihre Macht zur Schau und ließen ein Heer von 2200 Kriegselefanten aufmarschieren. William Hawkins und Edward Terry, die zwischen 1616 und 1619 am Hofe des Mogulkaisers Jahangir auftauchten, schätzten, daß allein der Herrscher 14 000 Elefanten besaß und seine Adeligen weitere 40 000.

Die asiatischen Elefantenkulturen begannen vor rund 5500 Jahren am Indus. Auch die später in den indischen Subkontinent eingedrungenen arischen Völker machten sich den Tierriesen bald zunutze. Elefanten gehören nach den alten Weisheiten der Brahmanen wie auch Arnibüffel und Panzernashorn zu den Anupa, also zu jenen Tieren, die in feuchten Gebieten leben und ihr Futter an Gewässern finden. Elefanten wurden in den heiligen Versen und Legenden aber nicht nur mit fruchtbaren und wasserreichen Gegenden in Verbindung gebracht, sondern auch mit den Wolken, die den für reiche Ernte wichtigen Regen herbeitragen. Denn die Elefanten müssen einst, wie sie es dort, wo sie nicht gestört werden, heute noch tun,

Elefanten im Dienste des Menschen. In solchen Krals werden seit jeher Asiatische Elefanten, die im Unterschied zu ihren afrikanischen Vettern leicht zähmbar sind, gefangen und zu Arbeitstieren abgerichtet.

just mit der Regenzeit in den großen Tälern erschienen sein.

Ökologisch ergibt es also durchaus Sinn, daß der Götterelefant der Hindus, Airavata, Gewitterwolken darstellt, aber auch Blitze, das Grollen des Donners und den Regen, die der auf ihm reitende Gott Indra heraufbeschwört, um eine neue Fruchtfolge einzuleiten. Elefantenköpfige Götter waren einst nicht nur in Indien und auf Sri Lanka bekannt, sondern auch im Süden Chinas und auf Java. Auch im Buddhismus spielt der Asiatische Elefant eine bedeutende Rolle. Der Legende zufolge tritt der zukünftige Buddha in Gestalt eines weißen Elefanten in den Schoß seiner Mutter ein. Und einer der früheren Gelehrten der Buddhisten und Hindus in Indien, Kautiliya, schrieb: »Ein König, der die Elefanten immer wie seine Söhne hegt, ist immerdar siegreich und genießt nach dem Tode die Freuden der Himmelswelt.« So siegreich waren die Elefantenheere allerdings nicht immer. Dies bewies schon Alexander der Große im Jahre 323 vor Christus in der Schlacht gegen den indischen Herrscher Porus. Trotzdem galten die Elefantenkorps im indischen Heer bereits vom 6. vorchristlichen Jahrhundert an als wichtigster Teil der Streitmacht. Wie die Panzer im modernen Krieg hatten sie die Linien des Feindes zu durchbrechen, Palisaden, Stadttore und andere Hindernisse zu zertrümmern und aus dem Weg zu räumen. Sie konnten rasch durch sumpfiges Gelände vorrücken, lebendige Brücken über seichte Gewässer bilden und unerwartete Angriffe vortragen mit zwei oder drei Bogenschützen auf dem Rücken und einer Handvoll Fußvolk im Gefolge.

Unglücklicherweise rechneten aber die asiatischen Taktiker nie damit, daß sich ihre Gegner von den Tierriesen nicht beeindrucken ließen, sie mit Feuer und später mit Feuerwaffen so verunsichern konnten, daß die Tiere in Panik davonstürmten, abdrehten und die eigenen Linien in wilder Flucht annahmen.

Trotzdem: Elefanten waren ein Sinnbild der Macht und des Reichtums. Der Großmogul Jahangir zum Beispiel ließ sich seinen Elefantenstall täglich 50 000 bis 70 000 Rupien kosten. Für die Damen in seinem Harem betrugen die Ausgaben dagegen lediglich 30 000 Rupien am Tag. Bereits im 6. vorchristlichen Jahrhundert hielten sich die indischen Herrscher nicht nur große Elefantenherden, sie richteten auch Schutzgebiete für die wildlebenden Herden ein, die ihnen ja die nötigen Arbeits- und Kriegselefanten lieferten.

Geholfen haben die Schutzgebiete den Elefanten wohl nie für lange Zeit. Wo immer Menschen fruchtbare Talsohlen rodeten und Felder anlegten, wo immer Hochkulturen entstanden, mußten die Elefantenherden weichen. Je mehr sich die Reisfelder der Menschen ausdehnten, um so mehr mußten die Elefanten sich von dieser Nahrung ernähren und wurden damit unweigerlich zu »Schädlingen«, die allen Schutzbestimmungen zum Trotz getötet werden mußten, früher mit Fallen und Giftpfeilen, heute mit Schußwaffen und vergifteten Ködern.

Dehnte sich eines der alten asiatischen Reiche aus, so verschwanden gleichzeitig seine wilden Elefanten. Trotzdem mußten die Herrscher nicht auf ihre riesigen Elefantenbestände verzichten. Sie holten sich die wertvollen Rüsseltiere als Kriegsbeute bei ihren Feinden oder ließen sie von ihren Vasallen als Tribut entrichten. Daneben gab es schon in vorchristlichen Jahrhunderten einen schwungvollen Elefantenhandel. Ceylon, Bengalen und Pegu, im Mündungsgebiet des

Elefanten als Reit- und Zirkustiere. Die vietnamesische Briefmarke (rechts) zeigt einen Kriegszug aus dem 18. Jahrhundert, das Plakat (ganz rechts) eine sechsköpfige Elefantengruppe, die 1883/84 als »größtes Wunder der Welt« im Zirkus Hagenbeck auftrat.

Irrawaddy und des Sittang in Birma, waren von jeher die traditionellen Ausfuhrländer. Sie erhielten aber auch Elefanten von auswärts, Bengalen etwa von Orissa, Madras und Pegu. Der Handel von Pegu aus blühte bis ins 19. Jahrhundert hinein.

Elefantenhandel erweiterte sogar das Vorkommensgebiet der Art. In der Mitte des 19. Jahrhunderts brachten Holzfällergesellschaften Arbeitselefanten auf die Andamanen, eine Gruppe kleiner Inseln zwischen dem birmanischen und dem südindischen Festland. Die Tiere konnten entweichen und verwilderten wiederum. Heute sollen auf den Andamanen 30 bis 50 Elefanten leben. Von verwilderten Arbeitselefanten sollen sogar die heute in geringer Zahl auf Borneo vorkommenden Elefanten abstammen.

Asiatische Elefanten wurden von Hindus und Buddhisten als göttliche Wesen verehrt, von Königen geschützt, gefangen und abgerichtet, von Reisbauern verflucht, vergiftet und gewildert, später von europäischen Pflanzern mit modernen Waffen verjagt und bejagt und schließlich von Naturschützern und einsichtigen Regierungen unter Schutz gestellt. Seit 1977 gilt der Asiatische Elefant in seinem ganzen ihm noch verbliebenen Lebensraum als vom Aussterben bedrohte Tierart, die weder bejagt noch ausgeführt werden darf. Allerdings ist das Verbreitungsgebiet des asiatischen Tierriesen arg geschrumpft.

Vor 3000 Jahren reichte das Vorkommensgebiet der Asiatischen Elefanten im Westen noch bis ins Becken von Euphrat und Tigris, dem Lande der Assyrer im Altertum. Im 7. vorchristlichen Jahrhundert waren sie von hier endgültig verschwunden. Entweder wurden sie vom Menschen ausgerottet oder von Kulturland und der sich später ausbreitenden Wüste verdrängt. Sie verschwanden auch aus Afghanistan und Pakistan, und jahrhundertelang bildete der Pandschab die Westgrenze ihres Lebensraums. Ungefähr zur gleichen Zeit, wie die Elefanten im Westen verschwanden, wurden sie vom Menschen aus dem nordöstlichsten Teil ihres Vorkommensgebietes verdrängt. Es reichte einst bis wenigstens zum Jangtsekiang. Fortan bildeten die Grenzgebiete zwischen dem heutigen China und Vietnam, Laos und Kambodscha die östliche Verbreitungsgrenze. Somit hatten die Asiatischen Elefanten schon vor 2500 Jahren die Hälfte ihres ursprünglichen Verbreitungsgebietes eingebüßt. Und der vom Menschen ausgelöste Rückzug ging weiter, immer schneller. Noch im 18. Jahrhundert lebten wilde Elefanten dort, wo heute Millionenstädte wuchern: Rangun, Colombo, Neu-Delhi oder Bombay. Noch vor hundert Jahren lebten die Tierriesen unmittelbar vor Bangalore, der heutigen Industriemetropole im südindischen Staat Karnataka, und noch vor dreißig Jahren in der Nähe der früheren Hauptstadt von Kandy im Hochland von Sri Lanka.

Heute leben in ganz Südasien, alles in allem, zwischen 33 000 und 38 000 wilde Elefanten, und zwar in den abgelegenen Rückzugsgebieten, so eingepfercht zwischen menschlichen Siedlungen, Feldern und Ödländern, daß sie sich nicht mehr frei bewegen können. Und diese Bestände sind häufig so klein, daß man sich zu Recht fragt, ob in ihnen die Kälber überhaupt noch aufgezogen werden können. Denn die anfälligen Elefantenkinder müssen von mehreren Mitgliedern der Herde betreut werden, um schließlich das fortpflanzungsfähige Alter zu erreichen.

In fast jedem Hindutempel findet man ein Standbild des Elefantengottes Ganesha.

Elefantenkühe gebären ihr erstes Kalb frühestens im Alter von etwa zehn Jahren nach einer Tragzeit von durchschnittlich 22 Monaten. Von gefangenen Elefanten wurden aber auch Tragzeiten bekannt, die nur 17 Monate gedauert haben sollen, und andere, die 24 Monate währten. Zwar können beim Asiatischen Elefanten Paarungen und Geburten zu allen Jahreszeiten stattfinden, doch lassen neuere Beobachtungen

Auf Elefanten überquerte der indische Großmogul Akbar mit seinem Heer gegen Ende des 16. Jahrhunderts den Ganges (aus einer zeitgenössischen Handschrift).

in Sri Lanka vermuten, daß zwei oder mehrere Kühe einer Herde ihren Nachwuchs zur gleichen Zeit zur Welt bringen, nämlich dann, wenn sie auf ihren Wanderungen eine besonders futter- und wasserreiche Gegend erreicht haben. Die zeitliche Abstimmung der Geburten erleichtert die Aufzucht der Jungen. Elefantenkälber schlafen wenigstens fünf von 24 Stunden, ja sie legen sich sogar tagsüber eng aneinandergepreßt zum Ruhen nieder. Erwachsene dagegen haben ein äußerst geringes Ruhebedürfnis: Sie ruhen, meistens stehend, täglich nur etwa drei Stunden lang. Der Nahrungserwerb ist die Hauptbeschäftigung der erwachsenen Elefanten. Bis zu 18 Stunden verbringen sie mit der Suche nach geeignetem Futter und mit seiner Aufnahme. Ziehen zwei oder mehr Weibchen gleichzeitig ihren Nachwuchs auf, so können sie sich in der Betreuung der Kälber ablösen; während die eine Mutter den ruhenden oder spielenden Nachwuchs bewacht, essen die anderen Mütter. So übernimmt jede neben der Fürsorge für ihr eigenes Kind auch die Ammenrolle für andere Säuglinge.

Schon bei der Geburt sind die Ammen im Einsatz. Sie beruhigen die niederkommende Kuh, lösen das Neugeborene aus den Embryonalhüllen, zerreißen, falls nötig, die Nabelschnur, reinigen den Säugling und helfen ihm schließlich etwa eine Stunde nach der Geburt auf die Beine.

Aber auch die älteren Geschwister wirken bereits vom vierten Lebensjahr an bei der Aufzucht der Kälber mit. Sie spielen mit ihnen, holen sie, sollten sie ausbrechen, in den Verband zurück und füttern sie, indem sie ihnen vorgekaute Nahrung mit dem Rüssel in den Mund schieben. Elefantenkälber werden von ihren Müttern bis ins zweite Lebensjahr gesäugt. Die Säuglinge trinken an den fast zwischen den Vorderbeinen liegenden Zitzen ihrer Mütter jeweils 25 bis 55 Sekunden lang, und zwar mit dem Mund, nicht etwa mit dem Rüssel. Schon bei Halbjährigen unterbricht die Mutter gelegentlich das Stillen nach 5 bis 15 Sekunden, macht einige Schritte, schlägt dabei gut hörbar die mächtigen Ohren an ihren Hals und gibt tiefe Grollaute von sich. Dann stoppt sie. Das Junge läuft ihr nach und wird belohnt: Es darf weitertrinken. So gewöhnt die Mutter das Junge, ihr nachzufolgen. Es lernt dabei die entsprechenden Signale kennen, die zum Gruppenzusammenhalt auffordern. Auch Muttertiere füttern mit vorbereiteter Nahrung ihre Kälber, bis diese etwa vier Jahre alt sind. Zu diesem Zeitpunkt bringt die Mutter ein weiteres Junges zur Welt. Ihr älterer Sprößling übernimmt nun die Rolle eines Aufzuchtgehilfen. So lernt jeder junge Elefant, Säuglinge zu füttern und zu beschützen. Und die Weibchen lernen auf diese Weise in sechs Jahren den Umgang mit Kälbern, bevor sie selber ihr erstes Kind zur Welt bringen.

Bei wildlebenden Asiatischen Elefanten ist die Säuglingssterblichkeit äußerst gering; jedenfalls solange die Herden in Gebieten leben können, in denen sie durch Menschen nicht gestört werden. Bei Elefanten in Menschenobhut dagegen ist die Säuglingssterblichkeit ungewöhnlich hoch und erfaßt während oder kurz nach der Geburt fast die Hälfte der Kälber. Überhaupt werden in den zoologischen Gärten und in den Zirkusunternehmen des Westens erstaunlich wenige Elefanten geboren. In Europa, Kanada und den Vereinigten Staaten von Amerika sind seit der ersten Geburt in menschlicher Obhut im Jahre 1880 bis 1985 lediglich 120 Asiatische und 20 Afrikanische Elefanten zur Welt gekommen.

Die äußerst seltenen Zuchterfolge beruhen einerseits auf einer meist völlig unbiologischen Haltung; die Tierriesen werden oft während des größten Teiles ihres Alltags an Ketten gehalten, so daß sie seelisch allmählich verkümmern. Anderseits fehlen Zuchterfolge, weil die in Kettenhaft gehaltenen Bullen ausnahmslos dermaßen gefährlich werden, daß sie ihre Wärter angreifen und nicht selten töten. Aus diesem Grund verzichten die meisten Zoos und Zirkusse von vornherein auf die Haltung von Bullen.

Oben: Elefantendarstellung aus dem Ramayana, dem Nationalepos der Inder. - Links: Prunkvoll geschmückte Elefanten spielen bei festlichen Umzügen in südostasiatischen Ländern oft eine Hauptrolle.

Bullen erreichen zwar ihre Geschlechtsreife bereits im Alter von rund 8 Jahren; ihre volle Körpergröße aber erst mit 20 oder mehr Jahren. Zwischen dem 15. und 20. Lebensjahr zeigen sie zum erstenmal die Symptome der Musth, also den in regelmäßigen Abständen wiederkehrenden Ausfluß aus den beiden Schläfendrüsen. Sowohl die Zeitspanne, in der die Schläfendrüsen aktiv sind, als auch die dabei auftretenden Verhaltensveränderungen nennt man Musth.

Die auffallendste Verhaltensveränderung ist sicher die erhöhte Aggressivität. Arbeitselefanten, die die ersten Anzeichen einer bevorstehenden Musth zeigen, werden daher im Lager gefesselt und weder zum Arbeiten gebraucht noch zum Trinken und Baden in den nächsten Fluß geführt, sondern erhalten Wasser aus einem ausgehöhlten Baumstamm oder in einem andern großen Gefäß.

Können die Bullen durch den unerwarteten Eintritt der Musth nicht mehr zum nächsten Lager geführt werden, so werden sie an Ort und Stelle gefesselt. Doch trotz solchen Vorsichtsmaßnahmen geschehen immer wieder tödliche Unfälle.

Allerdings werden nicht alle Musthbullen eingestellt. Einige Elefantenführer oder Mahouts lassen sie länger und härter arbeiten. Nachts werden sie durch stundenlange Märsche ermüdet und tagsüber hart gedrillt. Uralte indische und birmanische Bücher schreiben die Verabreichung von Opium und anderen Drogen vor. Das sicherste Mittel gegen Musth, so versichern Elefantenbesitzer und Mahouts, ist Futterentzug. Diese Methode geht von der Erkenntnis aus, daß nur sehr gut ernährte Bullen überhaupt in Musth kommen.

Neben erhöhter Aggressivität gegenüber Menschen oder anderen Elefantenbullen gibt es aber noch andere Verhaltensveränderungen während der Musth: An Wasserstellen führt der Musthbulle häufig den Rüssel in den Mund, beißt darauf und schwenkt den Kopf hin und her. Die Bedeutung dieses Verhaltens ist bis heute unbekannt. Anschließend schlägt er den Rüssel über Kopf, Ohren und Augen und vor allem die Wangen und Drüsenöffnungen. Alle diese Stellen werden betastet und mit Wasser bespritzt. Dann wird die Rüsselspitze über die Rüsselbasis geschlagen und entlang des obersten Rüsseldrittels langsam nach unten gezogen. Dieser Vorgang wird während einer halben oder ganzen Stunde dauernd wiederholt, bis das mit Wasser vermischte Sekret der Wangendrüse über dem Kopf und dem obersten Teil des Rüssels verschmiert ist. Nun verlassen die Musthbullen die Badestellen und suchen ganz bestimmte Scheuerbäume auf. An deren Stämmen reiben sie ausgiebig Stirn, Wangen und Rüsselansatz und hinterlassen dabei Duftmarken, die auch für den Menschen riechbar sind. Bei diesem Markierverhalten tauchen auch Bestandteile des Kampfverhaltens auf: Der Bulle schlägt den Rüssel nach oben oder hinten und drückt mit der inneren Seite der Rüsselansatzstelle gegen den Baumstamm. Gelegentlich stoßen die Bullen die Bäume dabei sogar um. Bullen, die nicht in Musth sind, verlassen diese markierten Stellen unverzüglich; denn der Musthbulle siegt in Auseinandersetzungen immer.

Kämpfe zwischen erwachsenen Elefantenbullen kommen jedoch äußerst selten vor. Oft sind diese Auseinandersetzungen für den Menschen nicht einmal zu erkennen. Sie finden nämlich statt, während die beiden Widersacher ihrer Hauptbeschäftigung nachgehen, während der Nahrungsaufnahme. Dabei stehen sich die ruhig äsenden Rivalen von Angesicht zu Angesicht gegenüber und schaben beispielsweise Gras mit ihren mächtigen Vorderfüßen vom Boden, häufeln es an, putzen es an einem vorgestellten Vorderfuß und verzehren es schließlich. Schritt für Schritt kommen

Nicht nur Kraft, sondern auch viel Geschicklichkeit beweist dieser Arbeitselefant, der drei stattliche Baumstämme zwischen Stoßzähnen und Rüssel balanciert und sicher durch den Dschungel befördert.

sie sich dann näher, schachten ihre Penisse halb aus – ein Zeichen erhöhter Spannung –, und nun beginnt der Überlegene dem andern vorbereitetes Futter zu stehlen. Der Bestohlene sieht dem Ganzen einige Zeit zu, dreht dann ab und macht sich von dannen. Auch heftigere Kämpfe verlaufen meist harmlos. Die beiden Nebenbuhler stehen sich zu Beginn mit gesenkten Rüsseln und abstehenden Ohren gegenüber, heben plötzlich und gleichzeitig die Rüssel hoch, legen die Rüsselbasen gegeneinander, verschränken die Rüssel ineinander und beginnen zu stoßen. Über den Ausgang des Kampfes entscheidet neben Stärke auch Geschicklichkeit, denn jeder versucht nun den andern mit seinen Stoßzähnen oder – falls die fehlen – mit den kleinen Schneidezähnen des Oberkiefers zu verletzen. Noch wirksamer ist der Biß mit den ziegelsteingroßen Backenzähnen in die als spitzes Dreieck auslaufende Unterlippe des Gegners. Nach einem derartig schmerzvollen Biß rennt der Besiegte brüllend davon. Der Unterlegene kann aber auch plötzlich abdrehen. Der Überlegene versucht ihn dann in den Nacken zu beißen oder in den Schwanz. Oft sind Schwanzbisse dermaßen heftig, daß der Unterlegene dabei einen Teil des Schwanzes verliert. Drei von vier erwachsenen wildlebenden Bullen in Sri Lanka haben so wenigstens ihre Schwanzquasten verloren.

Der Zustand der Musth verleiht einem Bullen erhöhte Kraft, Ausdauer und Geschicklichkeit – allerdings nur vorübergehend. Denn die Musthperiode eines Bullen dauert beispielsweise im Yala-Nationalpark von Sri Lanka lediglich einen bis höchstens 34 Tage. Hier stellte ich fest, daß innerhalb eines Jahres wenigstens 13 verschiedene Bullen ein- bis dreimal in Musth waren und dabei die Gelegenheit hatten, alle anderen Bullen zu beherrschen, falls die nicht auch in Musth waren. Doch dies war äußerst selten der Fall.

Musthbullen halten sich meist bei den Gruppen mit Kühen und ihren Nachkommen auf. Und es gelingt ihnen weitgehend, andere Bullen aus dem Lebensraum der Mutterfamilien fernzuhalten.

Der ceylonesische Tierarzt M.R. Jainudeen und seine Mitarbeiter untersuchten bei Arbeitselefanten den Spiegel des männlichen Geschlechtshormons Testosteron im Blut und fanden, daß dieser während der Musth um das Vierzig- bis Sechzigfache erhöht ist. Folglich lag der Schluß nahe, daß Musth nichts anderes sei als Brunft.

Doch zur gleichen Zeit veröffentlichte der Hannoveraner Zoodirektor Lothar Dittrich die bisherigen Erkenntnisse über das Paarungsverhalten von Elefanten in den zoologischen Gärten und Zirkussen des Westens. Von 30 bekannten Vätern waren 20 acht bis zwanzig Jahre alt und damit überhaupt noch nie in Musth gewesen, nur 10 waren älter und zeigten gelegentlich auch die Musthsymptome. Um sich fortzupflanzen, braucht demnach ein Bulle nicht in Musth zu sein – dies gilt jedenfalls für Tiere in Menschenobhut. In Sri Lanka beobachtete ich dagegen bei wildlebenden Elefanten, daß nur Bullen zur Paarung gelangten, die entweder in Musth oder kurz vor der Musth waren. Musthbullen vertreiben dann andere aus der Nähe der Gruppen mit den paarungsbereiten Kühen. Übrigens gelingt es nur Musthbullen, daß sie von großen, vollerwachsenen Weibchen angenommen, das heißt nicht vertrieben werden.

Die Paarung der Asiatischen Elefanten verläuft nach folgendem Ritual: Zuerst kontrollieren sich Männchen und Weibchen häufig. Dabei betasten ihre Rüssel die Geschlechtsteile, die Schläfendrüsen und den Mund des Partners. Dann versucht der Bulle von hinten aufzureiten. Dies gelingt ihm anfänglich nicht. Die Kuh bleibt zunächst nicht stehen. Der Bulle drückt sie nun mit dem auf der Kruppe aufgelegten Kinn. Zudem werden seine Nackenbisse häufiger. Damit zeigt der Bulle seine Überlegenheit. Während des vier- bis fünftägigen Östrus (Brunft) werden die Versuche des Bullen immer häufiger. Schließlich beginnt die Kuh vor ihm zu fliehen. Der Bulle folgt ihr meist mit aufgelegtem Kinn. Endlich bleibt die Kuh stehen, macht ihre Hinterbeine breit. Der Bulle richtet sich auf seine Hinterbeine auf und stellt seine Vorderbeine auf das Hinterteil der Partnerin. Von dort schiebt er sie über

Der Mensch, der dem grauen Riesen im Nacken sitzt, dirigiert seinen großen Helfer durch bestimmte Kommandoworte.

ihren Rücken nach vorne auf ihre Schulter. Seine beiden Füße bleiben dabei eng aneinandergepreßt. Nun erfolgt der schwierigste Teil des komplizierten Vorgangs: Das Einführen des ungewöhnlich langen Gliedes in die an der hinteren Bauchseite gelegene Geschlechtsöffnung des Weibchens. Wenn der S-förmige Penis sie durch seine eigenartigen Suchbewegungen gefunden hat, knickt der Bulle auf seinen Hinterbeinen ab und richtet dabei seinen Vorderkörper steil auf, so daß der Penis etwa 30 Zentimeter tief eindringen kann. Der Begattungsvorgang ist sehr kurz; er dauert lediglich 10 bis 15 Sekunden. Angeblich werden während einer Paarung ein bis anderthalb Liter Samenflüssigkeit ausgestoßen. Ein Bulle kann täglich ein und dieselbe Kuh mehrmals begatten.

Wenn ein Elefantenbulle in die sogenannte Musth kommt, einen regelmäßig wiederkehrenden Zustand erhöhter Aggressivität, der durch einen Ausfluß der beiden Schläfendrüsen angezeigt wird, sucht er bestimmte Scheuerbäume auf. An den Stämmen reibt er ausgiebig Stirn, Wangen und Rüsselansatz und hinterläßt stark riechende Duftmarken.

Indem Musthbullen alle anderen erwachsenen Männchen aus dem Lebensraum der Weibchen und Jungtiere fernhalten, erreichen sie, daß diese die besonders wasser- und nahrungsreichen Gebiete bewohnen, während Bullen, die nicht in Musth sind, mit weniger günstigen Gegenden vorliebnehmen müssen. Somit besteht zwischen den alten Männchen und den Mutterfamilien kein unnötiger Nahrungswettbewerb.
Nach neueren Untersuchungen in Malaysia, Sri Lanka und Südindien nehmen erwachsene Asiatische Elefanten täglich 150 Kilogramm Futter auf. Denn Elefanten sind nicht nur unermüdliche Esser, sondern auch schlechte Futterverwerter. 60% der aufgenommenen Nahrung, so fand schon 1936 der amerikanische Physiologe Francis G. Benedict heraus, verlassen den Körper unverdaut.

Elefanten können gleichzeitig gehen, eine Portion Futter sammeln, eine andere mit sich tragen und eine dritte verzehren. Ein derartiges Kunststück vollbringen nur ganz wenige Lebewesen. Affen und Menschen gehören zu diesen seltenen Ausnahmen: Sie können aufrecht gehen, und ihre Vorderfüße wurden zu greifenden Händen. Eine »Hand« hat auch der Elefant: die Rüsselspitze. Oben läuft sie zu einem Greiffinger aus, dem, ähnlich dem Handballen der menschlichen Hand, ein Widerlager gegenübersteht. Elefanten können Grashalme knicken und abreißen. Dazu brauchen sie nur die Rüsselspitze leicht nach innen zu rollen. Von hier gelangt das Futter entweder bündelweise unmittelbar in den Mund, oder es wird an der inneren Rüsselbasis mit der spitzen Unterlippe so lange festgeklemmt, bis es von der Zunge mit der nach hinten gerichteten Spitze zwischen die riesigen Mahlzähne geholt wird. Futter wird also gleichzeitig gekaut, getragen und gesammelt, und zwar ohne Beeinträchtigung des Riechvermögens. Denn die beiden Nasenlöcher – sie enden ja an der Rüsselspitze – werden nur während des kurzen Augenblicks des Zugreifens verschlossen. Ein Elefant kann also nicht nur Futter suchen, beschaffen und essen, sondern ebenfalls noch tastend und riechend Spuren lesen und seinen Weg von Dornen und spitzigen Steinen säubern. Der Rüssel ist aber nicht nur Hand, Tast- und Riechorgan, sondern auch eine Schlagwaffe bei Kämpfen, ein Schnorchel beim Schwimmen, eine Dusche beim Baden, ein Wassergefäß beim Trinken sowie ein liebkosender und zurechtweisender Arm im Umgang mit Artgenossen. Elefanten trompeten durch den Rüssel und »pfeifen« in ganz verschiedenen Tonlagen. Denn die beiden langen Nasenröhren sind durch einen dünnen Schlitz verbunden, an dem sich knorpelige »Klappen« befinden, die mit Hilfe bestimmter Muskeln geöffnet und geschlossen werden können. Weder Wasser noch Futter wird aufgenommen, bevor sie vom Rüssel geprüft worden sind.

Beim Essen reißen Elefanten zuerst Äste zu Boden, bevor sie – je nach Art des Futterbaumes – Holz, Rinde, Blätter oder Früchte zu sich nehmen. Dazu richten sich auch vier Tonnen schwere Bullen gelegentlich

sogar auf die Hinterbeine auf, um so hoch über dem Boden zum bevorzugten Futter zu gelangen.
Asiatische Elefanten verfügen über verschiedene »Stile« der Futtervorbereitung. Die Elefanten vom Periyar-Nationalpark in Südindien beispielsweise, die am Rande eines künstlichen Stausees leben, waschen die Erde aus den Wurzeln des in Ufernähe abgerissenen

Grases, indem sie es mit eingetauchtem Rüssel heftig im Wasser hin und her schwenken. Im Yala-Nationalpark von Sri Lanka hingegen weiden Axishirsche und verwilderte Wasserbüffel das Gras rasenkurz ab, so daß die Elefanten es nicht mehr mit dem Rüssel erfassen und abreißen können. Sie müssen es mit den harten, scharfkantigen Nägeln der Vorderfüße vom Boden treten. Gleichzeitig sammeln sie es mit der Rüsselhand ein und häufeln es vor sich auf. Dann erfassen sie es bündelweise und schlagen es mehrmals gegen die Nägel eines vorgestellten Vorderfußes. Dabei wird die zwischen den Wurzeln festgehaltene Erde entfernt. Dasselbe erreichen sie, wenn sie das Gras mehrmals mit der Rüsselspitze an der rauhen Haut eines Beins auf und ab reiben. Einige, vor allem ältere Bullen, verzichten auf dieses etwas umständliche Verfahren. Sie machen sich die in Yala meist heftigen Kachanwinde zunutze. Das heißt, sie stellen sich so geschickt zur Windrichtung auf, daß der Wind die trockene Erde aus den Wurzeln bläst. Sie brauchen das angehäufelte Gras nur hochzuheben und fallenzulassen.
Verwickelter wird das Essen bei mehrjährigen Grasarten, die 50 bis 150 Zentimeter hoch wachsen. Solche Gräser werden zuerst ausgerissen und dann von der Rüsselhand so geschickt gesammelt, daß alle Wurzeln nach der gleichen Seite schauen. Dies hat seinen Grund. Denn die Wurzeln dieser Arten sind meist ungenießbar. Mit ganz verschiedenen Methoden werden sie von den eßbaren Stengeln und Blättern getrennt. Manche Elefanten klemmen dazu die Wurzeln zwischen die Handgelenke, und zwar so fest, daß sie mit dem Rüssel die eßbaren Teile abreißen können. Mit einer andern Methode werden die Gräser so in den Mund geführt, daß die verschmähten Wurzeln auf der einen Seite herausschauen und dann abgebissen werden können. Einzelne Elefanten können nicht nur aufgrund ihrer verschiedenen Eßgewohnheiten unterschieden werden, sondern auch schon daran, wie sie das Futter in den Mund schieben.
Gras ist die Hauptnahrung der Asiatischen Elefanten, was nicht heißen soll, die Tierriesen würden nicht auch anderes Pflanzenfutter zu sich nehmen. Bisher wurden mehr als 400 verschiedene Pflanzenarten bekannt, die auf dem Speisezettel der Elefanten stehen. Doch Gras kann leicht vorbereitet werden, und im Gegensatz zu Ast- oder Rindennahrung hinterläßt es wenig Abfälle.
So bestimmt die Häufigkeit von Gräsern auch die Bestandsdichte der Asiatischen Elefanten. Einst lebten auf den Savannen des La Ngas, eines Tales in Vietnam, nach Angaben von William Bazé 3000 wilde Elefanten auf einer Fläche von 650 Quadratkilometern. Im Reservat von Kaziranga im nordostindischen Staate Assam, das zu zwei Dritteln aus Grasländern besteht, schätzt man heute noch 90 Elefanten auf 100 Quadratkilometer. Im südlichen Teil des Yala-Nationalparks in Sri Lanka, der zu einem Viertel von Grasfluren bedeckt ist, sind es 50, in Gal Oya und Wilpattu, zwei anderen Elefantenschutzgebieten in Sri Lanka, werden 10 bis 20 Elefanten auf einem Quadratkilometer Lebensraum gezählt. Hier ist der Savannenanteil noch geringer als in Yala. Im tropischen Regenwald, wo Gräser äußerst selten wachsen, sind auch Elefanten äußerst selten. Im Taman-Negara-Nationalpark von Malaysia zum Beispiel, der

Arbeitselefanten, die Anzeichen einer bevorstehenden Musth zeigen, werden im Lager ruhiggestellt. Sie taugen meist nicht zur Arbeit und sind eine Gefahr für ihre menschlichen Betreuer, denen sie sonst so bereitwillig folgen.

Erwachsene Asiatische Elefanten nehmen täglich 150 Kilogramm Futter auf, denn sie sind nicht nur unermüdliche Esser, sondern auch schlechte Futterverwerter. 60% der aufgenommenen Nahrung verlassen den Körper unverdaut.

▷ Elefantenmutter und Kind im »Familienbad«.

Elephas africanus pumilio als neue Art in die Wissenschaft ein. Er stützte seine Beschreibung auf ein einzelnes lebendes Tier, das damals 1,80 Meter hoch war und den Zähnen nach auf sechs Jahre geschätzt wurde, während für gewöhnlich Elefanten dieser Größe erst anderthalb Jahre alt sind. Dieses Tier lebte neun Jahre lang im New Yorker Zoo und starb dann mit immerhin zwei Meter Rückenhöhe. Seitdem sieht man ausgewachsene Elefanten von unter zwei Metern als Zwergelefanten an. Immerhin sind wiederholt in Freiheit, und zwar in Westafrika, solche kleinen Tiere mit langen Stoßzähnen beobachtet worden. Keineswegs sind aber einzelne Gegenden nur von solchen Zwergelefanten bevölkert. Wir dürfen also wohl annehmen, daß es sich nicht um eine eigene Unterart oder gar Art handelt, sondern um Einzeltiere unter der Elefantenbevölkerung von gewöhnlichem Wuchs.

Die schwersten Tiere ihres Erdteils zu jagen, war für die Afrikaner recht gefährlich und mühsam, solange es keine wirksamen Feuerwaffen gab. Sie erbeuteten Fleisch viel leichter von dem unzähligen anderen Wild. Einen wirklichen Anreiz zur Elefantenjagd boten die Stoßzähne, die schon seit uralten Zeiten als Elfenbein gehandelt und hoch bezahlt worden sind.

Auch heute noch werden besonders in Ostafrika in jedem Jahr viele Elefanten geschossen, weil das Land mehr und mehr von der wachsenden menschlichen

Bevölkerung gebraucht wird. Die Jagdverwaltung von Tansania ließ zum Beispiel 1963 durch eigene Angestellte 3247 Elefanten schießen und gab noch 393 Elefanten-Jagderlaubnisscheine an andere Jäger aus. Seit 1986 ist aber dort der Handel mit Elfenbein ganz verboten. Kenia verlor nach Schätzungen von Fachleuten zwischen 1970 und 1977 mehr als die Hälfte seiner 120 000 Elefanten.

Wie passen zum allgemeinen Rückgang der Elefanten die Zeitungsberichte, nach denen Tausende von Elefanten getötet werden sollen, um den Pflanzenwuchs zu erhalten? Nach den schweren Dürrejahren 1960 und 1961 fand ich an den Flüssen des Tsavo-Nationalparks in Kenia die Bäume von den Elefanten umgeworfen oder entrindet. Im Murchison-Falls-Nationalpark von Uganda wurden bis heute auf vielen, vielen Quadratkilometern Land die licht stehenden Bäume von den Elefanten restlos durch Entrinden der Stämme getötet. Ähnlich betätigten sich die Elefanten auch im Ruwenzori-Nationalpark von Zaire, dem Krüger-Nationalpark Südafrikas und an anderen Stellen.

Im Tsavo-Nationalpark, der über 20 000 km^2 groß ist, hatte man im Juni und September 1962 von der Luft aus alle Elefanten gezählt und hatte dabei 10 799 Tiere gesichtet. Es handelte sich um 1007 Herden und 128 Einzelelefanten. Gegen 300 Herden bestanden aus zwei bis fünf Elefanten, ebenso viele aus sechs bis zehn Köpfen. Immerhin wurden zehn Ansammlungen von mehr als 100 Tieren entdeckt; die drei größten bestanden aus 191, 289 und 700 Elefanten.

Nun sind 10 000 Elefanten für den Tsavo-Nationalpark, der etwa halb so groß ist wie die Schweiz, an sich gar nicht einmal soviel. Die Elefantendichte war im Juni 0,34 und im September 0,54 Elefanten je Quadrat-

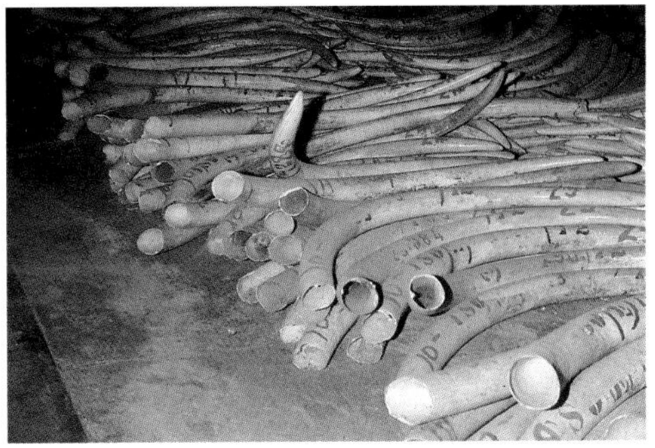

kilometer. Diese Zahlen sind klein im Vergleich mit anderen Gebieten in Afrika: 1,1 Elefanten je km^2 in den Aberdare-Bergen von Kenia; 1,7 je km^2 in den Ruindi-Rutschuru-Ebenen des Ruwenzori-Nationalparks von Zaire; 1,72 je km^2 im Queen-Elizabeth-Park von Uganda; 1,8 je km^2 im Murchison-Falls-Nationalpark von Uganda. Und doch sind es zuviel Elefanten, wenn man die Trockenheit des Tsavo-Ge-

Elefanten wurden schon immer gejagt und getötet, von Trophäenjägern (links) und von Elfenbeinräubern (rechts).

▷ Das wohl beliebteste Fotomotiv aller Afrikatouristen: eine Elefantenherde vor dem schneebedeckten Gipfel des Kilimandscharo!

▷▷ Eine vielköpfige Elefantenherde, umflattert von weißen Kuhreihern, in der ostafrikanischen Baumsavanne. Mit Kleinflugzeugen können Wissenschaftler am besten die Anzahl und Aufenthaltsorte der wanderlustigen Dickhäuter ermitteln.

bietes mit den anderen Nationalparks vergleicht und die geringe Pflanzenmasse, die in diesen Trockengebieten wächst. Fast alle die Tiere wurden nämlich im Abstand von etwa 23 Kilometern von ständigem Wasser gefunden.

Die Hauptursache für den Schaden, den Elefanten im Tsavo-Nationalpark angerichtet haben, ist das künstliche Schaffen von Wasserstellen, so schließt zum Beispiel Sylvia K. Sikes, die die Elefantenfragen in Ostafrika studiert hat. Das Unheil begann nach ihrer Ansicht bereits mit dem Bau der Eisenbahn Mombasa–Nairobi, als man für Wasser sorgen mußte. Das zog die wasserabhängigen großen Tiere an, besonders die Elefanten. Die Elefanten hielten sich später auch während der Trockenzeit in der Nähe der Bahn auf, weil dort Siedlungen entstanden waren. Die Tiere kamen nachts zum Trinken und verschwanden vor Morgengrauen wieder leise. Noch schlimmer wurde die Lage, als die Verwaltung der Nationalparks von Kenia ständige künstliche Trinkstellen im Tsavo-Park anlegte. Die Elefanten blieben jetzt das ganze Jahr in Gebieten, wo der Pflanzenwuchs nicht genügend Nahrung für sie gab. Die Zerstörung der Umgebung war das unausbleibliche Ergebnis. Wie kommt es nun aber überhaupt hier und anderswo zu solch einer örtlichen Übervölkerung mit Elefanten? Auf den meisten Flächen Afrikas werden sie heute hartnäckig bejagt und ausgerottet. Offensichtlich weichen sie in die wenigen Schutzgebiete aus und übervölkern diese so, daß die Landschaft gefährdet wird. Vielleicht sind sie auch von Gegenden abgeschnitten, in denen sie früher ihren Bedarf an Mineralien und Spurenelementen befriedigten. Wir tappen in diesen Fragen noch völlig im dunkeln.

Wenn Elefanten Appetit auf Rinden-, Zweig- oder Laubnahrung bekommen, werden die Bäume arg in Mitleidenschaft gezogen. In ihren heutigen viel zu kleinen Lebensräumen hat die Vegetation aber keine Möglichkeit mehr, sich wieder zu erholen.

Solange wir Europäer als Kolonialisten in Afrika herrschten, haben wir kaum Anstrengungen gemacht, das Leben wichtiger Großtiere zu erforschen, welche so ausschlaggebend sind für das Gleichgewicht der Landschaft, das Klima und das Überleben der Menschen in diesen heißen Gegenden. Erst in den letzten Jahrzehnten, und zwar merkwürdig genug überall erst nach dem Selbständigwerden der afrikanischen Staaten, sind Biologen darangegangen, die vielen Geheimnisse dieser Tierriesen zu enträtseln. Die eindrucksvollste Forschungsstätte ist das Serengeti Research Institute bei Seronera im Serengeti-Nationalpark. Dort sind ständig Zoologen, Botaniker, Bodenforscher und Verhaltensforscher aus den verschiedensten Ländern tätig. So gewinnen wir allmählich ein Bild der afrikanischen Trockenlandschaft und des Lebens darin. Die Häuser für die Wissenschaftler und das »Michael Grzimek Memorial Laboratory« wurden von der Fritz-Thyssen-Stiftung errichtet.

So manches Benehmen von Elefanten wird uns verständlicher, wenn wir uns näher ansehen, wie sich Elefanten zu anderen Tieren und untereinander verhalten. Sie kennen offensichtlich keinen Feind und Widersacher in ihrer Umwelt, vom neuzeitlichen, technisch bewaffneten Menschen abgesehen. Wohl gerade deswegen sind die Riesen verträglich zu anderen Lebewesen. Wasserböcke, Impala, Kaffernbüffel, Flußpferde und auch kleinere Antilopen weiden mitunter ganz unbekümmert nur wenige Meter von den grauen Kolossen entfernt. Alle anderen Tiere, selbst Nashörner, Flußpferde und Löwen, weichen ausgewachsenen Elefanten aus oder ziehen sich zurück.

Kann man vor einem angreifenden Elefanten weglaufen? Ein Afrikanischer Elefant geht, im Paßgang, etwa so schnell wie ein Mensch, in der Stunde vier bis sechs Kilometer. Er kann die Geschwindigkeit aber auch auf fast das Doppelte steigern und sie für Stunden so beibehalten. Laufen Elefanten erschreckt davon oder greifen sie an, so bringen sie es auf 30 Stundenkilometer. Sie sind also schneller als ein menschlicher Schnelläufer, aber langsamer als ein Reitpferd, als Antilopen und die meisten Raubkatzen. Elefanten können diese ihre Höchstgeschwindigkeit allerdings nur etwa 100 Meter lang durchhalten. Im Busch werden sie viel weniger behindert als Menschen oder kleinere Tiere, weil sie einfach durch das Gestrüpp brechen können. Elefanten können nicht galoppieren, nicht

springen, und auch steile, mäßig hohe Wände sind für sie unüberwindliche Hindernisse. Dagegen klettern die schweren Tiere Steilhänge ausgezeichnet empor und gehen, wie schon gesagt, hoch in die Gebirge.

Lange Zeit wurde ihnen nachgesagt, daß sie im Stehen schliefen und sich nicht niederlegten. Professor Hediger hat dann bei indischen Zirkuselefanten nachgewiesen, daß sie es doch tun, und zwar bevorzugt kurz nach Mitternacht. Alte Elefanten liegen dann nur zwei bis drei Stunden, Jungtiere länger. Ich selbst habe niemals in Freiheit einen liegenden oder im Liegen schlafenden Elefanten gesehen, wohl aber in den Urwäldern der Elfenbeinküste Stellen, an denen Elefanten bis kurz vorher geschlafen hatten, weil sich alle Rundungen ihres Körpers gut in der Erde abgedrückt hatten. In zoologischen Gärten scheinen Elefanten sehr rasch aufzustehen, wenn nur der Schlüssel zu ungewohnter Stunde in die Tür gesteckt wird. Deswegen ist wohl die Liegestellung so lange nicht beobachtet worden. Andrerseits schlafen liegende Elefanten wenigstens zeitweise sehr tief und fest.

Die Elefanten in der Station Gangala na Bodio ließen sich von ihren Kameraden durch Stöße und Laute nicht im Schlaf stören; mein Blitzlicht aber brachte die Tiere sofort auf die Beine. Sie machten sich zum Teil richtige Kopfkissen aus den Ästen, die zum Füttern für sie aufgetürmt wurden. Elefanten, die im Stehen schlafen, stützen gern die Stoßzähne dabei auf, wenigstens die Waldelefanten, bei denen diese mehr nach unten zeigen. Auch der Rüssel berührt die Erde.

Elefanten können schwimmen, tun dies jedoch selten, obwohl sie so gern baden. Nahe am Mweya Lodge im Queen-Elizabeth-Park sieht man immer wieder Elefanten den Kazuga-Seearm durchschwimmen. Der rasch strömende Viktoria-Nil im Murchison-Falls-Nationalpark ist dagegen eine echte Grenze für die zwei Elefantenbevölkerungen beiderseits.

Elefanten können schrill trompeten, wenn sie aufgeregt sind, also beim Angriff, in jähem Schreck, oder wenn ein einzelnes Tier sich verirrt hat und sich verlassen fühlt. Richtiges Brüllen aus tiefer Kehle bei angeschossenen Tieren wird von Jägern berichtet; ich selbst habe es nie gehört. Viel gerätselt worden ist über das Rumpeln, Kollern oder Schnurren von Elefanten. Im Englischen wird es *to purr* oder *rumble*, also wörtlich eigentlich »Magenknurren«, genannt. Tatsächlich wurde bis in jüngste Zeit angenommen, daß die Elefanten es mit ihrem Magen oder ihren Därmen hervorrufen. Dagegen spricht, daß sie es willkürlich stoppen können, während ja Magen und Eingeweide selbsttätig arbeitende, vom Gehirn aus nicht zu beeinflussende Muskeln haben. Einzelne Elefanten sollen es nicht hören lassen, wohl aber fast immer Tiere, die in Gruppen zusammen sind. Das spricht dafür, daß es

Professor Grzimeks Einsatz für Afrikas Elefanten. Links: Mit einem lebensgroßen aufgeblasenen Elefanten aus Kunststoff stellte er Versuche an, um das Verhalten der freilebenden Dickhäuter zu erforschen. – Ganz links: 1975 half er mit, eine kleine Gruppe von Jungelefanten im Akagara-Park in Ruanda wieder anzusiedeln. Zum Transport der Tiere wurden Lastwagen, Flöße und auch ein Hubschrauber eingesetzt.

eine Art Stimmfühlung darstellt, eine Versicherung, daß die anderen Tiere noch da sind, und ebenso ein Ausweis »Ich bin ein Elefant« zum Erkennen bei der Annäherung von anderen Elefanten. Der Elefantenfachmann I. O. Buss, der sich lange in Uganda mit dieser Frage beschäftigt hatte, konnte sie dann im Baseler Zoo lösen. Dort ließen sich Afrikanische und Asiatische Elefanten durch Zureden des sehr vertrauten Wärters zum »Schnurren« veranlassen. Sobald ein Tier begann, wurden der Wärter und I. O. Buss von den übrigen Elefanten, die daraufhin herbeikamen, eng eingeschlossen. Dadurch, daß I. O. Buss eine Hand auf die Kehle eines »schnurrenden« Elefanten und die andere über sein Rüsselende legte, konnte er deutlich die Vibrationen in der Kehle und die dazugehörenden stoßweisen Luftströme aus dem Rüssel feststellen.

Wiederholt hat man beobachtet, daß Elefanten versucht haben, verwundeten Kameraden zu helfen und sie zu stützen. Auch daß Elefanten totgeschossene Tiere aufzuheben suchten, ist sehr häufig beobachtet worden. Bei manchen Gelegenheiten kam eine ganze Herde trompetender und kreischender Tiere zurück und bemühte sich, das zusammengebrochene Tier hochzuheben. Von manchen Jägern ist das dann als Massenangriff aufgefaßt worden.

Im Zusammenleben der Afrikanischen Elefanten spielen Ohrbewegungen und Geruch eine große Rolle, wie besonders W. Kühme durch jahrelange Beobachtungen an den zwei Bullen und einer Kuh im Opel-Freigehege bei Frankfurt ermitteln konnte. Die Ohren werden je nach der Luftwärme verschieden häufig vor- und zurückgeklappt. Ein Anstieg der Temperatur um einen halben Grad läßt auch sofort die Ohrbewegungen rascher werden. Angriffslust drückt sich durch Abspreizen der Ohren und durch noch rascheres Bewegen aus, als es der Luftwärme entsprechen würde. In der Rangordnung tieferstehende Tiere wagen in der Nähe des Ranghöheren nicht ganz die Zahl der Ohrbewegungen zu erreichen, die ihnen der Außenwärme nach »zustehen« würde. Nur bei reiner Fluchtstimmung bleiben die Ohren angelegt.

Elefanten graben, indem sie sich mit den Vorderbeinen auf die Handgelenke niederlassen und die Erde zuerst mit den Stoßzähnen bearbeiten. Sie wälzen sich gern, bewerfen sich ausgiebig selbst mit Staub, der mit den Vorderfüßen und dem Rüssel zusammengefegt und mit dem Rüssel gegen den Körper geschleudert wird. Aber auch Äste, Laub, Gras, Erde und Kot werden über den Körper geworfen.

Elefanten, die ja wohl in erster Linie Geruchstiere sind, tasten bei sich selbst und beim Artgenossen gern mit dem Rüssel an den Kopf und dort vor allem in den Mund, sowie an die Schläfendrüsen – und die Ohröffnung. Ein Bulle hält oft sein Rüsselende in die Achsel eines Weibchens und führt es zwischendurch für einige Sekunden in seinen Mund.

Ist der Elefant völlig ruhig und gleichmütig, so legt er die Ohren an und läßt den Rüssel nach unten hängen. Bei Erregung und angriffslustiger Stimmung klappt er die Ohren vor, hebt den Kopf leicht nach oben an, ebenso hebt sich erst das Rüsselende ein wenig empor, später, in immer größerer Erregung, der ganze Rüssel. Er wird schließlich über den noch stärker angehobenen Kopf und die Stirn emporgereckt. Beim eigentlichen ernsten Angriff ändert sich diese Haltung wieder. Ein Elefant, der sich unterlegen vorkommt, schlägt demgegenüber den Rüssel nach hinten ein, steckt ihn auch in den Mund, faßt damit an seine eigene Schläfendrüse oder an den Ohrrand.

Wenn Bullen, insbesondere jüngere, Kampfspiele machen, stellen sie sich gern in einem Abstand von fünf bis zehn Metern gegenüber. Dann heben sie den Kopf

Zwei nicht ungefährliche Experimente, die Professor Grzimek unternahm, um die Angriffslust von Elefanten zu prüfen. Einmal bietet er sich selbst als Angriffsziel dar (oben), ein andermal seinen Kunststoffelefanten (unten).

Dieser Elefant meint es offensichtlich ernst, und dem Fotografen blieb nur die rasche Flucht, um sich vor dem anstürmenden Koloß zu retten.

an, schwingen dazu den Rüssel über die Stirn, stellen die Ohren ab und gehen geschwind aufeinander zu, bis sie mit den Rüsselansätzen aufeinandertreffen. Die Rüssel selbst werden kurz vor dem Zusammenprall um den Kopf des Partners oder beide Rüssel ineinander geschlungen. Dann drücken die gestemmten Beine den Körper nach vorn. Kann einer den andern nicht zurückdrängen, hören sie mit dem Stemmen auf, gehen wieder rückwärts und fangen das Stoßen nach einigen Minuten von neuem an.

Ernstgemeinte Kämpfe, die sehr selten sind, werden ähnlich eingeleitet, dann aber mit ungeheurer Wucht und Wut durchgefochten. Im Queen-Elizabeth-Park fochten zwei Bullen, von denen einer viel größer als der andere war, rund um einen Termitenbau, auf dem ein kleiner Baum wuchs. Sie boxten und stießen sich über und um den Hügel herum. Schließlich riß der jüngere Elefant den kleinen Baum heraus, schwang ihn drohend mit seinem Rüssel, benutzte ihn aber nicht wirklich als Waffe. Es gab eine Reihe von Stößen Kopf gegen Kopf mit Zusammenhauen der Stoßzähne und Umeinanderwinden der Rüssel. Obwohl der größere Bulle als erster ernste Schrammen auf dem Vorderkopf erhielt, verlor der jüngere den Mut, drehte sich rasch um und rannte weg, wobei ihm der andere folgte.

Im Tsavo-Nationalpark kamen fünf Elefantenbullen gemeinsam ans Wasser zum Trinken. Drei davon gingen nachher weg, während zwei mit schweren Stoßzähnen in Kampfstimmung zu sein schienen. Einer griff den andern plötzlich an und trieb ihn etwa 80 Meter in den Busch. Dann aber drehte sich das zurückgedrängte Tier um und stellte sich dem Angreifer. Beide Elefanten trafen sich Kopf an Kopf, und der Angreifer, der gradere Zähne hatte, erwies sich als tödlich. Sein rechter Stoßzahn stieß in das Gaumendach im Mund seines Gegners, der linke Zahn durchbohrte die Kehle mit solch ungeheurer Gewalt, daß der Angegriffene vom Boden hochgehoben wurde. Dann zog der Angreifer seine Zähne zurück, und sein unglücklicher Gegner brach in die Knie. Er machte einen neuen Angriff, stieß den andern in die Schulter und offensichtlich durch das Herz, denn er fiel tot um.

Der siegreiche Bulle ging an das Wasser, trank wieder, war aber offensichtlich nicht unbeschädigt, denn er blutete ausgiebig aus mehreren Wunden in der Brust.

Ganz rechts: Keine Paarung, sondern Demonstration der Überlegenheit - beide Tiere sind Bullen, und der aufreitende Bulle macht dem anderen klar, wer »Herr im Hause« ist. - Rechts: Bei Voi im ostafrikanischen Tsavo-Nationalpark wurden verwaiste Elefanten- und Nashornkinder mit der Flasche großgezogen. Auch als erwachsene Tiere blieben sie den Menschen gegenüber völlig zahm.

Er ging am Ufer des Teiches entlang und kam nach einem erneuten Trank zum Kampffeld zurück. Als er den toten Elefanten auf der Erde liegen sah, geriet er wieder in Wut, griff nochmals an und stieß seine Stoßzähne durch den Kopf des toten Tieres geradewegs in das Gehirn.

Kommt ein Elefant zu Tode, so strömen die Aasesser von allen Seiten zusammen; besonders die Geier sammeln sich in ungeheuren Scharen. So verschwinden die Fleischteile schnell, aber auch die Knochen werden auseinandergeschleppt.

Trotzdem ist das Märchen von den Elefantenfriedhöfen in Afrika anscheinend nicht auszurotten. Danach sollen sich die gewaltigen Tiere, wenn sie ihr Ende nahen fühlen, in Sümpfe oder entlegene Gegenden zurückziehen, wo man dann große Ansammlungen von Elefantengebeinen findet. Anlaß zu solchen Legenden mögen Massenschießereien in früheren Zeiten gewesen sein, auch das Umzingeln ganzer Elefanten-

herden in hohem Gras und Busch während der Trokkenzeit und das Einkreisen durch angelegte Brände, in denen die Tiere elend zugrunde gingen.

Elefanten sind Riesen im wahrsten Sinne des Wortes. Sie sind die schwersten und nach der Giraffe auch die höchsten Landtiere. Man hat Steppenelefanten-Bullen erlegt, die in Stücke aufgeteilt und einzeln gewogen insgesamt 6,5 Tonnen schwer waren. Richard Laws untersuchte 360 Elefanten aus dem Murchison-Falls- und dem Queen-Elizabeth-Nationalpark in Uganda. Die durchschnittliche Schulterhöhe der Bullen im Murchison-Falls waren 3,15 m, im Queen-Elizabeth 2,98 m, bei den Kühen 2,72 m. Das Durchschnittsgewicht der Kühe war 2766 kg, das Höchstgewicht der Bullen 6000 kg. Allein die Haut wiegt 1 t, getrocknet immer noch 13 Ztr., sie hat 35 m^2 Oberfläche. Die Lunge wurde mit 137 kg, die Leber mit 105 kg, die Nieren mit 18 kg gewogen, die Ohren mit 80 kg, der Rüssel 120 kg, das Skelett 1600 kg, Herz 20 kg, Muskeln 2700 kg und Fett 100 kg. Bei einem Elefanten entfallen viel weniger Quadratzentimeter Haut auf jedes Kilogramm Körpergewicht als bei kleineren Tieren. Deswegen verliert er verhältnismäßig wenig Wärme durch die Oberfläche, kann die Haare entbehren und verträgt auch nördliches Klima gar nicht so schlecht. Die Ohren, die beim Afrikanischen Elefanten ein Sechstel der Körperoberfläche ausmachen, dienen vor allem der Abkühlung. Ein größerer Elefant erzeugt soviel Wärme wie 30 Menschen.

Sicher das merkwürdigste Gebilde ist der Rüssel. Der Elefant kann mit seiner Nase Bäume abbrechen, Löcher graben, andere Tiere totschlagen, aber auch kleinste Münzen vom Boden aufheben. Ein Rüssel faßt 15 bis 20 Liter Wasser, das die Tiere sich dann in den Mund spritzen. Das Tier bespritzt damit auch seinen Körper. Es kann seinen Rüssel nach jeder Richtung verbiegen, kann ihn länger und kürzer dehnen, denn er besteht aus 40 000 Bündeln von Längs- und Ringmuskeln. Er ist so stark und zäh, daß es schwer ist, ihn mit einem Messer zu durchschneiden, obwohl keine Knochen darin sind. Trotzdem können Elefanten ohne Rüssel weiterleben.

Mit seinem beweglichen Rüssel kann ein Elefant hoch in der Luft wie eine Giraffe riechen, aber auch dicht am Boden wie ein Wildhund. Offensichtlich richten sich Elefanten in der Hauptsache nach dem Geruch.

Nur mit Mühe konnte ich einmal einen Zooelefanten bewegen, mir auf den Fuß zu treten. Der wird davon nicht beschädigt oder gequetscht, sondern es fühlt sich an, als ob ein Zweizentnersack Getreide darauf gestellt wird. Natürlich darf man den eigenen Fuß nicht unter die Vorderkante des Elefantenfußes setzen, wo die Hufe sind. Auf der Rückseite der Elefantensohle ist nämlich eine gallertartige Masse, die auch den leisen, weichen Gang dieser Riesen bedingt.

Der Fuß wird breiter und dicker, wenn er belastet wird, aber erheblich dünner, wenn das Tier ihn anhebt. Die Sohlenfläche kann sich um etwa ein Viertel verringern. Deswegen vermag der Elefant seine Beine auch leichter aus tiefem Schlamm wieder herauszuziehen.

Der ostafrikanische Steppenelefant hält sich offensichtlich am liebsten auf Grassteppen auf, die aber

Beim Kampfspiel eilen die jugendlichen Partner aufeinander zu, bis ihre Rüsselansätze zusammenstoßen. Die Rüssel selbst werden kurz vorher um den Kopf des Gegenübers oder ineinander geschlungen. Dann drücken und stoßen die beiden einander mit abgestemmten Beinen.

▷ Ein harmloses Kampfspiel zwischen zwei jungen Bullen in der Großaufnahme.

▷▷ »Matschspielen« gehört zu den Genüssen, an denen sich die ganze Elefantenherde mit großem Vergnügen beteiligt.

Rüsseltiere (Proboscidea)

Name **deutscher Name** **wissenschaftlicher Name** **englischer Name (E)** **französischer Name (F)**	**Körpermaße** **Kopfrumpflänge (KRL)** **Schwanzlänge (SL)** **Standhöhe (SH)** **Gewicht (G)**	**Auffällige Merkmale**	**Fortpflanzung** **Tragzeit (Tz)** **Zahl der Jungen je Geburt (J)** **Geburtsgewicht (Gg)**
Asiatischer Elefant *Elephas maximus* mit 4 Unterarten E: Asian elephant F: Eléphant d'Asie	KRL: 5,5–6,4 m SL: 1,50–2,10 m SH: 2,40–2,90 m G: bis 4,7 t	Auf der nur wenig behaarten Haut mit zunehmendem Alter helle, pigmentlose Flecken, besonders an Rüsselbasis, Ohrrändern und Schultern; Stoßzähne nur bei Bullen, besonders beim Ceylonelefanten selten; beim Bullen im Alter von 15–20 Jahren sogenannte Musth	Tz: im Schnitt 22 Monate J: 1, selten 2, ganz selten 3 Gg: 60–115 kg
Afrikanischer Elefant *Loxodonta africana* mit 2 Unterarten E: African elephant F: Eléphant d'Afrique	KRL: 6–7,50 m SL: 1–1,30 m SH: 2,20–3,70 m, selten 4 m G: bis 7,5 t	Spärlich behaarte Haut; sehr große Ohren; Stoßzähne bei beiden Geschlechtern; Rüsselende mit 2 gegenständigen Greiffingern; Bullen größer und schwerer als Kühe, mit längeren und schwereren Stoßzähnen; »Musth« bei älteren Bullen	Tz: 22 Monate J: 1, sehr selten 2 Gg: 90–135 kg

Baumgruppen haben oder Baumgürtel an Flüssen, unter die sich die Tiere während der heißen Tagesstunden zurückziehen können. In solchen Gegenden untersuchte I.O. Buss den Mageninhalt von 47 geschossenen Elefanten von Januar bis März 1959. Dabei kam heraus, daß 91 % ihrer Nahrung Gras war, 8 % Bäume und Büsche und 1 % krautige Pflanzen. Nur etwa 10 % des gegessenen Grases waren grün und unreif, 90 % dagegen braun. Die Tiere ziehen beim Weiden unaufhörlich umher. Besonders wenn sie frisches Gras weiden, das nach dem Brennen emporgeschossen ist, vertiefen sie sich förmlich in diesen Genuß. Man kann sich ihnen dann bis auf 15 Meter nähern, ohne daß sie einen bemerken. Beim Grasen schließen sie nämlich ihre Augen entweder ganz, oder sie sehen unmittelbar auf die Erde zu ihren Füßen. Das Gras wird mit dem Rüssel samt Wurzeln aus der Erde gepflückt, und die Erde wird gegen ein Bein oder einen Stoßzahn herausgeschlagen. Wenn die Grasflächen in der Trockenzeit abgebrannt sind, verzehren die Elefanten mehr Äste.

Die afrikanischen Elefantenherden waren gewohnt, in Afrika je nach der Jahreszeit umherzuziehen und den besten Futterquellen nachzugehen. Das ist ihnen heute in großen Teilen völlig unmöglich gemacht worden, und deswegen nehmen sie zum Teil schädliche Futtergewohnheiten an.

Elefanten sind wohl die einzigen Tiere Afrikas, die Löcher nach Wasser graben. Sie lockern dazu die Erde mit den Stoßzähnen auf, heben dann aber die oft steilen und metertiefen Löcher mit dem Rüssel aus. Auf diese Weise erschließen sie meist im Sandbett ausgetrockneter Flüsse Wasser für viele andere Tiere, Nashörner, Antilopen, Zebras, Vogelscharen, Schlangen, und ermöglichen es diesen erst, die Trockenzeit zu überstehen. Verlassen Elefanten während der Trockenzeit aus irgendwelchen Gründen eine Gegend ganz, so kann das für die anderen Tiere verheerende Folgen haben.

Auch über das Fortpflanzungsverhalten der afrikanischen Tierriesen wissen wir unterdessen recht gut Bescheid. Als Aufforderung zum Paaren drängt das Weibchen sich mit ihrem Hinterteil gegen den Kopf des Bullen und sieht sich dabei halb nach hinten um. Der Bulle legt seinen Rüssel der Länge nach auf ihren Rücken. Während sie sich dagegenstemmt, schiebt er sie mit dem Rüsselansatz und den Stoßzähnen langsam vorwärts, so beschreibt dies W. Kühme. Er hat das Paarungsverhalten eingehend bei Zooelefanten beobachtet. Plötzlich geht die Kuh in schnellem Schritt, rüssel- und schwanzschlenkernd und kopfnickend, los. Der Bulle folgt seitlich dahinter; sie läuft in einer Bahn, die ihm zugekrümmt ist, während er ihr den Weg abzuschneiden scheint. Dann stellen sie sich mit den Köpfen gegeneinander, oft mit S-förmig erhobenen Rüsseln. Wenn sie die Rüsselansätze wie beim Kampfspiel gegeneinander drücken, ist das Männchen überlegen. Die Rüssel verschlingen und lösen sich. Mit den Enden tasten sie zärtlich die Köpfe ab. Das Treiben wird wiederholt, die Kuh bietet allmählich dem Bullen häufiger ihr Hinterteil, geht auch in die Knie und hebt den Schwanz, er tastet mit dem Rüssel nach ihrer Scheide. Wenn sie nach wiederholtem Umherjagen stehenbleibt, springt er schließlich auf. Das Geschlechtsglied ist nur wenige Sekunden eingeführt.

W. Poles beobachtete die Paarung wildlebender Elefanten im Luangwatal-Wildreservat von Sambia. Der

Lebensablauf Entwöhnung (Ew) Geschlechtsreife (Gr) Lebensdauer (Ld)	Nahrung	Feinde	Lebensweise und Lebensraum	Häufigkeit
Ew: spätestens im 2. Jahr Gr: mit 7–11 Jahren Ld: bis 69 Jahre in Menschenobhut, 40 Jahre im Freileben	Pflanzen, vor allem Gras; im Regenwald Palmen	Mensch; Tiger (schlägt nur Neugeborene)	Weibchen und Jungtiere in Gruppen aus mehreren Mutterfamilien von 5–120 Mitgliedern; Bullen einzelgängerisch, gelegentlich in kleinen Bullengruppen, meist nur während der Musth bei den Mutterfamilien; bevorzugter Lebensraum Savannen und Lichtungen und in Wäldern Zonen mit Zweitwuchs; Reviergröße 50–200 km²	Überall als vom Aussterben bedroht betrachtet; Ausmaß der Gefährdung verschieden
Ew: mit etwa 2 Jahren, manchmal auch später Gr: mit 8–12 Jahren Ld: 50–70 Jahre	Hauptsächlich Gras, aber auch Zweige, Blätter, Früchte, Knospen, Wurzeln usw.	Mensch; Löwe, Hyäne, Wildhund, Krokodil (reißen nur Jungtiere)	Mutterfamilie als Grundeinheit; geschlechtsreife männliche Tiere in eigenen Gruppen; alte Bullen manchmal Einzelgänger; oft Zusammenschluß zu lockeren Herden; in Wäldern, Savannen, Steppen, Halbwüsten und Bergen (bis 5000 m Höhe)	Bestände durch Bejagung und Lebensraumschwund bedroht

Bulle nahm den Schwanz der Kuh in seinen Mund, drängte die Seite seines Kopfes gegen ihr Hinterteil, ging dann an ihr entlang, legte seinen Rüssel über ihren Nacken und ergriff das gegenüberliegende Ohr. Die Kuh blieb stehen, bis der Bulle es wieder losließ. Auch hier dauerte die Paarung selbst etwa zehn Sekunden. Nachher stellten sich die Tiere gegenüber und hoben die Rüssel in S-Form. Im übrigen betasten Bullen auch sonst häufig Kühe in zärtlicher Weise und umschlingen ihre Rüssel, ohne daß sie Miene zur Paarung zeigen.

Während der Geburt, die nach einer Schwangerschaft von rund 22 Monaten erfolgt, wird die Mutter häufig von anderen Kühen umgeben und, wenn man so sagen will, beschützt. Besonders eingehend konnte F. Poppleton, damals Wildwart im Queen-Elizabeth-Park, im Dezember 1956 dort die Geburt eines Elefanten beobachten, allerdings erst, nachdem das Junge bereits zur Welt gekommen war. Er sah einen Teil einer größeren Elefantenherde zusammengedrängt; alle hielten die Köpfe nach außen, trompeteten, klappten mit den Ohren und waren recht unruhig. Poppleton konnte den Vorgang aus 25 Schritten Abstand mit dem Feldstecher besehen. In der Mitte der eng zusammenstehenden Elefanten war ein soeben geborenes Kalb. Die Mutter und eine andere Kuh entfernten gerade die Eihäute. Der Bauch der Mutter war ungeheuer erweitert und hing bis nahe zur Erde. Die Scheide, welche ja beim Elefanten unten zwischen den Beinen, nicht hinten und oben liegt, war erweitert und blutete. Die Gruppe bestand aus sechs großen Kühen mit fünf kleinen Kälbern, dazu einem jungen Bullen, der aus etwa 15 Meter Abstand zusah.

Die Tiere versuchten das neugeborene Junge mit ihren Rüsseln und Füßen auf die Beine zu stellen. Andere nahmen die Eihaut und warfen sie in die Luft, so daß sie sich ausbreitete wie ein Laken. Die Kühe trieben die Geier weg. Alle anderen Elefanten mit Ausnahme eines Bullen durften nicht näher kommen. Das neugeborene Kalb war naß und mit Schleim bedeckt. Es hatte ein deutliches Haarkleid, besonders am Kopf. Das Trompeten und Kreischen ging etwa zehn Minuten weiter.

Nach einer halben Stunde gingen vier der Kühe mit ihren Kälbern weg und ließen die Mutter, eine andere erwachsene Kuh und einen jungen Bullen von etwa sieben Jahren mit dem neugeborenen Kind zurück. Diese versuchten weiter, mit dem Rüssel das Baby auf die Beine zu bringen. Nach einer weiteren Viertelstunde verschwand auch die zweite Kuh und ließ die Mutter mit dem Baby und dem Jungbullen zurück, der offensichtlich ihr Sohn war.

Elefanten sind fast rund um die Uhr mit der Nahrungsaufnahme beschäftigt. Nur gelegentlich gönnen sie sich kurze Ruhepausen.

Der kleine Elefant machte seine ersten wackligen Schritte nach zwei Stunden, fiel jedoch vornüber auf seinen Kopf und rollte auf seinen Rücken. Mutter und

Jungbulle erlaubten ihm nicht, liegen zu bleiben, sondern stellten ihn immer wieder auf seine kleinen Füße. Die Mutter blutete die ganze Zeit und brachte den Mutterkuchen zwei Stunden nach der Geburt hervor. Sie verzehrte etwas von der äußeren Haut, aber die Hauptmenge davon blieb liegen. Die Kuh spielte eine Zeitlang damit. Eine Weile hing die Nachgeburt regelrecht auf ihrem Stoßzahn. Der Jungbulle verlor nach zwei Stunden das Interesse und verschwand in der Richtung der Herde.

Die Geburt selbst beobachtete ein Wildwart in Sambia. Eine Elefantenkuh lehnte sich gegen einen großen Baum, der Kopf des Jungen erschien in der Scheide, und nach ständigem Drücken fiel das Neugeborene auf die Erde. Die Kuh wendete sich sofort um und stand über dem Kalb, schnüffelte an ihm mit dem

Gegenseitige Hilfe bei Elefanten. Die Mutter hilft ihrem durch die große Trockenheit ermatteten Kind wieder auf die Beine.

Rüssel und blieb so 20 bis 30 Minuten stehen. Dann stellte sich das Kleine auf seine Füße und begann nach dem Euter zu suchen. Es stand seitwärts mit den Vorderbeinen vor und hinter einem Vorderfuß der Mutter und begann zu trinken. In der ganzen Zeit waren keine anderen Elefanten in der Nähe.

Im Etoscha-National-Park (Südwestafrika) wurde eine junge Kuh gebärend beobachtet, während der Rest der Herde in einem Halbkreis von etwa 400 Metern von ihr entfernt weidete. Der nächste Elefant, der eine alte Kuh zu sein schien, graste etwa 200 Meter von ihr unter dem Wind. Die junge Kuh stand beinahe kauernd mit eingeknickten Hinterbeinen und trompetete durchdringend, als ob sie Todesangst hätte. Wildhüter Baard stieg aus dem Wagen und ging näher, um sie zu untersuchen. Als er etwa 20 Meter von dem Tier entfernt war, sah er, wie sich ihre Muskeln plötzlich zusammenzogen, an den Rippen anfangend und wellenartig über den Bauch gehend. Dann begann sie wieder zu trompeten.

Gegenüberliegende Seite: Kopf eines Manati. Dieses seltsame Geschöpf gehört der kleinen Ordnung Seekühe an, die nur vier heute lebende Arten umfaßt.

Die übrige Herde schien sich nicht darum zu kümmern, nur die alte Kuh hob ihren Rüssel an. In Zwischenräumen von etwa fünf Minuten hatte die beobachtete Kuh schmerzhafte Krämpfe und trompetete. Nach 30 Minuten erschien der Kopf eines Kalbes. In diesem Stadium schien die Kuh sehr erschöpft zu sein. Erst nach weiteren 15 Minuten hatten die Vorderbeine und die Schultern des Jungen die Scheide verlassen. Plötzlich tat sich die Kuh langsam nieder und lag auf ihrer rechten Seite. Nun trompetete sie in kürzeren Zwischenräumen. Schließlich gab sie einen langen stöhnenden Ton von sich, wonach sie sehr ruhig lag und langsam atmete.

Der neugeborene Elefant strampelte auf der Erde, um sich von der Eihaut zu befreien. Die Mutter war entweder ohnmächtig oder zu erschöpft, um sich um ihr Kind zu kümmern. Das Kalb, das sich inzwischen fast von den Häuten befreit hatte, sah rosarötlich aus. Nur die Sohlen der Füße hatten eine gelbbraune Farbe. Nach etwa zehn Minuten hob die Kuh ihren Rüssel und richtete ihn gegen das Kalb. Von der Ankunft des Beobachters an bis zu dem Zeitpunkt der Geburt waren genau eine Stunde und zehn Minuten verstrichen.

Recht ähnlich verlief die Erstgeburt bei der jungen Elefantenkuh »Idunda« des Baseler Zoos. Allerdings ging die Geburt selbst so rasch vor sich, daß sie nur mit dem Film, aber nicht mit dem Auge einwandfrei verfolgt werden konnte. Erst nach einigen Minuten betastete die Mutter das Kleine eingehend und hob es sogar mit dem Rüssel am Schwanz etwas an. Eine Viertelstunde später stand der kleine Elefant, allerdings mit Hilfe des Wärters. Er wog 113 Kilo und war 95 Zentimeter hoch. Erst am nächsten Morgen gegen acht Uhr fand das Junge die rechte Zitze und trank ausgiebig. In Deutschland waren vorher junge Afrikanische Elefanten erstmals während des letzten Weltkrieges in München und im August 1965 im Opel-Freigehege im Taunus geboren worden.

Alles zusammengenommen, wissen wir leider noch recht wenig darüber, wie Afrikanische Elefanten leben und was sie zum Leben brauchen. Das ist um so schlimmer, als wir in den nächsten Jahren Mittel und Wege finden müssen, wenigstens einen Teil dieser herrlichen Tiere zu erhalten. Sie sind die wahren Könige des Tierreiches, denn sie fürchten keinen natürlichen Feind, selbst den Löwen nicht.

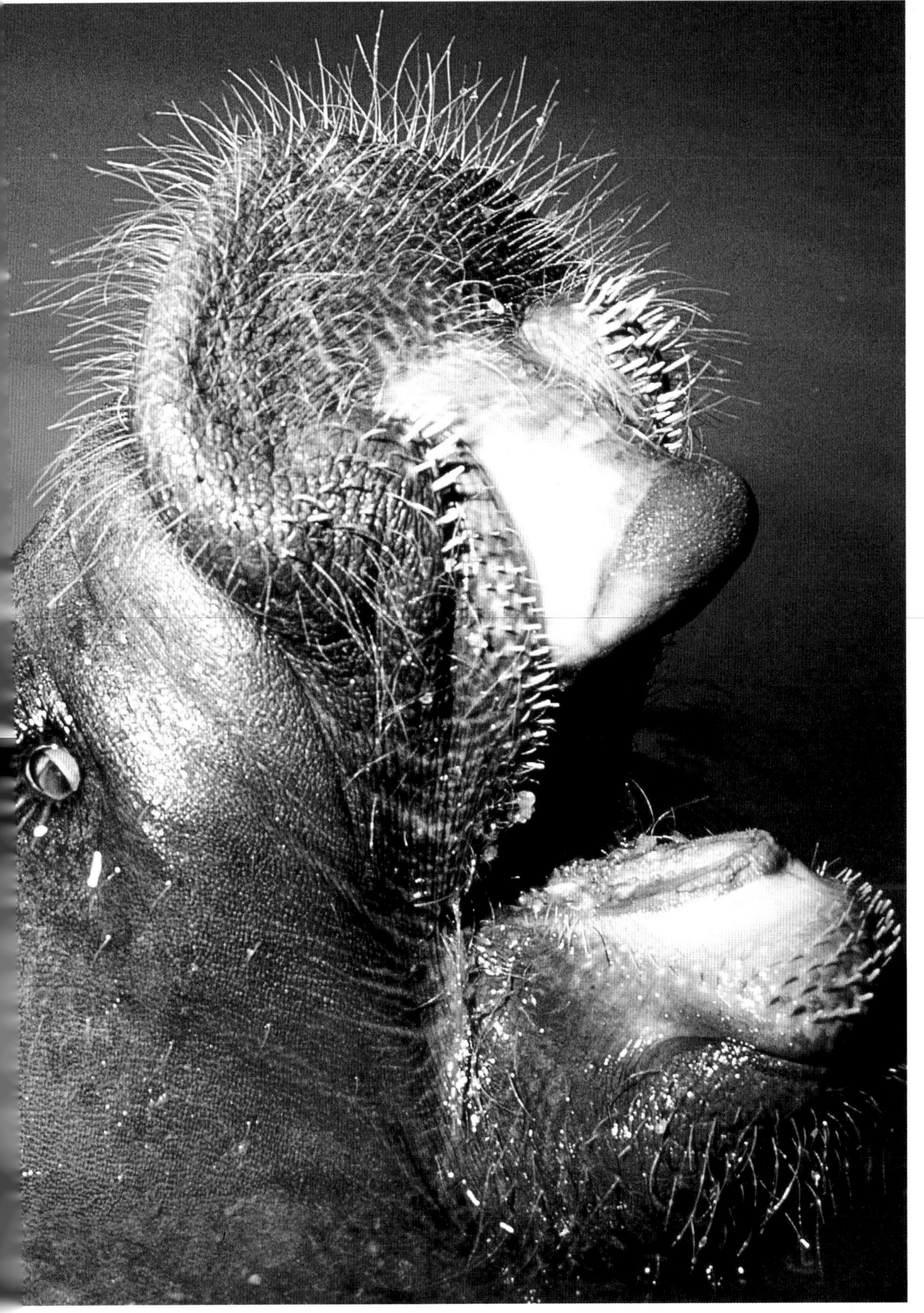

SEEKÜHE

Kategorie
ORDNUNG

Systematische Einteilung: Ordnung der Säugetiere mit 2 Familien, die jeweils 1 Gattung und insgesamt 4 heute noch lebende Arten umfassen. Eine 5. Art aus historischer Zeit, die Stellersche Seekuh, ist bereits im 18. Jahrhundert erloschen und wird deshalb in dieser Übersicht nicht berücksichtigt. Die Seekühe werden als urtümliche Vertreter in die Ordnungsgruppe der Huftiere (Ungulata) eingereiht, obwohl sie ständig im Wasser leben und äußerlich kaum als Hufträger zu erkennen sind. Doch sie lassen sich entwicklungsgeschichtlich von den Stammhuftieren herleiten und weisen an den Fingerspitzen noch unterschiedlich erhaltene Überreste von abgerundeten Hufnägeln auf.

FAMILIE MANATIS ODER RUNDSCHWANZ-SEEKÜHE (Trichechidae)
Gattung Manatis *(Trichechus)*

FAMILIE DUGONGS ODER GABELSCHWANZ-SEEKÜHE (Dugongidae)
Gattung Dugongs *(Dugong)*

MANATIS (3 Arten)

Kopfrumpflänge: 2,50–3,50 m
Gewicht: 200–600 kg
Auffällige Merkmale: Massiger, zugleich walzen- und stromlinienförmiger Körper, unbehaart bzw. mit feinen, spärlichen Haaren bedeckt; zurückgebildete äußere Ohren; große wulstige und muskulöse Oberlippe, mit kurzen steifen Borsten besetzt; Gebiß besteht nur aus Mahlzähnen, in jeder Zahnreihe mehr als 20, die vorne abgenutzt und abgestoßen werden und von hinten ständig nachwachsen; Vordergliedmaßen zu kräftigen Flossen umgewandelt; Hintergliedmaßen bis auf winzige Skelettreste verkümmert; abgeplatteter, hinten abgerundeter waagerechter Schwanz; dicke Haut, darunter dünne Fettschicht; sehr langer Verdauungstrakt.
Fortpflanzung: Tragzeit 12–14 Monate; in der Regel nur 1 Junges je Geburt; Geburtsgewicht, soweit bekannt, etwa 20 kg.
Lebensablauf: Entwöhnung mit etwa 1–3 Jahren; Geschlechtsreife mit 3–5 Jahren oder noch später; Lebensdauer vermutlich bis etwa 60 Jahre.
Nahrung: Ausschließlich Wasserpflanzen.
Lebensweise und Lebensraum: Ständig im Wasser; bis 24 Minuten untergetaucht, dann kurzes Auftauchen (2–5 Sekunden) zum Atemholen; kein ausgeprägtes Sozialgefüge; Einzeltiere oder kleine Gruppen meist weit verteilt, zuweilen größere Ansammlungen; keine Eigenbezirke; untereinander sehr friedfertig; im Salz- und/oder Süßwasser (Küstengewässer, Flußmündungen und Flüsse).

DUGONGS (nur 1 heute lebende Art; die ausgestorbene Stellersche Seekuh gehört ebenfalls zu dieser Familie)

Kopfrumpflänge: 1–4 m
Gewicht: 230–900 kg
Auffällige Merkmale: Äußerlich ähnlich wie Manatis, doch Schwanz hinten eingebuchtet und seitlich mit je einem Zipfel; nur 5–6 Mahlzähne je Zahnreihe, von denen die beiden vorderen gewechselt werden; Schneidezähne bei den männlichen Tieren wie kleine Stoßzähne sichtbar; glatte, braun bis grau gefärbte Haut.

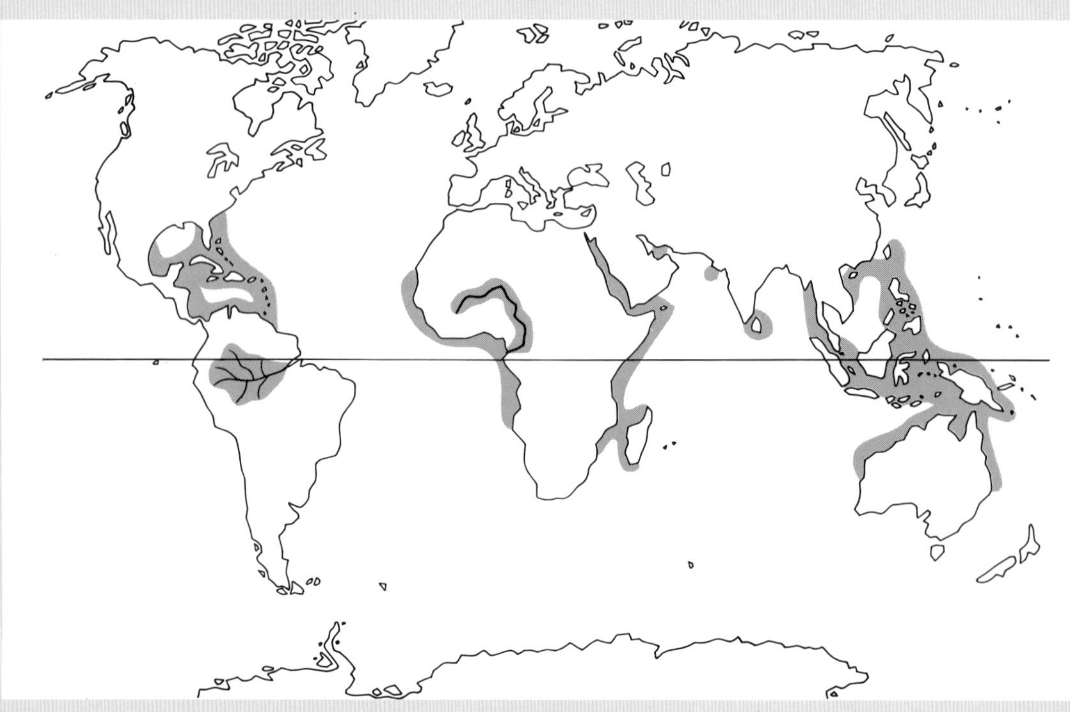

Sirenia WISSENSCHAFTLICH
Sirenians ENGLISCH
Siréniens FRANZÖSISCH

Fortpflanzung: Im einzelnen nicht bekannt; Tragzeit auf etwa 13 Monate geschätzt; 1 Junges je Geburt; Geburtsgewicht angeblich bis 150 kg.
Lebensablauf: Entwöhnung wahrscheinlich nach 1 Jahr; Geschlechtsreifeeintritt nicht bekannt; Lebensdauer bis etwa 55 Jahre.
Nahrung: Hauptsächlich Algen der Gattung *Cymodocea* (»Tanggras«).
Lebensweise und Lebensraum: Ständig im Wasser, meist dicht unter der Oberfläche; wenn ungestört, kurzes Auftauchen (etwa 2 Sekunden) alle ein bis zwei Minuten; untereinander friedlich; einzeln oder in Familienverbänden, oft in großen Ansammlungen von mehreren hundert Tieren; bevorzugter Lebensraum sind seichte, ruhige Küstengewässer mit reichem Algenvorkommen.

Körperform
Die Seekühe haben einen stromlinienförmigen Körper. Die Vordergliedmaße ist zur Flosse umgewandelt. Von der Hintergliedmaße sind nur winzige Skelettrudimente erhalten, die die Körperoberfläche nicht erreichen. Das Körperende läuft in eine skelettlose, waagerecht liegende Schwanzflosse aus, ähnlich wie bei den Walen. Das äußere Ohr und das Haarkleid sind zurückgebildet. Die Abbildung zeigt oben einen Manati, unten einen Dugong.

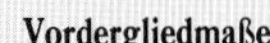

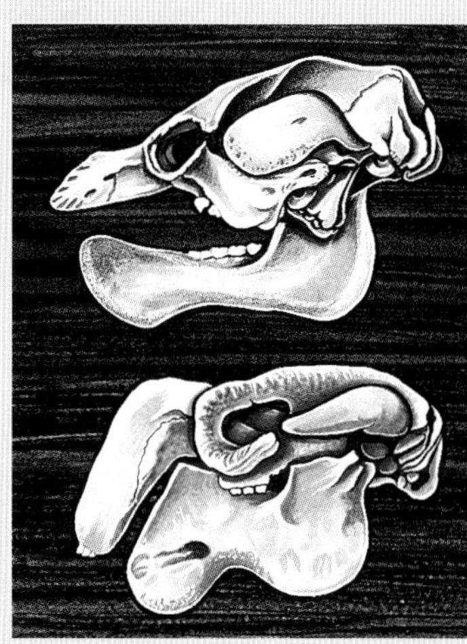

Vordergliedmaße
Die vordere Gliedmaße der Seekühe ist zwar zu einer Art Flosse umgewandelt, der Umbau ist jedoch nicht so weit fortgeschritten wie bei den Walen. Im Skelett der Gliedmaße sind noch alle Abschnitte vollständig erhalten und in den Gelenken gegeneinander beweglich. Auch die Hand- und Fingergelenke der Flosse sind noch biegsam. Die Knochen sind rund und nicht abgeplattet. Die Fingerspitzen tragen unterschiedlich erhaltene Rudimente von abgerundeten Hufnägeln. Gemeinsam mit anderen Wassersäugetieren besitzen die Seekühe eine typische Verdichtung des Knochengewebes. Die Abbildung zeigt die Gliedmaße von Manati.

Schädel von Manati und Dugong
Der Hirnschädel ist verhältnismäßig klein und beherbergt ein Gehirn, das man von primitiven Huftieren ableiten kann, das gleichsam aber mehrere Spezialisierungen aufweist. Das Kieferskelett dagegen ist mächtig entwickelt, mit starken Jochbögen und massiven Unterkiefern. Beim Dugong (unten) sind die Kiefer in besonderer Weise nach unten abgewinkelt. Die massiven Kieferspitzen beider Arten dienen als Grundlage für die muskulösen wulstigen Lippen, mit denen die Wasserpflanzen ergriffen werden. Das Gebiß von Manati besteht nur aus Mahlzähnen, die am hinteren Ende der Zahnreihe ständig nachwachsen und vorne nach Abnutzung abgestoßen werden. Es sind jeweils mehr als zwanzig Mahlzähne in jeder Zahnreihe vorhanden. Beim Dugong sind es nur fünf bis sechs Mahlzähne, von denen die zwei vorderen gewechselt werden. Im Oberkiefer der Dugongmännchen befindet sich ein Schneidezahn als kurzer dicker Stoßzahn.

SEEKÜHE

Stammesgeschichte

von Erich Thenius

Die Seekühe sind pflanzenessende Wasserbewohner. Da ihre Anpassungen an das Wasserleben weniger tiefgreifend sind als jene der Wale, ist die Beurteilung der verwandtschaftlichen Beziehungen leichter. Wie bereits ausgeführt (s. S. 443f.), sind nach morphologisch-anatomischen und serologischen Befunden die Elefanten die nächsten lebenden Verwandten. Sie sind somit Angehörige der »Subungulaten«, zu denen außer den Rüsseltieren und Seekühen meist auch die Schliefer gezählt werden. Nähere Beziehungen zu den ausgestorbenen, nur aus Küstenablagerungen des nördlichen Pazifik bekanntgewordenen Desmostyliern, wie sie etwa M.C. McKenna annimmt, sind nicht bewiesen.

Die Desmostylier wurden zunächst, als nur Kiefer- und Zahnreste vorlagen und wenn man von der Deutung als Multituberculaten absieht, als Angehörige der Sirenen eingeordnet. Erst vollständige Skelettfunde von Desmostyliern (z.B. *Paleoparadoxia, Desmostylus*) zeigten, daß es vierbeinige und fünfzehige Säugetiere waren, die ähnlich den heutigen Walrossen im Küstenbereich des tertiärzeitlichen Pazifik gelebt hatten. Auch Schädel und Gebiß sind in völlig anderer Richtung als bei den Sirenen spezialisiert. Zu den wenigen Gemeinsamkeiten von Seekühen und Desmostyliern zählt wohl ihre Abstammung von Stammhuftieren (Condylarthra).

Die Sirenen sind durch ihre wasserbewohnende Lebensweise völlig von den Elefanten verschieden. Während die heutigen Seekühe meist ein stark rückgebildetes Gebiß mit zu Stoßzähnen umgeformten Oberkieferschneidezähnen besitzen, ist das Gebiß bei den erdgeschichtlich ältesten Sirenen (z.B. *Protosiren, Eotheroides, Prorastomus* aus dem Mitteleozän der Tethys) vollständig, die Zahnformel lautet nach R.J.G. Savage $\frac{3\cdot1\cdot5\cdot3}{3\cdot1\cdot5\cdot3}$. Die Schnauze dieser Seekühe ist gestreckt, nicht abgeknickt wie bei den Manatis oder beim Dugong. Sie waren zwar bereits echte Wasserbewohner, der vollständige Beckengürtel und Reste der Hintergliedmaßen zeigen jedoch, daß sie von Landtieren abstammen.

Selbst wenn diese Fossilformen nicht die unmittelbaren Ahnenformen der heutigen Seekühe bilden sollten, so sind sie doch gute Modelle dafür. Und zwar sowohl für die Dugongs (Gabelschwanzsirenen) als auch für die Manatis (Rundschwanzsirenen). Die Trennung dieser beiden gestaltlich nicht nur im Ruderschwanz verschiedenen Hauptlinien dürfte sehr frühzeitig, und zwar vermutlich bereits zur frühen Tertiärzeit (Eozän), eingetreten sein. Die Entstehung der Sirenen als Warmwasserformen erfolgte wohl in den Randgebieten der damaligen Tethys. Während die Geschichte der Dugongs (Dugongidae) durch Fossilfunde recht gut belegt ist, sind für die Manatis (Trichechidae = Manatidae) noch zahlreiche Fragen offen. Waren es ursprünglich Süßwasserbewohner, wie und wann gelangten die afrikanischen Manatis *(Trichechus senegalensis)* nach Afrika? Alttertiäre Reste von Manatis fehlen fast völlig. Das erdgeschichtlich älteste Manati ist *Potamosiren magdalenensis* aus mittelmiozänen Süßwasserablagerungen von Kolumbien. Es ist etwas ursprünglicher gebaut als die heutigen Manatis, ohne deren Stammform zu bilden. Diese sind gegenwärtig im Küstengebiet von Virginia über Westindien bis Nordostbrasilien, in Westafrika und im Amazonasgebiet heimisch.

Unter den fossilen Dugongiden zählen *Halitherium* (Oligozän), *Metaxytherium (»Halianassa« = »Hesperosiren«)* (Mio-Pliozän), *Thalattosiren* und *Miosiren* (Miozän) zu den wichtigsten Gattungen. Während die stammesgeschichtliche Herkunft von *Dugong* noch nicht geklärt ist (? *Halitherium*), läßt sich die ausgerottete Stellersche Seekuh *(Hydrodamalis gigas)* über *Dusisiren* von miozänen Metaxytherien des Pazifik ableiten, die nach ihrer Verbreitung noch Warmwasserformen waren. Dugongiden waren im Tertiär weit verbreitet, auch in Nordamerika und Europa. Die Landenge von Panama entstand erst in der jüngsten Tertiärzeit, so daß sich die Dugongiden als Meeresbewohner im Tertiär vom Mittelmeer über den Atlantik und die Karibik in den Pazifik ausbreiten konnten.

Manatis

von Galen B. Rathbun

Es gibt sehr wenige ausschließlich wasserlebende Säugetiere, die sich von Pflanzen ernähren. In der Tat sind es nur vier: der Dugong und drei Manati-Arten, der NAGELMANATI oder KARIBISCHE MANATI *(Trichechus manatus)*, der FLUSSMANATI oder AMAZONASMANATI *(Trichechus inunguis)* und der WESTAFRIKANISCHE MANATI *(Trichechus senegalensis)*. Sie sind alle groß und haben stromlinienförmige Körper in der Form eines kleinen Wals. Sie sind so vollständig an das Wasser angepaßt, daß sie nicht mehr die geringste Ähnlichkeit mit ihren nächsten Verwandten, den Elefanten, aufweisen. Gleich den Walen und Delphinen haben sie auch die Fähigkeit verloren, das Wasser zu verlassen, so wie es manche wasserbewohnenden Säugetiere, etwa Robben und Seelöwen, noch tun. Infolgedessen müssen sie alles, was sie brauchen, einschließlich der Pflanzen, die sie essen, im Wasser finden.

Im Meer und im Süßwasser sind Gefäßpflanzen weit verbreitet. Doch wie alle Pflanzen brauchen sie Sonnenlicht. Daher sind sie auf verhältnismäßig flaches, klares Wasser oder auf die Oberfläche von Seen und Flüssen beschränkt, von deren Ufern sie hinauswachsen. Die Verbreitung dieser Pflanzen bestimmt zusammen mit anderen, unten erläuterten Umständen, wo Manatis leben können. Pflanzen finden im Salz- und Süßwasser weniger geeignete Lebensräume vor als am Land; deswegen gedeihen dort auch nur vergleichsweise wenige Pflanzenarten. Diese geringe Vielfalt ist ein Grund, weshalb es lediglich vier Sirenenarten gibt.

Das Leben als pflanzenessende Wassersäugetiere hat die Manatis wesentlich geprägt. Eines ihrer auffallendsten Merkmale ist die eigenartige, große Oberlippe, die, wie der Gattungsname *Trichechus* (griech. *trich-* = Haar-) andeutet, viele kurze, steife Borsten trägt. Die sehr bewegliche Lippe kann zwei fingerähnliche Läppchen bilden, mit deren Hilfe Nahrung in den Mund befördert wird. Die Schnauze des Karibischen oder Nagelmanati ist etwas stärker nach unten abgebogen als die des Amazonas- oder Flußmanati. Dieser Unterschied spiegelt wohl die Verschiedenheit der Pflanzen wider, welche die beiden Arten essen. Der Karibische Manati kommt in verhältnismäßig klaren, flachen Küstengewässern und -flüssen vor, wo er sich hauptsächlich von Pflanzen ernährt, die am Grund wachsen oder frei im Wasser schwimmen. Seine leicht abgebogene Schnauze ist dazu gut geeignet. Im Stromgebiet des Amazonas ist jedoch das Wasser oft sehr dunkel und trübe. Es dringt kein Licht hinein, und unterhalb der Oberfläche können keine Wasserpflanzen wachsen. Daher äsen Amazonasmanatis schwimmende Gräser, die riesige Flächen bedecken. Bei dieser Ernährungsweise wäre eine abgebogene Schnauze nachteilig.

Viele Wasserpflanzen, insbesondere die echten Grä-

Links: Bei nur flüchtigem Blick könnte man die Seekühe für plumpe Wale halten. Doch sie sind weder mit den Waltieren noch mit den Kühen, denen sie ihren irreführenden deutschen Namen verdanken, näher verwandt, sondern mit den völlig anders aussehenden Elefanten.

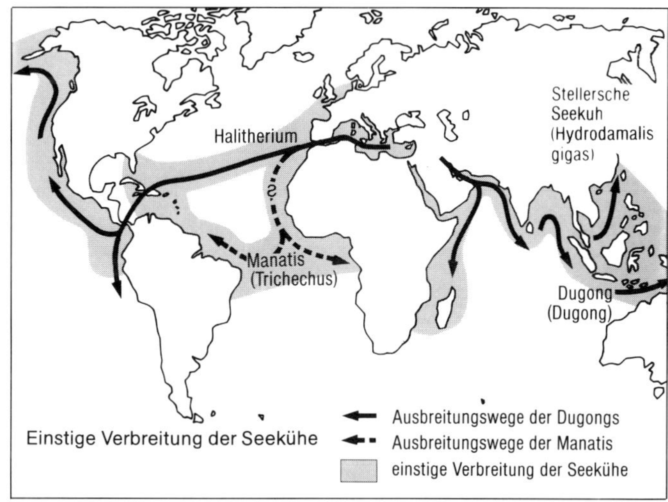

Seekühe (Sirenia)

Name deutscher Name wissenschaftlicher Name englischer Name (E) französischer Name (F)	**Körpermaße** Gesamtlänge Gewicht (G)	**Auffällige Merkmale**	**Fortpflanzung** Tragzeit (Tz) Zahl der Jungen je Geburt (J) Geburtsgewicht (Gg)
Nagelmanati, Karibischer Manati *Trichechus manatus* mit 2 Unterarten E: West Indian manatee F: Lamantin d'Amérique du Nord	Gesamtlänge: 2,50–4,50 m G: 200–600 kg	Walzenförmiger Körper; runder Schwanz; dicke, unbehaarte rauhe Haut; Nägel an den Händen	Tz: 12–14 Monate J: 1, zuweilen 2 Gg: etwa 20 kg
Flußmanati, Amazonasmanati *Trichechus inunguis* E: Amazonian manatee F: Lamantin de l'Amazone	Gesamtlänge: bis 2,80 m G: 350–500 kg	Ähnlich wie Nagelmanati, aber ohne Nägel an den Händen; Haut glatt und schwärzlich	Tz: 12–14 Monate J: 1 Gg: nicht bekannt
Westafrikanischer Manati *Trichechus senegalensis* E: West African manatee F: Lamantin d'Afrique	Gesamtlänge: 2,50–4,50 m G: 200–600 kg	Ähnlich wie Nagelmanati	Tz: nicht bekannt J: 1 Gg: nicht bekannt
Dugong *Dugong dugong* E: Dugong, Sea cow, Sea pig F: Dugong	Gesamtlänge: 1–4 m G: 230–900 kg	Walzenförmiger Körper; Schwanz seitlich mit je einem Zipfel; Schneidezähne bei Männchen wie Elefantenstoßzähne sichtbar; Backenzähne nur in der Jugend vorhanden, später Hornplatten, die den Gaumen und den entsprechenden Teil des Unterkiefers bedecken	Tz: angeblich 13 Monate J: 1 Gg: bis 150 kg
Stellersche Seekuh, Riesenseekuh, Borkentier *Hydrodamalis gigas* E: Steller's sea cow F: Rhytine	Gesamtlänge: vermutlich bis 8 m G: etwa 4000 kg	Massiger Körper; Umfang an der dicksten Stelle 6,20 m; unebene, runzlige, borkenähnliche Haut mit trichterförmigen Vertiefungen (durch Befall mit schmarotzenden Krebsen); zweizipfliger Schwanz; statt Zähnen zwei hornige Kauplatten	Nicht bekannt

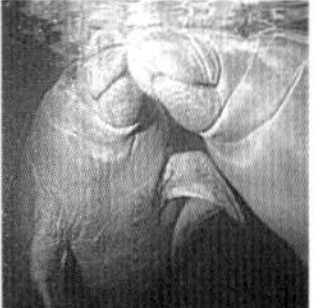

Manatis leben vorwiegend als Einzelgänger, die weder eine Rangordnung noch Revierbesitz kennen. Die einzige langfristige soziale Bindung ist die zwischen Mutter und Kind, die etwa zwei bis drei Jahre andauern kann.

ser, enthalten eine große Anzahl von winzigen Kieselnadeln, die sehr hart sind. Pflanzen, die solche Nadeln enthalten, nutzen die Zähne stark ab. Damit die Manatis nicht zahnlos werden, hat sich bei ihnen ein einzigartiges Verfahren des »Zahnersatzes« entwickelt. Das Kauen veranlaßt die Zähne dazu, langsam im Kiefer um etwa einen Millimeter im Monat nach vorne zu wandern. Neue Zähne bilden sich hinten im Kiefer, während die alten, abgenutzten vorne ausfallen. Das setzt sich während der ganzen Lebensspanne fort.

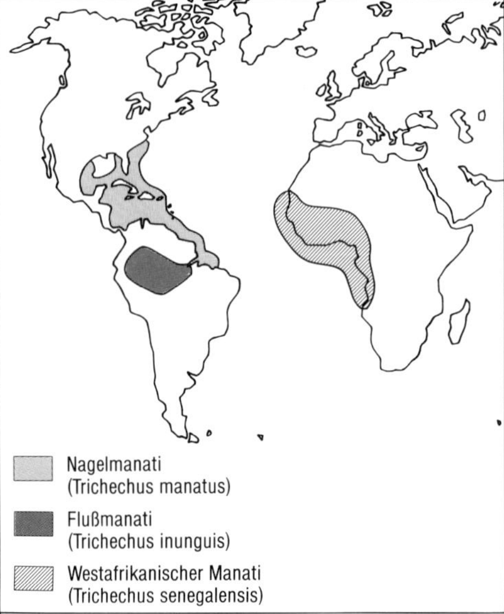

Viele Meeres- und Süßwasserpflanzen enthalten verhältnismäßig wenige Nährstoffe. Oft bestehen sie zu mehr als 90 % aus Wasser. Daher haben die Manatis mehrere Mechanismen entwickelt, welche ihnen erlauben, diese nährstoffarmen Pflanzen voll zu verwerten. Sie weiden sechs bis acht Stunden täglich, und die aufgenommene Nahrungsmenge entspricht 5–10 % ihres Körpergewichts. Für ein großes Tier bedeutet dies bis zu 100 Kilogramm Futter täglich.

Ohne die Hilfe von Mikroben in ihrem Verdauungsgang können Säugetiere die meisten pflanzlichen Stoffe nicht verdauen. Beim Manati leben diese Organismen hauptsächlich im sehr langen Darm, der bei erwachsenen Tieren bis über 40 Meter mißt. Wegen der Länge des Verdauungsgangs kann es mehr als fünf Tage dauern, bis die Nahrung ihn vollständig durchwandert hat. Dies ist eine lange Zeit, verglichen mit anderen Enddarmverdauern wie zum Beispiel dem Pferd, bei dem die entsprechende Zeit nur mehrere Stunden beträgt.

Wenn Mikroben in einem langen Verdauungsgang die Nahrung aufschließen helfen, so entstehen dabei erhebliche Gasmengen. Einem Wassertier, das bei der Nahrungsaufnahme unter Wasser auf der Stelle bleiben muß, stellt dieser zusätzliche Auftrieb ein nicht unerhebliches Problem dar. Wie viele andere Pflanzenesser lassen auch die Manatis häufig Gas ab. Sie haben aber noch andere Möglichkeiten entwickelt, um den Auftrieb auszugleichen und still im Wasser

Lebensablauf Entwöhnung (Ew) Geschlechtsreife (Gr) Lebensdauer (Ld)	Nahrung	Feinde	Lebensweise und Lebensraum	Häufigkeit
Ew: mit 1-3 Jahren Gr: mit etwa 3-5 Jahren Ld: möglicherweise bis 60-70 Jahre	Wasserpflanzen	Nur Mensch	Küstennahe Gewässer, Flußmündungen und Flüsse in tropischen und subtropischen Breiten des Westatlantiks; vorwiegend Einzelgänger	Bestand in den USA bedroht
Nicht bekannt	Wasserpflanzen	Mensch	Nur im Süßwasser; Flußläufe des Amazonasbeckens	Gefährdet
Nicht bekannt	Wasserpflanzen	Nicht bekannt	Hauptsächlich küstennahe Gewässer, Flußmündungen und Flüsse in tropischen und subtropischen Breiten des Ostatlantiks	Bestand bedroht
Ew: wahrscheinlich nach 1 Jahr Gr: nicht bekannt Ld: bis 55 Jahre	Hauptsächlich Algen	Mensch, Haie	Einzeln, in Familienverbänden, oft in großen Schulen von mehreren hundert Tieren; in seichten, ruhigen Küstengewässern mit reichen Algenvorkommen	Bis vor kurzem durch Fischerei stark bedroht, heute durch Ertrinkungstod in Fischereinetzen und durch Meeresverschmutzungen
Nicht bekannt	Algen (Kelptang)	Mensch	Paarweise oder in Familienverbänden; einziges gesichertes Vorkommen vor den Kommandeur-Inseln im Beringmeer	Bereits im 18. Jahrhundert ausgerottet

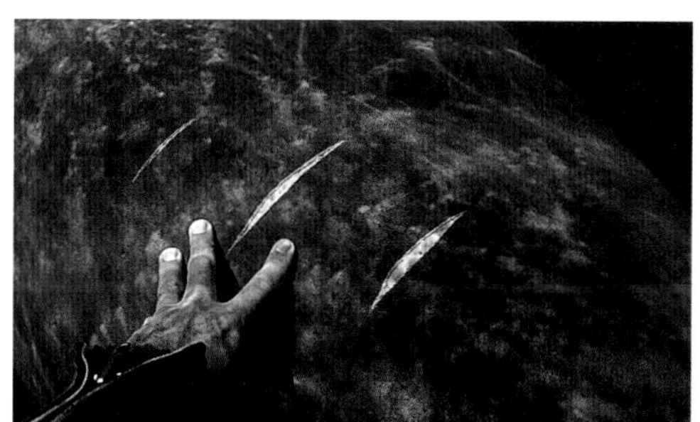

Links oben: Seekuh auf der »Weide«. Dieser Nagelmanati grast den Wasserpflanzenrasen auf dem Boden des Crystal River in Florida ab. Da diese Pflanzenkost wenig gehaltvoll ist, müssen die großen Tiere gewaltige Mengen davon verzehren - bis zu 100 Kilo täglich. - Links unten: Der einzige Feind der Manatis ist der Mensch, der sie heutzutage allerdings meist unabsichtlich tötet oder verletzt, weil die behäbigen Tiere den schnellen Motorbooten nicht rechtzeitig ausweichen können.

stehen zu können. Ihre Knochen, und besonders die Rippen, haben keine Markhöhlen, sondern sind massiv und sehr schwer. Ihre Lungen sind lang und dünn und erstrecken sich durch die ganze Körperhöhle. Auf diese Weise wird der Auftrieb verteilt, und die Tiere können sich so im Wasser waagerecht halten, während sie Unterwasserpflanzen abweiden. Während die meisten an ein Leben im Wasser angepaßten Wirbeltiere, wie die Fische und Wale, einen seitlich abgeflachten Körper besitzen, ist der Manatikörper etwas verbreitert. Auch dies trägt zur Erhaltung des Gleichgewichts im Wasser während der Nahrungsaufnahme bei.

Die vielleicht bedeutendste Anpassung der Manatis an ihre energiearme Nahrung ist ihr sehr langsamer Stoffwechsel, der zu den niedrigsten aller gleich großen Säugetiere gehört. Die Manatis können mit etwa einem Viertel weniger Energie auskommen, als man es von einem Tier ihrer Größe erwarten würde. Für den Amazonasmanati hat der geringe Energiebedarf einen weiteren Vorteil. In der Nähe von Manaus in Brasilien gibt es jedes Jahr ungefähr zwischen April und September Überschwemmungen des Amazonas und seiner Nebenflüsse. Dadurch entstehen große Wiesen schwimmender Gräser, welche die Manatis abweiden. Wenn jedoch die Flüsse sich in ihre Betten zurückziehen, werden viele Tiere in zurückbleibenden seichten Seen abgeschnitten. Wenn der Wasserpegel darin allmählich sinkt, können die Manatis die schwimmenden Pflanzen an den Ufern nicht mehr erreichen. Mehrere Monate lang müssen sie ohne Nahrung auskommen, wobei der niedrige Stoffwechsel ihnen hilft, ihre Fettvorräte nur sparsam zu verbrauchen.

Obgleich der niedrige Stoffwechsel von Vorteil ist, kann er unter Umständen auch zur schweren Belastung werden. Wasser ist ein außerordentlich guter Wärmeleiter, und ein niedriger Stoffwechsel erzeugt

verhältnismäßig wenig Wärme. Da Manatis die dicke isolierende Transchicht vieler anderer Meeressäugetiere nicht besitzen, können sie im allgemeinen in Wasser, das kälter als etwa 16 °C ist, ihre normale Körpertemperatur (36 °C) nicht aufrechterhalten. Dies ist der Hauptgrund, weshalb man sie nur in mehr als ungefähr 20 °C warmen, tropischen und subtropischen Gewässern findet. In Florida, an ihrer nördlichen Verbreitungsgrenze, gibt es alle paar Jahre einen strengen Winter mit unterdurchschnittlichen Luft- und Wassertemperaturen. Dann sterben zahlreiche Jungtiere an Unterkühlung. Die Überlebenden ziehen entweder nach Südflorida, wo es wärmer ist, oder sie finden Zuflucht im warmen Wasser von natürlichen Quellen oder im Abwasser von Kraftwerken.

Manatis sind groß und haben, wenn überhaupt, wenige natürliche Feinde. Zusammen mit ihrer reichlichen

Den unbehaarten walzenförmigen Körper und die große borstenbestandene Oberlippe hat der Nagelmanati mit seinen Verwandten gemeinsam, aber durch die namengebenden Nägel an den »Händen« und die stärker nach unten gebogene Mundpartie unterscheidet er sich von ihnen. Letztere ist eine Anpassung an seine Ernährungsweise: Er ißt mit Vorliebe kurzwüchsige Pflanzen auf dem Gewässergrund.

und weitverbreiteten Nahrung hat dies dazu geführt, daß sie ein verhältnismäßig einfaches Sozialgefüge entwickelt haben. In Florida kommen im Winter in der Nähe von warmem Wasser manchmal Ansammlungen von über 200 Manatis vor. Ansonsten leben sie gewöhnlich weit verteilt als Einzeltiere oder in kleinen Gruppen von zwei bis drei Tieren. Sie bilden weder große geschlossene Herden, um sich vor Feinden zu schützen, noch Reviere, um begrenzte Nahrungsmittel oder Geschlechtspartner gegen Konkurrenten zu verteidigen. Wenn ein Weibchen in Hitze kommt, lockt es bis zu 20 Männchen an, die ihm fast zwei Wochen lang überall hin folgen. Bei ihren Bemühungen, das Weibchen zu begatten, verbringen die Männchen die meiste Zeit damit, sich gegenseitig anzurempeln und abzudrängen. Das Weibchen paart sich mit mehreren Männchen und bringt dann nach einer Tragzeit von 12 bis 14 Monaten ein einziges, etwa ein Meter langes Kalb zur Welt. Der Vater bleibt nicht bei Weibchen und Kalb, sondern verbringt seine Zeit wie andere erwachsene Männchen damit, herumzuziehen und andere paarungswillige Weibchen zu suchen. Die einzige langfristige soziale Bindung ist die zwischen einer Mutter und ihrem früh selbständigen Kalb, die zwei oder auch drei Jahre andauern kann. In Gegenden, die besonders günstige Bedingungen bieten, zum Beispiel in bestimmten Meeresgebieten Floridas, wo exotische Pflanzen ihnen reichlich Nahrung liefern, können sich Manatis alle zwei Jahre fortpflanzen und die Weibchen mit drei oder vier Jahren geschlechtsreif werden.

Mehrere Umstände haben zum Rückgang der Manatibestände beigetragen. In den meisten Teilen ihres Verbreitungsgebiets ißt man sie gern und verfolgt sie mit Netzen und Harpunen. Da ihre Fortpflanzungsrate niedrig ist, verträgt ihr Bestand keine erhebliche Nutzung. In vielen Vorkommensgebieten wird man ihre Ausrottung nur verhindern können, wenn man die Bevölkerung gründlich aufklärt und entsprechende Schutzgesetze auch durchsetzt. Dies hat sich in Florida gezeigt, wo die Manatis so gut wie nicht gejagt oder gewildert werden. Doch hat Florida beim Naturschutz besondere Probleme, die in naher Zukunft wohl auch auf andere von Manatis bewohnte Gegenden zukommen. In hochentwickelten Gebieten werden Manatis von Motorbooten angefahren und viele dadurch verletzt oder getötet. Vielleicht genauso ernst, wenn auch weniger auffällig ist die allmähliche Zerstörung ihres Lebensraums durch Wohnungsbau und industrielle Entwicklung. Dieser Konflikt zwischen Manatis und »Fortschritt« ist vielschichtig und läßt sich nicht so leicht aus der Welt schaffen wie die Jagd. Wirtschaftswachstum sowie örtliche und nationale Politik spielen darin eine Rolle. Es bleibt abzuwarten, ob hochindustrialisierte Gesellschaften bereit sind, die nötigen »Unannehmlichkeiten« und Kosten zu tragen, um die Manatis und ihre Lebensräume zu schützen. Wir betrachten Florida als Prüfstein.

Dugongs

von Fred Kurt

Im Gegensatz zu den Manatis ist der DUGONG *(Dugong dugong)*, der einzige überlebende Vertreter seiner Familie und Gattung, ein Bewohner der seichten Küstenmeere. Er dringt nur gelegentlich in Flußmündungen vor. Früher bewohnten Dugongs nahezu alle Küsten des Indischen Ozeans vom Roten Meer bis zur Ostküste Afrikas und den Südküsten Asiens. Sie kamen auch im südchinesischen Meer bis Taiwan, im Südosten der Philippinen und an der Nord- und Nordostküste Australiens vor. In weiten Teilen dieses großen Verbreitungsgebietes ist der Dugong jedoch so zurückgegangen, daß er heute zu den gefährdeten Säugetieren zählt.

Meist bewohnen Dugongs Tiefen von einem bis zwölf Metern. Hier ist das Meereswasser meist trübe, hat Temperaturen von 20–36 °C und wechselt je nach der Jahreszeit seinen Salzgehalt.

Beim Luftholen erheben sich die Tiere aus dem Wasser, schauen sich kurz um und atmen schließlich. Beim Ausatmen stoßen sie einen wie »p-haaa« klingenden Laut aus, den man erstaunlich weit hören kann. Hat der Dugong einen menschlichen Störenfried entdeckt, so taucht er rasch weg, versteckt sich entweder im Algendschungel oder schwimmt davon. Er kann aber auch atmen, ohne daß man ihn sofort bemerkt. Seine Nasenöffnungen sitzen auf zwei Hügeln der Schnauze. Das Tier braucht also nur bis knapp unter die Wasseroberfläche zu schwimmen, so daß lediglich die beiden Nasenflügel herausragen.

Ungestörte Dugongs unterbrechen die Nahrungsaufnahme regelmäßig nach ein bis zwei Minuten, um aufzutauchen und Luft zu holen. Für den Luftwechsel genügen zwei Sekunden.

Wenige Luftblasen, die dann kurz nach dem Abtauchen ausgestoßen werden, verraten das verborgene Tier. Meist schwimmen Dugongs unmittelbar unter der Meeresoberfläche und erreichen eine beachtliche Geschwindigkeit von acht bis zehn Stundenkilometern. Dabei bewegen sie die Schwanzkelle und die hintere Körperhälfte wellenförmig von oben nach unten. Sie steuern mit Seitwärtsbewegungen des Kopfes und mit Hilfe der Flossen. Diese benutzt der Dugong auch, um sich auf dem Meeresboden niederzulassen und sich rückwärts zu bewegen.

In der Meeresstraße zwischen Indien und der Insel Sri Lanka sieht man heute noch regelmäßig Dugongs. Diese versunkene Landbrücke ist übersät mit kleinen Inseln und Korallenriffen. Unter dem Meeresspiegel weitet sich eine vielfältige Unterwasserlandschaft mit Bergen und Tälern, breiten Hügeln und weiten Ebenen. Riesige Wälder von Seegräsern und meterhohen Algen bedecken über große Strecken den Meeresgrund. In diesen Unterwasserdschungeln finden die Dugongs ihre Nahrung. Sie besteht, so der Leiter der südindischen Meeresforschungsstation in Mandapam, Dr. Jones, hauptsächlich aus vier Algenarten der Gattung *Cymodocea*. Dugongs essen übrigens auch die Wurzeln ihrer Futterpflanzen. Diese können sie, da sie im sandigen oder lehmigen Meeresboden fest verankert sind, nicht ausreißen. Sie müssen sie mit Hilfe ihrer Flossen oder der Schnauze ausgraben.

Vor dem Verzehr befreien die Dugongs die Wurzeln von Sand, Korallen und anderen ungenießbaren Zutaten. So vermeiden sie, daß ihr empfindlicher Mund verletzt und ihre Backenzähne zu früh abgeschliffen werden. Deshalb fassen die Tiere ein abgerissenes Pflanzenbündel mit der Schnauze und schütteln das Ganze einige Male kräftig hin und her. Erst dann stopfen sie es mit Hilfe der Flossen in den Mund.

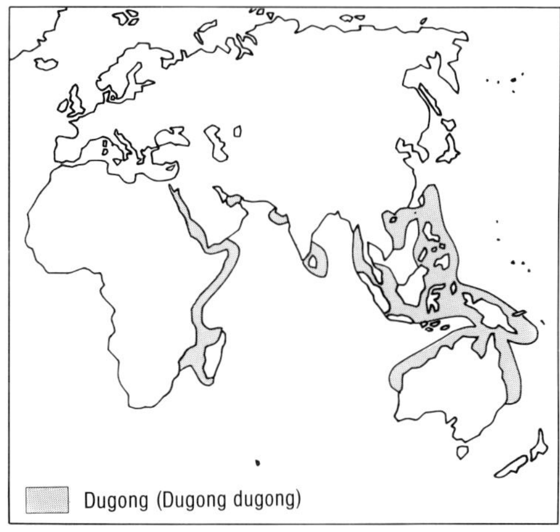

Dugongs haben, wie Gohar berichtet, noch eine weitere Möglichkeit, ihr Algenfutter von Sand und von ungenießbaren und oft sogar giftigen Meeresbewohnern zu befreien. Sie stapeln es zu Haufen zusammen und lassen mehrere solcher Haufen für kurze Zeit liegen, damit sich der Sand setzen und die im Futter verborgenen Meerestiere flüchten können. Dann erst beginnen sie davon zu essen. Werden Dugongs bei der Nahrungssuche überrascht, lassen sie oft solche Futtervorräte zurück. Anhand solcher aufgegebener »Depots« können Wissenschaftler nicht nur die Futterpflanzen, sondern auch die täglich aufgenommene Futtermenge bestimmen. Sie beträgt bei einem erwachsenen Dugong bis zu 30 Kilogramm.

Über die Lebensgewohnheiten des Dugongs ist bis heute wenig bekannt. Man sieht die Tiere einzeln oder zu zweit, selten in kleinen Gruppen, bei denen es sich offenbar um Familienverbände aus Weibchen, Männchen und Jungen handelt. Im vorigen Jahrhundert traten Dugongs an der nordaustralischen Küste noch in großen Herden auf. In den letzten Jahrzehnten tauchten große Verbände nur noch hie und da während der Trockenzeit an der Küste von Kenia auf. Andernorts sah man sie nicht mehr. Doch im Jahre 1976 entdeckten Wissenschaftler just in der australischen Moreton Bay, wo man den Dugongbestand als fast unrettbar betrachtet hatte, eine riesige Herde von 200 Tieren. Dieser erstaunlich große Verband schwamm seelenruhig durch das klare Wasser an einem Ort, der sich knappe zehn Flugminuten vom Flughafen von Brisbane entfernt befand. Im Winter 1985/86 wurden andere große Dugongherden entdeckt, eine davon sogar im Roten Meer, wo der Dugong als besonders selten gilt. Sie soll wenigstens 300 Mitglieder umfaßt haben.

Die jungen Dugongs werden schätzungsweise nach einer Tragzeit von 13 Monaten geboren und messen in indischen Gewässern schon mehr als anderthalb Meter. Im Roten Meer dagegen sind sie bedeutend kleiner. Sie werden von ihren Müttern an der Wasseroberfläche gestillt. Die Mütter umfassen ihre Kinder dabei mit den Flossen. Dugongmütter, die ihre beiden Brüste am Vorderkörper tragen, mögen – besonders wenn Seegräser wie eine langhaarige Perücke ihre Köpfe beim Auftauchen bedeckten – früher abergläubischen Seefahrern als Seejungfrauen erschienen sein.

Während der Fortpflanzungszeit umwerben oft zwei oder mehr Bullen dasselbe Weibchen. Kämpfe wurden aber nie beobachtet. Gewöhnlich bleibt nach einer gewissen Zeit der stärkere der Bewerber bei dem Weibchen. Zur Paarung erheben sich die Dugongs halb aus dem Wasser, stehen einander Bauch an Bauch gegenüber und umarmen sich. Das Männchen bleibt zwar beim Weibchen, auch wenn es Junge führt.

Rechts: Keine Angst vor dem großen Tier brauchen die Fische zu haben, denn dieser Dugong ist wie alle Seekühe reiner Vegetarier. – Unten: Warum der Dugong zur Familie der Gabelschwanz-Seekühe gehört, deren einziger überlebender Vertreter er ist, erkennt man an seinem zweizipfligen Schwanz. Bei den Manatis ist der Schwanz hinten abgerundet.

Es scheint sich aber nicht an der Aufzucht des Nachwuchses zu beteiligen.

Gewöhnlich essen Dugongs nur während der Nacht. Tagsüber und bei stürmischer See halten sie sich in tieferen Meeresabschnitten auf und ziehen abends zu ihren Futterplätzen. Die Mitglieder einer Gruppe schwimmen bei derartigen Ortswechseln nicht hintereinander, sondern nebeneinander, gewissermaßen in einer breiten Front. Wo Dugongs sich zu großen Herden vereinigen, sieht man oft mehrere solcher Reihen hintereinander. Den Weg von den Ruhe- zu den Futterplätzen legen die Dugongs auf ganz bestimmten »Straßen« zurück, wobei sie scharfkantige Korallenbänke, an denen sie sich die empfindliche Haut aufschürfen könnten, und starke Strömungen meiden.

Bei den wenigen je in Menschenobhut gehaltenen Dugongs war die Haut oft überzogen mit einem dich-

Bis zu 900 Kilogramm kann so ein wohlgenährter alter Dugong auf die Waage bringen. Er ernährt sich von den riesigen Wäldern aus Seegras und Algen, die große Strecken des Meeresgrundes bedecken. Der abgebildete Dugong hat sich seine Fettpolster allerdings im Zoo zugelegt, wie der Algenbelag auf seiner Haut beweist. Im Freileben hat man solche »bemoosten Häupter« noch nie beobachtet.

ten Filz von Algen. Freilebende Tiere dagegen zeigen keinen derartigen Bewuchs. Wie sich die Tiere aber putzen, ist bis heute unbekannt.
Bis vor wenigen Jahren wurden die Dugongs in ihrem gesamten Verbreitungsgebiet stark bejagt, vor allem wegen ihres Fleisches und Fettes. In Indien und Sri Lanka stellte man ihnen mit Harpunen und besonders mit grobmaschigen Netzen nach. Allein in Sri Lanka, so schätzte das Forscherehepaar Bertram, wurden jährlich noch 100 Dugongs gefangen, obwohl die Art an der Nordküste nahezu ausgestorben war. Auch in Australien wurde der Dugong bis in die jüngste Zeit rücksichtslos bejagt. Ja, im vorigen Jahrhundert schufen Abertausende von Dugongs, die man an den australischen Küsten fing, die Grundlage für einen besonderen Zweig der Fischerei-Industrie. Sie spezialisierte sich auf das Öl der Meeressäuger. Heute sind die Dugongs auch in Australien völlig geschützt.
Doch nun bedrohen sie ganz andere Gefahren, allen voran die Meeresverschmutzungen durch den Menschen. Als in den Jahren 1983 und 1984 die im Meer gelegene Ölbohrstelle von Nowruz im Persischen Golf durch Bombenangriffe zerstört wurde und folglich Unmengen von Rohöl ausflossen, wurden wenigstens 38 tote, vergiftete oder erstickte Dugongs gefunden neben Unmengen toter Fische, Seeschlangen, Meeresschildkröten, Delphinen und einem Wal.
Sicher werden heute Dugongs gesetzlich geschützt. Dies bedeutet aber nicht, daß sich nicht immer wieder Tiere in Fischnetzen verfangen, dann nicht mehr auftauchen können und folglich jämmerlich ersticken. Die einzige Möglichkeit, den selten gewordenen Meeresbewohner zu schützen, ist die Errichtung von Schutzgebieten im Meer. Derartige, besonders für den Dugong geplante Reservate sollen demnächst vor Saudiarabien, im Persischen Golf und am Roten Meer entstehen. Hier in den nahezu 2000 Kilometer langen Algenwäldern vermutet der von der IUCN entsandte Dugong-Spezialist George Heinsohn große, bisher noch unentdeckte Bestände.

Eine Dugongmutter stillt dicht unter der Wasseroberfläche ihr Riesenbaby. Daß der Säugling fast so groß erscheint wie das Alttier, ist kein Wunder, denn neugeborene Dugongs können bereits 150 Kilogramm schwer sein.

Stellersche Seekuh

von Bernhard Grzimek und Fred Kurt

Die größte Art der Ordnung, die Stellersche Seekuh oder das Borkentier *(Hydrodamalis gigas)*, starb um 1768 aus, bereits 27 Jahre nach der ersten Beschreibung durch Georg Wilhelm Steller (1709–1746). Im Vergleich zu Dugong oder Manati war sie ein wahrhaft ungeheuerliches Tier. Davon zeugt etwa noch jenes Skelett, das im Zoologischen Museum von Leningrad steht und über sieben Meter mißt.

Entdeckt wurde die Stellersche Seekuh 1741 von den Schiffbrüchigen der Bering-Expedition. Sie mußten auf der heutigen Bering-Insel, einer der beiden Kommandeur-Inseln im Bering-Meer, zwangsweise überwintern. Damals kam die Seekuh auch noch auf der zweiten Kommandeur-Insel vor, der Kupferinsel.

Steller, der die Expedition als Arzt und Naturforscher begleitete, hatte während der Überwinterung reichlich Zeit, die Seekühe eingehend zu beobachten. Denn die Herden weideten am Ufer in seichtem Wasser, am liebsten vor den Mündungen der Flüsse. Dort gediehen die großen Meeresalgen, die Hauptnahrung der Seekühe, am besten. Bei der Nahrungssuche ließen die Erwachsenen die Jungtiere vorangehen, schlossen sich aber bei einer Gefahr um sie. Allerdings empfanden sie die Menschen nicht als gefährliche Lebewesen, ja sie ließen sich sogar vom Ufer aus berühren. Selbst wenn sie verwundet waren, kehrten sie nach kurzer Zeit zur selben Stelle zurück. Fast unaufhörlich weideten sie und hielten dabei den Kopf stets unter Wasser. Im Winter schienen sie recht mager; oft wurden einige von Eisschollen erdrückt.

Steller war nicht nur der Entdecker der nach ihm benannten Seekuh, er blieb auch der einzige Naturforscher, der sie in ihrer natürlichen Umgebung beobachtete. Deshalb soll er hier auch ausführlich zu Wort kommen, wobei wir seine altertümliche Schreibweise in unsere heutige Sprache übertragen: »Bis an den Nabel ähnelt die Seekuh den Robben, von da an bis an den Schwanz den Walen oder Delphinen. Im Mund hat sie statt der Zähne auf jeder Seite zwei breite, längliche, glatte, lockere Knochen, von denen der eine oben im Gaumen, der andere im Unterkiefer angeheftet ist. Beide sind mit vielen schräg im Winkel zusammenlaufenden Furchen und mit erhabenen Schwielen versehen, mit denen das Tier seine gewöhnliche Nahrung, die Seekräuter, zermalmt. Die Lippen sind mit zahlreichen starken Borsten besetzt, von denen die am Unterkiefer so dick sind, daß sie Federkiele von Hühnern hätten sein können. Die Augen dieses so großen Tieres sind nicht größer als Schafsaugen und ohne Lider. Die Ohrlöcher sind so klein und verborgen, daß man sie unter den vielen Gruben und Runzeln der Haut nicht finden und erkennen kann, bevor man die Haut abgelöst hat. Erst dann fällt der Ohrgang durch seine polierte Schwärze auf, obwohl er kaum so groß ist, daß eine Erbse darin Platz hätte. Vom äußeren Ohr ist nicht die geringste Spur vorhanden. Die Vorderfüße sind unten wie eine Kratzbürste mit vielen kurzen, dichtstehenden Borsten versehen. Mit ihnen schwimmt das Tier vorwärts und schlägt die Seekräuter vom steinigen Grund ab.«

Steller fand auch, daß die Paare der erwachsenen Seekühe eng zusammenhielten. »Die Seekühe«, fährt er fort, »haben eine ungemeine Liebe füreinander. Gewöhnlich halten sich ganze Familien zusammen, das Männchen mit dem Weibchen, einem erwachsenen und einem kleinen Jungen. Wenn eine von ihnen harpuniert wurde, waren alle andern darauf bedacht, sie zu retten. Einige schlossen einen Kreis um den verwundeten Kameraden und suchten ihn dadurch vom Ufer abzuhalten; andere bemühten sich, die Jolle umzuwerfen. Wieder andere legten sich auf die Seite und strengten sich an, dem Verwundeten die Harpune aus dem Leib zu schlagen, was ihnen verschiedene Male auch glücklich gelang. Wir bemerkten auch voller Verwunderung, daß ein Männchen zwei Tage nacheinander zu seinem am Strande liegenden toten Weibchen kam, als wenn es sich nach dessen Befinden erkundigen wollte.«

Daß sich die Schiffbrüchigen der Bering-Expedition von Seekühen ernährten, um zu überleben, ist verständlich. Die großen Tiere waren eine leicht zu erlegende Beute. Ihr Fleisch und Speck halfen ganz entscheidend mit, die skorbutkranken Expeditionsmitglieder wieder gesund werden zu lassen.

Steller erkannte aber noch einen anderen Nutzen der mächtigen Sirenen: die Haut. Getrocknete Hautstükke befinden sich heute noch in sowjetischen Museen und im Zoologischen Museum von Hamburg. Sie sind schwarz, runzelig, zäh, ohne Haare und von senkrechten Röhrchen durchbohrt; alles in allem gleicht die Haut mehr der Rinde einer Eiche als dem Leder eines Tieres. Darauf ist auch die Bezeichnung »Borkentier« zurückzuführen. Als ein Forscher in Hamburg ein steinhartes Hautstück wieder feucht machte, stellte er fest, daß diese 6 bis 7,5 Zentimeter dicke Körperbekleidung in ihrer Elastizität und Widerstandskraft eine »überraschende Übereinstimmung mit Autoreifendecken« hat. Für die Riesenseekühe war eine solche Haut notwendig, um sich nicht an Eisschollen oder scharfen Felsen zu verletzen. Daß der eigentümlichen Haut Schmarotzer ihr »Profil« gaben, entdeckte bereits Steller. Es sind ein zu den Walläusen gehörender Flohkrebs *(Cyamus rhytinae)*, der die Hautoberfläche regelrecht modellierte und dabei die trichterförmigen Vertiefungen ausnagte, ferner Rankenfüßerkrebse oder »Seepocken«, die ihre Röhren tief in die Haut hineintrieben.

Häute, Speck und Fleisch der Stellerschen Seekühe ermöglichten bald darauf die Eroberung des Bering-Meeres. Denn als sich durch die Überlebenden der Bering-Expedition auf Kamtschatka die Kunde von den neuentdeckten Inseln verbreitete, zogen Gruppen von Pelzjägern los, um Seeotter, Pelzrobben und Blaufüchse zu erbeuten. Dank der Seekühe konnten sie auf den beiden Kommandeur-Inseln Station machen, dort große Vorräte aus gesalzenem Seekuhfleisch anlegen und sogar ihre Boote fertigstellen. Denn sie nahmen vielfach vom Festland für ihre Hilfsboote nur den Kiel, die Spanten, den Steven und das Heck mit, nicht aber die Planken für die Außenhaut. Diese Planken fertigte man erst auf den Inseln aus Häuten der Seekühe an. So ausgestattete Boote galten als leichter, schneller und weniger durch die Brandung gefährdet als solche mit Holzplanken. Auch für Schuhwerk wurde die Seekuhhaut benutzt, wahrscheinlich aber nicht ausschließlich die dicke obere Hautschicht, sondern die darunterliegende dünnere Lederhaut. Hatten sich die Pelzjäger auf den Inseln mit den Erzeugnissen der Seekuh eingedeckt, dann fuhren sie weiter zu den Aleuten und zur Küste Alaskas, ihren eigentlichen Jagdgründen.

Das wahllose Töten der mächtigen Seekühe fiel den Pelzjägern leicht. Sie ruderten im seichten Wasser mitten in die Herden, schlugen einem der friedlich weidenden Ungetüme die Harpune mit Widerhaken in den Leib und hieben so lange auf das Tier ein, bis es durch den Blutverlust erschöpft war. Dann stachen sie es mit Dolchen tot. 30 Mann waren notwendig, um ein harpuniertes Borkentier an Land zu ziehen. Folgten der anhängliche Ehegatte und das Kind nach, so wurden auch sie umgebracht.

Die traurige Bilanz des Gemetzels zeigte sich zuerst auf der Kupferinsel. Schon um 1754 waren die Borkentiere hier völlig verschwunden. Auf der Bering-Insel dauerte die Ausrottung etwas länger. 1768 scheint das letzte Tier von einem Pelzjäger namens Iwan Popow erschlagen worden zu sein. In den Jahren 1878/79 sammelte der schwedische Polarforscher Adolf Erik Nordenskiöld auf den Kommandeur-Inseln noch mehrere Kisten mit den herumliegenden gebleichten, großen Knochen der Borkentiere. In seinem Reisebericht taucht übrigens noch eine »letzte Seekuh« auf, die ein Bewohner der Bering-Insel angeblich noch 1854 gesehen hatte. Die sorgfältigen Untersuchungen des amerikanischen Steller-Biographen Leonard Stejneger ergaben aber, daß es sich hier nicht um eine Seekuh, sondern um eine Narwalkuh gehandelt haben muß. Stejneger war fest davon überzeugt, daß die Art endgültig ausgerottet worden war, was seiner Meinung nach auch deshalb leichtfiel, weil der Bestand einst höchstens 1500 bis 2000 Tiere betragen hatte. Selbst in unserem Jahrhundert glaubte man, die riesige Sirene wiederentdeckt zu haben. So meldete in den sechziger Jahren die Besatzung eines sowjetischen Fischdampfers, daß sie bei Kap Nawarin, im Norden des Bering-Meeres, mehrere große Wassertiere gesehen hätte, die dann als vermeintliche »Seekühe« Schlagzeilen machten. Nach den Untersuchungen des sowjetischen Zoologen W. Heptner handelte es sich aber auch hier um Narwale. Die Stellersche Seekuh ist für immer ausgestorben.

Gegenüberliegende Seite: Aufgeweckte kleine Kerle sind die afrikanischen Schliefer, die auf den ersten Blick einem Hund oder Marder ähnlich sehen, aber zoologisch zu den Huftieren gehören. Hier das Porträt eines Klippschliefers.

Ein ausgestorbener Riese. So ungefähr muß die bis acht Meter lange und vier Tonnen schwere Stellersche Seekuh ausgesehen haben. Diese Art wurde 1741 von dem deutschen Naturforscher G. W. Steller im Beringmeer entdeckt, doch knapp drei Jahrzehnte später hatten habgierige Pelztierjäger sie bereits ausgerottet.

SCHLIEFER

Kategorie
ORDNUNG

Systematische Einteilung: Ordnung der Säugetiere mit nur 1 Familie, die 3 Gattungen mit insgesamt 10 oder 11 Arten umfaßt. Die Ordnung gehört zur Gruppe der Huftiere.

FAMILIE SCHLIEFER (Procaviidae)
Gattung Klippschliefer *(Procavia)*
Gattung Busch- oder Steppenschliefer *(Heterohyrax)*
Gattung Baumschliefer *(Dendrohyrax)*

KLIPPSCHLIEFER (5 Arten)

Kopfrumpflänge: 44–54 cm
Standhöhe: 15–25 cm
Gewicht: 1,8–5,4 kg
Auffällige Merkmale: Gedrungener Körper; Schwanz stark rückgebildet und äußerlich nicht sichtbar; kurze Beine mit vierzehigen Vorder- und dreizehigen Hinterfüßen; nagelförmige kleine Hufe; Putzkrallen an den Hinterfüßen; Sohlengänger; Fußunterseiten bestehen aus elastischen Hautkissen mit »Schweißdrüsen« (Kletterhilfe im steilen Fels); dichtes, kurzes Fell, vorwiegend graubraun; lange schwarze Tasthaare über den ganzen Körper verteilt (wahrscheinlich zur Orientierung in Spalten und Höhlen); auffällige Rückendrüse, meist von hellerem Haarkranz umgeben, der bei Erregung aufgerichtet wird; unbeständige Körpertemperatur; geringer Stoffwechsel; Geschlechter äußerlich kaum zu unterscheiden.
Fortpflanzung: Tragzeit 210–240 Tage; 1–4 Junge je Geburt; Geburtsgewicht 210–250 g.
Lebensablauf: Entwöhnung mit 3–6 Monaten; Geschlechtsreife mit 16–18 Monaten; Lebensdauer 9–14 Jahre.
Nahrung: Ausschließlich pflanzlich; vor allem Gras, aber auch Laub.
Lebensweise und Lebensraum: Tagaktiv; Nahrungsaufnahme vor allem am Morgen und am Abend; nachts in Schlafhöhlen; Zusammenleben in stabilen Familiengruppen aus einem ranghohen, territorialen Männchen, mehreren erwachsenen Weibchen und Jungtieren beiderlei Geschlechts; in felsigem Gelände bis zu 4200 m.

BUSCH- ODER STEPPENSCHLIEFER (2 Arten)

Kopfrumpflänge: 32–47 cm
Standhöhe: 15–20 cm
Gewicht: 1,3–2,4 kg
Auffällige Merkmale: Sehr ähnlich den Klippschliefern; Fell auf Kopf und Rücken graubraun, auf Bauch und Brust weißgelblich; Haarkranz um Rückendrüse hellgelb bis orangegelb.
Fortpflanzung: Tragzeit etwa 230 Tage; 1–3 Junge je Geburt; Geburtsgewicht 160–200 g.
Lebensablauf: Entwöhnung mit 3–6 Monaten; Geschlechtsreife mit 16–18 Monaten; Lebensdauer 9–14 Jahre.
Nahrung: Hauptsächlich Laub von Bäumen und Sträuchern.
Lebensweise und Lebensraum: Tagaktiv; soziale Organisation wie bei den Klippschliefern; manchmal Zusammenleben von Klipp- und Buschschlieferarten; in felsigem Gelände, aber auch auf Bäumen.

Hyracoidea WISSENSCHAFTLICH
Hyraxes ENGLISCH
Hyracoïdes, Damans FRANZÖSISCH

BAUMSCHLIEFER (3 Arten)

Kopfrumpflänge: 32–60 cm
Standhöhe: 15–20 cm
Gewicht: 1,7–4,5 kg
Auffällige Merkmale: Ähnlich den anderen Gattungen; besonders dichtes und meist langes Haarkleid; graubraun bis dunkelbraun; großer Haarkranz um Rückendrüse orangegelb bis hellgelb.
Fortpflanzung: Tragzeit 220–240 Tage; 1–2 Junge je Geburt; Geburtsgewicht unbekannt.
Lebensablauf: Entwöhnung mit 3–7 Monaten; Eintritt der Geschlechtsreife noch nicht bekannt; Lebensdauer über 10 Jahre.
Nahrung: Hauptsächlich Laub.
Lebensweise und Lebensraum: Vorwiegend nachtaktiv; Sozialverhalten und -gefüge noch weitgehend unerforscht; fast ausschließlich auf Bäumen, vereinzelt auch in felsigem Gelände (Ruwenzori-Berge).

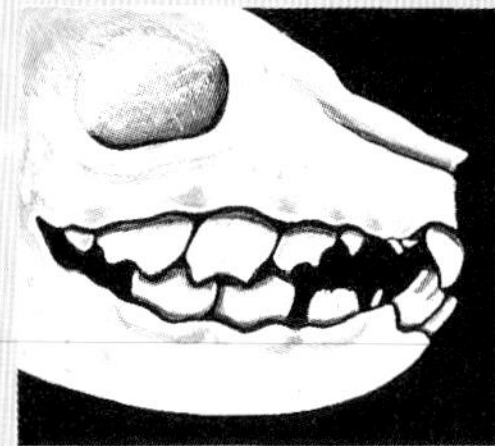

Milchgebiß
Das Milchgebiß zeigt ursprüngliche Merkmale einer reichlichen und variablen Bezahnung. Oben wie unten befinden sich je drei Schneidezähne. Auch der obere Eckzahn ist noch vorhanden, im Gegensatz zum Dauergebiß, das eine Vereinfachung der Zahnformel zeigt.

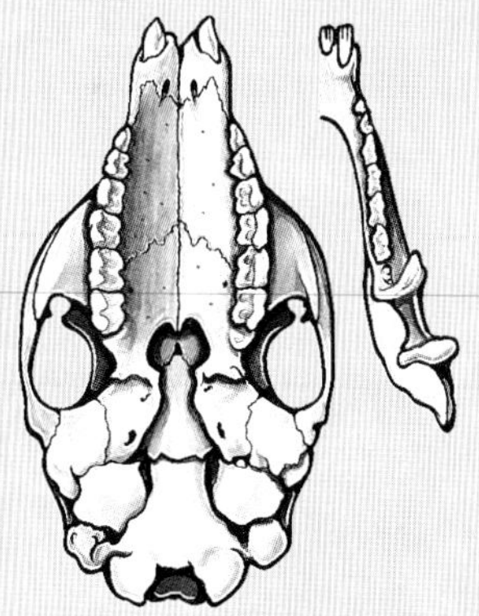

Dauergebiß
Das Dauergebiß ist stark umgewandelt. Von den oberen Schneidezähnen ist nur einer, von den unteren zwei erhalten. Nur der obere Schneidezahn besitzt eine Schneidekante, die unteren sind mit einem gelappten Putzkamm ausgestattet. Die Eckzähne sind völlig zurückgebildet. Hinter den Schneidezähnen befindet sich eine geräumige Zahnlücke (Diastema), ähnlich wie z.B. bei den Nagetieren. Erst danach folgt eine kompakte Reihe von Vormahlzähnen und Mahlzähnen. Ihre Kronen sind hoch, die Kauflächen mit einem Leistenmuster von scharfen Profilkanten zum Zerreiben der pflanzlichen Nahrung ausgerüstet.

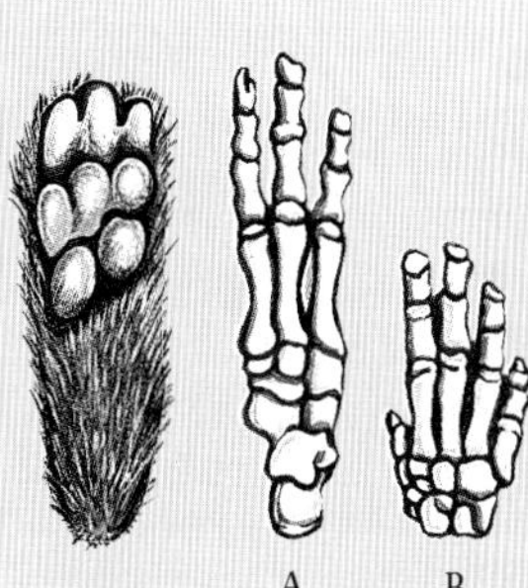

Fußskelett und Fußsohle
Am Vorderfuß (B) ist der Daumen teilweise oder völlig zurückgebildet. Dem Hinterfuß (A) fehlt die erste wie auch die fünfte Zehe. Die letzten Zehenglieder sind verkürzt und tragen kleine halbmondförmige Nagelhufe, die den Boden kaum berühren. Der Huf der zweiten Zehe ist zu einer Putzkralle umgewandelt. Die Sohlenballen sind mit dicken Haftpolstern ausgestattet, die eine sichere Bewegung an steilen Felsenklippen ermöglichen.

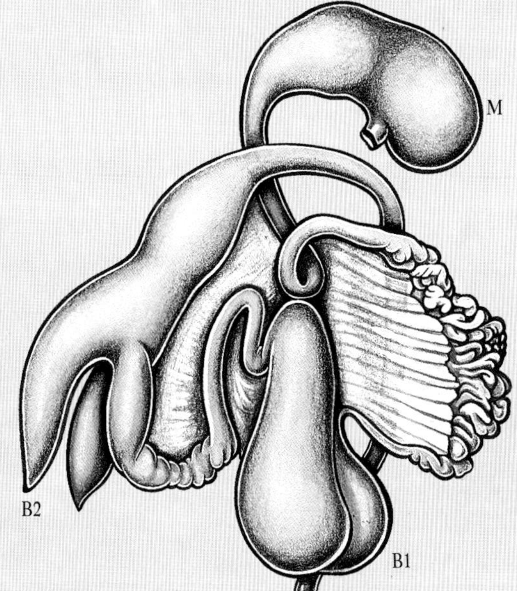

Darmtrakt
Die Schliefer besitzen einen geräumigen Magen (M). Als Fermentationskammer zur Verdauung der Zellulose dient ein großer Blinddarm (B1) am Anfang des Dickdarms. Ein zweiter Blinddarm (B2) mit paarigen Zipfeln ist am Ende des Dickdarms eingeschaltet.

SCHLIEFER

Stammesgeschichte

von Erich Thenius

Wie schon im Abschnitt über die Huftiere erwähnt, werden die verwandtschaftlichen Beziehungen der gegenwärtig nur durch wenige Arten vertretenen Schliefer diskutiert. Ursprünglich wegen ihres Aussehens und des entfernt nagezahnähnlichen Vordergebisses als Nagetiere eingeordnet, haben seitherige Untersuchungen Gemeinsamkeiten mit den Huftieren aufgezeigt. Allerdings gehen die Ansichten über die Ahnenformen und die nächsten Verwandten auseinander. T. Gill (1870) war der erste, der verwandtschaftliche Beziehungen zu den Rüsseltieren und Seekühen annahm. Für diese drei Ordnungen verwendeten W. H. Flower und R. Lydekker 1891 den Begriff Subungulaten, ein Name, der bereits 1811 von C. Illiger, allerdings für südamerikanische Nager (Cavioidea) verwendet worden war. Dennoch wurde der Name Subungulaten unter anderem von M. Schlosser, M. Weber und W. K. Gregory gebraucht. Erst G. G. Simpson (1945) ersetzt ihn durch den Begriff Paenungulata (Fast-Huftiere), zählte jedoch auch die Pantodonta und Dinocerata dazu. Demgegenüber stehen die Hyracoidea nach M. C. McKenna und M. Fischer den Unpaarhufern am nächsten, während sie W. E. Le Gros Clark und C. F. Sonntag (1926) mit den Erdferkeln (Tubulidentata) in Verbindung bringen, eine Auffassung, die in jüngster Zeit von J. Shoshani und Mitarbeitern (1981) durch Blutserumbefunde gestützt erscheint. Immerhin besteht über die Herkunft von Stammhuftieren (Condylarthra) Einhelligkeit, ja nach L. Van Valen sind die heutigen Schliefer überhaupt überlebende Stammhuftiere, was verschiedentlich auch für die Tubulidentaten angenommen wird.

Die Fossilfunde geben leider keine Auskunft über die stammesgeschichtliche Herkunft der Schliefer. Sie belegen jedoch ihre Entstehung und Evolution in Afrika und ihre einstige Formenfülle (so kam es auch zur Entstehung pferdegroßer, dreizehiger Formen) sowie ihre Ausbreitung nach Südeuropa und Asien im Jungtertiär. Dort entwickelten sie übrigens auch Steppenformen mit hochkronigen Backenzähnen. Zugleich sprechen die Fossilfunde, zusammen mit anderen Befunden, dafür, daß die heutigen Schliefer (Klippschliefer, Buschschliefer und Baumschliefer) Zwergformen sind.

Die erdgeschichtlich ältesten Fossilreste stammen aus dem Mitteleozän Nordafrikas. Erst die vollständigeren Fossilfunde aus dem Oligozän Afrikas zeigen, daß es bereits damals mehrere Stammlinien gab, die sich nicht nur im Gebiß (Backenzähne mit höckerförmigen oder mondsichelförmigen [selenodonten] Kronenbestandteilen), sondern auch im Bau des Schädels unterschieden. Von den verschiedenen Gattungen seien nur *Bunohyrax, Geniohyus, Megalohyrax, Titanohyrax* und *Saghatherium* genannt. Es waren zum Teil großwüchsige Formen. Von (?) *Pachyhyrax* (= »*Megalohyrax*«) *championi* aus dem Miozän von Kenia sind Knochenreste bekannt, die auf dreizehige Laufgliedmaßen hinweisen, ähnlich *Diadiaphorus* unter den südamerikanischen Litopterna oder *Merychippus* unter den pferdeartigen Unpaarhufern. Diese Ähnlichkeiten im Gliedmaßenbau und solche im Bau der Backenzähne sind wiederholt als Zeichen näherer Verwandtschaft zwischen Schliefern und Unpaarhufern angesehen worden, doch handelt es sich eher um Ähnlichkeiten durch Parallelentwicklungen als durch nähere Verwandtschaft. Auch die Reste großwüchsiger Schliefer aus dem europäisch-asiatischen Jungtertiär sind ursprünglich, wie die (zum Teil ungültigen) Namen (z. B. »*Neoschizotherium*« = *Pliohyrax, Postschizothe-*

Ein Klippschliefer leckt sich die Lippen. Die vorgestreckte Zunge könnte zu der Annahme verführen, das Tier schicke sich an, Termiten oder andere Insekten aufzuschlecken. Doch der Eindruck täuscht: Alle Schliefer ernähren sich ausschließlich von Pflanzenkost, hauptsächlich von Laub und Gras.

rium) verraten, als Angehörige von Unpaarhufern (Ancylotherien) aufgefaßt worden, bevor man ihre wahre Zugehörigkeit erkannte.
Fossilfunde geben zwar keine Auskunft über die unmittelbare stammesgeschichtliche Herkunft der heutigen Schliefer (die ältesten Funde von *Procavia* stammen aus dem Pliopleistozän), doch kann kein Zweifel darüber bestehen, daß sie sich erst später zu Sohlengängern entwickelten, von denen die Baumschliefer *(Dendrohyrax)* sogar erst nachträglich Baumbewohner wurden - eine Entwicklung, die sich in Zusammenhang mit der jeweils nach eiszeitlichen Kaltzeiten erfolgten Ausdehnung der Regenwälder vollzog. Die Trennung der drei rezenten (heute lebenden) Gattungen dürfte bereits frühzeitig, nämlich zur Tertiärzeit, erfolgt sein.

Heutige Schliefer

von Hendrik N. Hoeck

Einer von Salomos Weisheitssprüchen (30: 24-28) heißt: »Vier sind klein auf Erden, und klüger, denn die Weisen: / Die Ameisen, ein schwach Volk, dennoch schaffen sie im Sommer ihre Speise; / Kaninchen, ein schwach Volk, dennoch legt es sein Haus in den Felsen; / Heuschrecken haben keinen König, dennoch ziehen sie aus ganz mit Haufen; / Die Spinne wirkt mit ihren Händen, und ist in der Könige Schlössern.« So lautet der Text in der deutschen Lutherbibel. In der hebräischen Fassung steht jedoch für »Kaninchen« Shaphan, was »der Sichverbergende« heißt. Luther machte einen Übersetzungsfehler, denn er kannte die etwa murmeltiergroßen Felsenbewohner, die sich in Felsspalten oder dichtem Gebüsch verbergenden Schliefer nicht.
Nicht nur Luther irrte, sondern auch schon die Phönizier, als sie vor etwa 3000 Jahren mit ihren Schiffen von den Küsten des heutigen Libanons nach Westen segelten. Sie kamen in ein Gebiet, wo es kaninchengroße Tiere gab, die sie für Schliefer hielten. Sie nannten dieses Land »Ishaphan«, das Land der Schliefer. Bei den Römern wurde später daraus »Hispania«. Doch die Phönizier machten eine falsche Beobachtung, in Spanien gab es keine Schliefer, sondern Kaninchen. So beruht Spaniens Benennung auf einem Irrtum!

Die Schliefer sorgten und sorgen auch heute noch für einige Verwirrung unter den Systematikern. Da sie wie Nagetiere aussehen, hat sie G. C. C. Storr im Jahre 1780 in die Nähe der Caviiden (Meerschweinchen) eingeordnet, indem er die Familie »Procaviidae«, also »Vor-Meerschweinchen«, benannte. Später entdeckte man, daß die Schliefer gar keine Gemeinsamkeiten mit den Meerschweinchen hatten, doch auch die Bezeichnung »Hyrax« ist irreführend, denn dieses Wort bedeutet Spitzmaus.
Zu Beginn dieses Jahrhunderts haben vor allem die Fossilienfunde gezeigt, daß die Schliefer in die Verwandtschaft der Huftiere gehören. Sie sind eine sehr alte Gruppe von primitiven Huftieren, die im frühen Tertiär vermutlich in Afrika entstanden sind.
In der Systematik werden sie gemeinsam mit den Elefanten und Seekühen in die Überordnung der Paenungulata (»Fast-Ungulaten« oder »Fast-Huftiere«) eingeordnet. Im Gegensatz dazu haben die neuesten und sehr genauen Untersuchungen des Skeletts, der Anatomie und der Fortbewegung durch den Frankfurter Biologen M. Fischer ergeben, daß die Schliefer wohl zu den Unpaarhufern gehören, also zu jener Ordnung, zu der die heutigen Pferde, Tapire und Nashörner zu zählen sind.
Die ergiebigen, etwa 40 Millionen Jahre alten Fossilfunde aus dem Fayum in Ägypten haben gezeigt, daß

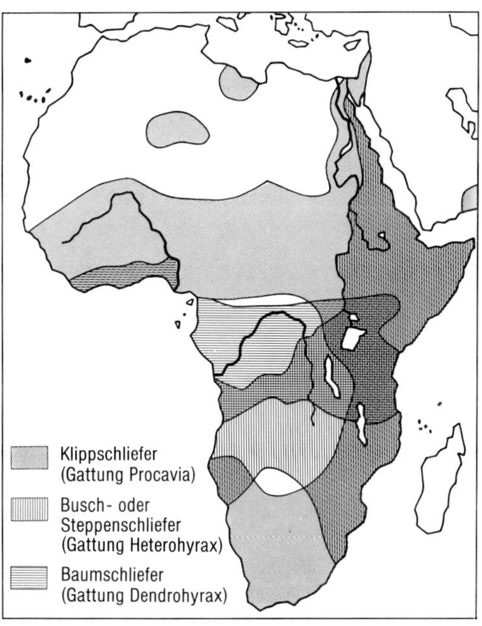

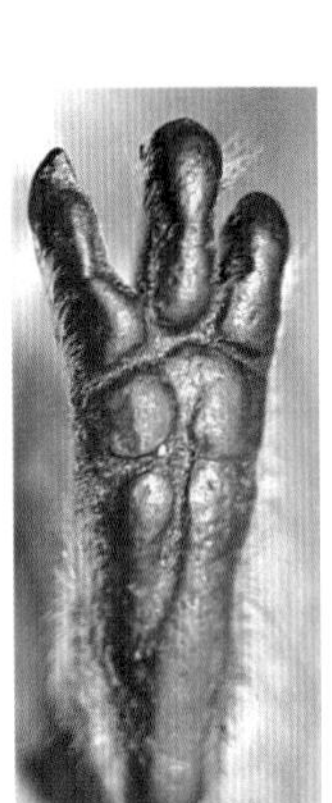

Oben: Die Fußsohle der Schliefer besteht aus elastischen Hautkissen, die reich an Drüsenzellen sind. Beim Laufen schwitzen die Sohlen, so daß sie besser haften und den Tieren das Erklettern steiler Felswände ermöglichen. - Rechts: Wenn ein Schliefer erregt ist, richtet er den Haarkranz auf, der die Rückendrüse umgibt. - Unten: Eine Familiengruppe von Buschschliefern. Wenn es kühl ist, kuscheln sich die Tiere eng aneinander.

die Schliefer wohl die wichtigsten mittelschweren, gras- und laubessenden Huftiere dieser Zeit waren. Es gab wenigstens sechs verschiedene Schliefergattungen; einige Arten erreichten die Größe eines Tapirs. Im Miozän vor etwa 25 Millionen Jahren, als die ersten Boviden (Hornträger) sich auf dem afrikanischen Erdteil ausbreiteten, nahmen die Schliefer ab. Nur diejenigen Schlieferformen starben nicht aus, die in Felsen und auf Bäumen lebten, in Lebensräumen also, die von den Boviden nicht besiedelt wurden.

Die heutigen Schlieferformen zeigen noch einige urtümliche Merkmale, mit denen sich der Rückgang dieser einst so artenreichen Gruppe und deren sehr begrenzte Ausbreitung erklären läßt. Schliefer sind reine Pflanzenesser. Der Kauapparat, der aus 34 Zähnen besteht ($\frac{1 \cdot 0 \cdot 4 \cdot 3}{2 \cdot 0 \cdot 4 \cdot 3}$), ist zum Abbeißen von Grashalmen oder Blättern schlecht geeignet. Dazu verwenden sie die Backenzähne (Prämolaren und Molaren), indem sie den Kopf seitlich drehen und die Halme mit der Zunge bündeln. Die Schneidezähne werden nur beim Verzehren von Rinde und Sukkulenten, also Pflanzen mit dickfleischigem Wasserspeichergewebe, verwendet. Schliefer können ihre Körpertemperatur nur sehr mangelhaft konstant halten. Diese wird weitgehend durch ihr Verhalten geregelt, das heißt, die Tiere schmiegen sich aneinander, sind phlegmatisch, liegen viel in der Sonne und haben vergleichsweise kurze Aktivitätszeiten.

Heute findet man in Afrika und Kleinasien drei Schliefergattungen. Die Gattung der Klippschliefer *(Procavia)*, bestehend aus fünf Arten, ist am weitesten verbreitet. Sie sind von Südafrika bis hinauf in den Libanon und die arabische Halbinsel zu finden. Auf Mount Kenya bewohnen sie Lavabrocken in 4200 Meter Höhe, knapp unter der Schneegrenze.

Die Gattung der Busch- oder Steppenschliefer *(Heterohyrax)* besteht aus zwei Arten und lebt im östlichen

Teil Afrikas. Es wird in der Literatur noch eine dritte Art, *H. antinae*, für die Zentralsahara beschrieben. Es ist jedoch fraglich, ob diese Angabe richtig ist. Sehr wahrscheinlich handelt es sich um eine Klippschlieferart.

Busch- wie auch Klippschliefer sind hauptsächlich am Tage aktiv, und ihr Vorkommen ist vom Vorhandensein von Felsspalten, Geröllhalden und Höhlen in Klippen abhängig. Buschschliefer können aber auch in Bäumen leben, wenn diese genügend Unterschlüpfe bieten, wie zum Beispiel Feigenbäume.

Die drei Arten der Baumschliefer (Gattung *Dendrohyrax*) findet man in den bewaldeten Teilen des afrikanischen Erdteils. Sie sind überwiegend nachtaktiv und leben auf Bäumen, mit Ausnahme des Baumschliefers, der in den Ruwenzori-Bergen auch Felsen bewohnt.

Der Bergwald-Baumschliefer *(D. validus)*, der am Kilimandscharo, Mount Meru, in den Usambara-Bergen, an der kenianischen Küste und auf den Inseln Sansibar und Pemba vorkommt, ist wohl die älteste Baumschlieferform, da er schon vor der Abtrennung dieser beiden Inseln vom Festland dort gelebt haben muß.

Schliefer sind etwa murmeltiergroß, haben einen gedrungenen Körperbau und ein Gewicht von bis zu 5 Kilogramm. Es besteht kein auffälliger Sexualdimorphismus, das heißt kein Unterschied im Körpergewicht und in den Längenmaßen von ausgewachsenen Weibchen und Männchen.

Der Schwanz ist sehr kurz, rückgebildet und nicht sichtbar. Schliefer sind Sohlengänger; die Vorderfüße sind vierzehig und die Hinterfüße dreizehig. Die Endglieder haben halbmondförmig gebogene »Nägel«, äußerlich sehr ähnlich den menschlichen Nägeln. Es sind jedoch keine Nägel, sondern echte Hufe. Das innerste Glied der Hinterfüße trägt eine Putzkralle. Die Füße sind biegsam und daher zum Graben ungeeig-

net. Die Fußunterseite besteht aus elastischen Hautkissen, und die Haut ist reich an Drüsenzellen. Wenn ein Tier läuft, schwitzen die Sohlen, so daß sie besser haften und die Tiere steile Felswände hinaufklettern können.

Das Fell ist bei den Arten, die in wärmeren und trokkenen Lebensräumen vorkommen, kurz, während beim Baumschliefer und den Arten, die in Gebirgsgegenden leben, die Haare lang und geschmeidig sind.

Da Schliefer meist in ihrem dichten Fell eine große Anzahl von Außenschmarotzern wie Flöhe, Zecken, Milben und Haarlinge haben, widmen sie eine beträchtliche Zeit ihrer Körperpflege. Die häufigste und auffallendste Verhaltensweise bei der Hautpflege ist das Kratzen. Die an der Innenzehe des Hinterfußes wachsende Putzkralle ermöglicht es dem Tier, sich an fast allen Körperstellen zu kratzen, selbst in der Ohrmuschel. Bei der Fellpflege mit dem Mund wird das Fell mit den Schneidezähnen durchgekämmt. Schliefer haben im Oberkiefer zwei, im Unterkiefer vier Schneidezähne; letztere sind kammförmig. Mit diesen wird das Fell zuerst gegen den Strich aufgerauht und anschließend mit dem Strich mit kurzen Beißbewegungen glattgekämmt. Auch der Rücken, die Aftergegend und die Geschlechtsteile können erreicht werden. Die Zunge wird bei der Fellpflege nicht eingesetzt.

Wasserbaden ist beim Klippschliefer beobachtet worden; es muß dazu heiß und sonnig sein. Die Tiere baden dann in den nach Regengüssen oft zurückbleibenden Wasserlachen in den Gesteinsmulden.

Das Baden dient außer der Fellpflege wahrscheinlich auch der Abkühlung. Es hat zudem sozialen Charakter: Mehrere Tiere robben seitlich ins Wasser, wälzen und reiben sich aneinander. Dabei können Verhaltensbestandteile des Spiels auftreten: Sie beißen sich gegenseitig ins Fell oder in die Füße. Daneben zeigen sich manchmal auch aggressive Verhaltensweisen. Nach dem Bad legen sich die nassen Tiere in die warme Sonne. Häufiger kommt Staubbaden vor. Einzelne Tiere suchen immer wieder bestimmte Stellen auf, wo die Erde sehr trocken und staubig ist. Sie plustern das Fell auf, wälzen sich in sehr schneller Folge einige Male im Staub und schütteln sich anschließend.

Reiben und Schleifen einzelner Körperteile wurde bei verschiedenen Gelegenheiten beobachtet:

1. Nach dem Absetzen von Harn oder Kot werden After und Geschlechtsöffnung stets abgerieben. Das Männchen schleift den Penis am Felsen entlang, manchmal auch nach der Paarung.
2. Die Nase wird gegen das Gestein gepreßt und gerieben, anschließend erfolgt ein Niesen. Mund und Augen werden ebenfalls am Gestein gerieben.
3. Wenn die Tiere einen Felsen hinunterlaufen, wird manchmal ein Oberschenkel am Felsen entlanggeschleift.

Über den ganzen Körper verteilt findet man lange schwarze Tasthaare, die sehr wahr-

Unter diese Klippschliefergruppe hat sich ein Buschschliefer (zweiter von links) gemischt. In der Serengeti leben die beiden Arten in einer engen Gemeinschaft. Das Bild zeigt Jungtiere und ihre Mutter.

scheinlich der Orientierung in den dunklen Spalten und Höhlen dienen.

Ein auffälliges anatomisches Merkmal ist die Rückendrüse (Dorsaldrüse), die meist von einem hellgelben Haarkranz umgeben ist. Am deutlichsten ist dieser Haarkranz beim Baumschliefer *Dendrohyrax dorsalis* sichtbar, während beim Kap-Klippschliefer *(Procavia capensis)* der Haarkranz die braune Farbe des Felles hat. Wenn ein Tier erregt ist, etwa beim Streit mit einem Artgenossen, oder wenn es einen Feind sieht, werden die Haare des Haarkranzes aufgerichtet. Über die Aufgabe der Rückendrüse ist bisher wenig bekannt; wahrscheinlich dient ihre Ausscheidung der individuellen und/oder der Gruppenerkennung.

Schliefer haben ein reiches Lautrepertoire. Beim Kap-Klippschliefer ließen sich gut 21 verschiedene Laute unterscheiden. Der charakteristische »Territorialruf«, der von den erwachsenen Männchen zur Kennzeichnung des Eigenbezirks ausgestoßen wird, ist ein auffälliges Unterscheidungsmerkmal zwischen den Gattungen. Ebenso hat jede Gattung ihr besonderes Paarungsverhalten und eine ihr eigene Anatomie des Begattungsglieds.

Im folgenden möchte ich die Ergebnisse der Untersuchungen zum Sozialverhalten, zur Bevölkerungsdynamik und Ökologie des Busch- und Klippschliefers *(Heterohyrax brucei* und *Procavia johnstoni)*, die wir im Serengeti-Nationalpark in Tansania während 14 Jahren durchgeführt haben, zusammenfassen. Dort findet man beide Arten auf den Granitinselbergen, die auch Kopjes genannt werden. Sie sind die charakteristischsten pflanzenessenden Dauerbewohner dieser Kopjes, und auf manchen leben beide Arten gemeinsam (sympatrisch).

Kopjes ragen wie Inseln aus einem Grasmeer, sie sind von unterschiedlichster Größe und Höhe und unterscheiden sich auch in ihrem Pflanzenbewuchs. Auf den Kopjes, wo Busch- und Klippschliefer gemeinsam leben, kann man eine sehr bemerkenswerte Beobachtung machen. Beide Arten liegen in den kalten Stunden sehr dicht beieinander. Beide benutzen dieselben Schlafhöhlen, und die Jungtiere spielen miteinander. Einen so engen Zusammenschluß von zwei Arten hat man bisher nur bei Affen gefunden.

Die ausschließlich von pflanzlicher Kost lebenden Schliefer ernähren sich von einer großen Vielfalt von Pflanzenarten. Nach unseren Beobachtungen wurden vom Buschschliefer 64 verschiedene Arten verzehrt, von denen aber nur 2 bis 11 (je nach Kopje) 90 % ihrer Nahrung ausmachten. Klippschliefer ernährten sich von 79 verschiedenen Pflanzenarten. 53 der 90 Arten, die den Schliefern als Nahrung dienten, wurden sowohl vom Busch- als auch vom Klippschliefer verzehrt. Beide Arten leben also grundsätzlich von derselben Vegetation, zeigen aber trotz der beträchtlichen Überlappung unterschiedliches Ernährungsverhalten.

Der Buschschliefer ernährte sich vorwiegend von Laub auf Büschen und Bäumen, sowohl in der Regen- (81 %) als auch in der Trockenzeit (92 %), während der Klippschliefer eine viel größere Anpassung an die Jahreszeiten zeigte: In der Regenzeit ernährten sich die Tiere hauptsächlich von Gräsern (78 %), während in der Trockenzeit auch ausgiebig Laub verzehrt wurde (57 %). Folglich kommt es vor allem in der Trockenzeit zum Nahrungswettbewerb, wenn beide Arten infolge Futterknappheit auf dieselben Büsche und Bäume angewiesen sind.

Busch- und Klippschliefer haben beide ausgeprägte Eßzeiten am Morgen und am Abend, wobei am Abend ausgiebiger gespeist wird. Es gab bei den Gruppen, wo beide Arten zusammenleben, keinerlei Anzeichen dafür, daß die Aktivität der einen Art durch die Anwesenheit der anderen irgendwie verändert oder beeinflußt wurde. Auf den meisten Kopjes scheint deshalb die Nahrung für die Schliefer kein begrenzender Faktor zu sein.

Schliefer haben die Angewohnheit, ihren Kot und Urin immer an derselben Stelle abzusetzen. Der Urin kristallisiert mit der Zeit aus und verleiht dem Gestein eine weiße Färbung.

Das Vorhandensein und die Zahl der Einzeltiere von entweder nur einer oder beiden Arten wird eher durch das Zusammenwirken verschiedener physikalischer Eigenschaften (Größe, Bewuchs, Zahl der Höhlen und Spalten) eines Kopjes bestimmt, außerdem von seiner Entfernung zu anderen Kopjes (die für die Häufigkeit des genetischen Austausches verantwortlich ist), vom Feinddruck (einschließlich Schmarotzerbefall) und vom zwischenartlichen wie auch innerartlichen Wettbewerb um wichtige Ressourcen. Nur in sehr trockenen Jahren sind die Buschschliefer beim Zusammenleben den Klippschliefern als Nahrungskonkurrenten unterlegen. Das mag eine Erklärung für die Verbreitung der Schliefer in Afrika sein. Soweit bekannt ist, kommen die beiden Arten nur in niederschlagsreichen Gegenden Afrikas gemeinsam vor.

Sowohl Busch- als auch Klippschliefer können sich der Gegend und der Jahreszeit anpassen und sind je nachdem Gras- oder Laubesser. Der Klippschliefer ernährt sich jedoch hauptsächlich von Gras, der Buschschliefer größtenteils von Laub. Dieser Unterschied zeigt sich im Bau der Backenzähne. Beim

Buschschliefer sind die Backen- und Vorbackenzähne (Molaren und Prämolaren) brachydont, das heißt, sie haben eine kurze Krone und verhältnismäßig lange Wurzeln, während der Klippschliefer ein hypsodontes Gebiß hat, das heißt, die Backenzähne haben lange Kronen und ziemlich kurze Wurzeln. Gräser haben Silikatkristalle eingelagert, die die Zähne viel stärker abnutzen, während Laubblätter weich sind. So zeigt der Bau der Backenzähne die Anpassung an die unterschiedliche Nahrung.

Dieser Unterschied sowie das wechselnde Ernährungsverhalten in der Regen- oder Trockenzeit beim Klippschliefer wurden an der unterschiedlichen Abnutzung der Backenzähne und auch am Verhältnis der Kohlenstoffisotope C 13/C 12 vom Kohlenstoff- und Kollagenanteil der Knochen festgestellt.

Schliefer sind keine Wiederkäuer. Die Anatomie des Magens und Darms ist komplex und besteht aus drei unterschiedlichen Bereichen, in denen mikrobielle (durch Kleinstlebewesen unterstützte) Verdauung zur Aufspaltung der Zellulose stattfindet. Die Nahrungsaufnahme fängt meist allmählich an, wenn ein Tier (gewöhnlich ein ausgewachsenes Weibchen) die sich sonnende Familiengruppe verläßt und zu essen beginnt; nach und nach folgen andere, und nach einer gewissen Zeit ist die ganze Gruppe mit Essen beschäftigt. Die Klippschliefer speisen auf kleinen Grasflächen in der Nähe von sicheren Verstecken, die Buschschliefer auf Büschen und Bäumen; die Nahrungsaufnahme hat sozialen Charakter. Während die Gruppe ißt, sitzt oder liegt gewöhnlich ein Tier, meist das territoriale (revierbesitzende) Männchen, auf einem hohen Felsen und wacht. Von diesen Tieren kommt oft der erste Warn- oder Alarmruf bei plötzlicher Gefahr, worauf die essenden Tiere sofort in Dekkung gehen.

Ihre Niere erlaubt ihnen, mit sehr wenig Flüssigkeit auszukommen. Zudem haben sie die Fähigkeit, Harnstoff und Elektrolyten (Stoffe, die in Lösung elektri-

Ganz links: Ein Buschschliefer beim Laubverzehr in einer Schirmakazie. Wie alle Schliefer beißt er die Blätter mit den Backenzähnen ab, wobei er den Kopf zur Seite dreht. - Links: Diese Klippschliefer auf einer Termitenburg »sichern« nach allen Seiten, denn Feinde sind überall.

Schliefer (Hyracoidea)

Name deutscher Name wissenschaftlicher Name englischer Name (E) französischer Name (F)	**Körpermaße** Kopfrumpflänge (KRL) Schwanzlänge (SL) Standhöhe (SH) Gewicht (G)	**Auffällige Merkmale**	**Fortpflanzung** Tragzeit (Tz) Zahl der Jungen je Geburt (J) Geburtsgewicht (Gg)
Buschschliefer, Steppenschliefer *Heterohyrax brucei, H. chapini* E: Bush hyrax F: Daman des arbustes	KRL: 32–47 cm SL: 0 SH: 15–20 cm G: 1,3–2,4 kg	Fell kurz; Kopf und Rücken graubraun; Bauch und Brust weißgelblich; Haarkranz um Rückendrüse hellgelb bis orangegelb; lange schwarze Tasthaare am ganzen Körper; labile Körpertemperatur; geringer Stoffwechsel; hohe Wärmeleitfähigkeit; Körpertemperatur weitgehend durch Verhalten aufrechterhalten	Tz: etwa 230 Tage J: bis 3, Durchschnitt 1,6 Gg: 160–200 g
Klippschliefer *Procavia capensis, P. habessinica, P. johnstoni, P. ruficeps, P. welwitschii* F: Rock hyrax, Dassie F: Daman de rocher	KRL: 44–54 cm SL: 0 SH: 15–25 cm G: 1,8–5,4 kg	Fell kurz, hell bis dunkelbraun; hellgelber bis dunkelbrauner Haarkranz um Rückendrüse; sonst wie Buschschliefer	Tz: 210–240 Tage J: bis 4, Durchschnitt 2,4 Gg: 210–250 g
Baumschliefer *Dendrohyrax arboreus, D. dorsalis, D. validus* E: Tree hyrax F: Daman d'arbre	KRL: 32–60 cm SL: 0 SH: 15–20 cm G: 1,7–4,5 kg	Dichtes und teilweise langes Fell; graubraun bis dunkelbraun; Haarkranz um Rückendrüse groß und orangegelb bis hellgelb; lange schwarze Tasthaare am ganzen Körper	Tz: 220–240 Tage J: 1–2 Gg: nicht bekannt

schen Strom leiten) zu konzentrieren und größere Mengen an ungelöstem Kalziumkarbonat auszuscheiden. Schliefer haben die Gewohnheit, immer am gleichen Ort den nach Moschus riechenden Harn und Kot abzusetzen. Der Harn kristallisiert mit der Zeit aus, und es bilden sich an bestimmten Gesteinsstellen weiße Verfärbungen. Diese Kristalle, das sogenannte »Hyraceum«, und auch die Kotablagerungen wurden von einigen südafrikanischen Stämmen als Medizin und zur Herstellung von Parfüm und Salben benutzt.

Physiologische Untersuchungen haben ferner gezeigt, daß Schliefer außer einer unbeständigen Körpertemperatur auch einen geringen Stoffwechsel und eine hohe Wärmeleitfähigkeit haben. Sie können daher in sehr trockenen Gegenden und mit einer »schlechten« Nahrung auskommen, aber sie sind von Verstecken abhängig, die ihnen gleichbleibende Temperaturen und Feuchtigkeit gewähren.

Weder beim Buschschliefer noch beim Klippschliefer konnte ein deutlicher Unterschied zwischen Männchen und Weibchen (Sexualdimorphismus) festgestellt werden. Ausgewachsene Buschschliefer haben ein durchschnittliches Körpergewicht von 1,8 Kilo und eine durchschnittliche Körperlänge von 43,2 Zentimetern, während ausgewachsene Klippschliefer durchschnittlich 3,1 Kilo wiegen und 49 Zentimeter lang sind.

Schliefer leben in stabilen polygynen Gruppen (Familien), die aus einem oder mehreren erwachsenen Weibchen (in einer Buschschliefergruppe wurden 17 beobachtet), Jungtieren beiderlei Geschlechts, einem ranghohen erwachsenen (territorialen) Männchen und früh oder spät auswandernden Jungmännchen bestehen.

Beim Buschschliefer schwankte die Zahl der Tiere in einer Gruppe zwischen 2 und 34, beim Klippschliefer zwischen 2 und 26. Die Biomasse (Gesamtlebendgewicht) bewegte sich zwischen 26 und 72 Kilo je Hektar beim Buschschliefer und zwischen 17 und 136 Kilo je Hektar beim Klippschliefer. Die Zahl der Tiere ist von der jeweiligen Kopjefläche abhängig.

In den einzelnen Gruppen überwogen zahlenmäßig die Weibchen: Das Geschlechterverhältnis der er-

Zwei Klippschliefer-Jungtiere beim Saugen an den mütterlichen Achselzitzen.

Lebensablauf Entwöhnung (Ew) Geschlechtsreife (Gr) Lebensdauer (Ld)	Nahrung	Feinde	Lebensweise und Lebensraum	Häufigkeit
Ew: mit 3–6 Monaten Gr: mit 16–18 Monaten Ld: 9–14 Jahre	Hauptsächlich Laub	Greifvögel, Schlangen, Katzen, Schakale, Hyänen	Tagaktiv; auf Bäumen und im felsigen Gelände; in stabilen Familien aus einem bis mehreren ausgewachsenen Weibchen, einem territorialen Männchen und den Jungtieren beiderlei Geschlechts; Reviergröße 2000–5000 m^2	Soweit bekannt, nicht gefährdet
Ew: mit 3–6 Monaten Gr: mit 16–18 Monaten Ld: 9–14 Jahre	Hauptsächlich Gras, aber auch Laub	Greifvögel, hauptsächlich Kaffernadler; Katzen, Schlangen, Schakale, Hyänen	Tagaktiv; in felsigem Gelände; in stabilen Familien aus einem bis mehreren ausgewachsenen Weibchen, einem territorialen Männchen und den Jungtieren beiderlei Geschlechts; Reviergröße 4000–6000 m^2	Soweit bekannt, nicht gefährdet
Ew: mit 3–7 Monaten Gr: nicht bekannt Ld: über 10 Jahre	Hauptsächlich Laub	Katzen, Schlangen, Greifvögel	Hauptsächlich nachtaktiv; auf Bäumen, in Wäldern und in Bäumen entlang der Flüsse; in den Ruwenzori-Bergen auch auf felsigem Gelände; Sozialgefüge und Reviergröße unbekannt	Regenwald-Baumschliefer *(D. validus)* durch die Bejagung und Lebensraumzerstörung gefährdet

wachsenen Tiere schwankte zwischen 1,5 und 3,2 Weibchen je Männchen beim Buschschliefer und zwischen 1,4 und 2,0 beim Klippschliefer. Bei den Neugeborenen beider Arten jedoch wich das Geschlechterverhältnis nicht nennenswert von 1 : 1 ab.

Die erwachsenen Weibchen einer Familiengruppe bilden eine langfristige festgefügte Gemeinschaft und teilen einen überkommenen Aktionsraum, der nicht verteidigt wird. Auf großen Kopjes, wo mehrere Familiengruppen zusammenleben, können sich die Aktionsräume überlappen. Eine solche Weibchengruppe ist mehr oder weniger offen; sowohl beim Klippschliefer als auch beim Buschschliefer konnte gelegentlich beobachtet werden, daß ein einwanderndes fremdes Weibchen von den anderen aufgenommen wurde.

Schlieferweibchen kommen einmal im Jahr für einige Tage in den Östrus (Brunft). Die Tragzeit beträgt etwa 7,5 Monate. Die Weibchen einer Familiengruppe gebären alle innerhalb eines Zeitraums von etwa drei Wochen. Die Geburtszeiten fallen meist mit den Regenzeiten zusammen. Beim Buschschliefer bekommen die Weibchen ein bis drei Junge, der Durchschnitt liegt bei 1,6. Die Zahl der in einem Wurf geborenen Jungen beim Klippschliefer schwankt zwischen einem und vier. Der Durchschnitt beträgt 2,4.

Die Jungen sind Nestflüchter und voll entwickelt bei der Geburt. Schon nach wenigen Minuten können sie stehen, laufen und springen.

Die lange Tragzeit sowie die geringe Nachkommenzahl und die vollständige Entwicklung der Jungen bei der Geburt sind ein deutlicher Hinweis darauf, daß die Schliefer ursprünglich als Lauftiere in offenen Landschaften (Grasflächen) beheimatet waren.

Die meisten Schlieferarten haben vier Zitzen in der Leisten- und zwei in der Achselgegend. Bei allen drei Schliefergattungen wurde beobachtet, daß die Jungen beim Säugen eine strenge Zitzenaufteilung einnehmen. Die Wurfzahl bestimmt die Zahl der Zitzen je Jungtier. Die Entwöhnung erfolgt drei bis sechs Monate nach der Geburt, und beide Geschlechter erreichen die Geschlechtsreife mit ungefähr 16 Monaten.

Geschlechtsreif gewordene Weibchen schließen sich gewöhnlich den ausgewachsenen Weibchen an; deshalb sind die Weibchen einer Familiengruppe meistens miteinander verwandt.

Bei der Suche nach Nahrung machen Schliefer gelegentlich Männchen.

Weibchen leben deutlich länger als Männchen; das älteste beobachtete Tier war ein Buschschlieferweibchen von über 11 Jahren.

Geschlechtsreife Jungmännchen wandern ab, bevor

sie 30 Monate alt sind. Man kann bei Busch- und Klippschliefern zwischen vier verschiedenen geschlechtsreifen Männchen unterscheiden:
1. Territoriale Männchen: Sie sind die ranghöchsten. Sie beanspruchen die empfängnisbereiten Weibchen für sich und kommen gleichzeitig mit ihnen einmal im Jahr in die Brunft; dabei nehmen die Hoden, die bei Schliefern in der Leibeshöhle liegen, das Zwanzigfache an Gewicht zu. Ein territoriales Männchen bevorzugt bei der Begattung eindeutig Weibchen, die über 28 Monate alt sind. Es überwacht »seine« Weibchengruppe während des ganzen Jahres und verteidigt ein Kerngebiet des Aktionsraums, in dem sich wichtige Ressourcen (Lebensgrundlagen) wie Schlafhöhlen, Sonnen- und Futterplätze befinden, gegen eindringende fremde Männchen.

Von den Busch- und Klippschliefern unterscheiden sich die Baumschliefer durch ihr dichtes und längeres Haarkleid, aber auch durch ihre Lebensweise: Baumschliefer sind überwiegend nachtaktiv, während die beiden anderen Gattungen der Familie tagsüber munter sind.

2. Randmännchen: Sie sind das veränderliche Element im Schliefersozialgefüge in Abhängigkeit von dem zur Verfügung stehenden Lebensraum. Auf kleinen Kopjes (weniger als 4000 m^2) können sie sich nicht behaupten, auf großen Kopjes besetzen sie die Gebiete am Rande der Territorien. Unter den Randmännchen besteht eine Rangordnung; das ranghöchste Tier übernimmt eine Weibchengruppe, wenn ein territoriales Männchen verschwindet. Paarungsversuche und Begattungen finden meist mit Weibchen statt, die weniger als 28 Monate alt sind.
3. Frühe und späte Auswanderer: Die meisten Jungmännchen – die frühen Auswanderer – verlassen ihre Geburtsorte, kurz nachdem sie die Geschlechtsreife erlangt haben, das heißt, wenn sie 16 bis 24 Monate alt sind. Die Zurückgebliebenen sind späte Auswanderer und gehen ein Jahr später weg, bevor sie 30 Monate alt werden. In der Paarungszeit wandern sie in andere Gebiete aus und nehmen dort die Stellung von Randmännchen.

Gegenüberliegende Seite: Die bekanntesten wildlebenden Unpaarhufer sind die afrikanischen Zebras. Das Foto zeigt eine Steppenzebraherde im kenianischen Masai-Mara-Schutzgebiet. Im Hintergrund Topi-Antilopen.

Indem sie auswandern, haben die Tiere die Gelegenheit, neue Gebiete zu besiedeln, wo der innerartliche Wettbewerb nicht so ausgeprägt ist; sie finden möglicherweise auch neue Geschlechtspartner, und auf diese Weise wird Inzucht vermieden. Bei Einzeltieren beider Arten wurde beobachtet, daß sie sich weiter als zwei Kilometer von ihrem Geburtsort entfernten. Je größer jedoch die Entfernung ist, die ein Tier in offenem Grasland zurücklegen muß, wo es ungeschützt ist und keine Möglichkeit hat, Deckung zu finden, desto größer ist die Wahrscheinlichkeit, daß es entweder einem Feind zum Opfer fällt oder die extremen Temperaturen nicht überlebt. Deshalb ist es sehr unwahrscheinlich, daß es zwischen Kopjes, die mehr als zehn Kilometer voneinander entfernt sind, zu einem Austausch von Erbanlagen kommt.
Der wichtigste Feind der Schliefer ist der Kaffernadler *(Aquila verreauxii)*, der sich fast ausschließlich von ihnen ernährt. Weitere Feinde sind der Kampfadler *(Polemaetus bellicosus)*, der Raubadler *(Aquila rapax)*, Raubtiere wie Leoparden, Löwen, Tüpfelhyänen und Schakale sowie verschiedene Schlangenarten. Außenschmarotzer wie Zecken, Läuse, Milben und Flöhe und Innenschmarotzer wie Fadenwürmer und Bandwürmer spielen ebenfalls eine wichtige Rolle bei der hohen Sterblichkeit der Schliefer. In Kenia und Äthiopien hat man festgestellt, daß Klipp- und Baumschliefer ein Reservoir für die Krankheitserreger der Leishmaniose bilden, also für die von Mücken übertragenen Geißeltierchen der Gattung *Leishmania.*
Über das Sozialverhalten und die Bevölkerungsökologie des Baumschliefers ist fast nichts bekannt. Einige Autoren beschreiben ihn als solitär (einzelgängerisch) lebend. Unsere Beobachtungen an Vertretern von *Dendrohyrax arboreus*, die in den großen Feigenbäumen im Ngorongoro-Krater leben, zeigten jedoch, daß diese Art sich ebenfalls polygyn verhält.
Die meisten Schlieferarten sind nicht gefährdet. Einzig der Bergwald-Baumschliefer *(Dendrohyrax validus)* muß infolge der Zerstörung des Waldes am Kilimandscharo und auf den Usambara-Bergen sowie auf den Inseln Pemba und Sansibar heute wohl als bedroht bezeichnet werden. Außerdem wird er am Kilimandscharo wegen seines Felles stark bejagt; 48 Tiere müssen für eine Decke ihr Leben lassen.

UNPAARHUFER

Kategorie
ORDNUNG

Systematische Einteilung: Ordnung der Säugetiere mit 3 Familien, die 7 Gattungen mit insgesamt 15 Arten umfassen. Die Unpaarhufer sind Huftiere mit »unpaaren Hufen«; die Mittelzehe ist am stärksten ausgebildet.

FAMILIE PFERDE (Equidae) mit 1 Gattung *(Equus)*

FAMILIE TAPIRE (Tapiridae) mit 2 Gattungen *(Tapirus* und *Acrocodia)*

FAMILIE NASHÖRNER (Rhinocerotidae) mit 4 Gattungen *(Rhinoceros, Ceratotherium, Diceros, Dicerorhinus)*

PFERDE
(6 Arten, außerdem 2 Haustierformen)

Kopfrumpflänge: 200–300 cm
Schwanzlänge: 42–90 cm
Standhöhe: 120–160 cm
Gewicht: 275–450 kg
Auffällige Merkmale: Eine einheitliche Gruppe von nahverwandten Arten mit weitgehend übereinstimmendem Körperbau; langer Schädel; Backenzähne als Mahlzähne ausgebildet, hochkronig und mit Schmelzfalten; hohe, schlanke Gließmaßen (Anpassung an schnelles Laufen); jeweils nur noch eine stark vergrößerte und hufumkleidete Zehe (Einhufer); Haarkleid durchwegs kurz und glatt, mehr oder weniger einfarbig braun bis grau (Pferde, Esel) oder auffällig gestreift (Zebras); Wildequiden mit Stehmähne und vielfach mit Aalstrich; domestizierte Formen: Hauspferd (Stammart Przewalski-Pferd) und Hausesel (Stammart Wildesel).
Fortpflanzung: Tragzeit meist etwa 1 Jahr; 1 Junges je Geburt; Geburtsgewicht 25–40 kg.
Lebensablauf: Entwöhnung mit 6–8 Monaten; Geschlechtsreife mit etwa 2 Jahren; Lebensdauer etwa 20 Jahre, bei Zoo- und Haustieren bis über 40 Jahre.
Nahrung: Vorwiegend Gras, auch Kräuter, Rinde, Blätter.
Lebensweise und Lebensraum: Dauerhafte Familienverbände oder Paarungsterritorialität; großer bis sehr großer Aktionsraum; in offenen Landschaften (Grasland, Halbwüste, Wüste und Gebirge).

TAPIRE (4 Arten)

Kopfrumpflänge: 176–240 cm
Schwanzlänge: 5–13 cm
Standhöhe: 75–120 cm
Gewicht: 180–320 kg
Auffällige Merkmale: Massiger, langgestreckter Körper; sehr kurzer Schwanz; verhältnismäßig kurze Beine; Vorderfüße mit 4, Hinterfüße mit 3 behuften Zehen; kurzer, beweglicher Rüssel, an der Spitze 2 quer angeordnete Nasenlöcher mit drüsenreichem Nasenspiegel, der sich an der Rüsselunterseite fortsetzt und in die Gaumenschleimhaut übergeht; kleine runde Augen; kurze, abgerundete Ohren; Haut dick, aber geschmeidig und meist wenig behaart; Färbung unterschiedlich, graubraun bis schwärzlich oder schwarz-weiß (Schabrackentapir).
Fortpflanzung: Tragzeit 385–412 Tage; in der Regel 1 Junges je Geburt; Jungtier mit auffälliger Streifenzeichnung; Geburtsgewicht 4–10,2 kg.
Lebensablauf: Entwöhnung, soweit bekannt, mit etwa 10–12 Monaten; Geschlechtsreife mit 2–4 Jahren; Lebensdauer etwa 30 Jahre.
Nahrung: Ausschließlich pflanzlich.

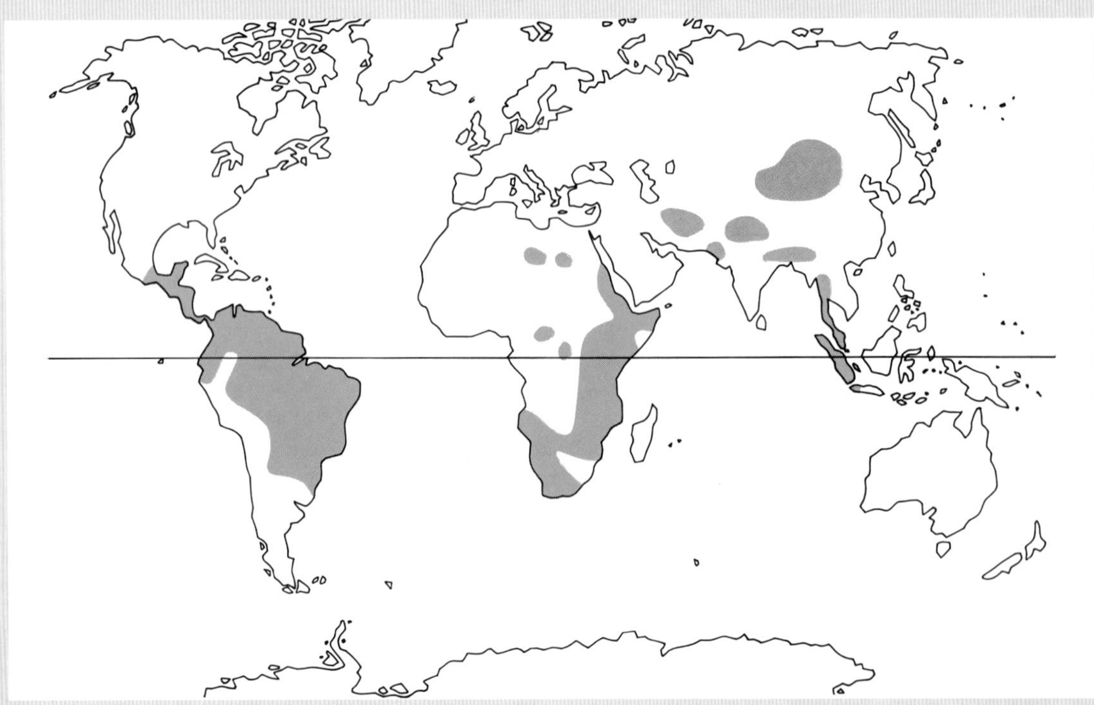

Perissodactyla WISSENSCHAFTLICH
Odd-toed Ungulates ENGLISCH
Périssodactyles FRANZÖSISCH

Lebensweise und Lebensraum: Urtümliche Verhaltensmuster; ungesellige Einzelgänger; bei Jungtieren nur schwach ausgebildetes Spielverhalten; wasserliebend und gute Schwimmer; vorwiegend im tropischen Regenwald, aber auch in trockenem Laubwald und Bergwald.

NASHÖRNER (5 Arten)

Kopfrumpflänge: 260–375 cm
Schwanzlänge: 50–70 cm
Standhöhe: 135–190 cm
Gewicht: 0,8–2,3 t

Auffällige Merkmale: Massiger Körper; verhältnismäßig kurze Säulenbeine; 2 Hörner, Panzer- und Javanashorn nur 1; Oberlippe, außer beim Breitlippennashorn, als Greiforgan ausgebildet; Haut dick, beim Panzer- und Javanashorn zu »Panzerplatten« umgestaltet, unbehaart, ausgenommen Sumatranashorn; Kauzähne je nach Ernährungsweise mit hohen oder niedrigen Kronen; bei den asiatischen Arten zwei untere Schneidezähne, bei Panzer- und Javanashorn hauerartig (Waffenzähne).

Fortpflanzung: Tragzeit 400–490 Tage; 1 Junges je Geburt; Geburtsgewicht 35–80 kg.
Lebensablauf: Entwöhnung mit 18–24 Monaten; Geschlechtsreife mit 7–10 Jahren (Bullen) bzw. 4–6 Jahren (Kühe); Lebensdauer 35–45 Jahre.
Nahrung: Je nach Art hauptsächlich Gräser oder Zweige.
Lebensweise und Lebensraum: Mutter-Kind-Einheiten; Ansammlungen von erwachsenen Kühen; erwachsene Bullen Einzelgänger, dominante Bullen unter sich territorial; afrikanische Arten in Gras- und Buschsteppen, asiatische in Feuchtgebieten bzw. Regenwald.

Verdauungssystem
Die Unpaarhufer sind ausgesprochene Pflanzenverzehrer. Da kein Säugetier ein Enzym besitzt, das die pflanzliche Zellulose zerlegt, muß diese Aufgabe von symbiotischen Bakterien übernommen werden. Sie befinden sich in großen Gärungskammern, zu denen bestimmte Abschnitte des Verdauungstraktes umgebaut werden. Anders als bei den Paarhufern, wo ein mehrfach gekammerter Magen diesem Zweck dient, hat sich bei den Unpaarhufern ein übergroßer Blinddarm als Gärungskammer entwickelt. Die Abbildung zeigt einen Vergleich der Größenverhältnisse und die natürliche Lage des Blinddarms bei den Unpaarhufern (Pferd, oben) und des Magens bei den Paarhufern (Reh, unten).

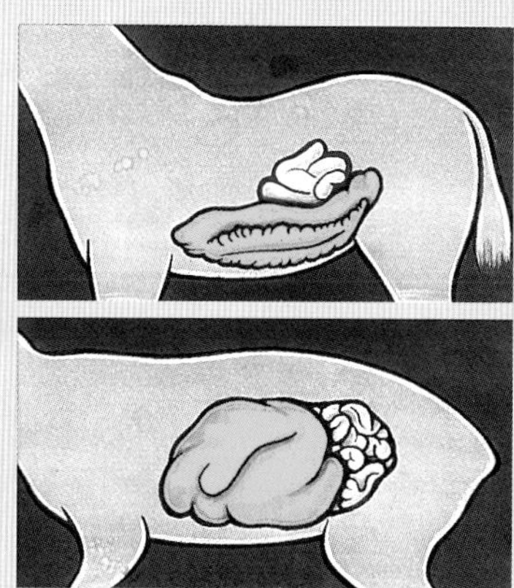

Fortbewegung
Die kurzen säulenförmigen Beine des Tapirs mit vier bzw. drei Fingerstrahlen erlauben nur ein mäßig schnelles Laufen. Der Tapir bewohnt Waldgebiete, und seine kräftigen Gliedmaßen zusammen mit dem gedrungenen Körper und dem keilförmigen Kopf sind gut dazu angepaßt, das Dickicht des Unterholzes zu durchdringen. Die langen, schlanken Beine des Pferdes mit nur einem einzigen Fingerstrahl ermöglichen dagegen ein äußerst schnelles Laufen. Sie stellen eine ausgezeichnete Anpassung an das Leben in Steppengebieten dar.

Fußskelett
Das Gliedmaßenskelett der Unpaarhufer geht entwicklungsgeschichtlich auf die ursprüngliche fünfstrahlige Gliedmaße zurück (Beispiel: Hand des Menschen – A). Das Körpergewicht lastet hauptsächlich auf dem dritten, d. h. mittleren Skelettstrahl, dessen Mittelhandknochen und Fingerglieder am kräftigsten ausgebildet sind (braun). Die weniger belasteten Seitenstrahlen bilden sich nach und nach zurück, zunächst der erste (Tapir: Vorderfuß – B), dann auch der fünfte (Tapir: Hinterfuß; Nashorn: Vorder- und Hinterfuß – C). Schließlich bleibt nur der mittlere Skelettstrahl übrig, mit kleinen Überresten des zweiten und vierten Mittelhandknochens als schmale Griffelbeine (Pferd: Vorder- und Hinterfuß – D).

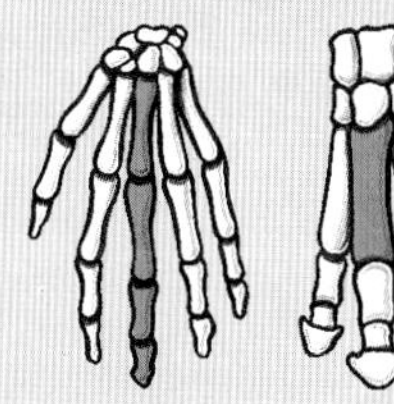
A

B

C

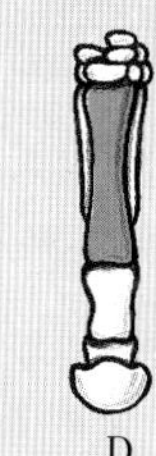
D

Fuß – äußere Ansicht
Äußere Ansicht des Fußes eines Pferdes (links) und eines Nashorns (rechts). Der Huf des Pferdes entspricht dem umgeformten Nagel der mittleren Zehe. Beim Nashorn liegen neben dem großen Huf der mittleren Zehe noch zwei kleinere Hufe der seitlichen Zehen.

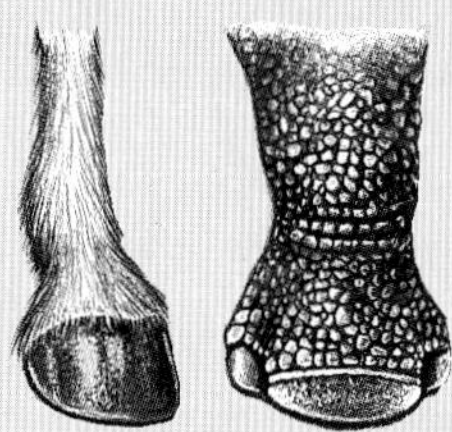

UNPAARHUFER

Einleitung
von Hans Klingel

Nashörner, Tapire und Pferde sind die überlebenden Vertreter dieser Verwandtschaftsgruppe innerhalb der Huftiere, die sich durch eine Reihe von anatomischen und morphologischen Besonderheiten auszeichnet. Am auffälligsten ist der Bau des Fußes: Die mittleren, dritten, der ursprünglichen fünf Zehen, sind vergrößert und tragen das Hauptgewicht des Körpers; die übrigen Zehen sind mehr oder weniger rückgebildet, am stärksten bei den Einhufern, wo nur noch ein einziger Huf vorhanden ist. Die übrigen Zehenstrahlen sind bis auf die winzigen Griffelbeine, Reste der Mittelhand- oder Mittelfußknochen des 2. und 4. Zehenstrahls, verschwunden. Auch der Darmkanal mit einkammrigem Magen und großem Blindsack und die Geschlechtswerkzeuge sind gleich gebaut.

Die heute mit fünf Nashörnern, vier Tapiren und sechs Pferden artenarme Gruppe hatte eine Blütezeit im Tertiär mit vielen Arten in zwölf Familien. Sie besteht aus drei Unterordnungen: 1. Hippomorpha (Pferdeverwandte) mit den Equoidea (Pferdeartige) und den ausgestorbenen Brontotherien; 2. Ancylopoda (ausgestorben) mit Eomoropidae und Chalicotheriidae; 3. Ceratomorpha (Nashornverwandte) mit Tapiroidea (Tapire) und Rhinocerotoidea (Nashörner). Der gemeinsame Ursprung sind die frühtertiären Phenacodontoidea unter den Stammhuftieren (Condylarthra), bei denen die Entwicklungslinien der Ungulaten (Huftiere), Protungulaten (Urhuftiere) und Paenungulaten (Fast-Huftiere) u.a. zusammenlaufen.

Kämpfende Pferde stellen sich auf die Hinterbeine und bearbeiten einander mit den Vorderhufen, so auch diese Grevy-Zebras.

Die Ancylopoden sind Sonderformen unter den Huftieren: Ihre Hufe waren bei den Gattungen *Chalicotherium*, *Moropus* und *Ancylotherium* des Oligozän als Krallen ausgebildet, die sie als Blattesser vermutlich zum Herunterziehen von Zweigen oder aber zum Ausgraben von Knollen und Wurzeln verwendeten. So ist es verständlich, daß diese Tiere früher nicht als Huftiere erkannt worden waren. Das war erst möglich, nachdem ihre behuften stammesgeschichtlichen Vorfahren der Gattung *Palaeomoropus* und andere aus dem Eozän bekannt wurden. Vertreter dieser Gruppe lebten noch in der Eiszeit in Südasien und Afrika.

Unter den Brontotherien finden wir die Riesen unter den Pferdeverwandten. Sie entwickelten sich aus Kleinformen des frühen Tertiärs, die von der Urform der Entwicklungslinie der Pferde, dem Eohippus, abgeleitet werden kann. Die späteren Formen mit 2,40 Meter Schulterhöhe waren nashornähnlich mit paarigen, geweihförmigen, knöchernen Nasenaufsätzen. Sie waren in Asien und Nordamerika bis zum Oligozän verbreitet.

Stammesgeschichte
von Erich Thenius

Die Unpaarhufer bilden, wie der britische Anatom Richard Owen bereits 1848 erkannte, eine einheitliche Gruppe von Säugetieren, deren Zusammengehörigkeit nicht allein durch die Fußstruktur gegeben ist. Durch eine ungeheure Fülle von Fossilfunden bildet die Stammesgeschichte der Unpaarhufer – und da besonders jene der Pferde (Equidae) – die am besten bezeugte unter den Säugetieren überhaupt. Darüber hinaus belegen die Fossilien die überaus große Vielfalt vorzeitlicher Unpaarhufer, besonders im Alttertiär. Waren doch damals Angehörige von mindestens 15 verschiedenen Familien mit weit über 100 Gattungen auf der nördlichen Halbkugel verbreitet, gegenüber den heutigen drei Familien (Equidae, Tapiridae und Rhinocerotidae) mit nur sechs Gattungen. Seit dem Ende des Alttertiärs kommt es unter den Unpaarhufern zu einem Rückgang, der wohl mit der Entfaltung von Wiederkäuern unter den Paarhufern in Zusammenhang steht. Damit ist die Bedeutung der Ernährung und des Wettbewerbs durch andere Huftiere aufgezeigt. Mit den Wiederkäuern konnten eigentlich nur die Pferde erfolgreich konkurrieren. Sie haben zur Verwertung harter Pflanzennahrung die »Blinddarmverdauung« eingeschaltet.

Wie bereits in der Stammesgeschichte der Huftiere ausgeführt, lassen sich sämtliche Unpaarhufer auf eine bestimmte Gruppe unter den Stammhuftieren (Condylarthra), nämlich die Phenacodontiden, zurückführen. *Phenacodus* aus dem Jungpaleozän und Alteozän ist die bekannteste und, neben *Ectocion*, zugleich die erdgeschichtlich jüngste Gattung dieser Familie. Seither sind mit *Desmatoclaenus* (Altpaleozän) und *Tetraclaenodon* (Mittelpaleozän) Phenacodonten aus Nordamerika beschrieben worden, die als ideale Ahnenformen der ältesten Unpaarhufer, allerdings nur mit etwas geringeren Anpassungen an eine laufende Fortbewegung, angesehen werden können, wie sie als *Hyracotherium* (= »*Eohippus*«), *Homogalax* und *Lambdotherium* aus dem Alteozän bekannt sind. Mit diesen drei Gattungen sind die jeweils ältesten Angehörigen der Pferdeartigen (Equoidea) und Tapirartigen (Tapiroidea) sowie der »Titanotherien« oder Brontotherien (Brontotherioidea) genannt. Sie unterscheiden sich nur verhältnismäßig wenig voneinander, doch lassen sie im Bau des Backenzahngebisses bereits die künftigen »Trends« erkennen, die für die einzelnen Gruppen kennzeichnend sind. Das Backenzahnmuster ist bei den Pferdeartigen lophoselenodont (die »Höcker« sind joch- und halbmondförmig), bei den Tapirartigen (und auch bei den Nashörnern) lophodont (jochförmig) und bei den Brontotherien (und den Chalicotherien) bunoselenodont (höcker- und halbmondförmig). Diese Unterschiede sind bei diesen alteozänen Unpaarhufern nur schwach ausgebildet, so daß die Abgrenzung nicht nur gegenüber den Stammhuftieren, sondern auch untereinander schwierig ist. Dies bedeutet, daß ein damaliger Zoologe diese Formen weder verschiedenen Familien noch Überfamilien oder gar getrennten Unterordnungen zugeordnet hätte. Die Unterschiede haben sich erst seither weiter ausgeprägt und zu der Großgliederung der Unpaarhufer in die Ceratomorpha (Nashörner und Tapire), Hippomorpha (Pferde und »Titanotherien«) und Ancylopoda (Chalicotherien) geführt. Von manchen Wissenschaftlern werden die Chalicotherien als Angehörige der Hippomorpha angesehen.

Unter den Hippomorpha lassen sich die Equoidea (Equidae und Palaeotheriidae) und die Brontotherioidea (Brontotheriidae) unterscheiden. Die Geschichte der Pferde (Equidae) ist – wie bereits erwähnt – zweifellos das am besten durch Fossilfunde belegte Beispiel der stammesgeschichtlichen Entwicklung einer Tiergruppe. Schon im vorigen Jahrhundert, als die Paläontologie noch in ihren Anfängen stand, konnte der bekannte amerikanische Paläontologe Othniel Charles Marsh (1831–1899) aufgrund seiner Ausgrabungen im nordamerikanischen Tertiär eine fast lückenlos erscheinende »natürliche Stammeslinie der Pferde« vorlegen, die vom fuchsgroßen laubverzehrenden »Vier«- bzw. »Dreizeher« bis zu den heutigen Einhufern führte. Inzwischen haben sich die Auffassungen allerdings stark gewandelt, da sich gezeigt hat, daß es nicht nur eine, sondern eine ganze Reihe von Stammlinien gab, von denen der Hauptstamm, die Anchitherien, längst ausgestorben ist. Nur eine einzige Seitenlinie – die der heutigen Einhufer – erreichte die Jetztzeit. Zugleich führten die Fossilfunde zu der wichtigen Erkenntnis, daß sich die einzelnen Merkmalsgruppen (zum Beispiel Schädel, Gehirn, Gebiß und Gliedmaßen) nicht gleichzeitig und gleichsinnig während der Stammesgeschichte umgebildet haben. Man spricht hier vom Mosaikmodus der stammesgeschichtlichen Entwicklung (sogenannte Watsonsche Regel).

Die erdgeschichtlich ältesten »Pferde« sind die Urpferdchen (Gattung *Hyracotherium*) aus dem Alteozän, also aus dem Frühtertiär Nordamerikas und Europas. Ursprünglich durch O.Ch.Marsh als *Eohippus* beschrieben, erkannte man erst später die Zugehörigkeit zu *Hyracotherium*, das R.Owen bereits vorher aus

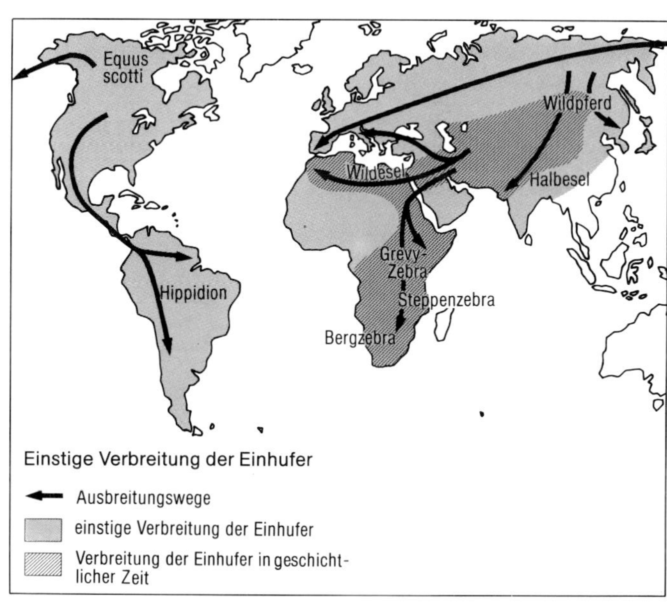

Einstige Verbreitung der Einhufer

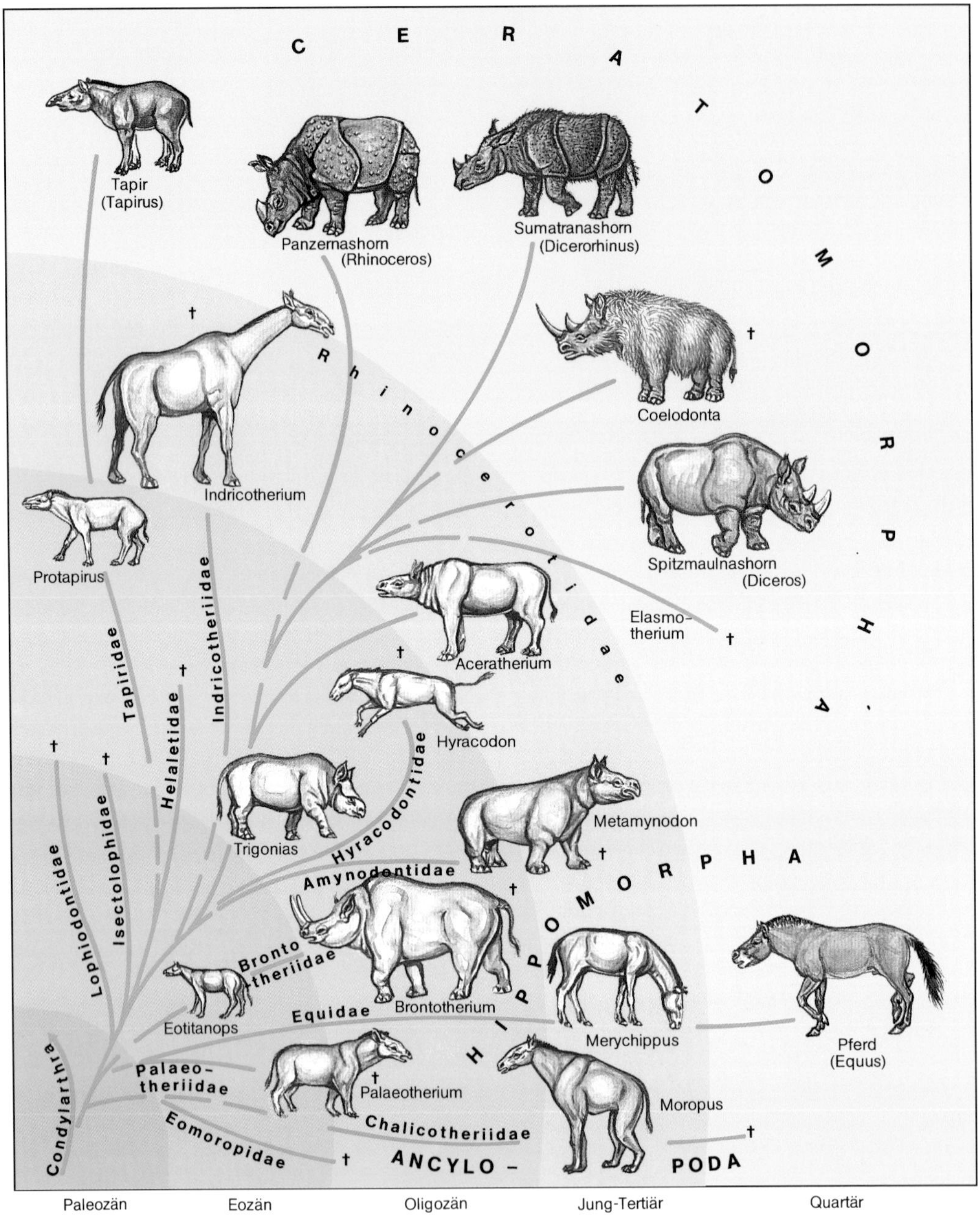

Stammbaum der Unpaarhufer.

Europa beschrieben hatte. Europa war damals über Spitzbergen und Grönland landfest mit Nordamerika verbunden. Die Urpferdchen waren waldbewohnende, katzen- bis fuchsgroße Unpaarhufer mit schlanken vierfingrigen und dreizehigen Gliedmaßen. Sie sahen keineswegs wie kleine Pferde aus, sondern erinnerten eher an hornlose Duckerantilopen oder Zwerghirsche. Der Gesichtsschädel ist niedrig und nicht länger als der Hirnschädel. Das Gebiß ist vollständig (Zahnformel $\frac{3\cdot1\cdot4\cdot3}{3\cdot1\cdot4\cdot3}$), die niedrigkronigen Backenzähne (Molaren) zeigen jedoch den Grundplan von Pferdezähnen, die Vorbackenzähne (Prämolaren) sind einfach gebaut. Das »Gehirn«, dessen Gestalt durch Hirnschädelausgüsse bekannt ist, gleicht durch große

Riechkolben, das kleine, nur schwach gefurchte Großhirn und das freie Kleinhirn dem von Insektenessern (Insectivoren), nicht jedoch von Huftieren. Wie der Mageninhalt anderer Urpferdchen (*Propalaeotherium* aus dem Mitteleozän von Messel bei Darmstadt) zeigt, bildeten Blätter und Früchte ihre Nahrung. Weitere Entwicklungsabschnitte in der Geschichte der Pferde sind aus Nordamerika durch die Gattungen *Orohippus* (Mitteleozän), *Epihippus* (Jungeozän), *Mesohippus* und *Miohippus* (Oligozän), *Parahippus* und *Merychippus* (Miozän), *Pliohippus* (Pliozän) und *Equus* (Quartär) vertreten. Innerhalb dieser Linien kam es über die Dreizehigkeit im Oligomiozän zur Einhufigkeit im Pliozän. *Pliohippus* ist der älteste Einhufer unter den Pferden. Noch heute erinnern die sogenannten Griffelbeine als verkümmerte (rudimentäre) Knochenstäbe am Laufknochen an die einstigen seitlichen Zehenstrahlen. Die Umgestaltung der Gliedmaßen ist ebenso wie jene von Schädel und Gebiß eine Anpassung an die Umwelt. Aus alttertiären, waldbewohnenden Blattäsern wurden im Miozän Grasesser der Prärien mit nunmehr hochkronigen Backenzähnen, mit molarisierten, das heißt im Bau den Molaren ähnlichen Prämolaren und einem entsprechend dem vergrößerten Backenzahngebiß verlängerten Gesichtsschädel. Bezeichnend ist, daß diese Entwicklung in Nordamerika mit der Entstehung der offenen Graslandschaft und damit von Steppengräsern parallel verläuft. Es ist ein Beispiel für eine sogenannte Ko-Evolution. Das »Gehirn« ist bei *Mesohippus* huftierartig gestaltet und erlangt bei *Merychippus* erstmals pferdeähnliche Züge.

Bei den miozänen Anchitherien (z.B. *Anchitherium, Hypohippus, Megahippus*) als dauernd waldbewohnenden Pferden kommt es weder zur echten Hochkronigkeit der Zähne noch zur Einhufigkeit. Die Anchitherien starben am Ende des Miozäns aus. *Anchitherium* gelangte über die damalige Beringbrücke nach Eurasien, also nach Asien und Europa, ein Ausbreitungsweg, der später auch *Hipparion* (als Seitenlinie von *Merychippus*) im Jungmiozän und *Equus* zur Eiszeit nach Eurasien und Afrika gelangen ließ. Auch die Hipparionen *(Hipparion, Neohipparion, Nannippus)* kamen über das Dreizehenstadium nicht hinaus, obwohl sie noch zur ältesten Eiszeit neben Einhufern lebten. Die Einhufer breiteten sich im Quartär nicht nur in die Alte Welt aus, sondern erreichten über die Panama-Landenge auch Südamerika *(Hippidion, Onohippidium, Amerhippus)*. Die Einhufer starben in der Neuen Welt jedoch mit dem Ende der Eiszeit völlig aus und überlebten nur in Eurasien und Afrika, wo sie gegenwärtig mit Wildpferd, Halbeseln (= Pferdeesel), Eseln und Zebras die artenreichste Gruppe der Unpaarhufer bilden. Es sind richtige Savannen- und Halbwüstenbewohner.

Die verwandtschaftlichen Beziehungen innerhalb der heutigen Einhufer sind umstritten, was nicht zuletzt dadurch bedingt ist, daß sich die Einhufer im Schädel und Gebiß artlich nur schwer unterscheiden lassen. Fest steht, daß die Zebras keine Einheit bilden. Die Aufgliederung in die heutigen Arten ist jedenfalls erst in erdgeschichtlich jüngster Zeit, und zwar mehr oder weniger im Quartär, erfolgt. Einst, ja sogar noch in hi-

Entwicklung der Brontotherien oder Titanotherien aus dem Alttertiär Nordamerikas und Ostasiens. Von Lambdotherium, das sich von den Urpferdchen ableiten läßt, gehen einerseits die nordamerikanischen, andererseits die ostasiatischen Gattungen aus. Kennzeichnend sind für die beiden Endformen die stark ausgebildeten knöchernen Schädelfortsätze.

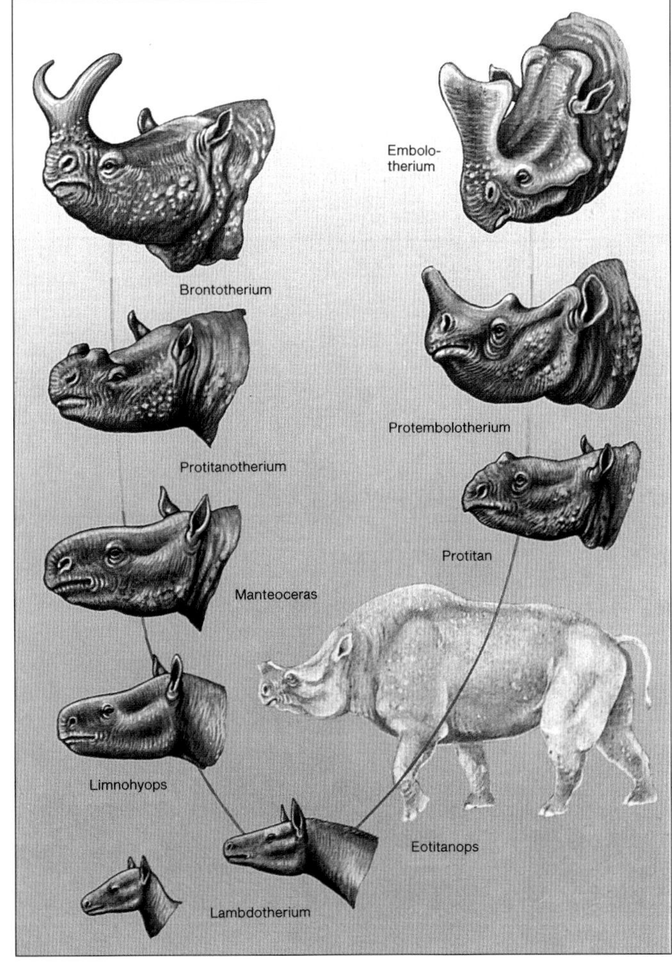

storischer Zeit, waren die Einhufer viel weiter verbreitet als gegenwärtig. Zebras und Wildesel waren noch zur Eiszeit nicht nur in Nordafrika, sondern auch in Europa heimisch.

Die »Altpferde« (Palaeotheriidae) sind ein Seitenzweig der Pferde, der im Eo-Oligozän Europas dreizehige, tapirgroße Unpaarhufer *(Palaeotherium, Plagiolophus)* hervorbrachte.

Zur Unterordnung der Pferdeverwandten (Hippomorpha) werden – wie bereits oben erwähnt – auch die ausgestorbenen Brontotherien (Brontotherioidea) gezählt, die mit den »Titanotherien« (Brontotheriidae) eine der formen- und artenreichsten Unpaarhufergruppen des nordamerikanischen und asiatischen Alttertiärs waren. Ihre Endformen im Oligozän ähnelten großwüchsigen Nashörnern. Allerdings besaßen die Titanotherien nicht hornige, sondern knöcherne und zudem paarige Nasenfortsätze, die bei manchen Arten beträchtliche Ausmaße erreichten. Die ältesten Vertreter aus dem jüngeren Alteozän *(Lambdotherium, Eotitanops)* waren kleine hornlose Unpaarhufer, die sich zwanglos von Urpferdchen des Ältesteozäns ableiten lassen. Das Gebiß ist fast vollständig, die Zahnformel lautet $\frac{3\cdot1\cdot4\cdot3}{3\cdot1\cdot3\cdot3}$, die Backenzähne sind niedrigkronig (brachyodont). Die schlanken Gliedmaßen sind vierfingrig und dreizehig. Innerhalb der Titanotherien lassen sich mehrere Stämme unterscheiden, mit *Lambdotherium, Palaeosyops, Dolichorhinus, Telmatherium, Brontops, Embolotherium, Menodus* (= »*Titanotherium*«) und *Brontotherium* als wichtigsten Gattungen. In allen Stammlinien kommt es zwar zu einer Größenzunahme und zur Entwicklung knöcherner Schädelfortsätze bei den erdgeschichtlich jüngeren Formen, doch bleiben Backenzahngebiß durch die Niedrigkronigkeit (Brachyodontie) und der Gliedmaßenbau durch die Mehrzehigkeit ursprünglich. In Nordamerika starben die Titanotherien am Ende des Altoligozäns, in Asien erst im Mitteloligozän aus.

Die Titanotherien haben auch in der großen Pionierzeit der nordamerikanischen Paläontologie eine bedeutende Rolle gespielt. Ihre Entdeckung und Ausgrabung, die teilweise mit der Eroberung des Wilden Westens zusammenfielen, haben die berühmtesten Bahnbrecher der Vorzeitforschung in Amerika, den bereits erwähnten Othniel Charles Marsh und Edward Drinker Cope (1840–1897), zu großangelegten Ausgrabungen angespornt. Die nach schweren Regengüssen aus den Ödländern (»Bad Lands«) ausgewaschenen Knochen der Titanotherien sind als Reste von »Donnerpferden« in die Sagen der Dakota-Indianer eingegangen.

Unter den Ceratomorpha sind die Tapiroidea (mit den Tapiren, Tapiridae, neben zahlreichen ausgestorbenen Familien) und die Rhinocerotoidea (mit den Nashörnern, Rhinocerotidae, und etlichen erloschenen Familien) zu unterscheiden. Zunächst zu den Tapiroidea.

Die heutigen Tapire werden oft zu Recht als »lebende Fossilien« bezeichnet. Nicht nur ihr in vieler Hinsicht recht ursprünglicher Körperbau, sondern auch ihre heute weit getrennten Verbreitungsgebiete weisen darauf hin, daß sie einer erdgeschichtlich alten Tiergruppe angehören, die sich jedoch im Gegensatz zu den Pferden während der Stammesgeschichte viel weniger verändert hat. Die zahlreichen Fossilfunde haben nicht nur die Geschichte der Tapire (Tapiridae) selbst aufgehellt, sondern auch das einstige Vorkommen zahlreicher, heute längst ausgestorbener Stämme und ihre weite Verbreitung auf der nördlichen Halbkugel, also auch in Europa, belegt. Wie bereits erwähnt, unterscheiden sich die ältesten Tapire aus dem Alteozän Nordamerikas (Gattung *Homogalax*, Familie Isectolophidae) nur wenig von den damaligen Urpferdchen, mit denen sie auf paleozäne Phenacodontiden unter den Stammhuftieren zurückgeführt werden können. Es waren kleine Unpaarhufer mit vollständigem Gebiß (Zahnformel $\frac{3\cdot1\cdot4\cdot3}{3\cdot1\cdot4\cdot3}$) und geschlossener Zahnreihe, kaum molarisierten Prämolaren, »normaler« Nasenöffnung und schlanken, vierzehigen Gliedmaßen. Es fehlt ihnen die rüsselartige Verlängerung von Oberlippe und Nase ebenso wie ein differenziertes und vom Backenzahngebiß getrenntes Vordergebiß. Aus derartig altertümlichen Tapiren des Alteozäns sind übrigens auch die Nashörner hervorgegangen. Zu einer Vergrößerung der knöchernen Nasenöffnung, die auf eine bewegliche Oberlippe und schließlich einen richtigen Rüssel hinweist, kommt es zunächst bei den alttertiären Helaletiden (z.B. *Helaletes, Colodon*), aus denen sich im Oligozän über *Protapirus* schließlich die »modernen« Tapire (Tapiridae) mit *Miotapirus* (Miozän) und *Tapirus* (Miozän – Holozän) entwickelt haben. Die genauen verwandtschaftlichen Beziehungen der heutigen Arten (z.B. *Acrocodia indica* = *Tapirus indicus* in Südostasien, *Tapirus terrestris* in

der Neuen Welt) sind noch nicht geklärt, so daß auch der Zeitpunkt der Trennung der alt- und neuweltlichen Tapire nicht genau bestimmt werden kann. Nach Südamerika gelangten die Tapire erst zu Beginn des Eiszeitalters (Pleistozän), nachdem sich in der jüngsten Tertiärzeit die Landenge von Panama als Brücke zwischen Mittel- und Südamerika gebildet hatte. Auf dem südostasiatischen Festland entstanden zeitweise Großformen, wie *Megatapirus augustus* aus dem Altquartär von China. Die heutigen Tapire sind als Tropenbewohner demnach auf ein Schrumpfgebiet beschränkt. Unter den übrigen alttertiären Tapiren erreichten die Lophiodontiden mit *Lophiodon rhinoceroides* im Jungeozän Europas die Körpermaße großer Nashörner.

Auch die Nashornartigen (Rhinocerotoidea) waren einst viel arten- und formenreicher verbreitet als heute, wo sie mit nur fünf Arten ein gleichfalls völlig getrenntes Verbreitungsgebiet in Afrika und Südasien bewohnen. Die Rhinocerotoidea lassen sich – wie bereits gesagt – auf altertümliche Tapirformen des Alteozäns zurückführen. Bereits im Eozän kam es zur Aufspaltung in mehrere Stämme, aus denen schließlich die Nashörner (Rhinocerotidae) hervorgingen. Zu den ältesten Nashörnern zählt die Gattung *Trigonias* aus dem Altoligozän Nordamerikas. Der Schädel zeigt keinerlei Anzeichen von Nasenhörnern. Diese im Gegensatz zu den Brontotherien hornigen Gebilde entstehen erst im Miozän. Bei *Trigonias* ist das Gebiß nicht ganz vollständig, die Zahnformel lautet $\frac{3\cdot1\cdot4\cdot3}{2\cdot0\cdot4\cdot3}$. Es zeigt die für Nashörner kennzeichnende Rückbildung des Vordergebisses bei zunehmender Vergrößerung je eines Schneidezahnpaares (I^1 und I_2), von denen die unteren bei den »modernen« Formen entweder zu »Hauern« vergrößert *(Rhinoceros, Dicerorhinus = Didermocerus)* oder gänzlich rückgebildet *(Diceros, Ceratotherium)* werden. Aus ursprünglich schlankbeinigen, hornlosen Arten entstanden im Miozän neben den hornlos bleibenden Aceratherien *(Aceratherium)* die heutigen Gattungen. In Nordamerika starben die letzten Nashörner im älteren Pliozän aus. In Europa und im mittleren und nördlichen Asien waren Nashörner mit *Dicerorhinus*-Arten, mit Elasmotherien *(Elasmotherium)* und mit den Fellnashörnern *(Coelodonta antiquitatis)* noch zur Eiszeit weit verbreitet. Das Fell- oder Wollnashorn war als Zeitgenosse des Mammuts *(Mammuthus primigenius)* eine Kaltsteppenform, die – wie Fossilfunde und Zeichnungen belegen – ein dichtes Haarkleid besaß. Bei dem mit wurzellosen Backenzähnen ausgestatteten riesigen *Elasmotherium sibiricum* läßt ein mächtiger Stirnpolster auf ein großes Horn beim lebenden Tier schließen.

Von den Nashornverwandten des Alttertiärs seien nur zwei Gruppen genannt: die plumpbeinigen Sumpfnashörner Eurasiens und Nordamerikas (Amynodontidae mit *Amynodon, Metamynodon, Cadurcodon*) und die Riesennashörner oder Indricotherien Asiens (Indricotheriidae mit *Baluchitherium, Indricotherium, Paraceratherium*). Letztere waren langbeinige und langhalsige Großformen, die den Giraffentyp unter den Unpaarhufern belegen.

Als letzte Untergruppe der Unpaarhufer sind die Ancylopoden (Ancylopoda) mit den Chalicotherien zu erwähnen. Ihre Sonderstellung geht schon daraus hervor, daß man ursprünglich ihre Huftiernatur gar nicht erkannte, sondern ihre fossilen Skelettreste als die Reste von Zahnarmen (Edentata) deutete. So beschrieb Georges Cuvier (1769–1832), der Begründer der

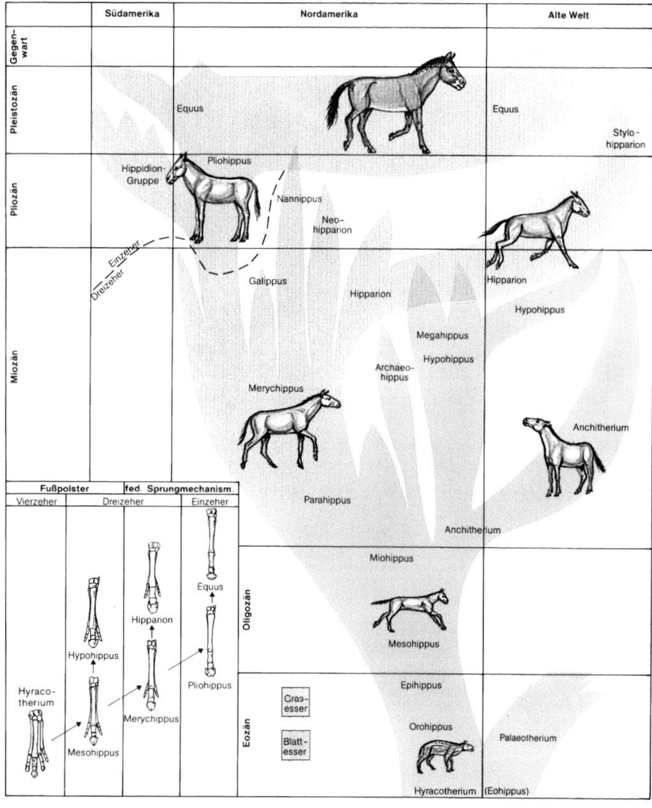

Stammbaum der Equiden. Die kleine Zeichnung (unten links) veranschaulicht die Evolution des Vorderfußes der Pferde.

Wirbeltierpaläontologie, Reste von *Chalicotherium* aus dem Miozän von Sansan (Frankreich) als »Riesenschuppentier«. Auch die Paläontologen Edouard Lartet und Alfred Gaudry bezeichneten Gliedmaßenknochen dieser Huftiere noch als Reste von »großen Zahnarmen«. Solche Deutungen werden verständlich, wenn man die vom normalen Unpaarhufertyp völlig abweichenden Hand- und Fußknochen der Chalicotherien kennt. Bei diesen Tieren waren die Endzehenglieder nämlich nicht hufartig gestaltet, sondern seitlich zusammengedrückt und gespalten, wie es stets dort der Fall ist, wo kräftige, zum Scharren oder Wühlen benötigte Hornkrallen eine entsprechende Verankerung brauchen. Diese wurden bei den Chalicotherien des Jungtertiärs (Gattungen *Chalicotherium, Moropus, Ancylotherium*) bei der Fortbewegung entweder nach aufwärts zurückgezogen oder – wie beim großen Ameisenbären – nach innen eingeschlagen. Der ganze Arm diente mit seinen »Hufkrallen« jedoch nach Auffassung verschiedener Paläontologen nicht als Grabwerkzeug, sondern als »Enterhaken« zum Herabholen von Zweigen.

Als erdgeschichtlich älteste Ancylopoden gelten meist die Gattungen *Eomoropus* und *Grangeria* (Eomoropidae) aus dem Eozän von Nordamerika und Asien. Den Gliedmaßen fehlen zwar richtige »Hufkrallen«, das Gebiß zeigt jedoch Ähnlichkeiten mit dem der Chalicotherien.

Die Chalicotherien (Chalicotheriidae) selbst erscheinen erst im jüngeren Alttertiär (Oligozän). Unter ihnen sind zwei Hauptstämme zu unterscheiden, die Schizotheriinen (Gattungen *Schizotherium, Moropus, Ancylotherium*) und die Chalicotheriinen (Gattungen *Chalicotherium, Nestoritherium*). Die Chalicotherien waren im Jungtertiär über ganz Eurasien, Afrika und Nordamerika verbreitet. In Afrika und Südasien lebten sie noch zur Eiszeit.

Neben zahlreichen Knochenfunden verraten uns auch Höhlenmalereien, daß Unpaarhufer wie Wildpferde und Wollnashörner während der letzten Eiszeit zu besonders begehrten Beutetieren des Menschen gehörten, von deren Fleisch er sich ernährte. Diese Darstellung eines Pferdes in der Höhle von Niaux (Frankreich) entstand vor etwa 13000 Jahren.

Verwilderte Hauspferde in der weiten argentinischen Pampa.

Pferde

Von Hans Klingel

Heutige Verbreitung. Von den sechs heutigen Arten dieser nur aus einer einzigen Gattung *Equus* bestehenden einheitlichen Gruppe sind vier in Afrika beheimatet: Steppenzebra *(Equus quagga)*, Bergzebra *(E. zebra)*, Grevy-Zebra *(E. grevyi)* und Wildesel *(E. africanus)*. Zwei Arten sind asiatisch: Przewalski-Pferd *(E. przewalskii)* und Halbesel *(E. hemionus)*. Die Verbreitungsgebiete überlappen sich: Im westlichen Etoscha-Nationalpark in Namibia kommen Hartmann-Bergzebra und Damara-Steppenzebra nebeneinander vor, im Samburu-Distrikt und Nachbargebieten in Nordkenia Böhm-Steppenzebra und Grevy-Zebra, im südlichen Danakil in Äthiopien Grevy-Zebra und Somali-Wildesel. Auch die beiden asiatischen Arten hatten ein Überschneidungsgebiet in der Wüste Gobi in der Mongolei.

So ähnlich die verschiedenen Pferdearten uns auch erscheinen mögen, so ähnlich viele Verhaltensweisen und auch die Lautäußerungen tatsächlich sind: Die Vertreter der verschiedenen Arten nehmen im Freiland keine besonderen Beziehungen zueinander auf, es kommt zwischenartlich nicht zu gegenseitigem Beriechen, zum Spiel, zur Hautpflege oder gar zur Paarung.

In Menschenobhut sind jedoch alle Arten untereinander kreuzbar, was ihre nahe Verwandtschaft bezeugt. Vor allem wenn keine artgleichen Geschlechtspartner in der Nähe sind, kommt es leicht zu zwischenartlichen Verpaarungen. Die Nachkommen sind wegen der unterschiedlichen Chromosomenzahlen (von 32 bis 66) im allgemeinen unfruchtbar.

Über die engeren Verwandtschaftsbeziehungen der Pferde bestehen noch Unklarheiten, aber sicherlich sind die drei Zebras untereinander nicht näher als mit den übrigen Formen verwandt: Das Streifenmuster ist kein systematisches Merkmal. Es bestehen sogar deutliche Hinweise darauf, daß ursprünglich alle Pferde und ihre Vorfahren gestreift waren. Das zeigt auch die Beinstreifung beim Somali-Wildesel und gelegentlich beim Hauspferd, der Aalstrich bei Wildesel, Halbesel, Przewalski-Pferd und einigen Hauspferderassen.

Haustierwerdung. Das Hauspferd *(Equus przewalskii f. caballus)* ist vermutlich aus allen drei Unterarten des Urwildpferds *(Equus przewalskii)*, also dem Wald- und dem Steppentarpan und dem eigentlichen Przewalski-Pferd, hervorgegangen, aber Beweise gibt es dafür nicht. Auch Ort und Zeit der Haustierwerdung sind nicht zu ermitteln. Der früheste Bericht stammt aus China, wo der Kaiser Fo Hi im Jahre 3468 v.Chr. Hauspferde eingeführt haben soll, die dann rasch verbreitet wurden. Diese Pferde dürften unmittelbare Abkömmlinge des östlichen Przewalski-Pferdes *Equus przewalskii* sein, das sicher damals auch schon in Nordchina und der Mongolei beheimatet war. Um 1400 v.Chr. war das Hauspferd bei den Hethitern bekannt und wurde unter anderem als Zugtier für die Kampfwagen verwendet. Nach Mitteleuropa kam das Hauspferd erst ein paar hundert Jahre später.

Der Hausesel stammt vom (afrikanischen) Wildesel

Przewalski-Pferde aus dem Kölner Zoo. Ihre Kennzeichen sind die Stehmähne und der schmale Aalstrich, der auf der Hinterpartie des zweiten Tiers zu erkennen ist. Hauspferde dürften Abkömmlinge des Przewalski-Pferdes sein.

ab. Im Altertum sind offenbar im Vorderen Orient auch Halbesel als Zug- oder Tragtiere gehalten und möglicherweise auch vom Menschen gezüchtet worden, das heißt, erste Schritte zur Domestikation auch dieser Art wurden vermutlich unternommen. Das gilt aber sicher nicht für die übrigen Formen. Erst in neuerer Zeit wurden Zebras gelegentlich als Reit- und Zugtiere eingesetzt. Alle nicht domestizierten Pferde sind jedoch wenig ausdauernd, und da kaum ein Bedarf an weiteren pferde- oder eselähnlichen Haustieren besteht, werden keine ernsthaften Zähmungs- und Züchtungsversuche unternommen.

Von den Mischformen werden als Last- und Reittiere vor allem die Maulesel (aus Pferdehengst und Eselstu-

Der afrikanische Wildesel ist ein echtes »Grautier« mit kurzem glattem Fell und einem feinen Aalstrich auf dem Rücken. Von ihm stammt der Hausesel ab.

te) und die Maultiere (aus Eselhengst und Pferdestute) als Lasttiere verwendet. Zebroide aus Grevy-Zebra und Pferd sind als Last- und Reittiere im Hochgebirge des Mount Kenia von Bedeutung und angeblich Maultieren und Pferden überlegen. Die übrigen Kreuzungen sind eher als Kuriositäten anzusehen.

Streifung und andere äußere Merkmale. Über die Bedeutung der Streifung bei den Zebras wurde viel gerätselt, und manche abwegige Erklärung ist im Umlauf. Wahrscheinlich und weitgehend gesichert ist, daß die Streifenmuster erstens zum individuellen Erkennen (bei Berg- und Steppenzebra) dienen, zweitens eine Tarntracht darstellen, die vor allem bei hohen Temperaturen und entsprechendem Luftflimmern auf einige hundert Meter ein Zebra gegenüber einem einfarbigen Tier »verschwimmen« läßt, drittens vor blutsaugenden, krankheitsübertragenden Insekten, den Tsetsefliegen der Gattung *Glossina,* teilweise schützen. Die Schutzwirkung gegen Tsetsefliegen wurde experimentell überprüft. Dabei zeigte sich, daß schwarze und weiße Attrappen von den Fliegen wesentlich häufiger als gestreifte angeflogen wurden. Es wird vermutet, daß die Fliege aufgrund des Baus ihres Facettenauges in einem bestimmten Abstand das Zebra nicht mehr als Körper erkennen kann.

Die Wildequiden haben allgemein eine Stehmähne. Manche Przewalski-Pferde besitzen eine Hängemähne, was auf die Einkreuzung einer Hauspferdstute zu Beginn der Zucht um die Jahrhundertwende zurückzuführen ist. Die asiatischen Arten haben im Winter ein dickes Winterfell, das im Frühjahr gewechselt wird. Bei den Grevy-Zebras sind die dunklen Haare länger als die weißen, und vor allem bei Jungtieren fällt der Aalstrich auf, der wie eine kurze Mähne bis zum Schwanzansatz reicht. An den Innenseiten der Beine haben die Pferde sogenannte »Kastanien« ausgebildet. Das sind warzenähnliche, haarlose Hautveränderungen, über deren Bedeutung gerätselt wird. Sie kommen bei allen Pferden an den Vorderbeinen, beim Przewalski- und beim Hauspferd auch an den Hinterbeinen vor.

Gebiß und Altersbestimmung. Pferde haben in jeder Kieferhälfte 11 Zähne: 3 Schneidezähne, 1 Eckzahn, 4 vordere (Prämolaren) und 3 hintere Backenzähne (Molaren). Zwischen den Schneidezähnen im vorderen Teil des Kiefers und den Prämolaren und Molaren im hinteren ist eine Lücke, in der der Eckzahn steht. Dieser ist beim Hengst meißelförmig, etwa so groß wie ein Schneidezahn und kann als Waffe verwendet werden; bei der Stute ist er, wie allgemein auch der 1. Prämolar, winzig klein und ohne Funktion. Bis auf die Molaren sind alle Zähne zuerst als Milchzähne angelegt, die dann im Laufe der Jugendentwicklung durch die bleibenden Zähne ersetzt werden. Der Durchbruch der einzelnen Zähne und der Zahnwechsel sind altersabhängig und können deswegen für die Altersbestimmung verwendet werden. Hinzu kommt,

daß die Schneidezähne (bei manchen Arten nur im Oberkiefer) sogenannte »Kunden« haben. Das sind natürliche Vertiefungen auf der Kaufläche, die durch die Abnutzung des Zahns immer flacher werden und schließlich verschwinden, wiederum altersabhängig. Weiter ändert sich die Form der Kaufläche bei den Schneidezähnen: Zuerst sind sie quer-oval, dann werden sie rund und schließlich längs-oval. Bei der Geburt sind als erste die mittleren Milchschneidezähne gerade durchgebrochen oder kurz davor. Dann erscheinen nach und nach die übrigen Milchzähne. Mit 2½ Jahren werden die mittleren Schneidezähne gewechselt; mit 4½ Jahren ist der Zahnwechsel abgeschlossen. Mit 10 Jahren verschwinden die Kunden vom mittleren, mit 12 vom 2. und mit 13–14 vom 3. Schneidezahn. Zwischen den verschiedenen Arten und auch bei verschiedenen Zuchtlinien gibt es Abweichungen, außerdem ist der Abrieb der Zähne von der Futterbeschaffenheit abhängig. Trotzdem ermöglichen diese Merkmale die Bestimmung des Alters eines Pferdes mit großer Zuverlässigkeit und genauer als bei anderen Tiergruppen.

Lebensraum und Ernährung. Pferde sind Bewohner offener Landschaften, nur Esel und Bergzebra leben auch im Gebirge. Die weitaus meisten Pferde bewohnen Gebiete, wo sie durch Nahrungs- oder Wassermangel zu regelmäßigen oder auch unregelmäßigen Wanderungen gezwungen werden. Alle sind auf Trinken angewiesen, besonders in den Trockenzeiten, wenn die Nahrung wenig Wasser enthält. Die Bewohner extremer Trockengebiete, Grevy-Zebra, Bergzebra und Esel, kommen offenbar auch mit salzhaltigem Wasser aus und sind dadurch im Vorteil gegenüber Steppenzebras und anderen Konkurrenten. Im Überschneidungsgebiet von Steppen- und Grevy-Zebra in Nordkenia finden in regenreichen Jahren beide Arten geeignete Lebensbedingungen, und die Steppenzebras dringen nach Norden vor. In Dürrezeiten dagegen verschwinden die Steppenzebras wieder: Manche wandern in die feuchteren Gebiete zurück, aber viele, in manchen Jahren Tausende von Tieren, sterben an Wassermangel. Die Grevy-Zebras dagegen scheinen die Dürre ohne größere Verluste zu überstehen; allerdings ist ihre Fortpflanzungsrate dann erheblich eingeschränkt.

Die Nahrung der Pferde besteht hauptsächlich aus Gras, in Notzeiten auch aus Blättern und Rinde. Die Mahlzähne mit Schmelzfalten auf der Kaufläche sind für die Zerkleinerung harter Gräser hervorragend geeignet. Der hohe Kieselsäuregehalt der Gräser führt zu einer zusätzlichen starken Abnützung der Zähne, die aber durch ständiges Nachwachsen ausgeglichen wird. Zur Nahrungsaufnahme wandern die Tiere täglich zum Teil über beträchtliche Entfernungen von ihren Schlafplätzen zu den Weidegebieten, die Steppenzebras im Ngorongoro-Krater bis zu 13 Kilometer. Die Größe der Aktionsräume ist abhängig von der Nahrungsproduktion des Gebiets und liegt im günstigsten Fall bei etwa 1 km^2 (halbwilde Hauspferde in England, verwilderte Esel in USA). Die Obergrenze ist schwer zu bestimmen. Die Steppenzebras im Ngorongoro-Krater haben Aktionsräume von bis zu 250 km^2, die der Serengeti wie auch Grevy-Zebra, Wildesel und Hartmann-Bergzebra im Laufe eines Jahres von mehreren 1000 km^2.

Alle bisher untersuchten freilebenden Pferde verbringen etwa 50% der Zeit mit der Nahrungsaufnahme. Dieser Wert scheint unabhängig von der Beschaffenheit der Weide zu sein.

Pferde beherbergen in ihrem Darm symbiontische Einzeller, welche die Nahrung, vor allem die Zellulose, aufschließen. Junge Fohlen nehmen in den ersten Lebenstagen regelmäßig und gezielt Kot von einem Artgenossen auf, üblicherweise der Mutter. Dieses Verhalten ist schon seit langem bei Pferdezüchtern bekannt und wurde häufig als eine Unart angesehen. Es dient aber dazu, die lebenswichtigen Darmsymbionten aufzunehmen, und die Fohlen sollten keineswegs daran gehindert werden. Auch das Verzehren von Erde hat meistens einen guten Grund: Die Pferde nehmen auf diese Weise wichtige Mineralien auf, die im Futter fehlen.

An die Reinheit des Trinkwassers stellen die Pferde keine sehr hohen Ansprüche. Sie nehmen sauberes

Grevy-Zebras und Steppenzebras in einer gemischten Gruppe. Solche Zusammenschlüsse verschiedener Arten sind nicht selten, aber meist doch nur von kurzer Dauer.

▷ Ein schwarzer Mustanghengst in freier Wildbahn. Mustangs sind jedoch keine echten Wildpferde, sondern ehemalige Hauspferde, die in den nordamerikanischen Prärien verwilderten.

▷▷ Diesen Mustangs steht der Freiheitsdrang ins Gesicht geschrieben.

Flußwasser, aber auch salz- und sodahaltiges Wasser aus abflußlosen Seen oder Tümpeln auf. Wahrscheinlich können alle Pferde mit den Vorderhufen Wasserlöcher graben, in denen sich dann sauberes, durch den Sand gefiltertes Wasser sammelt.

Bewegung und Ruhe: Die Pferde bewegen sich im Kreuzgang, seltener Paßgang, Trab oder Galopp, und in Zwischenformen, die in Takt und Fußfolge von den Grundgangarten abweichen.

Pferde ruhen im Stand und im Liegen. Beim Ruhen im Stand haben sie den Kopf gesenkt, die Augen halb geschlossen, die Ohren nach der Seite gedreht, und häufig ist ein Hinterfuß entlastet; der Schwanz schlägt reflektorisch langsam nach den Seiten. Bei der Seitenlage strecken die Tiere die Beine vom Körper ab, liegen flach auf dem Untergrund und versinken auch in Tiefschlaf. Diese Form der Ruhe sieht man vor allem bei Jungtieren. Ältere Tiere ruhen in der Bauchseitenlage mit untergeschlagenen Beinen. In dieser Lage können sie sofort aufspringen, sind also weniger gefährdet.

Rechts: Zwei Chapman-Steppenzebras beim Sozialkontakt. - Unten: Wahrscheinlich können alle Pferdearten wie diese Böhm-Steppenzebras schwimmen.

Vor dem Niederlegen gehen die Pferde mit gesenktem Kopf einige Schritte vorwärts, stellen die Beine dicht zusammen, knicken mit den Vorderbeinen ein und rollen über einen Vorderfuß die gleichseitige Schulter, Brust und Flanke ab: So kommt das Tier in die Bauchseitenlage. Beim Aufstehen erhebt sich das Tier aus dieser Lage zuerst mit dem Vorderkörper: Die Vorderbeine werden nach vorne gestreckt, die Hinterbeine gegen den Boden gestemmt, dann bewegt sich der Körper ruckartig nach vorn und damit in den Stand. Jungtiere legen sich auch zuerst hinten nieder und stehen auch hinten zuerst auf, wie Rinder.

Zum Schwimmen dürften alle Pferdearten befähigt sein; unter den Wildequiden wurde es bei Halbesel (Kiang) und Steppenzebra beobachtet, vom Pferd ist es allgemein bekannt.

Körperpflege und Ausdrucksverhalten. Zur Körperpflege haben die Pferde eine ganze Reihe von Möglichkeiten: Zur Abwehr von lästigen Insekten zucken sie an der betroffenen Stelle mit der Haut oder schlagen mit Schwanz oder Hinterbein oder Kopf, stoßen mit den Beinen auf oder schütteln sich. Außerdem scheuern sie sich zur Reinigung der Haut von Schuppen, losen Haaren und Fremdkörpern im Stehen an Bäumen,

Steinen, Termitenhaufen, im Liegen am Boden; sie kratzen sich mit den Hinterbeinen an Kopf und Hals, beknabbern ihr Fell, soweit erreichbar, mit den Zähnen und wälzen sich im Staub und im trockenen oder feuchten Sand oder auch im Gras. Bei der sozialen Hautpflege beknabbern sich die Tiere gegenseitig, vor allem an den Stellen, die jeder für sich nicht erreichen kann. Dieses Verhalten erfüllt eine wichtige soziale Aufgabe, was sich auch in der Bevorzugung bestimmter Partner zeigt und in der Tatsache, daß es im Paarungsvorspiel vorkommt. Auch der Mensch kann »Putzkumpan« sein, und durch Bürsten und Kratzen werden scheue Tiere, zum Beispiel wildgefangene Zebras, schnell zutraulich. Das Hautpflegeverhalten ist

angeboren und schon wenige Stunden bis Tage nach der Geburt ausgebildet.
Als gesellige Tiere verfügen die Pferde über ein reiches Ausdrucksverhalten und Signale, die der innerartlichen Verständigung und der Kontaktsuche und -haltung dienen. Einander bekannte Tiere erkennen sich an Aussehen und Ruf, über kurze Entfernungen auch am Geruch. Bei den Zebras spielt das Streifenmuster eine Rolle beim Erkennen.
Manche Lautäußerungen sind bei den verschiedenen Arten recht ähnlich, so das kurze Schnauben als Warnruf, das lange Schnauben als Ausdruck des Wohlbefindens. Die Kontakt- und Territorialrufe sind artlich unterschiedlich: Das Pferd wiehert, Esel und Halbesel schreien, das Grevy-Zebra röhrt, das Bergzebra pfeift, das Steppenzebra bellt. Trotz der Unterschiede scheinen aber diese Rufe gewisse Gemeinsamkeiten zu haben: Die Pferde reagieren im Versuch, wenn sie keinen oder wenig Kontakt zu Artgenossen haben, auch auf artfremde Pferderufe und antworten darauf, während ihnen Rufe von Rindern und Antilopen offenbar gleichgültig sind.
Die Stellung der Ohren, das Verziehen der Mundwinkel, das Entblößen der Zähne, das Öffnen des Mauls, die Haltung von Kopf und Schwanz, sowie die entsprechenden Bewegungen sind Signale, mit denen die Tiere ihre Stimmung oder auch ihre »Absichten« anzeigen; die Kombination ermöglicht Abstufungen. Angelegte Ohren zum Beispiel bedeuten Drohen, stärkeres Drohen wird zusätzlich durch tiefgehaltenen Kopf und leicht geöffnetes Maul angezeigt. Bei der Begrüßung, bei der die Tiere Nasenfühlung miteinander aufnehmen, sind die Ohren bei gleichrangigen Tieren nach vorn gestellt; ein tieferrangiges Tier legt die Ohren dabei zurück. Jungtiere zeigen bei der Begrüßung mit Erwachsenen eine Unterlegenheitsgebärde, die bei seitwärts-rückwärts gehaltenen Ohren aus Kaubewegungen mit entblößten Schneidezähnen besteht. Ganz ähnlich ist das sogenannte »Rossigkeitsgesicht«, das rossige Stuten bei der Annäherung des Hengstes und während der Paarung zeigen. Beim Pferd kommt dieser Ausdruck nur bei jungen Stuten vor.
Ein weiterer Gesichtsausdruck ist das Flehmen, das auch bei anderen Säugern, zum Beispiel Paarhufern, Katzen und Bären, vorkommt und das beim besonders gründlichen Riechen an Kot- und Harnstellen von Artgenossen gezeigt wird; es kann aber auch durch fremde Duftstoffe ausgelöst werden. Beim Flehmen halten die Pferde den Kopf hoch und entblößen durch Hochrollen der Oberlippe die oberen Schneidezähne. Dadurch gelangt die eingesogene Luft in einen Bereich der Riechschleimhaut, der besonders empfindlich für die für das Zusammenleben und die innerartliche Verständigung wichtigen Gerüche ist.
Rangordnung und Leittiere. Bei den Pferden sind verschiedene Formen der Rangordnung ausgebildet. Bei den Arten mit Familienverbänden als Grundeinheit (Steppenzebra, Bergzebra und Pferd) besteht in der Familie eine individualisierte Rangordnung, in der jedes Mitglied jedes andere persönlich kennt. An erster Stelle steht der Hengst, unter ihm die Stuten. Frisch in die Familie aufgenommene Stuten stehen zunächst an letzter Stelle, können aber nach und nach aufrücken. Die Fohlen haben eine Rangordnungsstellung, die etwa ihrer Größe entspricht, allerdings ziehen sie Vorteile aus dem Rang der Mutter, wenn sie in der Nähe ist. Rangordnungen können über Monate und Jahre unverändert bleiben; sie werden durch gegenseitiges Drohen mit Zähnen und Hufen oder auch durch Kämpfe entschieden.

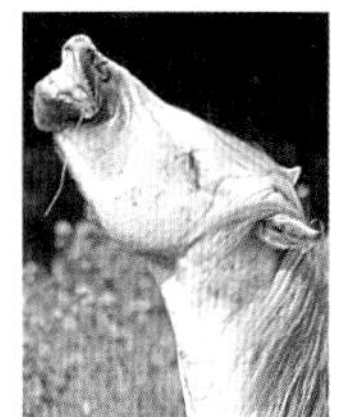

Beim Flehmen hebt das Pferd den Kopf und entblößt die oberen Schneidezähne. So gelangen die mit der Luft eingesogenen Duftstoffe in einen besonders empfindlichen Bereich der Riechschleimhaut.

Die Rangordnung hat eine enge Beziehung zur Marschordnung. Meist wird die Gruppe von der ranghöchsten Stute angeführt, hinter der sich die übrigen Stuten ihrem Rang entsprechend einordnen. Die Fohlen gehen hinter ihrer Mutter, und zwar das jüngste zuerst. Die Leitstute entscheidet, welche Richtung eingeschlagen wird, welche Wasserlöcher aufgesucht werden, wo und wie lange geweidet wird. Wenn eine rangniedere Stute an der Spitze ist, wird sie von der Leitstute angedroht, bis diese wieder die Führung übernommen hat. Auch der Hengst kann die Gruppe anführen; er führt vor allem in gefährlichem, unübersichtlichem Gelände. Außerdem kann er die Marschrichtung auch von seinem üblichen Platz in der Marschordnung, nämlich am Ende der Gruppe, bestimmen. Dazu geht er etwas schneller als die Gruppe seitlich von ihr und droht mit tiefgehaltenem Kopf; die Stuten wenden sich von ihm ab und schlagen die neue Richtung ein.
Die Ranghöhe des Hengstes ist natürlich Voraussetzung für den Zusammenhalt der Stutengruppe. Welchen Sinn die Rangordnung unter den Stuten hat, ist jedoch nicht eindeutig. Möglicherweise ist es von

Vorteil für die ranghohe Stute, ihre eigenen Kinder zu ihr bekannten guten Weideflächen, Schlafplätzen und Wasserstellen zu führen und ihnen damit einen Vorteil gegenüber anderen Artgenossen zu verschaffen. Die anderen Stuten nutzen diese Kenntnisse und lernen die guten Stellen, indem sie hinterhergehen.

Die Familienhengste sind untereinander gleichrangig, aber den Junggesellen überlegen. Hier kennen sich die Partner nicht persönlich, das heißt, die Rangstellung ist abhängig vom sozialen Status, vom »gesellschaftlichen Ansehen«. Deswegen wird diese Form der Rangordnung auch als Klassenrangordnung bezeichnet.

Rechts: Auch Onager steigen nach Pferdeart beim Spielkampf hoch. - Unten: Familie von Böhm-Steppenzebras, angeführt von der ranghöchsten Stute, auf Wanderschaft im Ngorongoro-Krater.

Auch bei den territorialen, also revierbesitzenden und -verteidigenden Arten Grevy-Zebra, Wildesel und Halbesel ist ebenfalls eine solche Klassenrangordnung zu erkennen. In der höchsten Klasse sind die territorialen Hengste, die untereinander auf neutralem Boden oder im Grenzbereich der Territorien die gleiche Ranghöhe haben. Darunter stehen die Stuten und die nichtterritorialen Hengste, gefolgt von den Fohlen nach ihrer Größe. Persönliches Kennen spielt bei diesem Gefüge in der natürlichen Umwelt offenbar keine Rolle, aber in kleinen Populationen kann es auch wieder zu einer individualisierten Rangordnung kommen, die auf persönlichem Kennen beruht.

Bei diesen Arten hat die Rangordnung keine Beziehung zur Marschordnung. Jedes beliebige Tier kann Anführer einer Gruppe sein, die ja nur einen losen Zusammenschluß darstellt. Ich habe das vor allem beim Grevy-Zebra und beim Wildesel genauer beob-

achtet. In einer ziehenden Gruppe wechseln die Anführer, das heißt, es gibt kein bestimmtes Leittier. Aus einer ruhenden Gruppe kann sich ein Tier lösen, langsam weggehen und damit die ganze Gruppe zum Mitwandern veranlassen. Wenn die anderen zurückbleiben, geht der »Anführer« entweder allein weiter, oder er kehrt zur Gruppe zurück. Übrigens können auch Artfremde als Leittiere auftreten, etwa Steppenzebras für Grevy-Zebras.

In menschlicher Obhut sind Rangordnungsbeziehungen oft wesentlich deutlicher als im Freiland zu erkennen, denn hier gibt es häufiger eindeutige Wettbewerbssituationen, zum Beispiel an der Krippe, am Wassereimer, an einer Scheuerstelle oder an einem Weidezaun, wo Spaziergänger Futter oder Zucker austeilen. Hier sind meist die größeren Tiere rang-

hoch, beispielsweise Wallache, aber auch das persönliche Temperament spielt eine wichtige Rolle.

Markieren. Misthaufen und Harnstellen haben für Pferde, vor allem für die Hengste, offenbar eine besondere Bedeutung. Das Verhalten läuft im allgemeinen folgendermaßen ab: Das Tier sucht die Stelle auf, beriecht sie, flehmt, geht dann ein paar Schritte vor und harnt oder mistet auf Misthaufen beziehungsweise harnt auf Harnstellen. Da mehrere Tiere an derselben Stelle Mist absetzen, kommt es zu größeren Haufen, die mehrere Quadratmeter Grundfläche haben können. Bei den territorialen Arten Grevy-Zebra, Wildesel und Halbesel ist der Zweck ersichtlich. Hier orientiert sich offenbar der territoriale Hengst an den von ihm selber angelegten Haufen, die sich an den Grenzen und im Innern des Territoriums befinden.

Das entsprechende Verhalten bei Steppenzebra, Bergzebra und Pferd hat keine eindeutige Aufgabe. Manche Fachleute vermuten, daß ein Hengst durch das Markieren der Ausscheidungen seiner rossigen Stute den Rossigkeitsgeruch überdeckt und damit verhindert, daß sich fremde Hengste um die Stute bemühen. Im Freiland zeigt sich, daß das Markieren nicht so

wichtig ist: Der Hengst unterläßt es auch immer wieder, und trotzdem kommen keine fremden Hengste hinterher. Das Markierungsverhalten zeigen auch Hengste in Hengstgruppen, Stuten und sogar Fohlen.

Begrüßung. Beim Zusammentreffen mit Artgenossen zeigen die Pferde ein vielseitiges Begrüßungsritual. Zunächst strecken sie die Köpfe gegeneinander und beriechen sich an der Nase, dann an anderen Körperteilen, besonders in der Schwanz- und Geschlechtsgegend. Dann kann es zu Schieben und Drängeln kommen, zum Auflegen des Kopfs auf den Rücken des Partners, wieder zum Nasenkontakt und schließlich zu einer mehr oder weniger ausgeprägten »Verabschiedung«. Diese ist besonders auffällig beim Steppenzebra, wo die Hengste einen »Abschiedssprung«, manchmal auch nur die Andeutung davon machen, nämlich einen großen Schritt, oder sie schlagen nur den Kopf hoch.

Die Bedeutung dieses Verhaltens ist noch nicht völlig geklärt. Sicher ist, daß sich die Tiere auf diese Weise kennenlernen, sich am Geruch erkennen sowie den eigenen sozialen und physiologischen Status mitteilen beziehungsweise den fremden überprüfen. Daneben könnten Begrüßungen auch Kraftproben sein, zumal sie bei den Hengsten besonders häufig und ausführlich vorkommen. Sicher ist aber auch, daß Pferde Begrüßung spielen, was man daran erkennt, daß sie die einzelnen Verhaltensweisen in beliebiger Reihenfolge vielfach wiederholen.

Kämpfe und Spiele. Pferde regeln kleinere Meinungsverschiedenheiten durch Drohen, das heißt durch Andeuten der Kampfbereitschaft durch Entblößen der Zähne und durch Vorbereitungen zum Zuschlagen mit den Hinterhufen.

Zu richtigen Kämpfen kommt es zwischen Hengsten um den Besitz einer Familie oder einer Stute (bei Steppenzebra, Bergzebra und Pferd) und um den Besitz eines Territoriums (bei Grevy-Zebra, Wildesel und Halbesel). Mehrere Kampfweisen sind zu unterscheiden, die miteinander abwechseln oder ineinander übergehen können. Beim Kampfkreiseln drehen sich die Partner umeinander, wobei jeder versucht, den andern in die Beine zu beißen und sich gleichzeitig vor dessen Bissen zu schützen. Zur Verteidigung werden die Beine abgewinkelt, und die Tiere lassen sich auf die »Knie« (die Handwurzelgelenke) nieder und schützen die Beine mit ihren Körpern, oder sie setzen sich, beim Angriff auf die Hinterbeine, auf den Boden. So rutschen sie dann umeinander herum, springen zwischendurch wieder auf, greifen an, gehen in die »Knie« usw. Aus dem Kreiseln kann sich auch ein Halskampf entwickeln. Dabei versucht jeder, mit seinem Hals den Kopf des andern herunterzudrücken. Die härteste Kampfart ist das Schlagen mit den Vorderbeinen bei gleichzeitigem Beißangriff auf Ohren, Kehle und Nacken des Partners; dabei stehen die Tiere aufrecht auf den Hinterbeinen. Allerdings kommt es dabei bei aller Dramatik weniger darauf an, den Gegner zu verletzen, als ihn aus dem Gleichgewicht zu bringen: Wer umfällt, hat verloren und flieht.

Stuten und Fohlen kämpfen meist mit den Hinterhufen. Dazu drehen sie sich mit dem Hinterende zum Gegner und schlagen nach hinten aus. So verteidigen sich Pferde auch gegen Beutegreifer.

Die Pferde haben Waffen: Zähne und Hufe, die für Artgenossen vergleichsweise ungefährlich sind. Sie können einander höchstens schmerzhafte Prellungen oder Fleischwunden zufügen, schlimmstenfalls ein Ohr abbeißen, aber sie können sich nicht gegenseitig umbringen. Das bedeutet, daß sie die Waffen auch ohne Hemmung gegeneinander einsetzen, oder umgekehrt, daß sich keiner in zu große Gefahr begibt, wenn er so hart wie möglich zuschlägt und der Gegner daraufhin genauso hart zurückschlägt. Außerdem kann jeder jederzeit den Kampf abbrechen und fliehen, wobei sich der Verfolger der Gefahr aussetzt, vom Flüchtenden Hufschläge abzubekommen.

Wenn eine Flucht nicht möglich ist, wie zum Beispiel auf einer Weide oder in einem engen Gehege, dann kann ein Kampf auch tödlich enden. Im Freiland ist das jedoch nicht vorstellbar und ist auch noch nie beobachtet worden.

Pferde spielen, wenn es ihnen gut geht, wenn sie überschüssige Kraft loswerden wollen, wenn es nicht zu heiß und nicht zu kalt ist. Fohlen spielen vor allem Bewegungsspiele: Sie galoppieren um ihre Mutter herum, schlagen mit den Hinterbeinen aus, spielen Fangen. Hengstfohlen und Junghengste veranstalten Kampfspiele, in denen die Bestandteile des Ernstkampfs stark verlangsamt und entschärft auftreten, und reiten spielerisch auf. Bei den Steppen- und Bergzebras spielen die Hengste auch Begrüßung, gleichfalls mit Abwandlung der »richtigen« Begrüßung und

Pferde (Equidae)

Name deutscher Name wissenschaftlicher Name englischer Name (E) französischer Name (F)	**Körpermaße** Kopfrumpflänge (KRL) Schwanzlänge (SL) Standhöhe (SH) Gewicht (G)	**Auffällige Merkmale**	**Fortpflanzung** Tragzeit (Tz) Zahl der Jungen je Geburt (J) Geburtsgewicht (Gg)
Steppenzebra *Equus quagga* mit 6 Unterarten E: Plains zebra F: Zèbre des plaines	KRL: 240 cm SL: 50 cm SH: 125–135 cm G: 300 kg	Nördliche Formen mit deutlichen schwarzen Streifen auf weißem Grund; nach Süden hin Grundfarbe zunehmend gelblich-bräunlich, Ausbildung von Zwischenstreifen, Streifung der Beine und des Rumpfes verringert	Tz: 1 Jahr J: 1 Gg: 30 kg
Bergzebra *Equus zebra* mit 2 Unterarten E: Mountain zebra F: Zèbre de montagne	KRL: 220 cm SL: 50 cm SH: 120–130 cm G: ♂♂ 370 kg, ♀♀ 260–320 kg	Dicht schwarz-weiß gestreift; Kehlwamme	Tz: 1 Jahr J: 1 Gg: 25 kg
Grevy-Zebra *Equus grevyi* E: Grevy's zebra F: Zèbre de Grévy	KRL: 300 cm SL: 55 cm SH: 145–160 cm G: 450 kg	Enge Streifung; runde Ohren	Tz: 390 Tage J: 1 Gg: 40 kg
Wildesel *Equus africanus* mit 2 Unterarten E: African wild ass F: Ane sauvage	KRL: 200 cm SL: 42 cm SH: 125–145 cm G: 275 kg	Kurzes, glattes Fell, vorwiegend grau; Unterseite heller; schmaler dunkler Aalstrich auf dem Rücken; Somali-Wildesel mit Beinstreifung	Tz: 1 Jahr J: 1 Gg: 25 kg
Halbesel *Equus hemionus* mit 5 Unterarten E: Asiatic wild ass F: Hémione	KRL: 210 cm SL: 50 cm SH: 120–140 cm G: 290 kg	Fell gelb- bis rötlichbraun, im Winter heller; Bauch hell; ausgeprägter Aalstrich	Tz: 1 Jahr J: 1 Gg: 25 kg
Przewalski-Pferd, Urwildpferd *Equus przewalskii* E: Przewalski's horse, Wild horse F: Cheval de Prjevalski	KRL: 210 cm SL: 90 cm SH: 140 cm G: 350 kg	Gedrungene Gestalt; Beine verhältnismäßig kurz; Stehmähne; schmaler Aalstrich	Tz: etwa 340 Tage J: 1 Gg: 30 kg

mit häufigen Wiederholungen. Auch die Hautpflege scheint gelegentlich spielerisch ausgeführt zu werden. Bestimmte Tiere bevorzugen einander als Spielkumpane.

Auch Artfremde können Spielgefährten sein, meistens wohl unfreiwillig: Gazellen, Vögel, Mungos und andere werden von Fohlen spielerisch gejagt, aber mit Menschen, Hunden und anderen Tieren kann sich auch ein echtes Partnerspiel entwickeln. Spiele mit Gegenständen kommen vor: Äste werden herumgetragen, Eimer durch den Stall gerollt.

Fortpflanzung. Pferde sind das ganze Jahr hindurch fortpflanzungsfähig, die Mehrzahl der Fohlen wird jedoch in einem Zeitraum von einigen Monaten geboren, wenn die Bedingungen am günstigsten sind: in den Tropen während einer Regenzeit, in den gemäßigten Breiten im Frühjahr. Eine kurze Fortpflanzungszeit ist vorteilhaft, da die Beutegreifer dann nur einen geringeren Anteil der Jungtiere erbeuten können als bei gleichmäßiger Verteilung der Geburten über das Jahr. Die Pferde sind in dieser Hinsicht nicht besonders gut angepaßt: Bei den Steppenzebras im ostafrikanischen Ngorongoro-Krater ist ein Geburtengipfel im Januar zu erkennen, aber die Fohlzeit zieht sich über sechs Monate hin, und auch im restlichen Halbjahr kommen noch Fohlen zur Welt, die aber zum größten Teil bald nach der Geburt geschlagen werden.

Pferdestuten sind im Freiland mit 2,5, Hengste mit 4 bis 5 Jahren fortpflanzungsfähig. Die Geschlechtsreife tritt schon eher ein, zumal bei den Hengsten, und in Menschenobhut, wenn sie sich nicht gegen ältere Mitbewerber behaupten müssen, können auch schon wesentlich jüngere Hengste zur Fortpflanzung kommen. Die Stuten werden im Alter von etwa 1,5 Jahren erstmals für die Hengste interessant, sie kommen in Östrus, in die »Rosse«, sind aber erst etwa ein Jahr später fruchtbar. Die Östren wiederholen sich im Abstand von einigen Wochen. 7 bis 10 Tage nach einer Geburt wird die Stute wieder rossig und wird gedeckt. Da die

Böhm-Steppenzebrahengste beim sogenannten Kampfkreiseln: Die beiden Widersacher drehen sich umeinander und versuchen sich gegenseitig in die Beine zu beißen. Das rechte Tier hat sich hingesetzt, um seine Beine mit dem Körper zu schützen.

Lebensablauf Entwöhnung (Ew) Geschlechtsreife (Gr) Lebensdauer (Ld)	Nahrung	Feinde	Lebensweise und Lebensraum	Häufigkeit
Ew: mit 6–8 Monaten Gr: mit 2 Jahren Ld: 20 Jahre	Gras	Löwe, Hyäne	Dauerhafte Familienverbände; Aktionsraum 80 bis mehrere 1000 km^2; in Grasländern in Ost- bis Süd- und Südwestafrika	Insgesamt häufig; einzelne Unterarten selten und bedroht; Quagga *(E. quagga quagga)* ausgestorben
Ew: mit 6–8 Monaten Gr: mit 2 Jahren Ld: 20 Jahre	Gras, auch Rinde, Blätter	Löwe, Hyäne	Dauerhafte Familienverbände; guter Kletterer; Aktionsraum mehrere 1000 km^2; in Wüsten und Halbwüsten in Süd- und Südwestafrika	Äußerst gefährdet; Hartmann-Bergzebra 7000, Kap-Bergzebra nur 420 Tiere
Ew: mit 6–8 Monaten Gr: mit 3 Jahren Ld: 20 Jahre	Gras	Löwe, Hyäne	Paarungsterritorialität; Territoriumsgröße 2–10 km^2; Aktionsraum mehrere 1000 km^2; in Nordkenia und Südäthiopien	Gefährdet; Gesamtbestand etwa 7000 Tiere
Ew: mit 6–8 Monaten Gr: mit 2 Jahren Ld: 20 Jahre	Gras, Rinde, Blätter	Mensch	Paarungsterritorialität; Territoriumsgröße etwa 20 km^2; Aktionsraum mehrere 1000 km^2; in Wüsten und Halbwüsten in Somalia, Äthiopien und Sudan	Stark bedroht; nur noch 3000–4000 Tiere
Ew: mit 6–8 Monaten Gr: mit 1 Jahr Ld: 20 Jahre	Gras, auch Kräuter, Rinde	Wolf	Paarungsterritorialität; Territoriumsgröße 20 km^2 und mehr; Aktionsraum mehrere 100 km^2; Lebensweise wenig bekannt; in Wüsten, Halbwüsten und Hochgebirge von Iran bis Mongolei	Äußerst bedroht
Ew: mit 6–8 Monaten Gr: mit 2 Jahren Ld: etwa 20 Jahre	Gras	Wolf	Dauerhafte Familienverbände; Lebensweise in der Natur kaum bekannt; früher in Steppen, Halbwüsten und Wüsten Zentralasiens bis in Höhen von 2500 m	Im Freileben vermutlich ausgerottet; derzeit über 700 Tiere in zoologischen Gärten

Tragzeit etwa ein Jahr dauert, kann die Stute also jedes Jahr ein Fohlen haben, und das bis zum Alter von 20 und mehr Jahren. Ich konnte den Fortpflanzungserfolg von 120 Steppenzebra-Stuten über drei Jahre ermitteln: 15% hatten drei Fohlen, also jedes Jahr eins, 33% hatten zwei, 42% eins und 10% kein Fohlen. Zwillinge treten im Freiland offenbar nie auf; bei geschossenen Tieren wurden ungeborene Zwillinge als seltene Ausnahme gefunden.

Das Paarungsverhalten ist bei den verschiedenen Arten weitgehend gleich. Bei den familienbildenden Arten Steppenzebra, Bergzebra und Pferd kommt es zu einer ruhigen Annäherung des Hengstes an die Stute, der Hengst beriecht sie am Hinterende, flehmt, beknabbert und beleckt sie an der Kruppe, an den Hinterbeinen, an Hals und Flanken. Die Stute stellt sich breitbeinig und gibt etwas Harn ab. Dann kann es zum Aufreiten des Hengstes ohne Erektion kommen, oder aber die Stute wendet sich ab oder läuft davon, oder sie schlägt nach dem Hengst aus, wenn sie noch nicht voll paarungsbereit ist. Nur während der sogenannten Hochrosse, die ein bis zwei Tage dauert, ist die Stute paarungsbereit. Dann entfällt bei den Annäherungen des Hengstes das Paarungsvorspiel weitgehend; der Hengst reitet mit erigiertem Penis auf und vollzieht die Begattung, wobei er sich im Nacken der Stute festbeißt. Nach einigen Bewegungen kommt es zum Samenerguß, danach gleitet der Hengst langsam ab, und beide Partner beginnen zu weiden. Das allgemein bei Hauspferden übliche Decken, bei dem die Stute in einer Vorrichtung gefesselt wird und der Hengst ohne Vorspiel und Zeitverlust aufspringt, hat mit dem natürlichen Verhalten wenig gemein; es ist auch weniger erfolgreich als der freie Herdensprung.

Bei den paarungsterritorialen Arten Grevy-Zebra, Wildesel und Halbesel beginnt das Paarungsverhalten mit dem Treiben der Stute durch den Hengst, der dabei ruft und so offenbar seine Anwesenheit anderen Hengsten mitteilt. Wenn die Stute paarungsbereit ist und die Annäherung des Hengstes duldet, reitet er, gleichfalls rufend, ohne Erektion auf, und auch das ist ein Signal. Dann erst kommt es zur Paarung, die wie bei den anderen Arten verläuft, und dabei ruft der Hengst nicht.

Geburt und Mutter-Kind-Verhalten. Bei Störung können Pferdestuten die Geburt verzögern. In alten Büchern steht, daß Pferde ihre Fohlen nachts bekommen; das ist zutreffend für Tiere in der Stallhaltung, die nur nachts einigermaßen ungestört sind, gilt aber nicht für freilebende Pferde: Sie bringen ihre Fohlen zu jeder Tageszeit zur Welt, meist am Tag und besonders am frühen Morgen.

▷ Das Paarungsverhalten ist bei den verschiedenen Pferdearten weitgehend gleich. Der Hengst muß sich bei seinen Annäherungen brüske Zurückweisungen gefallen lassen, solange die Stute noch nicht paarungsbereit ist. Sie schlägt aus und zeigt mit angelegten Ohren ein Drohgesicht.

Zum Gebären legt sich die Stute auf die Seite. Das Fohlen wird, mit dem Kopf voran, in wenigen Minuten ausgetrieben und ist zunächst noch völlig von den Embryonalhüllen umschlossen. Es entfernt sie durch Schütteln von seinem Kopf und befreit sich dann durch weiteres Schütteln und Aufstehen selbständig. Die Stute bleibt auf der Seite liegen oder geht in die Bauchseitenlage, aber sie hilft dem Fohlen nicht. Nach meinen Beobachtungen von Geburten beim Steppenzebra kann das Fohlen nach 20 Minuten stehen und nach einer Stunde gehen und sogar erste Galoppsprünge machen. Außerdem kann es trinken, wobei es zunächst das Euter der Mutter finden muß: Es sucht entweder an der richtigen Stelle, zwischen den Hinterbeinen oder auch zwischen den Vorderbeinen, offenbar angeborenermaßen in dem Winkel zwischen Beinen und Bauch. Hat es die richtige Stelle gefunden, findet es sie in der Zukunft, ohne zu suchen.

Die Nabelschnur reißt, wenn das Fohlen aufsteht, an einer dafür vorgesehenen Stelle. Die Nachgeburt wird gleich nach der Geburt oder auch später ausgestoßen. Im Freiland bekaut die Stute die Embryonalhüllen, verzehrt sie aber ebensowenig wie die Nachgeburt. Sie beleckt das Fohlen am ganzen Körper, vor allem auch unterm Schwanz, worauf das Fohlen das Darmpech, den ersten Kot, abgibt. Bei den familienlebenden Pferden bleibt die Stute im Familienverband; der Hengst bleibt in ihrer Nähe. Bei den territorialen Pferden, wo ja keine Bindungen zwischen erwachsenen Tieren bestehen, dürften die Stuten bei der Geburt allein sein, aber es ist unwahrscheinlich, daß sie sich, wie manchmal berichtet wird, gezielt absondern.

Das Belecken des Fohlens führt zu einer ersten innigen Bindung der Stute an ihr Fohlen, und schon bald danach erkennt die Stute ihr Fohlen persönlich und kann es von anderen unterscheiden. Das umgekehrte Kennenlernen der Mutter durch das Fohlen dauert etwa eine Woche. Während dieser Zeit kann das Fohlen noch umlernen, das heißt eine fremde Mutter annehmen. Gleich nach der Geburt zeigt das Fohlen die Nachlaufreaktion, wie sie auch von anderen Nestflüchtern bekannt ist: Es läuft hinter jedem sich bewegenden Ding her, das deutlich größer als es selbst ist, sonst aber keine besonderen Merkmale zu haben braucht. Junge Fohlen sehen auch in einem Menschen oder in einem Auto die Mutter und folgen ihm nach oder bleiben bei ihm furchtlos stehen, während die richtige Mutter trotz ihrer Bemühungen, das Fohlen zurückzubekommen, nicht beachtet wird. Während der ersten Tage nach der Geburt ist die Stute äußerst angriffslustig gegenüber allen Sozialpartnern und vertreibt sie mit Beißdrohung und sogar mit Bissen aus ihrer Nähe. Das hängt mit der hier beschriebenen »Prägung« zusammen, dem Kennenlernen der Mutter durch das Kind. Die Stute verhindert durch ihr Drohen und ihre Angriffe, daß das Fohlen eine Fehlprägung erfährt, das heißt ein falsches Tier als Mutter anerkennt. Stuten drohen und beißen dann sogar nach ihren eigenen älteren Fohlen, nach dem Hengst, dem sie sonst deutlich unterlegen sind, und nach dem ver-

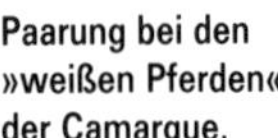

Paarung bei den »weißen Pferden« der Camargue.

trauten Menschen. Nach einer Woche läßt dieses Verhalten nach, und das Fohlen darf mit allen Artgenossen (und mit dem Menschen) Kontakte aufnehmen, und es erkennt dann seine Mutter unter Hunderten von Artgenossen.

Adoptionen kommen im Freiland nur in Ausnahmefällen vor, denn die Stuten weisen fremde Fohlen grundsätzlich ab, sie drohen sie an und beißen sogar nach ihnen. Es ist deswegen völlig sinnlos, einzeln gefundene Fohlen, wie man sie etwa in der Serengeti immer wieder antrifft, zu ihren Artgenossen hinzutreiben. Nur ein einziger Fall einer Adoption wurde bisher beschrieben, beim Kap-Bergzebra, wo sich ein Fohlen an eine Stute mit gleichaltem Fohlen anschloß und mit diesem zusammen, aber nie allein, auch ans Euter kam.

Nach einem Bericht um die Jahrhundertwende wurden die Przewalski-Fohlen, die damals aus der Mongolei nach Europa gebracht wurden, von Hauspferdstuten gesäugt. Um die Adoption zu ermöglichen,

wurden die eigenen Fohlen dieser Stuten getötet und gehäutet, dann das Fell den Przewalski-Fohlen übergezogen; die Stuten fielen darauf herein. Nach Angabe des Zoologen Juri Gorelow aus dem Badchys-Reservat wird das gleiche Verfahren heute noch bei der Aufzucht von Kulanfohlen (mit Eselstuten als Ammen) angewandt.

Die Fohlen werden im Alter von 8 bis 10 Monaten entwöhnt; wenn die Mutter ein neues Fohlen bekommt und dieses nicht überlebt, wird das ältere Fohlen weiter gesäugt.

Zwischenartliches Verhalten. Vergesellschaftungen zwischen Pferden und anderen Tieren, insbesondere Antilopen, Gazellen, Straußen, sind im Freiland fast die Regel, und in den Überschneidungsgebieten der Pferdearten kommen auch diese zusammen, stehen nebeneinander am Wasserloch, bilden auf guter Weide eine gemischte Herde, fliehen gemeinsam. Zu Kontakten kommt es jedoch nur zwischen Artgenossen. Einzeltiere schließen sich auch an Artfremde an, beispielsweise territoriale Grevy-Zebrahengste an Oryxantilopen und Giraffen, Steppenzebrahengste an Grevy-Zebragruppen, aber alle diese Zusammenschlüsse sind nicht von Dauer.

In der Serengeti wandern die Steppenzebras und die Gnus gemeinsam, wobei die Zebras an der Spitze und an den Flanken des Wanderzuges ziehen; bei der Durchquerung eines unübersichtlichen Geländes warten die Gnus gelegentlich, bis die Zebras einen »sicheren« Weg gefunden haben.

Beim Zusammentreffen von Vertretern verschiedener Arten weicht üblicherweise der eine dem andern gesetzmäßig aus. In dieser Rangordnung steht das Steppenzebra über Gazellen, Springböcken und den (größeren) Grevy-Zebras, aber unter Hartmann-Bergzebras, Gnus, Pferdeantilopen, Oryx- und Rappenantilopen, Elen, Giraffen, Elefanten, Nashörnern, Büffeln und den kleinen Warzenschweinen: Sie weichen ihnen aus, lassen sich an Wasserstellen vertreiben.

Eine Art Symbioseverhältnis besteht zwischen Zebras und Madenhackern *(Buphagus spec.)*. Die Zebras stellen sich breitbeinig hin, lassen die Ohren hängen und lüpfen den Schwanz, so daß die Vögel auch an sonst schwer zugänglichen Stellen Hautschmarotzer, vor allem Zecken, ablesen können.

Über den Vorteil des Zusammenlebens von Zebras mit Straußen und Giraffen ist viel geschrieben worden, aber trotzdem gibt es ihn nicht, das heißt, die Zebras verlassen sich bei der Feindvermeidung nicht auf die angeblichen Wächter und richten sich nicht mehr nach ihnen als umgekehrt.

Das Verhalten gegenüber Beutegreifern ist nur vom

Die ersten Minuten nach der Geburt: Die Zebramutter ist aufgestanden und betrachtet ihren Sprößling, der sich bereits zu erheben und dabei die an ihm haftende Embryonalhülle abzustreifen versucht (oben). Die Stute beleckt ihr Fohlen und stellt damit die innige Mutter-Kind-Beziehung her (unten). Der Schakal, der hinter dem Muttertier lauert, ist auf die Nachgeburt und die Embryonalhülle erpicht.

Ob dieser Gepard Erfolg haben wird, ist noch ungewiß. Denn Geparde sind nur in der Lage, ein Zebrafohlen zu erbeuten. Dies aber hat in der vorliegenden Szene einen solchen Vorsprung, daß es auch dem Fotografen aus dem Kameraausschnitt entfloh! Das Zebra im Bild ist vermutlich die dazugehörige Mutter.

Steppenzebra näher bekannt. Ruhende Löwen, Geparden und Wildhunde werden von den Zebras aufmerksam beobachtet. Sie stellen sich im Kreis um sie herum, schauen sie eine Weile an, ziehen dann weiter. Dieses auffällige Verhalten hat zur Folge, daß alle Zebras in der Nähe aufmerksam werden. Ziehenden Beutegreifern weichen die Zebras aus und beobachten sie gespannt. Etwas seitlich von der Marschrichtung von Löwen stehende Zebras wechseln plötzlich, meist in gestrecktem Galopp, auf die andere Seite, schneiden also ihren Weg. Nach dem Überwechseln bleiben sie wieder stehen, wenn der Beutegreifer seinen Weg gerade fortsetzt. Ändert er jedoch seine Richtung auf die Zebras zu, kommt es zur Flucht.

Ziehende einzelne Hyänen werden von Zebras aufmerksam beobachtet und, wenn sie zu nahe kommen, auch verjagt. Hyänen im Rudel sind jedoch neben den Löwen die wichtigsten Feinde der afrikanischen Pferde, während die beiden asiatischen Arten wohl nur vom Wolf erbeutet werden können.

Pferde sind durchaus wehrhaft. Sie schlagen gegen tatsächliche oder vermeintliche Feinde mit den Hinterbeinen aus, seltener verwenden sie auch die Zähne zur Verteidigung. Zebrahengste können einen Löwen durch Hufschläge töten oder schwer verletzen, zum Beispiel durch Zertrümmern des Unterkiefers; Hyänen werden manchmal mit den Zähnen gegriffen und durch die Luft geschleudert. Wenn ein Zebra von Löwen oder Hyänen gepackt wird, verteidigt es sich allerdings kaum noch; es wird fast ohne Gegenwehr zu Boden gezogen und zerfleischt.

Beim Auftreten einer Gefahr stößt das Tier, das sie zuerst wahrnimmt, einen Warnruf aus oder flieht. Das kann die Flucht der übrigen Tiere auslösen. Echte Wachposten gibt es bei den familienbildenden Arten. Beim Steppenzebra bleibt der Hengst bei der fohlenden Stute, und während der nächtlichen Ruheperioden wacht immer jeweils mindestens ein Tier je Gruppe; beim Bergzebra sichert der Hengst an den Wasserstellen; beim Pferd ruhen nie alle Gruppenmitglieder gleichzeitig, sondern sie wechseln sich mit der Wache ab.

Bei leichter Störung schließen sich Steppenzebra, Bergzebra und Pferd zunächst in den Familiengruppen enger zusammen und weichen in der üblichen Ordnung, mit der Leitstute an der Spitze, im Schritt, Trab oder Galopp aus. Der Familienhengst bleibt immer wieder zurück, läßt den Feind herankommen, greift an und galoppiert dann seiner Gruppe nach. Auch ältere Junghengste übernehmen die Verteidigeraufgabe.

Bei stärkerer Bedrohung schließen sich die Gruppen untereinander zusammen und fliehen dicht gedrängt und durcheinander; das gilt auch für die übrigen Arten.

Lernen und Gedächtnis. Pferde sind auf manchen Gebieten äußerst lernfähig, auf anderen weniger. Selbstverständlich lernen die freilebenden Formen das, was für ihr Überleben notwendig oder förderlich ist: ihre Artgenossen, ihre Sozialpartner, ihre Feinde, die Geographie ihrer Aktionsräume mit Wasserlöchern, Weideflächen, Scheuerstellen. Ihre Feinde lernen Einzeltiere durch schlechte Erfahrung kennen, also wenn sie einen Angriff und die Flucht der Gruppenmitglieder

miterleben. Ein Fohlen lernt aber sicher auch am Verhalten seiner Mutter und anderer Artgenossen Beutegreifer von Antilopen zu unterscheiden, auch wenn es nicht zum Angriff kommt. Die Ortskenntnis der Pferde ist manchmal verblüffend gut. Von Hauspferden weiß man, daß sie einen einmal zurückgelegten Weg noch nach Jahren wiederfinden. Wildequiden machen Wanderungen von 100 und mehr Kilometern und kehren immer wieder an dieselbe Stelle, sogar nicht nur auf demselben Weg, zurück. Bernhard Grzimek hat bei seinen Versuchen über das Heimfindevermögen nachgewiesen, daß Hauspferde nur in bekannter Umgebung zurückfinden, in fremdem Gebiet dagegen ziellos umherlaufen.

Pferde lernen, akustische Signale und Berührungsreize mit natürlichen oder auch veränderten Bewegungsmustern zu beantworten: Darauf beruhen die Reit- und Zirkusdressuren wie auch die Fahrkunst. Obwohl allgemein optische Signale keine sehr große Bedeutung zu haben scheinen, können die Pferde sehr gut sehen.

Die berühmten »zählenden« und »rechnenden« Pferde, die zu Beginn des Jahrhunderts die Wissenschaft narrten, beweisen das. Sie reagierten auf kaum merkliche und zum Teil unbewußte Zeichen ihres Dresseurs – und wurden natürlich für die »richtige« Antwort belohnt. Pferde können Farben sehen, aber Farben bedeuten ihnen nicht viel, und so achten sie nicht darauf.

Problemlösungen sind nicht die Stärke der Pferde, und selbst einfache Umwegaufgaben sind für sie unlösbar. Im Labyrinth ist ein Pferd völlig verloren und einer Ratte weit unterlegen. Solche Vergleiche, obwohl sie immer wieder angestellt werden, sind jedoch unsinnig und sagen nichts über Intelligenz aus: Pferde sind Tiere der offenen Landschaften; ihre Leistungen sind an den natürlichen Erfordernissen zu messen, und an die natürlichen Bedingungen sind die Pferde bestens angepaßt.

Die heutigen Pferdearten in der Einzeldarstellung

Von allen Pferdearten ist das Steppenzebra *(Equus quagga)* am erfolgreichsten: Es besiedelt die Steppengebiete vom südlichen Sudan und Südäthiopien durch Ostafrika bis nach Süd- und Südwestafrika und zählt nach Hunderttausenden. Zur Zeit ist es als Art nicht gefährdet, was aber nicht für die südlichen Unterarten gilt, die zum Teil nur in kleinen Beständen vorkommen. Von Norden nach Süden sind zu unterscheiden: Böhm-Steppenzebra *(E. q. boehmi)* von der Nordgrenze des Verbreitungsgebiets bis einschließlich Tansania, zum Beispiel im Mara, in der Serengeti, in Amboseli; Selous-Steppenzebra *(E. q. selousi)* in Mozambique, zum Beispiel in Gorongosa; Chapman-Steppenzebra *(E. q. chapmani)* in Simbabwe und im östlichen Südafrika, zum Beispiel in Wankie und Krüger; Damara-Steppenzebra *(E. q. antiquorum)* in Namibia, vor allem in Etoscha, und Burchell-Steppenzebra *(E. q. burchelli)* im Zululand, zum Beispiel in Hluhlue und Umfolosi. Die nördlichen Formen sind deutlich schwarz auf weißem Grund gestreift. Nach Süden hin wird die Grundfarbe zunehmend mehr gelblichbräunlich, die Streifung der Beine und des Rumpfes ist verringert, zwischen die Hauptstreifen sind hellere Zwischenstreifen eingeschoben. Die stärkste Streifen-

Kein Zirkus kommt ohne Pferde aus. In der Manege beeindrucken sie die Zuschauer durch ihre natürliche Schönheit, durch die Eleganz ihrer Bewegungen oder, wie hier, durch ihr bloßes Körpergewicht.

rückbildung war beim Quagga *(E. q. quagga)* zu finden: Bei ihm waren nur Kopf und Hals deutlich gestreift; auf der Brust waren noch Andeutungen einer Streifung vorhanden, sonst war das Tier am Körper braun, an den Beinen cremefarben. Beim Selous-Steppenzebra sind, wie beim Böhm-Steppenzebra, die Beine bis zum Huf gestreift, aber im Unterschied zu diesem sind die Streifen am Körper schmäler und dadurch vermehrt. Zwischen den genannten Formen gibt es keine scharfen Grenzen, sondern gleitende Übergänge. Auch gibt es innerhalb einer Population starke individuelle Unterschiede, die die richtige Zuordnung im Einzelfall unmöglich machen können. Um so wichtiger ist es deswegen, die verschiedenen

Populationen als Einheiten anzusehen und zu schützen und sie in zoologischen Gärten rein zu züchten.
Die Streifenmuster sind sehr unterschiedlich ausgebildet. Manche Tiere sind fast weiß mit nur einer schwachen Andeutung der Streifen, andere sind fast schwarz mit perlschnurartigen Resten der weißen Streifen. Nicht selten sind sattelförmige Auflösungen der Zeichnung oder Marmormuster auf dem Rücken und sehr zerrissene Muster mit Verzweigungen und Punkten, im Gegensatz zu den häufigeren schlichten Mustern mit wenig Gabelungen. Grundanlagen wie Streifenbreite, Schlichtheit oder Zerrissenheit werden vererbt, nicht jedoch Einzelheiten des Musters.
Das Quagga hat eine traurige Berühmtheit erlangt, denn es ist Ende des letzten Jahrhunderts vom Menschen ausgerottet worden, obwohl es wenige Jahrzehnte vorher noch in großen Herden im östlichen Kapland vorkam. Es wurde als Fleisch- und Fell-Lieferant verfolgt; die Häute eigneten sich angeblich besonders gut als Getreidesäcke. Das letzte Quagga starb 1883 im Zoologischen Garten von Amsterdam; in Museen werden einige wenige Felle und Schädel aufbewahrt.
Über die verwandtschaftliche (systematische) Stellung des Quagga gab es lange auch eine andere als die hier vertretene Vorstellung. Besonders in der angelsächsischen Literatur wurde es gelegentlich als eine selbständige Art angesehen, was zur Folge hatte, daß die Steppenzebras auch als Burchell-Zebras mit dem wissenschaftlichen Namen *Equus burchelli* bezeichnet wurden. Mit modernen wissenschaftlichen Methoden konnte diese Frage jetzt geklärt werden. Es zeigte sich, daß das Quagga biochemisch den übrigen Steppenzebras entspricht und daß keine Unterschiede festzustellen sind, wie sie bei verschiedenen Arten zu erwarten wären. Diese Untersuchung war nur möglich, weil an den schlecht gegerbten Quaggafellen noch unzersetzte Fleischreste vorhanden waren.

Die Mitglieder dieser Böhm-Steppenzebrafamilie halten engen Körperkontakt, vergessen dabei aber nicht die gebotene Wachsamkeit. Rechts der Hengst.

Bis vor wenigen Jahren hielt man auch das echte Burchell-Steppenzebra für ausgerottet. Das ist aber erfreulicherweise ein Irrtum: Diese Form hat in mehreren kleinen Beständen überlebt, ist allerdings gefährdet durch die Vermischung mit anderen Steppenzebras, die vom Menschen in sein Verbreitungsgebiet gebracht wurden.
Die soziale Organisation des Steppenzebras habe ich selbst im Serengeti-Ngorongoro-Gebiet in Tansania von 1962 bis 1965 erforscht. Voraussetzung für derartige Untersuchungen ist, eine größere Anzahl von Tieren zu erkennen. Das ist bei den Zebras, und zwar bei allen Arten, ohne große Schwierigkeiten möglich, denn die Streifenmuster sind, wie menschliche Fingerabdrücke, unverwechselbar einmalig. Folglich ist es möglich, alle Tiere zu fotografieren und die Bilder wie Paßbilder zu verwenden. In der Praxis war das allerdings wegen der großen Zahl von 6000 Steppenzebras im Ngorongoro-Krater nicht sinnvoll. So beschränkte ich mich auf 600 Tiere, von denen 122 zusätzlich mit Bränden und Ohrmarken gekennzeichnet wurden.
Steppenzebras sind sowohl als Einzelgänger (nur Hengste) als auch in Herden von mehreren 10 000 Tieren anzutreffen. Die Herde besteht jedoch aus gegeneinander abgegrenzten Gruppen, und zwar aus Familiengruppen mit einem Hengst, einer Reihe von Stuten und Jungtieren, und aus Hengstgruppen.
Die Familien zählen bis 20 Mitglieder, die Zahl der Stuten liegt zwischen 1 und 6, und alle kennen sich persönlich. Die Familiengruppen sind dauerhafte Verbände: Stuten und Hengste bleiben meist bis zu ihrem Tod in ihrer Familie, allerdings können Hengste im hohen Alter oder bei Krankheit auch ausscheiden oder verdrängt werden. Die Familie ist eine Fortpflanzungsgemeinschaft, und nur der Familienhengst kann sich mit den Stuten in der Familie verpaaren. Die Familienmitglieder haben ein sehr enges Verhältnis zueinander, das sich auch bei der sozialen Hautpflege zeigt, die fast ausschließlich innerhalb der Familie betrieben wird. Der Hengst bemüht sich um den Zusammenhalt der ganzen Gruppe, während die Stuten sich um ihre Fohlen kümmern. Es kommt auch zu

echten Hilfeleistungen gegenüber schwachen oder verletzten Tieren: Stuten werden vom Hengst, Fohlen von ihrer Mutter oder ihrem Vater zur Familie zurückgeführt.

Beim Tod eines Familienhengstes übernimmt ein neuer Hengst die Stuten, und zwar derjenige erwachsene Hengst, der zuerst auf die hengstlose Gruppe stößt. Er schließt sich in der üblichen Weise an die Stuten an und wird dann offenbar sofort von anderen Bewerbern als Familienbesitzer angesehen; jedenfalls kommt es nicht zu Auseinandersetzungen. Die Stuten jedoch erkennen ihren neuen Hengst erst nach etwa drei Wochen voll an, vorher vertreiben sie ihn, wenn er zu nahe kommt, und vermeiden körperliche Kontakte. Der neue Hengst kann auch schon Familienhengst sein; dann verschmelzen nach einiger Zeit die beiden Stutengruppen zu einer.

Junggesellen versuchen immer wieder, sich in den Besitz einer Stutengruppe zu bringen. Ich habe häufig beobachtet, daß sich ein Hengst für ein paar Tage oder auch Wochen an eine Familiengruppe anschloß, wobei allerdings der Familienhengst eine Kontaktaufnahme mit den Stuten zu verhindern suchte. Trotzdem zeigten die beiden Hengste durchaus freundschaftlichen Umgang miteinander, und Kämpfe wurden nie beobachtet. Manchmal gab es dann einen Hengstwechsel, der sich zunächst darin zeigte, daß der neue Hengst näher bei den Stuten war und den alten an der Kontaktaufnahme hinderte. Dieser verschwand dann nach einiger Zeit und war einzeln oder in einer Hengstgruppe anzutreffen. Häufiger gab aber der neue Bewerber auf.

Die Jungtiere scheiden gesetzmäßig aus ihren elterlichen Gruppen aus. Junghengste verlassen ihre Familie im Alter von ein bis vier Jahren, werden aber keineswegs vom Familienhengst, der ja in der Regel ihr Vater ist, vertrieben. Im Gegenteil, das Verhältnis zwischen Vater und Söhnen ist durchaus freundschaftlich. Allerdings ist der Familienhengst eindeutig ranghoch, und die Söhne verhalten sich eindeutig unterlegen. So werden die Junghengste, wenn sie den Anschluß an die Gruppe verpaßt haben oder ihrer eigenen Wege gegangen sind, sogar von ihrem Vater gesucht und zur Familie zurückgeführt. Aber schließlich trennen sie sich doch, und zwar offenbar früher, wenn ein jüngeres Geschwister zur Welt gekommen ist, also die Mutter abweisender geworden ist, oder wenn in der Gruppe keine weiteren Junghengste, also keine geeigneten Spielkameraden, sind und wenn in der Nähe eine Hengstgruppe mit solchen Spielkameraden vorbeizieht.

Auch die Jungstuten verlassen die Familie, allerdings nicht ganz freiwillig. Sie werden üblicherweise im Alter von ein bis zwei Jahren während einer Rosse von einem anderen Hengst entführt, und zwar gegen den heftigen Widerstand des Vaters, der den Bewerber angreift und zu vertreiben sucht. Das gelingt auch, wenn nur ein Bewerber ankommt, meist sind es aber mehrere, und dann hat der Familienhengst keine Chance. Der neue Hengst ist entweder Junggeselle, der dann mit der Jungstute eine Familie gründet, oder er ist bereits Familienbesitzer, der so die Zahl seiner Stuten vergrößert.

Die Trennung der Jungstute von ihrer Familie und damit von ihrem Vater verhindert die Inzucht und das übermäßige Anwachsen der Gruppe. Sie beruht darauf, daß die Jungstute eine sehr deutliche Rossigkeitsstellung mit breitgestellten Hinterbeinen und gelüftetem Schwanz einnimmt, und das ist offenbar das Signal für die Bewerber. Im Gegensatz dazu nehmen erwachsene Stuten diese Stellung nur unmittelbar vor der Annäherung des Hengstes ein, was bedeutet, daß fremde Hengste auf ihre Rossigkeit kaum aufmerksam werden. Bei der Anlockung der Hengste spielen

Oben: Wenn Artgenossen zusammentreffen, kommt es zu einem ausgiebigen Begrüßungsritual, das mit dem Nasenkontakt eingeleitet wird: Die Tiere strecken die Köpfe gegeneinander und beriechen sich an der Nase. – Links: Eine Hengstgruppe der Böhm-Steppenzebras beim Beriechen von Kothaufen.

sicher auch Duftstoffe eine Rolle, aber die sind nur über kurze Entfernungen wirksam. Wie wichtig der optische Eindruck ist, konnte ich durch einen Zufall beim Narkotisieren feststellen. Unter der Einwirkung der Betäubungsmittel nahmen die Zebras nämlich eine ähnliche Stellung ein, und sofort waren die Bewerber zur Stelle! Dabei spielte es keine Rolle, ob ein Hengst oder eine Stute narkotisiert wurde, aber mit

dem Abklingen der Narkose klang auch das Interesse der Bewerber ab.

Obwohl auf jeden Familienhengst ein bis zwei Junggesellen entfallen, sind die Hengstwechsel so selten, daß ein Teil der Hengste offenbar nie zu einer Familie und damit auch nie zur Fortpflanzung kommt. Die Junggesellen leben meist in Gruppen, die über Jahre aus denselben Tieren bestehen. Zwischendurch schließen sie sich auch mit anderen Gruppen zusammen.

Familien und Hengstgruppen sind nichtterritorial, das heißt, sie beanspruchen gegen Artgenossen kein Gebiet zur alleinigen oder bevorzugten Nutzung. Sie leben in Aktionsräumen, die sie friedlich mit Artgenossen und anderen Tieren teilen.

Dieses Sozialgefüge war bei seiner Entdeckung Anfang der sechziger Jahre bei Huftieren noch völlig unbekannt. Es ist auch heute immer noch eine Besonderheit, denn es gibt nur drei weitere Beispiele: Bergzebra, Hauspferd und Dromedar.

Steppenzebras spielen im Ökosystem Savanne eine wichtige Rolle, da sie auch hochgewachsenes, nährstoffarmes Gras als Nahrung annehmen. Dadurch erschließen sie die Weidegebiete für andere Tierarten, die das Langgras nicht nutzen können. In der Serengeti und in anderen Gebieten Ostafrikas besteht eine Weidefolge von Steppenzebras über Gnus zu Gazellen, wobei die Zebras die Schlüsselstellung innehaben.

Das Bergzebra *(Equus zebra)* zeichnet sich durch eine Besonderheit aus: Es hat eine Wamme, also eine Hautfalte am Hals, wie das Hausrind, über deren Zweck es keine sinnvollen Vorstellungen gibt. Zwei Unterarten sind zu unterscheiden: das kleinere Kap-Bergzebra *(E. z. zebra)* des Kaplandes und das größere Hartmann-Bergzebra *(E. z. hartmannae)* von Namibia und Südangola. Das Kap-Bergzebra war in den fünfziger Jahren unseres Jahrhunderts der Ausrottung nahe, hat sich aber dank verstärkter Schutzmaßnahmen inzwischen auf rund 420 Tiere in mehreren Schutzgebieten vermehrt und nimmt weiter zu. Die größte Population ist die des Mountain-Zebra-Nationalparks bei Cradock, die durch Umsiedlung des Zuwachses auf etwa 220 Tieren gehalten wird; damit ist die Tragfähigkeit des Parks (65 km^2) erreicht.

Die Bestände des Hartmann-Bergzebras sind in den letzten 20 Jahren stark zurückgegangen, in erster Linie durch Bejagung auf den Farmen. Die Gesamtzahl wird auf nur noch 7000 Tiere geschätzt, wovon nur ein geringer Teil in Schutzgebieten lebt.

Die Bezeichnung Bergzebra ist überaus zutreffend: Diese Tiere leben im Bergland und sind besonders gute Kletterer, die flink und sicher Steilabfälle überwinden können, besser als ihre Verwandten. Ihre Hufe sind dafür besonders geeignet; sie sind steiler als bei den anderen Pferden, aber auch besonders hart, sie nutzen sich also im Geröll und auf rauhem Fels nicht übermäßig ab. Das bedeutet aber auch, daß Bergzebras auf weichem Boden Schwierigkeiten haben: Die Hufe werden nicht genügend abgeschliffen, wachsen daher nach vorne aus und führen zu einer Abwinklung des Hufs nach vorne. Das betroffene Tier ist dann stark gehbehindert und kann sich nur mit Mühe fortbewegen. In der freien Natur wird ein solches Zebra sehr schnell von Beutegreifern geschlagen werden.

Im Lebensraum des Kap-Bergzebras fallen die Niederschläge regelmäßig, und Futter ist ganzjährig vorhanden. Im Gegensatz dazu lebt das Hartmann-Bergzebra am Rand der Namib in einer extremen Trockenzone, in der das Nahrungsangebot unregelmäßig schwankt und Oberflächenwasser nur an wenigen, weit auseinanderliegenden Stellen zur Verfügung steht. Das bedeutet, daß die Zebras großräumig wandern müssen, um den spärlichen Graswuchs ausnutzen zu können.

Die soziale Organisation des Bergzebras entspricht bis in Einzelheiten der des Steppenzebras. Die Tiere sind in Familiengruppen aus einem Hengst, einer Reihe von Stuten und deren Fohlen zusammengeschlossen, und überzählige Hengste leben in Hengstgruppen.

Das Verbreitungsgebiet des Grevy-Zebras *(Equus grevyi)* erstreckt sich von den Nordhängen des Mount Kenya bis nach Südäthiopien und vom Grabenbruch im Westen bis nach Somalia. In diesem Gebiet werden die Bestände auf etwa 7000 Tiere geschätzt. Außerdem gibt es noch eine abgesonderte Population von höchstens ein paar hundert Tieren in den Alledeghi-Ebenen am Awash-Fluß im südlichen Danakil in Äthiopien. Innerhalb ihres vergleichsweise kleinen Verbreitungsgebiets ist diese Art einheitlich, hat also keine Unterarten ausgebildet. Ihren Namen hat sie nach dem französischen Staatspräsidenten Jules Grévy, dem der Kaiser Menelik I. von Äthiopien 1882 ein solches Tier aus seiner Heimat geschenkt hatte.

Das war aber keineswegs das erste Grevy-Zebra, das nach Europa kam: Schon im 3. Jahrhundert war es in Rom allgemein bekannt, und zwar als »Tigerpferd« (Hippotigris) im Zirkus.
Auch das Grevy-Zebra ist in letzter Zeit stark zurückgegangen. In den siebziger Jahren wurde es wegen seines wunderschönen enggestreiften Fells stark gewildert und in einigen Gebieten sogar ausgerottet, außerdem ging in den Dürrezeiten die Fortpflanzungsrate erheblich zurück. Nachdem in Kenia die Jagd völlig eingestellt und der Handel mit Fellen und anderen Wildtiererzeugnissen unterbunden wurde, haben sich die Bestände gehalten, und ein paar regenreiche Jahre haben inzwischen offenbar wieder zu einer leichten Zunahme geführt. Trotzdem ist die Zukunft dieses Tiers noch nicht gesichert. Neben der Wilderei ist die Überweidung durch das Vieh der Nomaden im Süden seines Verbreitungsgebiets, zwischen Isiolo und Maralal in Kenia, eine große Gefahr. Hinzu kommt, daß die Samburu ihre Wasserstellen in Trockenflüssen durch abgeschlagene Dornbüsche sehr erfolgreich gegen Grevy-Zebras und andere Wildtiere zu schützen verstehen. Außerdem vergrößern sie ihre Herden immer weiter und zerstören damit die letzten Weidegebiete.
Lediglich der Sibiloi-Nationalpark am Ostufer des Turkana-Sees beherbergt eine kleine Population von Grevy-Zebras das ganze Jahr hindurch. Alle übrigen Schutzgebiete, Marsabit, Samburu, Buffalo Springs, Shaba, Meru, sind nur Durchzugsgebiete, beziehungsweise so klein, daß sie keinen lebensfähigen Bestand erhalten können.
Die soziale Organisation der Grevy-Zebras ist von der der beiden anderen Zebras völlig verschieden. Hier finden wir alle vorstellbaren Zusammenschlüsse, nämlich Hengstgruppen, Stutengruppen und gemischte Gruppen. Hengste und Stuten kommen auch einzeln vor. Diesem scheinbaren Durcheinander liegt ein wohlgeordnetes Sozialgefüge zugrunde: Ein Teil, etwa 10 %, der erwachsenen Hengste ist territorial, hat also in einem festgelegten Gebiet Vorrechte gegenüber gleichgeschlechtlichen Artgenossen. Diese Vorrechte beziehen sich auf die Fortpflanzung: Nur die territorialen Hengste kommen zur Paarung mit den Stuten, die sich in ihrem Territorium aufhalten.
Die Territorien sind im Vergleich zu denen anderer Huftiere sehr groß: Sie maßen in meinen Arbeitsgebieten in Nordkenia von 2,5 bis über 10 km^2 und waren damals, Ende der sechziger Jahre, die größten von Huftieren bekannten. Noch eine Besonderheit zeigte sich: Die Grevy-Zebrahengste sind gegenüber ihren gleichgeschlechtlichen Artgenossen überaus duldsam; fremde Hengste können jederzeit in ein Territorium einwandern und sich dort so lange aufhalten, wie sie wollen. Allerdings verhalten sich die Einwanderer dem Territoriumsbesitzer unterlegen und machen ihm seine Vorrechte bei der Paarung nicht streitig. Bei der Größe wäre es einem Besitzer gar nicht möglich, das Territorium zu verteidigen, das heißt, die Eindringlinge abzuwehren; insofern kann die Duldsam-

Namibia und Südangola sind die Heimat der Hartmann-Bergzebras, der nördlichen Unterart des Bergzebras. Diese Art weist eine Besonderheit auf, die sie von den anderen Zebras unterscheidet: Sie besitzt eine Kehlwamme. Beim vorderen Tier ist sie gut zu erkennen. Außerdem haben alle Bergzebras besonders steile und harte Hufe, die sie zum Klettern im Fels befähigen.

keit des Besitzers als eine Anpassung an die Größe des Territoriums gesehen werden.

Grevy-Zebrahengste markieren ihre Territorien in erster Linie durch ihre Anwesenheit und durch ihr Verhalten. Territoriale Hengste fallen durch ihre aufrechte Haltung mit hochgehaltenem Kopf und nach vorn gestellten Ohren auf. Oft stehen sie stundenlang an einer Stelle und beobachten die Umgebung; sie patroullieren das ganze Territorium und misten auf die dauerhaften Haufen. Fremde Hengste im Territorium werden über kurze Entfernungen getrieben; dabei werden offenbar die Rangbeziehungen demonstriert. Dieses Treiben ist auffällig friedlich und führt nicht zur Vertreibung des Junggesellen. Oft laufen die Tiere im Kreis und kehren wieder an den Ausgangspunkt zurück. Halten sich mehrere Hengste in einer Gruppe im Territorium auf, so wird jeder einzeln eine Weile getrieben, und schließlich stehen alle wieder an derselben Stelle. Beim Treiben ruft der Hengst, und auch das ist wohl eine Markierung des Territoriums. Von Gruppen hält sich der Hengst meist deutlich abseits.

Die Beziehungen zu territorialen Nachbarn bestehen meist darin, daß man sich an der Grenze gegenüber-

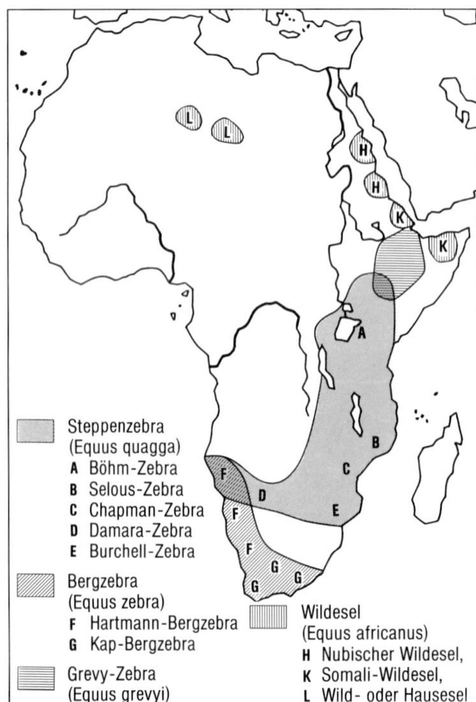

steht und anschaut. Bei Anwesenheit einer rossigen Stute im Grenzgebiet kommt es allerdings auch zu heftigen Auseinandersetzungen, wobei jeder Hengst versucht, die Stute auf seiner Seite zu halten oder zur Mitte seines Territoriums zu treiben. Harte Kämpfe sind jedoch selten; sie werden um den Besitz eines Territoriums geführt. Meist enden sie mit dem Status quo: Der Besitzer kann sich behaupten, der Eindringling gibt auf. So wird das Territorium viele Jahre lang von demselben Hengst beherrscht, und das sogar, wenn dieser in den trockenen Monaten aus dem Gebiet abwandern muß: Er kehrt gleich zu Beginn der Regenzeit als einer der ersten zurück und verhindert dadurch, daß sich ein anderer Hengst im Gebiet festsetzt.

Die Grevy-Zebra-Gruppen sind nur lose Zusammenschlüsse, die sich fortwährend verändern. Sie bestehen häufig aus Tieren der gleichen »Klasse«: Hengste, Stuten mit Fohlen und Stuten ohne Fohlen schließen

Territorialer, also revierbesitzender und -verteidigender Grevy-Zebrahengst mit seiner Gruppe. Die aufrechte Haltung, das hocherhobene Haupt und die nach vorn gestellten Ohren sind die unverkennbaren Zeichen seiner Würde.

sich jeweils bevorzugt untereinander zusammen. Auch wenn sich diese Gruppen dann zu größeren Herden zusammentun, zum Beispiel bei Wanderungen, sind die einheitlichen Gruppen noch zu erkennen.

Die einzigen festen Sozialeinheiten sind die von einer Stute und ihren Fohlen, die bis zum Alter von zwei Jahren bei der Mutter bleiben. Junge Fohlen halten sich meist nahe bei der Stute auf und laufen hinter ihr her. Manchmal werden sie aber auch zurückgelassen, wenn nämlich die Stuten tagsüber zu einer weiter entfernten Tränke ziehen. Dann stehen im Weidegebiet oft mehrere Fohlen (ich habe einmal zehn angetroffen) in einer losen Gruppe zusammen, manchmal auch mit einem Alttier, Hengst oder Stute, in der Nähe. Dieses übernimmt jedoch keine Schutzaufgaben, sondern flieht bei Gefahr, ohne sich um die Fohlen zu küm-

mern. Die Fohlen sind völlig ungeschützt; sie stehen frei in der Landschaft und können von Beutegreifern leicht erbeutet werden. Am Abend, wenn die Stuten zurückkehren, rufen sie aus etwa 100 Meter Entfernung, das Fohlen antwortet, sie laufen zueinander, beriechen sich an der Nase, das Fohlen wird gesäugt, und dann ziehen sie gemeinsam weiter.
Im Verbreitungsgebiet der Grevy-Zebras sind die Regenfälle und damit das Nahrungs- und Wasserangebot unregelmäßig, und die Tiere sind folglich zu unregelmäßigen Wanderungen gezwungen. In regenreichen Jahren bleiben sie auch das ganze Jahr in den Regenzeit-Weidegebieten, in besonders trockenen Jahren halten sie sich auf den stark überweideten Flächen in der Nähe dauerhafter Flüsse oder anderer Wasserstellen auf. Das zeigt, daß die Wanderungen nicht auf einem inneren Wandertrieb beruhen, sondern daß sie unmittelbar von den Umweltverhältnissen abhängen. Hier gibt es noch wichtige Fragen zu klären. Es zeigte sich nämlich, daß die Grevy-Zebras schon zu Ende einer Trockenzeit wieder in die Regenzeit-Weidegebiete zurückkehren, vor den ersten Regenfällen. Durch welche Ursachen die Rückwanderung ausgelöst wird, ist unbekannt. In Frage käme die dann höhere Luftfeuchtigkeit oder die zunehmende Bewölkung.
Der afrikanische Wildesel *(Equus africanus)* gehört zu den am stärksten von der Ausrottung bedrohten Tierarten. In vorgeschichtlicher Zeit war er über das gesamte nördliche Afrika vom Atlantischen bis zum Indischen Ozean verbreitet, ist aber heute auf wenige kleine Restbestände zurückgegangen. Drei Unterarten sind zu unterscheiden, wovon eine, der Atlas-Wildesel des nordwestlichen Afrika *(Equus africanus atlanticus)*, schon in vorgeschichtlicher Zeit ausgestorben ist. Die nordöstliche Form, der Nubische Wildesel *(E. a. africanus)*, kommt vermutlich noch in Restpopulationen in den Küstengebirgen des Roten Meeres in Eritrea und im Sudan vor. Neuere Angaben über Bestandsstärke, Verbreitung und Gefährdung liegen nicht vor.
Über den Somali-Wildesel *(E. a. somalicus)* wissen wir mehr. Ich habe selbst 1970 und 1971 Expeditionen zur Erforschung dieser Wildesel in die Danakilwüste in Äthiopien unternommen und zusammen mit R. M. Watson erstmalig Luftzählungen durchgeführt. Das Ergebnis war überaus erfreulich: Wir errechneten einen Bestand von rund 3000 Tieren, wo vorher höchstens 300 vermutet worden waren. Eine weitere Zählung ein paar Jahre später ergab die gleiche Zahl. Neuere Beobachtungen liegen allerdings nicht vor.
Im mittleren Danakil sind die Wildesel recht gut geschützt: Auf den zerrissenen, unwegsamen Lavaflächen und -bergen bewegen sie sich schnell und sicher, und sie können sich bei Gefahr dorthin zurückziehen. Wildeselfleisch galt bei den nomadischen Afar nicht als gewöhnliche Nahrung; lediglich in äußersten Notfällen erlaubte der Sultan den Abschuß eines Tieres zur Rettung aus Hungersnot oder zu medizinischen Zwecken. Nach der Vorstellung der Afar haben verschiedene Körperteile des Wildesels Heilwirkungen gegen ganz bestimmte Krankheiten, so zum Beispiel die Leber gegen Gelbsucht, die verbrannten Hufe gegen Gebärschwierigkeiten. Ähnliches wird auch aus Somalia gemeldet, aber das hat sicher keinen wesentlichen Einfluß auf die Bestände gehabt. Viel nachhaltiger war das Hetzen der Wildesel durch Europäer und Amharen mit dem Auto auf den ebenen Sand- und Lehmflächen der Wüste. Obwohl die Wildesel gegenüber dem Klima äußerst widerstandsfähig sind, können sie, wie andere Wildequiden, außergewöhnliche körperliche Belastungen nur kurzfristig durchhalten: Eine Hetzjagd über nur ein paar hundert Meter kann dann schon zum Tode führen.
Die äthiopische Regierung hat zum Schutz der Wildesel und anderer Wüstentiere den Yangudi-Rasa-Nationalpark am Awash-Fluß eingerichtet. Das Gebiet ist hüglig bis bergig und abseits der Pisten nicht befahrbar; hier könnten also die Wildesel nicht mit Autos gehetzt werden und sind deswegen wesentlich zutraulicher als in den Lehmwüsten weiter im Osten.
Die Bestände in Somalia sind offenbar in den letzten 20 Jahren weiter zurückgegangen, aber auch hier fehlen neuere Zählungen. Bestenfalls dürften noch ein paar hundert Tiere im Nogal-Tal bei Las Anod sowie im nördlichen Küstenstreifen überlebt haben, aber sie werden durch Wilderei weiter vermindert. Eine weitere Gefährdung der Wildesel besteht darin, daß sie sich mit entlaufenen Hauseseln vermischen können. Ich sah selbst eine Hauseselstute, kenntlich an der abweichenden Färbung, in einer Gruppe von Wildeseln.
Die systematische Stellung der wildlebenden Esel in

den Gebirgen der Sahara (Hoggar, Tibesti, Ennedi) ist noch ungeklärt. Sie sind vielleicht echte Wildesel, möglicherweise aber auch nur entlaufene Hausesel. Für die erste Ansicht spricht, daß diese Tiere wie Wildtiere und im Gegensatz zu verwilderten Haustieren einheitlich gefärbt sind. Auch die Esel der Insel Sokotra, östlich des Horns von Afrika, sind systematisch umstritten. Vermutlich handelt es sich hier um verwilderte Hausesel, die schon in vorgeschichtlicher Zeit dort eingeführt wurden.

Der Hausesel *(Equus africanus f. asinus)* stammt wohl in erster Linie vom Atlas- und vom Nubischen Wildesel ab und wird in mehreren Rassen gezüchtet. In Ostafrika sind offenbar auch Somali-Wildesel eingekreuzt worden, wie an der Beinstreifung der dortigen Hausesel zu erkennen ist. Die Afar-Nomaden im Danakil binden ihre rossigen Eselstuten nachts in der Nähe von Wasserstellen in der Wüste an, damit sie von Wildeselhengsten gedeckt werden, zur Verbesserung der Zucht, wie sie glauben.

Wildesel sind ausgezeichnete Wüstentiere, die sogar im heißen, trockenen Danakil überleben können. Aber auch sie brauchen Wasser: Während der Trokkenzeiten, wenn die Nahrung trocken ist, trinken sie vermutlich jeden Tag. Sie halten sich dann auch nur in der Nähe des Awash-Flusses oder von Quellen auf; wenn es irgendwo irgendwann geregnet hat, ziehen sie auch in die abgelegeneren Gebiete, wo sie den frischen, wasserreichen Graswuchs beweiden und damit, zum Teil auch an den Regenwassertümpeln, ihren Wasserbedarf decken. Das Klima im Danakil ist äußerst unregelmäßig. Die Wildesel sind daran angepaßt, indem sie unregelmäßig wandern, vor allem aber können sie offenbar mit wenig oder auch mit salzhaltigem Wasser auskommen.

Wie ich in der Danakilwüste beobachten konnte, sind die Wildesel paarungsterritorial: Ein Teil der Hengste besitzt Territorien zum Zwecke der Fortpflanzung mit den Stuten, die in das Gebiet einwandern; Bindungen zwischen erwachsenen Tieren sind nicht festzustellen. Das System entspricht dem des Grevy-Zebras, allerdings sind die Territorien offenbar noch deutlich größer (rund 40 km^2).

Wildeselmutter mit ihrem Fohlen. Daß die beiden der Unterart der Somali-Wildesel angehören, verrät die Beinstreifung.

Die Hengste sind, wie die des Grevy-Zebras, gegenüber anderen Hengsten duldsam und lassen sie in das Territorium einwandern, verhindern aber deren Kontakte zu Stuten. Zwischen erwachsenen Tieren scheint es keinerlei Bindung von Dauer zu geben. Eine Herde von bis zu 49 Wildeseln bildete sich an aufeinanderfolgenden Tagen morgens immer wieder neu in einem guten Weidegebiet. Am Abend löste sich die Herde jeweils auf, und die Tiere zogen einzeln oder in kleinen Gruppen in die Lavaketten, wo sie offenbar die Nacht verbrachten.

Wildeselhengste markieren ihr Territorium mit Mist, ähnlich wie Grevy-Zebras. In den flachen Lehmwüsten des mittleren Danakil sind die Misthaufen schon auf über 100 Meter zu erkennen, und hier wird der Zweck der Markierung deutlich: Es handelt sich um Marken, die dem Besitzer das Zurechtfinden im Gebiet erleichtern oder überhaupt erst ermöglichen. An den Misthaufen erkennt er, ob er sich noch in seinem Territorium befindet oder ob er bereits über die Grenze gewandert ist. Das ist für den Territoriumsbesitzer von entscheidender Bedeutung, denn sein Verhalten gegenüber Artgenossen ist vom Ort abhängig: Im Territorium ist er hochrangig und hat die Paarungsrechte, außerhalb ist er ein Wildesel wie jeder andere.

Untersuchungen an verwilderten Hauseseln in nordamerikanischen Wüstengebieten, zum Beispiel im Death Valley in Kalifornien, haben gezeigt, daß das Sozialverhalten der Esel durch die Haltung als Haustier nicht oder zumindest nicht wesentlich verändert wurde: Es entspricht weitgehend dem des Wildesels.

Ganz anders verhielten sich die Esel von der Insel Ossabow vor der Küste von Carolina. Hier wurden dauerhafte, territoriale Verbände aus einem oder mehreren Hengsten und Stuten festgestellt, außerdem gab es eine Hengstgruppe. Die genauere Untersuchung zeigt, daß es sich um eine Abwandlung des Systems der Paarungsterritorialität handelt: Da es hier überall

ganzjährig gute Nahrung und Wasser gibt, gelingt es dem Hengst ohne große Mühe, die Stuten im Territorium zu halten.

Nur wenige Wildesel leben in Menschenobhut; 1986 waren es 57. Sie stammen von zwei Fangunternehmen, 1969 in Somalia und 1972 in Äthiopien. In Somalia wurden zwei Stuten und drei Hengste gefangen. Sie fanden eine Heimat im Zoo von Basel, wo sie sich nach einigen Anfangsschwierigkeiten vermehrten. Die Nachkommen sind inzwischen in einige wenige andere zoologische Gärten gelangt. Die Tiere aus Äthiopien kamen in das Freigehege Hai-Bar in Israel und haben sich gleichfalls eingewöhnt und vermehrt. Auch von dieser Zuchtgruppe sind einige Tiere in zoologische Gärten gekommen. Außerdem leben noch mehrere Esel aus einer Zucht, die bereits vor dem Zweiten Weltkrieg aus Eritrea in den Tierpark Hellabrunn in München gekommen war, deren Herkunft aber nicht eindeutig gesichert ist.

Die Halbesel *(Equus hemionus)* waren einstmals über große Teile Asiens verbreitet; heute sind sie nur noch in geringen Restbeständen zu finden, die zum Teil weiter zurückgehen. In dem riesigen Gebiet sind mehrere Unterarten entstanden. Im Westen des Verbreitungsgebiets, in der östlichen Türkei und in Syrien, lebte bis zum Beginn dieses Jahrhunderts noch der Syrische Halbesel *(E. h. hemippus)*, die kleinste Form, die nur 100 Zentimeter Schulterhöhe hatte. Östlich, im Iran, schließt sich in den Wüsten Dasht-i-Lut und Dasht-i-Kevir der Onager *(E. h. onager)* an, dann, im südlichen Turkmenistan in der UdSSR, der Kulan *(E. h. kulan)*; im Rann of Kutch, im Nordwesten der indischen Halbinsel an der Grenze zu Pakistan und zum Teil auch auf pakistanischem Boden der Khur *(E. h. khur)*, in der südlichen Mongolei und in den angrenzenden chinesischen Provinzen Sinkiang und Kansu der Dschiggetai *(E. h. hemionus)* und schließlich in Tibet und Ladakh der Kiang *(E. h. kiang)*, bei dem eine westliche, eine südliche und eine östliche Form unterschieden wird.

Über die Bestandsgrößen liegen nur vereinzelte Angaben vor, die meist auf Zufallsbeobachtungen, teilweise auch auf Vermutungen beruhen. Die einzige genauer bekannte und auch gut geschützte Population ist die der etwa 1000 turkmenischen Kulane des Badchys-Reservats in Turkmenistan, an der Südspitze der Sowjetunion, unmittelbar an der Grenze zu Afghanistan und Iran. Badchys ist das einzige Schutzgebiet für Halbesel überhaupt. Es ist nur 880 km² groß, grenzt aber an Gebiete, die entweder überhaupt nicht vom Menschen genutzt werden oder nur eine extensive Schafhaltung zulassen. Hier können sich die Kulane weiter ausbreiten; bei entsprechendem Schutz wäre es denkbar, daß sie wieder größere Teile ihres alten Verbreitungsgebietes in den Steppengebieten Kyzyl Kum und Kara Kum besiedeln. Aus Badchys stammt auch die kleine Population der Insel Barsa Kelmes im Aralsee. Bis vor wenigen Jahren sollen die mongolischen Halbesel, die Dschiggetais, noch zu Tausenden in der

Karge Wüsten und Halbwüsten sind der angestammte Lebensraum der letzten wildlebenden Eselbestände, sowohl der afrikanischen Somali-Wildesel (oben) als auch der asiatischen Kulane, die zu den Halbeseln gehören (unten). Hier eine Gruppe mit Stuten und Fohlen.

Wüste Gobi gelebt haben; sicher ist, daß sie zumindest auf der chinesischen Seite der Grenze stark gewildert worden sind. Von den übrigen Unterarten gibt es wohl jeweils noch einige hundert Tiere, aber ihre Verbreitungsgebiete sind so abgelegen und unzugänglich, daß sowohl eine Zunahme als auch die Ausrottung unbemerkt von der Öffentlichkeit möglich ist.

In europäischen Zoos sind Onager die häufigsten Halbesel. Sie stammen hauptsächlich von den 20 Tieren ab, die der Tierfänger A. Johannes 1954 für Carl Hagenbeck in Persien fing. Außerdem werden mehrere Zuchtgruppen von turkmenischen Kulanen und seit einigen Jahren im Tierpark Berlin auch eine von Kiangs gehalten. Onager und Kulan sind einander so ähnlich, daß sie auch von Fachleuten verwechselt werden, und sicher haben die beiden Formen noch vor wenigen hundert Jahren ein zusammenhängendes Verbreitungsgebiet gehabt. Trotzdem ist es sinnvoll, sie getrennt weiterzuzüchten, da sie jetzt auch im Freiland getrennte Populationen bilden.

Halbesel leben in ganz verschiedenen Lebensräumen: der Khur in trockenen Salzsteppen in Meereshöhe; Onager, Kulan und Dschiggetai in Wüstengebieten mit heißen Sommern und verhältnismäßig kalten Wintern, in denen die Niederschläge als Schnee fallen; der Kiang in den Hochgebirgssteppen von Tibet und Ladakh bis über 5000 Meter Höhe.

Auch über das Verhalten der Halbesel ist aus dem Freiland nur sehr wenig bekannt. Bei einem kurzen Besuch des Badchys-Reservats im Oktober 1973, also außerhalb der Fortpflanzungszeit, konnte ich die Kulane einige Tage lang beobachten. Es zeigte sich, daß hier das gleiche Sozialgefüge wie bei Grevy-Zebra und Wildesel vorliegt: Ein Teil der Hengste ist territorial, das heißt hat in einem bestimmten Gebiet die Paarungsrechte. Die Stuten schließen sich zu veränderlichen Gruppen oder Herden zusammen, kommen aber auch als Einzelgänger vor. Die Territorien dürften (wie die des Wildesels) um 20 km^2 groß sein.

Ganz rechts: Onagermutter mit einem neugeborenen und einem einjährigen Fohlen - die einzige echte Sozialeinheit bei diesen Halbeseln. - Rechts unten: Drei verwilderte Hausesel in Australien.

Der heutige wissenschaftliche Name des Hauspferds ist *Equus przewalskii f. caballus,* wobei das eingefügte »f.« (für lat. *forma* = Form) das Pferd eindeutig als Haustier ausweist, im Gegensatz zur Bezeichnung einer natürlichen Unterart (ohne das »f.«). Entsprechendes gilt für die übrigen Haustiere.

Während über das wildlebende Przewalski-Pferd nur ein paar, allerdings höchst wichtige, Zufallsbeobachtungen gemacht werden konnten, bevor es ausgerottet wurde, ist das Hauspferd in mehreren freilebenden Populationen als Wildtier eingehend untersucht worden. Verwilderte Hauspferde haben sich in Nord- und Südamerika und in Australien ausgebreitet und zum Teil so stark vermehrt, daß sie eine Bedrohung für die einheimische Tier- und Pflanzenwelt darstellen und die Bestände nachhaltig verringert werden müssen. Verwilderte Hauspferde leben in den verschiedensten Lebensräumen, auf ozeanischen Inseln, zum Beispiel Sable Island, 300 km vor der kanadischen Ostküste, auf küstennahen Inseln vor der US-amerikanischen Ostküste, in den Trockengebieten im Westen der USA und in Zentralaustralien, und sogar in Hochgebirgen an der Schneegrenze in den Rocky Mountains in Kanada und den USA.

Trotz der unterschiedlichen Lebensbedingungen zeigte sich in bezug auf die soziale Organisation eine erstaunliche Einheitlichkeit. Das ist ein Beweis dafür, daß dieses Sozialgefüge äußerst anpassungsfähig ist und daß die jahrtausendelange Haltung als Haustier offenbar darauf keinen Einfluß hatte. Außerdem kann geschlossen werden daß auch das Przewalski-Pferd

dieselbe Form des Soziallebens hatte; die spärlichen Berichte darüber bestätigen diese Annahme.

Die grundlegende Sozialeinheit der verwilderten Hauspferde ist die Familiengruppe. Sie besteht aus einem Hengst, einer Reihe von Stuten und deren Fohlen. Die Gruppengröße reicht von 2 bis 21 mit Mittelwerten in den verschiedenen Populationen von 4,5 bis 12,3; die Zahl der Stuten beträgt 1 bis 8, Mittelwerte von 1,8 bis 7. Diese Werte sind nicht unbedingt miteinander zu vergleichen, da die Autoren zum Teil unterschiedliche Maßstäbe für die Abgrenzung der Altersklassen verwandten. Das bedeutet, daß die Familienzusammensetzung eher noch einheitlicher war. Überzählige Hengste leben einzeln oder in Junggesellengruppen.

Die erwachsenen Mitglieder der Familienverbände leben viele Jahre zusammen. Ein Hengst, auf Sable Island, hatte über 10 Jahre eine Familie – das ist die längste nachgewiesene Dauer von Familienbesitz bei allen Equiden dieser Sozialform. Hengste verlieren ihre Familien nur, wenn sie nicht im Vollbesitz ihrer Kräfte sind, während die Stuten häufig bis zu ihrem Tod in derselben Familie bleiben.

Der Gruppenzusammenhalt wird zu einem großen Teil vom Hengst erzwungen, der seine Gruppe gegen andere Hengste verteidigt, aber die Stuten halten auch freiwillig zusammen. Junggesellen versuchen immer wieder, Stuten aus einer Familie zu entführen oder den Familienhengst zu verdrängen, aber der Erfolg ist bescheiden. So wurde mehrmals beobachtet, daß Stuten, die von fremden Hengsten eingefangen worden waren, selbst nach zwei Tagen wieder zu ihrer ursprünglichen Familie zurückstrebten und auch zurückfanden. Solche Beispiele zeigen die engen persönlichen Bindungen der Tiere zueinander. Andererseits werden Stuten, die kurzfristig von ihrer Familie getrennt sind, etwa wenn sie an Wasserstellen etwas länger zurückbleiben, keineswegs immer von anderen Hengsten umworben, sondern können häufig ungestört zu ihrer Familie zurückkehren. Ja, es kommt sogar gelegentlich zum Vertreiben einer einzelnen Stute durch einen fremden Familienhengst.

Üblicherweise verhindern die Familienhengste Kontakte zwischen ihren Gruppen. Das geht sogar so weit, daß sie die eigene Gruppe von einem gerade von einer anderen Gruppe besetzten Wasserloch fernhalten. Wenn sich zwei Gruppen begegnen, gehen die Hengste jeweils an der Spitze ihrer Familie, treffen sich dann, begrüßen sich, zeigen Imponiergehabe und bleiben zusammen, bis die Stuten aneinander vorbei- und weitergezogen sind. Dann folgen die Hengste nach.

Die Bedeutung des Hengstes im Sozialgefüge ist dann besonders deutlich zu erkennen, wenn das natürliche Geschlechterverhältnis gestört ist, wenn also die Zahl der Hengste im Vergleich zu den Stuten zu gering ist. Solche Populationen gibt es zum Beispiel im New Forest in England, in der Camargue in Südfrankreich, in Dülmen in Deutschland und anderswo. Diese Pferde werden ganzjährig im Freien gehalten, haben aber trotzdem innige Beziehungen zum Menschen, sind entsprechend zutraulich und deswegen gut zu beobachten. Die jungen Hengste werden regelmäßig aus der Herde herausgefangen, teilweise werden fremde Hengste als Zuchthengste eingebracht.

Es zeigte sich, daß in Populationen mit zu wenigen Hengsten die kennzeichnende Familienbildung, also der feste Zusammenschluß von nicht miteinander verwandten Stuten, weitgehend unterbleibt. Zwar kommt es auch zu »persönlichen« Bindungen von Stuten untereinander, aber nicht, wie in natürlichen Populationen, zwischen fremden, nichtverwandten Tieren, sondern zwischen Mutter und erwachsener

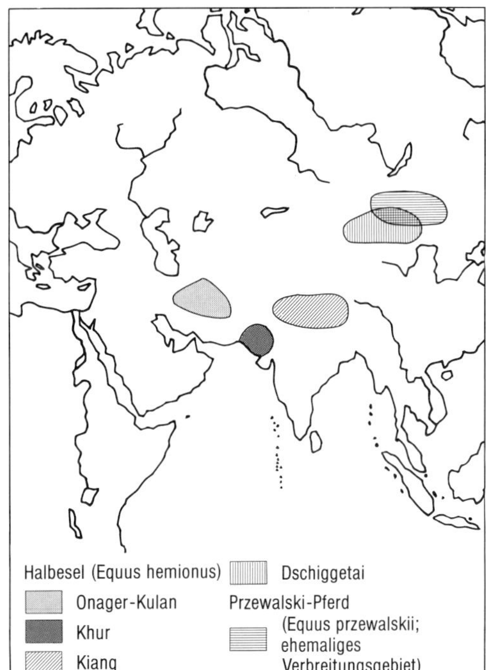

▷ **Kämpfende Camargue-Hengste. Das rechte Tier ist bereits zum »Luftkampf« aufgestiegen, der entscheidenden Phase der Auseinandersetzung. Sobald einer der beiden Kämpen aus dem Gleichgewicht gebracht wird, gibt er sich geschlagen und flieht sodann.**

Tochter beziehungsweise zwischen Schwestern. Daraus ist der Schluß zu ziehen, daß der Hengst die Gruppe zunächst einmal zusammenbringen muß, dann aber für den weiteren Zusammenhalt nicht erforderlich ist. Weiterhin zeigt sich, daß der Hengst in der natürlichen Population offenbar die Mutter-Tochter-Beziehung und Geschwisterbeziehungen aufspaltet.

Die Jungtiere scheiden aus den Familienverbänden regelmäßig aus. Das ist biologisch sinnvoll und erforderlich zur Vermeidung der Inzucht zwischen Vater und Tochter oder Mutter und Sohn. Es verhindert auch das übermäßige Anwachsen der Gruppe. Die Vorgänge sind aber im einzelnen noch nicht endgültig geklärt, oder vielmehr es gibt offenbar mehrere Möglichkeiten, die letztlich zur Trennung führen. Für die Jungstuten wird vermutet, daß sie 1. von fremden Hengsten entführt, 2. vom eigenen Vater vertrieben werden und 3. freiwillig abwandern. Daß der Pferdehengst seinen Sohn gewaltsam aus der Familie entfernt, entspricht wohl mehr romantischen Vorstellungen als der Wirklichkeit. Bei meinen eigenen Untersuchungen an Steppenzebras und Bergzebras, die das gleiche Sozialgefüge haben, war eher das Gegenteil, nämlich eine innige Beziehung zwischen Vater und Sohn, festzustellen, und mit Sicherheit verließen die Söhne letztlich freiwillig die Familie. Auch beim Pferd ist das beobachtet worden, desgleichen, daß sich Söhne nach einer Zeit der Selbständigkeit wieder an ihre väterliche Familie anschlossen und dort durchaus geduldet wurden. Allerdings: was die Fortpflanzung angeht, ist der Familienhengst unduldsam und verhindert die Annäherung seines Sohns genauso wie die von anderen Hengsten an die Stuten oder versucht zumindest sie zu verhindern.

Gelegentlich werden auch Familien mit mehr als einem Hengst beobachtet, offensichtlich handelt es sich dabei aber nicht um ein grundlegend anderes Sozialgefüge, sondern um kurzzeitige Übergangsformen, zum Beispiel wenn ein Junggeselle dabei ist, eine Familie zu übernehmen: Er schließt sich zunächst locker an eine Familie an, freundet sich mit dem Hengst und den Stuten an und verdrängt dann den Hengst aus der Familie - oder gibt auf. Auch das ist eine aufschlußreiche Parallele zu den Steppenzebras.

Przewalski-Pferd und Hauspferd

von Jiří Volf

Die Malereien, Zeichnungen und Plastiken des altsteinzeitlichen Menschen zeigen uns ein Wildpferd, das dem Przewalski-Pferd *(Equus przewalskii)* auffal-

Gegenseitige Körperpflege bei zwei Camarguepferden. Die beiden beknabbern sich vor allem an den Körperstellen, die ein Tier bei sich selbst weder mit dem Mund noch mit dem Schwanz oder den Hufen erreichen kann. Das gegenseitige Beknabbern dient allerdings nicht nur der Körperreinigung, sondern auch der Festigung sozialer Bindungen.

lend ähnelt. Danach und nach Knochenfunden hat eine Unterart davon während der Eiszeit in Westeuropa gelebt. In der zweiten Hälfte des 19. Jahrhunderts kam das asiatische Wildpferd nur noch in den Steppen an der mongolisch-chinesischen Grenze vor und wurde dort erst im Jahre 1879 von dem berühmten russischen Forscher Nikolaj Michajlowitsch Przewalski (1839–1888) entdeckt. Przewalski erhielt einen Schädel und ein Fell dieses Tieres, das von den Kirgisen Kertag, von den Mongolen Tache und von den Chinesen Jema genannt wird. Im Jahre 1881 stellte der russische Zoologe I. S. Poljakow fest, daß es sich um eine neue Art handeln müsse, der er den Namen des Entdeckers Przewalski gab.

Wegen der Unzugänglichkeit der mittelasiatischen Steppen begann man erst Jahre später nach den neuentdeckten Wildpferden zu forschen. Den Brüdern Grum-Grzimajlo gelang es als ersten Europäern, Przewalski-Pferde zu erlegen. Eine besondere Rolle spielte dann in den folgenden Jahren ein Kaufmann namens Assanow, der in China Handel trieb und auch mit Friedrich Falz-Fein von Askania Nowa, einem Gut in der Ukraine, in Verbindung stand. Da Falz-Fein einige dieser letzten Urwildpferde in Askania Nowa halten und züchten wollte, ließ Assanow in den Jahren 1897 bis 1899 mehrmals junge Przewalski-Pferde für ihn fangen. Nur ein Hengst und vier Stuten überlebten; der Hengst erwies sich als ein gutes Zuchttier und ließ sich sogar satteln. Weitere junge Przewalski-Pferde gelangten dann in den folgenden Jahren nach Rußland und 1901 nicht weniger als 28 Tiere zu Carl Hagenbeck nach Hamburg. Im Jahre 1902 kaufte Hagenbeck von Assanow noch fünf Hengste und sechs Stuten hinzu, und damit endete die Einfuhr von Przewalski-Pferden mit der Ausnahme der berühmten Stute Orlica III, die 1947 in der Mongolei gefangen wurde. Insgesamt wurden nur 53 Tiere gegen Ende des 19. und Anfang des 20. Jahrhunderts nach Europa überführt.

Über das Freileben des Przewalski-Pferdes gibt es nur wenige Beobachtungen. Nach den Angaben von T. Noack sind die Tiere nicht nur Bewohner wüstenhafter Ebenen, sondern steigen auch in Höhen bis 2500 Metern empor. Wie die Brüder Grum-Grzimajlo berichten, halten sie sich tagsüber in der Wüste auf, ziehen nach Sonnenuntergang zu den Weidegebieten und zum Wasser und kehren morgens wieder in die Wüste zurück. Bei Gefahr und auf der Flucht bleibt der Hengst hinter seiner Familiengruppe aus Stuten und Fohlen zurück. Die beobachteten Gruppen bestanden aus höchstens 20 Tieren. Hauptsächlich ernähren sich die Wildpferde von hartem Gras, das kein Hauspferd annehmen würde. Die Fohlen werden im April oder Anfang Mai geboren. Während des Winters löschen die Wildpferde ihren Durst mit Schnee.

Da die Przewalski-Pferde sehr scheu sind und einen vorzüglichen Geruchssinn haben, gelang es, so wird berichtet, nur selten, auf Schußweite an sie heranzukommen. Nur unter großen Mühen und Vorbereitungen vermochte man die wenigen Tiere zu fangen, von denen schon die Rede war. Die Fänger benötigten dazu Kamele zum Tragen der Nahrungsvorräte, außerdem einige gut abgerichtete Rennpferde. Es gab schon damals so wenige Wildpferde in den Einöden der Mongolei, daß es manchmal mehrere Wochen dauerte, bis man eine Herde entdeckte. Befanden sich Fohlen darunter, so begannen die Jäger mit einer oft viele Stunden dauernden Verfolgung, wobei sie in die entlegensten Wüstengegenden gerieten.

Hatten sich die Verfolger genähert, so versuchte der Leithengst die Herde zu verteidigen. Er griff die Pferde der Jäger an und wurde meist als erster von der Kugel getroffen. Die Fohlen wurden mit der Schlinge gefangen. Berichte, denen zufolge noch bis in unser Jahrhundert hinein viele tausend Przewalski-Pferde in der Mongolei lebten, sind mit Sicherheit übertrieben. Der letzte Fang war im Jahr 1947, und 1968 wurden Przewalski-Pferde das lezte Mal in freier Wildbahn gesehen.

Das mongolische Wildpferd gehört also zu denjenigen Tierformen, die man fälschlich allzu lange für

Die Przewalski-Pferde (oben und links) sind in ihrer fernöstlichen Heimat wahrscheinlich ausgestorben, doch inzwischen gibt es in menschlicher Obhut wieder mehr als 700 dieser Urwildpferde, die allesamt von zehn ursprünglich eingeführten Tieren abstammen.

▷ Vollbluttraber-Stute mit Fohlen.

▷▷ »Kamerad« Pferd in allen Variationen (von links oben nach rechts unten): Forstarbeit, Trabrennen, Cowboypferd, Rodeo, Ackerpferd, Reiterspiel, Polo, Streitrösser, Hindernisrennen.

nicht bedroht hielt und erst dann unter Schutz stellte, als es für die freilebende Population schon zu spät war. Zum Verschwinden dieser letzten Wildpferde hat nicht nur die Jagd beigetragen, sondern auch die Vergrößerung des Weidelandes in der transaltaischen Gobi und die Zunahme der Haustierbestände. Die Wildpferde wurden dadurch in die wasserärmsten Teile der Steppe abgedrängt. Alle Nachrichten aus jüngster Zeit, nach denen man doch noch kleine Gruppen von Wildpferden in der Mongolei beobachtet haben will, müssen mit äußerster Vorsicht beurteilt werden – es handelt sich wahrscheinlich um Verwechslungen mit Dschiggetais, also mit mongolischen Halbeseln, oder mit verwilderten Hauspferden. Immerhin ist das Przewalski-Pferd zumindest in Tiergärten über die Zeit gerettet worden.

Die heute in Menschenobhut lebenden Wildpferde stammen nur von zehn ursprünglich eingeführten Tieren ab. Durch gezielte Zucht versucht man, den ungünstigen Einfluß der Inzucht zu unterdrücken.

Der Prager Zoo führt seit 1960 ein internationales Zuchtbuch, in dem alle in Menschenobhut gehaltenen und geborenen Przewalski-Pferde aufgeführt werden. Das Zuchtbuch bietet aber nicht nur eine Übersicht über die Weltzucht, es ermöglicht auch den Tausch von geeigneten Tieren oder die Ergänzung der Zuchtgruppen und erhöht das Interesse der Züchter. Im ersten Jahrgang des Zuchtbuches wurden 59 Einzeltiere angeführt, im Jahre 1986 überstieg die Anzahl der in Zoos gehaltenen Przewalski-Pferde 700 Stück. Es ist einer der größten internationalen Erfolge, die bei der Rettung einer vom Aussterben bedrohten Tierart erreicht wurden. Dieser Erfolg ermöglicht es bereits, eine Wiederaussetzung der Urwildpferde in die freie Wildbahn zu erwägen. Zur Zeit (1986) suchen Biologen aus der UdSSR und der Mongolischen Volksrepublik für Reservate geeignete Gebiete.

Aus dem Wildpferd entstanden im Laufe der Zeiten unter dem Einfluß des Menschen viele Pferderassen, die sich durch ihr Äußeres und auch durch ihren Verwendungszweck unterschieden.

Hauspferde vom Przewalski-Typ findet man heute überwiegend in der Sowjetunion. Sie sind robust, aber klein (Widerristhöhe 120 bis 145 cm), sehr widerstandsfähig, ausdauernd und schnell. Unter ihnen nennen wir das Kirgisische Pferd aus Mittelasien, das Kalmückenpferd, das früher zwischen dem Don und dem Kaspischen Meer gezüchtet wurde, und das Baschkirische Pferd von den Westhängen des Urals. Unter allen südsibirischen Rassen wird das Altai-Pferd am meisten geschätzt; es ist in Hochgebirgsgegenden ein vorzügliches Tragtier. Am nächsten mit dem Przewalski-Pferd verwandt ist das Gobi-Pferd aus dem Süden der Mongolischen Volksrepublik.

Der bekannteste Abkömmling des Tarpan-Typs ist das Araberpferd. Es gelangte aus dem Iran und aus Kleinasien nach Arabien, von wo es sich mit dem Islam über weite Teile Vorderasiens und Nordafrikas verbreitete. Ihm steht das Turkmenische Pferd am nächsten. Nach Europa gelangten Araberpferde erst im frühen Mittelalter durch die Kreuzzüge; man benutzte sie vor allem, um die europäischen Hauspferde zu veredeln. Araber haben einen schlanken Körper (Widerristhöhe 135–150 cm) und eine kurze Haardecke, unter der einzelne Muskelbündel und Adern deutlich zu sehen sind. Am hochgehobenen Kopf fällt besonders der schmale Gesichtsteil mit dem gebogenen Profil auf.

Das polnische Bilgoraj-Pferd gilt als direkter Nachkomme des Waldtarpans, der bis zum 18. Jahrhundert in der Nähe von Bilgoraj lebte, und ist deshalb besonders bemerkenswert. Durch Kreuzung edler Araber mit schweren Hauspferden entstand das Altspanische Pferd. Von ihm stammen zwei bekannte Rassen ab: der Lipizzaner und das Kladruber Pferd. Der Lipizzaner erhielt seinen Namen nach dem früher österreichischen, heute jugoslawischen Gestüt Lipizza (Lipica) bei Triest. Die Tiere – meist Schimmel – wurden vor allem für die Hofreitschule in Wien gezüchtet. Etwas weniger Araberblut hat das Kladruber Pferd, das einem schon 1579 von Kaiser Rudolf II. in Kladrub (Böhmen) gegründeten Gestüt entstammt.

Der Englische Vollblüter entstand durch Kreuzung

Aus dem Przewalski-Pferd ist das Hauspferd mit seinen vielen Rassen hervorgegangen, die der Mensch im Laufe der Jahrtausende für die unterschiedlichsten Verwendungszwecke erzüchtet hat. Unten, von links nach rechts: Konik, Shetland-Pony, Exmoor-Pony, Araber, Rheinische Kaltblutstute mit einem Fohlen.

britischer Inselpferde mit einem Araber, der während der Kreuzzüge nach England gelangte. Eine einseitige Auslese, bei der man besonderen Wert auf Schnelligkeit und Ausdauer legte, formte daraus ein für die Rennbahn geeignetes Pferd. Schon 1791 trug man die schnellsten Vollblüter in ein Grundzuchtbuch ein. Heute darf außer echten Arabern und deren Kreuzungen mit Vollblütern kein Pferd als Englischer Vollblüter bezeichnet werden, das nicht in ununterbrochener Linie von den im Zuchtbuch eingetragenen Ahnen abstammt.

In der Gestalt unterscheiden sich die Vertreter der einzelnen Vollblüter-Stammlinien erheblich, je nach dem Anteil des arabischen und westlichen Blutes. Diese Pferde sind verhältnismäßig hoch (Widerristhöhe 160 bis 180 cm) und haben einen schmalen, entweder geraden oder in der Stirngegend etwas gewölbten Schädel. Als Wirtschaftspferd spielt der Vollblüter keine Rolle; die Tiere sind zu temperamentvoll und zu leicht gebaut. Aus ihrer Kreuzung mit ruhigeren und schweren Gestütspferden sind aber die HALBBLÜTER hervorgegangen, unter denen wir mehrere Schläge unterscheiden.

In Deutschland hat vor allem das OSTPREUSSISCHE oder TRAKEHNER PFERD den größten Anteil orientalischen Blutes. Seine Zucht ist eng verbunden mit der Geschichte des Gestüts Trakehnen, das Friedrich Wilhelm I. 1732 in Ostpreußen gründete. Schwerer ist das HANNOVERSCHE PFERD, das vor allem in Niedersachsen, besonders in dem 1735 gegründeten Gestüt in Celle, gezüchtet wird. Aus einer Kreuzung einheimischer Altholsteiner Stuten mit Kaltblütern des Westtyps entstand das HOLSTEINISCHE PFERD. Die schwerste Rasse der Warmblüter ist der OLDENBURGER, der durch seinen starken Körperbau schon an Kaltblüter erinnert.

Durch manche Merkmale des Skeletts unterscheiden sich die KALTBLÜTER von den bisher genannten Hauspferden; sie sind vor allem größer und schwerer. Der derbe Schädel mit dem verlängerten Gesichtsteil hat ein gerades oder gewölbtes Profil; der starke Nacken geht in einen verhältnismäßig langen Rumpf über. Kaltblüter haben ein dichtes, derbes Haar; sie sind durchweg von ruhiger Natur und auch für schwere Landarbeiten geeignet.

Ein kennzeichnender Vertreter der Kaltblüter ist das NORISCHE oder PINZGAUER PFERD, dessen Skelett sehr an das westlicher Wildpferde aus der Eiszeit erinnert. Unter dem Sammelnamen BELGISCHES PFERD versteht man verschiedene Typen von Kaltblütern, die mehr oder weniger mit Arabern gekreuzt wurden. Aus ihnen wurde durch Kreuzungen mit dem Oldenburger Pferd und anderen deutschen und englischen Kaltblütern das RHEINISCHE KALTBLUTPFERD gezüchtet. Stark zurückgegangen sind die Bestände des SCHLESWIGER KALTBLUTPFERDES. In Frankreich ist das PERCHERON-PFERD der häufigste Kaltblüter. Zu seinen Stammeltern gehören auch Araberpferde, die man bereits zu Anfang des 8. Jahrhunderts n. Chr. nach Frankreich eingeführt hatte. In den Alpen, vor allem auf den Bergebenen Südtirols, wird der HAFLINGER gehalten, ein für Hochgebirgsgegenden unübertreffliches Pferd, das sich ebensogut als Zug- und Tragtier wie unter dem Sattel bewährt hat.

Schließlich nennen wir noch die NORDPFERDE, die möglicherweise von einer kleineren eiszeitlichen Unterart des Wildpferdes abstammen. Heute sind die Nordpferde eine recht verschiedenartige Gruppe, da man diese kleinen Pferde in England mit Arabern, im südlichen Skandinavien mit Kaltblütern, in Nordosteuropa und Asien mit Pferden vom Przewalski-Typ gekreuzt hat. Im Gebirgsland des nördlichen Skandinavien stellt das ausdauernde, schnelle, kleine FJORD-PFERD (Widerristhöhe 130 bis 140 cm) oft das einzige Verkehrsmittel dar. Als urtümlichstes Nordpferd gilt das SHETLAND-PONY (Widerristhöhe nur ein Meter). Funde von Pferdeskeletten in altgermanischen Gräbern deuten darauf hin, daß Nordpferde schon im Altertum in Mitteleuropa verbreitet waren. Ihr südlichster Vertreter ist das HUZULER PFERD, das in den

Karpaten ausgezeichnete Dienste als Tragtier und Reitpferd leistet.

Das durchweg als Schimmel auftretende Camargue-Pferd (Widerristhöhe 135 bis 145 cm) ist ein noch ziemlich unveränderter Nachkomme eiszeitlicher Wildpferde, in die Orientalen – hauptsächlich Berberblut – eingekreuzt wurden. Vornehmlich wird es als Hirtenpferd der Kampfrinderherden benutzt.

Wie schon erwähnt, starben die Einhufer während der Eiszeit in Amerika aus. Sämtliche amerikanischen Pferde von heute stammen aus Europa. Sowohl spanische als später auch englische Pferde verwilderten dort schnell und vermehrten sich stark. So berichtet zum Beispiel der spanische Naturforscher Félix de Azara, daß die im Jahre 1535 gegründete Stadt Buenos Aires bald wieder von den Einwohnern verlassen wurde. Etwa fünf bis sieben Pferde blieben zurück. Als man 1580 die Stadt erneut in Besitz nahm, lebte dort auf den Pampas eine Unzahl verwilderter Pferde, die von dieser kleinen Gruppe abstammten. Man nannte sie Cimarrones, und es war bis in die neueste Zeit hinein allgemein erlaubt, sie zu fangen und nach Belieben zu benutzen.

In Nordamerika verwilderten eingeführte Hauspferde gleichfalls. Diese Mustangs wurden dann nicht nur von den Kolonisten, sondern bald von den Indianern in großer Zahl eingefangen und gezähmt. Aus ihnen züchteten die Mohawk-Indianer sogar eine besondere Rasse, das Indianer-Pony (Widerristhöhe 130 bis 140 cm), das von verschiedenen kleinen europäischen Pferdeformen abstammt.

Eine andere in Nordamerika entstandene Rasse ist der Amerikanische Traber. Er wurde aus englischen Vollblütern herausgezüchtet, die man Ende des 18. Jahrhunderts nach Nordamerika brachte. Später kreuzte man auch andere Rassen ein, in erster Linie russische Orlow-Traber, die sich besonders gut bei Trabrennen bewährt hatten.

Nach Australien gelangten die ersten Pferde schon mit der Besiedlung des Erdteils durch Europäer; sie kamen vor allem aus England. Ihre verwilderten Nachkommen nennt man Brumbies. Im Jahre 1912 sollen in Australien schon fast zweieinhalb Millionen verwilderter Pferde gelebt haben, besonders in Neusüdwales und Queensland. Reiche Goldgräber führten aus England gute Vollblüter ein; daraus entstand ein australischer Pferdetyp, der sowohl in der Weidewirtschaft als auch im Sport Verwendung fand.

Weitere Hauspferdrassen: Englische Vollblutstute mit Fohlen (oben), Hannoveraner und Haflinger (Mitte), Yorkshire-Pferd und Pinzgauer (unten).

Gegenüberliegende Seite: Der Flachlandtapir, der bekannteste neuweltliche Vertreter der artenarmen Tapirfamilie, ist wie alle seine Verwandten ein Pflanzenesser.

Tapire

von John F. Eisenberg, Colin P. Groves und Kathy MacKinnon

Körperbau und Verbreitung

Der im Deutschen und in den meisten anderen europäischen Sprachen gebräuchliche Name Tapir stammt aus der Tupi-Sprache, die bis ins 17. Jahrhundert neben dem Portugiesischen Volkssprache in Brasilien war. Der Gattungsname *Tapirus* ist eine einfache Latinisierung des Tupi-Wortes.

Carl von Linné war im 18. Jahrhundert lediglich der südamerikanische Flachlandtapir bekannt, den er für eine Art landlebendes Flußpferd hielt; er nannte ihn daher *Hippopotamus terrestris*, um ihn von dem in Afrika lebenden echten Flußpferd, *Hippopotamus amphibius*, zu unterscheiden. Aus dieser ursprünglichen Namensgebung erklärt sich der heute gebräuchliche Artname *Tapirus terrestris*, der in dieser Zusammenstellung etwas sonderbar anmutet.

»Anta« oder »Danta« ist eine andere indianische Bezeichnung, die im Spanischen und Portugiesischen verwendet wird. In Guyana nennt man ihn »Bushcow«, also Buschkuh. In Malaysia und Indonesien wird er häufig als »Badak« (wörtlich übersetzt: Nashorn) bezeichnet; aufgrund seiner dreizehigen nashornähnlichen Fußabdrücke wird er nämlich zuweilen für ein junges Nashorn gehalten, denn die Fußspuren sind im allgemeinen das einzige, was man von diesen Tieren zu Gesicht bekommt.

Vier Eigenschaften haben alle Tapire gemeinsam, ob sie nun in der Alten oder in der Neuen Welt zu Hause sind: einen massigen, stämmigen Körperbau, einen auffälligen Nasenrüssel, kurze, runde Ohren und eine Vorliebe für Wasser und Schlammsuhlen.

Die Tapire besitzen einen massigen, langgestreckten Körper, recht kurze Beine, einen kurzen Hals sowie einen kurzen, lediglich elf Wirbel umfassenden Schwanz. Die ebenfalls kurzen Ohren sind abgerundet und nicht besonders beweglich. Kennzeichnend ist ein kurzer Rüssel, der an seiner Spitze die beiden quer ausgerichteten Nasenöffnungen trägt. Sie sind von einem drüsenreichen Nasenspiegel (Rhinarium) umgeben, der sich an der Unterseite des Rüssels entlangzieht und in die Schleimhaut des Gaumens übergeht. Auf diese Weise werden dem äußerst hoch entwickelten Jacobsonschen Organ (Sinnesorgan in der Nasenhöhle) Geruchs- und Geschmacksreize zugeführt. Im oberen Abschnitt der Kehle liegt ein Paar Gaumentaschen; bei diesen großen knorpeligen Kehlsäcken handelt es sich um Ausstülpungen der Eustachischen Röhren (Ohrtrompeten). Die Aufgabe dieser Bildungen, die auch bei Pferden vorkommen und bei den Nashörnern rückgebildet sind, ist unbekannt.

Von den vier Zehen des Vorderfußes ist der äußerste klein und berührt für gewöhnlich nicht den Untergrund. Der Hinterfuß ist dreizehig. Jede Zehe ist von einem länglichen Huf bedeckt; die Zehen werden also nicht wie bei den Pferden von einem einzigen Huf umschlossen. Die Fußsohle ist hinter den Zehen gepolstert und mit einer geschmeidigen Hornhaut überzogen.

Die Haut ist dick, doch recht geschmeidig, und bei den meisten Arten wenig behaart; die Ausnahme bildet der Bergtapir, dessen Fell dichter und auch langhaariger ist. Sinneshaare am Kopf sind selten.

Für den Magen-Darm-Trakt sind ein einfach gebauter Magen und ein kurzer Blinddarm mit großer lichter Weite kennzeichnend.

Die Hoden liegen neben dem Glied (Penis) in Hodensäcken. Das Glied selbst ist sehr lang und leicht gekrümmt. Wie bei den Nashörnern ist es auf jeder Seite der Eichel mit aufrichtbaren Lappen ausgestattet.

Das Gehirn ist kleiner als beim Pferd, und das Kleinhirn wird nicht vom Großhirn bedeckt. Sehr stark entwickelt ist dagegen das Riechhirn.

Die hinteren Backenzähne (Molaren) tragen auf ihren Kronenflächen zwei Querleisten; auch der dritte und der vierte Backenzahn (Prämolaren) besitzen solche Kronen mit zwei Querleisten. Die Ausbildung des zweiten Prämolars ist von Art zu Art verschieden. Beim Baird-Tapir ist er stark den hinteren Backenzähnen angeglichen (molarisiert), beim Bergtapir dagegen kaum; bei den beiden anderen Arten hat sich eine Zwischenform herausgebildet. Die beiden unteren Eckzähne sind gut entwickelt, die beiden oberen sind dagegen klein. Der obere dritte Schneidezahn ist jedoch von eckzahnähnlicher Gestalt.

Das Auge ist besser entwickelt als bei den Nashörnern; wie bei diesen ist die Pupille jedoch rund und nicht wie bei den Pferden länglich. Wie bei den Pferden jedoch besitzt das Auge der Tapire ein leuchtend gelbes Tapetum lucidum (Reflexionsschicht), das den Nashörnern fehlt.

Der massige, stämmige Körper des Tapirs ist gut geeignet, um durch den dichten Pflanzenwuchs an den Flußufern und Waldrändern zu streifen, wo das Tier vorzugsweise grast. Die derbe Lederhaut ist häufig von frischen Kratzern und Narben gezeichnet; sie stammen von dornigen Pflanzen, mit denen der Tapir bei seinem Streifzug durch das Unterholz der Wälder in Berührung kommt.

Obwohl Südamerika und Südostasien als die eigentliche Heimat der Tapire gelten, ist damit keineswegs das gesamte ursprüngliche Verbreitungsgebiet dieser Tiere erfaßt. Vertreter der Familie Tapiridae traten erstmals im späten Eozän Nordamerikas auf. Bereits im Oligozän hatten sich mit der Gattung *Protapirus* die Hauptunterscheidungsmerkmale herausgebildet. In Europa gab es im Miozän Tapire, die sich kaum von dem heute lebenden Bergtapir unterschieden. Im Miozän dürfte auch die Aufspaltung in die beiden Gattungen stattgefunden haben. Die heutigen Tapire besitzen also eine ganze Reihe urtümlicher Merkmale; das gilt sowohl für ihre Körpergestalt als auch für ihr Verhalten. Innerhalb der Ordnung Perissodactyla (Unpaarhufer) gehören hierzu eine Vorliebe für die nächtliche Lebensweise, eine im wesentlichen auf dem Geruchssinn beruhende Orientierung sowie eine allgemeine Angepaßtheit an baumreiche Lebensräume. Wir können uns glücklich schätzen, daß es die heutigen Tapire gibt, erinnern sie uns doch stark an die ausgestorbenen, waldangepaßten frühen Urformen, aus denen durch Aufspaltung und natürliche Auslese die Pferde hervorgegangen sind.

Zeitweilige Landverbindungen zwischen Nordamerika und Asien ermöglichten es den Tapiren, bereits im Oligozän die Alte Welt zu erobern. In Nordamerika waren die Tapiridae sehr erfolgreich; erst als die Landbrücke von Panama im späten Pliozän vollständig ausgebildet war, drangen sie nach Südamerika vor. Auf der Halbinsel Florida lebten bis vor etwa 11 000 Jahren Tapire, bis sie plötzlich zusammen mit einigen anderen großen Säugetieren verschwanden. Der Untergang vieler Tierarten fiel mit der Einwanderung des Menschen zusammen, doch traten zu dieser Zeit auf der Halbinsel auch Klimaveränderungen auf, die einen Wandel der Pflanzenwelt mit sich brachten.

Das Vordringen des Tapirs nach Südamerika war ein glücklicher Zufall, denn dies sicherte ihm sein Überleben auf der westlichen Erdhälfte bis auf den heutigen Tag. Der Flachlandtapir ist ein ausgezeichneter Schwimmer, so daß der Flußreichtum in den tropischen Niederungen Südamerikas kein Hindernis für die Besiedlung dieser Region war. Im Pleistozän lag die südliche Grenze seines Verbreitungsgebietes etwa in Höhe des heutigen Buenos Aires.

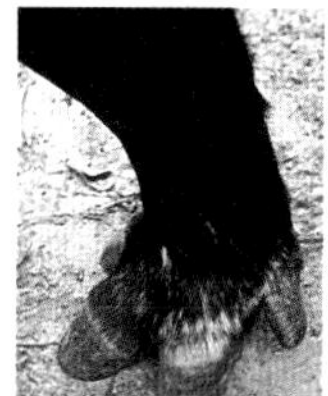

Links: Alle Tapire sind gute Schwimmer. - Oben: Vorderfuß eines Baird-Tapirs. Er hat vier Zehen, die jeweils von einem kleinen Huf umschlossen werden.

Da alle Tapire gute Schwimmer sind, verbringen sie viel Zeit im Wasser oder beim Suhlen in Schlammlöchern, um sich abzukühlen oder Hautschmarotzer loszuwerden. Außerdem reiben sie ihren Körper häufig an Baumstämmen, um lose Haare oder Läuse zu entfernen. In der Wildnis werden sie oft von Zecken befallen. J. F. Eisenberg hat mehrfach festgestellt, daß in Gebieten mit einem reichen Tapirbestand auch die Zecken reichlich vertreten sind. Manchmal können Tapire in tiefen Strömen Zuflucht suchen, und sie stehen sogar in dem Ruf, ähnlich wie Flußpferde auf dem Boden eines Flusses entlanglaufen zu können. Wenn

sie auf dem Land umherziehen, folgen sie einem Zickzackkurs, wobei sie ständig Nahrung aufnehmen. Die Pflanzenkost, die sie zu sich nehmen, ist recht vielfältig und umfaßt Gräser, Wasserpflanzen, Blätter, Knospen, weiche Zweige und Früchte von niederwüchsigen Sträuchern. Die Tiere halten auf ihrer Wanderung kurz inne, um einige Mundvoll Blätter, Knospen oder ähnliches von einem Busch oder Strauch zu pflücken, und gehen dann weiter. Der kurze fleischige Rüssel hilft dem Tapir, seinen Weg durch den Dschungel zu erschnüffeln; außerdem dient er als »Finger«, um Blätter und Sprossen in Mundnähe zu bringen und abzureißen. Beim Weiden verhalten sich die Tapire wie Pferde, indem sie das Gras mit den Schneidezähnen abbeißen. Besonders gierig sind sie nach Salz. Um in seinen Genuß zu kommen, ist ihnen kein Weg zu den Salzlecken zu weit. Im Taman-Negara-Nationalpark in Westmalaysia können Besucher häufig beobachten, wie Tapire von den künstlich angelegten Salzlecken unwiderstehlich angezogen werden.

Fortpflanzung und Jungenaufzucht

Beobachtungen an Tieren in Menschenobhut lassen den Schluß zu, daß sich Tapire das ganze Jahr über fortpflanzen können, wobei die Weibchen offensichtlich etwa alle zwei Monate empfangsbereit werden. Treffen zwei Tiere in der Wildnis aufeinander, verhalten sie sich in der Regel aggressiv. Sie zeigen ihre Feindseligkeit an, indem sie die weißgeränderten Ohren nach vorne stellen und die Zähne fletschen. An diesem Punkt zieht sich meist eines der Tiere von selbst zurück. Kommt es zu Kampfhandlungen, so versucht einer den anderen ins Hinterbein zu beißen. Häufig bilden die beiden Tiere dabei einen Kreis, indem jeder seine Bisse auf die Hinterbeine des anderen richtet. Da die Schneidezähne recht gut entwickelt sind, können sie sich schmerzhafte Wunden zufügen. Außerdem sind die unteren Eckzähne groß genug, um Reißwunden zu setzen. Diese Art von Auseinandersetzung erinnert an eine Kampfform, wie sie von Pferden bekannt ist. Der Paarung geht eine eifrige Werbung um den Partner voraus; die hocherregten Tiere stoßen dabei kurze keuchende Laute oder durchdringende schrille Pfiffe aus und verspritzen gelegentlich Harn. Das Männchen und das Weibchen stellen sich alsdann Nase zu Schwanz nebeneinander und versuchen sich gegenseitig in der Geschlechtsgegend zu beriechen. Daraus entwickeln sich immer schneller werdende Kreiselbewegungen. Sich paarende Tiere beißen nach den Ohren, Füßen und Flanken ihres Partners, wie es auch Pferde und Zebras bei der Paarung tun. Nach der Begattung kann das Weibchen angriffslustig werden und das Männchen verjagen. Die Tapire vollziehen die Paarung häufig im Wasser. Sie sind daran jedoch nicht unbedingt gebunden, denn wie wir aus unseren Tiergärten wissen, sind sämtliche Arten auch in der Lage, sich an Land zu paaren.

Obwohl es üblich ist, das Männchen kurz vor der Geburt des Jungen von dem Weibchen zu trennen, gibt es eine Reihe von Zoos, die die Paare weiterhin zusammen gehalten haben. Das Männchen verhält sich dann dem Jungen gegenüber völlig unbeteiligt. In menschlicher Obhut neigen die Männchen zu plötzlichem aggressivem Verhalten, besonders dann, wenn sie geschlechtlich erregt sind oder mit einem fremden Tier, sei es weiblich oder männlich, zusammentreffen.

Kurz vor der Geburt macht sich das trächtige Weibchen auf die Suche nach einem sicheren Lager. In der Regel bringt ein Tapirweibchen nur ein Junges zur

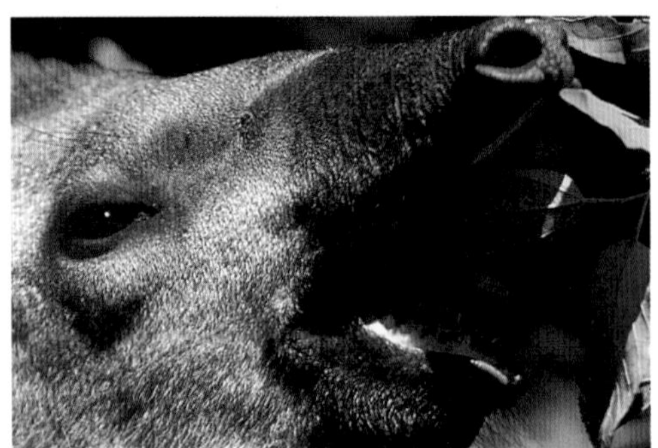

Oben: Ein flehmender Baird-Tapir. Sein merkwürdiger Rüssel ist aus Nase und Oberlippe gebildet und trägt an der Spitze die beiden querstehenden Nasenlöcher. Sie sind von einem drüsenreichen Nasenspiegel umgeben, der sich auch an der Unterseite des Rüssels entlangzieht. – Unten: Der Flachlandtapir ist wie alle seine Verwandten ein Pflanzenköstler. Manchmal benutzt er den Rüssel wie einen Finger, um Blätter oder Sprossen zum Mund zu führen.

Welt; Zwillinge sind sehr selten. Im Zoo kann das Weibchen alle 18 Monate ein Kind bekommen. Im Freileben dürften die Abstände zwischen den einzelnen Geburten jedoch beträchtlich kürzer sein. Bei der Geburt legt sich das Weibchen nieder; das Junge wird mit dem Kopf voran geboren.

Das Tapirjunge wird mit offenen Augen geboren und kann bereits kurz nach der Geburt stehen und laufen. Mit dem Herannahen der Geburt wird das Weibchen zunehmend unruhiger. Obwohl es sich vor der Geburt niederlegt und sich hin und her wälzt, bringt es das Junge gewöhnlich stehend zur Welt. Nach dem Geburtsvorgang wendet sich die Mutter dem Jungen zu und beleckt es. Diese mütterlichen Kontakte veranlassen das Junge, schon bald darauf Aufstehversuche zu unternehmen. Sie säugt das Junge, indem sie auf der Seite liegend ihr Gesäuge darbietet. Die Suche des Neugeborenen nach den Zitzen lenkt sie durch Kopfstöße oder indem sie ihre Lage wechselt. Die beiden Zitzen des Weibchens liegen wie bei den Pferden zwischen den Hinterbeinen. 1 bis 22 Tage nach der Geburt tritt das Weibchen des Flachlandtapirs wieder in den Östrus (Brunst) ein; bei den Schabrackentapiren dagegen dauert die empfängnisfreie Periode etwa 2,5 bis 7 Monate.

In der ersten Woche seines Lebens begleitet das Kind seine Mutter nicht zum Weiden und Grasen, sondern verharrt liegend an einem geschützten Ort. Im Alter von etwa einer Woche zeigt es dann ein ausgeprägtes Folgeverhalten gegenüber seiner Mutter; 10 bis 11 Monate lang bleibt diese Mutter-Kind-Einheit bestehen. Im Alter von 5 Monaten beginnt das Streifenkleid des Jungtieres zu verblassen und ist im Alter von 10 Monaten gegen das der Erwachsenen ausgetauscht.

Besonders auffällig ist das Fellmuster des Neugeborenen. Weißliche, cremefarbene oder blaßgelbe Längsstreifen, die stellenweise von Flecken unterbrochen werden, ziehen sich über Körper und Beine. Im Licht- und Schattenspiel auf dem Waldboden ist dies ein hervorragendes Tarnkleid.

Die Tragzeit liegt im allgemeinen zwischen 390 und 400 Tagen. Bei den meisten Arten wiegt das Junge bei der Geburt zwischen 5 und 10 Kilogramm. Nur beim Baird-Tapir ist es offensichtlich doppelt so schwer. Die Jungen der Gattung *Acrocodia* wachsen schneller heran als die der Gattung *Tapirus.*

Lebensweise in der Wildnis und Gefährdung

In ergiebigem Lebensraum kann die Tapir-Dichte 0,8 je Quadratkilometer erreichen. Hat man das Glück, sich in einem Tropenwald aufzuhalten, in dem es noch Tapire gibt, so sind die Spuren ihrer Gegenwart nicht zu übersehen. Sie selbst sind jedoch nicht leicht zu erblicken, obwohl sie, wenn sie gestört werden, durch das Unterholz davonjagen. Doch auch dann hört man sie eher, als daß man sie sieht. Ihre dreizehigen Spuren sind unverwechselbar, und ihre Gewohnheit, an steilen Böschungen stets die gleichen Pfade zu benutzen und auch auf diese Weise Flüsse aufzusuchen, prägt die Dschungellandschaft. Häufig benutzen Tapire wiederholt denselben Kotplatz. Besonders in der heißen Jahreszeit, wenn es wenig Mistkäfer gibt, können sich beachtliche Mengen an Kot ansammeln. Ähnlich wie Flußpferde und Nashörner setzen Tapire ihre Ausscheidungen häufig im ufernahen Wasser ab. Kothaufen, die an Waldpfaden abgelagert worden sind, werden manchmal mit Zweigen und Blättern bedeckt. Nach dem Absetzen der Kotballen scharren die Tiere mit ihren Hinterbeinen.

Dieser Flachlandtapir, unschwer zu erkennen an seiner schmalen Stehmähne, sucht im Wasser Kühlung oder Schutz vor lästigen Stechinsekten. Da für Flachlandtapire selbst breite Ströme kein Hindernis sind, konnten sie im wasserreichen Südamerika ein riesiges Verbreitungsgebiet erobern.

Eines der auffälligsten Merkmale der Tapire ist zweifellos der durch die Oberlippe und die Nasenöffnungen gebildete Rüssel. Dieser kurze »Finger« hilft beim Nahrungserwerb; mit ihm kann ein Tapir Blätter von den Zweigen zupfen und sich in den Mund stecken. Mit seinen kräftigen Schneidezähnen vermag er ähnlich wie ein Pferd krautige Pflanzen abzuweiden. Auch Früchte, auf die sie bei ihrem Weidegang stoßen, werden von keiner der Tapirarten verschmäht.

Tapire (Tapiridae)

Name **deutscher Name** **wissenschaftlicher Name** **englischer Name (E)** **französischer Name (F)**	**Körpermaße** **Kopfrumpflänge (KRL)** **Schwanzlänge (SL)** **Standhöhe (SH)** **Gewicht (G)**	**Auffällige Merkmale**	**Fortpflanzung** **Tragzeit (Tz)** **Zahl der Jungen je Geburt (J)** **Geburtsgewicht (Gg)**
Flachlandtapir *Tapirus terrestris* mit 4 Unterarten E: South American tapir, Brazilian tapir F: Tapir commun, Tapir d'Amérique du Sud	KRL: 176–215 cm SL: 4,6–10 cm SH: 77–110 cm G: 180–250 kg	Kurzes, borstiges Haarkleid, hell graubraun bis schwärzlich; kurze schmale Mähne auf Kopf und Vorderrücken; kurze breite Hufe; deutlicher Nackenkamm	Tz: 385–412 Tage J: 1, selten 2 Gg: 4,1–7,4 kg
Bergtapir *Tapirus pinchaque* E: Mountain tapir F: Tapir des Andes	KRL: etwa 180 cm SL: 5–10 cm SH: 75–80 cm G: etwa 225–250 kg	Kleiner und schlanker als Baird-Tapir; dichtes Fell mit Unterwolle, dunkel rotbraun; weiße Lippen und Ohrsäume	Tz: 390–400 Tage J: 1, selten 2 Gg: 4–6 kg
Baird-Tapir, Mittelamerikanischer Tapir *Tapirus bairdi* E: Baird's tapir F: Tapir de Baird	KRL: 198–202 cm SL: 7–13 cm SH: bis 120 cm G: bis 300 kg	Fell dunkelbraun, meist dünn, bei Tieren in großen Höhen dicht; kurze, nur angedeutete Bürstenmähne; großer Rüssel; breite Hufe; Nasenscheidewand verknöchert (zur Stützung des großen Rüssels)	Tz: 390–400 Tage J: 1, selten 2 Gg: nicht bekannt
Schabrackentapir *Acrocodia indica* E: Malayan tapir, Indian tapir, Asian tapir F: Tapir des Indes	KRL: 185–240 cm SL: 5–10 cm SH: 90–105 cm G: 250–320 kg (vereinzelt 365 kg)	Größte Tapirart; kurzes, glatt anliegendes Fell, schwarz mit deutlich abgesetzter weißlicher »Schabracke«; weiße Ohrränder; langer Rüssel; Nackenkamm und Mähne fehlen	Tz: 390–403 Tage J: 1 Gg: 6,4–10,2 kg

Tapire laufen im Kreuzgang, indem das rechte Vorderbein und das linke Hinterbein gleichsinnig und in entgegengesetzter Richtung zum linken Vorderbein und rechten Hinterbein bewegt werden. Werden sie gestört, können sie davongaloppieren. Sie sind sogar bekannt dafür, daß sie durch an und für sich undurchdringbare Pflanzendickichte zu preschen vermögen. Um ihre Körpertemperatur zu regeln, nehmen sie ausgiebige Bäder in Flüssen und Schlammlöchern. Beim Hinlegen beugen sie zunächst die Hinterbeine und nehmen in der Regel eine Sitzhaltung ein, bevor sie die Vorderbeine beugen und schließlich flach liegen. Beim Aufstehen streckt der Tapir zuerst seine Vorderbeine, ganz ähnlich wie Pferd und Nashorn.

Während der heißen Tageszeit halten sich die Tapire häufig im Wasser auf. Außerdem suhlen sie sich in Schlammlöchern, um ihre Haut mit Erde zu bedecken und dadurch die Gefahr zu verringern, von stechenden Insekten geplagt zu werden. Als Ruhe- und Schlafplatz wählen sie gewöhnlich einen abgelegenen, wassernahen Ort im dichten Unterholz.

Alle Tapire scheinen ungesellige Einzelgänger zu sein; Ausnahmen sind das fortpflanzungswillige Paar und die Mutter-Kind-Einheit. Das Spiel der meist weißgeränderten Ohren kann unter den Artgenossen als Verständigungsmittel eingesetzt werden. Das ist der Fall, wenn sich Tapire bei einer Begegnung gegenseitig androhen. Dann werden die Ohren nach hinten gelegt, und die Oberlippe wird nach oben gezogen, um die Zähne zu zeigen. Ein besonderes Verhalten ist das Flehmen: Wenn ein Tier den Harn eines Artgenossen berochen hat, hebt es seinen Kopf und streckt seinen Rüssel vor, während es die Zunge im Mund umherführt. Dadurch wird offensichtlich das Jacobsonsche Organ verstärkt gereizt, was bei der Wahrnehmung von Geschlechtsduftstoffen (Phero-

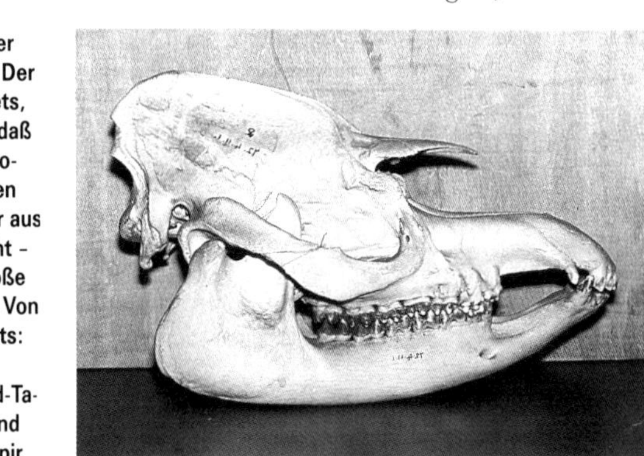

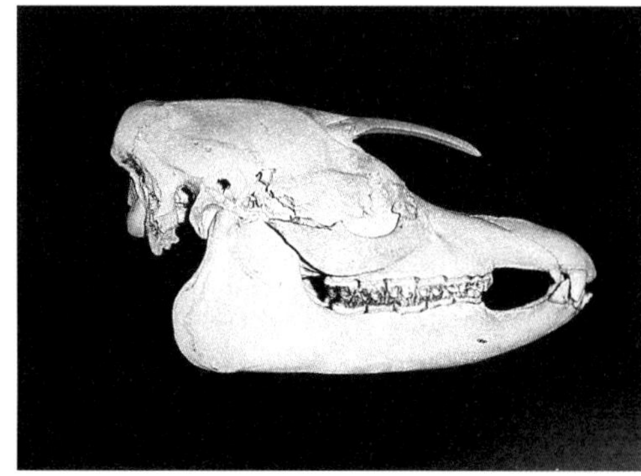

Die Schädel aller vier Tapirarten. Der Rüssel fehlt stets, was bedeutet, daß er nicht von Knochen durchzogen ist, sondern nur aus Gewebe besteht - daher seine große Beweglichkeit. Von links nach rechts: Flachlandtapir, Bergtapir, Baird-Tapir (Jungtier) und Schabrackentapir.

Lebensablauf Entwöhnung (Ew) Geschlechtsreife (Gr) Lebensdauer (Ld)	**Nahrung**	**Feinde**	**Lebensweise und Lebensraum**	**Häufigkeit**
Ew: etwa mit 10 Monaten Gr: mit 2,5 Jahren Ld: über 30 Jahre	Pflanzlich, mit Vorliebe Früchte	Puma, Jaguar, Mensch	Vorwiegend nachtaktiv, tagsüber meist versteckt; Einzelgänger; guter Schwimmer; im tropischen Regenwald und Buschland	Bedroht durch Bejagung und Waldrodung
Nicht bekannt	Pflanzlich	Puma, Jaguar, Mensch	Lebensweise noch wenig erforscht, wahrscheinlich ähnlich wie Flachlandtapir; im Bergland in Höhen von 2000–4500 m	Gefährdet
Ew: mit etwa 1 Jahr Gr: nicht bekannt Ld: vermutlich wie Flachlandtapir	Pflanzlich, auch abgefallene Früchte	Puma, Jaguar, Mensch	Ähnlich wie Flachlandtapir; im tropischen Regenwald bis in Höhen von 3350 m	Gefährdet
Ew: nicht bekannt Gr: mit etwa 3 Jahren Ld: etwa 30 Jahre	Pflanzlich	Tiger, Leopard, Mensch	Ähnlich wie Flachlandtapir; im tropischen Regenwald des Tieflandes	Bedroht durch Bejagung und Lebensraumzerstörung

mone) eine Rolle spielen kann. Wolfgang von Richter glaubt allerdings, daß dem Mienenspiel beim Flehmen und auch beim Gähnen keine bestimmte Bedeutung zukommt.

Bei allen vier Tapirarten erfolgt die akustische Verständigung auf ähnliche Weise, doch ist nur der Flachlandtapir in dieser Hinsicht näher untersucht worden. Die Lautäußerungen des Schabrackentapirs scheinen sich nicht wesentlich von denen der Gattung *Tapirus* zu unterscheiden. Bei Angst und Schmerz stoßen die Flachlandtapire einen schrillen Pfiff aus, ganz ähnlich klingt aber auch ein Beschwichtigungsschrei. Mit einem hohen, abgewandelten Pfiff tut das Tier offensichtlich seinen Standort kund, wenn es auf Erkundungsreise ist. Möglicherweise dient diese Lautäußerung der Stimmfühlung. Während des Erkundens und beim Annähern hört man von Jungtieren und erwachsenen Tieren häufig Klicklaute, die besonders in der Nacht als »Standortmeldungen« sehr nützlich sein können. Beim Drohen kann der Tapir schnauben, und gelegentlich folgt auf dieses Schnauben ein Angriff.

Die Verständigung durch Düfte spielt bei sämtlichen Tapiren eine wichtige Rolle. Die Männchen können nach hinten harnen und setzen in zoologischen Gärten häufig Duftmarken. Auch im Freileben hat man das Markieren mit Urin beobachtet, doch werden hier viel mehr Orte aufgesucht, als es in menschlicher Obhut der Fall ist.

Der Schabrackentapir und der Bergtapir sind bei ihrer Nahrung recht wählerisch. Bekannterweise läßt sich der Bergtapir von allen Tapirarten am schwersten an eine künstliche Kost gewöhnen. Trotzdem ist dem Zoologischen Garten von Los Angeles die erfolgreiche Nachzucht von Bergtapiren gelungen; dort wurden zwölf Tiere dieser Art geboren. Der Baird-Tapir und der Flachlandtapir scheinen dagegen in Zoos

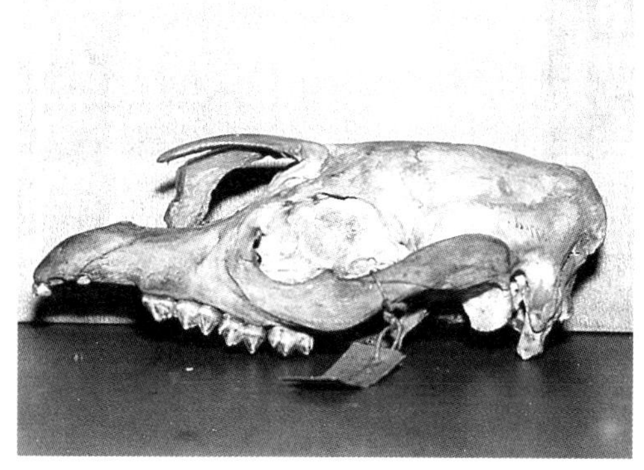

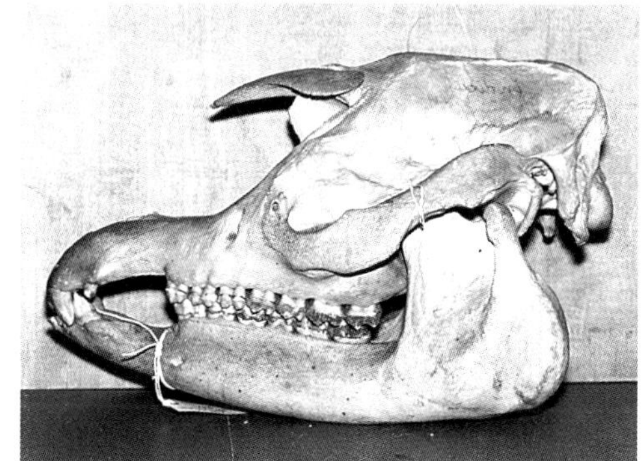

leicht zu halten zu sein. Sie können bis zu 30 Jahre alt werden und sind ausgesprochen fruchtbar. Im Frankfurter Zoo brachte ein Weibchen innerhalb von 14 Jahren zehn Junge zur Welt. Die meisten Zoos halten Tapire in Freianlagen mit festen Unterkünften, so daß sie vor sehr niedrigen Temperaturen geschützt sind. Im gemäßigten Norden verbringen die Tapire den Winter für gewöhnlich in einem Tierhaus. In den meisten Gehegen steht diesen wasserliebenden Tieren außerdem ein Badeplatz zur Verfügung.

Die fortschreitende Urbarmachung in den Niederungen von Süd- und Mittelamerika ist für den Baird-Tapir und den Flachlandtapir eine ernsthafte Gefahr. Der Baird-Tapir steht daher bereits auf der Liste der vom Aussterben bedrohten Tierarten. Der Flachlandtapir ist dagegen in manchen Gebieten noch recht zahlreich vertreten, so daß sein Bestand noch nicht als gefährdet gilt. Wenn die Besiedlung des Landesinneren weiterhin so ungebremst vorangetrieben wird, wird aber auch diese Art früher oder später ausgerottet sein. Auch der auf die Anden beschränkte Bergtapir wird durch das Vordringen des Menschen in seinem Bestand ernsthaft bedroht. Er ist daher ebenfalls auf die Liste der gefährdeten Tierarten gesetzt worden.

Zwei technische Entwicklungen haben entscheidend zur Bestandsabnahme des Tapirs beigetragen. Eine batteriegespeiste, leicht tragbare Kopflampe ermöglichte es, nachts auf Jagd zu gehen. Da Kopflampen billig sind und es Batterien in Hülle und Fülle gibt, hat sich das nächtliche Jagen bei vielen Eingeborenen durchgesetzt. Der Jagderfolg gibt ihnen recht, denn sie können selbst dort mehr Tapire erlegen, wo diese Tiere ihre Aktivitäten immer weiter in die Nacht verlegt haben. Die zweite technische Neuerung war eine preiswerte einläufige Flinte, mit der nicht nur feiner Schrot, sogenannter Vogeldunst, sondern auch Bleikugeln verschossen werden können. Durch Gewehr und Kopflampe waren die Siedler in den tropischen Niederungen Mittel- und Südamerikas in der Lage, ihre Jagdgründe über die Maßen auszudehnen. Sobald im Landesinneren neue Siedlungen gegründet werden, verschwindet innerhalb kürzester Zeit das meiste jagdbare Wild. J. F. Eisenberg erinnert sich recht gut an den Besuch einer Siedlung am Rio Manipure, wo sich 15 Jahre zuvor Siedler niedergelassen hatten. Vor 12 Jahren hatte es noch genügend Wildtiere gegeben, zu denen damals allein sieben Affenarten zählten. Bei seiner ersten Ankunft sah er bereits von der Landebahn aus, wie der Körper eines erlegten Tapirs in Stücke geschnitten und an die Umstehenden verkauft wurde. Bei späteren Bestandsaufnahmen stellte er dann fest, daß fünf der besonders begehrten Affenarten aus der Gegend verschwunden waren, weil man sie ganz offensichtlich ihres Fleisches wegen abgeschossen hatte. In der Siedlung lebten damals nicht einmal 5000 Menschen. Man kann sich daher gut vorstellen, wie schnell die Tierwelt dort ausgerottet sein wird, wenn Feuerwaffen billig zu erwerben und die Siedler darauf angewiesen sind, neben ihrer Landwirtschaft ihren Lebensunterhalt durch Jagen und Fischen zu verdienen.

Immer der Nase nach! Der Geruchssinn ist bei den Tapiren besonders gut entwickelt, und von ihm lassen sie sich leiten, wenn sie nahrungsuchend ihr Wohngebiet durchstreifen.

Die Einteilung der Tapire

Die Tapire sind in Südostasien und in Lateinamerika beheimatet; entsprechend dieser beiden geographischen Gruppen neigt man heute immer mehr dazu, sie zwei verschiedenen Gattungen wie folgt zuzuordnen:

Die Gattung *Acrocodia* umfaßt stämmig gebaute Tapire, als erwachsene Tiere mit kurzhaarigem Fell und ohne Mähne. Die Jungen wachsen schnell und verlieren im Alter von vier bis sechs Monaten ihre gestreifte Babytracht. Der Schädel besitzt eine sehr hohe Nasenöffnung und einen auffälligen Hinterhauptskamm. Das Fußskelett weist einen Rest des ersten Mittelfußknochens auf.

Der Schabrackentapir *(A. indica)* ist die einzige heute lebende Art. Während des Pleistozäns lebte in China eine Riesenform, *Megatapirus augustus*, die ebenfalls zu dieser Gattung gehören dürfte. Thenius zufolge kann

auch »*Tapirus*« *arvernensis* aus dem europäischen Miozän dieser Gruppe zugerechnet werden.
Die Vertreter der Gattung *Tapirus* sind weniger stämmig, sondern schlanker gebaut; die Beine sind dünner, das Fell ist dicker. Sie scheinen langsamer heranzuwachsen als der Schabrackentapir. Erich Thenius weist *T. hungaricus* aus dem europäischen Miozän diesem Zweig zu. Der Gesichtsschädel ist flacher, die Nasenöffnung kleiner und weniger hoch und der Hinterhauptskamm schmäler. Der erste Mittelfußknochen ist vollständig zurückgebildet.
Zu dieser neuweltlichen Gattung gehören folgende drei Arten:
Der Flachlandtapir *(T. terrestris)* ist unterschiedlich braun gefärbt, mit etwas hellerer (aber nicht abgesetzter) Wangen- und Kehlpartie. Die kurze Mähne reicht vom Scheitel bis zum Widerrist. Der Schädel ist besonders durch den hohen Längskamm stark gewölbt.
Der Bergtapir *(T. pinchaque)* ist sehr dunkel gefärbt, mit auffallend weißen Lippen und häufig weißgeränderten Ohren. Das Fell ist langhaarig, dicht und rauh.

Die Augen der Tapire sind zwar nicht so leistungsfähig wie ihre Nase, aber besser als die der Nashörner.

Der Schädel erinnert mit seinem flachen Scheitel und den langgestreckten Nasenbeinknochen stark an solche miozänen Arten wie *T. helvetius*.
Der Baird-Tapir *(T. bairdi)* ist mittelbraun gefärbt, etwas heller an Wangen und Kehle, und hat einen sehr stark ausgebildeten Rüssel. Der Schädel besitzt keinen Längskamm und ist durch einen verknöcherten Mittelsiebbeinknorpel gekennzeichnet.
Der Baird-Tapir *(Tapirus bairdi)*, auch Mittelamerikanischer Tapir genannt, ist die größte der drei Tapirarten der Neuen Welt. Obwohl seine Körpermaße nur wenig über denen der beiden anderen Arten liegen, ist er im allgemeinen schwerer und kann bis 200 Kilogramm wiegen. Das Verbreitungsgebiet erstreckte sich einst von Veracruz in Mexiko über Panama im Süden und westlich der Anden bis an die Küsten Ekuadors. Der Baird-Tapir kam vorzugsweise in den Wäldern der Niederungen vor, während er in den Höhenlagen der Anden durch den Bergtapir ersetzt wurde. In vielen Gegenden seines ursprünglichen Verbreitungsgebietes ist er inzwischen ausgestorben, so daß er heute als eine gefährdete Art betrachtet wird. Philip Hershkovitz vom Field Museum of Natural History hat festgestellt, daß sich im äußersten Nordwesten Kolumbiens die Lebensräume von Baird-Tapir und Flachlandtapir zu überlappen beginnen. In der Tat sind Vertreter beider Arten am selben Ort gefangen worden. Offensichtlich kreuzen sich die beiden Arten jedoch nicht.
Der Baird-Tapir kann tag- oder nachtaktiv sein; dort, wo er stark gejagt wird, verlegt er seine Tätigkeit meist in die Nacht. Man trifft ihn sowohl im trockenen Laubwald als auch in den tropischen feuchten Wäldern der Niederungen an. Erstaunlich ist seine Fähigkeit, selbst steile Böschungen und Abhänge zu erklimmen, und obwohl er nicht in großen Höhen zu Hause ist, bewältigt er ohne weiteres Kalksteinfelsen oder schwieriges Gelände. Seine dreizehigen Spuren sind recht auffällig, zumal sie regelrechte Pfade markieren, die von ihm wiederholt benutzt werden. Dadurch wird er leicht ein Opfer der Jäger; doch auch der Zoologe erkennt anhand dieser Pfade sofort, ob Tapire vorhanden sind oder nicht.
Die Tapire halten sich gewöhnlich in der Nähe von Wasser auf; in Mexiko hat man sie jedoch auch weit entfernt von Flußläufen gefunden, wenn die anderen Lebensumstände günstig waren. Während seines Forschungsaufenthalts in Veracruz (Mexiko) beschäftigte sich Walter Dalquest mit dem Schwimmvermögen der Tapire. Dabei bemerkte er, daß die Tiere während der heißen Tageszeit im Wasser liegen und lediglich ihren Kopf herausstrecken. Sie können untertauchen und eine beachtliche Zeit unter Wasser bleiben.
Robert Enders berichtet in seiner Arbeit über Barro Colorado, Panama, daß der Tapir grast, aber auch Sträucher abweidet und auf diese Weise eine ganze Menge Früchte verspeist. Außerdem beobachtete er, daß kleine Bäume mit gespreizten Beinen bearbeitet

werden, bis der Stamm bricht. Auf diese Weise gelangt der Tapir an Früchte, die er sonst nicht erreichen könnte. Der Baird-Tapir ist ein Nahrungsspezialist. Mit Hilfe seiner beweglichen rüsselartigen Oberlippe pflückt er Blätter und steckt er Eßbares in den Mund. Bei Fütterungsversuchen in Menschenobhut stellte Daniel Janzen fest, daß der Baird-Tapir mindestens 300 Arten einheimischer breitblättriger Pflanzen als Nahrung ablehnte, während er 150 andere Arten annahm. Aber selbst Pflanzen, die er nicht verabscheute, nahm er nur in sehr geringen Mengen zu sich. Häufig geht der Tapir während eines Streifzugs von einer Pflanzenart zur anderen über. Ohne weiteres werden jedoch viele verschiedenartige Früchte verspeist. Zwar ist der Tapir in der Lage, Samen zu zermalmen, doch werden die Früchte oft nur ein wenig entfleischt und die Samen ausgespuckt.

Der Baird-Tapir gilt als ein bedeutender Samenverbreiter, beispielsweise der Samen des Hülsenfrüchtlers *Enterolobium cyclocarpum.* Dort, wo ein Baum reife Früchte in größeren Mengen abwirft, wird man auch

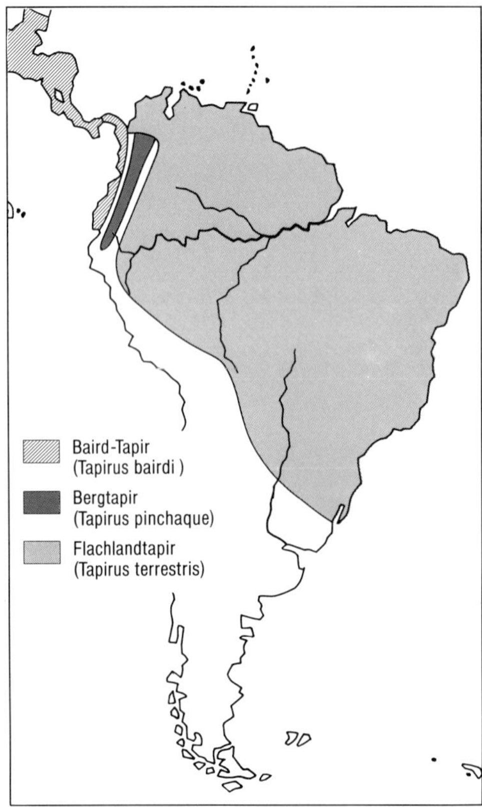

mehrere Tapire antreffen. J.F.Eisenberg hat in solchen Fällen niemals Revierverhalten beobachtet; gerät ein Tier jedoch zu nahe an ein anderes, antwortet das gestörte mit Feindseligkeit. Es stürmt gegen seinen Gegner und versucht ihn zu beißen, wobei es gewöhnlich nach den Hinterbeinen zielt. Da beide Widersacher das gleiche Bestreben haben, ist der Kopf des einen zum Schwanz des anderen gerichtet.

In der Regel wird nach einer Tragzeit von 390 bis 400 Tagen ein einziges Junges geboren; das Geburtsgewicht, das nur in einem einzigen Fall belegt ist, beträgt 19,4 Kilogramm. Ein Neugeborenes des Baird-Tapirs ist damit viel schwerer als eines der anderen Tapirarten.

Kennzeichnend für den Bergtapir *(Tapirus pinchaque)* sind ein dichtes Fell mit Unterwolle und weiße Lippen. Die Art ist an die größeren Höhen der Anden Kolumbiens und Ekuadors angepaßt. Sie ist kleiner und schlanker gebaut als der Baird-Tapir. Die vollständigsten Angaben über das Verhalten und die Ökologie der Bergtapire stammen von P.Schauenberg. In ihrem Verhalten ähneln sie dem Baird-Tapir. In Höhen zwischen 2000 und 4000 Metern gehen sie auf Streifzug; man kann sie aber auch weidend in den Randgebieten des Páramo finden, der immergrünen Vegetation unterhalb der Schneegrenze. Die Männchen können heftige Kämpfe um ein fortpflanzungsbereites Weibchen austragen; abgesehen von der Paarung und der Mutter-Kind-Einheit, ist der Bergtapir jedoch eher Einzelgänger. Da sich für sein Fleisch ein hoher Preis erzielen läßt, wird er vom Menschen stark verfolgt.

Die Eroberung der Berge als Lebensraum beruht auf einer bemerkenswerten Anpassung, da, soweit wir feststellen können, sämtliche anderen Tapirarten tropisches bis subtropisches Klima vorziehen. Die dichte Unterwolle und die langen Haare des Bergtapirs liefern einen wirksamen Schutz vor den kühlen Nachttemperaturen, die bis auf den Gefrierpunkt absinken können. Die Tragzeit reicht etwa an die des Baird-Tapirs heran; ein neugeborener Bergtapir wiegt 4 bis 6 Kilogramm.

Das Verbreitungsgebiet des Flachlandtapirs *(Tapirus terrestris)* ist sehr groß; es erstreckt sich vom Osten der kolumbianischen Anden über den größten Teil des tropischen Südamerika bis zum Gran Chaco Argentiniens.

Zahlreiche Unterarten sind beschrieben worden, von denen sich die folgenden vier besonders herausheben:
T. t. terrestris ist mittelgroß, blaß graubraun bis gelbbraun gefärbt und in Ostbrasilien (vermutlich südlich der Amazonasmündung), im Süden von Minas Gerais sowie im Südwesten von Paraguay, Mato Grosso und Bolivien vertreten. *T. t. tapir* ist ebenfalls mittelgroß und schwarzbraun gefärbt; Wangen und Kehle sind hell bis weiß abgesetzt. Diese Unterart kommt von Venezuela bis Guyana, und Surinam, Amazonas, Ostekuador und Peru vor. *T. t. spegazzinii*, kräftig dunkelbraun gefärbt und sehr groß, ist aus Nordargentinien und Rio Grande do Sul bekannt. *T. t. columbianus* ist eine dunkel- bis mittelbraun gefärbte kleinere Unterart, die in Westkolumbien lebt.
Wolfgang von Richter untersuchte das Verhalten des Flachlandtapirs in Menschenobhut. Der Verständigung durch Düfte scheint eine große Bedeutung für die Abstimmung seiner Aktivitäten zuzukommen. Während des Paarungsvorspiels verfolgt das Männchen das Weibchen und berüsselt dessen After- und Geschlechtsgegend. Bei der Verfolgung des Weibchens markieren die Männchen häufig mit Harn. In unmittelbarer Nähe stoßen sie Pfeiflaute aus, die sie während des Paarungsvorspiels in rascher Folge wiederholen. Die Begattung selbst findet häufig im Wasser statt, doch können sich die Tiere auch an Land paaren.
Obwohl das Wasser und damit die Flüsse eine wichtige Rolle in ihrem Leben spielen, erstreckt sich das Einzugsgebiet dieser Tapirart bis in die trockenen Laubwälder des Gran Chaco hinein, wo häufig weit und breit kein Wasserlauf anzutreffen ist. Dort, wo die Tiere ihr Wohngebiet abgesteckt haben, ist meist auch ein fester Kotplatz vorhanden. Wie der Baird-Tapir ist auch der Flachlandtapir ein ausgezeichneter Schwimmer; in Flußnähe benutzt er häufig die gleichen Pfade, um ins und aus dem Wasser zu gelangen. Der Flachlandtapir ist wie die anderen Tapirarten in erster Linie ein Weidegänger, der sich aber auch von Früchten ernährt. Die Tragzeit beträgt 385 bis 412, also durchschnittlich 398 Tage. In der Regel wird nur jeweils ein Junges geboren, dessen Geburtsgewicht bei durchschnittlich 5,65 Kilogramm liegt. Während seiner ersten Lebenswoche bleibt das Junge meist an einem sicheren Platz zurück, wenn die Mutter in einiger Entfernung von ihm auf Nahrungssuche geht. Kurze Zeit später beginnt es jedoch seine Mutter auf ihren Weidegängen zu begleiten. Das auffällige Streifenkleid des Tapirjungen dient der Tarnung; weiße Längsstreifen auf braunem Untergrund bilden das typische Muster, das die Umrisse des Tieres auflöst, wenn es in einiger Entfernung von seiner Mutter im Gras liegt.
Der Schabrackentapir *(Acrocodia indica)* ist die größte lebende Tapirart. Ihm fehlt eine Mähne, und sein Fell ist im allgemeinen sehr kurzhaarig. Kopf, Hals, Schultern, die vier Beine und der Schwanz sind schwarz, während der Rumpf hinter den Vorderbeinen grauweiß gefärbt ist. Einige wenige Tiere können auch völlig schwarz sein.
Der Schabrackentapir ist in Südostasien zu Hause; dort findet man ihn nur noch in einem Gebiet, das von Burma und Thailand über Malaysia nach Sumatra reicht. Seine Verbreitung auf Sumatra ist recht interessant. In den mittleren und südlichen Teilen der Insel sind die Schabrackentapire häufig und in den Naturparks von Way Kambas, Barisan Selatan, Kerinci, ja sogar in dem kleinen Rafflesia-Reservat von Batu Palupuh bei Bukittinggi keine Unbekannten. Nördlich des Toba-Sees sind sie dagegen überhaupt nicht anzutreffen. Südlich des Sees verläuft eine Faunengrenze für die Ausbreitung von Tierarten des Regenwaldes; wie der Ungka, eine Gibbonart, und viele Regenwaldvögel hat auch der Schabrackentapir diese Grenze nicht überschreiten können. Im Pleistozän trat er auf den anderen Sunda-Inseln Borneo und Java auf, doch ist er dort inzwischen ausgestorben. Auf dem Festland

Der im Norden Südamerikas heimische Bergtapir (Zeichnung links) hat als besondere Kennzeichen weiße Lippen und ein langes, dichtes Fell – eine Anpassung an das Leben in den kalten Hochlagen. Der Schabrackentapir (Foto rechts), die einzige asiatische Tapirart, trägt ein auffälliges schwarzweißes Gewand, das aber im schattenreichen Wald seiner Heimat eher unauffällig erscheint. Es läßt die Körperumrisse verschwimmen, vor allem in der Nacht, wenn Tiger und Leoparden beutesuchend umherschweifen.

kommt er entlang der Grenze zwischen Burma und Thailand bis auf die Höhe des 18. nördlichen Breitengrades vor; selbst im laotischen Bassac ist er gesichtet worden.
Die stark abgesetzte Schwarz-Weiß-Färbung des Schabrackentapirs ist eine ausgezeichnete Tarnung in der schattenreichen Welt des Waldes. Das auffällige Farbmuster läßt die Körperumrisse verschwimmen, so daß das Tier nur schwer gegen den dunklen Hintergrund ausfindig zu machen ist. Besonders wirkungsvoll ist diese Tracht des Nachts, wenn es darum geht, mögliche Feinde wie den Tiger oder den Panther fernzuhalten. Eine Schwarz-Weiß-Färbung zeigen auch andere nachtaktive Waldtiere.
Ähnlich wie die anderen Tapirarten ist der Schabrackentapir wenig gesellig. Entweder zieht er allein umher oder in Begleitung eines abhängigen Jungen. Die Schweifgebiete sind groß und überlappen sich. Er ist überwiegend, aber nicht ausschließlich nachtaktiv. Auf seinen Streifzügen durch den Wald legt er große Entfernungen zurück, wobei er fortwährend weiterschreitend Gras verzehrt und Sträucher und Bäume abäst. Der Schabrackentapir ist in sämtlichen Waldformen anzutreffen, in Tiefland- und Bergwäldern. Da er ein guter Kletterer ist, sind für ihn steile Waldpfade oder Berghänge kein Hindernis. Auf seinen Streifzügen geht er häufig den gleichen Weg, und manchmal legt er zu stehenden Gewässern regelrechte Wechsel an. Auch der Schabrackentapir markiert wie die anderen Tapirarten sein Gebiet und seine täglichen Wanderwege mit Harn, den er nach hinten über einen kleinen Strauch oder andere Pflanzen verspritzt. Ein

Gegenüberliegende Seite: Ein Bild urtümlicher Kraft: ein afrikanisches Breitlippennashorn.

Schabrackentapir läuft langsam mit gesenktem Kopf einher; dies erleichtert es ihm vermutlich, Geruchsreize aufzunehmen, die ihm Auskunft über andere wandernde Tapire geben, die in derselben Gegend zu Hause sind. Wird er aufgeschreckt, galoppiert er unverzüglich davon. Es ist erstaunlich, mit welcher Schnelligkeit sich dieses massige Tier fortbewegt.
Die Tragzeit liegt im Durchschnitt bei 398 Tagen; sie stimmt also in etwa mit der der anderen Tapirarten überein. Bei der Geburt wiegt das Junge im Mittel 8,5 Kilogramm und damit mehr als die anderen Tapirarten mit Ausnahme des Baird-Tapirs. Außerdem wächst es schneller als die Jungen der anderen Arten. Die Flecken und Streifen der Babytracht sind bereits im Alter von 150 Tagen fast völlig verschwunden, während dies beim Flachlandtapir erst im Alter von etwa 250 Tagen der Fall ist. Die ersten Milchzähne sind sogar schon bei Geburt sichtbar, während sie bei den anderen Tapirarten erst in der ersten bis dritten Woche nach der Geburt durchbrechen. Wenn im Alter von 9,5 Monaten die ersten hinteren Backenzähne des Dauergebisses zum Vorschein kommen, ist das Größenwachstum in der Hauptsache abgeschlossen. Dennoch nimmt der Schabrackentapir mindestens noch weitere vier Monate lang an Gewicht zu. Das Jungtier bleibt bei seiner Mutter, bis es weitgehend herangewachsen ist. Im Alter von 8 Monaten beginnt es sich von ihr zu lösen und zieht streckenweise allein umher, wobei es häufig an Wasserstellen oder Salzlekken mit der Mutter wieder zusammentrifft. Schneider und Seitz zufolge wird der Schabrackentapir im Alter von 2 bis 3 Jahren geschlechtsreif, während der Flachlandtapir dazu 2,5 bis 4 Jahre benötigt.
Obwohl man sie selten sieht, dürften die Schabrackentapire in ihrem Gebiet recht häufig sein. Doch wie die meisten der im Wald lebenden Großsäugetiere ist ihre Bestandsdichte gering. In nicht-moslemischen Gebieten werden sie gejagt. Aber die bei weitem größte Gefahr für diese bedrohte Tapirart ist die fortgesetzte Zerstörung ihres Lebensraumes Wald. Dort, wo der Regenwald der Säge zum Opfer fällt und dem Ackerbau und der Viehzucht weichen muß, ist der Fortbestand des Schabrackentapirs mehr und mehr gefährdet. Tapire haben die südostasiatischen Wälder Millionen Jahre lang durchstreift, doch in Zukunft können sie wahrscheinlich nur noch in Nationalparks und anderen Schutzgebieten erhalten werden.

Nashörner

Einleitung

von Rudolf Schenkel

Verglichen mit den Paarhufern, umfassen die Unpaarhufer nur wenige Grundtypen – Einhufer, Tapire und Nashörner – mit jeweils nur wenigen Arten. Während sich unter den Paarhufern alle Größenklassen finden, sind die Unpaarhufer alle groß. Zu den allergrößten zählen die Nashörner. Sie beeindrucken aber nicht nur durch Größe und Masse, sondern auch durch ihre eigenartigen Kopfwaffen, ihre Geländegängigkeit, ihre Fähigkeit zu erstaunlich raschem Trab und Galopp und ihr besonderes Temperament.

Kopfwaffen. Die Nashörner besitzen »Hörner« besonderer Art, die sich im Aufbau sowohl von den Geweihen der Hirsche als auch von den Hörnern der Horntiere unterscheiden. Die fünf Nashornarten unterscheiden sich in ihrer Bewaffnung:

Art	Kopfwaffe	Zahnwaffe
Breitlippen-nashorn Spitzlippen-nashorn	2 Hörner	keine Schneide-zähne
Indisches Panzer-nashorn Javanashorn[1]	1 Horn	2 hauerartige Schneidezähne im Unterkiefer
Sumatra-nashorn[2]	2 Hörner	2 Schneidezähne, als Waffen wenig wirksam

[1] Bei der Kuh nur hornige Kuppe
[2] Bei der Kuh beide Hörner klein

Lebensraum und Nahrung. Wie bei anderen großen Huftieren sind diejenigen Arten, die einen offenen Lebensraum (Biotop) bewohnen und vorwiegend Gräser essen (»grazer«), größer als die Nichtgrasesser (»browser«) und die spezialisierten Waldbewohner.

Bei allen Nashörnern wird die Nahrung unter Druck zerrieben. In jedem Kieferast ergeben Prämolaren und Molaren (Lücken- und Backenzähne) einen Block. Auf dessen Kaufläche bilden Schmelzfalten kleine Kämme, da die zwischen ihnen befindliche Zahnsubstanz (Dentin) weicher ist und daher stärker abgenützt wird. Die Nahrung gerät also zwischen zwei grobe Feilen, von denen die eine (Unterkiefer) unter großem Druck an der anderen (Oberkiefer) vorbeireibt.

Die Höhe der Kronen ist bei den fünf Arten auf die Nahrung abgestimmt: Bei den beiden Grasessern, dem Breitlippen- und dem Indischen Panzernashorn, sind die Kronen hoch, bei den drei »Browsern« vergleichsweise niedrig; denn um die Nährstoffe aus Gräsern zu erschließen, ist eine starke Bearbeitung nötig.

Lebensraum und Geselligkeit. Auch hinsichtlich des Grades der Geselligkeit gilt wie bei anderen Huftieren die Regel: Je offener der Lebensraum, um so ausgeprägter die Geselligkeit. Nashörner sind überwiegend Einzelgänger, und ihre Geselligkeit ist ziemlich begrenzt. Wirklich beständig ist nur die Mutter-Kind-Einheit bis jeweils vor der folgenden Geburt. Darüber hinaus bilden beim Spitzlippennashorn gelegentlich wenige, vermutlich in mütterlicher Linie eng verwandte Einzeltiere mit einer älteren Kuh eine dauerhafte Gruppe. Ähnliche Gruppen werden auch beim Breitlippennashorn beobachtet, allerdings manchmal auch unter nicht näher verwandten Tieren, zum Beispiel einer Kuh und mehreren Halbwüchsigen.

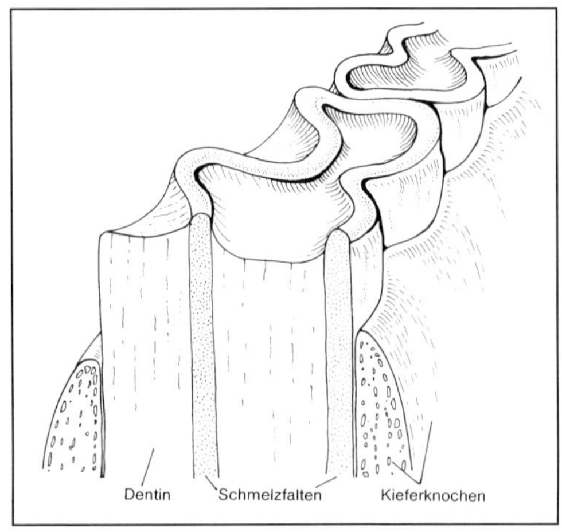

Auf den Kauflächen der Lücken- und Backenzähne der Nashörner bilden die Schmelzfalten kleine Kämme, weil das zwischen ihnen befindliche Dentin stärker abgenutzt wird. So entstehen im Ober- und Unterkiefer grobe Feilen, zwischen denen die Nahrung unter großem Druck zerrieben wird.

Zeitweilig schließen sich auch Tiere zusammen, deren Heimgebiete überlappen. So können bis gegen 20 Breitlippennashörner nah beieinander weiden oder mittags im Schatten von Bäumen ruhen. In ähnlicher Ansammlung sind Indische Nashörner beim Weiden und Baden zu beobachten. Dominante (ranghohe) Bullen besuchen gelegentlich einzelne Kühe. Wird eine Kuh brünftig, so dauert der Besuch mehrere Tage und kann schließlich zur Paarung führen. Bei den asiatischen Arten sind stets nur Bulle und Kuh und allenfalls deren Kalb beteiligt. Beim Spitzlippennashorn kann selten auch eine Gruppe betroffen sein, beim Breitlippennashorn sogar eine größere zeitweilige Gesellschaft.

Heimbereich. Im Zusammenhang mit den Formen der Vergesellschaftung stehen nicht nur Lebensraum- und Ernährungstyp, sondern auch die Beziehung zum Raum. Grasessende Huftiere, die große Herden bilden, unternehmen großräumige jahreszeitliche Wanderungen. Wenn eine große Herdenansammlung ein Gebiet leer weidet, wirkt sich das nicht verhängnisvoll aus, weil die Herde weiterwandert und das Gras bald wieder nachwächst. Bei den Nashörnern dagegen halten sich die Einzeltiere oder Gruppen an einen vergleichsweise kleinen Heimbereich. Er muß dauernd Nahrung liefern, darf nicht leer gegessen und deshalb auch nicht von einer großen Herde ausgebeutet werden. Bei den afrikanischen Arten erzwingt die Trockenzeit oft Ausflüge aus dem Heimbereich zum Wasser. Diese wiederholen sich in Abständen von einigen Tagen.

Jedes Nashorn muß sein Gebiet genau kennen. Es muß »wissen«, wo welche Lebensnotwendigkeiten angeboten werden – Futter, Wasser, Wälzplätze, Deckung, Salz, günstige Wege. Diese Kenntnisse erwirbt jedes Tier unter mütterlicher Führung. Darüber hinaus entfaltet jedes junge Nashorn »explorative Aktivitäten« (Erkundung der Umwelt). Es übernimmt nicht bloß die Lebensgrundlage der Mutter, sondern kann sie auch erweitern und/oder verschieben.

Innerartliche Kommunikation. Kommunikation, d.h. Einwirken und Reagieren aufeinander, ist innerhalb der Population unerläßlich, ob es sich um Einzelgänger oder gesellig lebende Tiere handelt. In der unmittelbaren Begegnung spielen gleichzeitig verschiedene Ausdrucksleistungen, optische, akustische und geruchliche, eine Rolle. Die optischen Ausdrucksformen sind einfach (Körperbewegungen wie Annäherung an den Artgenossen, Zurückweichen, Hochheben oder Senken des Kopfes, Aufrichten oder Zurückklappen der Ohren, Aufreißen des Mundes) und werden meist durch Laute untermalt (stoßweises Atmen, Schnauben, knatternde, kreischende, quiekende Laute).

Geruchliches Markieren. Für Nashörner ist das

Zwei Hörner haben beide afrikanische Nashornarten, doch wenn man ihnen »aufs Maul schaut«, kann man sie leicht unterscheiden: Das Spitzlippennashorn (oben) hat eine zugespitzte Oberlippe, welche die Unterlippe deutlich überragt und als Greiforgan zum Abrupfen der bevorzugten Zweignahrung dient. Beim größeren Breitlippennashorn (unten), das sich von Gräsern ernährt, passen die beiden breiten Lippen genau aufeinander. Typisch sind auch die kurzen Beine und die mächtige Halsregion.

▷ Das wasserliebende Indische Panzernashorn hat nur ein Horn und eine zu »Panzerplatten« umgebildete dicke Haut.

Nashörner (Rhinocerotidae)

Name **deutscher Name** **wissenschaftlicher Name** **englischer Name (E)** **französischer Name (F)**	**Körpermaße** **Kopfrumpflänge (KRL)** **Schwanzlänge (SL)** **Standhöhe (SH)** **Gewicht (G)**	**Auffällige Merkmale**	**Fortpflanzung** **Tragzeit (Tz)** **Zahl der Jungen je Geburt (J)** **Geburtsgewicht (Gg)**
Breitlippennashorn, Breitmaulnashorn, »Weißes Nashorn« *Ceratotherium simum* mit 2 Unterarten E: Square-lipped rhinoceros, White rhinoceros F: Rhinocéros blanc	KRL: ♂♂ 3,75 m, ♀♀ 3,60 m SL: 70 cm SH: ♂♂ 1,90 m, ♀♀ 1,75 m G: ♂♂ 2,3 t, ♀♀ 1,8 t	2 Hörner, vorderes größer; Hornbasis bei Bullen mächtiger; unbehaarte Haut; Höcker über mächtiger Nackenmuskulatur; Kopf sehr lang; Mund breit; Ober- und Unterlippe genau aufeinanderliegend; Kauzähne mit hohen Kronen	Tz: 490 Tage J: 1 (Geburtenabstand 4 Jahre) Gg: 80 kg
Spitzlippennashorn, Spitzmaulnashorn, »Schwarzes Nashorn« *Diceros bicornis* E: Hooked-lipped rhinoceros, Black rhinoceros F: Rhinocéros noir	KRL: 3,20 m SL: 60 cm SH: 1,55 m G: 1,5 t	2 Hörner, vorderes meist größer; unbehaarte Haut; Oberlippe überragt als Greiforgan die Unterlippe; Kauzähne mit niederen Kronen	Tz: 450 Tage J: 1 (Geburtenabstand 3 Jahre) Gg: 50 kg
Indisches Panzernashorn *Rhinoceros unicornis* E: Indian rhinoceros, Greater one-horned rhinoceros F: Rhinocéros unicorne des Indes	KRL: ♂♂ 3,55 m, ♀♀ 3,40 m SL: 70 cm SH: ♂♂ 1,85 m, ♀♀ 1,70 m G: ♂♂ 2,2 t, ♀♀ 1,7 t	1 Horn; Haut unbehaart, bildet Panzerplatten; Nackenplatte nach hinten nicht abgegrenzt; warzenartige Hautbildungen in Schulter-, Oberarm- und Oberschenkelregion; Oberlippe als Greiforgan; Kauzähne mit hohen Kronen; 2 hauerartige untere Schneidezähne	Tz: 480 Tage J: 1 (Geburtenabstand 3 Jahre) Gg: 70 kg
Javanashorn *Rhinoceros sondaicus* E: Javan rhinoceros, Lesser one-horned rhinoceros F: Rhinocéros de la Sonde	KRL: 3,10 m SL: 60 cm SH: 1,55 m G: 1,4 t	1 Horn; beim Weibchen meist nur hornige Kuppe; Haut unbehaart, bildet Panzerplatten; nach hinten abgegrenzte Nackenplatte; Oberhaut am ganzen Körper mit Mosaikstruktur; Oberlippe als Greiforgan; Kauzähne mit niederen Kronen; 2 hauerartige untere Schneidezähne	Tz: 480 Tage J: 1 (Geburtenabstand 3 Jahre) Gg: 50 kg
Sumatranashorn *Dicerorhinus sumatrensis* mit 3 Unterarten (?) E: Sumatran rhinoceros F: Rhinocéros de Sumatra	KRL: 2,60 m SL: 50 cm SH: 1,35 m G: 0,8 t	2 Hörner, vorderes größer, bei Männchen größer als bei Weibchen; behaarte Haut, nur durch wenige Falten gegliedert, in der Nasengegend ohne Falten; Oberlippe als Greiforgan; Kauzähne mit niederen Kronen; 2 untere Schneidezähne vorhanden, aber nicht hauerartig	Tz: 400 Tage J: 1 (Geburtenabstand 3 Jahre) Gg: 35 kg

Alle Zahlenangaben, die Maße, Gewicht und Dauer der Lebensabschnitte betreffen, sind Mittel- oder Schätzwerte, bes. beim Java- und Sumatranashorn.

geruchliche Markieren von größter Bedeutung. Geruchsmarken können entweder als »Geruchsleitlinien« oder als »Geruchsposten« gesetzt werden. Geruchsleitlinien kommen durch geruchliches Markieren während der Fortbewegung zustande. Dies geschieht bei den verschiedenen Nashörnern auf unterschiedliche Weise. Das Spitzlippennashorn zerstößt beim Koten seine frisch abgegebenen Kotballen mit den Hinterfüßen und reibt sich dabei die Sohlen mit Kotsaft ein. Mit jedem Schritt werden nun kleinste Mengen dieser Duftstoffe abgegeben. Versuche von J. Goddard haben gezeigt, daß eine solche Duftspur das Nachfolgen auslöst, wenn der Duft vom eigenen Dung oder von dem eines vertrauten Artgenossen stammt; die Duftspur eines gebietsfremden Artgenossen wurde in der Mehrzahl der Fälle nicht beachtet.

Das Indische Panzernashorn und das Javanashorn kennzeichnen ihre Spur mit der Absonderung einer Drüse, die hinter und oberhalb der Fußballen nach außen mündet. Das Sekret wird vor allem angebracht, wenn der Fuß etwas einsinkt. Außerdem ruhen und wälzen sich alle drei asiatischen Arten in Suhlen, die sie in nassem, lehmigem Boden austiefen. Fast immer riecht die Lehmbrühe in diesen Suhlen stark nach vergorenem Harn – und so riechen nach dem Suhlen auch die Nashörner. Bewegen sie sich durch dichten Pflanzenwuchs, so bleibt an ihm der Duft hängen.

Vergleicht man die Wegmarkierung des Spitzlippennashorns mit derjenigen der Panzernashörner der Gattung *Rhinoceros*, so erscheint erstere eher trockener, harter Erde und spärlichem Pflanzenwuchs angepaßt, letztere dagegen weichem, feuchtem Boden und dichterem Pflanzenwuchs.

Nashörner kennzeichnen nicht nur ihre Spur, sie setzen zudem in größeren zeitlichen und/oder räumlichen Abständen Geruchsposten.

In gewissen Fällen werden solche Marken allerdings in derart dichter Folge hervorgebracht, daß sie streckenweise auch eine Linie bilden. Trotzdem ist ihre Hauptaufgabe nicht Wegmarkierung, sondern sie dienen dazu, den Rang des Urhebers und dessen Anwesenheit im betreffenden Gebiet anzuzeigen. Ihr Schwerpunkt ist die »indirekte« Kommunikation innerhalb der jeweiligen Population im Dienste einerseits der Konkurrenz unter Bullen, andererseits der Geschlechterfindung.

Fortpflanzung. Wie bei den anderen großen Huftieren wird jeweils nur ein Junges geboren. Es ist weit ent-

Lebensablauf Entwöhnung (Ew) Geschlechtsreife (Gr) Lebensdauer (Ld)	Nahrung	Feinde	Lebensweise und Lebensraum	Häufigkeit
Ew: mit 2 Jahren Gr: Männchen mit 10, Weibchen mit 6 Jahren Ld: 45 Jahre	Gräser (etwa 30 Arten)	Mensch; Löwe und Hyänen (für kranke oder ungeschützte junge Tiere)	In Steppen mit Grasflächen, Baum- und Buschgruppen; größere Ansammlungen von erwachsenen Kühen und Mutter-Kind-Einheiten mit festen, aber überlappenden Heimbereichen (10–20 km²); erwachsene Bullen Einzelgänger, territorial, dominant oder unterlegen; Territorium des dominanten Bullen 1–2 km²	Gefährdet durch Lebensraumzerstörung und Wilderei
Ew: mit 18 Monaten Gr: Männchen mit 8, Weibchen mit 4 Jahren Ld: 40 Jahre	Zweige von Sträuchern (etwa 100 Arten); kriechende Pflanzen	Wie Breitlippennashorn	In Buschsteppen; Ansammlungen von Kühen und Jungtieren selten und klein; sonst ähnlich wie Breitlippennashorn, aber kein ausgeprägtes Territorialverhalten	Gefährdet durch Lebensraumzerstörung und Wilderei
Ew: mit 18 Monaten Gr: Männchen mit 9, Weibchen mit 4 Jahren Ld: 40 Jahre	Gräser (Kurzgras und schilfähnliche Arten); auch Wasserpflanzen und Baumzweige	Mensch; Tiger, möglicherweise Streifenhyäne (für kranke oder junge Tiere)	In Aufschüttebenen größerer Flüsse (jährlich teilweise überschwemmt), flachen Altwässern mit Sumpfvegetation, Gras- und Elefantengrasflächen und Auenwäldern; Ansammlungen von Kühen und Jungtieren meist lose; Bullenterritorium etwa 20 km²; Territorialität nur im jahreszeitlich genutzten Teilbereich	Gefährdet
Ew: mit 18 Monaten Gr: Männchen mit 8, Weibchen mit 4 Jahren Ld: 40 Jahre	Zweige von Jungbäumen, Lianen, Stauden, tiefhängende Baumäste (über 100 Arten)	Wie Indisches Panzernashorn	Im tropischen Regenwald, besonders auch Sekundärvegetation, und in tiefergelegenen, flacheren Gebieten; kaum dauerhaftere kleine soziale Einheiten außer Mutter und Kind; sonst ähnlich wie andere Nashörner	Vom Aussterben bedroht; Gesamtbestand nur noch etwa 60 Tiere
Ew: mit 18 Monaten Gr: Männchen mit 7, Weibchen mit 4 Jahren Ld: 35 Jahre	Zweige von Jungbäumen, Lianen, Stauden (über 100 Arten)	Wie Indisches Panzernashorn	Im tropischen Regenwald, vor allem in bergigen Gegenden; Bereich der Territorialität meist um Salzlecke gelegen; gesamter Heimbereich vermutlich sehr groß; sonst wohl ähnlich wie andere Nashörner	Vom Aussterben bedroht; Gesamtbestand auf etwa 300 Tiere geschätzt

wickelt, ein Nestflüchter. Innerhalb einer Stunde nach der Geburt kann das Junge aufstehen und das Gleichgewicht halten. Im Alter von etwa drei Stunden kommt das Kind aufgrund angeborenen Suchverhaltens zu seiner ersten Milchmahlzeit. In diesen ersten Stunden nach der Geburt werden Mutter und Kind aufeinander geprägt.

Etwa ein bis zwei Jahre nach der Geburt und gegebenenfalls nach wiederholten Brunftphasen wird die Kuh wieder trächtig. Die Mutter-Kind-Einheit bleibt aber über diese Zeit hinaus erhalten, und zwar bis kurz vor der nächsten Geburt. Dann duldet die Kuh ihr nun fast erwachsenes Kind – zumindest über einige Monate – nicht mehr in ihrer Nähe.

Hinterteil eines Panzernashorns. Kennzeichnend für diese Art ist nicht nur die deutlich abgegrenzte dicke Panzerplatte, sondern auch die warzenartige Struktur der Oberschenkelhaut. Der zierlich wirkende Schwanz mißt immerhin rund 70 Zentimeter.

Eine Besonderheit der Nashörner ist ihr Paarungsverhalten. Eine Paarung kann bis zu anderthalb Stunden dauern. Über diese ganze Zeitspanne bleibt der Bulle aufgeritten und das Begattungsglied eingeführt. In Abständen von ein bis zwei Minuten folgen die Samenergüsse aufeinander. Je Brunftzeit paart sich die Kuh nur einmal. Die geringe Vermehrungsrate – ein Kalb je Kuh etwa alle drei Jahre – entspricht einerseits der Langlebigkeit der Nashörner, andererseits ihrer geringen Gefährdung durch natürliche Feinde.

Feinde. In Afrika können Löwe und Fleckenhyäne für ungeschützte junge oder kranke Nashörner zur Gefahr werden, in Asien entsprechend der Tiger. Die Bestände werden dadurch aber sicher nicht gefährdet. Der einzig wirklich gefährliche Feind der Nashörner ist der Mensch, insbesondere seit er über weitreichende Schußwaffen verfügt. Den Nashörnern fehlen geeignete »Warnanlagen«, um diese Gefahr zu bannen.

Ihre Augen sind nicht für das Wahrnehmen auf große Entfernung eingerichtet. Ihre Ohren sind zwar recht leistungsfähig; aber akustische Reize allein lösen kaum je Reaktionen der Feindvermeidung aus. Vermutlich unter dem Druck menschlicher Verfolgung haben die Nashörner nachträglich zwei Alarmeinrichtungen entwickelt.

Wo die Tiere gejagt werden oder vor wenigen Jahren noch wurden, wirkt menschlicher Geruch für sich allein in höchstem Maße alarmierend. Das gilt sowohl für eine frische menschliche Spur wie auch für mit der Luft übertragene menschliche Witterung. Die meist panische Reaktion auf den Geruch des Menschen kann jedoch von dessen optischen oder akustischen Reizen verdrängt werden. Je nach Selbstsicherheit reagiert das Nashorn dann nicht mit Flucht, sondern mit Drohvorstoß, Angriff oder sogar Verfolgung. Auf afrikanischen Nashörnern reiten tagsüber oft Madenhacker mit. Diese reagieren auf das Näherkommen eines Menschen und besonders auf dessen »Zielen« mit einem länglichen Gegenstand (Kamera mit Teleobjektiv, Gewehr) mit Alarm-»Tschirpen«. Das versetzt das Nashorn in Erregung. Flucht, Weggehen in gespannter Aufmerksamkeit oder zugleich erkundende und aggressive Vorstöße sind mögliche Reaktionen.

Die Reaktionen auf menschlichen Geruch und auf die Warnlaute des Madenhackers treten bei den Jungtie ren erst im Verlauf einiger Lebensmonate auf. Das läßt die Vermutung zu, daß diese Verhaltensweisen von der Mutter an das Kind weitergegeben werden.

Jagd und drohende Ausrottung. Als die Nashornjagd noch mit Speer oder Pfeil und Bogen betrieben wurde, waren diese Alarmvorgänge und Reaktionen keineswegs wertlos. Einen sich bewegenden Menschen sehen Nashörner auf 30 bis 50 Meter durchaus. Einmal gewarnt, nehmen sie leise Geräusche wahr und können die Lautquelle orten. Veranlaßt der aggressive Vorstoß eines Nashorns den Jäger zu einer Ausweichbewegung, so kann ein gezielter Angriff folgen. Erreichte in früheren Zeiten menschliche Witterung das Nashorn, so erfolgte seine Flucht wohl meist rechtzeitig; wurde es durch die Madenhacker alarmiert, so bestand auch für den Jäger ein Risiko. Doch die Schußwaffen haben die Risikoverteilung entscheidend verändert. Wo die Nashörner in zugänglichen Gebieten leben, sind sie heute eine leichte Beute.

In bescheidenem Ausmaß wurden die Nashörner schon seit langem gejagt, besonders die asiatischen. Wie Elefanten und Wildschweine richteten sie in den auf Rodungsflächen angelegten Pflanzungen Schaden an und wurden örtlich bekämpft. Die mächtigen Tiere galten aber auch als Träger magischer Kraft. Der Glaube, daß man sich diese durch Einnehmen von Präparaten aus Körperteilen des Nashorns einverleiben kann, war – und ist noch – weit verbreitet. Horn, Hufe, Haut, Harn der Harnblase, Knochen und Nasenschleim werden zu Zaubermitteln verarbeitet.

Solange die menschliche Bevölkerung klein blieb und ihr Siedlungsbereich nicht in die großen Urwälder einbrach, hielten die asiatischen Nashörner dem Druck stand. Erst in unserem Jahrhundert setzte die Ausrottung aller fünf Arten in großen Teilen ihrer früheren Verbreitungsgebiete ein. Sie ist die Folge der weiträumigen Zerstörung der Lebensräume vor allem durch Entwaldung, rücksichtsloser Jagd und des Ausbaus des gesetzeswidrigen internationalen Handels mit Nashornerzeugnissen.

Oben: Eine Besonderheit der Nashörner ist ihr Paarungsverhalten. Bis zu anderthalb Stunden kann die Paarung dauern, und über diese ganze Zeitspanne bleibt der Bulle aufgeritten. – Rechts oben: Nach wie vor fallen viele Nashörner, deren Fortbestand durch zunehmende Lebensraumzerstörung ohnehin gefährdet ist, rücksichtslosen Wilddieben zum Opfer. Den toten Riesentieren werden die begehrten Nasenhörner ausgebrochen, die Kadaver bleiben liegen. – Rechts unten: »Stoppt den Nashornmord!« steht auf diesem Plakat. Doch die Proteste von Naturschützern haben bislang nicht vermocht, den Wilderern und ihren Hintermännern das blutige Handwerk zu legen.

Breitlippennashorn

von Rudolf Schenkel

Breit- und Spitzlippennashorn stimmen in manchem weitgehend überein. Die Unterschiede haben fast alle mit der verschiedenen Ernährungsart zu tun: Breitlippennashorn = Grasesser (»grazer«), Spitzlippennashorn = Buschesser (»browser«).

Der Name Breitlippen- oder Breitmaulnashorn *(Ceratotherium simum)* kennzeichnet die mit der Ernährungsweise zusammenhängende Lippengestalt dieser Tierart. Die Buren gebrauchten entsprechend das Wort »wijde« (weit, breit); daraus machten die Engländer »white« und die Deutschen »weiß«. So kam die Art zu dem Namen »Weißes Nashorn«.

Die Lippen des erwachsenen Tiers klemmen Gras auf einer Breite von etwa 20 Zentimetern ein und rupfen es ab. Schreitet das Tier langsam vorwärts und bewegt dazu beim Weiden den Kopf von links nach rechts und umgekehrt, so wird das Gras in einer breiten Bahn abgegessen. Dank dem langen Schädel erreicht der Mund den Boden, ohne daß sich der Hals stark nach unten neigt. Die im Verhältnis zum massigen Rumpf kurzen Beine verstärken diese Wirkung zusätzlich.

Verbreitung. Eine noch offene Frage ist die unterschiedliche Verbreitung der beiden afrikanischen Nashörner. Während das Spitzlippennashorn noch bis in unsere Zeit in einem zusammenhängenden »Hufeisen« um den großen Bereich des tropischen Regenwaldes herum vorkam, lebte das Breitlippennashorn in einem nördlichen und einem südlichen Gebiet, nicht aber in Ostafrika. Nun weiß man zwar, daß vor 50 000 bis 12 000 Jahren ganz Ostafrika mit tropischem Regenwald bedeckt war. Warum setzte mit zunehmender Versteppung nicht auch die Besiedlung durch das Breitlippennashorn ein? Möglicherweise wurde sie durch Geländeschranken verhindert, die nur das Spitzlippennashorn zu überwinden vermochte. Eine andere Erklärung hat mit dem Nahrungsangebot zu tun. In Ostafrika stirbt das Gras zur Trockenzeit vielerorts oberirdisch ab und hat nur noch geringen Nährwert. Für einen großen Grasesser, der nicht weiträumig wandert, sind solche Bedingungen denkbar ungünstig, besonders bei außergewöhnlich langer Trockenzeit. Dem Spitzlippennashorn als Buschesser bieten dann Zweige immer noch Nahrung: Auch wenn diese ihre Blätter verloren haben, enthält ihre Unterrinde noch Nährstoffe.

Innerartliche Auseinandersetzung und Raumbeziehung. R. Owen-Smith hat festgestellt, daß es beim Breitlippennashorn innerhalb der Population zwei Kategorien erwachsener Bullen gibt: ranghöchste (dominante) und rangniedrigere (inferiore). Die ersteren beanspruchen in ihrem Heimbereich ein Alleinrecht auf Paarung. Jeder duldet in diesem ein bis zwei Quadratkilometer umfassenden Bereich Kühe und nichterwachsene Artgenossen, in vielen Fällen auch einen ihm vertrauten rangniederen ausgewachsenen (selten 2–3), nicht aber einen ebenbürtigen Bullen. Unter sich sind dominante Bullen also territorial. Das Erringen eines

Breitlippennashörner sind in Steppen mit Grasflächen sowie Baum- und Buschgruppen lebende Grasesser. Hier eine Gruppe weiblicher Tiere.

Territoriums durch Unterwerfen oder Vertreiben des bisherigen Besitzers, das Festlegen und Verteidigen der Territoriumsgrenzen gegenüber dem ebenbürtigen Nachbarn sowie schließlich das In-Schach-Halten rangniedriger Bullen erfordern einen dauernden Aufwand sowohl in unmittelbaren wie auch in mittelbaren Begegnungen.

Die Begegnungen von Territoriumsbesitzern im Grenzgebiet sind meist durch besondere Formen des Imponierens (beeindruckende Zurschaustellung) ausgezeichnet: Sie stehen sich gegenüber, schlagen mit dem Vorderhorn auf niedrige Pflanzen durch seitliche Kopfbewegungen, schreiten steifbeinig vorwärts und rückwärts, wobei die Füße über den Boden »schlurfen«, und geben in ritualisierter Form stoßweise Harn über die bearbeiteten Pflanzen ab. Unmittelbar auf den Rivalen gerichtete Leistungen können von der Drohung bis zum körperlichen Einsatz gehen. Dastehen mit imponierend gehobenem oder mit stoßbereitem gesenktem Kopf, Horn gegen Horn, leichtes Hornfechten und schließlich heftigere Hornstöße gegen die Kopfseite des Gegenübers sowie Paradeschläge stellen Heftigkeitsgrade dar. Anders verlaufen Begegnungen, die zustande kommen, wenn ein Bulle die Grenze erkundend überschritten hat. Dann zeigt der Besitzer Initiative, und zwar als heftigste Form den Drohvorstoß, der Eindringling dagegen läßt sich bis zur Grenze zurückdrängen. Anschließend erscheinen die beiden wieder als ebenbürtige Rivalen.

Eigenartigerweise bedroht der dominante Bulle fast nie den rangniederen, der in seinem Territorium lebt. Er kennt und duldet ihn.

Zu besonderen Begegnungen kommt es in der Trokkenzeit, wenn in einzelnen Territorien alle Tränkestellen ausgetrocknet sind. Ihre Inhaber sind dann gezwungen, alle drei bis vier Tage durch fremde Territorien zu einer Wasserstelle zu wandern. Dabei meiden sie nach Möglichkeit andere Artgenossen, insbesondere territoriale Bullen. Kommt es doch zur Begegnung mit dem Inhaber eines entfernteren Territoriums, so weichen sie nach Art rangniedriger Bullen aus. Erst wenn sie auf dem Rückmarsch an die Grenze des eigenen Territoriums gelangen, zeigen sie sofort wieder Hornschläge, Schlurfschritte und Spritzharnen.

Beim Breitlippennashorn zeigen territoriale Bullen besondere Eigenheiten der Harn- und Kotabgabe. Für

Rechts: Während die ausgewachsenen Nashornbullen mit Ausnahme der Fortpflanzungszeit Einzelgänger sind, leben die Kühe gesellig. Dabei schließen sich nicht nur verwandte Tiere zusammen, sondern es bilden sich auch Gruppen, die aus einer Kuh und mehreren nichtverwandten Halbwüchsigen bestehen. Die gezeigten Tiere stehen in Fächerform als Folge eines milden Alarms. Ihre Ohren sind auf die Störquelle gerichtet. – Unten: Zwei Breitlippennashörner suchen Kühlung in einer Schlammsuhle. Der dabei entstehende Überzug aus Lehmbrühe schützt sie vor Außenparasiten, z. B. Zecken.

letztere suchen sie immer wieder benützte Mistplätze auf, stehen mit den Hinterbeinen in deren Mitte und scharren mit kräftigen Beinbewegungen den alten Mist nach hinten. Dann setzen sie ihre Kotballen ab und zerstreuen mit Scharrbewegungen den eigenen Mist über den alten.

Während beim Spitzlippennashorn auch die Kühe und Kälber ihren Mist zerstoßen, ist dies beim Breitlippennashorn nicht die Regel.

Auch in der ritualisierten, stoßweisen Harnabgabe zeigen die beiden Arten Unterschiede. Hornschlagen gegen Pflanzen, Schreiten mit Schlurfen und Spritzharnen treten beim territorialen Bullen des Breitlippennashorns fast stets in Kombination auf, beim Spitzlippennashorn ist Spritzharnen für sich allein dagegen häufig.

Der Heimbereich gewisser rangtiefer erwachsener Bullen stimmt ungefähr mit dem eines ranghohen Bullen überein. Im Untersuchungsgebiet von Owen-Smith lebten etwa in der Hälfte der Territorien solche rangniederen Bullen. Verglichen mit dem dominanten, zeigen sie größere Bereitschaft, aus ihrem Heimbereich heraus andere Gebiete zu erkunden. Offenbar erfahren sie so, ob diese besetzt oder möglicherweise zu gewinnen sind.

Die Heimbereiche der Kühe überlappen beliebig; die einzelne Kuh hält sich aber an ein bestimmtes gewohntes Gebiet. Meist bewegt sie sich innerhalb von etwa zehn Quadratkilometern, während der Trockenzeit manchmal auch in einem angrenzenden Bereich. Das gesamte Heimgebiet kann somit über fünfzehn Quadratkilometer umfassen. Gruppen von Halbwüchsigen ohne Kuh halten sich an Bereiche von sechs bis zehn Quadratkilometern.

Zuordnung der Geschlechtspartner. Der Heimbereich einer Kuh überdeckt mehrere – bis gegen acht – Bullenterritorien. Mit welchem Bullen wird sie sich paaren, wenn sie brünftig ist? Ausgewählt wird ein Bulle dadurch, daß sich die brünftige Kuh in seinem Territorium aufhält. Das Angebot an Futter, Wasser, Suhlen, schattigen Ruheplätzen usw. mag dabei eine Rolle spielen, darüber hinaus aber auch das Verhalten des Bullen.

Der ranghohe Bulle stattet den in sein Territorium gekommenen Kühen Besuche ab. Er nähert sich ihnen unter dem Wind, meist auf eine Entfernung von zehn bis zwanzig Metern.

Eine so angegangene Kuh zeigt abweisendes Verhalten, läßt vor allem entsprechende Laute (»snorts« oder »snarls« nach Owen-Smith) hören. Diese werden vom Bullen sofort respektiert: Er stoppt und wendet sich ab und – darf bleiben. Der Bulle ist imstande, an der Witterung der Kuh zu merken, ob sie in einigen Tagen brünftig werden wird. Jedenfalls hält er sich bei der Mehrzahl der Kühe nicht länger auf; gelegentlich aber bleibt er bei einer, obwohl sie im Verhalten von den anderen nicht abweicht. Sie »hütet« er nun in äußerst zurückhaltender Weise, und zwar über mehrere Tage (»consortship«). Der Bulle folgt ihr und bleibt in ihrer Nähe. Von der Kuh abgegebenen Harn oder Kot beschnuppert er. Im Falle von Harn zeigt er Flehmen. Sein Verhalten ändert sich jedoch, wenn die Kuh beziehungsweise ihre Gruppe sich der Grenze seines Territoriums nähert. Dann stellt sich der Bulle ihr entgegen und verhindert den Übertritt. Die aggressive Note dieses Verhaltens wird sozusagen überdeckt durch eine Lautgebung, die dem Betteln des Kalbes, das saugen möchte, gleicht. Wenn die eigentliche Brunft der Kuh einsetzt, nähert er sich mehrmals in der Stunde der Kuh und läßt dazu einen Werbelaut (»Hic« nach Owen-Smith) hören. Zwar weist ihn die Kuh noch immer ab; gleichzeitig aber gibt sie in kleinen Spritzern Harn ab. Schließlich duldet sie, daß er sich ihr von hinten nähert und ihr den Kopf auf die

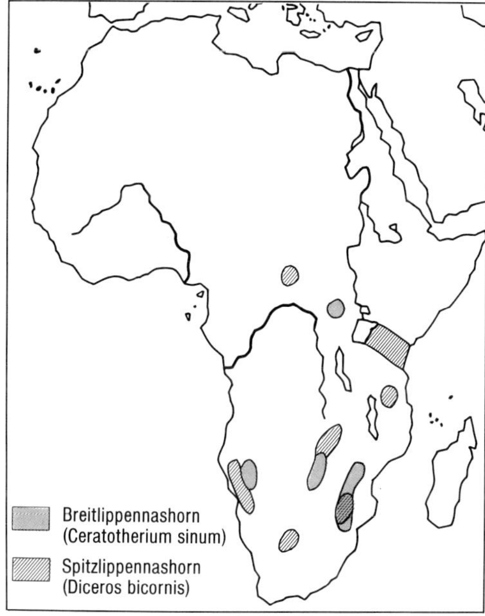

Kruppe legt. Es folgen dann Aufreiteversuche, Aufreiten ohne Einführung des Glieds und schließlich die Paarung. Nach dieser hütet der Bulle die Kuh noch ein bis zwei Tage. Dann ist die »Consort«-Beziehung zu Ende.

Beschädigungskämpfe. Ein territorialer Bulle geht allen Artgenossen, die er bemerkt, entgegen. Seine Annäherung ist nie betont aggressiv. Kühen gegenüber wendet er sich fügsam ab, sowie sie sich abweisend verhalten. Kälber beachtet er meist nicht. Gelegentlich vertreibt er durch Vorstoß einen fast erwachsenen Bullen. Ist ein rangniedriger ausgewachsener Bulle Mitbewohner seines Territoriums, so verhält er sich diesem gegenüber duldsam. Auch Begegnungen unter territorialen Nachbarn sind Imponierrituale und nicht wirkliche Kämpfe.

Begegnet hingegen ein territorialer Bulle auf dem Marsch zur Tränke seinem territorialen Nachbarn in größerer Entfernung von der gemeinsamen Grenze, so »kann« er sich einerseits nicht unterlegen aufführen, andererseits ist ein würdiger Rückzug ins eigene Gebiet wie bei geringfügiger Grenzüberschreitung nicht möglich. In dieser Lage können sich Auseinandersetzungen über Stunden entwickeln, aus denen unter Umständen ein echter Kampf wird, der aus heftigen Hornstößen gegen Kopfseite und Schulter sowie der Verfolgung mit Hornstößen gegen den Hinterkörper besteht. Auch bei Begegnungen zwischen dominanten und in ihr Territorium eingedrungenen fremden rangniederen Bullen als möglichen Konkurrenten um den Besitz des Territoriums, sind Beschädigungskämpfe möglich.

Artbestand. Im 19. Jahrhundert wurde mit der anwachsenden Besiedlung und Nutzung des südlichen Afrika durch den Menschen auch die Großwildjagd ausgiebig betrieben. Die südliche Unterart des Breitlippennashorns geriet damals an den Rand des Aussterbens. Seit Beginn dieses Jahrhunderts aber bemüht sich die südafrikanische Regierung um den Schutz der Tiere. Diese Anstrengungen waren erfolgreich. Heute gibt es wieder etwa 4000 Südliche Breitlippennashörner. Umgekehrt verlief die Entwicklung bei der nördlichen Unterart. Vor 40 Jahren rechnete man noch mit rund 1000 Tieren. In den letzten Jahren aber wurde der Bestand durch organisiertes Wildern und auch durch politische Auseinandersetzungen, vor allem im Sudan und in Uganda, stark verringert. Nach neuesten Berichten gibt es nur noch zehn bis zwanzig Vertreter der Unterart, und zwar im Garamba-Park, Zaire.

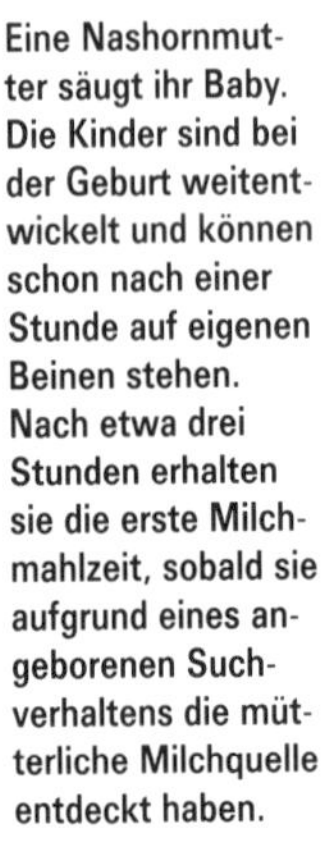

Eine Nashornmutter säugt ihr Baby. Die Kinder sind bei der Geburt weitentwickelt und können schon nach einer Stunde auf eigenen Beinen stehen. Nach etwa drei Stunden erhalten sie die erste Milchmahlzeit, sobald sie aufgrund eines angeborenen Suchverhaltens die mütterliche Milchquelle entdeckt haben.

Spitzlippennashorn

von Bernhard Grzimek

Das Spitzlippen- oder Spitzmaulnashorn *(Diceros bicornis)* wird zuweilen auch als »Schwarzes Nashorn« bezeichnet. Doch es ist ebensowenig schwarz, wie das »Weiße« oder Breitlippennashorn weiß ist. Je nach dem Boden, auf dem es lebt und in dessen Schlamm oder Staub es sich wälzt, kann seine schiefergraue Grundfarbe so bedeckt sein, daß es manchmal weiß, manchmal rötlich, aber in Lavagegenden auch durchaus schwarz aussieht.

Vom Breitlippennashorn unterscheidet sich die Art durch geringere Körpergröße, einen kürzeren, in ungezwungener Haltung weniger nach unten gerichteten Kopf, das Fehlen der Nackenwülste und vor allem die andere Ausbildung der Lippen. Die Oberlippe ist ein kräftiges, in eine Spitze auslaufendes Greifwerkzeug.

Am eindrucksvollsten sind an diesem Rhinozeros die Nasenhörner, in der Regel zwei. Das vordere Horn ist meist länger als das hintere und mißt im Durchschnitt 50–80 Zentimeter. Den Weltrekord stellte wohl die Nashornkuh »Gertie« im ostafrikanischen Amboseli-Park auf; ihr Vorderhorn war 138 Zentimeter lang. Tiere mit ungewöhnlich großem hinterem Horn wurden verschiedentlich gesehen. Möglicherweise kamen sie früher in bestimmten Gegenden besonders häufig vor.

Diese Hörner werden in ostasiatischen Apotheken, besonders in China, gepulvert als Mittel zur Anregung des Geschlechtstriebes verkauft. Deswegen werden Nashörner, die so leicht umzubringen sind, immer wieder hartnäckig gewildert. Es handelt sich dabei um reinen Aberglauben. Die medizinische Wirkung des Hornes ist neuerdings recht gründlich untersucht worden, mit völlig verneinendem Ergebnis. Natürlich bleiben die Nasenhörner aber weiter begehrt. So manche Tierart ist ja bereits durch Aberglauben ausgerottet worden.

Verbreitung und Gefährdung. Zwar wirken Spitzlippennashörner schwerfällig, sie steigen aber recht hoch im Gebirge empor; man hat sie schon auf 2700 bis 2900 Meter Höhe in den ostafrikanischen Bergen gefunden. Sie leben im dichten Busch, im lichten Wald, auf offenen grasigen Ebenen, sogar in Halbwüstengebieten. Nur heiße und zugleich feuchte Gegenden lieben sie nicht. Deswegen sind sie niemals in den Regenurwald des Kongo-Beckens oder die Wälder Westafrikas eingedrungen. Sie waren also auch früher nicht in ganz Afrika zu finden, wohl aber schon an der Südspitze, in der Gegend von Port Elizabeth, Transvaal, ferner im südlichen Teil von Angola, von da bis an die Westküste, und dann in ganz Ostafrika, Mozambique, Tansania, Kenia, Somalia, bis nach Äthiopien hinein, von da in einem Streifen zwischen der Sahara und dem Kongo und den nigerianischen Urwäldern bis in die Gegend des Tschad-Sees und Kamerun. Aber auch innerhalb der großen Fläche des mittleren Ostafrika, die nur mit zwei Fingern nach Westafrika faßt, kamen die Spitzlippennashörner in vielen Gegenden nicht vor, zum Beispiel entlang der

Porträt eines Spitzlippennashorns, das auch als »Schwarzes Nashorn« bezeichnet wird, obwohl es ebensowenig schwarz ist, wie das Breitlippen- oder »Weiße Nashorn« weiß ist.

Küste von Kenia und Tansania oder zwischen dem Sambesi- und dem Chobe-Fluß. Seit dem Eindringen der Europäer nach Afrika sind sie in weiten Teilen ausgerottet worden, so etwa südlich des Sambesi. In den französischen Kolonien Afrikas waren sie schon um 1930 beinahe ganz verschwunden; erst dann führte man strengen Schutz ein und konnte einige erhalten. Insgesamt lebten vor 20 Jahren noch gegen 20 000 Spitzlippennashörner; inzwischen sind es nur noch wenige Tausend.

Heute können wir kaum noch fassen, wie vor allem weiße Jäger unter den Spitzlippennashörnern gewütet haben. Allein aus dem Sultanat des Forts Archambault, in der Gegend des Tschad-Sees, wurden 1927 nicht weniger als 800 Nashorn-Hörner ausgeführt. Der berufsmäßige Großwildjäger Cannon hat etwa 350 Nashörner in weniger als vier Jahren geschossen. Er und ein Großschlächter namens Tiran waren besonders in Kamerun, Obangi und im Tschad tätig. Sie gingen zeitweise von der Elfenbeinjagd auf die Nashörner über, die leichter zu töten sind als die Elefanten und deren Hörner teurer und teurer wurden. Die Eingeborenen, von diesen Leuten mit modernen Waffen versehen, beteiligten sich fleißig an der Schießerei oder betätigten sich selbständig. Der britische Großwildjäger John A. Hunter rühmte sich, neben über 1000 Elefanten mehr als 1600 Nashörner erlegt zu haben. Nur zum Teil tat er das im Auftrag der Regierung, die zum Beispiel das Wakamba-Land in Kenia zur Besiedlung frei machen wollte. Dort schoß er 1947 300 Nashörner, im folgenden Jahr weitere 500. Nachher stellte sich heraus, daß das Land für die menschliche Besiedlung kaum geeignet war. Besonders schwer zu begreifen sind die sogenannten Sportjäger, die nur aus Freude an der Sache selbst ohne wirtschaftlichen Vorteil Afrika bereisten und möglichst viele der ahnungslosen Tiere umlegten.

Nashörner dringen, anders als die wanderlustigen Elefanten, in Gegenden, wo sie einmal ausgerottet worden sind, kaum wieder von allein ein. Es ist zwar nicht so schwer, sie künstlich wieder anzusiedeln, indem man sie anderswo einfängt und in Kisten hinbringt. In den fünfziger Jahren hat man das im Garamba-Nationalpark von Ruanda getan. Aber ihrer Wesensart nach harren Spitzlippennashörner auch dann in ihrem Heimatgebiet aus, wenn es besiedelt und immer unruhiger wird.

Wasser ist für Nashörner eine Lebensnotwendigkeit. Sie trinken täglich und legen oft kilometerweite Wege bis zur nächsten Wasserstelle zurück. In der Trockenzeit können sie jedoch notfalls auch zwei oder drei Tage ohne Wasser auskommen.

Lebensweise und Verhalten. Erst in den letzten Jahren, seitdem unsere Kenntnisse nicht mehr von Großwildjägern, sondern von geduldigen Forschern und Wildwarten in Nationalparks stammen, wissen wir mehr über das Leben dieser grauen Riesen.

Wie andere Nashornarten lebt jedes Spitzlippennashorn in einem festen Heimbereich, benützt aber nicht alle Teile desselben gleichmäßig durchs ganze Jahr. In Gebieten mit gutem Angebot an Nahrung, Wasser, Schatten- und Wälzplätzen oder Suhlen dürften die einzelnen Heimbereiche nur wenige Quadratkilometer umfassen. Wo aber ganze Landstriche zwar Nahrung liefern, Oberflächenwasser aber nur weit weg zu finden ist, wird von jedem Nashorn ein großes Gebiet durchwandert. Die Heimbereiche überlappen sich weitgehend, überdecken sich aber nicht. So erklären sich die stark wechselnden Ergebnisse der Nashornzählungen im Ngorongoro-Krater, Tansania, mit seinen 260 Quadratkilometern Bodenfläche. Mein Sohn und ich zählten dort im Januar 1958 vom Flugzeug aus 19 Nashörner, Molloy im März 1959 hingegen 42. Hans Klingel, der von Juni 1963 bis Mai 1965 dort immer wieder die Nashörner beobachtete, stellte 61 verschiedene fest, von denen 34 regelmäßig die ganze Zeit oder wenigstens mehrere Monate hindurch zu sehen waren. Sie schienen mehr oder weniger Dauerbewohner des Kraterbodens zu sein. Am 18. Februar 1964 wurde die Höchstzahl von 27 verschiedenen Nashörnern an einem Tag vom Flugzeug aus gezählt (Turner und Watson), am 8. Oktober 1963 die niedrigste Zahl von 10. J. Goddard, der drei Jahre bis einschließlich 1966 als Biologe unten im Krater lebte, jedes einzelne Tier laufend fotografierte und kennenlernte, hat in dieser Zeit 109 verschiedene Nashörner im Krater gesehen. 1987 wurden dort nur noch 17 Tiere beobachtet.

Offenbar ist der größte Teil des Heimbereichs einzelner Nashörner im Krater gelegen. Andere Tiere wiederum leben mehrheitlich außerhalb des Kraters und besuchen diesen nur gelegentlich. Auch ein Verlegen des Heimbereichs kommt hin und wieder vor. Das dürfte meist mit einer besonderen Form der raumgebundenen Unduldsamkeit unter gewissen Bullen zusammenhängen.

Spitzlippennashörner essen besonders gern Zweige, die sie mit ihrer spitzen Oberlippe wie mit einem Finger oder einer Hand fassen. Auch wenn man sie auf einer Grasfläche weiden sieht, ziehen sie in Wirklichkeit vielfach nur ganz kleine, neue, winzige Büsche daraus hervor. Fraser-Darling fand, daß ein Nashorn täglich 250 kleine Flöten-Akazien aus der Erde zog und verzehrte. Wie sehr mögen Nashörner das Bild der afrikanischen Landschaft in dieser Weise verändern! Und welche Folgen kann wohl ihre Ausrottung in manchen Gegenden haben! In Natal (Südafrika) wurden zwei Nashörner dabei beobachtet, wie sie einen ziemlich starken Mtomboti-Baum *(Spirostachys africanus)* niederbrachen. Eines der Tiere faßte den Stamm des Baumes zwischen den beiden Hörnern und übte dann Druck aus, indem es allmählich das ganze Gewicht des Körpers in einer Zirkelbewegung verlagerte. So brach der Baum und fiel um. Als er am Boden lag, begannen beide Tiere, die Spitzen der jungen Zweige abzuweiden. Spitzlippennashörner verzehren auch die sehr stachligen Zweige der Dornenbüsche und stören sich nicht an dem klebrigen weißen Saft der Euphorbien.

Nicht nur in Zoos nehmen sie zeitweise den eigenen Kot auf, sondern auch im Freileben. Klingel beobachtete mehrere Tage hindurch eine Gruppe von vier Tieren, die immer wieder Gnu-Dung verzehrten. Während dieser Zeit weideten mehrere hundert Gnus in dem Gebiet, wo nach einem Grasfeuer nur kurzes, sehr frisches Gras von bis zu acht Zentimeter Länge stand. Die Nashörner verzehrten frischen oder oberflächlich getrockneten Dung. Sie nahmen einen ganzen Haufen davon auf und kauten ihn, wobei sie Teile wieder verloren, das meiste aber herunterschluckten. Während dieser Tätigkeit rührten sie keinerlei Pflanzen an, sondern gingen geradewegs von einem Dunghaufen zum nächsten. Wahrscheinlich wird ein Mangel an Mineralien oder anderen Wirkstoffen auf diese Weise befriedigt.

Spitzlippennashörner graben mit ihren Hörnern an manchen Plätzen salzige Erde auf. Ebenso sollen sie ihre eigenen Kothaufen damit auseinanderwerfen. Für gewöhnlich tun sie das aber mit den Hinterfüßen. Das Nashorn verstreut mit einer gleichen Bewegung den Kot in der Umgebung.

Rudolf Schenkel, der die übrigen Nashornbeiträge dieses Bandes verfaßte, hat 1964 und 1965 in monatelangen Aufenthalten die Spitzlippennashörner im Tsavo-Nationalpark Ost, Kenia, untersucht. Im Gegensatz zu Elefanten setzen sie nicht gleichzeitig Kot und Urin ab, so stellte er fest, wohl aber misten verschiedene Nashörner, auch Bullen und Kühe, auf dieselben Haufen. Nur in seltenen Fällen wird Mist während eines kurzen Anhaltens beim Gehen mitten auf

Eine Nashornmutter hat ihr Kind zur Suhle geführt, um ihm eine erfrischende Ganzkörper-Schlammpackung zu verpassen.

▷ Eine Spitzlippennashorn-Mutter in wachend-beschützender Haltung mit ihrem halbwüchsigen Nachwuchs. Die enge Mutter-Kind-Bindung bleibt einige Jahre lang bestehen, bis zur Geburt des nächsten Kindes.

▷▷ Zwischen den Mahlzeiten ruht sich das Nashorn immer wieder ein wenig aus. Der Madenhacker, der auf ihm herumklettert, wird gern geduldet: Nähern sich Menschen, dient er dem dösenden Riesen als zuverlässig funktionierende »Alarmanlage«.

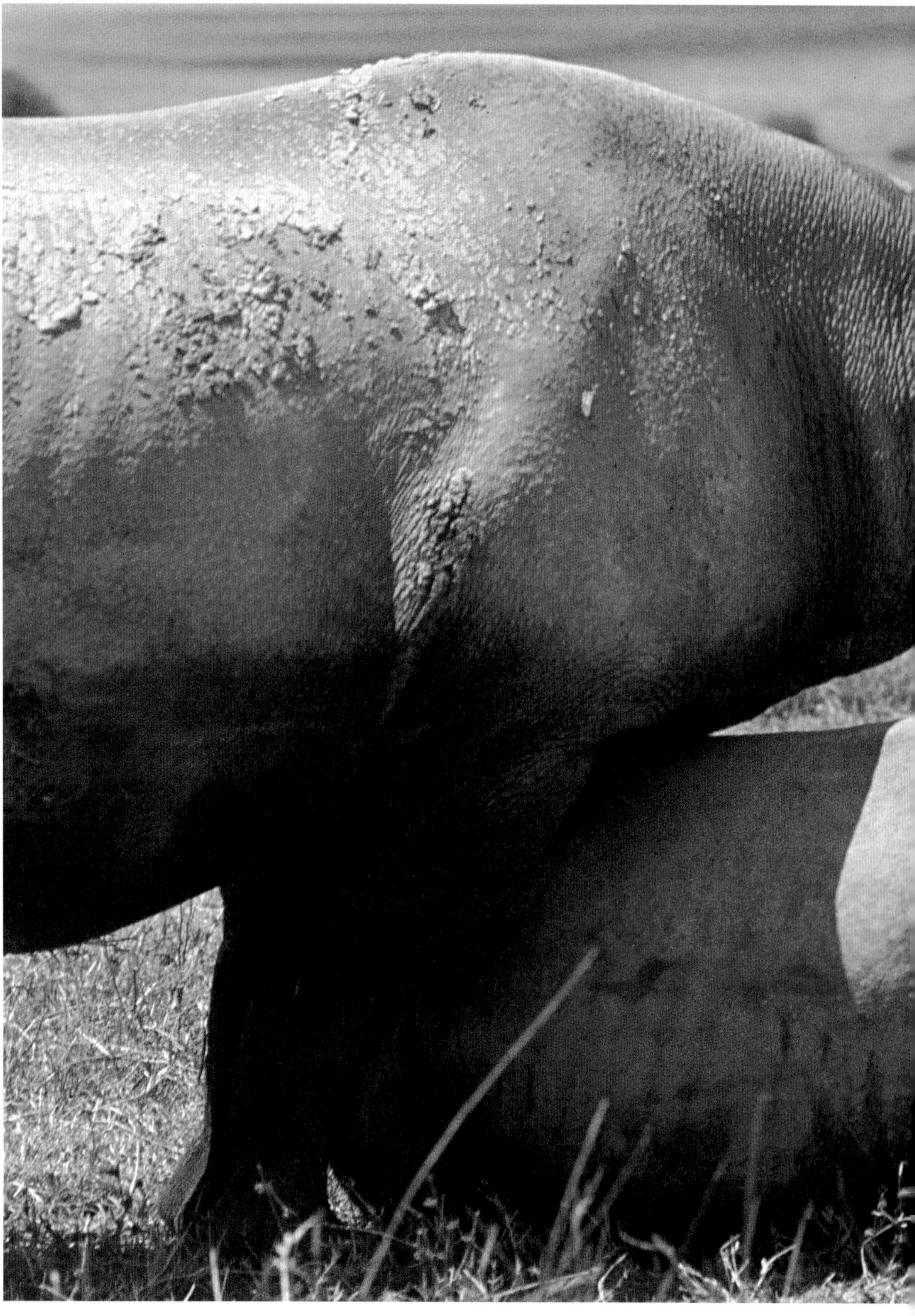

dem Wechsel abgegeben. Bullen spritzen den Harn bekanntlich in einem scharfen Strahl nach hinten, was in zoologischen Gärten zu großen Überraschungen bei Besuchern und zu völlig durchnäßten Kleidern führen kann. Manchmal bearbeiten Bullen Büsche erst mit den Hörnern, dann mit den Füßen und bespritzen sie zum Schluß mit Harn. Schenkel meint, daß die Spitzlippennashörner, die ja so gut riechen können, auf diese Weise in einer Gegend miteinander Fühlung halten wollen, auch wenn sie sich gerade nicht sehen. Sie wollen sich die Landschaft auf diese Weise vertraut machen. Aus ähnlichen Gründen setzen wohl auch die Nashornkühe hin und wieder während des Gehens stoßweise Harnspritzer auf den Weg.

Der Zoologe Herbert Gebbing hat schon 1957 im Frankfurter Zoo das Schlafen der Nashörner untersucht. Für gewöhnlich liegen die Tiere etwas seitlich auf dem Bauch, wobei die Vorderfüße eingewinkelt unter den Körper kommen, die Hinterfüße nach vorn ausgestreckt sind. Der Kopf wird nach vorn auf den Boden gelegt. Nur in seltenen Fällen legt sich das Tier vollständig auf eine Körperseite und streckt alle vier Beine seitwärts von sich.

Vielleicht schlafen die Tiere in dieser Stellung besonders tief. Die beiden Frankfurter Nashörner legten sich schon kurze Zeit nach dem Schließen des Hauses hin, meistens gleich nach der Abendmahlzeit. Im Gegensatz zu Elefanten schliefen sie recht lange, im Durchschnitt acht bis neun Stunden jede Nacht. Dabei liegen sie fast gleich lange auf der rechten wie auf der linken Körperseite. Für gewöhnlich liegen die Tiere zwei bis drei Stunden, manchmal bis fünf hintereinander und lassen sich durch vertraute Geräusche nicht stören. Man hört deutlich ihr Atmen, manchmal klingt es wie Schnarchen. Sie atmen acht- bis zehnmal in der Minute. Zwei- bis dreimal in der Nacht stehen sie auf, um Kot oder Harn abzusetzen. Der Urin wird von dem Männchen drei bis vier Meter weit weggespritzt.

Gerda Schütt beobachtete bei den Hannoverschen Nashörnern, daß sie in der Nacht neuneinhalb Stunden schliefen und durchschnittlich fast drei Stunden standen, wobei sie beinahe ausschließlich aßen. Stand eines der beiden auf, so wachte das andere auch bald auf. Wenn nicht, stieß es das erste so lange mit dem Kopf, bis es sich auch erhob.

Zusammenleben und Auseinandersetzungen. Nashörner findet man immer nur einzeln oder in kleinen Gruppen bis höchstens fünf Köpfe zusammen, außer an Suhlplätzen. Sind es zwei, so handelt es sich meistens um eine Kuh mit ihrem mehr oder weniger erwachsenen Kind oder um einen Bullen und eine Kuh, selten um zwei Bullen. Erwachsene Tiere halten nicht hartnäckig längere Zeit oder für immer zusammen, wie das zum Beispiel bei alten Kaffernbüffelbullen üblich ist. Nashörner, die zusammenstehen, streicheln sich gelegentlich mit den Lippen oder reiben ihre Kinnunterseite an dem anderen Tier. Kühe sind niemals mit Bullen zusammen, solange ihr Kalb noch klein ist, wohl aber, wenn es halbwüchsig ist.

Wenn zwei Bullen einander begegnen, kann allerdings die bereits erwähnte »raumgebundene Unduldsamkeit« zum Vorschein kommen. Unduldsam bis angriffslustig benimmt sich dabei ein ranghoher Bulle, der sich in seinem Eigenbezirk aufhält und ihn zu verteidigen hat. Langsame Annäherung bildet meist die erste Drohung. Stellt sich der Fremde, so kann ein beidseitiger Vorstoß fast bis zur Berührung folgen. Setzt der Fremde uneingeschüchtert seinen Weg fort, leitet heftiges Scharren mit den Hinterfüßen den nächsten Abschnitt der drohenden Annäherung ein. Vor allem nach Abschluß der Begegnung, wenn also der Widersacher abgezogen oder verjagt ist, bespritzt der Inhaber des Eigenbezirks einen Busch mit Harn.

Von der Angriffslust der ranghohen »Grundstücksbesitzer« sind jedoch einzelne rangniedere Bullen ausgenommen. Die Verhältnisse sind hier also ähnlich wie bei den Breitlip-

Rechts: Begegnung zweier Bullen in der Nähe der Tränke. Schnaubend und mit gesenkten Häuptern gehen die beiden aufeinander los. Doch dann halten sie jäh an, und ein ernsthafter Kampf wird vermieden. Kurz darauf trennen sie sich, und jeder spritzt Harn. - Unten: Menschlicher Geruch wirkt auf Nashörner alarmierend. Je nach Selbstsicherheit reagieren sie nach Ortung des Feindes nicht mit Flucht, sondern mit Drohvorstoß, Angriff oder gar Verfolgung.

pennashörnern. Allerdings halten sich in wasserarmen Gegenden die ranghohen Bullen jeweils nur zeitweise in ihrem Eigenbezirk auf, der etwa einen Quadratkilometer umfaßt, und verschaffen sich sowohl Wasser als auch Nahrung in dem weit größeren Heimbereich.

Unter natürlichen Bedingungen sind schwere Beschädigungen im Kampf selten. Selbst scheinbar bösgemeinte Begegnungen zwischen Nashörnern verlaufen fast immer friedlich. Steht da eine Mutter mit ihrem Kalb, und plötzlich taucht hinter einem Busch hervor ein großer Bulle auf. Alle Köpfe fahren hoch, die Kuh schnaubt, der Bulle schnaubt auch. Steil richten sich bei beiden Kolossen die kleinen Schwänze auf, wie Alarmzeichen. Der Bulle scharrt ein paarmal mit den Hinterbeinen und geht dabei etwas vor. Sie sind etwa achtzig Meter voneinander entfernt. Wieder prustet der Bulle, die Kuh tut es auch. Dann senken beide, fast gleichzeitig, die Köpfe und stürmen aufeinander los. Ich zücke die Kamera und stelle scharf ein. Sechzig Meter – fünfzig Meter. Es muß einen gewaltigen Krach geben, wenn die tonnenschweren grauen Kolosse aufeinanderprallen. Dreißig Meter, zwanzig Meter. Da, plötzlich, in sechs Meter Abstand, stoppen beide und sehen sich an, die Köpfe erhoben. Die Ohrtrompeten sind einander zugerichtet, das Weibchen bewegt sein Haupt leise hin und her. Dann wendet sich der Bulle nach einer Seite und geht auf das Wasser zu. Kurz darauf dreht sich auch die Kuh um. Eine Weile später stehen alle drei zusammen.

Der friedliche Ausgang der Begegnung läßt sich wahrscheinlich so erklären: Der Bulle glaubte wohl, einen anderen Bullen vor sich zu haben, und wollte ihn verjagen, während die Kuh ihr Kalb zu verteidigen suchte. Auf kurze Entfernung erkannte der Bulle die Kuh beziehungsweise die Mutter mit ihrem Kind und hatte keinen Grund mehr zum Angriff. Damit entfiel für die Kuh auch die Bedrohung für ihr Kalb und folglich die Notwendigkeit, es zu verteidigen.

Beziehungen zu artfremden Tieren. Spitzlippennashörner erkennen Elefanten eindeutig als überlegen an. Da die Tiere aber selten Grund zum Streit miteinander haben, wird einem das nicht so leicht klar. So kamen in Uganda ein Elefant und ein Nashorn auf einem festgetretenen Pfad gemächlich aufeinander zu, bemerkten sich aber gegenseitig erst, als sie nur noch fünfzehn Meter Abstand hatten. Der Elefant stellte seine Ohren ab und ging geradewegs auf das Rhinozeros zu, welches anhielt und seinen Kopf hob. Dann machte der Elefant einen Angriff, und das Nashorn marschierte rückwärts, bewegte dabei seinen Kopf hin und her und prustete laut. Ein anderer kurzer Vorstoß des Elefanten schlug das Nashorn in die Flucht; es verschwand im Galopp auf dem Weg, den es gekommen war. Später weideten die beiden Tiere nicht weit voneinander, ohne sich umeinander zu kümmern.

Gesunde erwachsene Nashörner lassen sich selbst von Löwen nicht beeindrucken. J. Goddard beobachtete einmal den Angriff zweier Löwen auf ein Nashornkalb, das seiner Mutter folgte. Diese ging sofort zum Angriff über und tötete einen Löwen mit einem Hornstoß, der seinen Brustkasten durchbohrte.

Anderen Großtieren gegenüber sind die Beziehungen keineswegs so eindeutig. Der Wildwart des Murchison-Falls-Nationalparks sah zu, wie ein Nashorn eine Gruppe von zwölf Wasserböcken etwa hundert Meter weit jagte. Dann bekamen die Antilopen das über, machten eine Kurve und griffen ihrerseits den grauen Kerl an. Der schlug sich schleunigst in ein Gebüsch und ward nicht mehr gesehen. Verschiedentlich wurden Nashörner in oder am Rande einer größeren Büffelherde beobachtet. Dann kann Beunruhigung durch ein Fahrzeug oder ein tieffliegendes Flugzeug beim Nashorn Angriffsverhalten gegenüber Büffeln in der

In der größten Tageshitze stellen die Nashörner die Nahrungsaufnahme ein und halten im spärlichen Schatten kleiner Bäume ihren Mittagsschlaf.

Nähe auslösen. Da durch solche ungewöhnlichen Vorkommnisse leicht eine allgemeine Fluchtstimmung in der Büffelherde entsteht, kann es aussehen, als verjage ein Nashorn eine ganze Büffelherde. Gegenseitige Duldung ist aber häufiger, ja es kann fast zu einer Art Freundschaft kommen. A. Ritchie berichtet von zwei großen Nashörnern, die lange Zeit hindurch mit einer großen Büffelherde zusammen zu se-

▷ Drohgefecht zweier Bullen in der Auseinandersetzung um die Gunst einer Kuh.

hen waren. Die Nashörner schliefen regelmäßig in einer Waldlichtung, umgeben von den Büffeln, Seite an Seite mit ihnen liegend. Im Nairobi-Nationalpark sah C. A. W. Guggisberg eine Gruppe Zebras beim spielerischen Angriff auf ein einzelnes Nashorn; dieses zog schließlich ab.

In Natal wälzte sich ein weibliches Nashorn in einem Flußbett. Dabei zerrten zwei Wasserschildkröten an der zerklüfteten Hautauflage, wie man sie oft an den Rückenseiten von Nashörnern findet. Offensichtlich verursachte das dem Nashorn Schmerzen, weil es immer aufsprang, wenn eine der Schildkröten stark zerrte. Jedoch machte der Dickhäuter keine Miene, die Schildkröten anzugreifen. Bei einer anderen Gelegenheit wurde, ebenfalls in Natal, ein Spitzlippennashorn in einem Tümpel beobachtet, das sich auf die Seite legte. Sofort kamen von verschiedenen Seiten mindestens sechs Wasserschildkröten zu dem Tier und fingen an, die Zecken abzuweiden. Kuhreiher folgen zwar den ganzen Tag lang den Nashörnern und sitzen auch auf ihrem Rücken. Offensichtlich ist es ihnen aber nur darum zu tun, die Insekten zu erwischen, die von den großen Tieren aufgescheucht werden. Zekken lesen sie den Nashörnern nicht ab, wie Magenuntersuchungen bei den Reihern gezeigt haben. Sehr oft sitzen Madenhacker auf den Nashörnern, klettern auf ihrem Körper herum, machen sich an Hautwunden zu schaffen und vertilgen vermutlich auch Außenschmarotzer. Für das Nashorn ist ihre Rolle als Alarmgeber besonders wichtig!

Fortpflanzung. Ist eine Kuh brünftig, so steht ihr der Bulle gegenüber, die Tiere beschnüffeln sich gegenseitig am Mund und geben dabei oft gurgelnde Laute von sich. Fast regelmäßig greift die Kuh dann den Bullen an und stößt ihn kräftig in die Seite. Der Bulle läßt sich das gefallen, obwohl die Stöße manchmal so heftig sind, daß er davon rülpsen muß. Kommt ein zweiter Bulle hinzu, der auch einen Tänzelschritt annimmt und um die Kuh herumläuft, dann fechten die beiden Männer trotzdem nicht miteinander; die Kuh entscheidet, wem sie ihre Gunst zuwendet. Bei diesem Liebesspiel hört man lautes Prusten, Schnaufen und eine Art Grunzen; sie quietschen auch.

Im Frankfurter Zoo haben wir die eigentliche Paarung immer wieder beobachtet. In Freiheit ist das bisher selten geschehen. Frank Poppleton beschreibt, daß der Bulle mit den Sohlen der Füße auf dem Rükken der Kuh stand und ganze 35 Minuten da verblieb. Die beiden Köpfe lagen nebeneinander, und die Tiere bewegten sich sehr langsam im Kreis herum vorwärts. Als der Bulle wieder heruntergestiegen war, wandte sich das Weibchen ihm zu, und die beiden sahen sich ein paar Minuten lang an. Mein Mitarbeiter Christoph Scherpner beobachtete im Tsavo-Park eine Paarung, die 21 bis 22 Minuten dauerte. John Goddard hat 1964 und 1965 die Paarung von Nashörnern im Ngorongoro-Krater sechsmal gesehen, sie spielte sich ähnlich ab. In einem Fall blieben Kuh und Bulle nach der Paarung vier Monate zusammen, zwei andere trennten sich kurz darauf, wurden einen Monat später wieder bei der Paarung gesehen, gingen dann aber erneut auseinander.

Seitdem Spitzlippennashörner sich in zoologischen Gärten fortgepflanzt haben, kennt man die Dauer ihrer Schwangerschaft. Sie beträgt 15 Monate oder 450 Tage. Zwillinge sind bisher noch niemals beobachtet worden. Das erste Zoo-Spitzlippennashorn kam 1941 in Chicago zur Welt, das zweite wurde im Zoo Rio de Janeiro geboren, das erste europäische 1950 im Zoo Frankfurt. Dort gingen zunächst 17 Li-

Mit einer aufgeblasenen Nashornattrappe untersuchte Bernhard Grzimek im ostafrikanischen Ngorongoro-Krater das Angriffsverhalten des Nashorns. Mit gesenktem Kopf (Kampfbereitschaft!) und erhobenem Schwanz (Fluchtbereitschaft!) ging das Tier auf den nachgemachten Artgenossen los, wagte ihn aber nicht wirklich anzugreifen. Als sich Grzimek schließlich zurückzog, blieb der Bulle stehen und »spritzharnte« gewaltig – das Zeichen des Siegers.

ter Fruchtwasser ab. Wehen waren nur schwer festzustellen, die ersten deutlichen eineinhalb Stunden vor der Geburt. Die Kuh ließ es geschehen, daß der Tierarzt das etwa 25 Kilogramm schwere Junge herausholte. Nach wenigen Sekunden bewegten sich die Ohrmuscheln des Neugeborenen, und zwei Minuten später griff die Mutter die herumstehenden Helfer im Stall nachträglich an. Die Kuh beroch das Junge, leckte es aber nicht ab. Das Neugeborene stand nach zehn Minuten für etwa zwei Minuten auf, aber schon eine Stunde nach der Geburt ging es flott umher und blieb eine halbe Stunde auf den Beinen, bald darauf eine ganze Stunde. Nach vier Stunden fand es das Euter

und trank. Erst nach neuneinhalb Stunden legte es sich für längere Zeit, und zwar für eine Stunde, wieder hin. Bei der Geburt war das vordere Horn nur als eine etwa einen Zentimeter starke Verdickung, das hintere als weiße Fläche angelegt.

Nach der Geburt dauert es wohl mindestens acht bis zehn Monate, bis die Mutter wieder gedeckt wird. Im Amboseli-Park blieb das erste Kalb zweidreiviertel Jahre bei seiner Mutter »Gertie«, das nächste Kalb drei Jahre, das übernächst wurde nach einem Abstand von über fünf Jahren 1959 von ihr geboren. Die Mütter legen sich manchmal zum Säugen nieder wie Hausschweine. Solange die Kälber klein sind, trifft man die Mütter niemals mit Bullen zusammen, später aber wohl.

Angriffe auf Menschen. Ähnlich wie Rentiere, Hirsche und manches andere Wild nähern sich die Nashörner nicht selten Menschen oder anderen verdächtigen Gestalten, deren Wind sie nicht in die Nase bekommen, langsam neugierig immer mehr, bis sie dann schließlich weglaufen. Sehr zu ihrem Verderben ausgeschlagen ist den Spitzlippennashörnern eine andere Gewohnheit: Sie greifen eine Gestalt, deren Bedeutung sie nicht näher ausmachen können, schnaubend und scheinbar wütend bis auf wenige Meter Abstand an und drehen dann kurz vorher seitwärts ab oder laufen einfach daran vorbei. Kaum jemand wird aber die Nerven haben, freiwillig abzuwarten, ob es sich nur um einen Erkundungsvorstoß der kurzsichtigen Tiere handelt oder um einen wirklich wütenden Angriff. Ein Jäger wird sie stets vorher erschießen. Die grauen Riesen greifen manchmal auch Baumstämme oder Termitenbaue ebenso an und gehen dann einfach weiter.

Trotzdem darf man sich nicht gar zu sehr auf die Harmlosigkeit von Nashörnern verlassen. Das erfuhr auch Rudolf Schenkel, der im Tsavo-Nationalpark in Kenia Nashörner und Löwen zu Fuß beobachtete und über manche Wochen im Schlafsack einfach im Freien auf der Erde schlief. Viele seiner Begegnungen mit

Zu artfremden Tieren unterhalten die Spitzlippennashörner teils gute, teils gespannte Beziehungen. Die Löwin zieht es vor, dem körperlich überlegenen Nashorn in Imponier- und Drohstellung auszuweichen (ganz links). Nashörner und Giraffen (links) hingegen kommen sich als Pflanzenköstler mit unterschiedlicher Ernährungsweise nicht ins Gehege. Die zierlichen Kuhreiher schließlich sind geduldete ständige Begleiter der großen Weidetiere.

Spitzlippennashörnern verliefen in der Tat harmlos – aber einmal nahm ihn doch ein Bulle an, als er sich, für diesen am abendlichen Horizont als Silhouette sichtbar, in etwa 50 Meter Entfernung bewegte. Schenkel rannte brüllend auf den Bullen zu, um ihn zu verscheuchen. Da dieser aber in vollem Tempo heranpreschte, mußte ihm Schenkel im Bogen seitlich ausweichen; dann rannte er auf einen kleinen Baum zu, dessen halbe Krone mit dazugehöriger Stammabzweigung abgeknickt und verdorrt am verbleibenden Baum hing. In die noch lebende Krone zu klettern, blieb ihm keine Zeit. So rannte er um den Stamm und über den abgeknickten Teilstamm, während das Nashorn um die dürre Krone herumzulaufen hatte. Bald aber änderte der Bulle seine Taktik: Während Schen-

kel auf des Baumes einer Seite neben dem abgebrochenen Teilstamm verharrte, wartete der Bulle auf der andern Seite, um dann plötzlich vorzustoßen. Schenkel versuchte nun, sich doch in die lebende Baumkrone hinaufzuziehen, wurde aber vom Bullen erwischt und hochgeschleudert. Er landete zunächst auf des Tieres Schulter, dann am Boden und kroch sofort unter die abgeknickte Krone. Da warf der Bulle den abgeknickten Stamm- und Kronenteil mit einem Ruck beiseite. Schenkel entschloß sich, bewegungslos zu bleiben, bloß den einen Fuß hob er auf Höhe der Nashornschnauze, um sich im schlimmsten Fall von ihr abstoßen zu können. Der Bulle stutzte zuerst, dann näherte er sich, bis seine Nase den nackten Fuß - der Schuh war abgefallen - berührte. Nun, als er nicht mehr die bewegte Gestalt wahrnahm, wirkte die menschliche Witterung auf den Bullen. Er drehte plötzlich ab und trabte mit erhobenem Schwanz davon.

Ich habe selbst mehrfach Angriffe auf Autos erlebt, die ich allerdings selber herausgefordert hatte. Meistens stoppten die Tiere kurz vor dem Wagen, ohne ihn zu berühren. In einem Falle gab es eine Beule im Blech. Bei anderer Gelegenheit hatte mich der Sohn des Wildwartes im Amboseli-Park mit dem Wagen ziemlich rasch dicht an den tief schlafenden ohrenlosen »Prixie« herangefahren, dessen Ohröffnungen ich mir näher besehen wollte. Das Tier sprang jählings auf alle vier Beine und griff uns unmittelbar an. Dabei hieb es eine Beule in die Seitenwand des offenen Wagens, unmittelbar neben meinem Sitz.

Spitzlippennashörner als Zootiere. In zoologischen Gärten sah man in früheren Zeiten fast nur Indische Panzernashörner, wenn überhaupt welche. Inzwischen sind diese ja beinahe ausgerottet, und nur wenige von ihnen werden Zoos überlassen. Das erste afrikanische Spitzlippennashorn kam 1903 nach Deutschland, in den Berliner Zoologischen Garten, in die Schweiz das erste 1935 nach Basel. Heute sind sie die häufigsten Vertreter des Nashorngeschlechtes in Tiergärten. Die Tiere werden in Menschenobhut meistens recht zahm, auf manchen erwachsenen Kühen kann man ohne weiteres reiten. Sie lassen sich gern mit der flachen Hand über die geschlossenen Augen streicheln. Wohl aus Mangel an Beschäftigung reiben sie gern ihre Hörner gegen Zementwände und Eisengitter, so daß sie oft zu kurzen Stummeln werden. In ein Nashorngehege gehört daher ein Baumstamm aus weichem Tannenholz, an dem sie gern ihre Hörner schärfen. In Wasserbecken gehen die Tiere selten ganz hinein, im Gegensatz zu Elefanten, wohl aber nehmen sie gern Schlammsuhlen an. Nur aus zoologischen Gärten können wir uns auch einen Begriff über die Lebensdauer dieser Tiere machen. Sie beträgt rund 40 Jahre.

Mutter mit fast erwachsenem Kind beim Durchstreifen der Buschsteppe.

Asiatische Nashörner

von Rudolf Schenkel

Indisches Panzernashorn (*Rhinoceros unicornis*)

Ernährung. Die zweitgrößte Nashornart, das einhörnige Indische Panzernashorn, lebt nicht ausschließlich, aber vorwiegend von Gräsern. Für die Nashörner des Chitawan-Nationalparks in Nepal stellte W. A. Laurie fest, daß hochwachsende, zum Teil schilfartige Gräser die häufigsten Futterpflanzen sind. An zweiter Stelle folgen kurze Grasarten, an dritter – mit Abstand – Wasserpflanzen. Erst dann kommen Kräuter und Stauden und zum Schluß Büsche und Zweige von Bäumen und Baumschößlinge.

Das Nashorn verfügt über zwei Formen der Nahrungsaufnahme: Kurze Gräser werden zwischen der mundwärts eingebogenen Ober- und der Unterlippe eingeklemmt und abgerupft. Bei allen anderen Futterpflanzen dient die Oberlippe als Greifwerkzeug. Die Pflanzen werden entweder ergriffen und abgerissen oder den Kauzähnen zugeschoben und dann unter Kieferdruck zugleich abgerissen und abgebissen.

Der Verzehr von überfluteten Wasserpflanzen geschieht ähnlich wie beim Elch: Zum Abweiden wird oft der ganze Kopf eingetaucht. Während des Kauens der aus- oder abgerissenen Pflanzen und zum Schlukken wird er dann übers Wasser gehoben.

Lebensraum und Verbreitung. In geschichtlicher Zeit lebte das Indische Panzernashorn in den riesigen Aufschütt-Ebenen der großen Stromsysteme des Indus, Ganges und Brahmaputra. Sein Verbreitungsgebiet bildete ein 2400 Kilometer langes und 100 bis 400 Kilometer breites Band von der burmesischen Grenze im Osten bis westlich des mittleren Indus.

Die Landschaft, in der das Indische Panzernashorn lebt, ändert sich im Jahresverlauf stärker als die jeder anderen Nashornart. Während der Regenzeit stehen weite Gebiete unter Wasser, teilweise so tief, daß sie als Lebensraum des Nashorns ausfallen. Im Verlauf solcher Überschwemmungen wird oft Erde abgeschwemmt, werden neue Flußarme ausgetieft; an anderer Stelle wird Erde abgelagert und werden bisherige Flußbetten verstopft. Das Netz der Flußarme und die Wasserführung ändern sich ständig. In der Trokkenzeit fließt nur noch in den durchgehend tieferen Flußarmen Wasser. Aus abgeschnürten Armen werden große Altwasserbecken, die bis zur nächsten Regenzeit zunehmend austrocknen. Die ständigen Veränderungen der Stromlandschaft beeinflussen die Pflanzenwelt und bewirken fortwährend Änderungen im Nahrungsangebot. Daß das Indische Panzernashorn sich nicht auf eine Futterkategorie spezialisiert und nicht nur eine einzige Eßtechnik entwickelt hat, entspricht der Veränderlichkeit seines Lebensraums.

Ruhen, Suhlen und Baden. In Kaziranga trifft man morgens gelegentlich Nashörner, die auf trockenem Boden schlafend in der Sonne liegen. Reitet man auf dem Elefanten durch ein bestimmtes Gebiet mit mittelhohem Gras, so stößt man auf Suhlbecken, die von den Nashörnern in lehmiger Erde ausgetieft worden sind. Hier wälzen sich die Tiere in der Lehmbrühe und ruhen in ihr über Stunden. Oft entdeckt man mitten in einem Altwasserbecken einen Kuhreiher. Er ist von drei aufragenden Spitzen eingerahmt – den Ohren und dem Horn eines Nashorns. Nur etwa alle Minuten taucht der Kopf des Tieres so weit auf, daß es wieder Luft holen kann. Die Nashörner schalten ebensowohl nachts wie tags solche Ruhezeiten ein. In der Suhle und im Wasser hat man sein Gewicht nicht zu tragen und ist gegen blutsaugende Fliegen sowie zu starke Wärmeeinstrahlung geschützt. Nach Verlassen der Suhle bietet auch noch die an der Haut haftende Lehmbrühe solchen Schutz.

Nur noch rund 1400 Indische Panzernashörner haben überlebt, fast ausschließlich in geschützten Gebieten. Diese Bestandszahl ist erschreckend niedrig, aber immerhin weitaus höher als die der beiden anderen asiatischen Nashornarten, des Sumatra- und Javanashorns.

Das »Einhorn« der Panzernashörner und die beiden hauerartigen Schneidezähne des Unterkiefers sind gefährliche Waffen, vor allem bei ranghohen Bullen. Deren Angriffe richten sich hauptsächlich gegen rangtiefere Geschlechtsgenossen und können sich zu heftigen Beschädigungskämpfen entwickeln, in denen der Schwächere nicht selten sogar sein Leben lassen muß.

Vergesellschaftung. In der weit überwiegenden Mehrzahl der Fälle bekommt man Indische Panzernashörner als Einzelgänger oder als Mutter-Kind-Einheit zu Gesicht. Nur sehr selten trifft man zwei halbwüchsige Bullen, die zusammenhalten. Diese Beschränktheit sozialer Beziehungen schließt aber die Bildung von Ansammlungen nicht aus. So kann man auf Kurzgrasflächen unabhängig voneinander weidende Einzeltiere und Mutter-Kind-Einheiten antreffen und in einem Altwasser daneben in größeren Abständen sowohl schlafende wie Wasserpflanzen verzehrende Artgenossen. In Ansammlungen reagieren die Nashörner meist nicht oder nicht erkennbar aufeinander. Der verschiedene Verlauf der Begegnungen zwischen Nashörnern zeigt, daß zwischen ihnen sehr verschiedene Beziehungen bestehen. Es gibt Grade der Vertrautheit und Duldsamkeit beziehungsweise der Unsicherheit und Unduldsamkeit.

Spannungen werden sichtbar, wenn Mangel an bestimmten lebenswichtigen Dingen herrscht. Das gilt vor allem für Suhlen in der Trockenzeit. Um suhlen zu können, muß sich ein Neuankömmling den bereits Anwesenden nähern; dabei wirkt er als Störenfried. Sie lassen abweisende Laute hören. Meist nähert sich der Neuankömmling dann nicht zielstrebig der Suhle, sondern bewegt sich nach links oder rechts, bis die Suhlenden sich beruhigt haben. Nun kann er eine freie Stelle in der Suhle beziehen.

Beobachtungen legen den Schluß nahe, daß auch in solchen Fällen der Bekanntheitsgrad der beteiligten Tiere für den Ausgang der Begegnung von Bedeutung ist.

Innerartliche Auseinandersetzungen. Bei Einzelgängern steigert hohe Bevölkerungsdichte die Aggressivität. Solche Verhältnisse herrschen in Kaziranga. Hält man sich nach Einbruch der Dunkelheit im Innern des Parks auf, so hört man oft Laute, die auf heftige Auseinandersetzungen unter Nashörnern schließen lassen. Die Laute verraten, ob es sich um Streit an Ort oder um Flucht und Verfolgung handelt. In vielen dieser Fälle geht es nicht bloß um eine warnende Reaktion auf harmlose Annäherung. W. A. Laurie konnte bei 22 Todesfällen von Nashörnern des Chitawan-Nationalparks herausfinden, daß sechs Tiere in innerartlichen Auseinandersetzungen umgekommen waren. Bei hoher Bestandsdichte ist innerartlicher Kampf eine wichtige natürliche Todesursache. Das bestätigen auch Beobachtungen in Kaziranga. Nun stellt sich die Frage nach den »Tätern«. Unter den Kühen sind Auseinandersetzungen vergleichsweise häufig, besonders solche, in denen sich zwei Tiere Horn gegen Horn gegenüberstehen. Solcher Streit führt aber kaum je zu Beschädigung oder zu nachhaltiger Verfolgung. Fast alle heftigen Angriffe gehen von dominanten Bullen aus und richten sich einerseits gegen andere Bullen – fast erwachsene und junge Tiere –, andererseits unter bestimmten Umständen gegen ausgewachsene Kühe. Beide Fälle seien näher betrachtet.

Innerhalb einer Population gibt es auch beim Indischen Panzernashorn dominante Bullen, also Inhaber der obersten sozialen Stellung, und rangniedere. Die ersteren leben aber nicht wie beim Breitlippennashorn in einem festen Heimbereich, den sie als Territorium von ebenbürtigen Geschlechtsgenossen freihalten. Sowohl der jahreszeitliche Wechsel der Lebensbedingungen als auch die Unübersichtlichkeit des Lebensraums machen strikte Territorialität unmöglich. Dominante Bullen verschieben im Jahresablauf den – nicht genau begrenzten – Kernbereich ihrer Tätigkeit.

Sumpflandschaften und die von den großen Flüssen alljährlich überschwemmten Ebenen sind die Heimat des Indischen Panzernashorns. Die dort üppig gedeihenden Gräser bilden seine Hauptnahrung, aber auch Wasserpflanzen und Baumzweige werden verzehrt.

Unter solchen Bedingungen erfordert das Durchsetzen der Vormachtstellung großen Aufwand: ausgiebiges Markieren und betonte Unduldsamkeit gegenüber geschlechtsgleichen Artgenossen.

Bei Begegnungen weichen rangniedere Bullen vor dem dominanten meist zurück oder ergreifen sogar die Flucht. Das schließt kurze Verfolgung durch letzteren nicht aus. Schwerwiegende, sogar tödliche Beschädigung dürfte vor allem unter folgenden Bedingungen vorkommen:

1. Der dominante Bulle hält sich in der Nähe einer Kuh mit männlichem Kalb auf, bei der er erste Anzeichen einer kommenden Brunft bemerkt. Dro-

hungen des Bullen im Bestreben, das Kalb wegzujagen, bewirken möglicherweise, daß es schutzsuchend sich enger an die Mutter anschließt. Man darf vermuten, daß dies die Aggression des Bullen gegen das Kalb noch steigert.

2. Gelegentlich flieht ein nahezu oder voll ausgewachsener Bulle nicht bei der drohenden Annäherung eines dominanten. Dann kann sich ein Beschädigungskampf entwickeln. Der Schwächere kann schwere Wunden davontragen, und wenn er am Ende die Flucht ergreift, ist er noch den Angriffen des Verfolgers ausgesetzt.

Die betonte Unduldsamkeit des dominanten Bullen erklärt allerdings nicht, warum sich seine Angriffe auch gegen erwachsene Kühe richten können.

Paarungsverhalten. Ab und zu gesellt sich ein ranghoher Bulle einer lockeren Ansammlung von Kühen und Jungtieren zu, ohne Angriffslust zu zeigen. Eigenartigerweise kommt es aber sehr häufig zu Auseinandersetzungen zwischen Bulle und Kuh in der Vorbrunft. Im Freileben wurden diese Verhaltensweisen meist nur bruchstückhaft beobachtet und nie in ihrem gesamten Zusammenhang. Deshalb soll im folgenden das Paarungsverhalten, wie es im Basler Zoologischen Garten vielfach zu beobachten war, geschildert werden.

Entläßt man den Bullen und die Kuh aus ihren getrennten Boxen ins Freigehege, so läßt die Kuh, oft mit jedem Atemzug, einen zweisilbigen Brunftlaut hören, einen Quieklaut, gefolgt von geräuschvollem Ausstoßen der Luft. Häufig nähert sie sich dem Bullen, manchmal geht ihr aber dieser auch entgegen. Meist folgt eine kurze Nase-Nase-Berührung. Unvermittelt senkt der Bulle den Kopf. Diese als Drohung wirkende Gebärde der Angriffsbereitschaft beantwortet die Kuh mit abwehrendem Kopfsenken. Nun können statische Phasen mit plötzlichen Vorstößen des Bullen wechseln. Die Kuh reagiert mit Aufreißen des Mundes, blökendem Brüllen, Zurückschlagen der Ohren und einer Haltung der Fluchtbereitschaft.

Gelegentlich hält nun der Bulle inne, wendet sich ab und galoppiert in spielerisch anmutender Weise über eine kurze Strecke weg. Meist sucht ihn die Kuh wieder mit Brunftlauten auf. Häufiger ist es jedoch die Kuh, die weggaloppiert. Sie flieht vor dem Bullen, und er verfolgt sie im Galopp. Während solcher Phasen des Treibens lassen oft beide Tiere einen Ruf hören, der wie ein Trompetenstoß in tiefer Tonlage klingt. Zwei Möglichkeiten der weiteren Entwicklung seien kurz dargestellt.

1. Nach einer Verfolgung über etwa 100 Meter läßt der Bulle von der Kuh ab und bleibt stehen. Dann flieht auch die Kuh nicht weiter, sondern sucht nach einiger Zeit wieder mit Brunftlaut den Bullen auf. Nun kann sich die vorherige Konfrontations-Szene wiederholen, oder aber der Bulle bleibt ruhig stehen oder legt sich nieder. In diesen Fällen zeigt die Kuh symbolisches Säuglingsverhalten: Sie nimmt gegenüber dem Bullen eine Stellung ein wie das Kalb beim Saugen gegenüber der Mutter und läßt dazu den Brunftlaut hören.
2. Der Bulle verfolgt die Kuh über eine weite Strecke. Erreicht er sie, rennt er mit seinem Vorder- neben ihren Hinterkörper, setzt sein Gewicht seitlich gegen sie ein oder beißt sie in die Flanke. Im allgemeinen kommt es auch nach stürmischer Verfolgung zu einer Ruhepause an Ort, wie sie oben beschrieben worden ist.

Während der Auseinandersetzung und Verfolgung stößt die Kuh oft kleine Harnspritzer aus. In ruhigeren Phasen beriecht der Bulle bespritzte Stellen am Boden, flehmt dann und gibt auch seinerseits kleine Mengen Harn ab. Beim Flehmen nimmt er die Geschlechtsduftstoffe (Sexualpheromone) im Harn wahr.

Panzernashörner verbringen gerne ihre Ruhepausen im Wasser. Der schwergewichtige Körper wird dort durch den Auftrieb angenehm entlastet und außerdem sowohl vor der starken Sonneneinstrahlung als auch vor blutsaugenden Insekten geschützt.

Das entspannte Zusammensein von Bulle und Kuh – er liegend oder ruhig stehend, sie in Säuglingshaltung den Brunftlaut äußernd – wird meist durch die Initiative des Bullen abgebrochen: Er setzt an zur Annäherung an die Kuh von hinten. Anfangs entzieht sie sich, indem sie dem Bullen den Kopf zuwendet. Das führt dann wieder zu den bereits geschilderten Auseinandersetzungen und häufig auch Verfolgungen.

Eine neue Phase beginnt, sobald die Kuh des Bullen Annäherung von hinten nicht mehr vereitelt. Er zeigt nun immer weitergehende Verhaltensweisen der Paarungseinleitung: Auflegen des Kopfes auf die Kruppe der Kuh; Auflegen des Kopfes und unvollständiges Aufspringen; vollständiges Aufreiten und Verharren in dieser Stellung. Oft wird das Aufreiten – ohne Einführung des Glieds – abgebrochen, entweder spontan seitens des Bullen oder durch die Kuh, indem sie sich vorwärtsbewegt, bis er von ihr hinuntergleitet. Nach kurzem Hintereinanderstehen folgt dann das nächste Aufreiten, und früher oder später kommt es zur Einführung und zur oft mehr als einstündigen Paarung. Danach kümmern sich Bulle und Kuh nicht mehr umeinander. Im Freileben wurde aber beobachtet, daß er noch zwei Tage in ihrer Nähe bleibt. Das hat zur Folge, daß sich keine weiteren Bullen in der nächsten Umgebung aufzuhalten wagen.

Diese Beobachtungen bieten noch keine Erklärung für die auffällige Aggression im Rahmen des Paarungsverhaltens. Es scheint, daß die Angriffe des Bullen bei der Kuh in Vorbrunft zuerst »Kindchen-Rolle« auslöst, eine Rolle, die zugleich Unterordnung und Anhänglichkeit umfaßt. Offenbar ist aber die Kuh auch dann noch nicht bereit zur Paarung und weist den entsprechenden Versuch des Bullen ab. Dies wiederum löst seine Aggression aus. Ob diese nicht nur die kindliche Stimmung der Kuh erhält, sondern auch ihre Paarungsbereitschaft fördert, ist ungewiß.

Ausdrucksweisen. In der direkten Begegnung zwischen Indischen Panzernashörnern sind ähnlich wie bei den afrikanischen Verwandten Ausdrucksganzheiten zu beobachten, die sowohl optische wie auch akustische und geruchliche Bestandteile umfassen. Optisch wichtig sind vor allem – und zwar in Kombination – Körper- und Kopfhaltung, Ohrenstellung und möglicherweise Schwanzhaltung, Mundöffnen und bestimmte Formen der Fortbewegung. Diese optisch wirksamen Ausdrucksbewegungen treten meist gekoppelt mit bestimmten Lauten auf. Bereits erwähnt wurden der Brunft-Doppellaut der Kuh, das blökende Brüllen des Unterlegenen in der Auseinandersetzung, die »Trompetenrufe« von verfolgendem Bullen und fliehender Kuh bei der Brunfteinleitung.

Als weitere Lautäußerungen seien erwähnt:

1. Ein lautes, mit starkem Ausatmen verbundenes Schnauben im Falle plötzlichen Alarms.
2. Ein in raschem Rhythmus ausgestoßenes heftiges »Knattern« in schnellem Trott. Ich habe es in Kaziranga von Tieren vernommen, die vor dem Reitelefanten flohen oder im Wechsel auf ihn losstürmten und wegrannten.
3. Ein leiser Blöklaut in ziemlich hoher Tonlage; ihn lassen Kälber als Bettellaut hören (aber auch halbwüchsige weibliche Tiere im Zoo, wenn sie in der Außenanlage darauf warten, in die Boxen zum Futter eingelassen zu werden).
4. Rhythmus und Geräuschstärke der Atmung; auch diesen kommt zweifellos Signalbedeutung zu.

Die im Zusammenhang mit dem Brunftverhalten zu beobachtende Abgabe von Harn in kleinen Mengen wurde bereits erwähnt. Sie ist offenbar eine zur Brunft gehörende Ausdrucksleistung.

Ganz links: Bullenbegegnung im Sumpf. Das linke Tier ergreift gerade die Flucht. - Links: Panzernashörner kennen keine festen Zeiten für die Nahrungsaufnahme; zuweilen sind sie auch nachts auf den Beinen.

Die Kotabgabe hat »ansteckende« Wirkung, besonders zwischen Kuh und Kalb; Miststellen regen zum Beschnuppern und auch zur Kotabgabe an. Das führt zum Entstehen unregelmäßiger Reihen von Kothaufen und stellenweise mächtiger Misthaufen längs oft begangener Wechsel.

Wichtigste Formen der direkten Kommunikation sind jedoch das Spritzharnen an Pflanzen, vor allem an

der Grenze zwischen zwei Vegetationstypen (z.B. Kurzgras/Elefantengras), sowie Schreiten mit Hinterlassen einer »Schlurfspur«. Solche Spuren führen gelegentlich über längere Strecken, in Ausnahmefällen bis zu mehreren 100 Metern. Sie wirken zweifellos nicht nur optisch, sondern auch geruchlich, und zwar als Anwesenheitszeugnis ihrer Hervorbringer, der dominanten Bullen. Spritzharnen und schlurfendes Schreiten werden oft auch durch Geruchsspuren eines Artgenossen ausgelöst.

Artbestand. Die indische Bevölkerung ist in den letzten Jahrhunderten mächtig angewachsen und hat den Bereich natürlicher Umwelt außerordentlich eingeschränkt. Das trifft auch für die riesigen Aufschütt-Ebenen der großen Ströme zu, die das Indische Panzernashorn beherbergten. Diese Ebenen werden heute zum größten Teil als Ackerland genutzt. Die nicht genutzten Teile sind in einem Ausmaß jährlich auftretenden Überschwemmungen ausgesetzt, daß sie nicht ganzjährig dem Nashorn Lebensraum bieten können. Dabei führt die ständig fortschreitende Waldzerstörung auch in den gebirgigen Regionen noch zur Steigerung der Überschwemmungen.

Lebensraumzerstörung, gesetzlich erlaubte Jagd und Wilderei bewirkten zusammen, daß zu Beginn des Jahrhunderts das Nashorn in ganz Indien fast ausgerottet war. 1903 überlebten noch höchstens 15 Tiere in Kaziranga und etwa 100 in Nepal.

1910 wurde die Nashornjagd in Indien verboten. Um die letzten Tiere nicht den Wilderern auszuliefern, richtete man Schutzgebiete ein. Das am besten betreute und für das Nashorn geeignetste war Kaziranga. Im Laufe der letzten 70 bis 75 Jahre wurde aus den 15 Tieren ein Bestand von rund 1000. Auch im Chitawan-Nationalpark in Nepal konnte die Restpopulation erhalten werden. Sie umfaßt heute etwa 300 Tiere. Der gesamte Artbestand beläuft sich auf rund 1400.

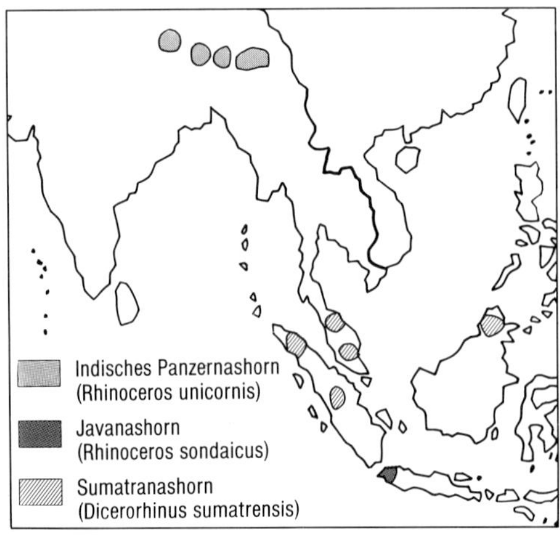

Waldnashörner

Das Javanashorn *(Rhinocerus sondaicus)* ist nah verwandt mit dem Indischen Panzernashorn, stimmt aber in ökologischer Hinsicht weitgehend mit dem Sumatranashorn *(Dicerorhinus sumatrensis)* überein und soll deshalb hier zusammen mit diesem behandelt werden.

Java- und Sumatranashorn sind Waldbewohner und ernähren sich von nahezu denselben Pflanzenarten. Gemeinsam bewohnen sie Burma, Thailand, Laos, Kambodscha, Vietnam, Malaysia und Sumatra. In den Sunderbans und in Java kam nur das Javanashorn vor, in Borneo nur das Sumatranashorn.

Wie konnten beide Arten in denselben Gebieten leben? Und weshalb beherbergten Sunderbans, Java und Borneo je nur eine Art?

In bewaldeten Aufschütt-Ebenen großer Ströme lebte stets nur das Javanashorn – so auch in den Sunderbans. In Java, wo es allein vorkam, besiedelte es sowohl ebenes Tiefland wie gebirgiges Gelände. Demgegenüber bewohnte das Sumatranashorn in Borneo, wo es allein lebte, zwar auch Gebiete in allen Höhenlagen, aber nie ausgedehnte Ebenen. In den Ländern, die beide Arten beherbergten, war das Javanashorn vorwiegend in tiefen Lagen und flachem Gelände zu finden, das Sumatranashorn dagegen im Bergland bis hinauf in die höheren bewaldeten Gebirge. Offenbar ist jede der beiden Arten an je einen Geländetyp besonders gut angepaßt. In diesem kann sie sich behaupten und die andere Art verdrängen. Wo aber die andere Art fehlt, besiedelt jede auch ihr weniger zusagende Gebiete.

Daß Sumatra, Java und Borneo überhaupt besiedelt worden sind, ist zweifellos die Folge einer Eiszeit, als durch Absinken des Meeresspiegels die großen Sundainseln samt dem heute vom Meer überfluteten Sundaschelf mit dem Festland eine einzige Landmasse bildeten. Warum aber nach Java und Borneo nur je eine Art gelangte, bleibt eine offene Frage.

Heute umfaßt der Weltbestand des Javanashorns nur noch etwa 60 Tiere auf der Halbinsel Ujung Kulon, dem westlichsten Zipfel von Java. Meldungen über sonstige Vorkommen der Art sind über 20 Jahre alt und waren schon damals unzuverlässig.

Kleine Restbestände des Sumatranashorns haben in Sumatra, Borneo und Malaysia überlebt. Die Gesamtzahl dürfte sich auf 300 Tiere belaufen.

Es gelingt selten, ein Javanashorn zu Gesicht zu bekommen, ein Sumatranashorn aufzuspüren, fast nie. Felduntersuchung ist daher auf genaue Beobachtung aller vom Nashorn hinterlassenen Spuren und deren sorgfältige Deutung angewiesen. In diesem Sinn wurde in den letzten 20 Jahren das Javanashorn von meiner Frau und mir und anschließend von Hartmann Ammann untersucht, das Sumatranashorn von Markus Borner, Rodney Flynn und Nico van Strien.

Die wichtigsten Ergebnisse werden im folgenden zusammengefaßt.

Nahrung und Nahrungserwerb. Beide Arten essen Zweige von Jungbäumen und Sträuchern sowie Teile von Lianen und Stauden; vom Javanashorn werden auch tiefhängende Äste gewisser Bäume am Waldrand abgeweidet, vom Sumatranashorn abgefallene Früchte bestimmter Bäume verzehrt.

Das Javanashorn findet im Wald vor allem dort Nahrung, wo das Kronendach aufgerissen wurde und mehr Licht den Boden erreicht, außerdem in Mischvegetation aus zerstreuten Baumgruppen, Sträuchern und Stauden, behangen mit Schlingpflanzen und Rotanpalmen.

Dem Sumatranashorn liefern die Pflanzengesellschaften der Täler, Hänge und Bergkämme Futter.

Beide Arten brechen und knicken mit den Kiefern oder mit der Brust Jungbäume mit bis über zehn Zentimeter Durchmesser um. So erreichen sie die Zweige der Krone. Oft sterben geknickte Bäumchen nicht ab, sondern bilden neue Zweige als Ausschläge.

Hat das Nashorn von einer Pflanze gegessen, so wandert es meist mehr als 40 Meter weiter und ißt dann von einer andern Pflanzenart. Vermutlich wird so eine zu starke Belastung mit Giftstoffen bestimmter Pflanzenarten vermieden. Durch ihre Eßtätigkeit schränken die Nashörner das Hochwachsen der Jungbäume ein, ebenso die Verdichtung des Kronendachs, und fördern das Wachstum von Ausschlägen und neuen Jungbäumen – eben ihrer Nahrung.

Ruhen, Suhlen und Baden. Zum Ruhen legen sich die Waldnashörner auf den Boden, etwa im dichten Pflanzenwuchs oder auf einem Kamm, über den der Wind streicht, oder unter der Wurzelscheibe eines gestürzten Baums. Geruht wird oft auch in Suhlen. Das Javanashorn tieft diese in nassem Lehmboden aus und benützt sie meist nur wenige Tage. Gewisse Suhlen des Sumatranashorns sind zugleich Salzlecken. Sie werden über Generationen zu immer größeren Gruben erweitert. Zu ihnen führen tief ausgetretene Wechsel. Solche Salzlecken/Suhlen fehlen im Ujung Kulon; Salz liefert den Nashörnern hier das Meer. Nach dem Suhlen scheuert sich das Sumatranashorn an Baumstämmen.

Javanashörner ruhen oft bis auf Nase und Stirn eingetaucht in größeren Bächen. Dabei kommt es zu einer »Putzsymbiose«: Gewisse Fisch- und Krebsarten befreien das Nashorn von Zecken und kommen so zu ihrer Nahrung.

Kot- und Harnabgabe, Markieren. Bei beiden Arten wird Kot oft in seichte Bäche sowie auf oder neben Wechsel abgesetzt. Früher abgegebener Kot regt die Kotabgabe an: An derselben Stelle wird oft zwei- bis viermal, in seltenen Fällen bis über zehnmal gekotet. In all diesen Fällen ist offenbar der Dung als Marke wenig wichtig.

Beim Sumatranashorn kommt aber noch eine andere Form der Mistabgabe vor, nämlich in Verbindung mit Scharren, oft auch mit Spritzharnen und mit Bearbeiten von Pflanzen mit den Hörnern: Die Stämmchen der Jungbäume werden dabei so um die eigene Achse gedreht, daß sie sich nach unten biegen und zuweilen eine mehr oder weniger verwickelte Schlinge bilden. An kräftigen Baumstämmen wird die Rinde vom Boden bis in 50 Zentimeter Höhe beschädigt. Sträucher oder Stauden werden mit Hornschlägen bearbeitet.

Das Indische Panzernashorn und das kleinere Javanashorn gehören einer Gattung an und sehen einander recht ähnlich. Woran man die beiden Arten dennoch leicht unterscheiden kann, verdeutlicht die Zeichnung.

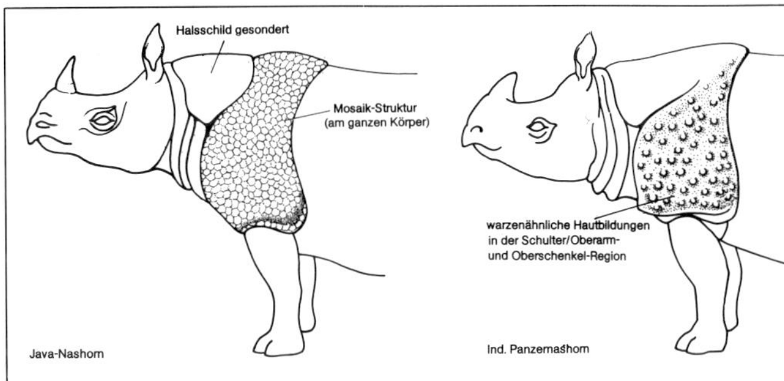

Offenbar werden in diesen Fällen Marken gesetzt, und zwar vermutlich vom im betreffenden Gebiet ranghöchsten Bullen.

Das Spritzharnen ist beim Sumatranashorn nicht auf die dominanten Bullen beschränkt. Auch rangniedere Bullen und Kühe spritzen Harn. Das zeigt, daß diese Art der Harnabgabe Wegmarkierung und Kundgabe der Anwesenheit, nicht aber der Vorrangstellung ist. Anders beim Javanashorn. Bei ihm kommt Scharren in Verbindung mit Kot- oder Harnabgabe nicht vor, und häufiges Spritzharnen zeigt in jedem Gebiet nur ein einziges Tier, vermutlich der ansässige ranghöchste Bulle.

Heimbereiche und Bullenterritorien. H. Ammann gelang es, die Heimbereiche mehrerer Javanashörner annähernd zu bestimmen. Kühe mit kleinen Kälbern bleiben über Monate innerhalb eines Bereichs von nur zwei bis drei Quadratkilometern. Bei erwachsenen Kühen ohne Kalb umfaßt der Heimbereich bis knapp zehn Quadratkilometer. Erwachsene Bullen, die häufig Harn spritzen, bewegen sich innerhalb eines etwa doppelt so großen Gebiets.

Die Heimbereiche der Kühe überlappen weitgehend. Jeder häufig Harn spritzende Bulle dagegen ist im von ihm durchwanderten Gebiet der einzige, der so markiert. Das läßt sich nur mit seiner Dominanz erklären. Offenbar respektieren in der Regel benachbarte ranghöchste Bullen ihren Status – beziehungsweise ihr Territorium – gegenseitig.

Beim Sumatranashorn gelangte M. Borner zur Vermutung, daß dominante Bullen sich jeweils für eine gewisse Zeit im Gebiet einer oft besuchten Salzlecke aufhalten. In deren Nähe findet man vor allem an Wechseln gehäuft die oben beschriebenen vielfältigen Marken.

Die Heimbereiche der Sumatranashörner sind wahrscheinlich weit größer als die der Javanashörner. Sie zuverlässig zu bestimmen gelang aber noch nicht.

Lautäußerungen. Für das Sumatranashorn fehlen entsprechende Beobachtungen völlig. Vom Javanashorn kennt man einige Laute und konnte bruchstückweise Szenen zwischen Mutter und Kind sowie Kuh und Bulle beobachten. Dieter Plage hielt sogar Ausschnitte aus dem Zusammensein von Kuh und Bulle im Film fest.

Im folgenden seien einige Laute des Javanashorns genannt: leiser Blöklaut zwischen Mutter und kleinem Kalb; weittragender »hiiäh«-Ruf zwischen Mutter und älterem Kalb zur Sicherung des Zusammenhalts über größere Entfernung, auch Anruf nach Hören der beim Bewegen durch dichtes Unterholz erzeugten Geräusche; leises brummendes Prusten als schwacher Protest gegen eine Störung; schließlich ein plötzliches brüllendes Schnauben, ausgelöst durch Menschengeruch, einen aggressiven Vorstoß oder die Flucht einleitend.

Fortpflanzung. Beim Javanashorn zeigten einige Spuren, daß ein harnspritzender Bulle der Fährte eines anderen Tieres gefolgt war. Wenige Beobachtungen ließen erkennen, daß es zu einer kurzen Begegnung gekommen war. Über mehrere Tage dauernde Vergesellschaftung von Bulle und Kuh konnte H. Ammann nachweisen. Bei solchem Zusammensein verspritzt der Bulle oft Harn. Aus Spuren läßt sich schließen, daß er – seltener – auch Büsche mit dem Horn zusammenschlägt. An der Vergesellschaftung ist demnach der ranghöchste Bulle des Gebiets beteiligt. Er dürfte somit zur Paarung gelangen.

Zum Verhalten von Mutter und kleinem Kalb gelangen nur wenige Beobachtungen. Die täglichen Streifzüge dieser Einheiten sind klein. Während die Mutter der Nahrung nachgeht, wird sie entweder vom Kind begleitet, oder dieses bleibt irgendwo im Unterholz liegen. Das würde mit dem »Abliegen« von Jungtieren verschiedener waldbewohnender Huftierarten übereinstimmen.

Mutter und älteres Kalb bewegen sich bei der Futtersuche oft recht unabhängig voneinander. Bei zügiger Ortsverschiebung dagegen marschieren sie dicht hintereinander. Ähnliches gilt übrigens für alle Nashörner.

Die beiden seltenen, vom Aussterben bedrohten »Waldnashörner«: Vom Javanashorn (unten) leben nur noch etwa 60 Tiere, vom Sumatranashorn (oben: Jungtier im Zoo von Malakka, Malaysia) nach neueren Schätzungen immerhin noch 300.

ANHANG

Literaturhinweise

Bekoff, M.: Coyotes: Biology, Behavior and Management. New York 1978
Berger, J.: Wild Horses of the Great Basin. Chicago, London 1986
Bertram, B.C.: Pride of Lions. New York 1978
Boback, A.W.: Das Wildkaninchen. Neue Brehm-Bücherei, 415. Wittenberg-Lutherstadt 1970
Deimer, P.: Das Buch der Wale. Hamburg 1984
Robben. Hamburg 1987 (in Vorbereitung)
Douglas-Hamilton, I. & O.: Unter Elefanten. München 1976
Fox, M.W.: Vom Wolf zum Hund. München 1975
(Ed.): The Wild Canids: their Systematics, Behavioral Ecology, Evolution. London, New York 1975
The Dog. Its Domestication and Behavior. New York 1978
Gaskin, D.E.: The Ecology of Whales and Dolphins. London 1982
Gewalt, W.: Auf den Spuren der Wale - Expeditionen von Alaska bis Kap Hoorn. Düsseldorf 1986
Groves, C.P.: Horses, Asses and Zebras in the Wild. London 1974
Grzimek, B.: Und immer wieder Pferde. München 1977
Vom Grizzlybär zur Brillenschlange. München 1979
Einsatz für Afrika. München 1980
Guggisberg, C.A.W.: Wild Cats of the World. London 1975
Hahn, H.: Von Baum-, Busch- und Klippschliefern, den kleinen Verwandten der Seekühe und Elefanten. Neue Brehm-Bücherei. Wittenberg-Lutherstadt 1959
Herman, L.M.: Cetacean Behavior: Mechanisms and Functions. Chichester 1980
Hoeck, H.N.: Population Dynamics, Dispersal and Genetic Isolation in Two Species of Hyrax (Heterohyrax brucei and Procavia johnstoni) on Habitat Islands in the Serengeti. Z. Tierpsychol., 59, 1982, 177-210
Hoeck, H.N., Klein, H., Hoeck, P.: Flexible Social Organization in Hyrax. Z. Tierpsychol., 59, 1982, 265-298
Hoyt, E.: Alle Wale der Welt. Reisehandbuch. Kiel 1987
Janzen, D.: Digestive seed predation by a Costa Rican Baird's Tapir, Tapirus bairdi. Biotropica, 13, 1981, 59-63
King, J.E.: Seals of the World. Oxford 1983
Klingel, H.: Das Verhalten der Pferde (Equidae). In: Handbuch der Zoologie 10, 24. Berlin, New York 1972
Kurt, F.: Das Elefantenbuch. Hamburg, Zürich 1986
Laws, R.M., Parker, I.S.C., Johnstone, R.C.B.: Elephants and their Habitats - the Ecology of Elephants in North Bunyoro, Uganda. Oxford 1975
Leatherwood, St., Reeves, R., Foster, L.: The Sierra Club Handbook of Whales and Dolphins. San Francisco 1983
Leyhausen, P.: Katzen - eine Verhaltenskunde. Berlin [6]1982
Lockey, R.M.: The Private Life of the Rabbit. London [2]1976
Martin, R.M.: Mammals of the Seas. London 1977
McDougall, Ch.: The Face of the Tiger. London 1977
Mech, L.D.: The Wolf: the Ecology and Behavior of an Endangered Species. Garden City, New York 1970
Minasian, St.M., Balcomb, K.C., Foster, L.: The World's Whales. Washington 1984
Mohr, E.: Sirenen oder Seekühe. Neue Brehm-Bücherei, 197. Wittenberg-Lutherstadt 1957
Moss, C.: In freier Wildbahn. Freiburg, Basel, Wien 1977
Myers, K., MacInnes, C.D.: Proceedings of the World Lagomorph Conference Held in Gelph, Ontario, August 1979. Gelph 1979
Naaktgeboren, C.: Die Geburt bei Haus- und Wildhunden. Neue Brehm-Bücherei, 436. Wittenberg-Lutherstadt 1971
Mens en Huisdier. Zutphen 1984
Niethammer, J., Krapp, F. (Hg.): Handbuch der Säugetiere Europas, Bd.III (erscheint 1988)
Orr, R.T.: The Little-known Pika. New York 1977
Owens, M. & D.: Der Ruf der Kalahari. München 1987
Petzold, H.G.: Rätsel um Delphine. NBB. Wittenberg-Lutherstadt 1983
Petzsch, H.: Die Katzen. Leipzig, Jena, Berlin [2]1971
Richter, W.v.: Untersuchung über angeborene Verhaltensweisen des Schabrackentapirs und des Flachlandtapirs. Zoologische Beiträge, 1, 12, 1966, 67-159
Schäfer, M.: Großponys und Kleinpferde. München 1972
Die Sprache des Pferdes. München 1974
Mit Pferden leben. München 1982
Schaller, G.: The Serengeti Lion. Chicago, London 1972
Schenkel, R.: Mission Nashorn. Bern, Stuttgart 1971
Schenkel, R., Lang, E.M.: Das Verhalten der Nashörner. In: Handbuch der Zoologie, Bd.8. Berlin 1969, 1-56
Schenkel, R., Schenkel-Hulliger, L.: Ecology and Behavior of the Black Rhinoceros. In: W.Herre, M.Röhrs (Hgs.): Mammalia Depicta. Berlin 1969
Schneider, E.: Der Feldhase - Biologie, Verhalten, Hege und Jagd. München, Wien, Zürich 1978
Siennes, R.: The Order of the Wolf. London 1976
Sikes, S.K.: The Natural History of the African Elephant. London 1971
Slijper, E.J.: Whales. London 1979
Trumler, E.: Mit dem Hund auf Du. München 1971
Hunde ernst genommen. München 1974
Waring, G.H.: Horse Behavior. Park Ridge 1983
Watson, L.: Sea guide to the Whales of the World. London 1981
Weeks, M.: The Last Wild Horse. Boston 1977
Zimen, E.: Wölfe und Königspudel - Vergleichende Verhaltensbeobachtungen. München 1972
Der Wolf. Mythos und Verhalten. München 1978
Zimen, E., Boitani, L.: Status of the Wolf in Europe and Possibilities of Conservation and Reintroduction. In: E.Klinghammer (Ed.): The Behavior and Ecology of Wolves. New York 1978
Zörner, H.: Der Feldhase. Neue Brehm-Bücherei, 169. Wittenberg-Lutherstadt 1981

Die Autoren dieses Bandes

Prof. Dr. Rudolf Altevogt, geb. 1924 in Ladbergen i.W. Leiter der Abteilung Physiologie und Ökologie am Zoologischen Institut der Universität Münster. Hauptarbeitsgebiete: Funktionsmorphologie, Tropenzoologie, Humanbiologie

Prof. Dr. John F. Eisenberg, geb. 1935 in Everett (USA). Professor of Ecosystems Conservation, University of Florida, Gainesville (USA). Hauptarbeitsgebiete: Verhalten und Ökologie der Säugetiere

Dr. Wolfgang Gewalt, geb. 1928 in Berlin. Direktor des Zoologischen Gartens Duisburg. Hauptarbeitsgebiete: Wale und Delphine, Beuteltiere

Dr. Colin P. Groves, geb. 1942 in London. Senior Lecturer am Department of Prehistory & Anthropology, University of Canberra (Australien). Hauptarbeitsgebiete: Säugetiersystematik und -evolution

Prof. Dr. Dr. h.c. Bernhard Grzimek, geb. 1909 in Neisse/Schlesien, gest. 1987 in Frankfurt/M. Ehemaliger Direktor des Frankfurter Zoologischen Gartens und Professor der Universität Gießen, Ehrenprofessor der Universität Moskau, Präsident der Zoologischen Gesellschaft Frankfurt zur Unterstützung bedrohter Tiere in aller Welt und zur Erhaltung der Natur, Trustee der Nationalparks von Tansania und Uganda, Autor und Moderator der Fernsehserie »Ein Platz für Tiere«, Chefredakteur der Zeitschrift »Das Tier«, Herausgeber dieser Enzyklopädie

Dr. Hendrick N. Hoeck, geb. 1944 in Bogotá (Kolumbien). Wissenschaftl. Mitarbeiter im Fachbereich Biologie der Universität Konstanz. Hauptarbeitsgebiete: Verhaltensökologie und Populationsdynamik von Säugetieren. Evolution und Inselbiogeographie

Prof. Dr. Milan Klima, geb. 1932 in Prag (ČSR). Professor für Anatomie im Fachbereich Humanmedizin der Universität Frankfurt/M., Gastprofessor an der Städelschen Kunsthochschule Frankfurt/M. Hauptarbeitsgebiete: Embryologie und Vergleichende Anatomie. Von ihm stammen die didaktischen Bildübersichten im Rahmen der Basisinformationen

Prof. Dr. Hans Klingel, geb. 1932 in Ludwigshafen/Rh. Professor am Zoologischen Institut der TU Braunschweig. Hauptarbeitsgebiete: Öko-Ethologie, soziale Organisation bei Säugetieren: Pferde, Flußpferde, Kamele

Dr. Fred Kurt, geb. 1939 in Langenthal (Schweiz). Lehrbeauftragter im Seminar für Pädagogische Grundausbildung des Kantons Zürich, Zürich; Chefbiologe im Ringier Verlag, Zürich. Hauptarbeitsgebiete: Vorlesungen und Veröffentlichungen zu ökologischen Themen

Prof. Dr. Paul Leyhausen, geb. 1916 in Bonn. Ehemaliger Leiter der Arbeitsgruppe Wuppertal des Max-Planck-Instituts für Verhaltensphysiologie. Hauptarbeitsgebiete: Verhalten höherer Säugetiere einschl. des Menschen, insbesondere Evolution und Ontogenese von Motivationssystemen

Dr. Kathy MacKinnon, geb. 1948 in Newcastle-upon-Tyne (Großbritannien). Consultant der International Union for Conservation of Nature and Natural Resources (IUCN). Hauptarbeitsgebiete: Ökologie der Tropen, Organisation und Verwaltung von Nationalparks

Dr. Cornelis Naaktgeboren, geb. 1934 in Den Haag (Niederlande). Lebt in Hoorn als freiberuflicher Wissenschaftler. Hauptarbeitsgebiete: Geburt bei Säugetieren, Domestikation

Prof. Dr. Urs Rahm, geb. 1925 in Basel (Schweiz). Direktor des Naturhistorischen Museums in Basel. Hauptarbeitsgebiete: Biologie und Ökologie der Säugetiere, vor allem der afrikanischen und europäischen

Dr. Galen B.Rathbun, geb. 1944 in California (USA). Research Biologist, U.S. Fish and Wildlife Service, San Simeon (USA). Hauptarbeitsgebiete: Verhaltensökologie der Säugetiere, besonders der Rüsselspringer, Seekühe und Seeotter

Prof. Dr. Manfred Röhrs, geb. 1927 in Rotenburg/Wümme. Vorsitzender des Instituts für Zoologie an der Tierärztlichen Hochschule Hannover. Hauptarbeitsgebiete: Vergleichende Anatomie der Wirbeltiere, Domestikation, Evolution des Nervensystems

Prof. Dr. Rudolf Schenkel, geb. 1914 in Basel (Schweiz). Em. Professor des Zoologischen Instituts der Universität Basel. Hauptarbeitsgebiete: Ethologie, Soziologie und Ökologie höherer Säugetiere

Prof. Dr. Harald Schliemann, geb. 1936 in Hamburg. Leiter der Abteilung Säugetiere am Zoologischen Institut und Museum der Universität Hamburg. Hauptarbeitsgebiete: Vergleichende Anatomie der Wirbeltiere, insbesondere der Säugetiere sowie Systematik der Säugetiere

Dr. Eberhard Schneider, geb. 1947 in Treysa (heute Schwalmstadt)/Hessen. Dozent für Wildbiologie und Jagdbetriebslehre, Fachhochschule Hildesheim-Holzminden, Fachbereich Forstwirtschaft in Göttingen. Hauptarbeitsgebiete: Ethologie und Ökologie wildlebender Säuger und Vögel, insbesondere Ethologie, Ökologie und Populationsdynamik beim Feldhasen, Wiederansiedlung des Bibers sowie Natur- und Artenschutz

Prof. Dr. Erich Thenius, geb. 1924 in Abbazia (Italien, heute Opatija, Jugoslawien). Em. Professor für Paläontologie der Universität Wien. Hauptarbeitsgebiete: Wirbeltier-, vor allem Säugetierpaläontologie, Tiergeographie

Eberhard Trumler, geb. 1923 in Wien (Österreich). Leiter der Haustierbiologischen Station Wolfswinkel, Birken-Honigsessen/Sieg. Hauptarbeitsgebiete: Domestikationsforschung, Hunde

Dr. Jiří Volf, geb. 1930 in Prag (ČSR). Zoologe am Zoologischen Garten Prag; Leiter des Internationalen Zuchtbuches der Przewalski-Pferde. Hauptarbeitsgebiete: Säugetierkunde, Zucht der bedrohten Tierarten

Dr. Victor Zhiwotschenko, geb. 1948 in Saporozhje/Ukraine (UdSSR). Chefredakteur der Zeitschrift »Okhota i okhotnitschje khosiajstwo« (Jagen und Jagdwirtschaft), Moskau. Hauptarbeitsgebiete: große Raubtiere, seltene Arten und Schutzgebiete des Fernen Ostens der UdSSR

Dr. Erik Zimen, geb. 1941 in Berlin. Lebt als freier Autor in Dietersburg/Niederbayern. Hauptarbeitsgebiete: Ökoethologie, insbesondere der Raubtiere; Naturschutz und Wildtiermanagement in der Kulturlandschaft

Abbildungsnachweis

Fotos

R. Altevogt, Münster 469 rechts; 481; 491
H. Ammann, Basel 642 rechts
T. Angermayer, Holzkirchen/Obb. 11 (Ziesler); 157 (Ziesler); 166/167 (Ziesler); 231 unten (Berger); 232/233 (Ziesler); 251 links (Reinhard); 545 (Reinhard) 566 rechts
Archiv für Kunst und Geschichte, Berlin 344 links; 490 rechts; 492; 503 links; 375; 592/93 unten
Bavaria, Gauting/Obb. 165 oben (Heimpel); 334 (Photomedia); 503 rechts (Schmidt); 556 (Greulich); 572 (Sauer); 598 (Sauer)
Bildarchiv preußischer Kulturbesitz, Berlin 344 rechts; 345 rechts; 345 links; 556 oben
Biofotos, Farnham (England) 135 oben (Pearson); 169 (Summerhays); 172/173 (Summerhays); 501
B. Clark, Jerusalem 586 rechts
Bruce Coleman, Uxbridge/Middlessex 2 (Stone); 4 (Cubitt); 16 links (Roe); 20 rechts (Williams); 37 rechts (Davey); 60 (Hughes); 100 links (Frith); 102/103 (Frith); 105 (Foott); 124 (Burton); 129 oben (Halle Flygare); 129 unten (Calmoun); 130 oben (Ward); 130 unten (Bartlett); 135 Mitte (Pearson); 138 (Frame); 139 oben (Root); 144/145 (Sullivan u. Rogers); 146 (Williams); 147 (Frame); 151 (Erize); 153 (Marigo); 158 rechts (Davey); 176 (Lanting); 177 (Erize); 186/187 (Erize); 189 (Erize); 205 (Giddings); 222/223; 230 (Lanting); 234 (Lanting); 242 (Kahl); 255 links (Fogden); 259 links (Burton); 284 (Ott); 286 oben rechts (Qureshi); 286 unten (Miyazaki); 291 (Fogden); 292 unten (Bartlett); 303 (Shaw); 330 oben (Bartlett); 332/333 (Williamson); 364 (Alexander); 367 (Alexander); 368 (Laycock); 369 (Rice); 373 (Whitehead); 376/377 (Simon); 379 (Foott); 381 (Simon); 388/389 (Foott); 392/393 (Bartlett); 403 (Bartlett); 404 rechts u. links (Bartlett); 406 unten (Compost); 408 (Compost); 424 oben (Bartlett); 426/427 (Bartlett); 431 oben (Bartlett); 433 (Williamson); 438 (Giddings); 463 links (Myers); 465 (Mary); 466/467 (Bartlett); 472 rechts (Wormer); 482/483 (Bartlett); 500 links (Prage); 508 (Houston); 525 (Foott); 526 links (Foott); 527 oben (Foott); 530 rechts (Power); 538 (Burton); 543 (Davey); 546 (Campbell)
Ajay A. Desai 484; 496
W. Gewalt, Duisburg 335; 342 links u. rechts; 359 rechts; 360; 361 oben und unten; 370/371; 380; 382; 405; 424 unten; 428/429; 431
Greenpeace, Hamburg 224 links unten; 347; 349 (Lorino); 350/351
Colin P. Groves, Canberra (Austr.) 602/603
H. N. Hoeck, Konstanz 540/541; 542; 543 links; 544
IFA-Bilderteam, München 19 oben (Aberham); 54 links (Digul); 107 (Aberham); 108 Mitte (Aberham); 126 (Free); 143 (Kronmüller); 152 (Gottschalk); 430 (Limbrunner); 590–591 (Prenzel); 617 (Aberham)
Jacana, Paris 25 links (Ferrero); 58 (Labat); 104; 120; 196/197 (Frédéric); 213; 215 (Hawkes); 229 (Lemoigne); 236/237 (Massart); 251 rechts (Lièvre); 257 oben (Varin); 261 (Ermie); 270 oben (Méro); 296/297 (Varin); 364 (Cropt); 374/375 (Moisnard); 384 oben rechts u. links (Cropt) 386, 390/391 (Varin); 394 (Gohier); 398/399 (Gohier); 402 oben u. unten (Varin); 407 oben (Varin); 409 (Varin); 410 (Gohier); 452 (Varin); 453 unten (Varin); 456 (Varin); 478/479 (Seul); 500 rechts (Peryar); 599 oben (Visage); 611 unten (Labat); 616 oben (Bertrand); 628 unten (Arthus/Bertrand); 633 rechts
H. Klingel, Braunschweig 550; 557; 558/559; 565; 566 links; 568; 576/577; 579; 580; 583 unten; 586 (links)
U. Kluckner, Duisburg 325
F. Kurt, Zürich 463 rechts; 469 links; 473 links; 489; 494; 495; 497 unten; 497 oben
D. Mundo, Birken-Honigsessen/Sieg 87 oben u. unten, 88/89, 90, 91, 92, 93, 94, 95, 96, 97, 98, 99
Okapia, Frankfurt/M. 6 (Iijima); 10 oben (Holton); 19 (Mitte); 28 rechts (Root); 36 (Bayer); 40 links (Dimijian); 40 rechts; 53 links (Mettugh); 106 links (Quinton); 114 (Blass); 115 (Wendler); 118 (Brandl); 122/123 (Wisniewski); 139 Mitte (Capoto); 140 links (Mettugh); 163 (Neumann); 168 links (Root); 198/199 (Wisniewski); 224 links oben (Davis); 231 oben (Foott); 252/253 (Grossenbacher); 255 rechts (Meyers); 266/267 (Parker); 281 unten rechts (Volk); 292 oben (Meyers); 294 (Bernard); 295 Mitte und unten (Bernard); 298 (Scott); 302 (Foott); 305 (Haas); 331 (McHugh); 343 (Foott); 346 (Martin); 352 oben (Martin); 353 (Holton); 357 (Foott); 378 (Kindermann); 395; 422 (Foott); 423 (Provenza); 443 (Dreinert); 449 (Root); 453 oben; 454 (Root); 470 (Root); 472 rechts (Root); 475 (Dreinert); 490 links; 493 unten (Wöhner); 506/507; 509 rechts; 509 oben links

(Deschryver), unten links (Lyon); 510 oben; 510 unten; 511 (Lyon); 512 links; 512 rechts (Reardon); 516/517 (Bannister); 520 (Root); 527 unten (Faulkner); 528 (Faulkner); 573 unten (Root); 582 (McHugh); 583 oben (Myers); 607 links; 612/613 (Iijima); 615 (Iijima); 616 (unten); 618 unten (McHugh); 623 (Dreinert); 632; 636 (Iijima); 638 (Sankhala)
R. Schenkel, Basel 628 oben; 629; 633 links; 637; 639 rechts; 639 links; 642 links
E. Schneider, Göttingen 246; 248 oben und unten; 259 rechts; 268; 269 (oben und unten); 270 unten; 272/273; 274/275; 276; 277 oben und unten; 280; 281 Mitte rechts und links; unten links; 286 links; 295 oben rechts; 301; 314
H. Schliemann, Hamburg 210/211
Seaphot/Planet Earth, London 25 rechts (Matthews); 109 (Scott); 134 (Scott); 135 unten (Ammann); 178 unten (Roessler); 191 (Tearle); 247 (Camenzind); 285 unten (Camenzind); 316/317 (Camenzind); 387 (Middleton); 421 (Lucas); 434/435 (Chastney); 468 (Coleman); 547 (Scott)
Silvestris, Kastl/Obb. 1 (Whittaker); 3 oben (Whittaker); 4 Mitte (Dani/Jeske); 5 (Dani/Jeske); 8; 9 (Varin); 10 unten (Ziesler); 12/13 (Ziesler); 14 (Visage); 15 (Wothe); 16 rechts (Dani/Jeske); 18 (Ziesler); 19 links (Ziesler); 20 links (Dani/Jeske); 22/23 (Dani/Jeske); 28 links (Dossenbach); 29 (Hazelhoff); 30/31 (Bertrand); 32/33 (Bertrand); 34 (Bertrand); 35 (Gronefeld); 37 links (Bertrand); 38/39 (Brandl); 41 (Bertrand); 42 (Bertrand); 43 (Perry); 47/48 (Bertrand); 49 (Visage); 52 (Gronefeld); 53 rechts (Ziesler); 54 Mitte (Müller); 61 (Dani/Jeske); 68 (König); 72/73 (Stouffer); 80 (Daily Telegraph); 100 rechts (Dossenbach); 101 (Carlson); 106 rechts; 108 oben (Carlson); 108 unten (Wothe); 110/111 (Ziesler); 113 (Ziesler); 117 (Lane); 119 (Lawrence); 121 (Müller); 125 (Grewcock); 130 Mitte (Erwin); 132 (Gronefeld); 136/137 (Carlson); 140 rechts (Wothe); 149 (Dani/Jeske); 154 (Dani/Jeske); 155 (Dani/Jeske); 159 (Lane); 164 oben (Roggo); 170 (Lane); 171 (Patzelt); 174/175 (Leatherwood); 178 oben (Dani/Jeske); 180 (Scheurig); 181 (Carvalho); 182/183 (Dani/Jeske); 184/185 (Wisniewski); 192 links (Wisniewski); 193 (Schwirtz); 200 (Schwirtz); 201 (Wisniewski); 206 oben (Schwirtz); 206 unten (Dani/Jeske); 207 (Lazi); 208 (Wisniewski); 212 links (Tidman); 212 Mitte (Evans); 214 oben (Czimmeck); 214 unten (Gronefeld); 216/217 (Visage); 221 oben (König); 221 unten (Visage); 224 rechts (Daily Telegraph); 226 oben (Gronefeld); 226 unten (Maier); 227 (Wisniewski); 240; 243 (Varin); 249 (Orion Press); 250 (Ziesler); 254 (Arndt); 257 unten (Wothe); 258 (Hüttenmoser); 262/263; 264/265 (Arndt); 281 oben (Meyers); 282/283 (Gerlach); 285 oben (Wothe); 320 oben und unten (Wisniewski); 288/289 (Krasemann); 329 (Lane); 330 unten (Dani/Jeske); 336/337 u. 338 (Lane); 348 (Jones); 352 unten (Schwirtz); 359 links (Stephenson); 362/363 (Lane); 366 links (Jones); 396 (Lane); 400/401 (Webber); 406 oben (Pitman); 407 (Pitman); 411 (Daily Telegraph); 420 (Lane); 439 (Lehmann); 442 (Bertrand); 457 (Wothe); 459 (Wothe); 464 (Wothe); 471 (Dani/Jeske); 473 rechts (Scheurich); 474 (Wothe); 476/477; 498/499 (Wothe); 493 rechts (König); 504/505 (Gerlach); 513 (Hazelhoff); 514/515 (Dossenbach); 519 (Pölking); 521 (Visage); 535 (Ziesler); 560/561; 562/563 (Thurston); 564 unten (Böhm); 570/571 (Ziesler); 573 (Carlson); 574 (Bertrand); 584/585 (Maier); 588 (Maier); 589 oben (Dani/Jeske); 589 unten (Lane); 593 oben (Gerlach); 593 Mitte (Gronefeld); 593 unten (Dossenbach); 592 oben (Pollin); 592 Mitte (Prenzel); 592 unten (Dossenbach); 592/593 oben (Daily Telegraph); 592/593 Mitte; 597 (Dani/Jeske); 599 unten und 600 oben (Dani/Jeske); 600 unten (Dani/Jeske); 601 (Dani/Jeske); 604 (Dani/Jeske); 605 (Dani/Jeske); 609 (Labat); 611 oben (Dani/Jeske); 616 Mitte; 618 oben (Ziegler); 620 (Dani/Jeske); 622 (Dani/Jeske); 624/625; 626/627 (Müller); 630/631 (Dani/Jeske); 634 (Carlson); 635 (Dani/Jeske)
ZEFA, Düsseldorf 26/27 (Leidmann); 44/45 (Ziesler); 66/67 (Brooks); 164 unten (Jves); 194/195 (Wisniewski); 218/219 (Bauer); 304 (Bauer); 366 rechts (Joyce); 531 (Black Star); 532 (Black Star); 564 oben (Wisniewski); 621 (Bauer)
E. Zimen, Dietersburg/Ndb. 55; 56/57; 59 links u. rechts 70, 71, 74, 77, 78

Zeichnungen

H. Bell, Offenbach 51; 161; 245; 327; 441; 451; 461; 523; 537; 549
(51 rechts oben und links unten, 161 links oben und unten; 327 unten; 549 links unten nach: Grande Enciclopedia illustrata degli animali 1981 – 161 oben und unten; 245 links unten; 327 links oben; 441 links; 461 rechts; 523 rechts nach: Encyclopedia of Mammals 1984)
P. Barrett, Cambridge 75; 76; 77 rechts
Z. Burian, Prag 448/449
H. Diller, München 3 unten; 81 links und rechts; 82/83; 84/85; 86 oben und unten; 156; 158 links; 594/595; 596
W. Eigener, Hamburg 148; 150
E. Hudecek-Neubauer, Wien 487; 488; 553
K. Steffel, München 447
F. Wendler, Weyarn/Obb. 162 (nach King 1983); 165 unten (nach Encyclopedia of Mammals 1984); 168 unten (nach King 1983); 192 rechts (nach Weber 1928); 209 (nach Hall, Kelson 1959); 228 (nach Hall, Kelson 1959); 230 (nach Hall, Kelson 1959); 242 unten (nach Smithers 1983); 278/279; 339; 340 (nach Minasian u.a.); 341 (nach Slijper); 355; 431; 433 (nach Nat. Geogr. 1979); 445; 485; 552; 555 (nach Simpson); 610; 641
R. Zieger, Berlin 324; 358; 365; 383; 384 unten; 385; 530 links; 534; 607 rechts
446 (aus Thenius 1979)

Karten

Sämtliche Ver- und Ausbreitungskarten wurden im Atelier G. Oberländer, München, hergestellt

Bandregister

Im vorliegenden Register sind nur die Seiten aufgeführt, auf denen die Arten ausführlicher behandelt werden. Alle weiteren Stichwörter findet der Leser im Gesamtregister.